Adrian Desmond und James Moore

Darwin

Adrian Desmond
und
James Moore

Darwin

Aus dem Englischen
von Brigitte Stein

List Verlag
München · Leipzig

Die Originalausgabe erschien unter dem Titel
Darwin 1991 im Verlag Michael Joseph Ltd. in London.

2. Auflage 1995

ISBN 3-471-77338-X

Inhalt

Was für ein Buch könnte ein Kaplan des Teufels über das plumpe, verschwenderische, stümperhaft niedrige und entsetzlich grausame Wirken der Natur schreiben!

Charles Darwin 1856, als er daranging, *Die Entstehung der Arten* zu verfassen.

Ein Kaplan des Teufels?

Man schreibt das Jahr 1839. England taumelt auf die Anarchie zu, im ganzen Land herrschen Unruhen und Aufruhr. Die Schmuddelblätter speien Gift und Galle, Brandbomben fliegen. Auf den Straßen ertönt der Schrei nach Revolution. Revolutionäre Anhänger der Entwicklungslehre – Visionäre, die davon überzeugt sind, daß es mit dem Leben, von unten angetrieben, unaufhaltsam aufwärtsgehe – verdammen die Stützen einer alten, statischen Gesellschaft: die Privilegien des Klerus, Lohnausbeutung und Armenhäuser. Eine Million Sozialisten geißeln die Ehe, den Kapitalismus und die feiste, korrupte Staatskirche. Sie werden von radikalen Christen unterstützt, den Dissenters, die mit Hymnen auf den Lippen die ‹unzuchttreibende› Kirche als ‹Hure› verfluchen, die sich mit dem Staat im Bett wälze.

Selbst der Wissenschaft tut Säuberung not. Für die Gossenatheisten existieren lediglich materielle Atome, die sich ebenso wie die ‹sozialen Atome› – die Menschen – selbst organisieren. Geister und Seelen sind ihnen ein leerer Wahn, Teil eines großangelegten Täuschungsmanövers, mit dem die herrschenden Kreise die Werktätigen botmäßig halten. Die Wissenschaft vom Leben, die Biologie, liegt ruiniert und prostituiert darnieder, ein Bollwerk des Schöpfungsglaubens im festen Griff des Klerus. Großbritannien steht schwankend am Rande des Zusammenbruchs – so erscheint es jedenfalls der Oberklasse, die ihre Reihen schließt, um ihre Privilegien zu schützen.

Ausgerechnet in diesen schwierigen Zeiten fühlt sich ein ehrgeiziger Gentleman von dreißig Jahren bemüßigt, sein geheimes Notizbuch aufzuschlagen und verwegen zu behaupten, kopflose, zwittrige Mollusken seien die Vorfahren der Menschheit. Zu allem Überfluß handelt es sich um den Sohn eines Landjunkers, einen Cambridge-Absolventen, den man eigentlich für den geistlichen Stand bestimmt hatte und dessen gesamter Familie die ‹bösartigen und sittenlosen› Umstürzler von der Straße ein Greuel waren.

Der Gentleman war Charles Darwin: ein wohlhabender und unerschütterlicher Whig, der sich aus eigener Tasche eine Weltreise finanziert und fünf Jahre als Tischgenosse des aristokratischen Kapitäns an Bord der HMS *Beagle* verbracht hatte. Ihm winkte die Erbschaft eines Privatvermögens, und er hatte einen Ruf als aufstrebender Geologe. Auch war er von dem inständigen Wunsch beseelt, dem ‹entsetzlich nebligen› London zu entfliehen und gleich seinen vom Pöbel so angefeindeten Klerikerfreunden in einer ländlichen Gemeinde zu leben.

Geistliche, die sich aus Mollusken entwickelt hatten! Wie war er zu so niederschmetternden Überzeugungen gelangt?

Und das war noch nicht einmal das Schlimmste. Er hatte sich einem furchtbaren Materialismus verschrieben. Erst Monate zuvor war er in seinen geheimen Notizbüchern zu dem Schluß gelangt, daß der Geist und die Moral des Menschen und selbst sein Glaube an Gott Artefakte des Gehirns seien. ‹Liebe zu Gott [ist die] Folge von Organisation, o du Materialist!› schalt er sich selbst. Das Nachsinnen über die Implikationen dieser Erkenntnis verursachte ihm Migräneanfälle, und die Furcht vor Repressalien warf ihn aufs Krankenlager. War er nicht im Begriff, Verrat zu begehen? Bedrohte er nicht die letzten wissenschaftlichen Sicherungen der alten sozialen Ordnung? Waren diese aufrührerischen Überzeugungen nicht perfekte Waffen für jene rüpelhaften Horden, die sich schon vor den Toren drängten? Er blickte in die Zukunft. ‹Das ganze Gebäude wankt und stürzt›, prophezeite er ahnungsvoll.

Gepeinigt entfloh er schließlich ‹Schmutz, Lärm, Laster und Elend› Londons, um im ländlichen Kent das Leben eines Geistlichen zu führen. In der zutiefst ‹ehrbaren und glücklichen› Aufgabe des Landkuraten gedachte er Zuflucht zu finden. Doch so verlockend es sein mochte, in der idyllischen Abgeschiedenheit einer alten Pfarrei zu leben, verbrachte er ein Drittel seines Arbeitslebens zusammengekrümmt, zitternd, sich erbrechend und eiskalte Tauchbäder nehmend. Zwanzig Jahre lang brütete er über seiner Theorie der Evolution; seine innersten Gedanken über ‹Affenmenschen› und Affen, die Moral hervorgebracht hätten, sprach er äußerst selten aus, und sich selbst bezeichnete er als ‹Kaplan des Teufels›. Noch 1859 mußte er gedrängt werden, *Die Entstehung der Arten* zu veröffentlichen, und auch dann beließ er es bei wenigen Andeutungen über die Abstammung des Menschen.

Die ganze Rätselhaftigkeit von Darwins Leben ist nie vollständig erfaßt worden. Tatsächlich wirken frühere Biographien merkwürdig blutleer.[1] Sie haben wenig neues Terrain erschlossen und sich nicht auf die erregenden Streitfragen und die aufwühlenden Ereignisse seiner Zeit eingelassen.

Unser *Darwin* möchte anders sein. Es möchte unbequeme Fragen stellen, Interessen und Motivationen nachspüren, den wissenschaftlichen Experten als ein Produkt seiner Zeit darstellen, möchte einen Menschen schildern,

der sich in einer im Umbruch befindlichen Gesellschaft mit Ungeheuerlichkeiten herumschlägt.

Als Darwin sich schließlich aus seinem Versteck hervorwagte und einem
Freund sein Innerstes offenbarte, gebrauchte er einen aufschlußreichen
Ausdruck. Er sagte, es sei, ‹als gestehe man einen Mord›. Ein Gewaltverbre-
chen – nichts bezeichnet treffender, was der Evolutionsgedanke für das früh-
viktorianische Großbritannien bedeuten mußte. Anglikaner verdammten
ihn als falsch, gemein, französisch, atheistisch, materialistisch und unmoralisch. Es war eine gefährliche und zugleich verlockende Erkenntnis. Darwin
hatte dies seit Jahren gewußt; deshalb vertraute er seine Überlegungen geheimen Notizbüchern an. Er lebte zurückgezogen, schlug Einladungen aus
und lehnte gesellschaftliche Verpflichtungen ab; um Besucher mustern zu
können, die sich seinem Haus näherten, befestigte er sogar einen Spiegel am
Fenster seines Arbeitszimmers. Tag für Tag, Woche um Woche machte ihm
sein Magen zu schaffen, und nachdem er sein ländliches Refugium gefunden hatte, weigerte er sich jahrelang, woanders zu schlafen, sofern es sich
nicht um ein sicheres Haus handelte, etwa das Heim eines nahen Verwandten. Er war ein geplagter Mann.

Wie schaffte es dieser wohlhabende Whig schließlich, sein Dilemma zu
überwinden und der Entwicklungslehre zum Durchbruch zu verhelfen? Wie
gelang es ihm, sie so zu präsentieren, daß sie mit den Werten der Mittelschicht vereinbar erschien? Hat er die Antithesen je ausgesöhnt – er, gescheiterter Priesteramtskandidat und Stütze der Pfarrgemeinde, Reformator
der Naturwissenschaft und Freund des unreformierten Klerus, aufrechter
Bürger, der über ‹Affenmenschen› schrieb? Sobald man den wissenschaftlichen Status, die gesellschaftlichen Zwänge, das Dissenter-Erbe und das
politische Umfeld Darwins versteht, beginnen sich die Widersprüche von
allein aufzulösen.

Beim Entwerfen dieses neuen Bildes von Darwin haben wir eine Fülle von
neuem Material ausgewertet. Darwin hortete alles und trennte sich von so
gut wie nichts. Notizbücher, alte Manuskripte, herausgerissene Seiten, mit
Anmerkungen versehene Sonderdrucke und Briefe – alles wurde aufbewahrt. Im Lauf der Zeit sind diese Quellen von einer Generation von For-
schern erschlossen worden.[2] Doch erst in den letzten Jahren ist das Rinnsal
an veröffentlichtem Material zu einer Flut angeschwollen.

Allein seit 1985 ist eine Unmenge an Material herausgekommen, allem
voran der akribisch edierte Briefwechsel, der 1991 den 7. Band erreicht
hat. Das aus viktorianischer Zeit stammende Werk *Charles Darwin, Leben
und Briefe,* zensiert, gesiebt und gesäubert, hat inzwischen Staub und
Spinnweben angesetzt. Vor einem Jahrhundert diente es dem Zweck, Darwins Unsterblichkeit zu sichern. Doch unsere heutigen Bedürfnisse sind

Darwin

anders. Wir wollen etwas über seine Persönlichkeit erfahren, über seine
Geschäftstüchtigkeit, sein Privatleben, seine Einstellung zur Wissenschaft.
Wir wollen verstehen, wie sich Darwins Theorien und Strategien in eine
im Umbruch begriffene Whig-Gesellschaft einfügten.

Neue Nahrung erhielt die sogenannte Darwin-Industrie 1987 mit der definitiven, 750 Seiten starken Transkription von *Charles Darwin's Notebooks.*
Die mühevolle Forschungstätigkeit eines internationalen Teams, das sich
durch den unwegsamen Dschungel von Darwins unleserlicher und krypti-
scher Schrift hindurcharbeitete, hat unvorstellbare Schätze zutage gefördert.
Wir wissen heute mehr über die schrittweise, von Tag zu Tag voranschreitende Entwicklung der Darwinschen Auffassung von der Evolution als über
jede andere wissenschaftliche Theorie in der Geschichte. Das ist aber auch
nötig; keine andere hatte so weitreichende Folgen.

Wir haben auch einen *Calendar* (1985) der 14000 bekannten Briefe an
und von Darwin. Auf einen Schlag ist der Biograph mit einer Verfünffa-
chung der Korrespondenz konfrontiert. Die Ausbeute ist ungeheuer reich-
haltig. Sie gibt uns Einblicke in die Art und Weise, wie Darwin Freundschaften besiegelte und löste, wie er Leute beschwatzte und Ausflüchte
machte, wie er Koryphäen umwarb, Günstlinge protegierte und wissenschaftliche Feinheiten ausknobelte. Sie eröffnet uns eine neue Welt, indem
sie uns in seinen gesellschaftlichen Umkreis einführt: seine Nachbarn, seine
Hausgäste, seine Großfamilie, seine Kollegen.[3]

In den letzten Jahren haben Historiker auch unser Verständnis für Darwins hartnäckig verfolgten Weg zu der Theorie der natürlichen Auslese revolutioniert – das Fundament der heutigen Biologie. Dieser Weg
führte immer wieder in Sackgassen und war mit Halbwahrheiten gepflastert. Wir erkennen die Beharrlichkeit, mit der Darwin wie ein Terrier, der
eine Ratte beutelt, die Mechanismen der Evolution von allen Seiten her anging, immer auf der Suche nach einer neuen Perspektive. Wir können die
politischen Wurzeln seiner Schlüsselgedanken aufspüren, wenn wir seine
Lektüre über Fragen der Bevölkerungsentwicklung, über Armengesetze
und Wohltätigkeit verfolgen.[4] Wir dürfen uns jedoch nicht mit der bloßen
Lektüre von Büchern zufriedengeben. Vielmehr müssen wir Darwin als Bestandteil eines aktiven Whig-Kreises begreifen, und das in einer Epoche, in
der die Whig-Regierung Arbeitshäuser und Besserungsanstalten errichtete
und die Armen sie niederbrannten. Wenn man Darwins Einstellung zur
Kultur der Arbeitshäuser kennenlernt, erhält seine Naturwissenschaft eine
tiefere politische Bedeutung.

Dieser größere Kontext ist bisher weitgehend außer acht gelassen worden.
Die Textanalytiker und die Historiker körperloser Ideen – intellektueller
Gespenster – haben den Ton angegeben. Die Sozialgeschichtler haben es
durchweg verabsäumt, den Dingen auf den Grund zu gehen und Darwin

12

den ihm zukommenden Platz in seinem Zeitalter zuzuweisen.[5] Die Folge war, daß wir das soziale Umfeld aus dem Blick verloren haben, das Darwins Werdegang möglich machte.

Jede neue Biographie muß die jüngsten Umwälzungen in der Wissenschaftsgeschichte berücksichtigen, etwa die Betonung der kulturellen Konditionierung des Wissens. Die Zeit ist vorbei, da man Darwin als Seher, als zeitloses Genie darstellen konnte. Das Bild, das wir von ihm zeichnen, ist entschieden gesellschaftlich geprägt. Wir beziehen uns auf die öffentlichen Ereignisse und die Institutionen des viktorianischen England mit seinen Reformbestrebungen, seinen Aufständen gegen die Armengesetze, seinen Gelehrtenzirkeln, seiner industriellen Innovation, der radikalen Medizin, den Kirchendebatten – und nicht zuletzt den unter reformfreudigen Naturwissenschaftlern verbreiteten neuen Auffassungen über die Entstehung der Welt sowie den alten Praktiken von Museumswärtern. Wir erleben Darwin auf den Straßen, im Käfig mit Affen im Zoo, wie er sich in Schnapsbuden über Taubenkunde unterrichtet, wie er mit unkonventionellen Tischgenossen Komplotte schmiedet, das Leben eines Landjunkers führt, in Fabriken investiert, über Fragen der Religion nachgrübelt und sich mit dem Tod auseinandersetzt. Vor diesem Hintergrund werden seine Ängste und Schwächen verständlich, ergeben seine evolutionswissenschaftlichen Leistungen einen Sinn.[6]

Wie kein anderer bedeutender Kopf der viktorianischen Zeit war Darwin von Ironie und Widersprüchen umgeben. Er jagte mit dem Klerus und trieb sich mit Radikalen herum; er war ein Patriarch, dem Gedanken ‹Noblesse oblige› verpflichtet, sensibel, verhätschelt, von Lohnarbeit und Konkurrenz verschont, der sich auf einen blutigen Existenzkampf einließ; ein nüchterner Wissenschaftler mit einer Schwäche für Quacksalberei, der sich ‹elektrische Ketten› um den Bauch schnallte und sich in vornehmen Bädern wochenlangen Kneippkuren unterzog; ein Mann mit genau geregeltem Stundenplan, dessen Tage sich wie ‹zwei Erbsen› glichen und der Willkür und Zufall in die Naturgeschichte einführte.

Und was ist mit Darwins eigenen Vorurteilen im höheren Alter? Er hielt Schwarze für minderwertig, fand jedoch Sklaverei abstoßend; er wies Frauen eine untergeordnete Rolle zu, war indes völlig abhängig von seiner respekteinflößenden Ehefrau. Inwieweit spiegelten seine Ansichten über Geschlecht, Rasse und Macht das spätviktorianische Ethos? Modelte er die Welt in der *Abstammung des Menschen* (1871) immer noch nach den Vorstellungen seiner Zeit um? Meinte er, daß die Gesellschaft wie die Natur durch Ausmerzung ihrer untauglichen Mitglieder voranschreite? Der ‹Sozialdarwinismus› wird oft für eine fremde Zutat gehalten, einen häßlichen Auswuchs, der dem reinen Darwinschen Denken im nachhinein angehängt

13

worden sei und das Bild Darwins verdunkle. Doch seine Notizbücher lassen keinen Zweifel daran, daß Konkurrenz, freier Handel, Imperialismus, Rassenvernichtung und Ungleichheit der Geschlechter von Anfang an sein Denken bestimmten – der ‹Darwinismus› zielte immer darauf ab, die menschliche Gesellschaft zu erklären.

Und wie sahen gesetzte viktorianische Zeitgenossen diesen ihren Beobachter, einen Menschen, der, wie Ruskin unhöflich bemerkte, ‹ein tiefes und zärtliches Interesse an dem buntgefärbten Hinterteil bestimmter Affen› bekundete? Natürlich war er Zielscheibe von Witzen, ein Geschenk des Himmels für Karikaturisten. Doch seine Wissenschaft wurde zu einer Säule des spätviktorianischen Liberalismus. Wie soll man es sich sonst erklären, daß ein Graf und zwei Herzöge als Repräsentanten der Regierung Gladstones bei seiner Beisetzung in der Westminsterabtei den Sarg trugen? Wie ist es überhaupt zu erklären, daß sein Leichnam dort bestattet wurde? Oder die Bemerkung der *Times,* daß ‹die Abbey ihn nötiger hatte als er die Abbey›?

Der finster-forschende Blick unter buschigen Brauen: Jeder kennt das Bild – es ist eines der Totems des 20. Jahrhunderts. Für manche war Darwin der Begründer einer neuen Biologie, für einen empörten Waliser bloß ‹ein alter Affe mit einem haarigen Gesicht›. Alle jedoch waren von seiner Sanftmut überwältigt. Für Leslie Stephen lag ‹in seiner Einfachheit und seiner Freundlichkeit fast etwas Mitleiderregendes›.[7] Darwin ist wohl der bekannteste Wissenschaftler in der Geschichte. Mehr als jeder andere neuzeitliche Denker – selbst Freud oder Marx – hat dieser liebenswürdige europäische Naturwissenschaftler aus dem Landadel von Shropshire das Bild verwandelt, das wir von uns selbst als Bewohner dieses Planeten haben.

Die Zeit ist reif für ein differenzierteres Porträt eines zerrissenen Mannes an einem Wendepunkt der Geschichte.

1809–1831

1

Ein strauchelnder Christ wird aufgefangen

Charles Darwins Großvater Erasmus hatte einen bissigen Humor und einen Abscheu vor der Einmischung der Götter. Skurrilität und Schrulligkeit verbargen sich hinter seiner rundlichen Figur, und niemand war vor ihm sicher. Er konnte über einen spatzenhirnigen König herziehen oder einem Freund die Krücke seines Glaubens nehmen. ‹Ein Federbett zum Auffangen eines strauchelnden Christen›, so bezeichnete er die unitarischen Überzeugungen des anderen Großvaters von Charles, des Porzellan-Patriarchen Josiah Wedgwood.[1]

Josiah hatte sich von soviel übernatürlichem Zubehör getrennt, daß er die christlichen Höhenzüge aus den Augen verlor. Sollte er noch tiefer fallen, dann würde er mit einem atheistischen Bums landen. Josiahs Christentum war auf den nackten Kern reduziert: Von der Dreifaltigkeit hatte er sich ebenso losgesagt wie von der Göttlichkeit Jesu.

Das Federbett Unitarismus hatte Josiahs Sturz gebremst; aber Erasmus war eine solche sanfte Landung nicht beschieden. ‹Elende Wichte› wie er waren schon mit Getöse auf die Erde gestürzt.[2] Wozu brauchte man das Christentum, wenn die Menschen doch ‹die Milch der Wissenschaft› schlürfen konnten? Erklärte die Priesterin der Natur nicht alle Dinge, selbst die Schöpfung?

> Von der Sonne Wärme umhegt,
> Das Leben sich aus dem Meer erhebt ...
> Erzeugt ohne Eltern, entsteht von allein
> Im Nebel der Vorzeit organisches Sein.[3]

Das schrieb Erasmus, ein unbeugsamer Freigeist wie so viele in den sonnenhellen Jahren der Aufklärung. Er verrichtete seine Andacht im Tempel der Natur; für ihn war die Vernunft etwas Göttliches und der Fortschritt ihr Prophet. Die beiden Großväter waren sich über vieles einig, aber über Religion dachten sie verschieden, und so hinterließen sie ihren Enkeln eine Mischung aus Freidenkerei und radikalem Christentum.

17

Charles Darwin sann 1879 über dieses zweifache Erbe nach, als er eine Skizze über das Leben des alten Erasmus vollendete. Er war selbst eben siebzig geworden und fühlte sich, als halte er bereits ‹Zwiesprache mit den Toten›. Es war Zeit, über sein Leben Bilanz zu ziehen. Wieviel von Erasmus' Veranlagung hatte er geerbt, und wieviel gab er davon weiter? Auch Josiahs Blut floß in seinen Adern, und seine Frau Emma war eine Wedgwood. Welche Zukunft stand ihren Nachkommen also bevor, wenn sich Eigenschaften in Familien weitervererben?[4] Nach welchem Großvater würden sie geraten?

Dr. Erasmus Darwin war ein Hüne, ein brillanter Bonvivant, dessen Schatten sich über die Generationen erstreckte. Blatternarbig, verwachsen und korpulent, war er ein renommierter Arzt mit einer fatalen Schwäche für Frauen. Er zeugte ein Dutzend Kinder mit zwei Gattinnen und zwei weitere mit einer Gouvernante. Er verschrieb Sex gegen Hypochondrie und verfaßte saftige erotische Gedichte. Mit seinem engen Freund Josiah Wedgwood förderte er die industrielle Revolution im England des 18. Jahrhunderts. Er pries die großen englischen Erfinder Matthew Boulton und James Watt in den höchsten Tönen, tüftelte selbst Wunder der Mechanik aus und blieb sein Leben lang von einem tiefen Glauben an die Evolution durchdrungen.[5]

Charles fand Züge von sich in ihm wieder. Erasmus bekannte sich zur natürlichen Entstehung des Lebens und zur Verwandtschaft aller Geschöpfe; er ‹verabscheute die Sklaverei›, ‹bewunderte Philanthropie› und ‹bestand darauf, daß niedrigere Tiere human zu behandeln seien›. Er glaubte an eine ferne Gottheit – eine ‹unendlich große, gütige Allmacht› – und betete: ‹Lehre mich, Schöpfung, lehre mich / Ehrfurcht vor dem gewaltigen Unbekannten.› Doch war er ‹unorthodox› und wurde deswegen ‹heftig angefeindet›. Kaum war er 1802 gestorben, als man ihn auch schon wegen seiner Zweifel an der Bibel angriff. Es wurde sogar eine Geschichte in Umlauf gesetzt, wonach er auf dem Sterbelager nach Jesus gerufen habe. ‹So christlich verhielt man sich zu Beginn dieses Jahrhunderts in diesem Land›, schloß Charles sarkastisch; ‹wir können zumindest hoffen, daß es so etwas heute nicht mehr gibt.›

Die Druckfahnen dieser Biographie schickte er seiner Tochter Henrietta, die ihm lange nicht von der Seite gewichen war. Als fähige Kritikerin, die auch auf den Ruf der Familie bedacht war, fühlte sie sich dazu berufen, seine nüchterne Prosa redaktionell aufzupolieren. Sie war die Wachhündin ihrer Mutter und fühlte sich auch nach achtjähriger Ehe immer noch in erster Linie Emmas Wohl verpflichtet. Mutter und Tochter stimmten in den meisten Dingen völlig überein, und Henrietta hatte einen Riecher für Unheil. Sie schnüffelte die Fahnen durch. Unitarismus ein ‹Federbett› – der alte Josiah und ihre Mutter ‹strauchelnde Christen›! Sollte Emma mit ihrem

Wedgwood-Glauben so dargestellt werden? Und dann noch das Hinausposaunen von Erasmus' Ausschweifungen, ganz zu schweigen von seiner religiösen Freizügigkeit! Das mochte vielleicht hundert Jahre früher hingegangen sein, schickte sich aber nicht für einen zeitgenössischen Darwin. Auf seine Marotten anzuspielen, war schiere Torheit; es konnte die Familie teuer zu stehen kommen. Die Fahnen mußten nicht poliert, sondern gesäubert werden.

Mit leuchtendem Rotstift ging Henrietta an die Arbeit. Der Sex wurde beschnitten. Zuviel Gerede über uneheliche Sprößlinge, zuviel ‹Wein, Frauen, Wärme›. Ein Zitat von Erasmus mit einem ‹verdammt› darin wurde zurechtgestutzt, und seine Zeilen über das ‹gewaltige Unbekannte› klangen fürchterlich agnostisch. Der Absatz über seine Unorthodoxie wurde völlig gestrichen; er warf ein schlechtes Licht auf das Christentum und stammte allzu offensichtlich von dem ‹angefeindeten› Verfasser der *Entstehung der Arten*. Auch die Geschichte vom Sterbebett mußte weg. Henrietta strich die ganze Seite rot zusammen und markierte die Punkte, wo ihr Vater kürzen und weglassen sollte.

Sie gab ihm die Fahnen zurück, und ihr Vater fand sich mit den Änderungen ab. Die Biographie enthielt jetzt mehr als Familiengeschichte – sie enthielt schlüssige Beweise für die Vererbung. Die Behauptungen und Streichungen sprachen für die zwei Seiten der Familie. Henrietta war schließlich doch ihrer Mutter und dem alten Josiah nachgeraten. Hundert Jahre unitarischer Frömmigkeit hatten den Wedgwood-Geist geprägt.[6] Die Zensorin setzte sich durch. Die Welt konnte noch hundert Jahre lang warten, bis sie etwas über die Familienkräfte erfuhr, die das Schicksal von Charles mitbestimmt hatten.

Diese Kräfte entwickelten sich im Zeitalter von Eisen und Dampf. Die englischen Midlands hallten Mitte des 18. Jahrhunderts von den Detonationen von Coalbrookdale und dem Keuchen und Schnauben der Boultonschen Dampfmaschinen wider. Neues Geld war zu machen, neue Familien stiegen auf. Diese mit Greifzirkeln bewehrten Industriellen waren bereit, an eine entwicklungsfähige Natur, eine Demokratie des Geistes und Erlösung durch die Technik zu glauben. Zwar entstammten sie Randgruppen, aber sie waren im Kommen; ehrgeizige Kaufleute, die außerhalb der alten, selbstzufriedenen Junkerherrschaft standen.

Ein typischer Vertreter dieser aufstrebenden Schicht war Charles' Großvater mütterlicherseits, Josiah Wedgwood, der seine Porzellanmanufaktur in Burslem bei Stoke-on-Trent aufbaute. Von den 1760ern an war er einer der Technokraten im elitären Industriellenkreis von Birmingham, der Lunar Society, die so genannt wurde, weil ihre Mitglieder, die ‹Lunaticks›, an mondhellen Abenden zusammenkamen, damit sie anschließend nicht in der

Finsternis heimstolpern mußten. Birmingham war das Zentrum der neuen industriellen Kultur. Die Lunar-Mechaniker führten neue Technologie, eine chemische Industrie und eine Fabrikmentalität ein. Boulton und Watt fertigten Dampfmaschinen und beschäftigten in ihren Soho-Werken in Birmingham tausend Menschen. Hier verkauften sie, ‹was sich die ganze Welt wünscht – ENERGIE›. Andere Lunar-Handwerker spezialisierten sich auf Uhren und Präzisionsinstrumente. Wedgwood vervollkommnete die Fabrikorganisation nach dem Vorbild von Soho. In seinen Keramikwerkstätten reglementierte er die Arbeiter und führte eine Arbeitsteilung ein mit dem Ziel, ‹aus den Menschen *Maschinen* zu machen, die sich nicht irren können›. Den Namen seiner Manufaktur, ‹Etruria› (nach den etruskischen Maltechniken auf seinen Töpferwaren), prägte der Vereinsarzt Erasmus Darwin, sein ‹Lieblings-Äskulap›, Charles' Großvater mütterlicherseits.

Erasmus war ein findiger Arzt mit dichterischer Ader und technischer Begabung, der gern an der ‹tierischen Maschine› herumtüftelte. Seine lukrative Praxis befand sich in dem Städtchen Lichfield, fünfzehn Meilen nördlich von Birmingham. Der andere literarische Sohn von Lichfield, Dr. Johnson, verteidigte dessen Bewohner als ‹die nüchternsten, anständigsten Leute in England und die vornehmsten, gemessen an ihrem Reichtum›. Dasselbe konnte er von Erasmus nicht sagen; ihre gegenseitige Abneigung war unübersehbar, und der mit einem Sprachfehler behaftete Darwin ging dem mit scharfzüngigem Witz und ‹Stentorlunge› begabten Dr. Johnson aus dem Weg. Die diagnostischen Fähigkeiten von Erasmus waren außergewöhnlich und weit über Lichfields nüchternen Zirkel hinaus gefragt. Er konstruierte eine Kutsche, die auch bei hoher Geschwindigkeit lenkbar war und nicht umstürzte, und legte zehntausend Meilen im Jahr zurück, um die Elite der neuen Midlands zu versorgen. Dieser Mann war ein vielseitig gelehrter ‹Lunatick›, ein Arzt, der an einem ‹Dampfmaschinentick› litt, ein Dichter mit Sinn für die Industrie. Er konstruierte eine horizontale Windmühle zum Mahlen von Farbstoffen in Wedgwoods Manufaktur und sogar eine Sprechmaschine, die imstande war, ‹das Vaterunser, das Credo und die Zehn Gebote in der Volkssprache wiederzugeben›, für die ihm Boulton tausend Pfund in Aussicht stellte.[7]

Nicht daß diese für ihre ‹technischen Fähigkeiten berühmten› Männer großen Wert auf Orthodoxie legten. Die meisten sahen sich als Dissenters und waren damit Außenseiter in einer Welt, in der die Bildungs- und Aufstiegschancen für die Mitglieder der Anglikanischen Kirche reserviert waren. Sie gehörten einer Gegenkultur kleinerer Volkskirchen an, die in wachsenden Industriestädten gediehen. Abgesehen von Erasmus' Freigeisterei bildeten die Unitarier wie Josiah ihre intellektuelle Avantgarde.[8] Als Joseph Priestley 1780 nach Birmingham kam, um im New Meeting House den geistlichen Dienst zu versehen, gewann die Lunar Society mit dem führenden unitarischen Philosophen, Chemiker und Theologen seiner Zeit einen mächtigen Verbündeten.

Priestley studierte Gase und hat vermutlich den Sauerstoff entdeckt (außerdem Ammoniak, Kohlenmonoxid, Schwefeldioxid … die Liste ist noch länger). Seine Forschungen faszinierten Erasmus, der seine Patienten bald ‹täglich sechs Gallonen reinen Sauerstoff› aus ballonartigen Blasen einatmen ließ, um ihre Lungenkrankheiten zu heilen. Wedgwood hielt Priestley für ein Genie. Josiah richtete dem Geistlichen ein Labor ein, subventionierte seine Experimente und schloß industrielle Probeläufe daran an. Priestleys Arbeiten lieferten Aufschlüsse über Tonerden und Farbstoffe, die Josiah heranzog, um die Produktion der Töpferei zu verbessern. Die Firma Wedgwood ehrte ihren Prediger sogar, indem sie ein Medaillon mit seinem Porträt in Flachrelief goß.[9]

Priestleys Theologie war wahrscheinlich noch einflußreicher, denn sie prägte die Anschauungen dreier Generationen miteinander verheirateter Darwins und Wedgwoods. Dem Theologen Priestley ging es darum, das Christentum in seiner ursprünglichen Reinheit wiederherzustellen und zu einer Religion universellen Glücks in diesem und dem nächsten Leben zu machen. Anglikaner empfanden die Anschauung, Gott habe jedermann gleichermaßen für das Glück bestimmt, ungeachtet von Rang oder Ritus, als gefährlich, ja geradezu als Blasphemie. Für Priestley existierten unsterbliche Seelen sowenig wie immaterielle ‹Geister› in der Chemie. Desgleichen hatten Wunder und Mysterien wie die Dreifaltigkeit und die Fleischwerdung des Gottessohns keinen Platz in seinem Christentum. Nach seiner Meinung äußerte sich Gottes Güte in einer ganz und gar materiellen Welt, wo die Gesetze der Natur regierten und alles eine physikalische Ursache hatte. Der Mensch wurde im Jenseits durch ein unbekanntes physikalisches Gesetz zu neuem Leben erweckt, wie es mit Jesus geschah.

Dies war ein robuster, hoffnungsvoller Glaube, der das Selbstvertrauen der neuen industriellen Elite widerspiegelte. Wie bei einer sich selbst korrigierenden Maschine wirkten Lust und Schmerz fast mechanisch auf den Menschen ein, um ihn zu bessern. Wer sich an christliche Grundsätze hielt, würde im Diesseits ein glückliches Leben führen. Im Jenseits würden etwa noch vorhandene defekte Teile repariert werden und jedermann zu einer vollkommenen Existenz befähigt sein. Wedgwood blieb ein Jünger Priestleys, und er beauftragte einen unitarischen Geistlichen, in seiner Schule in Etruria zu unterrichten. Der jüngere Sohn von Erasmus, Robert (Charles' Vater), besuchte diese Schule ebenso wie die ‹Wedgwoodikins› – wie Erasmus sie nannte – Josiah junior und Susannah (Charles' Mutter).

Nicht alle Unitarier gingen so weit, das Vorhandensein einer Seele zu leugnen. Freidenker wie Erasmus gingen andererseits noch viel weiter, indem sie sich auch von der Bibel und von Jesus lossagten und behaupteten, es sei ‹keine besondere Vorsehung nötig, damit sich dieser Planet um die Sonne dreht›.[10] Aber allen gemeinsam war ein optimistischer Egalitarismus in dem langen Sommer des 18. Jahrhunderts vor der Französischen Revolution von 1789.

Erasmus' Ehefrau trank Gin und starb an der Trunksucht; sie hinterließ ihm fünf Kinder. Es folgte ein Jahrzehnt der Liebeleien. Dann, mit neunundvierzig, als er schon dick und halb gelähmt war, verliebte Erasmus sich ernsthaft, und diese Gefühle flossen ihm auch in seine sonst so spitze Feder:

> Ach, wer vermöcht' sie ohne Rührung anzusehn,
> Die stolze Stirn, den süßen Mund, der blauen Augen Flehn?

Dies galt einer schönen verheirateten Patientin, selbst eine unkonventionelle Frau und die außereheliche Tochter eines Grafen. Nachdem ihr reicher Mann 1780 gestorben war, heiratete der verwitwete Erasmus sie, zog zu ihr und verlegte seine Praxis in ihr Landgut außerhalb von Derby. Ihre insgesamt acht Sprößlinge wuchsen nun gemeinsam auf, umgeben von den Annehmlichkeiten des Reichtums (Erasmus verfügte über zehn Guineen täglich, vier Monatslöhne eines Landarbeiters). Unter der wachsenden Kinderschar befanden sich auch die beiden unehelichen Kinder Erasmus' und eines von dem verstorbenen Mann seiner Gattin. Solch offene Liederlichkeit war bezeichnend dafür, daß modische Libertinage selbst in den besten Familien vorkam. Aber die vornehme Gesellschaft schien ja durch ihre Ehebrüche und ihre schlampigen Verhältnisse zementiert zu werden, und Dr. Johnson riet denn auch vernünftigen Ehefrauen, gegenüber ihren treulosen Männern ein Auge zuzudrücken.[11] Das war es zwar nicht, was Priestley mit dem Lust- und Schmerzprinzip gemeint hatte, doch Sünde und Sex waren nun nicht mehr identisch, und Erasmus verschrieb letzteren, um die Schuldgefühle wegen ersterer zu vertreiben.

Im Jahr 1783 machte sein Sohn Robert Platz für das erste von sieben weiteren Kindern, als er an die Universität von Edinburgh ging. Robert zögerte anfangs, sich der Medizin zu widmen, zumal Edinburgh traurige Assoziationen weckte, war doch sein ältester Bruder, Charles, dort fünf Jahre zuvor delirierend und gelähmt als Student gestorben, nachdem er sich beim Sezieren eines Kindergehirns am Finger infiziert hatte. Doch nach Charles' Tod hatte Erasmus seine medizinischen Hoffnungen auf Robert übertragen, und dem Vater mußte gehorcht werden.

Erasmus selbst fand es nicht unter seiner Würde, seine Beziehungen spielen zu lassen. Robert wechselte an die Universität von Leiden und erhielt bereits nach zwei Jahren den Doktor der Medizin für eine Dissertation, die zum Teil von Erasmus geschrieben wurde beziehungsweise auf seiner Arbeit fußte. Vater Darwin etablierte seinen zwanzigjährigen Sohn in einer Praxis in dem hübschen alten Marktflecken Shrewsbury. Das war ein ideales Plätzchen, die Sommerfrische der tonangebenden Familien von Shropshire, die dort ihre ‹Bälle, Abendgesellschaften und Austernschlemmereien› veranstalteten. Es war nur eine Tagesreise von Birmingham und Etruria entfernt, doch weit genug vom Familiensitz, um Roberts Unabhängigkeit zu gewährleisten. Die Kontakte seines Vaters bescherten Robert einen ständigen Zustrom von Patienten, während ihn die Lunaticks in den wissenschaftlichen Club der Londoner Elite einführten, die Royal Society, hoffend, damit seine philosophischen Neigungen zu fördern. Robert besaß nicht nur das Geld seines Vaters; er hatte auch dessen Scharfsinn und dessen verständnisvolle Art sowie eine unheimliche Fähigkeit, das Vertrauen seiner Patienten zu gewinnen. Das Geschäft ging glänzend; der Name Darwin zog die Leute an wie ein Leuchtfeuer.[12]

Die hysterischen Nachwehen der Französischen Revolution drohten dieses Licht allerdings verblassen zu lassen. Erasmus war ein Demokrat, der ‹den Erfolg der Franzosen gegen eine Konföderation von Königen› begrüßte und sogar meinte, ‹eine Gans kann ein Königreich [so gut] regieren› wie irgendein ‹Idiot … mit königlichem Verstand›. In Großbritannien setzte eine Periode beispielloser Unterdrückung ein: Radikale Dissenters wurden angegriffen, die ‹an die *Fehler* der Vorsehung und die *Rechte* des Menschen glaubten›. Das Republikanertum der Lunaticks wurde lächerlich gemacht, ihre egalitäre Religion verteufelt. Erasmus hatte Fühler ausgestreckt bezüglich einer Ernennung zum Hofdichter. Doch was sollte ihn jetzt dazu prädestinieren? Der Haushofmeister schien merkwürdig abgeneigt, diesem Anhänger der Amerikanischen und der Französischen Revolution eine königliche Belohnung zukommen zu lassen, diesem Dichter der Liebe und Verherrlicher von Maschinen, die ‹die glückliche Ansteckung der Freiheit› verbreiteten.

Erasmus schmiedete Verse über die neuen französischen Menschenrechte und vollendete eben sein medizinisch-evolutionären Fragen gewidmetes Buch *Zoonomia,* als Priestley ‹den Wilden von Birmingham in die frevlerischen Hände fiel›. Mit dem Schlachtruf ‹Keine Philosophen – Kirche und König auf ewig!› verwüstete eine wütende Menge seine Kapelle und sein Haus. Die Krawalle von 1791 bedeuteten das Ende für die Lunar Society. Priestley, dem in Etruria Asyl angeboten wurde, floh schließlich nach Amerika. Darwins erotische Botanik wurde als lasziver Schund abgetan, sein ‹Atheismus› als jene Art von demoralisierender Philosophie angeprangert, die den Terror hervorgebracht habe. Diese Reaktion machte dem Libertinismus, der zu Erasmus' Zeit im Schwange gewesen war, vollends den Garaus. Sie leitete eine Periode ein, in der Ehrbarkeit und evangeliumstreue

Korrektheit galten, wie sie die jüngeren Generationen der Darwins und der Wedgwoods prägen sollten.

Wedgwood hatte seine Gesundheit eingebüßt. Er mußte erleben, daß sein zweiter Sohn, Thomas, der sich leidenschaftlich mit chemischen sowie Opium-Experimenten befaßte, einen Nervenzusammenbruch erlitt. Als England und Frankreich 1793 im Krieg miteinander lagen, zog Wedgwood sich aus dem Geschäft zurück und verfaßte sein Testament. Er legte die Fabrik in die Hände seines ältesten Sohnes, Josiahs II., der inzwischen mit Bessy Allen, der Tochter eines Landjunkers, verheiratet war.[13]

Bei den Darwins wurden Heiraten wie alles übrige von dem alten Erasmus eingefädelt. Für Robert wählte er die etruskische Schönheit des Mondkreises, Josiahs Tochter Susannah, aus. Sie war seit ihrer Kindheit im Darwinschen Haus bei Derby ein und aus gegangen und hatte Erasmus Musikstunden gegeben. Klug und tüchtig, war sie der Liebling ihres Vaters. Josiah und Erasmus einigten sich darauf, daß Robert Susannah heiraten würde, sobald es seine Mittel erlaubten. Die Hochzeit fand schließlich im April 1796, ein Jahr nach Josiahs Tod, statt. Robert war jetzt etabliert, und Susannahs Erbe von fünfundzwanzigtausend Pfund stellte einen akzeptablen Zuwachs zum Familienvermögen dar.[14]

Robert kaufte Land am Rande von Shrewsbury, am hohen Steilufer des Severn, und erbaute sich ein schlichtes, aber imposantes Domizil aus roten Ziegeln, The Mount. Mit seinen fünf Erkern, die die zweieinhalb Stockwerke schmückten, und ausladenden ebenerdigen Flügeln unterstrich es den sozialen Status des jungen Arztes, der auch in physischer Hinsicht etwas darstellte: Er maß einen Meter fünfundachtzig, und sein Leibesumfang nahm stetig zu. Das erste Kind der beiden war ein Mädchen, Marianne; zwei weitere Töchter folgten, Caroline 1800 und Susan 1803, im Jahr nach Erasmus' friedlichem Tod. Dann bekamen sie ihren ersten Sohn. Susannah brachte ihn am 29. Dezember 1804 zur Welt, auf den Tag genau fünf Jahre nachdem sich Roberts älterer Bruder, ein reicher Anwalt mit hohen Schulden, im Derwentfluß ertränkt hatte.[15] Sie nannten das Kind nach ihm und seinem verstorbenen Großvater: Erasmus.

Die Wedgwoods der zweiten Generation waren ebenso wie die Darwins strebsame Besitzbürger. Josiah war Sheriff von Dorset und fuhr ‹wie ein Fürst› in einer mit vier Schimmeln bespannten und mit Samtvorhängen ausgestatteten Kutsche durch die Gegend. Während des Krieges hatte das Tonwarengeschäft nachgelassen; Josiah zog nach Staffordshire zurück, um die Leitung der Firma zu übernehmen, und suchte sich, da er als Fabrikherr unglücklich war, ein zweites Heim auf dem Land, ein Wochenendrefugium fern von der Last der Geschäfte. Robert Darwin lieh ihm dreißigtausend Pfund, damit er sich ein Tausend-Acre-Gut in der Nähe des Dörfchens Maer in Staffordshire kaufen konnte, eine Reitstunde von Etruria und

dreißig Meilen von Shrewsbury entfernt. Der Besitz schloß ein großes elisa-
bethanisches Haus ein, Maer Hall, das inmitten ausgedehnter Gärten (entworfen von Capability Brown) auf einem Hügel mit Blick auf einen See lag
und von wildreichen Wäldern umgeben war. Hier zogen Josiah und Bessy
1807 mit ihren sechs Kindern ein. Am 2. Mai 1808, als Bessy vierundvierzig war, wurde ihr letztes Kind, Emma, geboren. Josiahs sozialer Aufstieg
spiegelte sich in den Schulen wider, die er für seine Kinder wählte. Er schickte seine beiden ältesten Söhne nach Eton.[16]

Susannah Darwin hatte als Ehefrau, Sekretärin und Sprechstundenhilfe des
Doktors viel zu erdulden. Patienten gegenüber mag er Mitgefühl gezeigt haben, doch zu Hause war er von einer Schroffheit, die schlecht zu seiner ‹hohen Fistelstimme› paßte. Selbst Kleinigkeiten brachten ihn auf, und sein
Jähzorn entlud sich manchmal mit voller Wucht gegen Susannah. Seit ihrer
schwierigen zweiten Schwangerschaft waren ihre ‹alte Lebendigkeit und
ihr Schwung› dahin, und sie alterte rasch. ‹Alle scheinen jung außer mir›,
seufzte sie einmal gegenüber Josiah in The Mount.[17]

Am 12. Februar 1809, in ihrem vierundvierzigsten Lebensjahr, brachte
sie ihren zweiten Sohn zur Welt. Die Eltern nannten ihn Charles Robert
Darwin nach den Medizinern in der Familie – seinem Vater Robert und
dem verstorbenen Onkel Charles –, womit sie die Hoffnung auf eine glanzvolle Karriere verbanden; auch sie selbst waren ja nunmehr auf ihrem imposanten Landsitz The Mount hochangesehene Leute. Am 17. November
ließen sie das Kind in der neuen anglikanischen Kirche St. Chad taufen. Das
ziemte sich so für den Doktor und war auch ein Akt der Klugheit. Das Land
lag immer noch im Krieg mit Frankreich und argwöhnte einen konspirie-
renden Untergrund; jetzt war nicht der richtige Augenblick, um die liberale
Flagge der Familie zu hissen. Der alte Erasmus war von der regierungstreuen
Presse wegen seiner französenfreundlichen Dichtungen angeprangert worden. Der Name Darwin war bereits mit subversivem Atheismus assoziiert.[18]
Robert war selbst insgeheim ein Freigeist; es war also ratsam, in diesen konservativen Jahren vorsichtig zu sein.

Susannah stand indes ohne Aufhebens zu ihrer Familientradition. Am
Sonntag ging sie mit den Kindern in die unitarische Kirche. Diese stand etwas abseits von der High Street an der Stelle des ersten Versammlungshau-
ses für Dissenters, das hundert Jahre zuvor von einem anglikanischen Mob
dem Erdboden gleichgemacht worden war. George Case war von Susannah
und den Unitarierführern des Städtchens eingeladen worden, hier zu predigen, und zur Aufbesserung seines Einkommens leitete er eine Tagesschule in
seinem Haus in Claremont Hill.[19]

Charles' Bildungsweg begann zu Hause unter Leitung seiner halbwüchsigen Schwester Caroline. Er konkurrierte um ihre Zuwendung mit

seiner fünfzehn Monate jüngeren Schwester Catherine, die Susannahs letztes Kind war. Charles war übermütig und schwer zu bändigen, und eine seiner frühesten Erinnerungen war, daß er in einem Raum, in den man ihn zur Strafe eingesperrt hatte, die Fenster zu zerbrechen versuchte. Ständig suchte er die Aufmerksamkeit auf sich zu lenken, doch statt des erhofften Lobes erntete er oft nur Schuldgefühle. Caroline ihrerseits war unerfahren und konnte recht streng sein, und Charles fing an, sich vor ihren Zurechtweisungen zu fürchten.

In Ruhe gelassen zu werden, war unter Carolines übereifrigem Regime die willkommene Ausnahme. Da die anderen Geschwister fast alle um soviel älter waren, lernte Charles, sich in The Mount auf eigene Faust zu beschäftigen. Sein Vater besaß eine ausgezeichnete Bibliothek und hatte eine Vorliebe für die damals moderne Naturgeschichte. Das Gewächshaus gleich neben dem Damenzimmer glich einem exotischen Dschungel. Seine Mutter hielt edle Taubenrassen, die für ihre ‹Schönheit, Vielfalt und Zahmheit› berühmt waren, und in den Gärten wechselten Obstbäume und seltene Sträucher ab. Hinter der nördlichen Terrasse ging es über einen steilen, waldigen Abhang zum Fluß hinunter. Dort saß Charles stundenlang und angelte. Als Köder benutzte er Würmer, die er auf Geheiß seiner Schwestern zuerst in Salzwasser tötete, um ihnen die Qual des Aufgespießtwerdens zu ersparen.

Leidenschaftlich sammelte und hortete er alles, was ihm in die Hände geriet: Muscheln, Briefmarken, Vogeleier, Mineralien. Es waren für ihn Trophäen, mit denen er Eindruck machen wollte. Er lechzte förmlich nach Anerkennung und malte sich aus, daß ihn die Leute bewunderten, was aber regelmäßig in Schuldgefühlen endete. Seine Schuldgefühle waren freilich nicht ganz unbegründet. So stahl er, um Aufmerksamkeit zu erregen: Nachts machte er sich mit den Pfirsichen und Pflaumen seines Vaters davon und versteckte sie, um am nächsten Morgen den Fund ‹entdecken› und melden zu können. Manchmal setzte er seine Beute auch zur Bestechung ein. Er stellte älteren Jungen Äpfel in Aussicht, sofern sie zuvor bewunderten, wie schnell er laufen konnte. Es waren harmlose Possen, doch sie halfen ihm, sich in einem Haus voll älterer Schwestern zu profilieren. ‹Absichtlich falsche Behauptungen aufzustellen›, wurde für den kleinen Charles zu einer bevorzugten Methode, um sich ins Rampenlicht zu rücken.[20]

Susannah schickte ihn 1817, kurz nach seinem achten Geburtstag, in die Schule von Mr. Case. Jeden Morgen ging er von The Mount über die Welshbrücke und durch die engen, gewundenen Gassen zu dem dreigeschossigen Pfarrhaus mit dem Blick auf den Friedhof von St. Chad hinauf. Viele der Mitschüler waren älter als er. Der eher stämmige, aber zurückhaltende Charles hielt sich von ihren rituellen Ringkämpfen fern und eilte nachmittags nach Hause, wobei er um die Hunde in der Barker Street einen Bogen machte. In der Schule tat er immer noch alles ‹wegen des bloßen Vergnü-

gens, Aufmerksamkeit und Überraschung zu erregen›, und seine ‹Lügen …
machten [ihm] Vergnügen wie eine Tragödie›. Er tischte Flunkereien über
Naturgeschichte auf, berichtete über seltsame Vögel und rühmte sich, die
Farbe von Blumen verändern zu können. Einmal erfand er eine weitschwei-
fige Geschichte, die beweisen sollte, wie wichtig es ihm war, die Wahrheit zu
sagen. Es waren die Mittel eines Kindes, die Welt zu manipulieren.[21]

Der Schock von Susannahs Tod im Juli 1817 war traumatisch für die Familie. Seine Wirkung auf Charles ist schwer einzuschätzen, war aber sicherlich tiefgreifend. Susannah hatte entsetzlich an einem Tumor gelitten, und
in den letzten Tagen war es nur Marianne und Caroline, die bei der Pflege
halfen, gestattet gewesen, sie zu sehen. Am 15. Juli, als das Ende kam, wurde nach Charles und den anderen geschickt. Der Vater zeigte ihnen den in
ein schwarzes Samtkleid gehüllten Leichnam auf dem Bett. Caroline tröstete
Charles, und sie weinten gemeinsam. Doch nach dem Begräbnis am 20. Juli
behielten die Kinder ihre Gefühle für sich. Die älteren konnten nicht einmal
den Namen ihrer Mutter erwähnen.

Als Charles in Mr. Case' Schule zurückkehrte, manifestierte sich seine
Trauer in merkwürdiger Weise. Einen Monat nach der Beisetzung seiner
Mutter beobachtete er vom Fenster des Klassenzimmers aus gebannt, wie
ein Pferd an ein offenes Grab auf dem Friedhof geführt wurde. Der Sattel
war leer, nur die Stiefel und der Karabiner eines Mannes hingen an seiner
Seite. So bald nach der Bestattung seiner Mutter überwältigte ihn dieser Anblick. Die militärische Eskorte versammelte sich, und der Geistliche vollzog
die Zeremonie, während der Sarg ins Grab gesenkt wurde. Dann trat ein Ka-
vallerist von den 15. Husaren in voller Regimentsuniform vor und erhob
sein Gewehr. Während die Schüsse über das Severntal widerhallten, wallten
aufgestaute Gefühle in dem Achtjährigen auf. Obwohl er sich in späteren
Jahren kaum an seine Mutter oder deren Tod erinnern konnte – tatsächlich
sollte er ‹keine besonders glücklichen oder unglücklichen Erinnerungen an
diese Zeit› haben –, hat er diese Szene niemals vergessen. Der tote Soldat
blieb ihm im Gedächtnis.[22]

The Mount wurde zu einem Matriarchat von Teenagern: Marianne führte
den Haushalt, Caroline übernahm die Aufsicht über Catherine, und Susan
wurde zur Assistentin ihres Vaters. Das Trio ließ nicht mit sich spaßen. Die
Schwestern waren eine moralische Macht, die Erbinnen von Susannahs
Frömmigkeit. Charles und sein Bruder Erasmus unterwarfen sich ihrer
Disziplin in dem Bewußtsein, daß sie immer noch in die Schule flüchten
konnten.

Wenn der Vater von seinen Krankenbesuchsrunden zurückkehrte, gab es
für niemanden ein Entrinnen. Seine wohlbeleibte Präsenz bewirkte, daß
sich das ganze Leben um ihn wie um ein riesiges Gravitationsfeld drehte. Es

war eine schwindelerregende Erfahrung, und niemand fühlte sich wohl dabei. Bei den Patienten war er für seine Sanftheit bekannt, und sein Rat wirkte ermutigend. Zu Hause traten diese Qualitäten nach Susannahs Tod weniger zutage. Seine Zärtlichkeit konnte zwar immer noch Liebe wecken, doch seine Taktlosigkeit machte die Kinder furchtsam; er wurde überkorrekt und besserwisserisch und überwältigte sie mit seinem sagenhaften Gedächtnis und seiner Fähigkeit, Gedanken zu lesen, die ‹fast übernatürlich erschien›. Er verhörte und dozierte abwechselnd; zu ihm gerufen zu werden war, als würde man vor den Allerhöchsten zitiert – wäre nicht die schwächliche Falsettstimme gewesen. Sie erinnerte einen daran, daß dieser überfütterte Koloß auch nur ein Mensch war.[23]

Besucher spürten die gespannte Atmosphäre. An die ‹sorglose Freiheit und Zwanglosigkeit› von Maer gewöhnt, empfanden die jungen Wedgwoods The Mount als beengend. Jeder mußte sich den Vorstellungen des Doktors von ‹Ordnung und Korrektheit› unterordnen. Er war strenger mit den Jungen, deren Nachlässigkeit ihn verstörte; aber auch die Mädchen hatten zu leiden. Elizabeth und Charlotte, nun in den Zwanzigern, waren die besten Freundinnen der Darwin-Schwestern. Bessy Wedgwood war in ‹angespannter Furcht› vor ihrem eigenen jähzornigen Vater aufgewachsen und hatte ihren Töchtern beigebracht, Männer als ‹gefährliche Kreaturen› zu betrachten, die ‹bei Laune gehalten werden müssen›. Dieser Grundsatz bewährte sich zweifellos in The Mount. Die Mädchen lachten, während der Doktor fort war, immer eingedenk des Wettersturzes, der jederzeit eintreten konnte. ‹Am Sonntag aßen wir um halb zwei, kleideten uns danach um und saßen dann etwa drei Stunden in Erwartung der Flut herum, die etwa um die Dämmerung eintreffen sollte›, berichtete Elizabeth über einen bedrückenden Besuch, ‹und der Abend war ziemlich steif und gräßlich.›[24]

Die eingeschüchterten Darwin-Brüder schlossen sich eng zusammen. Im September 1818 folgte Charles dem knapp vierzehnjährigen Erasmus in das Internat von Shrewsbury; es war eine kleinere Privatschule am anderen Flußufer gegenüber der Schloßruine. Die Gebäude waren jahrhundertealt; sie stammten aus der Zeit König Edwards VI. und waren entsprechend eingerichtet: dunkle, klamme Schlafsäle und eiskalte Badezimmer. Die Brüder ertrugen die Beschwernisse in dem Bewußtsein, daß der häusliche Komfort nur einen kurzen Lauf entfernt war. Doch angesichts des Vaters und der sie bemutternden Schwestern zogen sie vielleicht sogar das Regime von Reverend Samuel Butler vor.

Reverend Butler war seit zwanzig Jahren Direktor. In der näheren Umgebung war er fast ebenso angesehen wie Dr. Darwin; seine Schule hatte sich im ganzen Land einen ausgezeichneten Ruf erworben. Dieses Renommee war schwer zu erringen gewesen, denn die verwöhnten Söhne der Landjunker waren nicht leicht zu zügeln. Einer, den man in alkoholisiertem Zustand aufgriff, ging mit gezücktem Messer auf Butler los, ein anderer trug einen geladenen Revolver bei sich, und eine ganze Bande terrorisierte die Bauern der Umgebung und massakrierte ihre Schweine. Reverend Butler ließ die Peitsche knallen, und wenn es angebracht war, gestattete er den Jungen, ihre Differenzen in ehrenhafter Weise durch Faustkämpfe auszutragen.[25] Er gewöhnte sie an fleißiges Arbeiten, überzeugt davon, daß disziplinierte junge Männer das seien, was die anglikanische Gesellschaft am dringendsten benötige.

Die klassische Philologie bildete den Kern des Lehrplans. Die Fähigkeit, tote Sprachen zu lesen, zu schreiben und zu analysieren, war das Kennzeichen eines Gentleman. Je mehr er über alte Kulturen wußte, desto besser war er imstande, seine eigene zu steuern. Das war die Theorie. Charles verabscheute die Praxis. Latein und Griechisch ödeten ihn an. Bildung bestand in Shrewsbury aus Auswendiglernen und Aufsagen; Verseschmieden diente als schöpferisches Ventil. Insgesamt waren seine Lektionen ‹sorgfältig vorbereitet und richtig vorgebracht›, aber nur dank altbewährter Schülertricks. Zwar gefielen ihm manche der Oden von Horaz, wenn er sie behalten konnte, doch ebenso wie seine anderen Texte hatte er die meisten in einer Woche vergessen. Byrons Dichtungen und Shakespeares Geschichtsdramen machten ihm größeren Eindruck. Auf einem Fenstersitz in den dicken Mauern der Schule konnte er sich stundenlang in sie vertiefen.[26]

Die Klassenkameraden erinnerten sich, daß Charles ‹alt für sein Alter› war, und zwar ‹in seinem Wesen wie in geistiger Hinsicht›. The Mount mit seinen Schattenseiten hatte ihn geprägt; auf Anerkennung war er ebenso erpicht wie darauf, sich Kummer zu ersparen, und seine Frustration verbarg er hinter Schweigsamkeit. Da er akzeptiert werden wollte, schluckte er seinen Ärger hinunter (wie er es immer tun sollte) und eiferte seinem zarten und lernbegierigen älteren Bruder nach. Keiner von beiden mochte Sport. Während sich Erasmus in Bücher vergrub und mit Pflanzen hantierte, vergrößerte Charles seine Sammlungen und machte ‹lange einsame Spaziergänge›. Angeregt durch die *Wonders of the World* des Reverend C. C. Clarke, phantasierte er von großen Reisen und träumte von tropischen Inseln und südamerikanischen Landschaften. In alledem suchte er Zuflucht vor den unglaubwürdigen Erwachsenen.[27]

Der Zehnjährige machte seinen die Mutterstelle vertretenden Schwestern schwer zu schaffen. Als sie im Juli 1819 für drei Wochen mit ihm an die walisische Küste fuhren, war er streitsüchtig und mürrisch; er ‹fluchte wie ein Landsknecht› und ging allein weg, wanderte am Strand entlang, beobachtete die Seevögel, floh in eine andere Welt. Es erregte ihn, unbekannte Insekten vorzufinden, große Fleckenfalter und wunderschöne Nachtfalter. Eine weitere Sammlung wurde begonnen, doch dann befand seine Schwester, es sei ‹nicht richtig›, für diesen Zweck ‹Insekten zu töten›;

er müsse sich mit bereits toten begnügen. Ein Jahr später ritt er, seinen Aufpasserinnen entronnen, mit Erasmus ein kurzes Stück nach Wales hinein. Im Alter von zwölf Jahren galoppierte er mit Erasmus und den Wedgwood-Vettern Frank und Hensleigh bis nach Bangor. Sie ritten über die walisischen Berge, an schroffen Gipfeln vorüber, umweht von der Schwermut urtümlicher Verlassenheit.

Charles war nun nicht mehr so in sich gekehrt und fing an, seine Interessen mit anderen zu teilen. In der Schule bemühte er sich, ‹seinen Mitschülern entgegenzukommen›. Er brachte Pflanzen für den Schulgarten mit und setzte alles daran, zu erklären, wie seine Mutter sie aufgrund der Blüten identifiziert hatte. Zu den älteren Jungen, den Freunden von Erasmus, blickte er auf, und einer von ihnen, der großgewachsene John Price, schaute ‹in jeder Hinsicht› auf ihn herunter. Darwin brachte ‹Old Price› eines Tages eine Muschel mit, um zu sehen, ob er sie identifizieren könne. ‹Eine gemeine Meerschnecke natürlich›, fertigte Price ihn ab, und Charles war platt vor Staunen.[28] Die Bezeichnungen zu lernen war wichtig, schmückte sich doch jeder vornehme Salon mit seinem Kuriositätenkabinett, und Charles' Ausbildung begann auf dem Spielplatz.

Die fünf Jahre Abstand zwischen den Brüdern schrumpften, als Charles dreizehn, vierzehn wurde. Erasmus ging wie immer voran und zog Charles schnell hinter sich nach. Gelangweilt von dem klassisch-humanistischen Lehrplan, entwickelte Erasmus ein leidenschaftliches Interesse für Chemie, und 1822 gewann er Charles als Assistenten. Im Gartenschuppen wurde ein ‹Labor› eingerichtet, nachdem der Vater sie und ihre giftigen Gase aus dem Haus verbannt hatte.

Es war ein teures Hobby, wie es sich für dilettierende Gentlemen in einem industriellen Zeitalter schickte. Wahrscheinlich übernahmen es die Jungen von den praktischen Wedgwoods, die etwas von Brennofenchemie verstanden und Rezeptbücher über ihre Versuche führten. Erasmus und Charles richteten sich eine Kasse für Anschaffungen ein, die sie aus der Familienschatulle füllten (der ‹Melkkuh›, wie sie sie nannten). Für etwa fünfzig Pfund – mehr als der Jahreslohn eines Dienstboten – bekam man eine ganze Menge.[29] Sie kauften Reagenzröhrchen von einem Glasbläser, holten Absperrhähne aus London und reihten Schmelztiegel, Retorten, Abdampfschalen und Brenner an langen Werkbänken auf. Aber es blieb ihnen kaum Zeit, ihr Zusammensein zu genießen. Erasmus war nun siebzehn und verließ die Schule mit der Absicht, sich der Familientradition entsprechend der Medizin zu widmen. Als die Experimente begannen, zog der Vater die möglichen Bildungswege in Betracht.

Er konnte seinen Sohn nach Schottland schicken, wo Erasmus eine liberale, wissenschaftlich orientierte Ausbildung erhalten würde, etwa an der

Universität von Edinburgh, wo er selbst studiert hatte. Oder er konnte dem
Jungen eine teure Lehrstelle an einem der besten Londoner Krankenhäuser
kaufen; für fünfhundert Pfund würde er einen erstrangigen Ausbildungs-
platz bekommen.

Erasmus konnte aber auch nach Oxford oder Cambridge gehen, an die
beiden einzigen englischen Universitäten. Das heißt, falls es ihm nichts ausmachte, sich schriftlich zu den Neununddreißig Artikeln des anglikanischen
Glaubens zu bekennen; und die Darwins scheuten nicht davor zurück –
zwei Generationen des Reichtums hatten sie in anglikanische Honorigkeit
gehüllt. Beides waren kirchliche Universitäten, und ihre Mitglieder hatten
sich an die vorgegebene Lehrmeinung zu halten. Hier würde Erasmus eine
eher ordentliche denn außerordentliche Bildung erhalten, beginnend, wie in
der Schule von Shrewsbury, mit einer Einführung in die Klassiker. Sie war
darauf angelegt, dem Arzt die gesellschaftliche Ebenbürtigkeit mit seinen
Patienten aus dem Bildungs- und Besitzbürgertum zu sichern. Hier kamen
die künftigen Gutsherren, Ärzte und Geistlichen zusammen; sie würden die
Reihen gegen das gemeine Volk schließen und das ‹kostbare Geburtsrecht
eines englischen Gentleman› schützen. Oxford und Cambridge prägten ‹die
Moralvorstellungen, das Benehmen, ja die gesamte Bildung› eines Arztes der
gehobenen Stände, indem sie Rang und Reichtum mit dem Berufsethos verbanden.[30]

Die Wahl fiel auf Cambridge, und Erasmus ging im Oktober 1822 an das
Christ's College. Fortan erhielt der Vater Briefe von seinem ‹verschwenderi-
schen Sohn›, denen fällige Rechnungen beilagen – Schulden, die getilgt werden mußten, etwa dreizehn Guineen, die er dem Weinhändler schuldete,
‹und ich wäre dem Dr. sehr dankbar, wenn er sie bezahlte›. Die Briefe
an Charles waren gespickt mit chemischen Leckerbissen. Anblicke und
Gerüche spielten eine große Rolle; so beschrieb Erasmus den Mineralogie-
professor, John Stevens Henslow, wie er Arsen mit einem Lötkolben verbrannte, um einen gastronomischen Knoblauchduft freizusetzen. Er berichtete auch von Kommilitonen, die ‹von Lachgas ... völlig beschwipst wurden›
(was zwanzig Jahre zuvor Coleridge, Freund der Wedgwoods, erstmals ausprobiert hatte). ‹Einer behauptete, er habe das Gefühl, fliegen zu können,
und als er das Gas inhalierte, begann er mit den Fingern zu zucken und halb
lachende und schreiende Laute auszustoßen.›

‹Das Labor wird mir sehr unbedeutend vorkommen nach all den tollen
Dingen, die ich hier sehe›, gestand Erasmus. Die Jungen hatten Geld zum
Verbrennen oder vielmehr Korrodieren und erhielten ihr Silber, indem sie
Sixpences auflösten. Es war die pure Verschwendung und brannte ihnen
beiden obendrein ein Loch in die Tasche. Charles plante, Erasmus in den
Sommerferien von 1823 am Christ's College zu besuchen, um die herum-
stolzierenden ‹Aristokraten etcetera› zu bestaunen. Erasmus, der sein Ta-

schengeld durchgebracht hatte und aufgrund seiner Vergnügungen pleite war, ermahnte ihn, ‹ja genügend Geld mitzubringen, denn bis dahin werde ich keinen roten Heller mehr haben, um eine Suppe zu kaufen, wenn Du hungrig aus Deiner Kutsche steigst›. Während der Schulzeit eilte Charles am Wochenende nach Hause, begierig, die Klassiker mit Parkes' *Chemical Catechism* oder Brandes *Manual of Chemistry* zu vertauschen. Es konnte nicht ausbleiben, daß sich sein übelriechender Schuppen auch in der Schule herumsprach, und ‹Gas› wurde sein Spitzname. Auch Reverend Butler hörte davon. Er blamierte Charles vor den anderen Jungen, indem er ihn einen *poco curante* (Müßiggänger) nannte, was schrecklich klang. Die Klassiker, nicht die Chemie prägten den Charakter.[31]

Es war eine vorübergehende Liebhaberei, doch ‹Gas› Darwin genoß die Stunden allein in seinem Schuppen draußen und erinnerte sich später stets gern an seine chemische Selbstausbildung. Mit fünfzehn begann er, an einem Zeitvertreib Gefallen zu finden, der für den Sohn eines Gutsherrn aus Shropshire angemessener erschien. Er war jetzt alt genug, um ein Gewehr zu tragen, und die Jagd wurde seine Leidenschaft. Auf Vögel zu ballern, war eine ‹höchst weihevolle Sache›, und da Wachteln eßbarer waren als Insekten, fanden auch seine Schwestern nichts daran auszusetzen. Er fühlte sich stark, wie er so bewaffnet durch das Gelände streifte. Gas zu erzeugen war nichts, verglichen mit dem Abschuß seiner ersten Schnepfe, obwohl die Erregung genauso physisch war. Er zitterte danach so heftig, daß er kaum nachladen konnte.

Für die Jagd brauchte man eine Erlaubnis, aber Dr. Darwin stand auf freundschaftlichem Fuße mit den Grundbesitzern der Umgebung, und so fehlte es Charles nicht an Jagdgründen. Den größten Spaß bereitete das Jagen in Maer, wo die leichtlebigen Wedgwoods aus den Jagdgesellschaften Feste machten, eine Erholung von der autokratischen Atmosphäre in The Mount. Onkel Josiah nahm daran teil, und auch die Vettern Josiah III., Harry, Frank und Hensleigh waren immer mit von der Partie. Sie standen alle in den Zwanzigern; Hensleigh war genauso alt wie Erasmus und hatte mit ihm in Cambridge studiert. Er war der Gelehrte der Familie und erinnerte Onkel Josiah an seinen frühreifen Bruder Thomas, der mit vierunddreißig am Opium zugrunde gegangen war. Charles hatte ebenfalls Ähnlichkeit mit Thomas, der genauso besessen von Chemie gewesen war; Onkel Josiah hatte für beide, Charles und Hensleigh, eine Schwäche. Und der hochaufgeschossene Charles, zwar von wenig einnehmendem Äußeren, doch vielversprechend, war eine erfrischende Gesellschaft für seine Mädchen.[32] Die vier Wedgwood-Töchter waren unbeschwerte Geschöpfe. Sie trugen Brillen und traten für gewöhnlich paarweise auf. Von den älteren galt Charlotte als gute Partie, während Elizabeth zwergwüchsig war und eine stark gekrümmte Wirbelsäule hatte. Die beiden anderen, Fanny und Emma, waren seit der Kindheit unzertrennlich und hatten als die verhätschelten Nesthäkchen den Spitznamen ‹Täubchen›. Fanny war klein, unscheinbar und ordnungsliebend, Emma das genaue Gegenteil. Sie hatte kräftiges, brünettes Haar, graue Augen und eine hohe Stirn und war ebenso charmant wie chaotisch, so nachlässig wie ein Junge. ‹Little Miss Slipslop› nannte man sie. Die beiden hatten bereits ausländische Schulen besucht und waren ein Jahr an einer Londoner Schule gewesen, während sie zu Hause von ihren älteren Schwestern unterrichtet wurden. Emma assistierte Elizabeth in der örtlichen Sonntagsschule und verfaßte sogar einfache Moralgeschichten zur Ergänzung des Unterrichts. Die Schule war im Waschhaus von Maer Hall untergebracht; hier vermittelten die Mädchen sechzig Kindern deren einzige formelle Ausbildung in den drei wichtigsten Fächern: Lesen, Schreiben und Religion.

Religion war eine ernste Angelegenheit für die Wedgwoods, doch seit den 1790ern war die Familie konformistischer geworden. Von Reichtum verwöhnt und geschäftlich gesichert, eigneten sie sich, wie so viele Unitarier der zweiten und der dritten Generation, anglikanische Salonfähigkeit an. Josiah war der Patronatsherr der Gemeinde und hatte seinen Neffen dazu ausersehen, die Pfarrstelle zu übernehmen. Es war nur vernünftig, daß sich Emma sicherheitshalber als Anglikanerin konfirmieren ließ. Ihre Mutter war jedenfalls dafür, die bürgerliche Fassade zu wahren oder sich zumindest entsprechend abzusichern. Es sei ‹besser, die Zeremonien der Kirche einzuhalten›, sagte sie, ‹denn man kann nie ganz sicher sein, daß wir uns nicht versündigen, wenn wir sie außer acht lassen›.

Also wurde Emma ordnungsgemäß konfirmiert. Die Zeremonie fand am 17. September 1824 in der Kirche St. Peter in Maer statt. Die Rebhuhnsaison hatte begonnen, und vierzehn Tage später fuhr Charles mit Susan und Catherine hinüber, um den Anlaß zu feiern. Neben der Jagd gab es eine improvisierte Familienaufführung der *Lustigen Weiber von Windsor,* eine passende Wahl für Charles mit seiner Vorliebe für Shakespeare und für die Mädchen. Laut den Berichten ‹ging es hoch her›: ‹1. Okt., Lustbarkeiten; 2., Lustbarkeiten; 4., Lustbarkeiten … 6. Okt., ruhiger Abend!›[33] Man fragt sich, wer den Falstaff spielte …

Keine solchen Lustbarkeiten trugen sich in Shrewsbury zu. Vater Darwin wurde immer kritteliger und Charles immer problematischer. Er glänzte nicht in Reverend Butlers Schule, die ganze Familie wußte das. Er schien zu gewöhnlich für einen Darwin, vielleicht sogar minderbegabt. Die Gespenster seiner selbstzerstörerischen Onkel Thomas und Erasmus lasteten auf The Mount. Jetzt, da sein Bruder Erasmus fort war, hatte Charles auch noch allzu großen Gefallen an der Flinte gefunden. Der Doktor war entschlossen, ihn wieder zur Vernunft zu bringen. Gegen Ende des Schuljahrs herrschte er ihn an: ‹Du interessierst dich für nichts außer Schießen, Hunde und Rattenfangen, und du wirst dir selbst und deiner ganzen Familie zur Schande gereichen!›[34]

Der Doktor hatte ein starkes Mittel, mit dem er seinen Sprößling von der Rebhuhnleidenschaft heilen sollte. Er nahm Charles im Juni 1825, zwei Jahre vor der Zeit, aus der Schule. Man mußte ihm eine Karriere, eine Richtung eröffnen – die hohen Anforderungen der Medizin würden ihn auf den richtigen Weg bringen. Charles sollte den Fußstapfen seines Bruders und seines Vaters zu beruflichem Ansehen folgen.

2

Das Athen des Nordens

Mit Blick auf eine medizinische Laufbahn verbrachte der Sechzehnjährige, qualifiziert nur durch das Selbstvertrauen eines Großbürgers und den guten Namen der Familie, den Sommer 1825 als Helfer bei der ärztlichen Versorgung der Armen von Shropshire. Manchmal begleitete er seinen Vater und teilte die Arzneien aus. Er genoß die väterliche Anerkennung und hatte Freude an seiner Lehrlingsrolle. Innerhalb von Wochen hatte er bereits ein Dutzend eigene Patienten – ‹hauptsächlich Frauen und Kinder in Shrewsbury›. Er stellte die Symptome fest, und sein Vater schrieb die Rezepte aus. Alles in allem meinte Dr. Darwin, das Auftreten seines Sohnes am Krankenbett gebe Anlaß zu einiger Hoffnung.[1]

Die Berichte von Erasmus aus Cambridge waren weniger ermutigend. Charles erfuhr, daß man seinem Bruder die schmutzigen Aufgaben wie die Vorbereitung der Leichen zum Sezieren und das Wegräumen der Gliedmaßen danach zuwies. Erasmus war inzwischen abgehärtet gegen das Blut und den Gestank in der Anatomie; er befürchtete jedoch, mit der Schilderung seiner niedrigen Tätigkeit an den Leichnamen Charles den Appetit zu verderben. ‹Ich nehme an, es hätte Deinem Magen nicht gutgetan, speziell vor dem Frühstück›, schrieb er.

Erasmus meinte, es sei ‹zehntausendfach schade, wenn Du nicht nach Cambridge kommst›. Doch es nutzte nichts. Der Vater hatte sich für Edinburgh als Universität für Charles entschieden, das ‹Athen des Nordens›. Es entsprach eher der Familientradition. Nach seinem Vater und seinem Großvater würde er in der dritten Generation der Darwins dort Medizin studieren. Die Verbindungen der Familie mit dem Kollegium von Edinburgh reichten weit zurück. Der Professor für Naturphilosophie, John Leslie, ‹ein riesiger Fleischberg und ein äußerst sympathischer Mann›, hatte sogar einst die Wedgwood-Söhne in Maer unterrichtet.[2] Die Folge war, daß Charles von zu Hause mit Empfehlungsschreiben ausgestattet sein würde, die ihm einen Platz an den besten intellektuellen Dinnertafeln sicherten.

Aber auch medizinische Erwägungen spielten eine Rolle. Edinburgh war besser ausgestattet, personell besser besetzt und verfügte über bessere Kliniken als die weltfremden englischen Universitäten. Es brachte nicht nur besser ausgebildete, sondern auch weitaus mehr Ärzte hervor als Oxford und Cambridge.[3] Edinburgh war seit langem ein Sammelplatz für wohlhabende Dissenters gewesen, die von Oxford und Cambridge durch die Neunundreißig Artikel ausgeschlossen waren. Hier studierten sie ein breites Spektrum medizinischer und naturwissenschaftlicher Fächer einschließlich Botanik, Chemie und Naturgeschichte. Die Studenten kamen auch mit dem neuesten kontinentaleuropäischen Denken in Berührung, insbesondere in den aufblühenden Instituten außerhalb der Universitätsmauern. Viele Absolventen gingen nach ihrem Abschlußjahr nach Paris und kehrten voll der allerjüngsten französischen Ideen zurück. Sie hielten die Edinburgher Studenten auf dem laufenden über die besten, unterschiedlichsten und aktuellsten neuen naturwissenschaftlichen Zweige, wie Charles feststellen sollte.

Erasmus konnte sein Krankenhauspraktikum günstigerweise in Edinburgh absolvieren. Deshalb wurden für ihn Pläne geschmiedet, daß er Charles dorthin begleiten und den Bruder unter seine Fittiche nehmen sollte. Im Juli sollte er von Cambridge nach Hause kommen. Alsbald begannen die beiden zu planen. Sie würden sezieren, Fossilien sammeln und ihre chemischen Versuche fortsetzen. Erasmus konnte es kaum erwarten. ‹Unser Zusammensein wird sehr erfreulich sein›, schrieb er, ‹wir werden es uns so behaglich wie möglich machen, und ich glaube fast, daß ich, wenn Du Deinen Einzug auf der Alma Mater gehalten hast, aufhören werde, Dich zu verdreschen.›

Charles und Erasmus trafen Ende Oktober 1825 in Edinburgh ein. Sie nahmen Quartier im Star Hotel in der Princes Street oberhalb des tiefen Grabens, der die Stadt durchzieht, und begannen sich eine Bude zu suchen. Es fehlte nicht an Auswahl bei all den Pensionen, die sich eng um die Universität drängten. Doch die meisten Zimmer waren finstere, feuchte ‹kleine Löcher›. Sie fanden die Ausnahme. Die Hausbesitzerin von Lothian Street Nr. 11, Mrs. Mackay, war auf Studenten spezialisiert. Sie war ‹eine nette und saubere alte Frau und äußerst liebenswürdig und aufmerksam›. (Eine Generation von Ärzten und Naturwissenschaftlern erhielt ihren ersten Vorgeschmack der Edinburgher Gastfreundlichkeit von Mrs. Mackay.) Auch die Lage war günstig; die Universität befand sich am Ende der Straße, nur wenige Minuten entfernt. Für sechsundzwanzig Shilling in der Woche überließ sie den jungen Männern zwei helle und luftige Schlafzimmer und einen Wohnraum im vierten Stock. Kaum eingezogen, begannen sie sich umzusehen. Staunend und voll Bewunderung durchstreiften sie die ganze Stadt. Der tiefe Graben war frappierend; die Stadt schien an einem Abgrund erbaut zu sein. ‹Tatsächlich ist die Bridge Street das Erstaunlichste, was ich je gesehen habe›, schrieb Charles nach Hause, ‹und als wir zum erstenmal über den Rand schauten, trauten wir kaum unseren Augen, als wir statt eines schönen Flusses einen Menschenstrom erblickten.› Sie sahen sich überall um: in der Altstadt mit ihrer gotischen Silhouette, im Geschäftszentrum und im quirligen, von Studenten wimmelnden Universitätsviertel. ‹Auld Reekie›, das ‹alte Rauchnest› Edinburgh, wurde hier mit überfüllten Mietskasernen und Kriminalität seinem Spitznamen gerecht. Dann war da die klassizistische Neustadt, von den Kaufleuten und den gehobenen Schichten inzwischen bevorzugt. Die Brüder schlenderten durch die breiten, kopfsteingepflasterten Straßen, stiegen die gewundenen Treppen hinauf und hinunter und bewunderten die imposanten Steinbauten. Im Parlamentsgebäude konnten sie den verschworenen Club der Tory-Juristen beobachten, ‹die sich vor den beschäftigteren und schwerfälligeren Whigs aufspielten wie vor einer zur baldigen Ausrottung bestimmten Rasse›.[4] Die Söhne von Dr. Darwin, in der Wolle gefärbte Whigs, amüsierten sich über dieses hübsche Beispiel politischer Fehlkalkulation.

Selbstverständlich mußten auch schottische Spezialitäten ausprobiert werden: gebratene Austern, gedünstete Heringe, mit Hafergrütze gefüllter Kabeljaukopf. Eingekauft wurde auf dem neuen Markt mit seinen schmalen Ständen, die von frischen Gemüsen überquollen. Und abends ging es in Webers Oper *Der Freischütz* oder zu einer Ballettaufführung in das Königliche Theater.

Sonntags probierten die beiden die Kirchen durch. Edinburgh war die religiöse Hauptstadt von Schottland, und rußgeschwärzte Kirchtürme verunzierten allerorts die hügelige Landschaft. Die mächtigen Bauten waren das Rückgrat des Establishments; ihre strengen Prediger wurden von einflußreichen Patronatsherren und der Krone ernannt. Dies war die Schottische Nationalkirche: reich, dogmatisch und selbstbewußt. Die legislative Körperschaft der ‹Kirk›, die Generalversammlung, trat unter großem Pomp in Edinburgh zusammen. Alle Welt, auch Charles und Erasmus, strömte auf die Straße, um die Ankunft der Delegierten in ihren schwarzen Roben zu sehen, die über die moralische Gesundheit der Nation debattieren sollten. Der erste Gottesdienst, an dem sie teilnahmen, überraschte die Brüder jedoch etwas: Statt sich einen zweistündigen ‹seelenzergliedernden Sermon› anhören zu müssen, kamen sie erfreulicherweise mit einer gemäßigten Zwanzig-Minuten-Predigt davon.

Edinburgh war kosmopolitisch. Man begegnete da einem deutschen Arzt und dort einem französischen Aristokraten. Der wie ein Hinterwäldler gekleidete amerikanische Vogelmaler John James Audubon war 1826 in der Stadt, um Abonnenten für seine Sammlung *Birds of America* anzuwerben. Frauen mit rosigen Gesichtern zogen durch die Gassen, die Lederriemen ihrer Körbe über der Stirn; ihr bärtiges Mannsvolk war grob und ungehobelt. Es war eine Stadt voll wundersamer Anblicke und schockierender Wissenschaften: Sozialisten experimentierten mit gemeinschaftlichen Lebensformen, und phrenologiebegeisterte Ladeninhaber taxierten die Köpfe ihrer Kunden; Professoren debattierten über die Entstehung der Erde, und Anatomen klärten über die Entwicklung des Lebens auf. Besucher konnten über die Metropole nur staunen, die in der ‹Schamlosigkeit ihrer eigenen Selbstvergötzung› schwelgte.[5]

Die Enkel des Freigeistes Erasmus Darwin hatten Gelegenheit, viele gesellschaftliche Verbindungen zu knüpfen. Sie besuchten Freunde ihres Vaters und dinierten mit Professoren. Charles hielt Susan über die ‹Amüsements› auf dem laufenden:

‹Es hat auch eine Menge Zerstreuungen gegeben. – Am Samstag haben wir bei Dr. Hawley diniert und hatten eine sehr vergnügte Party, nach der wir ins Theater gingen [...] Dr. Hawley hat Informationen über die Fragen meines Vaters besorgt, und ich werde sie ihm in Kürze schreiben. Am Freitag sind wir bei dem alten Dr. Duncan [ein Mann in den Achtzigern, aber immer noch Koprofessor für theoretische Physik], und ich hoffe, es wird eine lustigere Party als die letzte, die geradezu ein Musterfall von Stupidität [war] [...] Ich bin schockierend faul gewesen und habe tatsächlich zwei Romane gleichzeitig gelesen. [Eine] ordentliche Schelte würde mir ungeheuer guttun, und ich hoffe, Du wirst mir eine Deiner strengsten Predigten verpassen.›

Diese Partybesuche waren diplomatischer Natur; die Duncans waren seit langem mit den Darwins bekannt. Charles' Onkel und Namensvetter, der nach dem Sezierunfall starb, war in der Duncanschen Familiengruft bestattet. Der alte Dr. Duncan nahm zwangsläufig eine väterliche Haltung gegenüber dem jüngsten Darwin in seinen Vorlesungen ein.[6]

Elegante Whig-Türen standen den beiden jungen Darwins offen. Verwandte gaben Charles ein Empfehlungsschreiben an eine der führenden Persönlichkeiten der Whigs, Leonard Horner, Geologe, Pädagoge und bald darauf Rektor der neuen Londoner Universität. Horner nahm Charles in die Royal Society von Edinburgh mit, wo sie Sir Walter Scott sahen, Audubons ‹himmlisches Wesen›, jetzt freilich, nach seinem schockierenden Bankrott, ein eher erbarmungswürdiges. Doch die Größe war immer noch erkennbar, und Charles betrachtete ‹die ganze Szene mit Ehrfurcht und Respekt›.[7]

Charles war in einer Welt wohlhabender Whigs groß geworden. Dies verschaffte ihm das Entree in das liberale Edinburgh. Er brauchte sich seinen politischen Standort nicht erst zu suchen. Die Familie fühlte sich dem Whig-Manifest für erweitertes Wahlrecht, offenen Wettbewerb, religiöse Emanzipation (die Dissenters, Juden und Katholiken den Zugang zu öffentlichen Ämtern ermöglichte) und die Abschaffung der Sklaverei verpflichtet.

Die kirchen- und königstreuen Torys regierten 1825, wie meistens in den vorangegangenen fünfzig Jahren, und Whigs wie die Darwins verabscheuten es, wie sich ihre Gegner mit allen Mitteln an der Macht festklammerten. Doch die eingefleischte Whig-Anhängerschaft der Familie konnte Charles nicht von gewissen Seitensprüngen abhalten. So teilte er Susan genüßlich mit, daß er das skandalöse Tory-Hetzblatt *John Bull* abonniert habe. Es war der pure politische Kitzel: Er amüsierte sich einfach über den haarsträubenden fremdenfeindlichen Extremismus des Blattes, über dessen Skandalgeschichten und Panikmache. Erasmus setzte noch eins drauf. *John Bull* genügte ihm nicht; er wechselte zu *The Age* über, weil es das ‹zehnmal Skurrilere von den beiden› sei. ‹Du hast doch nichts dagegen?› fragte er Charles scheinheilig.

Die Mädchen waren nicht begeistert. Charles' gutmütige Auflehnung gegen seine mütterlichen Schwestern war eine Sache, ihnen seine Exemplare von *John Bull* zu schicken, eine andere. Tory-Gossenjournalismus ging ihnen über die Hutschnur, insbesondere in der Frage der Sklaverei, die für die Darwin-Wedgwoods sakrosankt war. Entrüstet stellte Catherine beim Lesen dieses Sudelblattes fest, daß Sklaven darin als glücklich und zufrieden hingestellt wurden. Susan wollte von Charles wissen, warum er keine aufgeklärte Tageszeitung lese: ‹Ich werde erfreuter sein, wenn ich höre, daß Du *The Morning Chronicle* studierst›, schrieb sie vorwurfsvoll.[8]

Dann war da das Studentenleben. Es war die übliche Mischung aus harter Arbeit und Übermut, und wie immer machte sich die ältere Generation Sorgen. Für die fromme schottische Mentalität waren die Studenten Nichtsnutze. Trunkenheit und Schlägereien waren alltäglich. Und die Lehrer, die Gruselgeschichten verbreiteten, gossen noch Öl ins Feuer, wenn sie mit düsterem Unterton behaupteten, stundenlange Sezierübungen trieben diese jungen Seelen in Bars und Bordelle. Selbst das Theater galt als suspekt; manche hielten es für eine ausgemachte Sache, daß es die Leidenschaften aufpeitsche, die bereits durch die Anatomie geweckt worden seien. Für viele waren die medizinischen Fakultäten bessere Leichenhäuser, die es mit gestohlenem Fleisch zu tun hatten und junge Menschen korrumpierten. Stimmte es etwa nicht, daß Leute, die Fleisch und Knochen sezierten, ihren Glauben an eine unsichtbare Seele verloren? Manche Lehrer boten schwerlich das beste Beispiel. In London war es nichts Besonderes, wenn ein Lehrer in seiner Stammkneipe Studenten Notizen diktierte oder sie mit politischer Propaganda aufwiegelte. London war schlimm genug; wie man hörte, sollten die Studenten dort in der neuen Universität randalieren. Doch Erasmus meinte, die schottischen Studenten seien schlimmer.[9]

Fraglos waren die Dinge keineswegs so schlecht, wie es die Presse behauptete. Die Zeitungen zogen Gewinn aus der öffentlichen Empörung; beschwipste Studenten, die über die Stränge schlugen, steigerten die Auflage. Lüsterne Leser wollten geschockt werden. Die chemischen Experimente der Darwin-Brüder waren freilich eher belustigend, etwa als sie von Lachgas einen Rausch bekamen. Sie machten auch die Mode des syrischen Schnupftabaks mit. Aber ihre Glücksspiele waren kaum neu; der Grog sollte sie bloß vor Erkältungen bewahren, und die Theaterbesuche waren unschuldig genug, um den Hauptinhalt der Briefe zu bilden, die sie nach Hause schickten.

Tatsächlich waren die Brüder anfangs fleißig. Erasmus hatte möglichst früh nach Edinburgh fahren wollen, ‹damit wir beide lesen können wie Pferde›. Das taten sie auch, sobald sie sich eingelebt hatten. Sie waren unersättliche Bücherwürmer und holten sich in diesem ersten Semester mehr Bände aus der Bibliothek als jeder andere an der Universität. Daneben kaufte Charles noch Bücher. Geld war kein Problem, solange der Vater für ihre Rechnungen aufkam, und Charles konnte immer um einen Zehn-Pfund-Schein nach Hause schreiben, der ihn über die Runden brachte.[10] Und falls sich seine Lage zuspitzte, konnte er seine Insekten verkaufen, um dafür ein Botanikbuch zu erstehen, wie es Erasmus tun sollte.

An der medizinischen Fakultät waren in Charles' erstem Jahr neunhundert Studenten immatrikuliert, mehr als ein Viertel von ihnen aus England. Sie bot nach wie vor die beste medizinische Ausbildung in Großbritannien, obwohl niemand blind für ihren Niedergang seit den schönen Zeiten der Aufklärung war. Und die meisten erkannten die Ursache: Der Tory-Stadtrat (und nicht die Universität) ernannte zwei Drittel der Professoren, deren Namen oft von der Liste der eigenen Parteigänger stammten, immer mit Billigung der Schottischen Kirche. Diese politische Einflußnahme löste Gezänk aus und brachte kaum das beste Kollegium hervor.

Manche Professoren erbten sogar ihre Lehrstühle und behandelten sie als Familienbesitz. Charles war entsetzt über den bärbeißigen Professor für Anatomie, Alexander Monro III. Er hatte den Lehrstuhl seines Vaters und seines Großvaters inne, und das merkte man auch. Ein Student beschrieb sein Auftreten als ‹leidenschaftslose Gleichgültigkeit›, und seine Vorlesungen gingen später in Krawallen unter. Wie so viele Anatomiedozenten, die soeben aus dem Seziersaal kamen, war er mit Blut und Schmutz besudelt. ‹Er und seine Vorlesungen sind mir so zuwider, daß ich nicht mit Anstand darüber sprechen kann›, schrieb Charles empört. ‹Er selbst und seine Handlungen sind so schmutzig.›[11]

Monros einschläfernder Sermon trieb viele Studenten auf die andere Straßenseite, wo sie sich die funkensprühenden, kontinentaleuropäisch ausgerichteten Vorlesungen des Robert Knox anhörten. Der dandyhafte Knox lehrte an einer der konkurrierenden Privatschulen am Surgeons' Square. Aber die Studenten kamen nicht nur, um seine Vorlesungen zu hören. Der extravagante, einäugige, goldene Westen tragende Knox attackierte zum fraglosen Entzücken seiner Zuhörer auch den Klerus und die Honoratioren der Stadt. Seine ätzenden Satiren auf die Religion machten ihn zur Geißel der Kirk. Doch die Studenten reagierten mit stürmischem Beifall. Sein geschliffener Witz ließ Monro nur noch langweiliger erscheinen, während der Andrang bei Knox immer größer wurde. Von 1826 bis zum Jahr 1828, in dem er dabei ertappt wurde, unwissentlich die Opfer der beiden Mörder Burke und Hare zum Sezieren angenommen zu haben, unterrichtete Knox mehr Studenten als alle anderen Privatdozenten zusammen.[12]

Erasmus schrieb sich bei dem Hauptrivalen von Knox, John Lizars, auf der anderen Seite von Surgeons' Square ein. Er war ‹charmant› und sicherlich respektabler. Charles hörte bei keinem Privatdozenten. Er fand Chirurgie magenaufwühlend, und man kann verstehen, warum. 1826 lernte Audubon Knox kennen, ‹in einen Überwurf gehüllt und mit blutigen Fingern›, und wurde in dessen Anatomiesaal herumgeführt. Es war ein Augenblick unbeschreiblichen Entsetzens. Angesichts der abgetrennten Gliedmaßen und der zerschnittenen Torsos mußte er nach Luft ringen. ‹Was ich zu sehen bekam, war äußerst abstoßend, manches schockierender als alles, was ich mir je hätte vorstellen können. Ich war froh, dieses Schlachthaus zu verlassen und wieder die bekömmliche Atmosphäre der Straßen zu atmen.› Charles empfand das genauso.[13] Monro hatte ihm das Studium der menschlichen Anatomie für den Rest seines Lebens vergällt. Die Folge war, daß er die Seziertechniken nie richtig erlernte, was er später bedauern sollte.

Doch er fand nicht nur Monro unsympathisch. Im Januar 1826 beklagte sich Charles gegenüber Caroline über ‹einen langen, stupiden Vortrag von Duncan› über Medikamente. Dr. Andrew Duncan junior war ein Professorenkollege seines Vaters und nach Charles' Ansicht ‹so gelehrt, daß sein Wissen keinen Platz mehr für seine Vernunft gelassen hat›. Sein Vortrag könne nicht ‹in ein Wort übersetzt werden, das seiner Dummheit gerecht wird›. Die Kritik ist vielleicht unverdient, denn der weitgereiste Duncan, vertraut mit dem besten französischen Denken, galt als ‹ein Mann von vielseitigstem Genie›. (Er war es auch, der das mit dem Chinin verwandte Cinchonin aus Chinarinde isolierte.) Das Problem lag bei dem jungen Charles. Er war schlichtweg nicht bereit zu der Paukerei, die das Medizinstudium erforderte. Zwar harrte er an frostigen Morgen aus, um sich Duncans Beschreibungen von Arzneipflanzen anzuhören, und war nach Entrichtung der Versuchsgebühr von einer halben Krone auch willens, sie aus dem vor den Hörern ausgebreiteten Pflanzensortiment ‹zu erriechen und zu erschmecken›. Doch letzten Endes konnte er sich einfach nicht dazu überwinden, aus dem Bett zu steigen, um sich ‹eine ganze kalte, frühstückslose Stunde lang mit den Eigenschaften von Rhabarber› zu befassen.[14]

Charles' Desillusionierung wurde durch seine klinischen Studien beschleunigt. Er ging durch die Abteilungen des Königlichen Krankenhauses neben dem College, doch was er sah, bedrückte ihn. Er hatte denselben Horror wie sein Vater vor Blut, aber im Gegensatz zu ihm schaffte er es nie, seine Empfindlichkeit zu überwinden. Seine zwei Besuche in Operationssälen verursachten ihm Übelkeit und verstärkten seine morbide Furcht vor menschlichem Blut. Hier floß es rasch und reichlich, wenn operiert wurde, denn in den Tagen der heroischen Chirurgie, als es noch keine Narkosemittel gab, war Schnelligkeit unerläßlich, um das Trauma des festgeschnallten und brüllenden Patienten zu verringern. Schmutzige Hände hantierten mit schmutzigen Sägen und hackten und schnitten flink, während das Blut in Eimer voll Sägemehl lief. Die Studenten drängten einander zur Seite, um in der gespannten, dampfenden Atmosphäre etwas zu sehen. Während einer besonders gräßlichen Operation an einem Kind flüchtete Charles schließlich aus dem Raum, unfähig, weiter zuzusehen, und schwor sich, nie wieder einen Operationssaal zu betreten.[15] Dieses Erlebnis sollte ihn sein Leben lang verfolgen.

So ungefähr die einzigen Vorlesungen, die nicht als ‹langweilig› abgetan wurden, waren die von Professor Thomas Hope über Chemie. Hopes ‹chemisches Drama› war die reinste Unterhaltung. Alles wurde ‹mit großem *éclat*› zelebriert und zog folglich die größte Hörerschaft an der Universität an. (Charles war in diesem Jahr einer von fünfhundertdrei Studenten.) Der ausschließlich von seinen Studiengebühren lebende Hope hatte jegliche Forschung aufgegeben und seine chemischen Zauberkunststücke perfektioniert, für die er gut sichtbare überdimensionierte Apparaturen verwandte. Er bot sogar einen populärwissenschaftlichen Kurs an, an dem Damen teilnehmen konnten, wenn sie auch durch eine Hintertür hineinschlüpfen mußten. Dies wurde zum Stadtgespräch. ‹Der Doktor ist in absoluter Ekstase angesichts seiner Hörerschaft in Schleiern und Federn›, stichelte ein Kommentator. ‹Ich hoffe, daß es ihn bei einem seiner Experimente zerreißt – dann kann jede seiner Verehrerinnen ein Stück von ihm abkriegen!› Charles dachte anders. Er dinierte mit Hope und schrieb nach Hause: ‹Ich habe ihn und seine Vorlesungen *sehr* gern.›[16] Wie alle Jungen scheint ‹Gas› Darwin, selbst ein Chemiedilettant, die Ablenkung von den grimmigen Realitäten des Krankenbetts genossen zu haben. Sie war fast der einzige Lichtblick seines ersten Jahrs in Edinburgh.

Selbstredend gab es auch Zerstreuungen sonstiger Art. Er ging mit Erasmus an der Küste spazieren und fand Tintenfische, Seeraupen und Nacktkiemerschnecken. Und als jagdliebender Sohn eines Gutsherrn, der Trophäen zum Vorzeigen brauchte, fand er auch noch andere Abwechslungen.

‹Ein Mohr wird mir beibringen, wie man Vögel ausstopft›, kündigte er seinen Schwestern an. Der fragliche ‹Mohr› war ein freigelassener schwarzer Sklave, John Edmonstone, den der exzentrische katholische Landjunker und Weltreisende Charles Waterton aus dem südamerikanischen Guayana mitgebracht hatte. John (das ‹Edmonstone› hatte er von seinem Herrn übernommen) war von dem Junker, einem der besten Präparatoren im Lande, in Taxidermie ausgebildet worden. John hatte sich in der Lothian Street Nr. 37 einquartiert und besaß eine Werkstätte im Museum von Edinburgh, wo er den Studenten seine Kenntnisse vermittelte. Die Unterrichtsstunden waren billig; ‹er verlangt nur eine Guinee für eine Stunde täglich zwei Monate lang›, berichtete Charles. Sein Lehrer war ‹sehr sympathisch und intelligent›, und er saß häufig bei ihm.[17] John, der den kauzigen Waterton auf seinen Reisen begleitet hatte, fand in ihm einen willigen Zuhörer für seine täglichen Geschichten über die Tropen. Charles wurde in die Kunst des Tierpräparierens eingewiesen. Darüber hinaus hörte er Berichte aus erster Hand über das Leben eines Sklaven und die Üppigkeit des südamerikanischen Regenwaldes.

Diese tägliche Flucht an sonnendurchglühte Orte war weit von der Realität des frostigen Edinburgh entfernt. Es war eiskalt, und Charles war unglücklich. Romantische Erzählungen über Urwälder entzückten ihn; für Duncans öde Vorlesungen aufzustehen, machte ihm keinen Spaß. Susan versuchte ihn aufzumuntern; so schrieb sie ihm im März 1826: ‹Widme Dich in diesem nächsten Monat der Weisheit, und Du wirst viel glücklicher sein.› Er konnte jedoch keine Weisheit in der Medizin entdecken. Wahrscheinlich half es ihm auch nicht, einen Schwall von mädchenhaftem Klatsch über die Lustbarkeiten zu Hause oder Berichte über die Flirts auf den Frühlingsbällen in Shrewsbury zu erhalten.

Caroline, wie üblich auf das Jenseits bedacht, versuchte es mit einer anderen Botschaft. Sie ermahnte ihn, die Bibel zu lesen, um zu lernen, ‹was man fühlen und tun muß, um nach dem Tod in den Himmel zu kommen›. Sie fügte hinzu: ‹Ich nehme an, Du fühlst Dich noch nicht bereit, zum Abendmahl zu gehen.› Entgegenkommend antwortete Charles: ‹Welcher Teil der Bibel gefällt Dir am besten? Ich mag die Evangelien. Weißt Du, welches von ihnen im allgemeinen als das beste gilt?› Sie einigten sich auf das Johannesevangelium, und Caroline klagte: ‹Ich bedaure oft selbst, daß ich, als ich jünger, unternehmungslustiger und ausgelassener war, nicht religiöser war – aber es ist schwierig, ständig so zu sein.›

Charles fing an, über ein Leben nachzudenken, das er als selbstverständlich angesehen hatte. Er begann die Fürsorge schätzen zu lernen, die ihm Susan und Caroline nach dem Tod seiner Mutter angedeihen ließen. Ihre Briefe lösten jetzt eine emotionale Reaktion bei ihm aus, als er versuchte, seine Gedanken in Worte zu fassen. ‹Ich spüre, wie undankbar ich Dir gegenüber für all die Güte und Fürsorge war, die Du mir erwiesen hast›, gestand er Caroline. ‹Tatsächlich kann ich mich oft nur wundern über meine eigene blinde Undankbarkeit.›

Seine Halbherzigkeit im Medizinstudium blieb dem Vater nicht verborgen. Er rügte Charles im März 1826 wegen der Planlosigkeit, mit der er seine Vorlesungen wählte, und schrieb ihm in aller Deutlichkeit: ‹Wenn Du nicht von Deinem gegenwärtigen Schlendrian abläßt, dann wird sich Dein Studium als völlig nutzlos erweisen.›[18] Und er warnte ihn davor, Vorlesungen zu schwänzen und verfrüht nach Hause zu kommen.

Am Ende des Trimesters flüchtete Charles so schnell wie möglich aus Edinburgh. Der Sommer war unvergleichlich erfreulicher. Zusammen mit einem Schulfreund aus Shrewsbury wanderte er durch die walisischen Berge. Die Lektüre von Reverend Gilbert Whites Klassiker *Natural History of Selborne* lehrte ihn, Vögel nicht bloß als bewegliche Zielscheiben zu betrachten; nun begann er, ihre Lebensweisen und ihre Nistgewohnheiten zu beobachten und seine Beobachtungen in einen Taschenkalender einzutragen. Aufs neue durchlebte er das Entzücken seiner kindlichen Streifzüge entlang der walisischen Küste, und er fragte sich, ‹warum nicht jeder Gentleman ein Ornithologe wird›. Allerdings war er nicht völlig zu derart friedvollem Tun bekehrt. Als am 1. September 1826 die Jagdsaison eröffnet wurde, tat er sein Bestes, um die Vogelpopulation von Maer zu dezimieren, die Eintragungen in seinem Tagebuch wechselten nun von Verhaltensbeobachtungen zu Aufzeichnungen darüber, was er zur Strecke brachte – fünfundfünfzig Rebhühner, drei Hasen und ein Kaninchen waren es in der ersten Woche.[19]

Die Aussicht, allein nach Edinburgh zurückzukehren, lockte ihn nicht. Während des ersten Jahres hatten Erasmus und er alles gemeinsam erforscht und gemeinsam studiert. Sie waren unzertrennlich, ob sie nun lasen, in Vorlesungen gingen oder nacheinander die verschiedenen Zerstreuungen des Edinburgher Nachtlebens kennenlernten. Doch Erasmus hatte sein Jahr beendet und immatrikulierte sich jetzt an einem anatomischen Institut in London, so daß Charles auf sich selbst gestellt sein würde.

Von seinem Vater unter Druck gesetzt, widmete sich Charles der Lektüre. Er schmökerte in dem medizinischen Hauptwerk seines Großvaters über die Gesetze des Lebens und der Gesundheit, der *Zoonomia*. Vater Darwin schwor darauf und pries das Buch wegen der darin vermittelten Einsichten in Erbkrankheiten; dabei behandelte der Wälzer noch weitaus mehr, so die Zusammenhänge zwischen Körper und Geist und die ewige Transformation des Lebens.[20] Charles las mit Sympathie und war voll der Bewunderung – worüber, wußte er nicht genau; vielleicht deshalb, weil es sein Großvater geschrieben hatte. Doch das änderte nichts an seiner Einstellung zur Medizin.

3

Moostierchen und subversive Wissenschaft

Im November 1826 kehrte Charles nach Edinburgh zurück. Fern von zu Hause, allein und unsicher hinsichtlich der Zukunft, ließ er sich zunächst treiben. Andeutungen, daß ihn sein Vater finanziell gut versorgen werde, dämpften jeden Rest an Entschlossenheit, sich ernsthaft der Medizin zu widmen. Die Professoren kannten das alles. Daß man seine Studenten verlor, sobald sie zu Geld kamen, war ein dauerndes Problem in diesem Zeitalter, in dem es ein Beruf war, Gentleman zu sein.[1]

Charles' Ernüchterung war unverkennbar; er machte sich in diesem Jahr nicht einmal die Mühe, einen Bibliotheksausweis zu beantragen. Sein Interesse war offenkundig verflogen. Da er aufgrund seines geringen Engagements viel freie Zeit hatte, stürzte er sich in die Studentenverbindungen und fand hier Aufregendes, wo er es zuletzt erwartet hätte.

In diesen rührigen Verbindungen schärften die künftigen Anwälte und Ärzte ihren Geist, indem sie über aktuelle Fragen debattierten. Bei den Zusammenkünften ging es kameradschaftlich zu; dennoch verliefen die Diskussionen oft stürmisch. Die Versammlungen der Plinian Society konnten geradezu elektrisierend sein, zumal dann, wenn die Themen die Grenzen des Erlaubten überschritten. Die Plinier waren 1823 von dem scheuen, strubbelhaarigen Regius-Professor für Naturgeschichte, Robert Jameson, gegründet worden.[2] Jeden Dienstag strömten Gentlemen aller Art, von Sechzehnjährigen bis hin zu Altabsolventen, in einen der Kellersäle, um sich die Debatten anzuhören. Als Darwin 1826 den Pliniern beitrat, waren sie von radikalen Studenten unterwandert – leidenschaftlichen, freidenkerischen Demokraten, die forderten, die Wissenschaft müsse sich auf physikalische Ursachen, sie dürfe sich nicht auf übernatürliche Kräfte berufen. Ihnen traten die religiösen Dogmatiker entgegen, und für viele Zuhörer wie Darwin hatten die daraus resultierenden Auseinandersetzungen jene Faszination, die den akademischen Vorlesungen fehlte.

Darwin war von dem Plinier-Aktivisten William Browne, einem der fünf Präsidenten dieser sehr demokratischen Gesellschaft, als Mitglied vorgeschlagen worden. Der damals einundzwanzigjährige Browne war ein brillanter Demagoge mit einem Interesse an Geisteskrankheiten, der sein Studium 1826 abschloß. Er trat kompromißlos für radikale Wissenschaft und antiklerikale Politik ein. Für Seelen und Heilige hatte er keine Zeit. Radikalen wie ihm ging es darum, eine von der Kirche dominierte Gesellschaft zu reformieren. Die Staatskirchen von Schottland und England beherrschten alle Aspekte des Lebens, monopolisierten politische Ämter, verteilten Posten im Krankenhauswesen, an den Universitäten und in der Justiz, schrieben die Riten vor, die Geburt, Heirat und Tod begleiteten, schränkten die Bürgerrechte ein und unterdrückten andere religiöse Gruppen. Sie waren den Radikaldemokraten wegen ihrer korrupten Machtausübung verhaßt. Browne selbst verabscheute das ‹Pfaffentum›, und er verstand es blendend, den Klerus seines Heiligenscheins zu berauben. Er unterzog die Insassen der Irrenanstalt von Montrose eingehenden Beobachtungen, um zu beweisen, daß die im Laufe der Jahrhunderte von der Kirche heiliggesprochenen Fanatiker Verrückte gewesen seien. Sie hätten überentwickelte Organe der ‹Verehrung› im Gehirn gehabt. Im aufgeklärteren 19. Jahrhundert wären sie laut Browne als geisteskrank eingesperrt worden.[3]

Genau an dem Tag, an dem Darwin sein Beitrittsgesuch einreichte, am 21. November 1826, hörte er Browne seine Absicht bekanntgeben, Charles Bells fromme Abhandlung *The Anatomy and Physiology of Expression* zu widerlegen (ein Buch, das Darwin in späteren Jahren selbst heftig kritisieren sollte). Bell, der sich selbst als ‹Kapitän der Anatomen› bezeichnete, behauptete, der Schöpfer habe das menschliche Gesicht mit einzigartigen Muskeln ausgestattet, die es dem Menschen erlaubten, seine einzigartigen Gefühle auszudrücken, was seine einzigartige moralische Natur beweise. Browne verachtete solchen anatomischen Chauvinismus, und da er keinen grundlegenden Unterschied zwischen Mensch und Tier anerkannte, wies er Bells Auffassung entschieden zurück.

In der folgenden Woche wurde Darwin zusammen mit William Greg, einem gleichaltrigen Studenten, in die Plinian Society aufgenommen. Greg war genauso ketzerisch wie Browne. Er bot sofort an, ein Referat zu halten, in dem er beweisen wollte, daß ‹die niederen Tiere jede Fähigkeit und Neigung des menschlichen Geistes besitzen›. Greg, Sohn eines Fabrikbesitzers und Baumwollbarons aus Manchester, hatte eine unitarische Schule besucht. Dort hatte er gelernt, die Natur ausschließlich vom Standpunkt physikalischer Kräfte zu sehen. (Die Unitarier hatten nichts übrig für die orthodoxe, auf dem Schöpfungsglauben basierende Wissenschaft, wie sie in anglikanischen Schulen gelehrt wurde; nach ihrer Überzeugung wurden die Arten ebensowenig auf wundersame Weise erschaffen, wie der Mensch außerhalb der Natur stand.) Seine Lehrer hatten sogar behauptet, auch der menschliche Geist sei physikalischen Gesetzen unterworfen, eine Vorstellung, die die Anglikaner verabscheuten, waren sie doch davon überzeugt, daß die Moral ein Geschenk Gottes, nicht der Natur sei. Greg hielt also seinen Vortrag über den tierischen und menschlichen Geist.[4] Der von Wedgwoodschem Unitarismus geprägte Darwin hörte ihn wahrscheinlich ohne Überraschung. Die geheime Faszination dieser Zusammenkünfte war ungeheuer. Staatskirchliche Dogmen wurden in Zweifel gezogen und abweichende wissenschaftliche Meinungen um so mehr verfochten. Den empfänglichen siebzehnjährigen Darwin muß das stark beeindruckt haben. Bald spielte er eine aktive Rolle. Am 5. Dezember 1826, dem Tag, an dem Browne Bells Buch nach Strich und Faden verriß, wurde Darwin in den Vorstand der Plinian Society gewählt.

Darwins neue Freunde waren nicht nur politisch aktiv. Browne und Greg waren leidenschaftliche Phrenologen, die unter den Studenten um Anhänger warben. Die Phrenologie war eine unter den Edinburgher Händlern, die nach größerer politischer Macht strebten, in Mode gekommene, gegen das Establishment gerichtete Wissenschaft. Ihre Vertreter behaupteten, für jede geistige Fähigkeit – etwa Liebe, Moral, Verehrung, was auch immer – gebe es ein eigenes ‹Organ› im Gehirn, und die Größe der einzelnen Organe bedinge die Kopfform. Das machte die Phrenologie populär. Hier gab es keine Kunst und keine Geheimnisse. Jeder konnte sich die Höcker am Kopf eines Menschen anschauen und daran dessen Geistesgaben ablesen. Diese Art von Selbsthilfe war ganz nach dem Geschmack der Mandarine des neuen Reichtums, die mit dem Dünkel des alten konfrontiert waren; wer seine eigenen wahren Talente kannte, der bedurfte weder der Protektion noch der Günstlingswirtschaft.[5]

Naturgemäß bestanden die Zusammenkünfte der Plinier nicht bloß in intellektueller Ketzerei und studentischem Radikalismus; sie galten dem Einzelnen ebenso wie dem großen Ganzen und beschäftigten sich gleichermaßen mit der Lebensweise des Kuckucks wie mit der Klassifizierung der Tiere, mit dem Instinkt wie mit der Existenz von Meeresungeheuern. Viele Vorträge betrafen an Ort und Stelle zu besichtigende Phänomene, etwa Wale, Algenblüten, seltene Pflanzen, was den Zuhörern Gelegenheit zu eigener Beteiligung gab. Der junge Darwin steuerte sein Scherflein in Sachen Kuckuck und Klassifizierung bei und scheint die Gesellschaft insgesamt als großen Gewinn empfunden zu haben.

Mit seinen Freunden von der Society durchkämmte er die Küste des Firth of Forth und fuhr auf den Trawlern mit, die mit ihren Schleppnetzen den Meeresgrund abfischten. Manchmal drangen sie weiter vor: entlang der Küste von Fifeshire, wo sie im Leuchtturm von Inchkeith Zuflucht vor Stürmen fanden, oder zur Isle of May draußen in der Förde.[6] Immer war Darwin jedoch auf der Suche nach angeschwemmtem Seegetier, insbesondere Schwämmen und langstieligen Federkorallen samt ihren Verwandten.

Andere teilten seine Faszination, so der lernbegierige John Coldstream. Zwei Jahre älter als Darwin und ebenso gefesselt von den einheimischen Korallentieren und Schwämmen, die er sammelte und weitergab, war er den Pliniern schon bei der Gründung beigetreten; auch er war einer der Präsidenten, die Darwin zur Wahl vorschlugen. Aber er verkörperte einen anderen Schlag als Browne und Greg. Schon als Junge im benachbarten Leith war Coldstream sehr fromm gewesen, ein ernsthafter, bibelgläubiger Missionar. Er war der Ansicht, daß Großbritannien durch eine moralische Erneuerung im Zeichen des Christentums gerettet werden sollte, nicht durch Brownes atheistische Politik. Coldstream hatte für die örtliche Bibelgesellschaft Beiträge verfaßt, und auch in Edinburgh fand ihn Darwin ‹pedantisch, förmlich, sehr religiös und überaus gutherzig›.[7]

Unter allen Edinburgher Mentoren Darwins ragte einer heraus: Robert Edmond Grant, hochgewachsen, scharfzüngig, Experte für Schwämme. Er hatte ein engeres Verhältnis zu Charles und beeinflußte ihn in dieser Periode stärker als jeder andere.

Grant war gebürtiger Edinburgher; er hatte an dem vornehmen Argyle Square das Licht der Welt erblickt. Er war sechzehn Jahre älter als Darwin und bereits seit zwölf Jahren Arzt. Aber er hatte die medizinische Praxis aufgegeben, um Flora und Fauna des Meeres zu studieren, was er sich dank einer Erbschaft nach dem Tod seines Vaters leisten konnte (obwohl das Geld inzwischen zur Neige ging). Er war ein weiterer treuer Plinier und eine faszinierende Persönlichkeit. Es gab keinen leidenschaftlicheren Frankophilen und auch niemanden, der mit größerer Überzeugung für eine radikale Reform der Wissenschaft und der Gesellschaft eintrat. Die Begegnung mit Grant war für Darwin von entscheidender Bedeutung, kam er doch bei ihm unter die Fittiche eines kompromißlosen Verfechters der biologischen Entwicklungslehre.

Grant war nichts heilig. Als Freidenker sah er keine spirituelle Macht hinter dem Thron der Natur. Entstehung und Entwicklung des Lebens waren für ihn einfach auf physikalische und chemische Kräfte zurückzuführen, die allesamt Naturgesetzen gehorchten. Wie seine französischen Heroen, der verleumdete Jean-Baptiste de Lamarck und Etienne Geoffroy Saint-Hilaire, beides Evolutionisten, hielt er eine neue, phantasievolle Vision für nötig. Doch die Entwicklungslehre wurde von der Kirche und den wissenschaftlichen Autoritäten fast einhellig verdammt, als unmoralisch und subversiv angeprangert. Wenn die Menschen sich als unvernünftige Tiere begriffen, würden sie sich entsprechend verhalten. Gott war der Erzpatriarch, der durch aristokratische Priester wirkte; seine Güte kam über Seine Kirche der Gesellschaft zugute. Wenn sich Natur und Kultur *von selbst* entwickelten, wenn der Klerus nicht auf wundersam erschaffene Arten als ein Zeichen Seiner von oben wirkenden Macht verweisen konnte, dann war die Legitimität der Kirche in Frage gestellt. Die Logik war zwingend, auch wenn dies alles selten ausgesprochen wurde. An dem Tag, an dem die Menschen akzeptierten, daß sich Natur und Gesellschaft ohne fremde Hilfe entwickelten, würde die Kirche untergehen, das moralische Gefüge der Gesellschaft zusammenbrechen und der zivilisierte Mensch zur Barbarei zurückkehren.

Die wenigen Evolutionisten hielten sich in Deckung. Sie waren für gewöhnlich von den revolutionären Franzosen inspiriert und oftmals radikale Demokraten, die die Gesellschaft öffnen wollten. Für sie kamen die Kräfte des Wandels von unten, sowohl in der Natur als auch in der Politik. (Daher ihre demokratischen Ideale – die Macht kam vom Volk, sie wurde nicht von reichen Gönnern nach unten delegiert.) Grants Bewunderung für den alten Lamarck in Frankreich war grenzenlos. Lamarck lebte noch als blinder Achtzigjähriger in Paris. Zu seiner Zeit war er ein herausragender Biologe gewesen (er prägte dieses Wort) – der Kepler der Biologie, wie ihn ein Zeitgenosse nannte. Als Professor für ‹Insekten und Würmer› am Naturgeschichtlichen Museum in Paris hatte er das Studium der niederen wirbellosen Tiere revolutioniert. Auch die Muschelsammlung des Britischen Museums war nach Lamarckschen Grundsätzen angeordnet. Doch das wissenschaftliche Denken Lamarcks hatte auch eine andere Seite, die auf hysterische Reaktionen stieß: seine Entwicklungslehre. Die meisten bezeichneten sie als abscheulich. Der Kustos, der die Muscheln des Museums neu ordnete, ein Eton-Absolvent, spie Gift und Galle über den Franzosen wegen dessen evolutionärer Ideale. Er geiferte über den ‹von Lamarck und seinen Jüngern ausgespienen gräßlichen Schund› und verdammte jene Naturwissenschaftler, die ‹der Allmacht unüberlegt und nahezu blasphemisch eine Periode relativen Schwachsinns unterstellt haben›.[8]

Mit gottlosem Evolutionsgerede machte man sich also im konservativen Großbritannien verhaßt. Die im 18. Jahrhundert errungenen Menschenrechte waren verwirkt, zertreten in der Reaktion auf die Französische Revolution. In den langen Jahren der Tory-Herrschaft nach den napoleonischen Kriegen stellten pedantische Spezialisierung und Beschreibung weniger gefährliche Beschäftigungen für einen Gelehrten dar. Die Zeit für aufrührerisches Gerede über eine sich selbst entwickelnde Natur war vorüber.

Doch Grant war kein engstirniger Patriot und neigte nicht zur Kriecherei. Eine ruhige Unbeugsamkeit kennzeichnete seine Laufbahn. Seine Verachtung gegenüber der Konvention grenzte ans Selbstzerstörerische. Er verstieß ständig gegen Empfindlichkeiten, nicht nur in seinen wissenschaftlichen Ansichten und seinem jeglicher Heuchelei abholden Radikalismus,

sondern auch in seiner Lebensweise (Gerüchte bezichtigten ihn homosexu-
eller Neigungen, doch gibt es dafür keine Beweise).

In einem chauvinistischen Zeitalter war er ein Mann von tiefer europäischer Gelehrsamkeit. Er war weit gereist und in Paris bestens bekannt. Ebenso wie Lamarck erforschte auch Grant die Schwämme; daß man so wenig
über sie wußte, faszinierte ihn. Gerade die Einfachheit dieser primitiven
Meerestiere, so glaubte er, werde es ermöglichen, ihren Aufbau leichter zu
verstehen und dadurch manche der schwierigeren Probleme der komplexe-
ren höheren Tiere einschließlich des Menschen zu begreifen. Grant wies die
Behauptungen des Klerus von Oxford und Cambridge zurück, die Fossilien
mit ihrer Aufeinanderfolge ausgestorbener Tiere und Pflanzen zeugten von
einer Reihe göttlicher Schöpfungsakte. Vielmehr könne die Evolution des
Menschen und der Affen auf umweltbedingte und klimatische Ursachen
zurückgeführt werden. Der Naturforscher habe die Aufgabe, diese Ursachen
offenzulegen. Mit solch respektlosem Erforschen der Schöpfung tanzte
Grant aus der Reihe der risikoscheuen Fliegenbeinzähler in England.

Das also war Darwins Wandergefährte. Und ein guter Wanderer dazu.
Grant hatte bei seinen Besuchen an Universitäten in Frankreich, Deutschland, Italien und der Schweiz bereits siebenmal zu Fuß die Alpen überquert.
Ins Gespräch vertieft, marschierten die beiden regenschirmbewehrt zur Küste hin; so lernte der wißbegierige Darwin, die richtigen Fragen zu stellen.
Grant konnte fesselnd erzählen, und ihr Gespräch drehte sich abwechselnd
um exotische Schwämme, das Leben in einem ungarischen Dorf oder den
Sopran am Königlichen Theater. Sobald sie Edinburgh verlassen hatten,
blickten sie zurück auf die Stadt, ‹stufenweise ansteigend wie ein Amphi-
theater, während sich dahinter die großartigsten Wolkengebirge türmten›.[9]
Weiter ging es nach Leith mit seiner eisernen Mole und dem neuen Hafen
voller niederländischer Schiffe und Heringsfischer. Sie begrüßten die heim-
kehrenden Austernschiffe. Grant war von einem merkwürdigen, fleischigen
Geschöpf fasziniert, das sich in Austernschalen ansiedelte und das er als evolutionäres Mittelstadium zwischen Schwämmen und Polypen interpretierte.
Darwin schloß mit den Schleppnetzfischern Freundschaft und begleitete sie
von nun an öfter aufs Meer hinaus, um den Fang zu untersuchen, den sie an
Bord zogen.

Im Lauf des Winters und des Frühlings 1827 lernte er Grant näher kennen. Darwin fand ihn anfangs steif und förmlich, was nicht überrascht,
denn Grant war immer korrekt in Gehrock und Vatermörder gekleidet.
Hinter dieser Fassade war er jedoch warmherzig, begeisterungsfähig und
witzig, wobei seiner scharfen Zunge nichts heilig war. Nicht einmal die Heilige Schrift; eine lange Reihe von Studenten, unter ihnen zweifellos auch
Darwin, hörten sich mit mehr oder weniger großen Schuldgefühlen Grants
Witze über die Vorsehung an. Hinter seiner rauhen Schale verbarg sich eine

ungestüme Begeisterung für den Mikrokosmos. Andere sprachen von seinem ‹Feuereifer› für seine kostbaren Polypen. In der Tat widmete sich Grant dem Gegenstand, wie so vielem anderen, mit selbstloser Energie. So erzählte er seinen Studenten von den ‹acht oder zehn Stunden an einem naßkalten Tag im Februar›, die er frierend und hungrig, im seichten Ufergewässer des Firth of Forth herumwatend, verbracht hatte. ‹Ich hatte nichts zu essen oder zu trinken, ich war völlig durchnäßt, meine Hände waren halb erfroren, und ich war bis ins Mark unterkühlt; aber, Gentlemen, ich wurde reich belohnt: Ich wurde glücklicher Besitzer von nicht weniger als drei dieser schönen kleinen Geschöpfe, dieser Doriden› [Sternschnecken, Nacktkiemer], und er hielt eine Phiole in die Höhe, die drei kaum sichtbare blasenähnliche Tiere enthielt.[10]

Der Sinn eines solchen Opfergangs blieb manchen Studenten verborgen, nicht aber Darwin. Er ließ sich rasch von Grants Enthusiasmus für Nacktkiemerschnecken und ähnliches Getier anstecken. Was er in diesen Monaten von Grant lernte, sollte sein eigenes erstes Herangehen an die Evolution zehn Jahre später prägen.

Grant bezog ein Haus an der felsigen Küste von Prestonpans, zehn Meilen von Edinburgh entfernt. Hier verbrachte er die kalten Wintermonate damit, die bei Ebbe zurückbleibenden Pfützen nach angespülten Schwämmen zu durchstöbern und auf Federkorallen Jagd zu machen. Die Bucht stellte, obwohl an der kalten, stürmischen Nordsee gelegen, eines der reichhaltigsten Meeresbiotope dar, und es gelang ihm, Hunderte von Schwämmen, Moostierchen, Federkorallen und Exemplaren verwandter Arten zu fangen und am Leben zu erhalten. Er züchtete sie alle aus Eiern und verbrachte Wochen mit dem Studium der winzigen, fragilen Organismen, jedes Moostierchen und jede Federkoralle eine Kolonie winziger, vielarmiger Polypen. Das Ergebnis war eine Serie von zwanzig Artikeln, die 1826 und 1827, während Darwins Aufenthalt, in den Edinburgher Fachblättern erschienen und hauptsächlich von Schwämmen, Eiern und Larven handelten. Sie trugen Grant ein europäisches Renommee ein. Selbst die Franzosen, Weltspitze in diesen Dingen, räumten die Bedeutung seiner Artikel über Schwämme ein und ließen sie in einem Anflug von Großherzigkeit übersetzen. Darwins inoffizieller Tutor war jetzt ein Weltexperte für wirbellose Meerestiere.

Dieser machte ihm klar, worauf es ankam, und Darwin füllte im März und im April 1827 ein Notizbuch mit Beobachtungen über die Larven von Mollusken und Moostierchen und über die gestielten Federkorallen. Er war fasziniert. Diese Lebewesen waren sehr primitiv; es gab sogar Auseinandersetzungen darüber, ob Schwämme Tiere oder Pflanzen seien. Mit Darwins Hilfe wies Grant nach, daß sie nahe an der Wurzel des Tierreichs lagen, und er glaubte, daß sie Anhaltspunkte für die gemeinsamen Grundlagen allen

Lebens enthielten. Seine Vorträge über das Moostierchen *Flustra,* ein primitives, moosähnliches Tier, bestehend aus einer Kolonie tentakelwedelnder Polypen, illustrierte er durch stark vergrößerte Zeichnungen, mit denen er die mikroskopische Struktur anschaulicher machte.[11] Darwin, der das alles begierig einsog, begann eigenständige Beobachtungen zu machen; über die erste davon wurde vor einer anderen Studentenvereinigung berichtet, der Wernerian Natural History Society.

Die Wernerian Society war eine schon länger bestehende Vereinigung, die sich alle zwei Wochen in Professor Jamesons Zimmer im Universitätsmuseum traf. Dem Neuankömmling mußte der äußere Rahmen recht karg erscheinen: zwei Tische, ein offener Kamin, Bankreihen; kein Schmuck, keine Gemütlichkeit, nichts als ein ausgestopfter Schwertfisch oder dergleichen auf dem Tisch. Doch die stark besuchten Zusammenkünfte erfüllten den Raum sofort mit Leben: Geistliche der Schottischen Kirche erörterten Noahs Sintflut, Neulinge brachten ihre Nacktkiemer und Oktopusse, Studenten höherer Semester berichteten über die Beuteltiere, die per Schiff von den neuen australischen Siedlungen herüberkamen. Hier führte Grant, der Vorstandsmitglied war und seit 1825 fünfzehn Vorträge gehalten hatte, lebende Schwämme vor und analysierte ihre Struktur. Er hatte gezeigt, daß die Larven vieler Schwämme und Polypen mit Hilfe ihrer Bewimperung frei schwimmen können. Von Ende 1826 an brachte Grant Darwin zu den Versammlungen mit (nur Ärzte waren offiziell zugelassen, die Studenten kamen als Gäste). Als alter Mann konnte sich Darwin noch an einen Auftritt des Malers Audubon mit seinen schwarzen, fließenden Locken erinnern, der vor der Gesellschaft die Zeichnung eines Bussards präsentierte und seine raffinierte Methode der Verdrahtung toter Vögel zu Malzwecken beschrieb. Grant rührte auch für Darwin die Trommel; am 24. März 1827 gab er bekannt, Darwin habe das Geheimnis der schwarzen, pfefferkornähnlichen Körper entschlüsselt, die in Austernschalen zu finden waren und von Fischern für Seetangsporen gehalten wurden. Es handelte sich um die Eier eines Rochenegels. Grant veröffentlichte eine Darstellung des Parasiten und gratulierte seinem ‹eifrigen jungen Freund Mr. Charles Darwin› zu seiner Entdeckung.[12]

Darwin trat jetzt in Grants Fußstapfen. Auch er beobachtete wedelnde, haarartige Geißeln auf den Larven einer anderen Spezies von *Flustra,* die von den Schleppnetzfischern zutage gefördert wurde. Er erkundigte sich bei den Pariser Autoritäten, um zu erfahren, ob jemand anderer sie bemerkt hatte. Grant, der fließend französisch sprach und mit den großen Gelehrten befreundet war, veranlaßte ihn zu einem gründlicheren Studium der Schriften von Lamarck und dessen Kollegen. Mit Französisch hatte Darwin seine Schwierigkeiten. Susan hatte darauf bestanden, daß er sich weiter in der Sprache übe. ‹Ich hoffe, daß Du etwas Interessanteres liest als die albernen

Briefe der Baronesse und Comtesse›, schrieb sie ihm, ‹und daß Dir Französisch mehr Spaß macht als früher.› In Wahrheit blieb es für ihn eine Plage, doch zumindest konnte man Lamarck nicht als französischen Firlefanz abtun. Darwin beschaffte sich auch Lamarcks *Système des animaux sans vertèbres* und fand die Klassifizierungstafeln leichter zu übersetzen. Nein, der Franzose hatte die Geißeln nicht entdeckt. Darwin stellte fest, daß seine Beobachtung Grant in seiner Überzeugung bestärkte, daß die Larven all dieser Meerestiere frei schwimmen können.[13]

Genau dies sagte Charles am 27. März 1827 auf einer ereignisreichen Zusammenkunft der Plinian Society. Er erhob sich, um seine bescheidenen Entdeckungen bekanntzugeben, daß die Larven der Moostierchen schwimmen können und daß die schwarzen Kügelchen in alten Austernschalen Egeleier waren. Es war sein erster öffentlicher Auftritt, und er kam stolz der Aufforderung nach, der Gesellschaft seine Proben zu präsentieren. Grant schloß sich mit einem maßgebenden Vortrag über die seltsamen, amorphen Moostierchen an.

Was aber nun folgte, stellte all das unschuldige Gerede über Polypen in den Schatten. Browne, der radikale Feuerkopf, hielt eine so flammende Rede über Materie und Geist, daß sich eine hitzige Debatte daran anschloß. Er provozierte die Studenten mit der Behauptung, Geist und Bewußtsein seien nicht vom Körper losgelöste spirituelle Größen, sondern schlichtweg Nebenprodukte der Gehirntätigkeit.[14] Eine solche Auffassung warf gefährliche Fragen von der Sorte auf, wie sie die Elite der Schottischen Kirche in Angst und Schrecken versetzte: Wenn das Leben kein übernatürliches Geschenk, wenn der Geist nicht irgendeine unkörperliche Größe war, was wurde dann aus der Seele? Ohne Seele, ohne Jenseits, ohne Strafe oder Belohnung – wo blieb da die Abschreckung gegen Unmoral? Was würde die unterdrückten Massen davon abhalten, sich zu erheben und Gerechtigkeit einzuklagen? Alle neuen Freunde Darwins stürzten sich in das Getümmel.

Einer der Anwesenden war so aufgebracht, daß er Brownes Thesen aus dem Protokoll strich. Ein anderer blätterte sogar bis zur Ankündigung von Brownes Referat in der Vorwoche zurück, um auch diese auszustreichen. Ketzerei, Zensur – die jüngeren Studenten waren aus dem Häuschen. Es war Darwins erste Begegnung mit militanter Freidenkerei – und dem Sturm, den sie auslöste.

Die Reaktion war typisch. Konservative im ganzen Land waren entsetzt über diese Art von gottloser Philosophie. Der alternde Coleridge verdammte sie als subversiv. Er sah durch sie die religiöse Autorität untergraben und den politischen Umsturz gefördert. Die eiserne *Quarterly Review* wollte sie mit juristischen Mitteln unterdrückt sehen: Solche schändlichen Auffassungen würden ‹dem Wohl der Gesellschaft schaden ... die besten und heiligsten Sanktionen moralischer Verpflichtung zerbrechen und ... den schlimmsten

Leidenschaften des menschlichen Herzens freien Lauf lassen›. In einem undemokratischen Zeitalter, in dem Kirche und Staat bestrebt waren, die Ordnung nach ihren Vorstellungen aufrechtzuerhalten, mußte die Reaktion schrill ausfallen. Sie war auch nicht überraschend: Die Verschwörung der Cato Street von 1820, ein Plan, das Kabinett zu ermorden und eine Demokratie auszurufen, war der Obrigkeit noch frisch in Erinnerung.

Wachsame Lehrer fürchteten, die heranwachsende Jugend werde durch solch ungesunde Ideen vergiftet. Der künftige Direktor der Public School zu Rugby, Thomas Arnold, war davon überzeugt; er glaubte den Gerüchten, wonach die Medizinstudenten im Begriff seien, zu ‹materialistischen Atheisten von größter persönlicher Lasterhaftigkeit› zu verkommen.[15] Und mit genau diesen Leuten verkehrte der halbwüchsige Darwin. Er erlebte Debatten mit, die die heikelsten Themen seiner Zeit berührten.

Darwins winzige Polypen waren nicht nur um ihrer selbst willen wichtig. Sie bildeten einen zentralen Bestandteil von Grants Entwicklungsforschung. Grant lehnte die konventionelle Erklärung ab, die Tiere seien vom Schöpfer ‹entworfen› worden, jede Spezies einzigartig und perfekt für ihre Nische. Das erklärte nicht, warum der Flügel eines Vogels, die Hand eines Menschen und die Tatze eines Bären aus den gleichen Knochen bestanden. Nach Grants Ansicht waren die gleichen Organe verschiedener Tierarten homolog; das bedeutete, daß die Leber von Fischen, Fröschen und Vögeln sich aus den gleichen Bestandteilen zusammensetzte und auf einem gemeinsamen Entwurf beruhte. All dem mußte ein Plan zugrunde liegen.

Die Vorstellung, daß die Wirbeltiere einem ‹einheitlichen Plan› entsprachen, war Anfang der 1820er Jahre in Paris en vogue. Doch Grant trieb sie ebenso wie sein Freund Geoffroy, Professor am Pariser Naturgeschichtlichen Museum, auf die Spitze. Er behauptete, *alle* Tiere, von Menschen bis zu Polypen, wiesen ähnliche Organe auf, die sich nur hinsichtlich ihrer Komplexität unterschieden. Das leuchtete auf den ersten Blick nicht ein; Quallen schienen kein Nervensystem zu haben und Schwämme kein Herz. Daher Grants Aufregung bei einer Zusammenkunft der Wernerianer, als er bekanntgab, er habe die Bauchspeicheldrüse der Weichtiere identifiziert; zum Beweis führte er eine aufgespießte Nacktkiemerschnecke der Gattung *Doris* vor.[16] Er hatte die Entsprechung zum Organ eines Säugetiers bei den Nacktkiemern entdeckt.

Die Folge war: Da alle Tierarten strukturell miteinander verwandt waren, konnte man sie zu einer Kette aufreihen, was den niedrigen Lebewesen an der Basis ihre fundamentale Bedeutung verlieh. Ihre Gewebe waren einfachere Versionen der Gewebe des Menschen. Sie konnten zur Erklärung menschlicher Organe herangezogen werden – also deren primitive Herkunft und ursprüngliche Funktion enthüllen.

Noch stärker umstritten war, daß Grant den Tieren, die jetzt an dieser Kette aufgefädelt waren, eine echte Blutsverwandtschaft unterstellte. Auf seinen Spaziergängen mit Darwin pries er Lamarck in den höchsten Tönen. Darwin war anfangs überrascht, besagte doch die herrschende Auffassung, daß jede Art als solche erschaffen worden sei. Doch Grants provozierende Ideen waren inzwischen weithin bekannt. In seinen Vorträgen hatte er Schwämme als die ‹Eltern› höherer Tiere präsentiert. Und damit war er nicht allein; am Edinburgher Museum ließ man der Spekulation die Zügel schießen. Selbst der staubtrockene Jameson verfaßte 1826 eine anonyme Abhandlung, in der er ‹Mr. Lamarck› dafür lobte, erklärt zu haben, wie sich aus den ‹einfachsten Würmern› die höheren Tiere ‹evolviert› hatten (dies war der erste Gebrauch des Wortes ‹evolvieren› im biologischen Sinn von ‹entwickeln›). Grant ging davon aus, daß im Laufe der Abkühlung des Erdballs die sich wandelnden Bedingungen das Leben zu höheren, wärmerblütigen Formen getrieben hätten. Eine aufsteigende Reihe von Fossilien diente ihm als Beweis. Er erklärte sie Darwin, während sie voranschritten, und dieser hörte ihm in ‹schweigendem Erstaunen› zu.[17]

Grant erwähnte wahrscheinlich auch seine Liebe zu der *Zoonomia* des alten Erasmus Darwin. Er hatte das Buch in seiner Dissertation zitiert und bekannt, es habe seinen ‹Geist für manche der «Gesetze des organischen Lebens»› aufgeschlossen. Jetzt ging er mit dem Enkel des Verfassers spazieren; diese Gelegenheit ließ er sich sicherlich nicht entgehen. Da Charles die *Zoonomia* genauso schätzte, muß sich ihr Gespräch jenen ‹unablässigen Transformationen› der Natur zugewandt haben, die Großvater Erasmus so entzückten.[18]

In einem Punkt ging Grant über Lamarck hinaus: Er führte das Pflanzen- und das Tierreich auf die einfachsten Algen und Polypen zurück und nahm an, daß sie miteinander verwandt seien – daß sie einen gemeinsamen evolutionären Ausgangspunkt hätten. Die ähnlichen Eier dieser primitiven Pflanzen und Tiere seien mit den ‹Monaden›, den elementaren Lebenspartikeln, identisch. Sie eröffneten einen Blick auf die Grundbausteine des Lebens. Da diese Monaden auch spontan aus lebloser Materie hervorgehen konnten, bildeten sie den Schlüssel zu den Urgesetzen des Lebens. Hier, wo Pflanzen- und Tierreich konvergierten, war der fruchtbarste Boden für den philosophischen Naturforscher.

Wenn auch vielleicht unabsichtlich, war Darwin in eine Forschungsrichtung hineingeraten, die darauf abzielte, die innersten Geheimnisse der Natur zu enthüllen. Ihm war eine Lamarcksche Lösung für eines der profundesten Probleme der Biologie angeboten worden. Später sollte er auf den Pfad zurückkehren, den Grant ihm gewiesen hatte; im Augenblick ließ er nicht erkennen, daß er dessen Richtung billigte. Doch seine Lehrer hatten ihm gezeigt, daß Naturforscher tatsächlich versuchen *können,* ‹den

Schleier, der über dem Ursprung und dem Fortschritt der organischen Welt hängt›, zu lüften.[19] Die Schwierigkeit bestand darin, daß jene, die den Schleier hinwegfegten, Männer wie Knox und Grant, so kompromißlos antichristlich waren. Wenn Darwin auch wußte, daß Transmutation nicht verboten war, so konnte er dennoch sehen, daß sie keinesfalls als respektabel galt.

Andere in Schottland unterstrichen diese Erkenntnis, indem sie unerbittlich Politik und Wissenschaft verknüpften. Ein Holzhändler, Patrick Matthew, verkündete, ererbte Privilegien liefen dem Naturgesetz des Fortschritts durch Wettbewerb zuwider. Eine Aristokratie schwäche die Gesellschaft, da sie die Evolution behindere. Wenn sich die Gesellschaft nicht ändere, warnte er, werde sich die Natur ‹rächen›; sie werde die britischen Völker degenerieren lassen und sie in ein Seitengewässer der Geschichte abdrängen. Einzig der Konkurrenzkampf in einer Meritokratie könne die benötigten politischen Führer hervorbringen – abgetakelte Aristokraten hätten keinen Platz in einer sich weiterentwickelnden Welt.[20] Es war die Rationalisierung eines hemmungslosen Kapitalismus, und Darwin sollte diese Wissenschaft auf ihre logische Spitze treiben.

Doch 1827 war dies eine subversive Lehre. So nimmt es nicht wunder, wenn bibelfeste Fundamentalisten erklärten, Evolutionisten würden zu ‹aufsässigen Untertanen und schlechten Menschen›. Die falsche Philosophie mache sie zu glühenden Demokraten und Kirchenhassern. Sie vertrauten auf die niedrige Materie statt auf den göttlichen Geist. Ohne einen zügelnden Glauben an die Seele verlören sie ihre moralische Verankerung und strebten nach Beseitigung politischer Mißstände im Diesseits, statt auf das Jenseits zu hoffen. Außerdem würden unschuldige junge Menschen von der radikalen Flut fortgerissen und verdorben.

Coldstream war ein gutes Beispiel dafür. Die Debatten der Plinier über Geist und Materie stürzten ihn in eine Krise. Nagende Zweifel lähmten ihn während des Studienjahrs 1826/27. Kurz nach der Zusammenkunft vom 27. März 1827 wurde er graduiert und ging nach Paris, um Krankenhauserfahrung zu sammeln, erlitt jedoch alsbald einen Nervenzusammenbruch. Sein Arzt berichtete, der junge Mann, obwohl er ein ‹untadeliges Leben› führe, tappe ‹in der wichtigen Frage der Religion mehr oder weniger im dunkeln und [werde] von Zweifeln geplagt, die durch bestimmte materialistische Ansichten entstehen›.[21]

Darwin ließ sich indes von all der Ketzerschelte nicht beirren. Als Sproß einer Familie von Freigeistern und Unitariern betrachtete er diesen Kampf vielleicht schon als ausgestanden. Doch eines lernte er daraus: daß diese alternative Wissenschaft leidenschaftliche Reaktionen auslöste. Er erkannte auch, daß sie von Aufwieglern ausgebeutet wurde, von Umstürzlern, denen

es nur darum ging, die kirchliche Autorität zu untergraben und den Kaufleuten Macht zuzuschanzen.

Darwins Plinier-Freunde verbrachten einen großen Teil ihrer Zeit in dem
von Robert Jameson geleiteten Museum. Sie empfahlen Darwin wahrscheinlich, das naturgeschichtliche Seminar von Jameson zu belegen, was er
auch tat. Der Geologe Jameson war als Anhänger des ‹Neptunismus› bekannt. Als solcher lehrte er, die Gesteinsschichten seien Ablagerungen eines
weltweiten Meeres. Darwin hatte bereits eine gegenteilige Meinung von
Professor Hope gehört. Dieser erklärte *seinen* Studenten, die Granite hätten
aus einer weißglühenden, geschmolzenen Masse auskristallisiert. Die Frage,
ob das Gestein eine erstarrte Kruste oder ein verhärtetes Sediment sei, bestand schon lange – zu lange, denn anderswo war sie bereits beantwortet.
Aber Hope und Jameson verlängerten die dramatische Debatte in Edinburgh zum Entzücken der Studenten, deren Studiengebühren den Ansporn
bildeten. ‹Es wäre ein Unglück, wenn wir alle dieselbe Denkweise hätten›,
meinte Jameson. ‹Dr. Hope ist entschieden anderer Ansicht als ich, und ich
bin anderer Meinung als er, und auf diese Weise machen wir das Thema interessant.›

Offenbar nicht interessant genug für Darwin. Er mochte Hope, mochte
seinen Stil und ergriff seine Partei, betrachtete er doch die Geologie als
Chemie des erkaltenden Gesteins. Darwin, dem Chemiedilettanten, gefiel
diese Art von Geologie und die damit verbundene Anschauung über das
Funktionieren der ‹Erdmaschine›, wie es sein Großvater nannte.[22] Jameson
hingegen langweilte ihn. Der Regius-Professor, von manchen zu den unsterblichen Gelehrten gezählt, wurde von ihm mit einem Gähnen abgetan.

Dennoch war Jamesons Seminar ungeheuer populär, und Darwin lernte
daraus. Es war populär fast trotz Jameson, der das Charisma eines Oberleh-
rers beim Verlesen der Anwesenheitsliste ausstrahlte. Die *Geologie* war es,
was das Publikum anlockte. Das Fach war in Mode; es war praxisbezogen
und auch bei den Händlern der Stadt populär. In Darwins Jahr nahmen
zweihundert Personen an Jamesons Seminar teil, von Studenten bis zu Sil-
berschmieden und Landvermessern. Der Seminarstoff war so bunt gemischt
wie die Zuhörerschaft. Für die Juweliere und die Landwirte war genauso etwas dabei wie für die Studenten: Mineralogie und Meteorologie, Geologie
und Naturgeschichte. Vielleicht noch ein bißchen mehr, wenn man sich
umsah; angesichts einer lamarckistisch orientierten Abhandlung Jamesons
fragt man sich, was Darwin von dessen Abschlußvorlesungen über den ‹Ursprung der Tierarten› hielt.

Jameson veranstaltete für seine Studenten dreimal wöchentlich im Museum Praktika. Da beschrieb er Ausstellungsstücke, insbesondere Mineralien.
Darwin studierte diese eifrig; er machte sich Notizen in seinem Lehrbuch

und verglich einzelne Exemplare mit den Gesteinsproben in seinem eigenen ‹Kabinett›. Er lernte auch die Aufeinanderfolge der Gesteinsschichten, vom Altschottischen Rotliegenden bis zur Downs-Kreide, und daß man sie ‹lesen› kann wie die Seiten eines Buches.[23]

Auch die Exkursionen waren beliebt, weil viele der Studenten in der Ausbildung zum Landvermesser oder zum Tiefbauingenieur standen. Jameson zeigte ihnen Gesteine *in situ,* und Darwin hörte ihn über die gleich vor der Stadt gelegenen Salisbury Crags reden und sich über seine Rivalen lustig machen. Für Jameson bildete diese Feldforschung einen wesentlichen Bestandteil seines Seminars. Unter seinen Zuhörern waren auch viele junge Angestellte der East India Company, frischgebackene Militärchirurgen und Ingenieure. Die Armeeführung empfahl seine Vorlesungen, weil die für den Kolonialdienst bestimmten Rekruten dort lernten, wie man sich ein Bild von Flora und Fauna machte. Sie waren darauf angelegt, die Doktor-Wallahs auf ihre Reisen vorzubereiten.[24]

Die Teilnahme an Jamesons Vorlesungen brachte auch handfeste Vergünstigungen. Seine Studenten hatten freien Zugang zu dem großartigen Museum. Hier verbrachte Darwin unzählige Stunden, sich umsehend, Notizen machend und Vögel präparierend. Das Museum war ‹der Stolz der Stadt und das Schmuckstück des Landes›. Jameson hatte es aufgebaut und war 1820 mit dem Bestand in ausgedehnte neue Räumlichkeiten umgezogen. Die Sammlung wuchs rasch, da ehemalige Studenten Exemplare exotischer Arten aus den Kolonien schickten, zumal ihre Pakete dank einer Sondergenehmigung zollfrei passieren durften. Inzwischen lieferten auch die Forschungsschiffe Seiner Majestät die Hälfte ihrer naturkundlichen Schätze hier ab (der Rest ging an das Britische Museum). Die Folge war, daß 1826 eine Erweiterung notwendig wurde. Zu Darwins Zeit war es das viertgrößte Museum seiner Art in Europa. Aber es war Jamesons ureigenstes Revier, und er leitete es auf eine despotische Weise. Er verbarg Schädel vor Phrenologen und enthielt den Händen seiner Rivalen Gesteinsproben vor, was einen von Darwins Freunden veranlaßte, ihn als ‹absoluten Diktator› zu bezeichnen.[25] Trotzdem ist nicht zu leugnen, daß sich Darwin in einer anregenden Umgebung befand; und er machte guten Gebrauch davon.

Die Vorstellung von Darwin, wie er seziert, präpariert, beobachtet und notiert, Partei ergreift, Entdeckungen macht und fasziniert Debatten verfolgt, zeigt, daß sein zweites Studienjahr keine vertane Zeit war. Seine intellektuelle Schulung hatte begonnen. Großbritanniens führender Spezialist für wirbellose Tiere hatte ihn gelehrt, das winzigste Detail zu studieren und dabei stets die größeren Zusammenhänge im Auge zu behalten. Darwin war zu einem geologischen Beobachter geworden, der den Mineralien ebenso viel Aufmerksamkeit schenkte wie den Debatten darüber. Selbst die medizinischen Vorlesungen prägten ihn auf unerwartete Weise. Duncan trat in seinen Vorlesungen, so unzulänglich diese im übrigen sein mochten, für das ‹natürliche System› der Klassifizierung des schweizerischen Botanikers Augustin De Candolle ein.[26] So wurde Darwin mit De Candolle bekannt, dessen Hervorhebung des ‹Krieges› zwischen konkurrierenden Arten sich in späteren Jahren als nützlich erweisen sollte. Doch schon damals mußte er sich über das System klarwerden, das der Klassifizierung von Pflanzen und Tieren zugrunde liegt.

Noch brennendere Fragen beschäftigten ihn: Geist und Materie, ein beunruhigender Lamarckismus, Zensur und Obrigkeit. Dies waren die Themen, an denen sich Leidenschaften entzündeten und die bewiesen, daß Wissenschaft mehr war als akkurate Beobachtung. Sie war ein komplexer Bestandteil der politischen Auseinandersetzung.

In Anbetracht seiner Jugend konnte er naturgemäß vieles davon noch nicht verstehen. Außerdem war er ja eigentlich zum Medizinstudium hier, das er verabscheute. Seinen beruflichen Weg hatte er immer noch nicht gefunden. Eine Karriere hatte einfach nichts Verlockendes für ihn. Sein Heimweh nahm zu, wenn er an die Jagdsaison dachte. Bei Caroline, die bei den Wedgwoods zu Besuch war, fragte er an, ob der Wildhüter immer noch ‹die höchste Respektsperson› in Maer sei, und er wollte ‹wissen, wieviel Stück Wild zur Strecke gebracht worden sind›. ‹Er und Erasmus sind eine rechte Last, weil sie so gern Briefe von zu Hause bekommen›, gestand Elizabeth Wedgwood. Daß ihn das Medizinstudium nicht befriedigte, war nur allzu offenkundig, und im April 1827 ging er endgültig weg – ohne einen Abschluß.

Es war ein einschneidender Abschied; die meisten seiner Freunde gingen jetzt ihre eigenen Wege. Grant nahm den Lehrstuhl für Zoologie an dem neuen ‹gottlosen College›, der Londoner Universität, an. Browne ging in das revolutionäre Paris. Coldstream, der sich von seinem Zusammenbruch erholt hatte, fand schließlich ‹Freude und Frieden im Glauben› und gründete die Medizinische Missionsgesellschaft von Edinburgh. Und Greg wurde abberufen, um die Leitung einer der Fabriken seines Vaters zu übernehmen.[27]

Diese reformfreudigen Söhne, beruflich noch am Beginn ihrer Laufbahn, hatten Darwin die Bedeutung von intellektuellem Nonkonformismus gezeigt. Nirgends war die Spannung zwischen natürlichen und übernatürlichen Erklärungen, zwischen Kapitalismus und Privilegien offenkundiger als in diesen Edinburgher Debatten. Das Ringen um die Neudefinition des Menschen als eines materiellen Lebewesens und der Natur als eines profanen, konkurrenzbestimmten Marktes erschütterte die Autorität der alten Kirk. Für einen Moment hatte Darwin die gesellschaftliche Seite der Wissenschaft erblickt. Vielleicht war sogar eine neue Welt im Entstehen begriffen.

4

Anglikanische Ordnung

Charles fuhr nicht geradewegs heim nach Shrewsbury. Da der Frühling in der Luft lag, witterte er süße Freiheit und verließ Edinburgh, um sich im Lande umzusehen. Er reiste in Schottland herum, dann weiter nach Belfast und Dublin. Im Mai 1827 besuchte er seine Schwester Caroline in London. Dies war sein erster Eindruck von der Kapitale. Sein Vetter Harry Wedgwood, Rechtsanwalt im Temple [in London Sitz zweier Rechtskollegien; A. d. Ü.], nahm sich seiner an und kehrte vor dem Greenhorn den weltmännischen Großstädter heraus. Charles genoß den Aufenthalt, wenn er auch seine Vorbehalte gegenüber diesem ‹schrecklichen verrauchten Häusermeer› hatte.[1] Die beiden vertraten ihren jeweiligen Clan auf Dr. Henry Hollands ‹Familien›-Dinner, bei dem ihr Gastgeber, ein Modearzt und entfernter Verwandter, zu Charles' Entrüstung Wale als Kaltblüter bezeichnete und alle übrigen schockierte, indem er vom Messer aß.

In London schmiedete Charles Pläne für einen Ausflug nach Paris, seine erste (und einzige) Überquerung des Ärmelkanals. Vater Darwin fühlte bei Josiah Wedgwood vor. ‹Er hat einen grandiosen Plan›, schrieb er ihm, ‹nämlich den, sich Dir anzuschließen, wenn Du es ihm gestattest, und den Kanal zu überqueren, damit er in Frankreich gewesen ist, und prompt wieder umzukehren.› Onkel Josiah stand kurz vor der Abreise nach Genf, wo er seine jüngeren Töchter Fanny und Emma abholen wollte, die acht Monate bei ihrer Tante Jessie – Madame de Sismondi – zugebracht hatten. Caroline sollte ihn begleiten (‹und was für eine angenehme Gefährtin sie ist›); Charles könne in ihrer Gesellschaft sicher reisen. Die Erlaubnis wurde erteilt, und Charles überlebte mit einiger Mühe die regnerische Überfahrt. ‹Obgleich [ihm] nicht ganz wohl› war, schaffte er es, an Bord ein deftiges Roastbeef-Dinner zu verdrücken. In Paris teilte sich die Reisegesellschaft, und Charles war nun auf sich gestellt. Da Browne und Coldstream in Paris waren, würden sie ihm vielleicht die Arrondissements und die wissenschaftlichen Wahrzeichen der Stadt zeigen: das Naturgeschichtliche Museum und den

Jardin des Plantes. Als wenige Wochen später Onkel Josiah und die Mädchen wieder zu Charles stießen, sah Emma bezaubernd, wenn auch ‹etwas gebräunt› aus, und auch Fanny war immerhin ‹der Hübschheit um einen Grad nähergekommen›.[2] Die Reise war allzu rasch vorüber, und im Juli waren sie alle wieder wohlbehalten in England.

Charles nahm sein Leben dort wieder auf, wo er es im vorigen Sommer abgebrochen hatte, pflegte Umgang mit den Gutsbesitzern von Shropshire und machte Pläne für die Herbstjagd. Seine wenigen Freunde lebten weit auseinander, doch den Gutsherren machte es nichts aus, ein Dutzend Meilen zu reiten, um einander zu besuchen. Viele waren alte Freunde der Familie, wie die Owens von Woodhouse, einen Morgengalopp von Shrewsbury entfernt. William Mostyn Owen, früher bei den Königlichen Dragonern, war zwar ein ‹hitzköpfiger und despotischer Landjunker der alten Schule›, aber er hatte Töchter. Sarah und Fanny Owen waren seit der Kindheit, als sie in The Mount zusammen Singstunden gehabt hatten, eng mit den Darwin-Schwestern befreundet. Da winkten Vergnügungen subtilerer Art. Charles hatte schon in Edinburgh gehört, wie ‹nett› sie seien, ‹zu jedem Spaß und Unfug aufgelegt›. Catherine suchte ihn zu ködern. ‹Sie werden sehr bewundert›, schrieb sie ihm, ‹und haben eine Menge Partner bei den Bällen.› Weiter hieß es in ihrem Brief: ‹Fanny … wird Sarah bei weitem vorgezogen […] Sie hat etwas so Liebenswürdiges und Bezauberndes.› Keine der beiden war jedoch in etwas anderes verliebt als Frankreich, und Charles, soeben aus Paris zurück, konnte Geschichten darüber erzählen.[3]

Die Jagdsaison begann am 1. September 1827. Squire Owen besaß wundervolle Ländereien mit Waldungen und reichem Wildbestand, und Charles war nun einmal ein passionierter Jäger. Er stattete Woodhouse in den nächsten Monaten so viele Besuche ab, daß er den Mädchen bald ebenfalls als ‹Jagdbeute› erschien – sympathisch und eine gute Partie, ein echter Fang. Manchmal war es schwierig zu sagen, wer wem nachstellte. Die dreiundzwanzigjährige Sarah war etwas benachteiligt, da sie fünf Jahre älter war als Charles. Sie schnitt auch im Vergleich mit ihrer frühreifen sechzehnjährigen Schwester weniger gut ab. Die dunkeläugige, zierliche, zur Ausgelassenheit neigende Fanny wickelte alle um den Finger. Ihrem Vater zuliebe ließ sie Malstunden über sich ergehen, zog es jedoch vor, mit den Jungen Billard zu spielen und bei der Jagd mitzureiten. Das brachte ihr heißes Blut in Wallung – und Charles merkte es. Er nahm sie unter seine Fittiche, und zusammen galoppierten sie in den Wald. Fanny dachte nicht daran zurückzustehen, während er seinen Vergnügungen nachging; sie wollte nicht das ‹Heimchen am Herd› für den ‹Postillon› spielen, wie sie es in ihrer originellen, verschlüsselten Sprache ausdrückte. Sie bestand darauf, gleichfalls zu schießen, und er half ihr, die Flinte richtig anzulegen. Der Rückstoß war heftig und schlug ihre schlanke Schulter grün und blau. Doch sie zuckte nicht einmal mit der Wimper. Sie träumte von der Zukunft und von größerer Beute.

Ein toller Flirt jedenfalls – und vielleicht mehr. Charles, von der schwarzhaarigen Schönheit geneckt und genarrt, war bis über beide Ohren verliebt. Doch er wußte, daß er etwas aus sich machen mußte, bevor er den einschüchternden Squire Owen um ihre Hand bitten konnte. Er dachte an seine eigene unsichere Zukunft, als er nach Maer, in sein übliches Jagdrevier, weiterfuhr. Bei seiner Ankunft fand er Sir James Mackintosh auf dem Gut vor. Der ehrenwerte Whig-Abgeordnete, ein Schwager von Onkel Josiah, erholte sich eben von seinem gescheiterten Versuch, in Cannings Kabinett einzusteigen, und arbeitete hart an seiner *History of England.* Hier war eine Erfolgsgeschichte nach Charles' Geschmack: ein Mann, der nur mit Mühe und Not sein Medizinstudium absolviert hatte, danach die Laufbahn wechselte und zu Berühmtheit aufstieg. Sir James war jetzt der Doyen der politischen Kommentatoren Großbritanniens und ein Wirtschaftsexperte. Er redete über alles und jedes mit Darwin: Geschichte, Moralphilosophie, öffentliche Angelegenheiten. Die Begegnung machte auf beide einen bleibenden Eindruck. Darwin war überwältigt, daß ein so berühmter Mann mit ihm von gleich zu gleich redete. Und auch Sir James bekannte danach: ‹Dieser junge Mann hat etwas, was mich interessiert.›⁴ Ein seltenes Kompliment, denn der einzige andere männliche Bewohner von Maer Hall, den er geschätzt zu haben scheint, war Charles' Vetter Hensley Wedgwood, der ein Auge auf eine seiner Töchter geworfen hatte.

Hinsichtlich einer Karriere blieben Darwin jetzt wenig Möglichkeiten. Während er sorglos im Land umherstreifte, wurde sein weiterer Lebensweg für ihn festgelegt. Der Vater, enttäuscht über Edinburgh und die Abneigung seines Sohnes gegen die Medizin, stellte nun mit seiner üblichen Plumpheit die Bedingungen: Kein Geld dürfe mehr vergeudet, keine Zeit verschwendet werden; wenn Charles damit rechne, daß ihm eines Tages das Vermögen seines Vaters zufallen werde, müsse er sich das gut überlegen. Er werde sich in irgendeinem Beruf bewähren müssen, bevor er auf die Sicherheit der Familienschatulle zählen könne. Die einzige Frage war: Wenn nicht Medizin, was dann? Es stimmte zwar, daß die Darwins auch Anwälte und Offiziere hervorgebracht hatten, doch Charles fehlte die für diese Berufe erforderliche Selbstdisziplin. Es gab indes ein Sicherheitsnetz, das Zweitgeborene davor bewahren konnte, zum Taugenichts zu werden: die Kirche von England.

Dr. Darwin, ein überzeugter Freidenker, war vernünftig und klug. Er brauchte sich nur umzusehen und an die Pfarrhäuser zu erinnern, die er besucht hatte, brauchte nur die Landpfarrer Revue passieren zu lassen, die bei ihm zu Gast gewesen waren. Man mußte kein gläubiger Mensch sein, um zu erkennen, daß ein zielloser Sohn mit einem Hang zu Vergnügungen im Freien da schön hineinpassen würde. War die Kirche nicht ein Auffangbecken für Dummköpfe und Trödler, die letzte Zuflucht für Verschwender? Welche Berufung außer der höchsten kam für Leute in Frage, die sich zu nichts berufen fühlten? Und in welchem anderen Beruf waren die Risiken des Versagens so gering und die Belohnungen so hoch?[5]

Die anglikanische Kirche, fett, selbstzufrieden und korrupt, lebte in Luxus von ihren Zehnten und ihren Stiftungen, und das seit einem Jahrhundert. Begehrenswerte Pfarreien wurden routinemäßig an den höchsten Bieter versteigert. Eine hübsche ländliche Pfründe, bestehend aus einem geräumigen Pfarrhaus, ein paar Acres zur Verpachtung oder zur eigenen landwirtschaftlichen Nutzung und vielleicht einer Zehntscheuer, um die fälligen Naturalien im Wert von einigen hundert Pfund im Jahr unterzubringen, konnte von einem Gentleman mit Dr. Darwins Mitteln leicht als Investition gekauft und für seinen Sohn bereitgehalten werden. Es war ein Ansporn, der einen jungen Mann veranlassen konnte, sich fast jedem Glauben zu verschreiben. Sobald Charles entsprechend ausgebildet und zum Priester geweiht wäre, würde er einfach sein Amt antreten. Dann hätte er für den Rest seines Lebens ausgesorgt. In den Kreisen des Großbürgertums, das er so gut kannte, würde er eine herausragende gesellschaftliche Stellung, ein gesichertes Einkommen und schließlich eine ansehnliche Erbschaft genießen.[6] Er konnte sogar die Jagd und das gesellschaftliche Leben wiederaufnehmen, die im Augenblick seine Karriere gefährdeten.

Außerdem gab es Präzedenzfälle in der Familie. Sowohl der Onkel als auch der Halbbruder Dr. Darwins waren Pfarrer in Nottinghamshire gewesen, und einige Jahre zuvor hatte Onkel Josiah seinen eigenen Neffen als Pfarrer von Maer etabliert.[7] Eben jetzt bereitete sich ein Vetter von Charles, William Darwin Fox, am Christ's College in Cambridge auf den kirchlichen Dienst vor. Das gab den Ausschlag. Charles würde der einen Familientradition treu bleiben, wenn schon nicht der anderen. Sollte der Junge eben mit Fox studieren, der ihm ein Beispiel geben würde. In drei Jahren mochte er sich die Bildung aneignen, die einem Gentleman geziemte. Dann konnte er seinen Bachelor of Arts machen und, wenn er wollte, ein weiteres Jahr lang Theologievorlesungen hören, um sich auf die Priesterweihe vorzubereiten. Danach konnte er heiraten, während er als Vikar tätig war, und dann würde er einer Landpfarrei unweit von Shrewsbury präsentiert werden – dem vollkommenen Ruheplatz für einen mißratenen zweiten Sohn.

Es klang wie ein Fait accompli, doch Charles wollte es sich noch überlegen. Das Leben eines Landpfarrers wäre ihm auf den Leib geschneidert, nicht bloß wegen der Freizeitaspekte. Es würde ihm die Gelegenheit verschaffen, in Grants Fußstapfen zu treten; in einer Landpfarrei konnte er sich den winzigsten Mitgliedern der Schöpfung widmen. Freilich war da der kleine Haken mit dem Glauben. Er hatte nagende Zweifel, was er eigentlich glauben sollte. In Edinburgh war er schließlich jeder vorstellbaren Art von

Unorthodoxie ausgesetzt gewesen. Aber er hatte von seinen Schwestern gelernt, die Religion ernst zu nehmen. Und sein eigener Vater, obwohl nicht für Frömmigkeit bekannt, trat für Redlichkeit in allen Dingen, geistigen ebenso wie moralischen, ein – ebenso wie Onkel Josiah, der von allen als ‹Inbegriff eines rechtschaffenen Mannes› geachtet wurde. Nun, die Vertiefung in theologische Literatur würde sein Gewissen beruhigen. Zwischen Jagd und Flirt ackerte Charles deshalb Bischof Pearsons verstaubtes Standardwerk *Exposition of the Creed* und einige weitere Wälzer durch.

Einer war von dem aufstrebenden anglikanischen Apologeten John Bird Sumner. Seine Schrift *Evidences of Christianity* war erst drei Jahre zuvor erschienen, und die darin an den Tag gelegte Logik war bestechend. Charles machte sich mit griffbereiter Feder über das Buch her und folgte Sumner Schritt für Schritt. Dies war die beste Verteidigung des Glaubens, die ihm je untergekommen war. Die Argumentation war kunstvoll aufgebaut, und die Fülle der scharfsinnig dargelegten Beweise wie auch das behutsame Abwägen von Wahrscheinlichkeiten waren ganz dazu angetan, Skeptiker verstummen zu lassen. Geschickt reduzierte Sumner deren Unglauben auf ein Dilemma und ließ sie dann zappeln: Wäre das Christentum unwahr, dann ‹hätte Jesus entweder nicht existiert, oder er hat tatsächlich gelebt, war aber nicht der Sohn Gottes, sondern ein Hochstapler›. Die Annahme der Nichtexistenz sei ‹offensichtlich absurd›, notierte Charles; deshalb müßten Skeptiker davon ausgehen, daß Jesus ‹sich selbst täuschte›. Aber die Evangelien machten dies ‹höchst unwahrscheinlich›. Sie offenbarten einen Mann, dessen Wunder Ungläubige überzeugten; ‹wir haben kein Recht, die Möglichkeit solcher Ereignisse zu leugnen›, merkte Charles an. Die Religion Jesu bleibe ‹wunderbar geeignet ... für unsere Vorstellungen von Glück in dieser und der nächsten Welt›. Damit war dem Skeptizismus das Wasser abgegraben und das Christentum als wahr erwiesen. Es gebe ‹keinen anderen Weg als die Göttlichkeit [Jesu]›, schloß Darwin, ‹um die Kette von Evidenz und Wahrscheinlichkeit zu erklären›.[8]

Charles fand nichts Tadelnswertes in Reverend Sumners Schrift und den anderen Büchern – nichts, von dem er nicht sagen konnte, er glaube es. Im Oktober 1827 wurde er daher als für Kost und Logis zahlender Student am Christ's College angenommen. Trotzdem ging er in diesem Trimester nicht an die Universität – der Michaelitag in Cambridge fand ohne ihn statt. Denn nachdem er sein Gewissen erforscht hatte, war ihm klargeworden, daß er erst noch eine harte Büffelei zu bestehen hatte.

Cambridge war etwas ganz anderes als Edinburgh. In intellektueller Hinsicht stand es der Schule in Shrewsbury viel näher. Die klassische Philologie, mit der Reverend Butler die jungen Köpfe vollgepaukt hatte, war an dem berühmten anglikanischen Seminar unabdingbare Voraussetzung. Doch bei Charles war nicht viel davon hängengeblieben; er konnte sich kaum an das griechische Alphabet erinnern, geschweige denn ein Verbum konjugieren. Dr. Darwin zahlte einen Privatlehrer, und bald tüftelte Charles den Optativ aus und rang mit der Krasis. Es war eine mühselige Arbeit, und er langweilte sich. Zweimal entfloh er wieder nach Woodhouse, doch es war nur Wild vorhanden, dem er hätte nachstellen können, da die Owen-Mädchen auf Sommerfrische in Brighton weilten. Er schleppte sich zu den Büchern zurück. Zu Weihnachten übersetzte er bereits Stellen aus Homer und dem Neuen Testament. Erasmus kehrte über die Feiertage aus London zurück, um seine Nase ebenfalls in die Bücher zu stecken; nach Monaten am anatomischen Institut in der Great Windmill Street war er jetzt bereit, sich in Cambridge für Medizin zu qualifizieren. Zu Beginn des neuen Jahres, 1828, fuhren die Brüder also wieder gemeinsam los.[9] Erasmus plante, das Bakkalaureat in Medizin zu machen und sich dann mit einer großen Europareise zu belohnen. Charles hatte dagegen weitere vier Studienjahre vor sich, bevor ihm sein Lohn winkte – eine Landpfarrei.

Die Türme von Cambridge ragten aus dem flachen Marschland wie Stalagmiten empor, Inkrustationen feudaler Privilegien, entstanden im Lauf von sechs Jahrhunderten. Hier war flaches Land, Gottesland: vierzehn Pfarrgemeinden, siebzehn Colleges, sechzehntausend Einwohner, all dies zusammengepfercht auf wenig mehr als einer Quadratmeile an den Ufern des Camflusses. Das Land war reich wie seine Bewohner. Zwischen den Colleges hindurch, wo die Abflußrohre ihre Fracht ausspien, trug der Fluß die Abwässer fort, und diese offene Kloake mäanderte nordwärts an der Kathedrale von Ely vorbei und ergoß sich dann ins Meer. Der Cam war ein kommerziell genutzter Wasserweg und Cambridge der am weitesten landeinwärts gelegene Ort, der per Schiff erreichbar war. Kahnführer hievten und verfluchten ihre zwanzig Tonnen schwere Fracht – Kohle und Korn, Öl und Butter – bugsierten sie flußaufwärts durch den Schlick und den Gestank entlang den Rückseiten der Colleges bis zum Mill Pool, von wo sich die Schlange der Schauerleute oft lärmend bis in die geheiligten Bezirke erstreckte. Die Studenten beschwerten sich über den Lärm, und ihre eigenen Flüche vergrößerten nur noch den Krach. Eine halbe Meile entfernt, im Stadtzentrum, lag der Marktplatz. Durch Lastwagen vom Pool und von den umliegenden Bauernhöfen geliefert, wurden dort Lebensmittel aller Art feilgeboten. Die Preise waren hoch, desgleichen in den Läden und Herbergen, die sich in den engen Straßen aneinanderdrängten, welche das Viertel durchzogen. Die zweitausend im College untergebrachten Studenten hatten einen Appetit, der ihrer kollektiven Kaufkraft entsprach. Und im Gegensatz zu den Kommilitonen von Edinburgh beherrschten sie das Stadtbild.

Selbstverständlich waren alle Anglikaner. Sie bekannten sich zu den Neununddreißig Artikeln und akzeptierten das Christentum, in der Auslegung der Kirche von England, als integralen Bestandteil der gesellschaftlichen Ordnung. Die Bewohner von Cambridge und Umgebung galten, wenn nicht als eine Gesellschaft von Christen, so doch zumindest als eine christliche Gesellschaft. Glaube und Sitte gehörten zusammen wie saftiger Fasan und edler Port. Das ganze System wurde von Gott selbst durch seine persönlichen Vertreter, die Geistlichen, zusammengehalten. So gut wie alle College-Leiter und die meisten Professoren und Dozenten gehörten dem Priesterstand an. Etwa die Hälfte der Studenten war wie Darwin für ein kirchliches Amt bestimmt. Viele hatten eine komfortable Pfründe mit entsprechenden öffentlichen Aufgaben in Aussicht. Die Colleges besaßen das Patronatsrecht für ein Drittel der Pfarrgemeinden in Cambridgeshire, und fast die Hälfte der Magistratsbeamten der Grafschaft waren Gemeindepfarrer. Angesichts zunehmender Unruhen auf dem Lande, wo verarmte Landarbeiter um gerechte Löhne kämpften, war die Universität eine tragende Säule von Gesetz und Ordnung.[10]

In Cambridge selbst war ihr Einfluß noch größer. Der Bürgermeister war verpflichtet, der Universität ihre Privilegien zu erhalten, die zahlreich waren und Mißgunst auslösten. Die Händler wurden von den Steuerbeamten der Universität, den Taxors, aufgesucht, die den Markt überwachten und die Brotpreise festsetzten. Gastwirte, Hausherren und Besitzer anderer Etablissements, die von Studenten frequentiert wurden, benötigten Lizenzen vom geschäftsführenden Rektor der Universität, dem Vizekanzler; diese konnten eingezogen werden, falls die Disziplinarbeamten, die Proktoren, über Unregelmäßigkeiten berichteten. Die Proktoren und die sie unterstützenden stämmigen Pedelle, die ‹Bulldogs›, bildeten die universitätseigene Polizei. Sie teilten sich in die Pflichten mit den städtischen Ordnungshütern. So sorgten sie für die Aufrechterhaltung der ‹öffentlichen Moral› – der sexuellen Anstandsregeln – und überwachten das Verhalten in der Stadt ansässiger Exstudenten noch drei Jahre nach Studienabschluß. Die Befugnisse der Proktoren erstreckten sich in alle Richtungen bis eine Meile über die Stadtgrenze hinaus und schlossen das Recht ein, jedes verdächtige Haus zu betreten und jede Person festzunehmen, die sie eines Verstoßes gegen die Vorschriften verdächtigten.[11]

Diese Vorschriften waren komplex und archaisch und wurden für gewöhnlich ignoriert. Wenige hatten sie gelesen, und noch weniger schenkten ihnen Beachtung. Die Lage war mithin reif für eine selektive Vollstreckung, und die Proktoren scheuten nicht davor zurück, an den Studenten Exempel zu statuieren. Um nicht mit dem Gesetz in Konflikt zu kommen, lernte Darwin einen simpleren Verhaltenskodex von Erasmus: Halte die College-Sperrstunde ein, meide Raufereien und Duelle, bleib in der Öffentlichkeit nüchtern, laß dich *niemals* mit Mädchen blicken und trage immer, immer Mütze und Talar.

Mit nichts konnte sich ein Student schneller in Schwierigkeiten bringen, als wenn er sich ohne Talar sehen ließ. Es war faktisch ein Eingeständnis, daß er Unfug im Sinn hatte. Warum sonst würde jemand inkognito erscheinen wollen? Mütze und Talar sagten den Leuten, wer man war. Talarträger konnte man unter den Bürgern der Stadt, die ihnen zahlenmäßig dreifach überlegen waren, auf Anhieb ausmachen. Und die Qualität des Talars, seiner Verzierungen und der Mütze zeigten den eigenen Platz in der Universitätshierarchie an. Ein Doktor der Theologie sah anders aus als ein Doktor des Zivilrechts, ein Student unterschied sich von einem Absolventen. Selbst die soziale Schicht eines Studenten war an seiner Robe ablesbar.[12]

Doch während jeder Student identifiziert werden konnte, trugen die Proktoren die gleiche Kleidung wie die Magister der Freien Künste, die in der Stadt unterwegs waren: schlichte schwarze Talare mit langen, gerade geschnittenen Ärmeln. Eine solche Tarnung war für den Träger von Vorteil, warnte Erasmus seinen Bruder; die Disziplinarbeamten hatten dadurch eher etwas von Spionen als von Polizisten. Anonymität war das Privileg derjenigen, die das Gesetz vollstreckten. Und ebenso wie Spione waren auch die Proktoren gering an Zahl; es gab einen Senior Proctor, einen Junior Proctor und zwei Proproctors, die ihnen assistierten. Um wirklich effektiv zu sein, benötigten sie zusätzliche Augen und Ohren; deshalb stützten sie sich auf Spitzel unter den Studenten und dem Personal. Sobald ihnen etwas zu Ohren kam, traten sie in Aktion. Missetäter wurden arretiert und vom universitätseigenen Gericht unter Vorsitz des Vizekanzlers angeklagt und abgeurteilt.

Der Vizekanzler hatte autokratische Machtbefugnisse. Es war fast ausnahmslos ein höherer Geistlicher und manchmal ein Hofgeistlicher des Königs. Er saß als Einzelrichter ebenso über die Stadt wie über die Universität zu Gericht. Die Justiz war summarisch: Die Bürger der Stadt konnten zu Geldstrafen verurteilt, eingekerkert oder *discommuned* werden; im letzteren Fall wurde dem oder der Betreffenden der Kontakt mit Universitätsangehörigen verboten, was oft den wirtschaftlichen Ruin bedeutete. Das einzige, was einem Universitätsangehörigen in Richtung Haftstrafe drohte, war dagegen ein kurzfristiger Hausarrest im College. Auch schwerere Strafen beraubten ihn nicht seiner Freiheit; er konnte für eine Anzahl von Trimestern aus der Stadt verbannt oder, schlimmstenfalls, von der Universität gewiesen werden.[13]

Dennoch wurden die bleiernen Wolken der Unterdrückung, die auf Cambridge lasteten, immer wieder von wütenden Ausbrüchen zerrissen. Als die Darwins in der Stadt eintrafen, schlug der jüngste Vorfall noch Wellen. Unter dem Vorwand, das Scheitern der sogenannten Pulververschwörung zu feiern – Guy Fawkes' legendären Versuch von 1605, das Parlament in die Luft zu sprengen –, war am 5. November 1827 eine Menschenmenge auf die

Straßen geströmt und hatte versucht, durch das Schleudern von Feuer-
werkskörpern Polizei und Proktoren in die Luft zu jagen. Der Zug wurde
anfangs von Talarträgern angeführt, später jedoch von Einheimischen überschwemmt. Die Proktoren griffen ein und verhafteten die Unruhestifter.
Einige Studenten erhielten einen Verweis, doch sieben Bürger der Stadt
wurden dem Vizekanzler vorgeführt und zu Kerkerstrafen zwischen einem
Monat und einem Jahr verurteilt.

Die Übeltäter wurden in das Stadtgefängnis in der St. Andrew's Street geworfen und saßen dort auch an dem Tag noch ein, als sich Darwin am
Christ's College, zwei Gehminuten weiter, anmeldete. Neben dem Kerker
befand sich die universitätseigene Strafanstalt, das sogenannte Spinning
House, das unter den Studenten noch berüchtigter war. Es diente ‹hauptsächlich der Festsetzung sittenloser Frauenzimmer, die von den Proktoren
aufgegriffen werden›, wie Darwin mit Erstaunen hörte, und faßte zehn von
ihnen in trostlosen, neun mal sieben Fuß messenden Zellen. Gelegentlich
schaute der Stadtausrufer vorbei und ‹disziplinierte die Freudenmädchen
mit seiner Peitsche›, wofür er eine Vergütung von einem Shilling pro Kopf
erhielt. Sie wurde vom Vizekanzler bezahlt, der auch den Frauen gegenüber
Richter und Geschworener in einer Person war. Er hielt im Spinning House
so oft wie nötig Gericht, wobei nur die Proktoren aussagten. Schuldsprüche
waren unausweichlich; die Gefängnisstrafen konnten auf mehrere Monate
lauten, mit verschärften Bedingungen für Rückfällige, einschließlich einer
Inhaftierung im Grafschaftskerker auf dem Castle Hill.[14]

Charles fand das Christ's College am Beginn des Fastenzeit-Trimesters besetzt vor. Er quartierte sich deshalb über Bacons Tabakladen in der Sidney
Street ein, einer Hauptverkehrsader, die von der St. Andrew's Street geradewegs zu Cam und Castle Hill führte. Hier war er mitten im Gewühl, denn
der Marktplatz war nur einen Häuserblock entfernt, die Holy Trinity
Church nebenan und sein College gegenüber. Erasmus hatte ihn gut über
die örtlichen Sitten und Gebräuche informiert.[15] Die Obrigkeit sei zwar
despotisch, aber er habe wenig zu befürchten, solange er sich in guter
Gesellschaft bewege. Charles konnte seinerseits seine gesellschaftlichen
Möglichkeiten vom ersten Tag an abschätzen, an dem er Mütze und Talar
anlegte, um die Stadt zu erkunden.

An jeder Straßenecke, in jedem Pub sah er Beispiele dafür, wie die jungen
Herren es anstellten, zu ihrem Bakkalaureat zu kommen. In den Buchhandlungen lag sogar ein lästerlicher Ratgeber auf, der die beiden wichtigsten Taktiken karikierte: die ‹Schlawiner-Methode› und die ‹Streber-Metho-
de›. Der Schlawiner schwänzte Vorlesungen und den Gottesdienst in der
College-Kapelle (was Geldstrafen nach sich zog), veranstaltete spätabend-
liche Feten, rauchte Zigarren, kutschierte selbst, trank unmäßig, spielte

zwanghaft und tat sich in Barnwell hervor, dem Rotlichtviertel etwa eine Meile hinter dem Christ's College. In nüchternem Zustand interessierte er sich nur für Sport, zog sich in einer durchzechten Nacht das ‹Barnwell-Fieber› zu, wurde von den Proktoren aufgelesen und mit Relegierung bedroht. Erst in seinem letzten Trimester dämmerte ihm, daß er für seinen akademischen Grad *studieren* mußte; er schaffte es aber gerade noch, indem er für die Prüfung ‹büffelte›.

Der Streber zeichnete sich durch vorbildlichen Fleiß aus. Er hörte die Vorlesungen, fehlte nie in der Kirche, mied Partys, hielt die Sperrstunde ein, studierte zwölf Stunden am Tag, trank und rauchte selten, spielte nie, strebte nach akademischen Auszeichnungen und errang alle Preise. Obwohl nicht der hellste Student, wurde er College-Tutor, dann Dozent, stieg gar zu einer leitenden Position in der Universität auf – und das alles dank seines ‹unübertroffenen Sitzfleisches›.[16]

Bei seinen Rundgängen konnte Charles feststellen, daß die ‹Schlawiner› gut bei Kasse waren und der Oberschicht entstammten. Er konnte sich das Highlife nicht leisten, wobei offenbleiben muß, ob er, der das Leben durchaus zu genießen verstand, es überhaupt gewollte hätte. Statt dessen mischte er sich gern unter die ‹Streber›. Außerdem hatte ihm sein Vater eingeschärft, sich ordentlich aufzuführen. Auch hatte er den Immatrikulationseid geleistet. Diese Zeremonie, bei der die Erstsemester in Gruppen schworen, fand auf den kalten Marmorfliesen des Senatshauses statt. Dort trat Charles eines Morgens im Januar 1828 vor, stellte sich mit den anderen in einer Reihe vor dem Oberproktor auf und sprach ihm in knappem Kirchenlatein nach, daß er alle Statuten und Regeln einhalten, der Universität unverbrüchlich verbunden bleiben und sie unter allen Umständen verteidigen werde, *ita me Deus adjuvet et sancta Dei Evangelia* – ‹so helfe mir Gott und seine Heiligen Evangelien›.[17]

Der Oberproktor war Reverend Adam Sedgwick, den Charles in späteren Jahren gut kennenlernen sollte. Sedgwick hatte als Sohn eines armen Pfarrers aus Yorkshire keinen leichten Weg gehabt. Er war als Stipendiat in das Trinity College eingetreten, zum Priester geweiht worden, hatte auf eine Heirat verzichtet, um die College-Dozentur zu erhalten, war mit dreiunddreißig Woodwardian Professor für Geologie geworden und stand jetzt, zehn Jahre später, der Sittenpolizei und den universitätseigenen Ordnungshütern vor. Das zeigte, wozu man es durch Fleiß bringen konnte. Sedgwick war jedoch kein Strebertyp wie andere Priesterprofessoren. Er war ein anerkannter Gelehrter; so amtierte er als Vizepräsident der Geologischen Gesellschaft in London und interessierte sich leidenschaftlich für die Erforschung der ältesten und wenig bekannten Gesteinsschichten. Im Augenblick beschrieb er den magnesiumhaltigen Kalkstein Nordenglands, besser gesagt, er hätte es getan, wenn nicht seine dringenden Disziplinarpflichten gewesen wären. Sie erforderten dasselbe gute Auge, dieselbe Aufmerksamkeit für Details wie die geologische Feldarbeit. Während sich Charles in diesem Winter einlebte, schliff Sedgwick seine Fähigkeiten rasiermesserscharf an den unteren Schichten der Gesellschaft, indem er die Straßen von Cambridge durchstreifte. Wochenlang blieb ihm ‹kaum eine freie Stunde›.[18]

Sedgwick drang in die Unterwelt von Cambridge ein. Knapp unter der Oberfläche fand er Schicht um Schicht von mangelhafter Festigkeit mit bezeichnenden Verwerfungen überall. Wer konnte sie in der rein männlichen College-Gemeinschaft übersehen? Alte Junggesellen und junge Spunde wußten gleichermaßen, wo sie ihr Vergnügen finden konnten. Als geologisch geschulter Proktor sah der Reverend seine Aufgabe darin, das Terrain gründlichst zu sondieren, es zu kartographieren und sich zu eigen zu machen. Er wußte aus persönlicher Erfahrung, daß die Versuchung überall lauerte (die Zeugung von ‹Bastarden› kam unter Studenten nur zu häufig vor, wie Gerichtsfälle zeigten). Sein Ziel war, das Übel an der Wurzel zu packen und die infernalischen Frauenzimmer hinwegzufegen. Die vermaledeiten Mädchen strömten von East Anglia und Lincolnshire in die Stadt, eine Heerschar von Janes und Sarahs und Elizas und Mary Anns. Sie waren jung, die meisten noch keine zwanzig Jahre alt, Töchter und Schwestern ungelernter Arbeiter oder bedauernswerte Waisenkinder. Alle waren sie hungrig, insbesondere die Schwangeren und die Mütter. Cambridge hatte viel zu bieten: Tische mußten abgeräumt, Wäsche mußte gewaschen werden, und so manchen jungen Herren saß das Geld locker in der Tasche. Die Versuchung war unwiderstehlich, auch wenn ein Mädchen gezwungen war, draußen an der ‹Dienstmädchen-Chaussee›, außerhalb des ‹Garten Eden›, oder gar bei den Gaswerken in Barnwell zu wohnen.

Wenn es sich traute. Keine Spaziergängerin war sicher, wenn Reverend Sedgwick das Gelände durchkämmte. Jede auffällige Frauensperson auf dem Marktplatz, an den Ufern des Cam, auf dem Fußweg nach Barnwell, der hinter Darwins College begann, nahm er in Haft und schwor vor Gericht, sie sei ‹auf den Strich gegangen›. Allein in diesem Januar setzte Sedgwick fünfzehn Mädchen im Spinning House fest, sieben von ihnen an einem Tag. Zu Beginn des Trimesters war das besonders nötig. Unschuldige Studienanfänger wie Charles mußte man beschützen, damit sie nicht verdorben wurden und das moralische Gefüge der Gesellschaft mit ihnen. Diese Taktik schien zu wirken. Für den Rest des Jahres wurde Sedgwicks geschäftiger Tagesablauf durch weniger als zwei Verhaftungen pro Woche inkommodiert.[19]

Charles hatte begriffen. Er schrieb an Sarah Owen, seit seinem Weggang von zu Hause habe er keinen Blick auf ein Mädchen geworfen. ‹Was meinst Du nur damit›, erwiderte sie ungläubig, ‹haben denn die Doktoren, Proktoren, Dekane und so fort weder Frauen noch Töchter? Oder gelten die guten männlichen Partien in Cambridge als zu *dangereux,* um von ihnen gesehen zu werden? Bitte befriedige meine Neugier.› Sarah war nicht vertraut mit den Jagdgesetzen in Cambridge. Sonst hätte sie gewußt, daß hier die Ehrbaren Schonzeit hatten und es die Jägerinnen waren, die stets als *dangereuses* galten. Doch Charles selbst bedurfte kaum des Schutzes; seine ersten Gedanken galten alle Fanny. Sie schien ihm zu entgleiten.

Fanny war schockiert gewesen, als sie von Sarah erfuhr, daß er ‹Pfarrer und nicht Arzt werden sollte›. ‹Mir hast Du das Geheimnis nicht anvertraut›, protestierte sie von Brighton aus. Charles spürte die Ernüchterung in ihrem Brief. Bei Strandbällen und nächtlichen Partys und in Gesellschaft einer Unmenge wirklich guter Partien würde sie die Rendezvous vom letzten Herbst vergessen. Die Romanze war so gut wie vorüber, auch wenn sie ihn auf ihre Heiratsfähigkeit hinwies – ‹das Heimchen … ist ein Jahr älter›, erinnerte sie ihn und befahl: ‹Verbrenn diesen Brief!› Er schrieb ihr schweren Herzens zurück, überzeugt davon, daß auch sein Brief verbrannt würde. Fanny ließ sich mit ihrer Antwort Zeit und hatte dann nur eine lahme Entschuldigung dafür. Die alten Klatschmäuler seien ganz entgeistert über ihre Korrespondenz – ob er sie denn nicht hören könne? ‹Meine Liebe, würden Sie es glauben, Miss Fanny Owen korrespondiert mit einem jungen Mann an der Universität!› Allein die Vorstellung von einem solchen Gerede ‹hat sich derart auf meine erhitzte Phantasie ausgewirkt, daß ich es nach reiflicher Überlegung für das Beste hielt, stumm zu bleiben und, falls mir der Postillon meine Undankbarkeit verübeln sollte, alles hinwegzuerklären, wenn wir uns wieder im Wald treffen sollten›.

Ein schwacher Trost war das mitten im Winter; bis zu den Osterferien waren es noch zwei Monate. Alles mögliche konnte passieren, bevor er wieder in diese dunklen Augen schaute. Dennoch schöpfte Charles neue Hoffnung und antwortete ihr liebevoll. Fanny gab sich abermals spröde und ließ seinen ‹langen Erguß› bis kurz vor Trimesterende unbeantwortet. Dann flatterte ihm wieder eine ihrer munteren Episteln voller Neuigkeiten ins Haus, mit Geplauder über Pfarrhauspartys und Intrigen am Geschworenengericht. Dazwischen lockte sie: ‹Ich habe noch immer nicht Billardspielen gelernt […] Ich bin nicht annähernd soviel geritten, wie ich mir wünsche […] Bitte schreib mir alles darüber und wann Du nach Hause kommen wirst.› Sie nehme an, daß ‹mein lb. Postillon› seinem ‹treuen Heimchen› bald einen langen Besuch in Woodhouse abstatten werde. Aber ‹verbrenne das um Himmels willen›, insistierte sie wieder und phantasierte über das Aufsehen, das ihr Schreiben machen würde, wenn es ‹in die Hände eines der jungen Männer› fiele.

Die Antwort kam mit dem Frühlingsbeginn. Woodhouse stand in Blüte, die Sitzungen des Geschworenengerichts hatten begonnen, und die Schwestern planten eine Fahrt zum Jahrmarkt von Wrexham, um einzukaufen und sich umzuschauen – das heißt, sobald Fanny wieder ganz wohlauf wäre. Sie hatte sich nämlich in die Schlafzimmer im Obergeschoß zurückgezogen – ‹die Paradieszeile› in ihren geheimen, verschlüsselten Aufzeichnungen – und war tagelang krank gewesen. Charles würde die Ferien in Cambridge verbringen. Wenn er es nur ‹schaffen könnte, vorbeizukommen›, selbst ‹außerhalb der Jagdsaison›, dann könnte er sie zum Jahrmarkt begleiten.[20] Doch nein, es war unmöglich. Fanny war untröstlich.

Dieses erste Trimester über Bacons Tabakladen war in gesellschaftlicher Hinsicht turbulent gewesen. Cambridge konnte trotz all seiner Strenge ungemein anregend sein. Junge Männer, die monatelang auf engem Raum zusammenlebten, schlossen schnell Freundschaften und verständigten sich auf gemeinsame neue Horizonte. Ostern 1828 hatten sich Charles' Prioritäten verändert. Fanny mit all ihrer Koketterie war weniger vergessen als in den Hintergrund gerückt. Und daran war auch nicht sie allein schuld.

Der College-Alltag mit Pflichtvorlesungen und täglichem Kirchenbesuch beanspruchte ihn zur Genüge. Was Cambridge jedoch so reizvoll machte, waren die endlosen Aktivitäten außerhalb der Universität. Überall entdeckten Studienanfänger wie Charles gemeinsame Interessen und taten sich zusammen, um ihnen zu frönen. Da andere Gelüste kurzgehalten wurden, verlegte man sich auf Speis und Trank in angenehmem Überfluß. Dining Clubs schossen aus dem Boden und trugen zur Zufriedenheit bei, wenn auch die roheren Elemente bloß eine Flasche benötigten. Sport und Spiel waren ähnlich unterteilt; es gab populäre Vergnügungen für die Streber und halsbrecherische Zerstreuungen für die Schlawiner. Jagd, Steeplechase und Wagenrennen wurden weit außerhalb der Stadt, wo man sie mißbilligte, abgehalten. Doch Cricket war die große Mode, und das Rudern auf dem Cam war mit der Gründung des Universitäts-Bootclubs soeben offiziell genehmigt worden, was die gröberen Wettkämpfe zwischen Studenten und Kahnführern überflüssig machte. Und da soviel Geld im Umlauf war, wurde ständig gewettet; alles hatte seine Gewinnchancen, von den Schlagmännern, die ausgepunktet, bis zu den Flaschen, die geleert werden würden. Passionierte Spieler trafen sich regelmäßig, um bis in die frühen Morgenstunden ‹Van John› (Blackjack) zu spielen oder beim Pferderennen in Newmarket ein paar Pfund zu riskieren.

Die Mußestunden waren aber nicht nur zum Spielen da. Alle Studenten gehörten Debattierclubs an, die in verrauchten Sälen die heißesten Themen wälzten. Die Union Debating Society, von aufstrebenden Juristen und Politikern favorisiert, stand jedem offen, der einen Jahresbeitrag von einem Goldsovereign leistete. Sie traf sich an Dienstagabenden in den ‹niedrigen, schlecht gelüfteten, schwach beleuchteten, weitläufigen Hinterzimmern des Red Lion› in Petty Cury, einen Steinwurf von Darwins Bude entfernt. In anderen Clubs wurde in entspannterer Atmosphäre diskutiert. Der exklusivste und angeblich brillanteste war ‹Die Apostel›, zu dessen zwölf Mitgliedern der junge Alfred Tennyson zählte. (Erasmus Darwin hatte dem Club 1823 kurz angehört.) Sie kamen am Samstagabend zusammen, um sich mit allem möglichen auseinanderzusetzen, von Hurerei und der Arbeitsteilung bis zu der bedeutungsschweren Frage, ob die Menschheit ‹eine gemeinsame Abstammung› habe. Kein Lehrplan wagte es, solche Fragen anzuschneiden, und die ‹Apostel›, Missionare romantischer Aufklärung, verurteilten das ganze unreformierte Cambridger System. Tennyson selbst verfluchte als Student in einem bitteren Gedicht

> ‹... deine Hallen, deine alten Colleges,
> deine Portale voll Statuen alter Könige und Königinnen,
> deine Gärten, tausendbändigen Bibliotheken,
> wachslichtigen Kapellen und reichgeschnitzten Lettner,
> deine Doktoren, Proktoren und Dekane›

wegen ihrer Heuchelei und ihres Humbugs, weil sie das Christentum auf einen auswendiggelernten Katechismus reduzierten und die moralischen und geistigen Bedürfnisse der jungen Generation enttäuschten.[21]

Die ‹Apostel› hatten kein Monopol auf religiösen Ernst. Die ‹Sims›, wie ihre Kritiker sie nannten, waren eine fromme Clique, die Studenten wie Darwin ständig belästigte. Sie waren Anhänger von Reverend Charles Simeon, dem missionarischen Pfarrer der Holy Trinity Church, der nahezu fünfzig Jahre damit zugebracht hatte, die Universität davon zu überzeugen, daß die Rettung verlorener Seelen nicht ihren Traditionen widerspreche. Simeon predigte vor vollen Häusern in Hörweite von Darwins Schlafzimmer. ‹Er benimmt sich äußerst absurd›, berichtete ein neugieriger Studienanfänger in diesem Jahr. ‹Er schwingt drohend seine Brille, wenn er von den Schrecknissen spricht, und lächelt salbungsvoll, wenn er Trost anbietet.› Das Salbungsvolle und nicht seine Eloquenz war es, was Simeon Anhänger zuführte. An Freitagabenden empfing er die ‹Sims› in seinen Räumen im King's College, ‹lächelnd und mit den geschliffenen Manieren eines Höflings sich verbeugend›. Es wurde Tee gereicht, während die jungen Priesteramtskandidaten zu Füßen ihres Meisters saßen. Viele waren für die Pfründen bestimmt, die der reiche Simeon und seine Freunde zu dem Zweck kauften, ihre biblische Botschaft zu verbreiten.[22]

Charles strebte zwar ein Kirchenamt an, sorgte sich jedoch nicht um seine Seele; die Sims gewannen ihn nicht für sich. Ebensowenig schloß er sich den literarischen Kreisen an, auch nicht den Kricket- und Ruderfans. In diesem Frühjahr, dem Ostertrimester, las er Shakespeare mit seinem alten Freund Jonathan Cameron aus Shrewsbury und besuchte das Fitzwilliam Museum mit einem anderen Studienkameraden, Charles Whitley, der ihm dort die schönen Kupferstiche zeigte. Obwohl im Grunde unmusikalisch, fand er Geschmack an Musik und frequentierte mit Whitleys Vetter, John Herbert, die Kapelle des King's College, wo ihn die Hymnen begeisterten.[23] Doch seine eigentliche Passion, sein einziger ernsthafter Sport, war das Studium von Käfern. Selbst Fanny rückte dagegen an die zweite Stelle.

Er befand sich in guter Gesellschaft, denn die ganze Nation war von einem wahren Käferfimmel erfaßt. Stadtbewohner, die durch das häßliche Wuchern der Industrie von der Natur abgeschnitten waren, füllten ihre Vitrinen mit den Überresten eines verlorenen Arkadien. Ihre Bibel war ein schön geschriebenes, vierbändiges Handbuch, *An Introduction to Entomology*, von dem Suffolker Pfarrer William Kirby und einem Geschäftsmann aus Hull, William Spence. Die Käferleidenschaft griff auch auf das ländliche Cambridge über, ja sie florierte dort. In den Flachmooren der Umgebung wimmelte es von seltenen Arten, und an den Colleges herrschten die Theologiestudenten vor, denen man beibrachte, die unendliche Vielfalt von Gottes Schöpfung in Ehren zu halten.[24] Und die größte Vielfalt unter den Insekten wiesen die glänzenden Käfer auf. Viele Studenten begeisterten sich für das Hobby, als eine neue Spezies nach der anderen entdeckt wurde. Käfersammeln war zu einer neuen Sportart neben all den anderen geworden, und einer ihrer Champions war William Darwin Fox.

Vetter Fox gehörte dem Derbyshire-Zweig der Familie an – er war ein Enkel von Charles' Großonkel, um genau zu sein. Dieser Gentleman vom Lande, wie so viele der vollzahlenden Studenten in Cambridge, war in Osmaston Hall in der Nähe von Derby aufgewachsen, umgeben von jagdlustigen Pastoren und einer reichen Tierwelt, die er liebte. Nach drei Jahren in Cambridge – er war mit dem gleichaltrigen Erasmus am Christ's College gewesen – war er bestens auf eine Landpfarrei vorbereitet. Er fand sich in den Mooren zurecht, kannte all die Autoritäten in bezug auf die örtliche Flora und Fauna und hatte die Kunst vervollkommnet, Käfer mit dem Netz zu fangen. Fox war eine Fundgrube von Fakten über Naturgeschichte, wie Charles bei ihrer ersten Begegnung feststellte. Als Fox, gefolgt von seinem brav hinter ihm hertrottenden Hund Little Fan, auf ihn zukam, fand ihn Charles sofort sympathisch. Hier war jemand, zu dem er aufschauen konnte – ein respektabler Grant und Erasmus in einer Person, ein Gefährte und Rollenvorbild. Bald legte sich Charles ein eigenes Hündchen zu, die winzige Sappho, die ihn durch die Stadt begleitete und nachts in seinem Bett schlief.[25].

Die Vettern und ihre Hunde waren während des Ostersemesters unzertrennlich. Auf der Suche nach Käfern grasten sie die Ufer des Cam ab, wühlten sich durch Jesus Ditch und durchkämmten Midsummer Common. Manchmal schloß sich Fox' Freund Albert Way an. Charles sog jedes Wort von Fox begierig ein. Jetzt war seine Chance zu glänzen. Er hatte bereits einen Vorsprung, nachdem er in Edinburgh die esoterischsten Aspekte der Anatomie von Wirbellosen gemeistert hatte. Fox und seine Freunde waren zu übertreffen, davon war Charles überzeugt, wenn er nur aufmerksam zuhörte und sich all ihr Wissen aneignete. Käfersammeln war in Cambridge inzwischen ebenso Konkurrenzsache geworden wie Kricket oder Rudern – mit einem Unterschied: Es war kein Mannschaftssport. Ein scharfer Beobachter konnte die Anerkennung der Studenten erringen. Charles, der seinen Vater wegen mangelnder Zielstrebigkeit so sehr enttäuschte, wurde von diesem Gedanken besessen.

Bei der Trophäenjagd scheute er keine Mühe. Er kaufte sich ein Schmetterlingsnetz und lernte, wie man kleinwinzige springende und fliegende Insekten fängt. Unzählige Pappdeckel wurden mit Käfern geschmückt, von denen jeder säuberlich an seinem Platz festgenadelt war. Charles beauftragte sogar einen Einheimischen, den Bewuchs von der Unterseite der Kähne abzukratzen, die das Schilfrohr aus dem Marschland holten, und suchte auch darin nach Beute. Diese zu erlegen war gar nicht so einfach, denn manche der Käfer verfügten über eine unerwartete Abwehr. Eines Tages fing er beim Abschälen der Rinde eines toten Baumes zwei seltene Exemplare, mit jeder Hand eines. Plötzlich sah er einen dritten Käfer, eine neue Spezies, die er sich nicht entgehen lassen durfte. Seine Reaktion war die eines versierten Eiersammlers. Er steckte den Käfer, den er in der rechten Hand hatte, in den Mund. Leider war es ein Bombardierkäfer, der prompt seinem Namen Ehre machte, indem er ihm eine giftige, brennende Flüssigkeit in die Kehle spritzte. In seinem Schrecken spuckte Charles den Käfer aus, verlor ihn auf dem Boden aus den Augen und ließ in der Verwirrung auch die beiden anderen fallen.[26]

Charles war auf seinen alljährlichen Jagdausflügen in Woodhouse und Maer gut auf die Wechselfälle der Kleintierjagd vorbereitet worden. Tatsächlich hatten das Aufspüren und Verfolgen, das Präparieren der Beute und die rituelle Angeberei in der Zunft der Käfersammler Ähnlichkeit mit der Jagd, wenn auch in kleinerem Maßstab. Aber da gab es noch einen anderen, technischen Aspekt: Die Insekten mußten identifiziert werden, was bedeutete, daß ihre Struktur und ihre Lebensgewohnheiten zu studieren waren. Handbücher mußten konsultiert und ihre Beschreibungen verglichen werden – Stephens' *Illustrations of British Entomology,* Samouelles *Entomologist's Useful Compendium* und der verläßliche Vierbänder von Kerby und Spence. Ebenso wie in Edinburgh stieß Charles auch hier wieder auf Klassifikationsprobleme, und abermals zog er mit Erfolg das Werk der größten internationalen Koryphäe auf dem Gebiet der Wirbellosen, Lamarck, zu Rate. Stolz ließ er Fox wissen, er habe das ‹wertvollste Insekt› in seiner Sammlung identifiziert; es war ein robust gebauter schwarzer Käfer mit roten Fühlern, den die Bücher als *Melasis flabellicornis* führten. Erregt stellte er fest: ‹Beschreibung und Lebensweise stimmen bei Samouelle und Lamarck vollkommen überein!›[27] Er hatte eine deutsche Käferart gefangen. Endlich war er im Rennen: mit einem Käfer, der in England so selten war, daß man ihn nur zweimal zuvor und noch nie im Raum Cambridge gesichtet hatte.

Wenn er einen Namen wirklich nicht herausbrachte, hatte Charles Experten, an die er sich wenden konnte. Die akademische Seite des Käfersammelns bestand schließlich aus mehr als Büchern. Während sich andere Kommilitonen am Freitagabend bis zur Bewußtlosigkeit betranken oder bei Reverend Simeon am Tee nippten, nahm Fox Darwin in das Haus von Reverend John Stevens Henslow mit, wo man bei rotem Bordeaux freundschaftliche Diskussionen über Naturgeschichte pflog. Der erst zweiunddreißigjährige Henslow hatte Erasmus in Mineralogie unterrichtet, und Charles war er ein Begriff, galt er doch als auf allen Wissensgebieten beschlagen. Jetzt, in seinem dritten Jahr als Professor für Botanik, machte Henslow seine Soireen zu einem Sammelpunkt aufstrebender Naturforscher, zu einem Club für junge Pfarramtskandidaten wie Charles, deren Hauptinteressen außerhalb des klassischen Lehrplans lagen. Gelegentlich waren auch andere der theologisch geschulten Professoren anwesend, große Kanonen wie Sedgwick oder der Universalgelehrte William Whewell, der neue Professor für Mineralogie.[28] Auch Theologielehrer wie George Peacock oder Landpfarrer wie Leonard Jenyns, Henslows Schwager, schauten herein und mischten sich unter die Studenten.

Bei diesen Zusammenkünften redete man sich nicht über ketzerische Gedanken die Köpfe heiß wie bei den Pliniern; dennoch war es aufregend, Dozenten ‹mit den verschiedensten und brillantesten Fähigkeiten über Themen aller Art diskutieren zu hören›.[29] Sie konnten Charles' Fragen beantworten, und manche von ihnen, etwa Jenyns, sammelten selbst Käfer. Am Ende des Semesters war Darwin wie nie zuvor Feuer und Flamme für die Naturgeschichte. Er wußte, daß er seine Nische gefunden hatte. Sein Vater hatte recht gehabt: Die Kirche war der richtige Platz für ihn.

5

Paradies und Vertreibung

Über den Sommer aus Cambridge zurück, beklagte er sich lauthals, er drohe ‹fast zu sterben, weil ich mit niemandem über Insekten reden kann›. Er lungerte herum und seufzte: ‹Wenn bloß Fox hier wäre.› Auch die Käfer hatten ihn verlassen, und selbst sein Sammeleifer ließ nach. Eine lange Liste der Beutestücke von Fox und Way versetzte ihm einen ‹Stich von Eifersucht›. Es war nicht unähnlich dem fröstelnden Gefühl, wenn er sich über seine Freundin Fanny und ihre anderen Flammen Sorgen machte. Die Vorstellung quälte ihn, daß sie mit jemand anderem beisammen sei. Das mußte er herausfinden – es half alles nichts. Vielleicht hatte sie ihm ja seine Abwesenheit zu Ostern verziehen? Wenn nicht, konnte er in Squire Owens Wald immer noch den einen oder anderen Käfer finden. Alles war besser, als untätig bei seinen gackernden Schwestern in Shrewsbury herumzusitzen, jetzt, da Erasmus weg war. Also trabte er Ende Juni 1828 los. Ja, Fanny wartete auf ihn; das ‹treue Heimchen› war noch da und entzückt, seinen ‹lb. Postillon› zu sehen. Nichts hatte sich verändert.

Oder fast nichts; sie waren beide ein Jahr älter geworden und hatten sich auch körperlich weiterentwickelt. Charles war groß, fast einen Meter achtzig, und eher ‹stämmig›, wenn auch kaum übergewichtig. Er hatte jetzt das sichere Auftreten eines Studenten, obgleich er immer noch derselbe ‹ruhige, bescheidene und liebenswürdige› Mensch war. Man konnte ihn zwar nicht hübsch nennen, doch Fanny fand ihn amüsant, ja geradezu elektrisierend. Mit ihren siebzehn Lenzen war sie jetzt unzweifelhaft eine junge Frau mit erkennbar weiblichen Rundungen. Für Charles war sie ‹die hübscheste, drallste, charmanteste Person, die Shropshire besitzt›, und das merkte man ihm an. Er nahm sie wieder auf die Jagd mit, diesmal nach Käfern. Es war Erdbeerzeit, und Woodhouse war voll mit Beeten – der perfekte Jagdgrund. Sie ließen sich auf Hände und Knie nieder, dann noch tiefer, und es dauerte nicht lange, dann waren sie in ‹voller Länge› nebeneinander ausgestreckt und ‹futterten› in animalischem Behagen die leckeren Früchte.[1]

Es war fast zuviel des Guten; Charles mußte sich losreißen. Er war mit Cambridger Freunden in Barmouth an der walisischen Küste verabredet. Hier planten sie, drei Monate lang mit privaten Tutoren zu lernen. Solche Paukferien waren sehr beliebt, weil sie den Studenten Gelegenheit gaben, sich zu kleiden, wie sie wollten, bis spätabends außer Haus zu sein und sich ohne Furcht vor den Proktoren die Hörner abzustoßen. Charles sollte sich eigentlich der Mathematik widmen, doch er wollte beide Welten miteinander vereinen und betrachtete das ganze als reine ‹entomo-mathematische Expedition›, obwohl er hoffte, ‹die göttliche Vorsehung› werde dafür sorgen, daß ‹die Naturwissenschaft (Insekten)› nicht ‹Mathematik aus meiner armen Rübe vertreiben wird›. Das war ein verbrämtes Eingeständnis, daß seine Mathematikkenntnisse zu wünschen übrigließen. Nach zwei Semestern Nachhilfe kämpfte er noch immer mit den Grundbegriffen der Algebra. Schon der binomische Lehrsatz war ihm zu hoch, und mit irrationalen Zahlen konnte er nichts anfangen.[2] Diese Zeit sollte also zum Nachholen genutzt werden.

Statt dessen bekamen die Insekten die Oberhand. Ende Juli hatte er die Mathematik so gut wie aufgegeben. ‹Ich stecke im Schlamm fest, und da werde ich in statu quo bleiben›, gestand er Fox, der selbst darum rang, sich über Wasser zu halten, während er für sein Examen büffelte. In Wirklichkeit gab es einfach zu viele Ablenkungen an der Küste der Cardigan Bay. Er hätte sich nicht auf algebraische Abstraktionen konzentrieren können, selbst wenn er es gewollt hätte. Die meisten Tage wurden mit Bootsausflügen in der Meeresbucht, mit Bergwanderungen oder mit Angelpartien an benachbarten Seen verbracht. Seine ständigen Begleiter waren zwei andere hoffnungsvolle Theologiestudenten, Thomas Butler, Sohn seines alten Schulleiters in Shrewsbury, und sein musikalischer Freund John Herbert, der ihn in die Kapelle des King's College mitgenommen hatte. Beide waren älter als er, doch zum erstenmal war Charles der Anführer, und er genoß diese Erfahrung. Bei der Besteigung des acht Meilen entfernten, neunhundert Meter hohen Cader Idris thronte er auf einem Felsvorsprung und schoß lässig die vorüberfliegenden Vögel ab, während die anderen unten bereitstanden, die Beute zu apportieren, die ausgestopft werden sollte. Herbert hatte den Alkohol zum Töten der Insekten dabei, und Darwin fing mit seinem Netz Unmengen von Käfern und Schmetterlingen und weihte seine Freunde in die Kunstgriffe ein.[3] Im Umgang mit der Natur fühlte er sich entspannter, souveräner.

Das Käfersammeln war sein ‹Geschäft›, obwohl ihm Fox das Gefühl gab, daß er noch viel zu lernen habe. Alle paar Wochen tauschten die Vettern Briefe aus. Darwin prahlte mit seinen Fängen, bat seinen ‹alten Meister› um ‹Anweisungen, wie man Chrysaliden hält›, und bestand auf prompten Antworten. ‹Es ist geradezu absurd›, schrieb er halb entschuldigend, ‹was für ein

Interesse ich für die Naturwissenschaft entwickle.› Fox lud ihn nach dem Ende der Klausur zum erstenmal nach Osmaston ein. Das war ein zu gutes Angebot, um es auszuschlagen, und Darwin verließ Wales früh, Ende August, rechtzeitig für die Jagdsaison. Damit war es mit der Mathematik vorbei.

Tatsächlich konnte er es nicht erwarten, Fox wiederzusehen, und nachdem er in Maer in einer Woche ‹sehr klägliche› fünfundsiebzig Stück Wild zur Strecke gebracht hatte, verbrachte er den Rest des Septembers mit ihm. Osmaston Hall war eine komplette Menagerie, vollgepfropft mit ‹lebender und toter› Fauna und Flora. Darwin war in seinem Element. Er feuerte Instruktionen an Herbert und Butler ab, für seinen Cousin bestimmte Käfer zu fangen, und versprach diesem einige der ausgestopften Vögel. Das war Konkurrenz, gemäßigt durch Dankbarkeit, durch Beutestücke, die mit großer Geste verschenkt wurden. Doch Fox blieb seinerseits ein Ausbund an Großzügigkeit, und Darwin konnte ihm wirklich nicht genug danken. ‹Früher hatte ich zwei Orte, Maer und Woodhouse, um die ich wie ein Rad um die Achse kreiste›, schrieb er ihm begeistert. ‹Jetzt bin ich in der glücklicheren Lage, einen dritten zu haben.›[4]

Einer dieser Orte blieb noch zu besuchen, sein letzter Anlaufhafen vor der Rückkehr nach Cambridge. Er konnte es kaum erwarten, Woodhouse mit seinen Erdbeerbeeten und den Betten im Obergeschoß, in der ‹Paradieszeile›, wiederzusehen. Es war ‹ein Paradies›, gestand er Fox, ‹an das ich wie jeder gute Muselmane immer denke› – voll sinnlicher Freuden und verführerischer Nymphen. Nur daß hier ‹die schwarzäugigen Huris nicht bloß in Mohammeds Rübe existieren›, fügte er hinzu, ‹sondern wirklich greifbar in Fleisch und Blut vorhanden sind›.

Den ganzen Sommer lang hatte er in Phantasien geschwelgt. Nun befand er sich erneut in Squire Owens Wald, und Fanny war ‹so bezaubernd wie immer›. Wieder galoppierten sie durch die Wälder, spielten Billard und tollten herum. Es war eine Woche, die bis zur Neige ausgekostet wurde. Nach seiner Abreise schickte ihm Fanny einen Brief hinterher, datiert ‹Paradieszeile, nachts um halb eins, Samstag›. Er war gespickt mit Anspielungen, und sie beklagte sich darin in ihrer koketten Weise darüber, daß sie jetzt ‹niemanden zum Reiten› und für Billardstunden habe. ‹Ich … werde alle meine guten Stöße vergessen›, gurrte sie. Doch ihre Erinnerungen blieben frisch. Dafür sorgten schon seine Geschenke – die Bücher und der Schwalbenschwanz-Schmetterling, den sie ‹sehr eigenartig› fand. Auch Charles dachte mit dankbaren Gefühlen an die Zeit mit Fanny zurück. Auf dem Ritt nach Cambridge trug er ein ganz besonderes Andenken bei sich, eine hübsche Schnupftabaksdose, die ihm der Gutsherr für seine neue Angewohnheit geschenkt hatte.[5] Die weiteren Aussichten für eine Romanze waren gut.

Das Christ's College war jetzt sein Zuhause. Es zählte nicht zu den älteren Colleges, da es erst seit drei Jahrhunderten existierte, und auch nicht zu den größten, da nur etwas über hundert Studenten dort wohnten. Es war in keiner Hinsicht extrem: eher ruhig, etwas pferdenärrisch, mit einem ziemlich hohen Prozentsatz von Adligen unter den für Kost und Logis zahlenden Studenten, was es zu einem angenehmen Ort für Leute mit reichlich Taschengeld machte. Die religiöse Atmosphäre war der Tradition entsprechend selbstzufrieden und entspannt. Hier war John Milton, der Dichter, Student gewesen, hatten Ralph Cudworth und Henry More, die Latitudinarier [Anhänger einer toleranten theologischen Richtung des 17. Jahrhunderts in England; A. d. Ü.], als Professor beziehungsweise Dozent gewirkt. In dem eleganten vierflügeligen Portalbau des College mit seiner Steinfassade befanden sich auf der Südseite im ersten Stock, von der G-Treppe her zugänglich, die Räume, die bisher von jenem Theologen bewohnt gewesen waren, der den Studenten vor allem für seine klare, leidenschaftslose Prosa bekannt war, dem Verfasser ihrer Lehrbücher *The Evidences of Christianity* und *The Principles of Moral and Political Philosophy*, Reverend William Paley.[6] Am Allerheiligentag 1828, mit dem Eintreffen eines neuen Mieters in Paleys Zimmern, stand auf dem Namensschild an einer der Türen ‹C. Darwin›.

Charles war mit drei Wochen Verspätung eingetroffen und versuchte, sich so schnell wie möglich einzurichten. Er packte seine nagelneue, doppelläufige Schrotflinte aus – ein zwanzig Pfund teures Abschiedsgeschenk, das er sich von seinem Vater und den Schwestern erbeten hatte – und Dutzende von Schaukästen mit Käfern. Ein alterfahrener Sammler aus Shropshire, Reverend Frederick Hope, hatte alles inspiziert, bevor Charles von zu Hause wegfuhr, und von der reichsten Jahresausbeute gesprochen, die er seit langem gesehen habe. Charles sehnte sich danach, es seinem Vetter zu erzählen, und als sie schließlich zusammenkamen, drehte sich das Gespräch hauptsächlich um ihre Trophäen. Dies war Fox' letztes Trimester vor seinem Bakkalaureat. Er hatte sich mit seinem Studium Zeit gelassen; jetzt mußte er pauken, was das Zeug hielt, wenn er nicht durchfallen wollte. Die beiden frühstückten täglich zusammen, und im Lauf der Wochen sah Darwin seinen Vetter immer verzweifelter werden. Kurz vor Weihnachten traf er Fox niedergeschlagen in seiner Bude sitzend an, in ‹Furcht und Zittern vor der Prüfung›, während der Wind um die Fenster heulte. Er würde die Ferien über im College bleiben und allein lernen müssen, doch großzügig wie immer gab er Charles ein exotisches Geschenk für Vater Darwin mit: ein Paar lebende Totenkopfschwärmer, die wie Mäuse piepsten, wenn man sie streichelte.

Charles vergaß, ihm Lebewohl zu sagen. Von Shrewsbury aus schickte er ihm ein Entschuldigungsschreiben, in dem er den trostlosen Zustand seines Vetters ‹aus tiefstem Herzen› bedauerte. Im neuen Jahr fuhr er dann für eine

Woche zu Fanny auf das Landgut der Owens. Diesmal wurde wirklich gejagt, und einer der Owen-Söhne wurde dabei von einer Sprengkapsel am Auge verletzt. Charles war nie zuvor über den Anblick von Blut ‹halb so erschrocken› gewesen, obwohl es sich hier um einen Unfall handelte und nicht um sein altes Schreckensfach Chirurgie. Als er von seinem Liebes- und Jagdausflug nach Hause kam, schmerzten ihn seine wundgeküßten entzündeten Lippen. Der Schmerz steigerte sich so, daß er anfing, ihn mit ‹kleinen Dosen› von Arsen zu bekämpfen. Für diesen Monat hatte er geplant, nochmals Edinburgh zu besuchen, ‹bevor alle meine Freunde endgültig fortgehen›. Doch während der von seinem Nervenzusammenbruch genesende Coldstream täglich seine Ankunft erwartete und ihn mit der Nachricht animierte, die Plinier würden unter Führung desselben verrückten Doktors William Browne ‹ungemein florieren›, mußte Darwin wochenlang das Bett hüten.[7] Diese Reise fiel also ins Wasser. Kurz nach seinem zwanzigsten Geburtstag war sein Mund schließlich verheilt, und er fuhr nach London, bevor er nach Cambridge zurückmußte.

Erasmus war soeben von seiner Europareise in die ‹trostlose Häuserwildnis› zurückgekehrt, und Charles wollte alles über München, Mailand und Wien hören. Noch mehr aber war er, der besessene Sammler, darauf aus, alle Käferkoryphäen kennenzulernen. Dafür gab es keinen besseren Ort. Insekten waren die große Mode in London, wo sich die Experten kürzlich zu einem zwanglosen entomologischen Club zusammengeschlossen und sich damit aus den Fesseln der verkrusteten Linnean Society befreit hatten. Sein Freund aus Shropshire, Reverend Hope, ‹der großzügigste aller Entomologen›, verschaffte ihm das Entree. Hope, der in dieser Woche in der Stadt war, kannte alle Sammler. Darwin verbrachte einen Tag mit ihm und ging mit hundertsechzig neuen Spezies nach Hause. Zu den Koryphäen zählte auch der im Marineministerium tätige James Stephens, dessen *Illustrations of British Entomology* sich als äußerst nützlich erwiesen. Er hatte ‹die beste Sammlung von britischen Insekten im Lande› und führte ein gastliches Haus, in dem Mitglieder der Zunft stets willkommen waren. Darwin empfand ihn als ‹sehr gutmütigen, sympathischen kleinen Mann›. Er wurde in den neuesten Klatsch eingeweiht und hörte, daß Stephens und Hope den führenden Käfersammler in Cambridge, Reverend Jenyns, als ‹eigensüchtig und intolerant› kritisierten (in Ehrenfragen kannten die Insektenforscher keinen Pardon). Da sich Experten ihm anvertrauten und seine Sammlung bereicherten, hatte Darwin das Gefühl, an Statur zu gewinnen. Er gab einen neuen, mit Laden versehenen Kabinettschrank für fünfzehn Pfund in Auftrag, um seine Sammlung ebenso glanzvoll unterbringen zu können wie Stephens. Und er brüstete sich, ‹nur Stephens und Hope› besäßen ebenfalls die seltene ‹Diaperis Anea› (einen rundlichen, breitköpfigen Käfer, *Diaperis*, den er während der Ferien in Shropshire gefangen hatte).

81

Mit Erasmus als Führer machte Charles die Runde durch das naturwissenschaftliche London: ‹Royal Institution, Linnean Society, zoologische Gärten und viele andere Orte, wo sich Naturforscher tummeln›. Fünf auf diese Weise zugebrachte Tage waren seine bisher größte ‹Dosis an «Wissenschaft»›. Erasmus kannte auch die minderen Etablissements, Orte, wo es Tiere zu besichtigen gab, etwa Cross' Menagerie mit ihrem riesigen Mandrill, der ‹sich täglich um ein Uhr eine Pfeife und ein Glas Grog genehmigte›. Er hatte schon erlebt, wie dieser kräftige Affe mit dem blauroten Hinterteil einem Mann fast den Arm ausgekugelt hatte, als dieser, mit Lamarck in ihm einen entfernten Verwandten vermutend, versucht hatte, ihm die Hand zu schütteln. Lamarcks Vorstellungen von der menschlichen Abstammung waren den Brüdern Darwin vertraut genug, doch das hieß die Vertraulichkeit denn doch zu weit treiben. Sie begegneten dem Primaten jedenfalls respektvoll. Danach wollte Charles noch bei seinem alten lamarckischen Wandergefährten Robert Grant vorbeischauen, der gegenwärtig sein erstes Seminar an der Londoner Universität abhielt. Dann ging es geradewegs zurück an das Christ's College und zu frommeren Themen. Am George and Blue Boar im Stadtteil Holborn bestieg er die Kutsche nach Cambridge.

Ans College zurückgekehrt, mußte Charles sich zunächst mit schlechtem Wetter abfinden – ‹abwechselnd Regen, Graupelschauer und kalter Wind› –, und seine Stimmung sank. Welch eine Enttäuschung nach Woodhouse und London – wie leer, düster und traurig war es hier! Fox hatte sein Examen mit Mühe und Not ohne Prädikat bestanden und die Universität verlassen. Er sah sich nach einer Vikarsstelle in der Nähe von Osmaston um, jedoch mit so geringem Erfolg, daß schließlich ein Bischof seine Beziehungen spielen lassen mußte. Darwin war voll Mitgefühl für seinen Cousin; noch mehr aber tat er sich selbst leid.[8] Er hatte das Gefühl, in der Luft zu hängen, und vermißte Fox schmerzlichst.

Wie in Edinburgh war er abermals im Begriff, die Richtung zu verlieren. Seine Ziellosigkeit wurde noch durch seinen Bruder verschlimmert, der sich auf Kosten des Familienvermögens einen Lenz machte. Und kein Fox rief ihn zur Ordnung, redete ihm zum Priesteramt zu. Das Problem hatte sich bereits während der Paukferien im vorigen Sommer angekündigt. In einem freimütigen Gespräch hatte Charles seinen Freund John Herbert gefragt, ob er sich wirklich ‹innerlich vom Heiligen Geist berufen› fühle, Priester zu werden. Wenn ihm der Bischof bei der Priesterweihe diese Frage stelle, was werde er antworten? ‹Nein›, antwortete Herbert; er könne nicht sagen, daß er sich berufen fühle. Charles stimmte ihm zu. ‹Ich kann es auch nicht›, meinte er, ‹und deshalb kann ich mich nicht weihen lassen.› Er hatte Zweifel, wie es bei vielen der Fall war, doch schließlich war er da in Wales gewesen und hatte sich mit Freunden unterhalten. Sein Ausspruch war eher

rigoros als seriös. Er machte sich danach auch über ihre wechselseitigen Geständnisse lustig, indem er Herbert wegen seines Unglaubens aufzog und
ihm den Spitznamen ‹Cherbury› verlieh, nach Herbert von Cherbury, dem
Vater des englischen Deismus.[9]

Mit Beginn des Frühjahrssemesters 1829 kamen Charles jedoch echte Bedenken. Er mochte sich vielleicht nicht vom Heiligen Geist berufen fühlen,
doch sein Studium hatte ihn ebenfalls kaltgelassen. Er hatte jetzt das erste
Jahr hinter sich, und sein Tutor wies ihn darauf hin, daß er ungenügend vorbereitet sei, um auch nur die Vorprüfung, das sogenannte Little Go, zu versuchen. Charles steckte in der Klemme und schien hilflos, etwas dagegen zu
tun. Er bewunderte diejenigen, die mit ihrer Karriere vorankamen, insbesondere Fox; sein Vetter hatte zwar immer noch keine Pfarrei in Aussicht,
doch zumindest brütete er für seine Ordinationsprüfung über den Theolo-
giebüchern. Verzweifelt auf Ermutigung hoffend, bettelte ihn Charles um
Rat in dieser Frage an. ‹Du brauchst nicht zu fürchten, mir verfrüht zu predigen›, schrieb er ihm flehentlich. Er klammerte sich auch an andere. Der
‹alte Price›, sein Schulkamerad von Shrewsbury her, war als Tutor in Cambridge tätig und ‹lernte sehr fleißig› für seine eigene Ordination. Charles
schloß sich so eng an ihn an, daß es Price als ‹Heldenverehrung› erschien.
Eines Tages, als sie zu den Steinbrüchen von Cherry Hinton im Süden der
Stadt hinauswanderten, blieb Price stehen, wies auf einige gewöhnliche
Pflanzen hin und ging daran, sie zu identifizieren. Darwin war erstaunt.
‹Price›, rief er aus, ‹was würde ich dafür geben, ein Naturforscher wie du zu
sein!›[10]

Dessenungeachtet setzte eine Art ‹wissenschaftliche Verwahrlosung› bei
ihm ein. Selbst seine Begeisterung für Insekten war im Schwinden. Er suchte ‹dringend jemanden zum Entomologisieren›, doch die beiden Einheimischen, die er zum Käferfangen angeheuert hatte, enttäuschten ihn. Der eine
überließ gar die erste Wahl einem anderen Sammler, Charles (‹Beetles›)
Babington, einem künftigen Botanikprofessor, der vermutlich mehr zahlte.
Charles ertappte ihn auf frischer Tat und sagte ihm die Meinung; er werde
den ‹verd … Ganoven› die Treppe hinunterwerfen, sollte er je wieder vor seiner Tür erscheinen.

Auch die Unterstützung durch Fox schien nachzulassen. Charles wurde
immer ärgerlicher. Wochen vergingen ohne Antwort auf seine Briefe. ‹Du
fauler Sack›, schrieb er ihm schließlich am 1. April 1829 wütend, ‹warum
behandelst Du mich nicht wie einen Gentleman? [...] Wenn Du bloß wüßtest, wie oft ich an Dich denke und wie oft ich Deine Abwesenheit bedaure-
re, dann hätte ich sicher längst von Dir gehört.› Charles krönte das Ganze
mit weiteren Klagen und dem Versuch einer Manipulation. Cambridge sei
‹ziemlich stupid›; seine Lippen machten ihm wieder zu schaffen; es sei
‹kaum jemand da›, mit dem man spazierengehen könne, außer Whitley –

und der, stichelte Charles, ‹hat angefangen, Deinen Platz einzunehmen›. Selbst der Hund mußte weg. Sappho, die letzte lebende Erinnerung an ihre gemeinsamen Käferjagden, wurde verschenkt.[11]

Voll Selbstmitleid um sich kreisend, blies Charles Trübsal. Vielleicht hatte Erasmus die ersten Anzeichen davon bemerkt, als sie zusammen in London gewesen waren. Vielleicht hatte er Charles vor den Gefahren eines Tiefs in der Mitte des Studiums gewarnt: Abgleiten in seichte Gesellschaft, Konflikte mit dem Gesetz, Ruin der Karriere und Verärgerung des Vaters. Was immer er gesagt haben mag – Charles nahm es ihm jedenfalls übel und zerstritt sich auch mit ihm. Jetzt brachte er ebensowenig den Mut auf, an seinen ‹gekränkten Bruder› zu schreiben, wie Fox es fertigzubringen schien, mit ihm in Verbindung zu treten. Es war eine bedrückende Zeit.

Charles war zwar einsam, jedoch nicht allein. Er lachte und spülte seinen Kummer mit einer Schar von Zechkumpanen hinunter. Sein erboster Brief an Fox – den er bald bedauerte – kam unter dem Einfluß von Alkohol zustande. Und das war nicht seine erste derartige ‹Entgleisung›. Herbert und Whitley hatten ‹einige sehr lustige Feten veranstaltet›, mit bis zu sechzig Männern pro Abend. Sie rauchten und flachsten und zockten und gossen sich eine Menge hinter die Binde. An den Morgen danach ernüchterte sich Darwin durch die Lektüre von Gibbons *History of the Decline and Fall of the Roman Empire,* dem perfekten Tonikum für einen über die Stränge schlagenden Priesteramtskandidaten. Es wurde zu einer regelrechten Gewohnheit. Auch machte er lange Ausritte. Eines Abends war der Himmel im Osten erleuchtet, und er ritt mit drei anderen los, um sich die Sache aus der Nähe zu besehen. Die Feuersbrunst erwies sich als elf Meilen entfernt, und sie ‹ritten wie leibhaftige Teufel› hin und zurück. Es war zwei Uhr früh und stockdunkel, als Charles sich unter Verletzung der Sperrstunde ins College zurückschlich. Die Relegierung stand jetzt, wie er wußte, vor der Tür.[12]

Andere forderten die Polizei, wenn nicht die Vorsehung noch offener heraus. Die Ereignisse gipfelten am Ende des Trimesters in einer häßlichen Straßenszene, nur ein paar hundert Meter von Darwins College entfernt. Falls er nicht ins Freie stürzte, als er den Tumult hörte, erhielt er bald Berichte aus erster Hand.

Seit Monaten hatte sich Unmut gegen die Proktoren, die Reverends Alexander Wale und Henry Melville, aufgestaut. Wale, der Nachfolger von Sedgwick, zeichnete sich durch Eifer in seinem Amt aus; Einweisungen in das Spinning House waren seine Stärke, was zweifellos zur Aufladung der Atmosphäre beitrug. Am Morgen des 9. April 1829 brach der Sturm los. Studenten drängten sich in den Korridoren des Senatshauses, wo die Proktoren sie für ihre Examen einteilten. ‹Meldungen für Melville!›, ‹Meldungen für Wale!› brüllten sie, worauf die entsprechenden Zurufe folgten. Melville räumte schließlich die Gänge und marschierte mit Wale hinaus, um die Menge zu zerstreuen, die sie mit Spott- und Schmährufen im Regen empfing. Als die Studenten Wale erblickten, legten sie erst richtig los. ‹Erwürgt ihn!› schrien einige. ‹Stinkender Fisch!› schrien andere. Die Proktoren zogen sich in das Senatshaus zurück, und als sie eine Viertelstunde später wiederkehrten, fanden sie einen gutbewaffneten Mob vor. Sie rannten die Trinity Street entlang in der Hoffnung, sich in Wales College, St. John's, retten zu können. Der Mob verfolgte sie und bewarf sie mit Rüben, Dung und toten Ratten. Die Studenten versuchten die College-Tore zu stürmen, doch die Proktoren entkamen.

Darwin schrieb am nächsten Tag an Fox und berichtete ihm in amüsiertem Ton über die Szene. Da Fox mit Wale befreundet war, wählte er seine Worte behutsam, ohne allerdings seine Sympathien für die Studenten verbergen zu können. Der Oberproktor sei ‹fabelhaft ausgepfiffen und mit Schmutz beworfen worden›, teilte er ihm mit. Man habe ihn ‹in eine solche Wut versetzt›, daß selbst sein Butler ‹eine Stunde lang nicht wagte, in seine Nähe zu kommen›. Darwin ahnte nicht, daß bereits Rachepläne gegen diejenigen geschmiedet wurden, die wie er Wales Demütigung Vorschub geleistet hatten. Wale und Melville hatten einige Gesichter in der Menge wiedererkannt, und die Missetäter wurden vor den Vizekanzler zitiert, der sie aburteilte, noch während Darwin schrieb. Weil sie keinen Talar getragen und Schmähungen gerufen hatten, wurden vier Studenten relegiert, ein fünfter wurde zu einer Geldbuße verurteilt und öffentlich vor dem Senat gerügt.[13]

Am nächsten Tag wußten Darwin und alle übrigen von den Urteilen. Empört über die Milde, die man in ihren Augen hatte walten lassen, hatten mehrere Proktoren gekündigt. Sie ließen ihr Kündigungsschreiben drucken und hefteten die Blätter an die College-Wände. Die Universität hatte zwar an einigen wenigen ein Exempel statuiert, doch die Studenten hatten den eigentlichen Sieg errungen und sich von den verhaßten Proktoren befreit. Für Darwin war es ein Schock, der ihn veranlaßte, über die Konsequenzen von Gesetzesverstößen nachzudenken. Auch andere Dinge versetzten ihn in Schrecken. Nachdem er Fox wochenlang beschimpft hatte, weil er ihm nicht schrieb, erhielt er am 11. April 1829 von ihm einen Brief, dem er zu seiner Beschämung und zu seinem Schmerz entnehmen mußte, daß Fox' Schwester im Sterben lag. Und er hatte den Vetter egoistischerweise bedrängt und vor seinen Karren zu spannen versucht! Jetzt mußte er niedergeschlagen darangehen, sein ganzes Betragen neu zu bewerten.

Am selben Tag, einem Samstag, erging eine weitere moralische Lektion, diesmal an alle in Cambridge: Einem jungen Mann schlug auf dem Castle Hill die letzte Stunde. Hier oben, im Grafschaftskerker, warteten die Männer, denen Kapitalverbrechen zur Last gelegt wurden – auf etwa zweihundert Delikte stand 1829 die Todesstrafe –, auf ihre Aburteilung in der Shire Hall über den Metzgerläden auf dem Marktplatz. Die Urteile der für schuldig Befundenen wurden als Exempel für die Gemeinde auf dem Castle Hill vollstreckt. Öffentlich gehenkt zu werden, war die stärkste Abschreckung im Diesseits, so wie das Höllenfeuer im Jenseits. Gesetzesfurcht und Furcht des Herrn gehörten in Cambridge engstens zusammen.

Während Darwin über die Nachricht von Fox schauderte, zog sich die Schlinge zu. Die Hinrichtung war überall angekündigt worden. In einem offenen Brief hatte ein missionarisch gesinnter Geistlicher die Einwohner der ganzen Grafschaft eingeladen, daran teilzunehmen und ‹für den unglückseligen Übeltäter zu beten, damit ihm Reue und Glauben und damit Verzeihung gewährt werden›. Wegen ‹Straßenraubs› ein paar Meilen westlich der Stadt wurde William Osborne am Galgen gerichtet.[14]

Charles hatte inzwischen bereits sein ganzes Budget durchgebracht und Tutorenrechnungen unbezahlt gelassen. Trotzdem brach er zu Beginn der Osterferien mit Whitley nach London auf, wo er sich vermutlich mit Erasmus aussöhnte. Bei seiner Rückkehr ins College fand er ein niederdrückendes Schreiben von Catherine aus Shrewsbury vor. Fox' Schwester war gestorben. Charles schrieb seinem Vetter einen gewundenen Kondolenzbrief. Überzeugt davon, daß jedes Mitgefühl nutzlos sei, vertraute er auf Fox' eigene ‹gute Prinzipien und Religion› und wies ihn floskelhaft auf den ‹reinen und heiligen Trost› der Bibel hin. Sein Ton war förmlich und unpersönlich; er distanzierte sich von dem Schmerz. Als Fox, der allmählich wiederauflebte, im Mai mit einer Einladung antwortete, Osmaston zu besuchen, schickte ihm Charles seine Reisepläne für die kommenden Monate. Sie würden sich unmöglich vor September sehen können.

Seinen leichtsinnigen Lebensstil behielt er trotz der ernstzunehmenden Ereignisse der jüngsten Vergangenheit bei.

‹Ich bin in einen so totalen und absoluten Zustand der Faulheit geraten, daß es ausreicht, um alle Fähigkeiten zu lähmen; vormittags Reiten und Spazierengehen, am Abend hemmungsloses Spielen bei Van John, daraus besteht meine sinnvolle und lehrreiche Lebensführung. Der Herr helfe mir ...›

Je ‹weniger Worte darüber verloren werden, desto besser›, schrieb er Fox. ‹Wieviel Ratschläge würde ich bekommen, wenn Du bloß hier wärst.› Nicht daß er den Vorhaltungen von Fox Beachtung geschenkt hätte, war er doch zu sehr beschäftigt mit ‹Reiten und Entomologisieren›. Theologische ‹Predigten› waren das letzte, was er wollte; nichts lag ihm ferner als der Gedanke an eine Pfarrei.[15] Die Zukunft würde schon eine Lösung bringen.

Im Mai 1829 fand Professor Henslows erste ‹öffentliche Botanikexkursion› des Jahres statt, auf der die Studenten Pflanzen sammelten. Reverend Jenyns sprach vor der Cambridger Philosophischen Gesellschaft über den göttlichen Plan in der Beschaffenheit des Gefieders. Am Dienstag, dem 19. Mai, stiegen zwei Studenten mit dem angesehenen Aeronauten Mr. Green in einem Ballon auf. Der Start erfolgte um 6.30 Uhr in einem Hof in Barnwell; Dutzende von Studenten hatten sich versammelt, um ihren Kommilitonen zuzujubeln. Der Ballon segelte vierzig Meilen nach Westen, bis nach Castle Ashby in Northamptonshire. Darwin veranstaltete inzwischen Luftangriffe auf Insekten. Im Spätfrühling war die Konkurrenz unter den Leuten mit den Schmetterlingsnetzen besonders erbittert. Wieder schickte er Einheimische los, die für ihn Teiche und Moore durchkämmten; auch sein eigener Erfolg mit Schwimmkäfern war spektakulär. ‹Ich glaube, in diesem Punkt habe ich sogar Jenyns geschlagen›, schrieb er am Vorabend der Ballonfahrt stolz an Fox.[16]

Es war eine heitere, angenehme Zeit – die Ruhe sollte jedoch bald durch einen Anschlag auf die geheiligte anglikanische Ordnung gestört werden. Das Ostertrimester sollte ebenso wie das vorhergehende mit kriminellen Ausschreitungen enden. Wieder war Darwin mittendrin und erlebte, wie die Gesellschaft Rache nahm. Diesmal war die zu lernende Lektion noch denkwürdiger.

Am Donnerstag, dem 21. Mai, trafen die alten Radikalen Richard Carlile und Reverend Robert Taylor zu Fuß in Cambridge ein. Sie waren berüchtigte Freigeister, denen ihr Ruf vorauseilte; Anhänger heizten im Pöbel eine antichristliche Stimmung an. Carlile war der Sohn eines Schusters und von Beruf Spengler. Er hatte sich als streitbarer republikanischer Journalist einen Namen gemacht und war nach dem Peterlooer Massaker von 1819 (als unschuldige zivile Demonstranten von Kavallerie niedergemacht wurden) wegen blasphemischer und aufwieglerischer Verleumdung zu einer sechsjährigen Kerkerstrafe verurteilt worden. Taylor, sein Kampfgefährte seit seiner Freilassung, hatte gerade selbst ein Jahr wegen Blasphemie abgesessen. Blasphemie war ein Verbrechen gegen die Gesellschaft, weil das Christentum Bestandteil der herrschenden Rechtsordnung war. Durch Lockerung des Glaubens ‹ungebildeter› Arbeiter (wie der Staatsanwalt bestätigte) schwächten Carlile und Taylor deren Fähigkeit, ‹dem Druck von Not und Elend zu widerstehen›. Diese Demagogen, Wortführer der weltlichen Arbeiterklasse, waren die Geißel der ehrbaren Gesellschaft – nicht zuletzt im klerikalen Cambridge.

In der Stadt übernahm Taylor die Führung. Auch er hatte die Medizin zugunsten der Theologie aufgegeben und kannte die Universität gut, war er doch drei Jahre am St. John's College gewesen. Reverend Simeon hatte ihm sogar seine erste Vikarsstelle verschafft. Doch fünf Jahre nach seiner Amtseinsetzung hatte sich Taylor vom Christentum losgesagt, und sein pastoraler Überschwang wandelte sich in einen exzentrischen Antiklerikalismus. Er gründete einen Freidenkerclub und begann, in Londoner Pubs Reden zu halten. Seltsam gewandet, machte er sich über die anglikanische Liturgie lustig und prangerte die Barbarei des Establishments und dessen Heidentum an. Bald griff der Arm des Gesetzes nach ihm; er wurde ins Gefängnis geworfen und schrieb in seiner Zelle *The Diegesis,* einen ätzenden Angriff auf das Christentum auf der Grundlage vergleichender Mythologie.[17]

Jetzt, da sein Buch soeben herausgekommen war, forderte Taylor, flankiert von Carlile, mit einer ‹atheistischen Missionsreise› erneut die Obrigkeit heraus. An diesem Donnerstag schlenderten die beiden durch das Universitätsgelände und versuchten, sich ein Bild von ihren Gegnern zu machen; am Abend stärkten sie sich mit einer haßerfüllten Predigt von Reverend Simeon in der Holy Trinity Church (‹einer der schlimmsten für die Moral der Menschheit, die man sich vorstellen kann›, höhnten sie). Am nächsten Morgen schlugen sie in unmittelbarer Nähe des Marktplatzes, in Räumlichkeiten über einer Druckerei in Rose Crescent, ihr ‹Atheistisches Hauptquartier› auf. Dies war das Zentrum des feindlichen Territoriums, einen Steinwurf vom Senatshaus und zwei Häuserblocks vom Christ's College entfernt. Es war ein Laden, den Darwin kannte, da er an Kupferstichen Geschmack gefunden hatte.[18] Der nichtsahnende Hausherr, William Smith, gab seinen Gästen für zwei Wochen Unterkunft.

Vier Tage lang erbebte die öffentliche Moral in ihren Grundfesten. Bis Freitagmittag hatten Taylor und Carlile eine gedruckte Herausforderung an den Vizekanzler, die führenden Theologieprofessoren, die Vorsteher aller Colleges und an Reverend Simeon geschickt.

RUNDSCHREIBEN

Rev. Robert Taylor, A. B., von Carey Street, Lincoln's Inn, und Mr. Richard Carlile von Fleet Street, London, empfehlen sich (wem auch immer) als ungläubige Missionare und laden aufs ehrerbietigste und ernsthafteste zur Diskussion über die Verdienste der christlichen Religion ein, die sie wohlbegründet in Frage stellen im Vertrauen auf ihre Fähigkeit zu beweisen, daß eine Person wie der angeblich aus Nazareth stammende Jesus Christus niemals existierte; daß die christliche Religion keine solche Herkunft hat, wie behauptet wurde; daß sie ferner in keinerlei Weise nützlich für die Menschheit, sondern vielmehr nichts weiter ist als ein Ausfluß der alten heidnischen Religion. Die Forschungen von Rev. Robert Taylor über dieses Thema sind in seinem soeben veröffentlichten Werk The Diegesis *enthalten, in dem ihre Beweisführung ausführlich dargelegt wird.*

Sie bestreiten auch die Redlichkeit ständigen Predigens und fordern zur Diskussion über die Verdienste der christlichen Religion insgesamt heraus.

Dies war ein kalkulierter Angriff auf den ‹gesetzlich festgelegten› Glauben, ein ungeheuerlicher Versuch, die soziale Ordnung zu zerschlagen und das feudale Cambridge zu zerstören. Und um ihre Kampfansage noch zu unterstreichen, machten sich die Missionare über die Etikette lustig, indem sie hinzufügten: ‹Für Gespräche zu jeder gewünschten Zeit zu Hause erreichbar. Rose Crescent 7.›[19]

Die Theologen zogen sich am Freitagabend zu einer geheimen Besprechung zurück, auf der sie ihre Rache planten. Die Ungläubigen setzten inzwischen ihre Kampagne in der Stadt fort. Taylor, untadelig mit Mütze und Talar bekleidet, wandelte auf der Suche nach Freidenkern durch die geheiligten Bezirke, begrüßte alte Freunde und verteilte Rundschreiben. Die Studenten konnten vielleicht auswendig gelernte Antworten auf eine Anzweiflung ihres Glaubens herunterrasseln – ebenso wie Darwin hatten sie ihre anglikanische Apologetik von Reverend Sumner und anderen seines Schlages gelernt –, doch keiner von ihnen war je persönlich herausgefordert worden, noch dazu von einem Cambridge-Absolventen, einem Exsträfling, einem Ungläubigen in der akademischen Tracht. An jenem schönen Abend herrschte eine unheimliche Stille in den Colleges.[20] Die Gemüter begannen sich zu erhitzen.

Am Samstag, dem 23. Mai, erfolgte der Gegenschlag, wenn auch nicht so, wie Taylor und Carlile es erwartet hatten. Ein versprochener Artikel in der Morgenzeitung, der ihre Mission ankündigen sollte, erschien nicht. Dann kreuzte einer der neuen Proktoren auf, um ihren Quartiergeber, Mr. Smith, zu verhören. Bald danach kam ein anderer und forderte die Herausgabe seiner Herbergslizenz. Smith weigerte sich, sie auszuhändigen, und wandte sich mit der ‹ehrerbietigsten› Bitte an den Vizekanzler, den Grund dieser Maßnahme zu erfahren; er habe nicht gegen die Beherbergungsvorschriften verstoßen. Tatsächlich hatte er für seine Lizenz erst am Tag zuvor die jährliche Verlängerung erhalten. Er blieb ohne Antwort. Statt dessen erging an diesem Nachmittag eine Bekanntmachung des Vizekanzlers und der Proktoren, die besagte, daß seine Lizenz offiziell eingezogen sei. Sie wurde in den Mensen aller Colleges angeschlagen – eine Warnung für Darwin und seine Freunde vor der Versuchung, selbst gegen das Gesetz zu verstoßen. Das Betreten der Unterkünfte in Rose Crescent Nr. 7 war ab sofort verboten.[21]

Taylor und Carlile, wütend über diese ‹niederträchtige Bosheit›, schlugen zurück. Sie klebten am Sonntag ihre eigene Bekanntmachung für alle Welt sichtbar an die Tür der Universitätsbibliothek neben dem Senatshaus. In lateinisch und griechisch verfaßt, enthielt sie ihre Herausforderung an die Universität als solche – eine Universität, die ‹den Unschuldigen bestraft›, ‹den Schwachen zermalmt›, die ‹unterdrückt› und ‹verfolgt›. Smith, der Frau und sechs Kinder zu ernähren hatte, war mit dem Strich einer klerikalen Feder der Hälfte seines Lebensunterhalts beraubt worden. Am nächsten Tag redeten alle über die ‹Ungeheuerlichkeit› seines Schicksals und die dreiste Herausforderung der Ungläubigen. Es war eine Lektion über die Gefährlichkeit religiöser Irrtümer. Selbst Smith' Bitte um Gnade stieß auf taube Ohren.

Doch wo lag die Schuld? Die Obrigkeit erfreute sich gewiß nicht allgemeiner Sympathie; dennoch konnte man Taylor selbst für den Skandal verantwortlich machen, und eine Rotte ‹junger Männer› bereitete sich denn auch darauf vor, den bedauernswerten Hausbesitzer zu rächen. Ein abtrünniger Priester, der sich in akademische Tracht hüllte und den Vermieter über seine wahre Identität täuschte, verdiente es, in den Cam getunkt zu werden. Das war unehrenhaftes Betragen, das sich für einen Gentleman nicht schickte. Nur Proktoren gingen inkognito.

Am Dienstag, dem 26. Mai, als Taylor und Carlile Wind von der geplanten ‹Volksjustiz› bekamen, entschuldigten sie sich bei Smith, drängten den Vizekanzler nochmals, ihm seine Lizenz wiederzugeben, und verschwanden aus der Stadt. Nicht mit ganz leeren Händen: Sie hatten ‹etwa fünfzig [...] junge Studenten› gefunden, ‹die die Kühnheit besaßen, einander ihre Ungläubigkeit zu bekennen› – vielleicht auch einen oder zwei Jünger. Doch allenfalls eine Handvoll der Studenten, das wußten die beiden Vorkämpfer, würden jemals ‹die Fesseln› einer Cambridge-Ausbildung ‹zerreißen› und sich völlig von ihrem Glauben lossagen. Und sie würden ‹einen höchst schmerzhaften Konflikt auszustehen› haben.[22]

Einer von ihnen war Darwin. In späteren Jahren erinnerte er sich an Taylor als den ‹Kaplan des Teufels›, und er befürchtete, selbst ähnlich geschmäht, als aus der ehrbaren Gesellschaft Ausgestoßener, als Schrecken für den Unschuldigen, als verkappter Ungläubiger angesehen zu werden. Im Augenblick jedoch hatte er nichts zu befürchten – und war bereit, sich zu bessern.

6

Der Mann, der mit Henslow spazierengeht

Die Kirche von England war ernsteren Angriffen ausgesetzt als diesem. Während Darwins Aufenthalt in Cambridge hatte das Parlament Gesetze verabschiedet, die es Dissenters und Katholiken zum erstenmal seit Jahrhunderten erlaubten, öffentliche Ämter innezuhaben. Die anglikanische Vorherrschaft war gebrochen worden, die Vetternwirtschaft des Adels war im Schwinden, und eine riesige Woge des Liberalismus drohte die alten Mauern des Privilegs niederzureißen. Selbst in Cambridge hatten sich Risse in dieser Mauer gezeigt, während Darwin seinen Vergnügungen nachging. Die Honoratioren der Stadt und der Universität wehrten sich zwar gegen die neuen Freiheiten, doch im Juni 1829 wurde der einundzwanzigjährige Whig William Cavendish – der spätere Herzog von Devonshire – nach einem erbitterten Wahlkampf als Vertreter der Universität ins Parlament gewählt. In Oxford, wohin Darwin eingeladen wurde, um die erste jährliche Ruderregatta zwischen den Schwesternuniversitäten mitzuerleben, schloß der Klerus unterdessen seinen Tory-Unterhausabgeordneten Robert Peel als Verräter aus, weil er die katholische Emanzipation unterstützt hatte. Die Regatta wurde übrigens mühelos von Oxford gewonnen, vielleicht ein Omen dafür, daß den Reformern noch schwierige Kämpfe bevorstanden.[1]

Den Sommer über wieder in Shrewsbury, fühlte sich Charles zunehmend desillusioniert. Er hatte die Warnglocken gehört, als die Universität gegen moralische Verworfenheit und gesellschaftliche Regelverstöße vorging. Er hatte Unschuldige leiden sehen. Selbst blauäugige Käfersammler wurden an die wackligen Fundamente ihres müßigen Lebensstils erinnert. Reverend Taylor machte den führenden Kreisen bewußt, daß sie auf ihren Wohlstandsinseln Gefahr liefen, vom Meer der Armen und Elenden verschlungen zu werden. Atheismus, Republikanismus und Revolution bildeten gefährliche Wirbel, die die Schutzmauern des Establishments unterspülten und dessen Privilegien bedrohten. Die Freigeisterei als politisches Glaubensbekenntnis jagte jedem Kleriker einen doppelten Schauer über den Rücken.

Fern vom Schauplatz des Aufruhrs hatte Charles Zeit, über alles nachzudenken – und das mehr, als ihm lieb war.

Er sah sich erneut gezwungen, das Bett zu hüten. Mitte Juni war er mit
Reverend Hope in Nordwales auf Insektenfang gewesen, als sich seine Lippen wieder entzündeten. So fuhr er ‹voll Kummer und Schmerz› nach Hause, um sich von seinem Vater und seinen Schwestern verarzten zu lassen.
Hope schickte ihm einige faszinierende Schnellkäfer, um ihn aufzuheitern –
‹scharlachrote› Elateriden –, doch da seine eigenen Lippen wundrot waren,
schien das wie ein schlechter Scherz. Charles weinte sich bei Fox aus und
verwies auf seine eigene karge Beute. Er fand es ‹schrecklich stumpfsinnig›,
in The Mount herumzuhängen, wo er ständig an die Pflichten des Lebens
erinnert wurde. Auch die Warnung seines Tutors war nicht geeignet, seine
Stimmung zu heben: Die Vorprüfung für sein Diplom im nächsten Jahr –
das Little Go – sollte verschärft werden.

Es dauerte zwei Wochen, bis Charles genesen war. Dann aber fühlte er
sich wie neu geboren. Bald würde sein ‹stinkfaules Zigeunerleben› ein Ende
haben, und er gedachte die knappe Frist voll zu nutzen, indem er ‹dafür
sorgte›, so wenig von zu Hause und soviel von Woodhouse zu haben wie
möglich›. Mit Beginn des Wintersemesters würde alles anders werden. ‹Ich
muß für mein Little Go lernen›, beschloß er, denn ‹das dicke Ende kommt
für alle Müßiggänger und Entomologen›.[2]

So trieb sich Charles den Sommer über in Shropshire und Staffordshire
herum und verbrachte eine unergiebige Woche auf Käferjagd in Barmouth.
In Shrewsbury fungierte er als Taufpate für seine kleinen Neffen, die jüngeren Söhne seiner Schwester Marianne und ihres Ehemanns Henry Parker. In
Maer lauerte er Insekten auf und schoß Moorhühner. Und dazwischen kehrte er immer wieder nach Woodhouse zurück, um dem Wild in Squire
Owens Wald nachzustellen. Die Briefe von ‹la belle Fanny› waren spärlicher
geworden, doch er vergötterte sie immer noch. Sie hatten andere Formen
der Kommunikation, zumindest im Sommer. Er sah sie nochmals kurz vor
der Jagdsaison, nach der er sich beeilte, Fox zu besuchen.[3]

Monate waren vergangen, seit sich die Vettern zum letztenmal die Hände gereicht hatten. Charles hatte Fox' Angelegenheiten in Cambridge geregelt und ihm seine Habe zurückgeschickt, unzählige Käfer für ihn gefangen
und sich insgesamt für viele Gefälligkeiten revanchiert. Alte Enttäuschungen waren vergessen; sie blickten jetzt beide in die Zukunft. Doch Fox, der
sich auf das Priesteramt vorbereitete, hatte ‹die Wissenschaft› sichtlich vernachlässigt. Charles hingegen war ganz wild darauf, loszulegen; seinen Namen gedruckt zu sehen, hatte ihn angespornt – eine erfreuliche Anerkennung in einer Folge von Stephens' *Illustrations of British Entomology*. Jetzt
würde ihn keiner mehr übertreffen, nicht einmal Leonard Jenyns in Cambridge. Fox kniete vor ihm wie ein Büßer, entschlossen, seine ‹Ehre in der

Entomologie wiederherzustellen›, wie Charles scherzte. Sie fingen Dutzende von Insekten, und Charles examinierte seinen Vetter über die fabelhaften ‹pilzfressenden› Spezies.⁴ Ihre Rollen hatten sich umgekehrt. Charles gab jetzt den Ton an.

Es war nur ein kurzer Besuch, doch Charles erwartete Fox bald in Cambridge, wo sie es ‹wieder sehr gemütlich miteinander haben› würden. Er mußte eilends nach Shrewsbury zurückkehren, um Erasmus zu sehen. Sein Bruder gab die Medizin auf. Vater Darwin befürchtete, seine ‹zarte Konstitution› werde einer Karriere nicht gewachsen sein, die, ‹wenn sie erfolgreich ist, eine schwere Belastung für Leib und Seele mit sich bringt›, und setzte ihm deshalb eine Pension aus. Erasmus war naturgemäß ‹sehr einverstanden› damit, im Alter von fünfundzwanzig Jahren in den Ruhestand zu treten. Er gedachte, sich in London niederzulassen, mit ‹einem Luftkissen in seiner Wohnung›, um Charles bei sich aufnehmen zu können. Diese Lösung erschien rundum befriedigend, und die Brüder feierten sie Anfang Oktober auf dem Musikfestival von Birmingham. Sie genossen mehrere Konzerte und Opernaufführungen mit Giuseppe de Begnis und der bezaubernden jungen Sopranistin Maria Malibran. Charles wohnte in der Nähe seiner Wedgwood-Cousins und -Cousinen und ‹war ständig mit ihnen zusammen›. Insgesamt war es ein ‹glanzvolles› kulturelles Erlebnis. Und zwischen den Arien schaffte er es, von einem dortigen Sammler Insekten im Wert von fünfzehn Shilling zu erwerben. Schließlich kehrte er nach Cambridge zurück, diesmal darauf erpicht, rechtzeitig zu Semesterbeginn dazusein.⁵

Zu Michaeli gab es Ablenkungen aller Art, doch Charles blieb seinem Entschluß treu. Er nahm an Tutorenkursen teil und vertiefte sich in klassische Texte für sein Little Go. Es war eine trockene Fronarbeit. Erasmus kam für eine Weile zu Besuch, und sie setzten ihre schöngeistige Bildung am Fitzwilliam Museum fort. Charles schaffte es sogar, ein paar Tage für die Jagd abzuzwacken. Doch am letzten Tag erlitt er samt seinem Pferd ‹zwei so furchtbare Stürze, daß meine Lunge fast kaputtging›, und so machte er dem ein Ende. Ansonsten hielt er sich in allen Dingen aufrecht: Er verließ seine alten Zechkumpane und suchte sich eine bessere Klasse. Seit dem Weggang von Fox hatte er die Naturforscher und -kleriker und ihren freundlichen Mentor, Reverend Henslow, vernachlässigt. Obwohl er im Frühjahr die Botanikvorlesungen von Henslow belegt hatte, erwähnte er diese Tatsache nicht einmal gegenüber Fox, der ihn dem Professor vorgestellt hatte. Jetzt war alles anders. Er wurde Stammgast bei Professor Henslows Freitagabendpartys und bewegte sich in anderen Kreisen.

Einer seiner neuen Bekannten war Reverend Jenyns, der in der Bruderschaft der Insektensammler einen schlechten Ruf hatte. Als Eton-Absolvent und Sohn eines Pfarrers und Magistratsbeamten, des Gutsherrn von Bottisham in der Nähe von Cambridge, entstammte er der alten Ordnung. Sein Vater hatte ihm die Pfarrei von Swaffham Bulbeck in der Nähe des Familiensitzes verschafft. Hier hatte sich Jenyns als Pfarrer geschworen, im Gegensatz zu seinem Vater niemals weltliche Aufgaben zu übernehmen. Statt dessen verbrachte er seine freie Zeit mit der Erweiterung seiner in der Kindheit begonnenen Insektensammlung. Der inzwischen dreißigjährige Junggeselle lebte zurückgezogen und asketisch und legte eine dazu passende wissenschaftliche Haltung an den Tag: methodisch im Vorgehen, penibel in bezug auf Fakten sowie durch und durch orthodox. Er führte einen ‹naturwissenschaftlichen Kalender› wie sein Vorbild Reverend Gilbert White und litt an häufigen Migräneanfällen, was seinen Lebensstil noch zurückhaltender gestaltete. Freunde drängten ihn vergeblich, sich um eine zoologische Professur zu bewerben. Eines Freitagabends gelang Darwin jedoch ein Coup. Er überredete den eigenbrötlerischen jungen Geistlichen, am Christ's College vorbeizuschauen und seine Käfer zu inspizieren. Obwohl Jenyns wenig über die Sammlung sagte, war er dankbar, von seinem Bewunderer ‹eine schöne Menge Insekten› zu erhalten. Vielleicht, so mochte Darwin denken, war der Mann gar nicht so übel, wie sein ‹grimmiger und sarkastischer Ausdruck› vermuten ließ.[6]

In diesem Trimester kam Fox kein einziges Mal zu Besuch, und Fanny schrieb nicht einmal. Charles ertrug diese Vernachlässigung mit Fassung. Er entwickelte Eigenständigkeit. Aktive Käfersammler hatten jetzt Vorrang für ihn – und große Brüder. Zu Weihnachten schlief er drei Wochen lang auf Erasmus' Luftmatratze und tat, was ihm gefiel. London erwies sich als weitaus genießbarer, als er erwartet hatte, und das bedeutete: ruhig. Er verschlang Samuel Richardsons siebenbändigen Erfolgsroman *Clarissa Harlowe,* allerdings ohne die Saga von unglücklicher Liebe bis zum Ende auszukosten. Beim Abendessen erörterte er gewichtigere Dinge mit Sir James Mackintosh, der immer noch große Stücke auf ihn hielt. Mackintosh zerpflückte die Phrenologie, mit der Charles in Edinburgh in Berührung gekommen war. Wenn Bildung die Fähigkeiten des Gehirns – die für Liebe, Haß, Vernunft und so weiter zuständigen Zonen – verändern könne, erklärte er, dann seien diese Fähigkeiten nicht angeboren; daher könne die Kopfform sie auch nicht widerspiegeln. Charles mußte ihm recht geben. Sein schwacher Glaube an Schädelhöcker wurde ‹zunichte gemacht›, und er kehrte zu einer fundierteren Wissenschaft zurück, der Entomologie. Er hatte einige Gespräche mit Hope, der nach Weihnachten in der Stadt war, und Stephens opferte einige Abende, um seinem Studienkollegen Nachhilfe zu erteilen. Charles wurde einem jungen Architekten vorgestellt, George Waterhouse, einem aufstrebenden Sammler mit einigen fabelhaften Beutestücken. Waterhouse schenkte ihm einen Kasten mit den ‹wundervollsten Insekten›.[7] Das sollte Darwin ihm nicht vergessen.

Am Neujahrstag 1830, zwei Wochen vor Semesterbeginn, kehrte Charles nach Cambridge zurück. Alsbald stattete er Jenyns einen Gegenbesuch ab. Er ritt nach Swaffham Bulbeck hinaus und fand den Pfarrherrn in aller Behaglichkeit vor; er erschien ihm etwas selbstgefällig. Darwin schenkte ihm ‹eine riesige Menge Insekten› und erhoffte sich als Gegengabe Jenyns' Dubletten aus dem Moor. Das einzige, was er bekam, waren zwei gute Käfer und ‹zwei oder drei gewöhnlichere›. Daß Jenyns nicht die Großzügigkeit von Waterhouse besaß, wurmte ihn. Abfällig bemerkte er, seine eigenen Wasserkäfer hätten wohl Jenyns' ‹schwachen Verstand› überfordert, und er nahm sich vor, noch härter zu arbeiten, um ihn in den Schatten zu stellen – sobald er sein Little Go bestanden hatte.

Inzwischen waren die Studenten im zweiten Studienjahr ‹aus Furcht und Angst allesamt in einem höchst bedauernswerten Zustand›, blieben ihnen doch nur noch zwei Monate bis zu ihrer schweren Prüfung. Allerdings wußten sie bereits seit fast einem Jahr, worüber sie geprüft werden würden: vorgeschriebene Texte in Latein und Griechisch, die zu übersetzen und zu analysieren waren, ferner Abschnitte aus den Evangelien oder der Apostelgeschichte sowie zehn Fragen zu Paleys *Evidences of Christianity*. Das alles mußte an einem einzigen Tag über die Bühne gehen; die Klassiker kamen drei Stunden vormittags dran, das Neue Testament und Paley drei Stunden am Nachmittag. Deshalb galt das Little Go jetzt als so streng. Die Kandidaten wurden mündlich geprüft und jeder der Reihe nach aufgerufen. Es war ein öffentlicher Auftritt unter Druck, der keinen Raum für Finten ließ. Die Kandidaten der ‹ersten Klasse› hatten bestanden; die in der ‹zweiten Klasse› mußten es im nächsten Jahr nochmals versuchen.[8]

Charles büffelte widerstrebend die alten Sprachen; er hatte nur den einen Wunsch: durchzukommen. Woran er echten Geschmack fand, war Paley. Dessen *Evidences of Christianity* waren wie das Buch von Sumner (das er in Shrewsbury gelesen hatte), nur besser. Paley selbst, 1805 als reicher Rektor, Erzdiakon und Doktor der Theologie in Cambridge gestorben, war zwar nicht über jeden Verdacht der Unorthodoxie erhaben; dennoch blieb sein Buch ein Prüfstein des richtigen Glaubens und Betragens.[9] Englands geistige Elite akzeptierte seine Prämissen; jeder Priesteramtskandidat in Cambridge schwor auf seine Schlußfolgerungen. Seine kalte, klare Argumentation war eine bezwingende Rechtfertigung des Christentums, machte junge Gentlemen zu Apologeten und stützte die anglikanische Ordnung.

Paleys Logik entzückte Charles so, daß er sie auswendig lernte. Die schiere Eleganz der Deduktionen faszinierte ihn: Sofern Gott existierte, würde er sich auf eindeutige Weise offenbaren, und wie sonst als durch Wunder? Diese Wunder aber könnten nicht als der Erfahrung widersprechend abgetan werden, wenn es so viele historische Zeugen dafür gab. Allein schon die Tatsache, daß die frühen Christen lieber Verfolgung erduldeten, als Jesu Wunder zu leugnen, verleihe dem Bericht des Neuen Testaments über die Auferstehung Glaubwürdigkeit. Keine anderen Wunder seien in so überzeugender Weise bestätigt worden. Deshalb sei die christliche Offenbarung sowohl wahr als auch einzigartig; ein ‹jüdischer Bauer› habe den Weg zu Gott gewiesen.

Welche Konsequenz ergab sich daraus? Als Charles die *Evidences* zu Ende las, prägte sich ihm die praktische politische Antwort unvergeßlich ein. Laut Paley bewies die christliche Offenbarung das Bevorstehen eines ‹Zustands von Belohnung und Bestrafung›. Die ausgleichende Gerechtigkeit im Jenseits sei ungemein nützlich für die Regelung des menschlichen Betragens im Diesseits. Ohne die Androhung ewiger Höllenqualen fehle den Menschen ‹ein Motiv›, ihre Pflicht zu tun, und ‹ihre Regeln erheischten Autorität›. Verspreche man ihnen dagegen künftige Belohnungen, dann sei ein ständiges Problem gelöst: die ungerechte und ‹willkürliche Verteilung› von Macht und Reichtum. Die elenden Massen fänden sich mit ihren Beschwernissen und ihrem entwürdigenden ‹Stand› ab, sobald sie akzeptierten, daß jede Ungerechtigkeit im Jenseits wiedergutgemacht werde. ‹Diese eine Wahrheit verändert die Natur der Dinge›, heißt es in *The Evidences of Christianity*. Sie ‹setzt Ordnung an die Stelle von Verwirrung und bringt die moralische Welt in Einklang mit der natürlichen›.[10] Für Charles, den diese Argumentation entzückte, war Paleys Welt seine eigene. Cambridge stand in Einklang mit den *Evidences* und funktionierte nach den gleichen Prinzipien. Es war ein Mikrokosmos, in dem die Autorität von Gott garantiert und jedem sein Stand zugewiesen war, in dem sich die Strafen für Fehlverhalten mit ebenso unerbittlicher Strenge einstellten, wie einem die Belohnungen für herausragende Leistungen überreich zuteil wurden. Hier hing die ‹Wahrheit des Christentums› von Fakten ab, und er war im Begriff, darüber geprüft zu werden. Das Jüngste Gericht sollte am Mittwoch, dem 24. März 1830, über Charles befinden, wenn er den Prüfungssaal betrat. Jetzt, da seine Zukunft auf dem Spiel stand, fühlte er sich ‹niedergeschmettert›, gequält von schulderfüllten Erinnerungen an ‹Faulheit›. Seine Inquisitoren waren streng und stellten ihm ‹eine fabelhafte Anzahl von Fragen›, doch am nächsten Tag, als die Resultate bekannt wurden, brach er in einen Jubelschrei aus: ‹Ich hab' mein Little Go bestanden!!! [...] Ich bin durch, durch, durch!› Von Triumphgefühlen beflügelt, konnte er es kaum erwarten, zur Entomologie zurückzukehren. ‹Gott schütze die Käfer und Mr. Jenyns!›[11]

Fanny verschwand allmählich aus seinem Leben. Dessen war er sich jetzt sicher. Nachdem sie ein Trimester lang nichts hatte hören lassen, traf schließlich ein Brieflein von ihr ein, während er über Paley brütete. Doch es war frustrierend vage. Keine Gründe, keine Entschuldigung, keine Ermutigung, nur ein geschwätziges Schmollen. ‹Warum bist Du diese Weihnachten nicht nach Hause gekommen?› wollte Fanny wissen. ‹Ich nehme an, irgendwelche *hübschen kleinen Käfer* ... haben Dich ferngehalten.› Spöttisch fuhr sie fort, wahrscheinlich werde sie selbst eine seltene Spezies fangen müssen, ‹ein *Scrofulum morturorum*› (womit sie natürlich eine Krankheit meinte), bevor er sich ‹herbeilassen› werde zu kommen. Das war denn doch zuviel von einer Person, die ihrem eigenen Hobby, der Malerei, so verfallen war, daß sie nicht einmal einen Brief schreiben konnte! Aber damit Charles nicht denke, sie habe ihn entsetzlich vermißt, nahm Fanny zu Rätseln Zuflucht. Die Ferien hätten ‹harte Zeiten› gebracht, jammerte sie, und jetzt sei sie verschuldet. ‹Meine Finanzen sind in einem höchst bedauernswerten Zustand und die *Hypotheken* auf *meinem Besitz unberechenbar*.› Da die Gläubiger sie unter Druck setzten, stehe ihr der Schuldturm bevor. ‹Was für eine *gräßliche, widerwärtige Sache Geld* ist – ich hasse allein schon das Wort – Du *nicht?*› fügte sie hinterhältig hinzu; ‹es ist etwas für *vulgäre Seelen* – nicht *Käferjäger* – und *Malerpinselschwinger*!!!›

Die Botschaft war leicht zu entschlüsseln. Charles konnte zwischen den Zeilen ‹Liebe› statt ‹Geld› lesen. Das törichte Mädchen hatte sich gefühlsmäßig übernommen. Andere hatten einen Anspruch auf ihre Zuneigung: Freier (‹Gläubiger›) belagerten sie, und die Eheschließung (der ‹Schuldturm›) drohte. Das ‹Heimchen› und den ‹Postillon› gab es nicht mehr, ihre Waldrendezvous waren vorbei. Wie gut, daß er zu Weihnachten nicht nach Hause gefahren war. Die ‹*hübschen kleinen Käfer*› waren eine sympathischere Vorstellung als ein flatterhaftes Mädchen. Jedenfalls konnte man sie leichter festnadeln. Jetzt, da seine Prüfung vorbei war, bekämpfte er seinen Kummer, indem er das einzig Wahre tat. Der neue Kabinettschrank, den er im Vorjahr bestellt hatte, traf endlich ein, ein ‹hübsches kleines Ding› mit flachen Laden, in denen seine Sammlung gut aufgehoben sein würde. Er konnte es kaum erwarten, mit dem Einräumen zu beginnen, und verbrachte die Osterferien beschriftend, montierend, präparierend und katalogisierend im College. ‹Es ist kein einziger Anreiz für mich vorhanden, Cambridge zu verlassen›, teilte er Fox mit.[12]

Ein weiterer Grund zu bleiben war Henslow, der Gefallen an ihm gefunden hatte. Vielleicht war es die Art und Weise, wie Darwin an jedem Freitagabend ‹an seinen Lippen hing›, oder auch sein ständiges Fragen. Wie dem auch sei, Henslow war beeindruckt und nahm ihn beiseite. Am Ende des Semesters konnte man sie ins Gespräch vertieft gemeinsam durch die Straßen spazieren sehen. Verspätet entdeckte Darwin, wieviel er mit dem ‹gutherzigen und sympathischen› Professor gemein hatte.[13]

Henslow war der Sproß einer wohlhabenden Akademikerfamilie. Ebenso wie Darwin hatte er in der Jugend mit Chemie experimentiert und Naturalien gesammelt. Sein Vater, der unbedingt eine Kirchenlaufbahn für ihn erstrebte, hatte ihn nach Cambridge geschickt, doch die Naturwissenschaft kam ihm dazwischen. Als Student hatte er in Mathematik geglänzt und Chemie und Mineralogie studiert, während er die obligaten Sammlungen an Muscheln und Insekten anhäufte. Später gründete er zusammen mit Sedgwick, seinem Geologielehrer, die Philosophische Gesellschaft von Cambridge, um das Interesse der Studenten an Naturgeschichte zu vertiefen. Bereits mit sechsundzwanzig Jahren wurde er Professor für Mineralogie und heiratete ein Jahr später die Schwester von Jenyns. Erst dann ließ er sich zum Priester weihen, um sein bescheidenes Jahressalär von hundert Pfund aufzubessern, und nahm die Pfarrstelle an der Little St. Mary's Church an, einen kurzen Spaziergang vom Botanischen Garten der Universität entfernt.

Im Botanischen Garten lehrte er jetzt, und hier ging er mit seinem Schüler spazieren. Dies waren die Vorrechte des neuen, von der Krone ernannten Regius-Professors für Botanik. Der Posten war ihm in den Schoß gefallen und verdoppelte sein Professorengehalt. Sein Vorgänger hatte den Lehrstuhl dreiundsechzig Jahre lang innegehabt, während der letzten dreißig Jahre jedoch keine Vorlesungen mehr gehalten und nicht einmal mehr in der Universität gewohnt. Er hatte den Botanischen Garten vernachlässigt und dessen Museum verwahrlost hinterlassen. Unter Henslow änderte sich all dies. Es wurden Pläne geschmiedet, den abgewirtschafteten Garten an einen erstklassigen Standort außerhalb der Stadt zu verlegen und ein ordentliches Herbarium einzurichten. In jedem Frühjahrstrimester fanden Vorlesungen statt, die von praktischen Übungen begleitet wurden. Hier erhielten Studenten Pflanzenproben, die sie ‹allein zerpflückten›.[14] Auf pflanzenkundlichen Exkursionen – inzwischen ein örtlicher Frühlingsritus – durchkämmten sie die Umgebung und sammelten so viele Spezies wie möglich.

Charles bekam auf seinen Spaziergängen mit Henslow in diesem Trimester zum erstenmal einen Schimmer von dem erfreulichen Leben eines als Universitätslehrer wirkenden Klerikers. Die Vielseitigkeit seines Mentors ‹beeindruckte ihn zutiefst›, so wie seinerzeit jene Grants auf ihren Küstenwanderungen nahe Edinburgh. Während der Professor mit ihm das Moor durchstreifte, offenbarte Henslow aber auch andere Talente. Botanisieren war nicht der einzige Ritus, an dem er teilnahm. Er hatte auch Proktorenpflichten wahrzunehmen.

Im Frühling ließ sich die Phantasie eines jungen Mannes leicht ablenken. Blumen hatten ihre Reize, doch auch andere Schönheiten winkten, und in den Gassen am Stadtrand fesselte so manche Blüte das schweifende Auge. Dies waren die Biotope, in denen der botanische Proktor seine Runden machte. Seit dem vorigen Trimester hatte Henslow Frauenzimmer entwurzelt und in das Spinning House verpflanzt. Im April und im Mai, den Monaten seines Freilandbotanisierens, war er besonders wachsam; allein in den Osterferien setzte er acht Mädchen fest. Er war der ideale Gesetzeshüter, ein

Mann von Prinzipien, motiviert von ‹einem tatkräftigen und entschlossenen Willen›, doch über ‹jedes schäbige Gefühl› der Bosheit erhaben und stets ‹freundlich und unprätentiös›. Das jedenfalls behauptete ‹der Mann, der mit Henslow spazierengeht›, wie die Dozenten Charles nannten. ‹Je öfter ich ihn sehe, desto mehr mag ich ihn›, stellte Darwin enthusiastisch fest. ‹Ich überlege mir schon, ob ich nicht im übernächsten Sommer bei ihm Theologie belegen soll.›[15]

Im Augenblick war er jedoch von den Pflanzen fasziniert. Das Botanisieren, so zeigte sich, konnte genausoviel Spaß machen wie die Käferjagd und noch lehrreicher sein. Er war mit Feuereifer auf Henslows Exkursionen dabei und bewies bald seine Überlegenheit gegenüber den Durchschnittsstudenten. Mitte Mai zwängten sie sich alle mit ihren Schmetterlingsnetzen und Botanisiertrommeln in Postkutschen zu einem Ausflug in die fünfzehn Meilen entfernte Heide von Gamlingay, wo wilde Maiglöckchen wuchsen. Kaum angekommen, übertraf Darwin sich selbst. Er wußte, daß es die Brutzeit der Kröten war und jener durchdringende, intermittierende Triller, der allenthalben zu hören war, von den seltenen Kreuzkröten ausging. Er fing eine Anzahl und reichte sie herum, was Henslow zu der Frage veranlaßte, ob Mister Darwin vorhabe, ‹eine Kreuzkrötenpastete zu machen›. Am selben Tag gelang Darwin eine weitere Überraschung: Er entdeckte Anemonen, die in dieser Gegend nie zuvor gefunden worden waren.

Eine Woche später ließen sich die Naturforscher in einem Boot den Cam hinunter nach Bottisham und in das Moorland treiben. In dem nassen Sumpfgebiet stieg die Gesellschaft aus und stöberte herum. Einige der jungen Männer jagten zu Henslows Amüsement Schwalbenschwänzen über das tückische Gelände nach. Darwin durchkämmte alles nach neuen Pflanzen. Am anderen Ufer eines schlammigen Wasserlaufs erspähte er einen insektenfressenden Wasserhelm der Gattung *Utricularia,* der ganz oben auf Henslows Wunschliste stand. Um sich hervorzutun, versuchte er die Beute mit Hilfe seines Hochsprungstabs zu erreichen, ein Trick, den ihm einer seiner alten Käfersammlergefährten gezeigt hatte. Mit einem gewaltigen Satz schnellte er sich himmelwärts – doch mit ungenügendem Schwung. Der Stab blieb senkrecht in dem Graben stecken, und Darwin hing oben an der Spitze. Verlegen ließ er sich in den Morast gleiten, watete zu dem Beutestück hin und kehrte damit zurück, um es Henslow zu überreichen. An diesem Abend, als die Schar in einem benachbarten Gasthof beim Essen saß, wurde Darwin für seine Bravour gefeiert. Ihre alljährliche Exkursion hatte triumphal geendet, brachten sie doch fast dreihundert verschiedene Spezies mit nach Hause.[16]

Henslow hielt seine Botanikvorlesungen an fünf Tagen der Woche. Achtundsiebzig Männer, unter ihnen die Reverends Whewell und Peacock, nahmen daran teil. Darwin war eindeutig der ‹Lieblingsschüler›. Er erschien früh zu den Praktika und stellte Körbe mit Pflanzen sowie Seziermesser auf einem Seitentisch bereit, wo sich die Studenten selbst bedienen konnten. Und er fragte den Professor ständig aus. ‹Dieser Darwin ist wirklich groß im Fragenstellen›, bemerkte Henslow anerkennend; er stellte fest, daß seine Anleitung Früchte trug.[17]

Seine Beflissenheit kam dem frühreifen Darwin zugute, ebenso sein von der Edinburgher Zeit her bewahrtes Interesse an primitiven, pflanzenähnlichen Tieren, besser gesagt, an der spontanen Fortbewegung ihrer Eier. Unter Henslow verlagerte er sein Augenmerk jetzt auf Pollen. Eines Tages, als er ein Geranienpollenkorn in Alkohol unter dem Mikroskop betrachtete, sah er ‹drei durchsichtige Zapfen› aus dessen Seite hervortreten. Einer platzte und verschoß ‹mit großer Heftigkeit zahllose Kügelchen› in der Flüssigkeit. Nicht nur primitive Keime, sondern auch deren Inhalte schienen die Fähigkeit der Selbstaktivierung zu besitzen. Darwin zeigte sein Objekt Henslow, der jedoch zu einem ganz anderen Schluß kam. Für Henslow waren die winzigen Kügelchen zwar tatsächlich die Moleküle, aus denen sich der Pollen zusammensetzte – vielleicht der Urstoff des Lebens –, sie besaßen aber keine eigene Lebenskraft. Leben wurde der Materie von außen zuteil; es war eine Gabe und erhielt seine Kraft letzten Endes von Gott. Es gab keine sich selbst aktivierenden Lebensatome, was auch immer ‹spekulativere› Naturwissenschaftler behaupteten.[18] Darwin, der von Grant etwas anderes gehört hatte – daß sich die Materie von selbst bewege –, hielt inne, um nachzudenken. Er lernte jetzt, den richtigen Augenblick abzuwarten, bevor er seine Entdeckungen bekanntgab.

Diesen Sommer wurde er ‹im trauten Heim› erwartet, wie er es zähneknirschend nannte. Da er seinen Vater seit acht Monaten nicht mehr gesehen hatte, mußte er über sich Bericht erstatten, und diese Aussicht verlockte ihn nicht. Eigentlich hatte er ja auch Fox nicht gesehen. Ob er ihn vielleicht nach The Mount einladen könnte? Shrewsbury war bloß ein paar Kutschenstationen von Osmaston entfernt, höchstens eine Tagesreise. Das würde wunderbar passen und könnte der Berichterstattung den Stachel nehmen. Und er selbst konnte mit seiner Sammlung winziger küstenbewohnender Käfer, der *Bembidiidae,* von denen er inzwischen zweihundertacht in seinem neuen Kabinettschrank hatte, zwei Drittel der britischen Spezies, Eindruck schinden. ‹Schreibe bald›, schärfte er Fox hintersinnig ein, ‹lehne den Shrewsbury-Plan auf gar keinen Fall ab, oder ich verzeihe es Dir nie.›

Fox sagte zu, und Charles faßte wieder Mut. ‹Je früher Du kommst, desto besser›, schrieb er zurück, während er die Koffer packte. Fox erschien in The Mount, doch das Wiedersehen war verdorben. Sie hatten keine Zeit für sich, keine Ruhe und keine Muße. Charles ließ die Ereignisse des Jahres für seinen Vater Revue passieren – sein Little Go, die Naturgeschichte, Henslow und die Theologie –, doch selbst sein optimistischer Bericht trug wenig zur Beruhigung des Haushalts bei. Die Atmosphäre war gespannt. Alle machten sich Sorgen um ihn; außerdem war es dem Vater gesundheitlich nicht gutgegangen. Die Dinge spitzten sich schließlich zu und entluden sich in ‹einem Krach und Verwirrung›, so daß Charles nur den Wunsch hatte, allem zu entfliehen. Nach Fox' Abreise fuhr er los, um sich Hope und einigen Freunden anzuschließen, die in Nordwales ‹entomologisierten›.

In diesem Sommer ließen ihn seine Lippen in Frieden. Er verbrachte im August drei Wochen in den Bergen, wo er an schönen Tagen Käfern nachstellte, an regnerischen Forellen angelte und generell ‹einen Widerwillen gegen Hopes Egoismus und Dummheit› entwickelte. Für einen Geistlichen besaß Hope eine anständige Sammlung, aber er war kein Feldforscher. Darwin spürte seine wachsende Überlegenheit gegenüber Hope. Sein Vorbild war Professor Henslow; er war entschlossen, eine andere Art von Priester zu werden, anders als Hope und Jenyns, auch anders als Fox. Sein Engagement für die Naturgeschichte würde eine runde und handfeste Sache sein. Die Priesterweihe brauchte ihn nicht davon abzuhalten; eine Landpfarrei könnte sich als durchaus zweckdienlich erweisen. Er fand wieder Geschmack an dieser Aussicht. Von Barmouth aus fragte er bei Fox an, wie er sich auf seine Ordinationsprüfung vorbereite. Dann brach er nach Maer auf, wo ein Wedgwood Vikar war und er die Rebhuhnsaison mit einem Knall zu eröffnen gedachte und – wenigstens dieses Jahr – ohne ‹auch nur die geringste Angst vor der *Pfarrei*›.[19]

Die Jagd war unergiebig, doch er hielt sich schadlos, indem er Käfer zur Strecke brachte und mit seiner zwölf Jahre älteren Cousine Charlotte liebäugelte. Als er am 10. Dezember 1830 in guter Stimmung nach Hause zurückkehrte, fand er zu seinem Erschrecken einen Brief von Fanny vor, der ‹auf Papas Wunsch› geschrieben worden war. Der gestrenge Squire hatte ‹eigentlich erwartet›, daß Charles wie üblich ‹einige seiner Rebhühner schießen› werde; jetzt wollte er ihn zu einem Gespräch von Mann zu Mann sehen, und zwar binnen einer Woche. Charles glaubte zu erraten, weshalb, und machte sich auf dem Ritt hinüber nach Woodhouse auf das Schlimmste gefaßt. Tatsächlich war es dann bloß eine Formalität. Er war unter den ersten, die es erfuhren – nicht überraschenderweise, in Anbetracht der Sympathie des Gutsherrn für Charles und der Erwartungen, die er in ihn setzte. Fannys Verlobung stand bevor. Ihr Zukünftiger war der Geistliche John Hill, ein Bruder des örtlichen Tory-Abgeordneten. Er war im vorletzten Winter mit ihr in Brighton gewesen, ebenjenem Winter, als sich Charles mit seinen Befürchtungen in Cambridge eingeschlossen hatte. Alle nannten ihn nur ‹den Hill›.

Drei Wochen später war Charles wieder im College. Er war mißmutig über einen Hügel nach dem anderen geritten und auf seinem riesigen neuen

Pferd – ‹sechzehn Handbreit und ein Zoll› – dort eingetroffen; ‹das arme Tier war so müde, daß es kaum wußte, ob es auf den Hufen oder auf dem Kopf stand›. ‹Ich bin richtiggehend verliebt in ihn›, schwelgte Charles. ‹Käfer, Rebhühner und alles übrige bedeuten mir nichts dagegen.› Nicht einmal Fanny. Sie hatte ihm vor seiner Abreise einen eiligen Brief nach Shrewsbury geschickt, dem sie ein Porträt von ihm beilegte, das sie gezeichnet hatte. Sie versprach ihm ‹hoch und heilig›, ein besseres zu zeichnen, ‹wenn du *nächstens* den Wald mit Deiner Anwesenheit beehrst›. War das nicht typisch, wie sie mit den Gefühlen spielte? Doch dann räumte sie ein, sie werde niemals lernen, ‹wie eine Dame zu schreiben›.[20] Nein, Fanny Owen war jetzt Geschichte. Pferde waren zuverlässiger.

7

Jeder für sich allein

Die politischen Ereignisse im Lande überstürzten sich. In England sah man entgeistert, wie Frankreich erneut auf eine Revolution zutaumelte. Im Juli 1830 hatte der reaktionäre französische König Charles X. die Regierung abgesetzt. Republikanische Arbeiter und Studenten gingen auf die Barrikaden; der Aktienmarkt brach zusammen, auf der Turmspitze von Notre Dame flatterte die Trikolore. Soldaten meuterten; der Louvre wurde erstürmt, die Tuilerien geplündert und die Republik ausgerufen. Eine Woche später floh der König nach England; er traf ein, während Darwin in Wales auf Käferjagd war. Unter dem neuen Throninhaber Louis-Philippe, dem ‹Bürgerkönig›, hatte jetzt der Mittelstand in Frankreich das Sagen.

Der Klerus mußte ebenfalls einen Machtverlust hinnehmen, und der Katholizismus dankte endgültig als französische Staatsreligion ab. Whig-Reformer schlugen politisches Kapital aus der Tatsache, daß die Tory-Regierung dem abgesetzten Monarchen Schutz gewährte. Auch England werde, so warnten sie, eine ‹Julirevolution› erleben, wenn das Parlament nicht reformiert und die Demokratie nicht ausgeweitet werde. Im Herbst, als Charles in das College zurückkehrte, schlug der Herzog von Wellington, der kompromißlose Tory-Premier, einen harten Kurs ein, der die Börse erzittern ließ. Auf den Straßen machten Radikale ihrer Wut Luft; sie forderten faire Löhne, Gewerkschaftsmacht, das allgemeine Wahlrecht – und die Vertreibung der saturierten englischen Pfaffen. Die republikanischen Atheisten rotteten sich in der Rotunda in London zusammen, einem baufälligen Gebäude am Südufer der Themse, das kürzlich von Richard Carlile wiedereröffnet worden war.

Hier brachte Carlile seinen Gesinnungsfreund, den atheistischen Missionar Robert Taylor, unter. Mehrmals wöchentlich trat der abgefallene Priester im Auditorium der Rotunda auf, wo er, herausfordernd in Meßgewänder gehüllt, atheistische Melodramen zum besten gab und vor Handwerkern geharnischte Predigten hielt. In zwei beißenden Sonntagsphilippiken, betitelt

‹Der Teufel!›, erklärte er: ‹Gott und der Teufel … sind ein und dasselbe Wesen … Hölle und Höllenfeuer … sind ursprünglich nichts weiter als Namen und Titel des obersten Gottes.› Das trug ihm den Spitznamen ‹der Kaplan des Teufels› ein – jenes Etikett, das Darwin ein Leben lang im Bewußtsein haften blieb –, und seine Predigten zirkulierten zu Tausenden in einem verrufenen Blättchen namens *The Devil's Pulpit* (Die Kanzel des Teufels). Im November, als Wellington zurücktreten mußte, stand Taylor auf seiner Kanzel und zog über das Establishment her, während auf dem Dach des Hauses eine Trikolore im Wind flatterte.[1]

Anglikanische Priester sahen sich nervös um. In Anbetracht der wachsenden politischen Unsicherheit hielten viele von ihnen auch weiterhin die Torys für die besten Verteidiger von Kirche und Krone. In Cambridge, das einst für seine reformistischen Tendenzen bekannt gewesen war, rückten die Professoren entschieden nach rechts. In der Wolle gefärbte Whigs mußten ihre Zunge hüten, auch solche, die eben in der fieberhaften Vorbereitung auf ihr Schlußexamen steckten.

Darwin saß inzwischen ernsthaft über seinen Büchern und dachte ‹verzweifelt› an seine eigene Feuerprobe, die nur noch zwei Monate entfernt war. Die Käfer hatte er aufgegeben; nur die Freitagabende hielt er sich weiterhin für Henslows Partys frei. Nichts konnte ihn veranlassen, sie zu versäumen; manchmal kam er sogar etwas früher, um mit der Familie das Abendessen einzunehmen. Mrs. Henslow erschien ihm ‹teuflisch sonderbar› (er wußte nicht, daß sie zum erstenmal schwanger war). Henslow liebte er. Er war ‹der vollkommenste Mensch, den ich je kennengelernt habe›. Sie waren sich ständig nähergekommen, und der Mann, den er auf seinen Spaziergängen begleitet hatte, war jetzt sein Privatlehrer. Henslows Fächer waren Mathematik und Theologie, aber das war Darwin auch recht. Er genoß seine Unterrichtsstunde bei ihm als ‹die erfreulichste des ganzen Tages›.[2]

Es wurde gemunkelt, Henslow hege ‹einige merkwürdige religiöse Meinungen›, doch Darwin fand keine Anzeichen dafür. Im Gegenteil, allein schon ihre Erörterung von Paleys *Principles of Moral and Political Philosophy* muß ihn von Henslows Rechtgläubigkeit überzeugt haben. Das Buch war Pflichtlektüre für das Examen, und im Gegensatz zu den *Evidences* – über die man ebenfalls befragt wurde – diente es Cambridge jetzt eher als Hintergrund denn als unfehlbare Richtschnur. Paleys 1785 erschienene Schrift war mittlerweile veraltet und überholt, ein abgenutztes akademisches Möbel, das von eingefleischten Traditionalisten in Ehren gehalten, von anderen als Ramsch betrachtet wurde. Liberale ‹Apostel› und evangelientreue ‹Sims› mißbilligten es, Professoren wie Sedgwick und Whewell taten es als unspirituell und gefährlich ab.[3]

Auch Darwin, der Religion nicht allzu ernst nahm, muß das erkannt haben, als er sich unter Henslows Anleitung politische Bildung aneignete.

Paleys Ideen gehörten einer vergangenen Ära an, in der das Christentum der Glaube vernunftbegabter Männer war und vernunftbegabte Männer die Welt regierten. Die Kirche hatte sich damals bequem eingerichtet und konnte es sich leisten, über Veränderungen nachzudenken, von denen sie wußte, daß sie nie eintreten würden. Paley kannte die Argumente für die Demokratie, lehnte sie jedoch ab. Er räumte zwar ein, daß das Parlament nicht die Nation repräsentiere, hielt aber doch an dessen krasser Unausgewogenheit fest; und obgleich er Mängel im Justizwesen erkannte, verteidigte er ein brutales Strafrecht. Immer stützte er seine Vorstellungen von Richtig und Falsch auf eine rein naturrechtliche Argumentation, von der er hoffte, daß alle Menschen veranlaßt werden könnten, ihr zuzustimmen.

So anerkannte Paley, wie Darwin bemerkte, keine übernatürliche Rechtfertigung für den Souverän oder den Staat. Schlichte ‹Zweckmäßigkeit› war sein Prinzip. Man hatte nur so lange die Pflicht, der Regierung zu gehorchen, wie man ‹nicht ohne Nachteil für die Öffentlichkeit ihr widerstehen oder sie ablösen kann›. Widerstand könne dann gerechtfertigt sein, meinte Paley in seiner verbindlichen Art, wenn die Mißstände so groß und der Ruf nach Behebung so stark werde, daß sie schwerer wögen als dessen Gefahr und Kosten für die Gesellschaft. Und wer, fragte er gelassen, solle dieses Urteil fällen? ‹Wir antworten: «Jeder Mensch für sich selbst».›

Kühne Worte für 1830. Doch das war nicht Paleys einzige politische Ketzerei. Darwin erfuhr, daß für den Verfasser auch eine Staatskirche nichts Sakrosanktes war. Sie bilde ‹keinen Bestandteil des Christentums›, erklärte er in einem berüchtigten Kapitel, sondern sei nur ein Mittel zur Befestigung des Glaubens. Ihre Autorität liege ‹in ihrer Nützlichkeit›, und dasselbe gelte für das Bekenntnis zu ‹Glaubensartikeln›. Die Neununddreißig Artikel der Kirche von England schufen einen exklusiven Bereich, in dem feindselige Personen von kirchlichen Ämtern ferngehalten werden konnten. Das Bekenntnis zu ihnen mochte zur Aufrechterhaltung von ‹Ruhe und Ordnung› dienen, doch bei den stabilen Verhältnissen des Jahres 1785 erschienen sie überflüssig, und Paley plädierte dafür, sie abzuschaffen. Auch war er nicht der Ansicht, daß das Bekenntnis zu den Neununddreißig Artikeln einen ‹wirklichen Glauben an jede einzelne darin enthaltene Behauptung› erfordere.[4]

Da zog Henslow die Grenze: Paleys Laxheit in Fragen der Doktrin konnte er nicht billigen. Henslow mochte sich zwar für Reformen erwärmen – er hatte soeben zusammen mit dem Cambridger Parlamentsabgeordneten Lord Palmerston, der in Lord Greys neue Whig-Administration eingetreten war, die Partei gewechselt. Aber, so versicherte er Darwin feierlich, die Neununddreißig Artikel bedeuteten ihm so viel, daß es ‹ihm Kummer bereiten würde, wenn man ein einziges Wort änderte›.[5] Das Establishment müsse stark bleiben, nicht zuletzt deshalb, weil die Zeiten gefährlich seien.

Jetzt, da die Dissenters Gleichberechtigung und Religionsfreiheit forderten, könnten überstürzte Reformen die Kirche aus dem Sattel heben, eine Möglichkeit, die sich Paley nicht ernsthaft hatte vorstellen können. Noch schlimmer war, daß Paleys Ansichten den gottlosen Radikalen in die Hände spielten, die jetzt im Aufstand den einfachsten Ausweg erblickten. ‹Jeder Mensch›, schrien sie lauthals, müsse ‹selbst› entscheiden, ob der Obrigkeit zu gehorchen sei.

Es war ein Schrei, der in ganz England zu vernehmen war, als Darwin seine Tutorenkurse absolvierte, in denen er lernte, die Obrigkeit zu respektieren. Massive Kampagnen für bürgerlichen Ungehorsam gaben eine beredte Antwort. Sinkende Löhne und Hunger lösten unter den Landarbeitern Wut und Frustration aus. Von den London umgebenden Grafschaften bis in die Midlands und nach East Anglia revoltierten sie. Landbesitzer und Pfarrer wurden mit einer Reihe von Forderungen konfrontiert; ihre Heuschober gingen in Flammen auf, ihre Scheunen wurden ausgeraubt und ihre Dreschmaschinen zerstört. Mitte November erreichte der Aufstand Cambridgeshire.

Während sich Darwin mit Paley auseinandersetzte, begannen die Brandstiftungen in den Dörfern nördlich von Cambridge. Am 2. Dezember 1830 hatten sie das zwei Meilen westlich gelegene Coton erreicht, und in Weilern im Süden und im Osten waren Lohnrevolten ausgebrochen. Magistratsbeamte – viele von ihnen Geistliche – traten am Freitag, dem 3. Dezember, in der Stadt zusammen und schmiedeten Pläne zur Verteidigung der Colleges. Gerüchte liefen um, daß die Tagelöhner von Cherry Hinton, Bottisham und anderen Dörfern vorhätten, am Markttag nach Cambridge zu marschieren, falls ihre Forderungen nicht erfüllt würden. Sie würden über Barnwell einfallen, das selbst ‹voll von schlechten Elementen aller Spielarten› war, und den Marktplatz besetzen. Der Magistrat befürchtete, dies könne eine ‹allgemeine Volkserhebung› auslösen, die nur durch eine Machtdemonstration zu stoppen sei. Er forderte eine zusätzliche Bürgerwehr an, und achthundert Kaufleute, Vikare, Professoren und Studenten strömten zum Rathaus, um sich vereidigen zu lassen.[6]

Das Wochenende ging jedoch ohne Gewaltausbruch vorüber, und die Colleges entgingen dem Angriff. Die Abschreckung funktionierte. Cambridge hatte schließlich Erfahrung in der Verteidigung des Status quo. Inzwischen erkannte Darwin dies besser als je zuvor, und ein kleiner Vorfall führte ihm diese Erkenntnis schmerzhaft vor Augen. Des Lernens überdrüssig, drängte er Herbert eines Tages, mit ihm ins Moor zu reiten und es nach interessantem Getier zu durchkämmen. Am Abend kehrten sie erschöpft zurück, aßen in Darwins Wohnung und schliefen dort in den Clubsesseln ein. Herbert wachte um drei Uhr früh auf und geriet in Panik. Er hatte die Sperrstunde mißachtet und fürchtete das Schlimmste, da er wußte, daß an den strikten Regeln nicht zu rütteln war. Er hatte recht. Der Dekan von St. John's war unerbittlich. Der fleißige Tutor Herbert, der ein halbes Dutzend Schüler betreute und sich nie zuvor einen Verstoß geleistet hatte, wurde für den Rest des Trimesters zu Hausarrest verdonnert. Herberts Freunde ‹kochten vor Wut›, und Darwins ‹Empörung› über die ‹stupide Ungerechtigkeit und Tyrannei› des Dekans ‹kannte keine Grenzen›.[1]

Darwin blieb über die Weihnachtsferien im College und paukte. Er fühlte sich ‹viel zu gerädert, um irgend etwas genießen zu können›; nicht einmal ein Besuch von Fox erschien ihm verlockend. Jetzt lernte er die Qualen kennen, die sein Cousin zwei Jahre zuvor erduldet hatte. Die Abschlußprüfung – drei Tage schriftliche Arbeiten – war für die dritte Januarwoche 1831 anberaumt. Am ersten Prüfungstag betrat Darwin ein weiteres Mal den kalten Marmorboden des Senatshauses und setzte sich an das ihm zugewiesene Pult. Er schwitzte den ganzen Morgen über Homer und den ganzen Nachmittag über Vergil. Doch das Ergebnis war mittelmäßig. Am nächsten Tag setzte er sich nach dem Frühstück mit einem Dutzend Fragen über Paleys *Evidences of Christianity* auseinander, woran sich nach dem Mittagessen Fragen über Paleys *Principles of Moral and Political Philosophy* und Lockes *Essay concerning Human Understanding* anschlossen. Hier glänzte er. Vor dem letzten Prüfungstag graute ihm – da ging es um Mathematik. In Geometrie schnitt er indes gut ab und machte dadurch sein Versagen in Arithmetik und Algebra wett. Die Fragen in Physik, über Statik, Dynamik und Astronomie, meisterte er mit knapper Not.

Als am Ende der Woche die Resultate angeschlagen wurden, war er benommen und stolz. Unter den hundertachtundsiebzig Studienkollegen, die bestanden hatten, nahm er den zehnten Rang ein. Endlich hatte er den Bachelor of Arts errungen! Doch nun war er erschöpft und unerklärlicherweise deprimiert. ‹Ich weiß nicht, warum einen die bestandene Prüfung so niedergeschlagen machen sollte›, klagte er gegenüber Fox.[8]

Noch stand die Examensfeier aus, zu der er sich mit größter Überwindung hinschleppen würde. Zum Glück waren Freunde da, die helfend einsprangen. Herbert und Whitley hatten ihre Abschlüsse bereits in der Tasche; Cameron aus Shrewsbury hatte ebenfalls soeben bestanden. Diese drei hatten sich seinerzeit mit Darwin und vier anderen zum ‹Schlemmerclub› zusammengetan, um ‹neue Gaumenreize› auszuprobieren. Die ‹Schlemmer› waren zwar keine Gourmets, aber auch keine Vielfraße. Bei ihren wöchentlichen gemeinsamen Mahlzeiten, die sie abwechselnd auf der Bude bei einem aus ihrer Runde einnahmen, gab es jedesmal irgendwelche Leckerbissen, die freundlicherweise vom College-Personal zubereitet wurden: Geflügel oder Wildbret, das einer von ihnen beschafft hatte und das bisher ‹dem menschlichen Gaumen unbekannt› gewesen war. Doch der allgemeine Appetit auf Exotisches hielt nicht lange an; eines Tages machte ihm ein Fiasko den Garaus, als sie einen ‹alten Waldkauz› zu verzehren suchten. Die ‹Schlemmer›, mit Darwin als Vorsitzendem, kehrten nun zu traditionelleren Gerichten zurück, gekrönt von Van John und Portwein.⁹ Darwin begann sich zu entspannen.

Es war ein tugendhafter Kreis, dieser Schlemmerclub, und die meisten Mitglieder waren alte Freunde. Fünf studierten für das Priesteramt, unter ihnen James Heaviside, der als Tutor am Sidney Sussex College wirkte und Auszeichnungen in Mathematik vorweisen konnte. Nicht alle künftigen Priester waren von seinem Kaliber. Henry Matthew war eine Ausnahme. Er war Sohn eines Landpfarrers und hatte bereits einen Hinauswurf aus Oxford hinter sich; auch am Trinity College hatte er sich nur ein Jahr gehalten, bevor er sich ans Sidney Sussex College verdrückte, wo Heaviside sein Tutor wurde und ihn mit Darwin bekannt machte. Matthew war ein Dandy, ein Schlitzohr und ein Genie. In diesem Jahr wurde er zum Präsidenten des Union-Debattierclubs gewählt, doch er pfiff auf einen guten Ruf und lehnte es ab, sich anzupassen. Er war der Prototyp des Schlawiners, der eher Selbstzerstörung in Kauf nahm, als sich den Proktoren auszuliefern.

Darwin erlebte das alles hautnah mit. Das Sidney Sussex College war faktisch ein Nachbargebäude des Christ's College, und er machte oft einen Sprung zu Matthews Bude hinüber. Er staunte, wie Matthew literarische Zitate herunterrasseln konnte, und versuchte vielleicht sogar selber den Libertin zu spielen. Von Matthews mildem Spott über die Naturwissenschaft ließ er sich ebensowenig irritieren wie durch dessen Überzeugung, daß Moses ‹eine bessere Autorität in Sachen weltliche Kosmogonie› gewesen sei als ein Käfersammler. Selbst seine Ginexzesse tolerierte er – oder machte manchmal dabei mit. Dieser Mann hatte einfach etwas wahnsinnig Anziehendes. Darwin spürte, wie er in seinen Sog geriet.

Dann kam die Wahrheit ans Licht. Matthew war verheiratet, was noch nicht das Schlimmste war. Seine Frau war eine Dirne, und er liebte eine andere. Außerdem hatte er ein außereheliches Kind, und das alles im Alter von dreiundzwanzig Jahren. Er steckte böse in der Klemme und verschwand aus der Stadt, niemand wußte, wohin. Zwei Wochen nach Darwins Prüfung traf ein Brief von Matthew ein. Er halte sich in einem schäbigen Londoner Mansardenzimmer verborgen, schrieb Matthew, und versuche, sich durch den Verkauf seiner Liebesgedichte an Zeitschriften über Wasser zu halten. Seine Frauen setzten ihm mit Briefen zu, und er sei vom Magistrat vorgeladen worden ‹wegen meines Bankerts, mit einem Sovereign in der Tasche, um für die Gerichtskosten, den aufgelaufenen Unterhalt und die Vorauszahlung für ein Vierteljahr aufzukommen›. Die nächste Station war offenkundig das Gefängnis. Darwin erbarmte sich seiner und schickte ihm eine ‹großzügige Summe›, um ihm weitere Bestrafung zu ersparen.¹⁰

Darwin war verpflichtet, bis Juni in Cambridge zu wohnen. Die Zeit war reif, mit der Vorbereitung auf eine Landpfarrei zu beginnen. Fox hatte endlich seine Ordinationsprüfung bestanden und in der Nähe von Nottingham ein Vikariat angetreten. Darwin fragte ihn im Hinblick auf ‹die Zeit, in der ich leiden muß›, nach seiner nervlichen Verfassung, welche Theologiebücher er studiert habe und wie gründlich. Mit dem Beginn der Käfersaison eröffneten sich andere Aussichten. Jenyns war der Inbegriff des Pfarrers und Naturforschers in einer Person, und Darwin hatte gelernt, zwischen den herben Furchen seines Gesichts Freundschaft zu lesen. Er ritt gelegentlich zu ihm hinaus nach Swaffham Bulbeck, und zusammen durchstreiften sie die Niederungen oder durchkämmten Squire Jenyns' Wälder bei Bottisham Hall nach Käfern für ihre Kabinette. Das Thema der Priesterweihe wurde nie angeschnitten, so gefesselt waren sie von ihrem Zeitvertreib.[11]

Aber unter Henslows Anleitung schweiften Darwins Gedanken noch weiter. Sie sahen einander ständig, bei Botanikvorlesungen, den Freitagspartys und bei Exkursionen. Darwins Bild von der Zukunft gewann an Klarheit. Er hatte jetzt eine Vorstellung davon, was aus ihm werden könnte. Mehr als jeder andere entsprach Henslow seinem Wunschbild von männlicher Berufung; ein dem geistlichen Stand angehörender Naturwissenschaftler oder Professor – das würde sogar sein Vater gutheißen. Tatsächlich lebten sie halb zusammen, woraus hervorging, daß ihm Henslows Lebensumstände behagten. ‹Ich weiß nicht, ob ich ihn eher liebe oder eher respektiere›, gestand Darwin hilflos.[12] Wer hätte seine Karriere besser steuern können als jemand, der ihm geistig so verwandt schien? Henslow würde ihn auf die Priesterweihe vorbereiten, ihn in die Kirche geleiten. Sein Rat würde unentbehrlich sein.

Das galt auch für sein Beispiel. Mit der Ordination hatte sich Henslow Zeit gelassen; erst nachdem er geheiratet und seinen ersten Lehrstuhl erhalten hatte, war er in den geistlichen Stand eingetreten. Bis dahin hatte er seinen Horizont durch Lesen und Reisen erweitert und alle Möglichkeiten ausgeschöpft, die sich ihm boten. Charles erschien dies ideal, und er fing an, es ihm gleichzutun. Jetzt, da die Prüfung bestanden war und er nur noch die Abschlußfeier vor sich hatte, steckte er seine Nase in die Bücher und hing Tagträumen darüber nach, wie er seine Zeit bis zum Antritt einer Landpfarrei am besten nutzen könne.

Belesenheit war unerläßlich, sein Schlüssel zur weiteren Welt. Er war immer von Paleys Werken beeindruckt gewesen. Jetzt griff er zum letzten Band der berühmten Trilogie des Archidiakons, dem Schlußstein seines gesamten Systems, *Natural Theology*. Er enthielt eine suggestive Schilderung des Lebens, eines Lebens voll Güte und Freude. ‹Dies ist eine glückliche Welt, erfüllt von Daseinslust›, schwärmte Paley. ‹An einem Frühlingsmittag oder einem Sommerabend erblicke ich, wo immer ich die Augen hinwende,

Myriaden von glücklichen Geschöpfen.› Das Leben war eine sommerliche Teestunde auf dem Pfarrhausrasen mit summenden Bienen und munteren Käfern, die von Gottes Güte zeugten. Es sei deshalb gut, das Leben sei deshalb glücklich, weil alle Geschöpfe an ihre Lebensräume angepaßt seien. Die Tiere einschließlich der Menschen seien komplexe Mechanismen aus der göttlichen Werkstatt und fabelhaft an ihre Plätze in der Welt angepaßt. So seien sie offensichtlich entworfen, es müsse einen Urheber geben. Paley war davon überzeugt, daß ein so rationaler Beweis für Gottes Existenz die Menschen veranlassen werde, nach Anzeichen der Offenbarung zu suchen und ihre Bürgerpflichten zu erfüllen.

Dies war für Darwin eine andere Art, die Welt zu betrachten. In Edinburgh hatte man sich darüber sogar lustig gemacht. Sie stimmte auch nicht mit der Weltanschauung seines Großvaters überein. Tote Atome hatten laut Paley im Gegensatz zu der Lehre Erasmus Darwins und Dr. Grants keine angeborene Intelligenz und keine eigene Vitalität, was auch für den Tierkörper als solchen galt. Demnach aber war Großvater Darwins Theorie ‹gleichbedeutend mit Atheismus›, weil sie auf ‹einen intelligenten, schöpferischen Geist› verzichtete, der die lebendigen Körper plane und entwerfe.[13] Gott allein erschaffe die Welt, hauche ihr Leben ein und sorge dafür, daß alles glatt läuft.

Darwin nickte zustimmend. Paley und sein Großvater vertraten radikal verschiedene Auffassungen, ähnlich wie Henslow und Grant. Und Paley sah nicht die geringste Notwendigkeit, die Naturwissenschaft des alten Erasmus Darwin gegenüber einem Cambridge-Studenten zu rechtfertigen. Aber auf welche Art von ‹Evidenz›, auf welche ‹Fakten› und ‹Naturgesetze› konnte man bauen, und wie kamen sie zustande? Darwin setzte sich mit diesem Thema anhand eines neuen Werkes aus der Feder des Astronomen und Physikers Sir John Herschel auseinander, Doyen der Naturwissenschaft und Sohn von Sir William Herschel (dem Entdecker des Uranus). Dies war Sir Johns Jahr: Er wurde von den Whigs in den Adelsstand erhoben, und sein Buch mit dem langatmigen Titel *Preliminary Discourse on the Study of Natural Philosophy* war soeben herausgekommen. Es entflammte Darwin. Hier erhielt er einen ersten Einblick in die grenzenlosen Möglichkeiten wissenschaftlicher Erklärung und den rapiden Fortschritt auf allen Wissensgebieten. An einer Stelle, die Darwin unterstrich, bemerkte Herschel: ‹Was winkt uns also nicht alles … was dürfen wir nicht alles von den Anstrengungen großer Geister erwarten, die auf dem erworbenen Wissen vergangener Generationen aufbauen?› Der Himmel war die Grenze. Darwin schloß die Augen und spürte einen ‹Feuereifer› für die Wissenschaft in sich aufsteigen.[14]

Er lieh sich auch ein Buch aus, das Henslow sehr schätzte. Darwin hatte Alexander von Humboldts *Vom Orinoko zum Amazonas* schon einmal angefangen, es aber wieder weggelegt. Einen siebenbändigen, 3754 Seiten umfassenden Bericht über eine um die Jahrhundertwende absolvierte Reise nach Südamerika zu lesen, das erforderte Ausdauer. Diesmal brachte er sie auf. Henslow hatte ihm seinen eigenen unerfüllten Wunsch gestanden, die Welt zu bereisen, ‹wenig bekannte Regionen zu erforschen und die Wissenschaft um neue Spezies zu bereichern›. Jahrelang hatte er sich danach gesehnt, Afrika kennenzulernen; als die Aussichten darauf schwanden, war er ‹niedergeschlagen und entmutigt› gewesen. Jetzt kam eine solche Reise nicht mehr in Frage; er begnügte sich statt dessen mit Erinnerungen an die Insel Wight und die Insel Man, wo er nach seiner Graduierung geologische Studien betrieben hatte.[15] Darwin indessen brauchte sich von nichts zurückhalten zu lassen. Vielleicht fand sein Lieblingsschüler eine geeignete Insel zum Erforschen. Er war noch jung und ungebunden; später würde es ihm vielleicht leid tun, die Chance verpaßt zu haben. Er könnte ja sogar seine Theologiebücher mitnehmen.

Dies war der Ansporn, den Darwin benötigte. Er verschlang Humboldt, noch beflügelt von Herschel, und plötzlich hatte er sein Ziel klar vor Augen. Tropische Länder hatten ihn schon lange fasziniert; seine Gespräche mit dem freigelassenen Sklaven in Edinburgh und die schönen Reisedrucke im Fitzwilliam Museum hatten das Ihre dazu beigetragen. Und Humboldts Schilderung der Kanareninsel Teneriffa mit ihrer üppigen Tieflandvegetation und ihrem schroffen vulkanischen Terrain fesselte ihn. Warum nicht da hinfahren? Und Henslow gleich mitnehmen? Die Kanarischen Inseln waren das nächstbeste Landziel in Richtung Afrika, gar nicht weit von der Küste entfernt. Was für eine Aussicht auf Gottes Welt würde das eröffnen, ganz zu schweigen von den botanischen Schätzen! Auf einer von Henslows Exkursionen rührte Darwin die Werbetrommel. Er las lange Auszüge von Humboldt vor, um die Neugier der Leute anzustacheln. Unbekannte Spezies würden sie auf Teneriffas ‹sandigen, gleißenden Ebenen› und in seinen ‹dämmrigen, schweigenden Wäldern› finden. Sie würden ‹den Großen Drachenbaum› sehen, den Vulkangipfel ersteigen und ...

Die Reaktion war gemischt. Nur Henslow und drei andere waren interessiert. Doch das genügte Charles. Über Ostern eilte er nach Shrewsbury, um mit seinem Vater darüber zu sprechen. Die Expedition würde erst in einem Jahr starten und nur einen Monat dauern. Sie würde nicht billig sein, aber Cambridge war schließlich auch nicht billig. Der Vater wußte dies nur zu gut, denn er händigte Charles ‹eine zweihundert-Pfund-Note› aus, damit er seine Schulden bezahle, und erlaubte ihm gleichzeitig, die Kosten der Reise zu ermitteln. Die Sache kam ins Rollen.[16]

Nichts konnte Charles jetzt noch aufhalten, nicht einmal ein kindischer Brief von Fanny. ‹Ich schäme mich, Dich so zu belästigen›, entschuldigte sie ihre Bitte, ihr in Shewsbury Malfarben und ‹ein halbes Dutzend kleine Pinsel› zu besorgen und nach Woodhouse herüberzubringen – und er solle auch nicht vergessen, ihr ‹irgendein *saftiges* Buch›, das ihr gefallen würde, mitzubringen. Charles machte ihr die Freude und kam auf einen kurzen Besuch vorbei. Wenn sie ein Porträt von ihm malen wollte, dann mochte sie das tun; doch er hatte dringende andere Geschäfte. Erasmus wartete in London auf ihn.

In der Hauptstadt herrschte größte Spannung, als Charles am Wochenende des 15. April 1831 eintraf. Sechs Wochen zuvor hatte Lord Grey die große Reform-Gesetzesvorlage mit dem Ziel der Umverteilung von Parlamentssitzen auf London und die Industriestädte und der Erweiterung des Wahlrechts für den Mittelstand eingebracht. Die Whigs unternahmen jetzt große Anstrengungen, die von breiten Teilen der Bevölkerung unterstützte Reformbewegung einzudämmen und zu steuern. Carlile war mit einer Geldbuße von zweihundert Pfund belegt worden und verbüßte eine zweijährige Freiheitsstrafe wegen aufrührerischer Verleumdung (er hatte die rebellierenden Landarbeiter in seinen Schriften unterstützt); die *Times* war voll von der Geschichte. Taylor war erst am vorigen Montag geschnappt und wegen Blasphemie in zwei Osterpredigten angeklagt worden. Die Rotunda hatte als Zentrum des Arbeiteraufstands endgültig ausgedient. Doch die Reformvorlage war ebenfalls in Schwierigkeiten geraten. Ihre Bestimmungen entsetzten die Tory-Opposition. Sie hatte zur Hatz geblasen, und das Ergebnis war noch offen.

Während der zweiten Lesung saßen die Darwins und die Wedgwoods, die den Gesetzentwurf unterstützten, auf den Stuhlkanten. Sir James Mackintoshs Tochter Fanny (die sich soeben mit Hensleigh Wedgwood verlobt hatte) eilte sogar zum Unterhaus, um die Ergebnisse aus erster Hand zu hören. Die Vorlage wurde mit knapper Not angenommen, dann aber von Tory-Reaktionären in der Ausschußphase verstümmelt. Jeder wußte, daß Greys Regierung mit dem Gesetz stehen oder fallen würde. Also ließ Grey den König entscheiden. Die Alternative war unbarmherzig: Entweder er löste das Parlament auf und riskierte allgemeine Wahlen, die genügend Reformer an die Macht bringen und somit der Vorlage zum Erfolg verhelfen würden, oder er akzeptierte den Rücktritt der Regierung und ließ das Gesetz scheitern – dann drohte eine Revolution.[17]

Es war ein grausames, aufregendes Dilemma, und London war auf die Folter gespannt. Die Zeichen für eine Wende standen günstig, und in allgemeinen Wahlen würden die Torys eine vernichtende Niederlage erleiden. Unter der Dunstglocke von Rauch und Ruß hielten die Leute den Atem an.

Charles wohnte bei seinem Bruder und bekam dort die neuesten Nachrichten zu hören. Erasmus war ein Kosmopolit, niemals weit von Paris oder irgendeiner anderen kontinentalen Stadt entfernt, wenn nicht persönlich, dann in Gedanken. Er interessierte sich für Politik und war stets auf dem laufenden; trotzdem gelang es ihm nicht, seinem jüngeren Bruder den Ernst der Stunde nahezubringen. Charles war mit seinen Gedanken auf den Kanarischen Inseln und empfand seinen Besuch in dem fiebernden London als ‹sehr ermüdend›. ‹Ich nehme an, daß es Erasmus genauso ging›, bemerkte er mit ungewohnter Einfühlsamkeit. ‹Ich beginne zu glauben, daß die Naturgeschichte Leute egozentrisch macht.› Die bevorstehende Expedition nahm ihn in Beschlag, seine Gedanken ‹galten nur noch den Tropen›, seine ‹Begeisterung war so groß›, daß er ‹kaum stillsitzen› konnte. Er mußte mit Schiffahrtsgesellschaften verhandeln, Fahrpreise vergleichen und einen Agenten konsultieren. Erasmus erwies sich in diesem Zusammenhang als nützlich, riet er ihm doch, Spanisch zu lernen, nicht Italienisch. Sie nahmen sich zwar die Zeit für ein Konzert mit ‹alter Musik›, doch was Charles wirklich gefiel, war der Zoologische Garten im Regent's Park. ‹An einem warmen Tag, wenn die Tiere glücklich und die Menschen froh aussehen, macht es ein riesiges Vergnügen›, schwärmte er im Stil von Paley. Der Zoo erinnerte ihn an die Tropen.

Am nächsten Wochenende, als er schon im Begriff war, die Stadt zu verlassen, war die Krise nicht mehr zu ignorieren. Mit großen Skrupeln hatte sich William IV. entschlossen, das Parlament aufzulösen. Die Straßen waren von jubelnden Menschen gesäumt, als der König am Freitag, dem 22. April, auf dem Weg nach Westminster die Hauptstadt durchquerte. Seine Absicht wurde mit Kanonendonner bekanntgegeben, und die Menge gab lautstark ihre Zustimmung. An diesem Abend illuminierte eine ‹allgemeine Festbeleuchtung› die Stadt, und im ganzen Land fanden Reformfeiern statt. Die Nation gewann Abstand von der ihr drohenden Gefahr, während Charles an das College zurückkehrte. Er traf rechtzeitig ein, um bei der Abschlußfeier am Dienstag die Neununddreißig Artikel zu unterschreiben.[18]

Cambridge war vom Wahlfieber erfaßt. Niemand konnte sich erinnern, daß ein Votum so kurzfristig, zwei Wochen nach der Parlamentsauflösung, anberaumt worden war. Zwei Parlamentsmitglieder vertraten die Universität – die Stadt selbst war nicht repräsentiert. Die College-Torys stellten Wellingtons Schatzkanzler und den Bruder von Robert Peel als ihre Kandidaten auf. Gegen sie traten der junge Cavendish und Außenminister Palmerston an. Auch die Professoren schalteten sich ein – Sedgwick, Whewell und Peacock für die Whigs –, ebenso viele Studenten. Die Stimmung war aufgeheizt. Der Vizekanzler verbot eine Tory-Versammlung am Vorabend der Wahl im Gasthof Red Lion und wies darauf hin, daß teilnehmende Studenten wegen Verstoßes gegen die Universitätsdisziplin ‹gemaßregelt› würden. Darwin beteiligte sich zwar an den Stadtgesprächen, wobei er selbstverständlich für die Whigs eintrat, doch als Untermieter durfte er selbst nicht wählen. Eigentlich brannten ihm aber auch ganz andere Dinge auf den Nägeln. Er konnte es nicht erwarten, seine Teneriffapläne mit Henslow zu besprechen, und murrte, denn ‹Henslow ist die rechte Hand von Lord Palmerston und hat jetzt keine Zeit für Spaziergänge›. Also bombardierte er andere Freunde mit dem ‹Kanarenprojekt›. ‹Die meisten wünschen mich schon dahin›, schrieb er launig, nachdem beide Torys gewonnen hatten, ‹ich gehe ihnen so auf die Nerven mit meiner Schwärmerei für die tropische Landschaft.›

Inzwischen war er bereit, die Anker zu lichten, zumindest im Geiste. Er nahm ‹ein fabelhaftes Mikroskopgeschenk› von seinem Freund Herbert entgegen, der nicht entscheiden mochte, ‹was mehr zu bewundern ist: Mr. Darwins Talente oder seine Aufrichtigkeit›. Fox zeigte er die kalte Schulter; einen überfälligen Besuch bei ihm verschob er, angeblich aus finanziellen Gründen, in Wirklichkeit aber wegen Henslows Vorlesungen und des ‹Projekts›. Er begann, ‹wie ein Tiger› an der Vorbereitung der Expedition zu arbeiten, insbesondere an seinem Spanisch und der Geologie. ‹Ersteres finde ich schrecklich stupide‹, gestand er, ‹letzteres dagegen höchst interessant.› Henslow war klar gewesen, daß Darwin für jede Inselfahrt in Geologie beschlagen sein mußte. ‹Er hat versprochen, mich damit vollzupauken›, berichtete Charles.[19] Doch Henslow machte es sich einfacher: Er stellte ihn dem Geologieprofessor Adam Sedgwick vor.

Die beiden waren sich bereits begegnet. In feierliche Robe gewandet, hatte Sedgwick Darwin seinerzeit den Immatrikulationseid abgenommen. Sie hatten sich auch gelegentlich an Freitagabenden auf Henslows Partys gesehen, und Sedgwick kannte Darwins studentische Leistungen. Einst auf dem besten Weg, ein ‹Müßiggänger› mit einer Neigung zum Trinken und zur Jagd zu werden, sei Darwin jetzt ein junger Naturwissenschaftler mit einer umfangreichen zoologischen Sammlung und einem Hang zum Reisen. Das hatte Henslow Sedgwick gesagt. Jetzt benötige er eine geologische Schulung, und zwar schnell. Das werde sein Interesse an der Naturgeschichte wachhalten und ihn auf die Reise nach Teneriffa vorbereiten. Sedgwick stimmte ihm zu; er erinnerte sich, wie Henslow damals auf seine Unterweisung reagiert hatte, als er in Darwins Alter war. Tatsächlich war ihre gemeinsame Feldarbeit auf der Insel Wight für sie beide sehr anregend gewesen. Derzeit konnte Sedgwick ein weiteres solches Tonikum gut gebrauchen. Erschöpft vom Wahlkampf, war er im Begriff, eine neue Phase seiner formationskundlichen Studien zu beginnen. Da würde ihm der Enthusiasmus eines jungen Mannes guttun. Gern wäre er damit einverstanden, wenn Darwin an seinen Vorlesungen teilnähme und ihn im Sommer auf eine geologische Reise begleitete.

Henslow stellte ihm Darwin offiziell vor, wohl bedenkend, daß ein Proktor-Kollege und Kirchenmann seine Interessen im Auge haben werde. Tatsächlich zählte Sedgwick zu den ältesten und engsten Freunden Henslows; sie waren einer Meinung über Religion, Politik und Moral. Kein besserer Mentor konnte gefunden werden, um einem jungen Mann die ersten Schritte zu weisen und ihn auf den rechten Weg zu bringen.

Darwin fühlte sich seinerseits durch Sedgwicks Vorlesungen in diesem Frühjahr ermuntert. Sie waren unvergleichlich besser als die von Jameson in Edinburgh, die er gehaßt hatte. Sedgwicks Vorträge waren für ihn eine Kombination aus Humboldt, Herschel und Paley. Sie eröffneten neue Einblicke in Gottes Welt und führten einem die Großartigkeit der Schöpfung vor Augen. ‹Was für ein kapitaler Kerl Sedgwick ist, wenn es darum geht, große Schecks auf die Bank der Zeit auszustellen!› äußerte Darwin bewundernd. Außerdem machte ihm der Professor bewußt, was für große Teile des Erdballs noch zu erobern blieben. ‹Ich habe den Eindruck›, sinnierte Darwin, ‹daß all unser Wissen über die Beschaffenheit unserer Erde große Ähnlichkeit mit dem hat, was eine alte Henne über das hundert Acre große Feld weiß, in dessen einer Ecke sie scharrt.›

Von seiner Unwissenheit nicht eingeschüchtert, war Darwin wie eh und je darauf erpicht, Eindruck zu machen, und ergriff die Initiative. Als Sedgwick eine aus einem Kreidefelsen entspringende Quelle erwähnte, die auf Zweigen ein Maßwerk feiner Kalkspuren hinterließ, ritt Darwin hinaus, fand die Quelle und legte einen ganzen Busch hinein. Als er ihn später herausholte, war dieser von einer weißen Schicht überzogen, ein so exquisiter Anblick, daß ihn Sedgwick im Hörsaal vorzeigte; andere folgten Darwins Beispiel, und bald schmückten inkrustierte Zweige Räume in der ganzen Universität.

In diesem Sommer war auch noch ernsthaftere praktische Arbeit angesagt. Darwin fuhr im Juni nach London, wo er sein erstes geologisches Instrument kaufte, ein Klinometer zum Messen der Neigung schräger Gesteinsschichten. Zu Hause übte er damit, indem er ‹alle Tische in meinem Schlafzimmer kreuz und quer› aufeinandertürmte und dann ihren Neigungswinkel bestimmte, wie es ‹ein Geologe im Gelände tut›. Er wagte sich sogar aufs Land hinaus, um sich an der Vermessung von Shropshire zu versuchen. Wild extrapolierend, fühlte er sich wie die ‹alte Henne› auf ihrem Feld, die in einer Ecke scharrt und sie für das Ganze hält. Das war jugendliche Extravaganz, doch Hypothesen waren schließlich billig, und die seinen waren ‹so gewaltig›, wie er Henslow schmunzelnd gestand, ‹daß ich annehme, wenn sie nur für einen Tag in Aktion treten würden, dann stünde die Welt still›.

Daneben beflügelten ihn weiterhin Visionen von Teneriffa. Henslows eigene ‹Kanarenbegeisterung› war abgekühlt. Nach der glücklichen Entbindung seiner Frau sah er sich neuen Pflichten gegenüber. ‹Mein wahrscheinlichster Begleiter›, schrieb Darwin an Fox, sei der letzte der ursprünglichen Enthusiasten, ein College-Tutor von Henslows Generation, Marmaduke

Ramsay. Darwin hielt Ramsay über seine Pläne auf dem laufenden und vertiefte sich inzwischen immer wieder in Humboldts Schriften. Der ‹Große Drachenbaum› hatte es ihm ebenso angetan wie die Vulkanberge und die tropischen Wälder.[21] Seine von wilden Spekulationen begleiteten Träumereien dauerten bis zum 4. August 1831 an, als ihnen ein abruptes Ende bereitet wurde. An diesem Tag rumpelte Sedgwick in seinem Einspänner nach The Mount hinauf, bis zu den Zähnen mit Werkzeugen und Kletterausrüstung bewaffnet, bereit für die Fahrt nach Nordwales.

Für den Professor war es eine seit langem fällige Exkursion. Wales gewann in geologischer Hinsicht zusehends an Bedeutung. Bei der Bestimmung der ältesten Gesteinsformationen Nordenglands war Sedgwick auf Probleme gestoßen. Schichten schienen zu fehlen wie aus einem Buch herausgerissene Seiten, und er vermutete, daß die Äquivalente dafür in den schroffen walisischen Bergen zu finden sein würden. Falls er jene uralten, fossilienhaltigen Schichten unter dem Alten Roten Sandstein vorfand, konnte er die ersten Seiten wieder in das geologische Buch einfügen, so daß die Geschichte des Lebens neuerlich von Anfang an zu lesen war. Bei der Kartierung des Gebiets hätte ihm einige Jahre zuvor vielleicht Henslow geholfen. Wer wäre jetzt besser dafür geeignet gewesen als Henslows Meisterschüler?

In dieser Woche war Sedgwick auf ausgetüftelten Wegen von Cambridge nach Shrewsbury gefahren und hatte sich dabei auf das walisische Unternehmen vorbereitet, indem er unterwegs an entsprechenden Schichten herummeißelte. Müde und gereizt traf er in The Mount ein und fuhr am nächsten Tag mit Darwin unter einem bedrohlichen Himmel nordwärts in das Tal des Clwydflusses weiter. Unterwegs brach ein Gewitter los, das sie bis auf die Haut durchnäßte. ‹Wie es der Fürst der Lüfte wollte, wäre ich fast ertrunken›, erklärte Sedgwick nachher. Ihr Mißgeschick bestärkte ihn in seiner Überzeugung, daß der Teufel objektiver Forschung Steine in den Weg legt, wo immer er kann.[22]

Tatsächlich lernte Darwin in Sedgwicks In-situ-Privatunterricht ernsthafte Geologie sowie all jene Fertigkeiten, die er sich nie aus Büchern hätte aneignen können. Das Klinometer bewährte sich, und Sedgwick überprüfte die Genauigkeit von Darwins Messungen. In weniger als einer Woche lernte Darwin, Gesteinsproben zu identifizieren, Schichten zu interpretieren und aus seinen Beobachtungen verallgemeinernde Schlüsse zu ziehen. Es war ein hervorragender Intensivkurs in geologischer Praxis. Darwin ließ sich kaum etwas entgehen; er schärfte seinen Geist und merzte Schwächen aus. Sedgwick schickte ihn los, um Proben zu sammeln und die Schichtung zu überprüfen. Als sie wieder zusammenkamen, berichtete Darwin, er habe im Clwydtal keinen Alten Roten Sandstein gefunden. Dies widersprach der geologischen Karte Großbritanniens, und Sedgwicks Erörterung der Konsequenzen machte Darwin ‹äußerst stolz›.

Bevor sie die Berge in Richtung Küste verließen, war Darwin der Romantik der Geologie erlegen. In Kalksteinhöhlen über St. Asaph am Elwyfluß stießen die beiden auf Säugetierknochen, die im Schlamm steckten und sich nach den Regenfällen leicht herausziehen ließen. Der Grundbesitzer hatte sogar einen Nashornzahn aus diesen Höhlen in seiner Sammlung. Hier fanden sich erstaunliche Belege für eine untergegangene Fauna aus einem Zeitalter, in dem sich Nashörner in der walisischen Landschaft tummelten. Das war von ungeheurer Brisanz. Und wenn solche Entdeckungen in Großbritannien möglich waren, was erwartete den jungen Darwin dann erst im Ausland?[23]

Sie steuerten Bangor an der nordwalisischen Küste an und fuhren von dort steil in das zwölf Meilen landeinwärts gelegene Capel Curig hinauf. Ihre Suche nach Fossilien blieb vergeblich. In Capel Curig verließ Darwin Sedgwick, selbstsicher wie nie zuvor, und zog auf eigene Faust los. Er hatte eine Karte und einen Kompaß und war hellwach. Bei seinen neuen geologischen Fertigkeiten war dies alles, was er brauchte. Er würde Sedgwick zeigen, wozu er, auf sich allein gestellt, fähig war. Seine Route bog in südwestlicher Richtung ab und führte ihn durch ‹fremdartige, wilde Gegenden›. Dreißig Meilen entfernt lagen Barmouth und eine Cambridger Paukrunde. Er folgte einer geraden Linie über die Berge und vermied die ausgetretenen Pfade, sofern sie nicht in seine Richtung führten. Unterwegs identifizierte er die Schichtungen, genoß seine Freiheit und beendete seine Wanderung mit zwei herzerfrischenden Wochen unter alten Schlemmerfreunden.

Als nächstes waren die Rebhühner dran. Nicht einmal die Geologie konnte ihn davon abhalten, bei Onkel Josiah Wedgwood einen gehörigen Anteil zu erlegen; in wenigen Tagen sollte die Saison beginnen. Er bereitete sich gerade auf die Abreise von Barmouth vor, als eine Botschaft eintraf: Ramsey war gestorben. Es dauerte einen Augenblick, bis er die Nachricht erfaßt hatte, dann stürzten die sorgfältig ausgetüftelten Pläne eines halben Jahres krachend zusammen. Er hatte seinen Reisegefährten verloren, und damit hing das ‹Kanarenprojekt› wieder in der Luft. Ramsay war noch nicht einmal vierzig gewesen. Fassungslos kehrte Darwin nach Shrewsbury zurück, außerstande zu glauben, ‹daß er nicht mehr ist›. Die Expedition war jetzt seine Sache – falls er sich zutraute, sie allein zu unternehmen.

Als er am Montag, dem 29. August 1831, abends in Shrewsbury eintraf, fand er ein dickes, in London abgestempeltes Kuvert vor. Er öffnete es mechanisch, von der Reise erschöpft, und hielt Briefe von Henslow und Peacock in Händen.[24] Keine weiteren schlechten Nachrichten – alles andere als das. Überwältigt las er atemlos weiter. Man bot ihm die Teilnahme an einer Weltreise an.

1831–1836

8

Mein endgültiger Abgang

Die Stunde war spät, sein Körper erschöpft, aber Charles sprang sofort auf das Angebot an. Henslow war unerbittlich. ‹Du bist genau der Mann, den sie suchen›, schrieb er. Die Admiräle sahen sich nach jemandem um, der Captain Robert FitzRoy auf seiner zweijährigen Vermessungsreise entlang der Küsten Südamerikas begleiten sollte. FitzRoy, selbst erst sechsundzwanzig, wollte einen jungen Reisegefährten, einen wohlerzogenen ‹Gentleman›, der die Isolierung seiner Kommandofunktion mildern könne, jemanden, der den Kapitänstisch mit ihm teilen würde. Noch besser wäre es, wenn es sich um einen Naturforscher handelte, denn ihm würden sich nie dagewesene Gelegenheiten bieten. Das Schiff sei für ‹wissenschaftliche Zwecke› ausgestattet, und ein ‹Mann von Engagement und Geist könnte Wunder vollbringen›, schwärmte Henslow. Charles möge noch kein ‹fertiger Naturwissenschaftler› sein, aber er könne ja schließlich ‹eine Menge Bücher› mitnehmen, und die Wahl falle klarerweise auf ihn.

So war es. Er war wissenschaftlich hochqualifiziert, gesellschaftlich sowieso. Jamesons Edinburgher Kolleg war durch einen glücklichen Zufall auf Kolonialreisende zugeschnitten gewesen. Charles hatte da gelernt, Mineralien zu identifizieren und Schichten auseinanderzuhalten, und Sedgwick hatte sein Engagement für dieses Fach vertieft. Von Grant war ihm die beste Unterweisung in Großbritannien über die niedere Meeresfauna und -flora zuteil geworden. Darwin hatte Lamarcks Systematik und die neuesten Insektenbestimmungsbücher durchgearbeitet. Und was ihm an Erfahrung fehlte, das machte er durch seinen Enthusiasmus wett. Er war ein guter Jäger, der seine Beute abbalgen und ausstopfen konnte, und Henslow hatte seine Ausbildung vervollständigt, indem er ihm die Grundlagen der Botanik vermittelte. Er war, wie Henslow schrieb, ‹bestens dafür qualifiziert, zu sammeln, zu beobachten und zu beschreiben›, und darauf komme es an.

Es war die Chance seines Lebens – die Kirche konnte warten. Der Posten stand zu seiner ‹absoluten Verfügung›, wie aus dem Brief Peacocks hervor-

121

ging‹, und Peacock sprach im Namen eines Freundes, Captain Francis Beaufort, des für die Reise zuständigen Hydrographen (Seekartenzeichner) der Admiralität. Das ‹Kanarenprojekt› war ohnehin gefährdet, und vielleicht hatte es immer etwas von einer Seifenblase gehabt. Dies war dagegen eine Realität, hier und jetzt. Das Schiff sollte in einem Monat auslaufen.[1] Er platzte gegenüber seinen Schwestern heraus, daß er annehmen werde. Das einzige, was ihm zu tun blieb, war, seinen Vater zu überzeugen. Charles zwang sich, zu Bett zu gehen, schwindlig vor Erwartung.

Am Morgen des folgenden Tages, des 30. August 1831, hatten seine Schwestern den Vater bereits informiert. Sein Nein war ein grausamer Schlag, und weder Henslows noch Peacocks Befürwortung konnten ihn umstimmen. Dies sei ein weiteres Zeichen der Ziellosigkeit seines Sohnes, der nur dem Vergnügen nachjage. Die Reise würde eine nutzlose, gefährliche Ablenkung sein. Die unbehausten Jahre in der Gesellschaft von Seeleuten würden ihre Spuren hinterlassen und Charles für die Kirche verderben. Seine beruflichen Chancen wären wiederum ruiniert. Außerdem, warum suchte man einen Naturforscher erst wenige Wochen vor der Abfahrt? Irgend etwas mußte an dem Schiff, der Reise oder FitzRoy faul sein. Nein, der ganze Plan klang halsbrecherisch, und Susan, Caroline und Catherine stimmten dem Vater zu.

Charles hätte die Ansichten seines Vaters ignorieren können, da die Admiralität die Kosten trug. Aber er fühlte sich ‹unbehaglich› bei dem Gedanken, seinem Vater den Gehorsam zu verweigern. Niedergeschlagen lehnte er das Angebot ab und fuhr am letzten Augusttag nach Maer, um seine Frustration an den Rebhühnern auszulassen. Er trug einen versiegelten Brief seines Vaters an Onkel Josiah bei sich, der selbst nicht in der besten Verfassung war, da er an einem ‹bräunlichen Ausfluß aus dem Gedärm› litt. Dr. Darwin verschrieb ihm ‹Terpentinpillen› gegen seine Beschwerden und kam dann auf Charles zu sprechen. Die ihm angebotene ‹Entdeckungsreise› sei Unsinn, erklärte er, fügte aber hinzu, ‹falls Du anders denkst als ich, dann möchte ich, daß er Deinem Rat folgt›. Das war unerwartet, und Charles schöpfte neue Hoffnung. Onkel Josiah, gefolgt von Tante Bessy und den Cousins und Cousinen, sprach sich für die Reise aus. Sie waren alle voll Nachdruck, besonders Hensleigh: Er müsse gehen.

Sein Vater würde auf sie hören – er hatte immer Josiahs Urteil vertraut, dem Wirklichkeitssinn des Industriellen. Der aufs äußerste nervöse Charles blieb an diesem Abend bis spät in die Nacht hinein auf und tüftelte mit seinem Onkel an einer Antwort. Dem Vater würde dabei vielleicht noch unbehaglicher sein als ihnen allen, aber schließlich hatte er um eine zweite Meinung gebeten. Eine Weltreise sei keinesfalls gefährlich oder teuer, sondern werde Charles ungeheuer guttun. Sie werde seinen Charakter bilden, argumentierte Josiah, und ihn vielleicht erst bereit machen für einen Beruf;

schließlich sei ‹Naturgeschichte ja sehr geeignet für einen Geistlichen›. Und wenn man in ihm nicht den künftigen Geistlichen, sondern ‹einen Mann von größerer Wißbegier› sehe, dann sei diese Reise doch eine goldene Gelegenheit, ‹Menschen und Dinge› kennenzulernen. Deswegen allein schon lohne sich die Sache. Die Admiralität werde gut für ihn sorgen, ob er jetzt nur ein Lückenbüßer sei oder nicht – aber, schloß Josiah Wedgwood, ‹Du und Charles, Ihr müßt entscheiden›.

Charles seinerseits bat um ‹einen Gefallen … eine entschiedene Antwort, ja oder nein› und zog sich zu einer schlaflosen Nacht zurück. Er wälzte sich im Bett herum, seine Gedanken ‹schwangen wie ein Pendel› zwischen seinem nachgiebigen Onkel und dem furchterregenden Vater hin und her. Wenn sie ihn nur so sähen wie Henslow. Am nächsten Morgen, Donnerstag, dem 1. September, ging die Antwort auf schnellstem Wege nach Shrewsbury ab, und Charles versuchte, sich durch die Jagd abzulenken. Kaum hatte er seinen ersten Vogel erlegt, als Onkel Josiah ihm einen Boten nachschickte: Die Angelegenheit sei so gewichtig, sie sollten selbst nach The Mount fahren. Aber es wäre nicht notwendig gewesen. Als sie ein paar Stunden später eintrafen, stellten sie fest, daß ihre Botschaft bereits den Ausschlag gegeben hatte. Vater Darwin hatte nachgegeben. Die Meinung eines Porzellanfabrikanten hatte ihn umgestimmt, wo Professoren nichts vermocht hatten. Charles sollte also FitzRoy und der Admiralität anvertraut werden. Er werde ‹alle in meiner Macht stehende Unterstützung› erhalten, tönte Dr. Darwin großzügig.[2]

Ein hektischer Wirbel folgte. Voll Feuereifer brachte Charles eilig eine Zusage an Captain Beaufort zu Papier, besorgt, daß die Post bereits voll sein könnte. Dann warf er einige Kleidungsstücke in einen Koffer, döste ein paar Stunden und brach um drei Uhr früh mit der Postkutsche nach Cambridge auf. Per Droschke ließ er sich die letzten fünfzig Meilen auf kürzestem Weg weiterbefördern und traf in der Abenddämmerung bei Henslow ein. Der Botaniker, der von Charles' früher Ankunft überrascht war, unterrichtete ihn über die Einzelheiten des Angebots. Charles erfuhr, daß er nicht der erste war, dem es gemacht wurde. Das Old-Boy-Netzwerk lief seit Wochen auf Hochtouren. Jenyns habe wegen seiner Seelsorgerpflichten abgelehnt. Henslow selbst habe mit dem Gedanken gespielt, aber seine Frau habe ‹ein so unglückliches Gesicht gemacht›, daß er absagte. Beide Männer hätten dann Darwin vorgeschlagen, der weder verheiratet sei noch ein Amt angetreten habe.

Kaum hatte Charles begonnen, sein ‹Glück› auszukosten, als ein höfliches Schreiben von FitzRoy eintraf. Bedauerlicherweise habe Peacock das Angebot falsch dargestellt. Der Captain habe den Platz bereits einem Freund versprochen, aber falls nichts daraus werde, dann solle Charles den ersten Anspruch darauf haben. FitzRoy hoffte, niemandem seien Ungelegenheiten bereitet worden.

Charles war am Boden zerstört. Es war eine ‹unerhörte, harte Woche› gewesen, er hatte seelische Turbulenzen durchgestanden – offenbar alles vergebens. Er schlief in dieser Nacht wieder unruhig und fuhr Montag früh sofort nach London. Es waren Pläne für den Fall zu machen, daß das Angebot erneuert wurde, und eine Verabredung mit FitzRoy einzuhalten. Aber er war nicht mehr zuversichtlich in bezug auf die Reise. Mittlerweile hatten er und Henslow sie bereits ‹völlig aufgegeben›.[3]

In London herrschte drei Tage vor der Krönung Williams IV., des ‹Seefahrerkönigs›, eine festliche Stimmung, aber Charles war bedrückt. Er bahnte sich seinen Weg durch das Gewühl auf den Straßen zum Admiralitätsgebäude in Whitehall und traf schließlich in Beauforts Büro mit FitzRoy zusammen. FitzRoy war schmal und dunkelhaarig, mit feinen Gesichtszügen und einer aristokratischen Arroganz. Väterlicherseits war er Enkel des dritten Herzogs von Grafton und mütterlicherseits Enkel des ersten Marquis von Londonderry – ein direkter Nachkomme von Charles II. Kurz angebunden und ruhig, kam er sofort zur Sache. Sein Freund habe das Angebot soeben abgelehnt, keine fünf Minuten zuvor. Ob Mr. Darwin noch interessiert sei?

War er es? Charles fühlte sich hin und her gerissen wie eine Wetterfahne im Zyklon, aber es gelang ihm zu nicken. Ausgezeichnet. FitzRoy weiter: Die Reise werde nicht zwei Jahre dauern, sondern fast drei; sie werde sie nicht unbedingt um die ganze Welt führen. Die Kabine werde eng sein, das Essen einfach, ‹ohne Wein›, und die Kosten – insgesamt bis zu fünfhundert Pfund – würden nicht von der Admiralität getragen. Mit Seekrankheit sei zu rechnen, und Darwin sei es freigestellt, jederzeit nach England zurückzukehren oder in ‹einem gesunden, sicheren und angenehmen Land› zurückzubleiben. Falls er jedoch an Bord bleibe, müsse er Wochen und Monate auf engstem Raum mit dem Captain zubringen; es sei also unumgänglich, daß sie miteinander auskämen.

Der Grund für die Position wurde jetzt verständlich. FitzRoy durfte mit seinen Untergebenen keine Vertraulichkeit pflegen, um seine Befehlsgewalt nicht zu schwächen; aber auf jede Gesellschaft zu verzichten, war ebenfalls riskant. Einsamkeit und Isolierung konnten auf dem Meer schrecklichen Tribut fordern. Der frühere Captain der *Beagle,* Pringle Stokes, hatte sich vor der südamerikanischen Küste erschossen. Und FitzRoy fürchtete seine eigene erbliche Veranlagung – 1822 hatte sich sein Onkel, der damalige Innenminister Vicomte Castlereagh, in einem Anfall von Depression die Kehle durchgeschnitten. Also hatte er beschlossen, sich einen Tischgenossen zu nehmen. Solange es ein wohlerzogener und kultivierter Gentleman war, durfte es auch ein Whig sein. FitzRoy, der bei der Parlamentswahl gescheiterte Tory-Kandidat für Ipswich, wußte alles über die politische Einstellung der Darwins. (Als eingefleischter Tory war er wahrscheinlich auch auf den Enkel des lasterhaften Erasmus Darwin neugierig.) Er habe einen ‹Horror davor, jemanden an Bord zu haben, den er nicht mochte›. Klarerweise müßten sie einander erst noch besser kennenlernen, und er riet Charles denn auch, sich ‹noch nicht› endgültig zu entscheiden.[4]

Charles blieb in der Nähe. Da Erasmus verreist war, quartierte er sich in Spring Gardens neben der Admiralität ein und leistete sich einen Guineen-Sitz für die Krönungsprozession. Er genoß das Gepränge und den Glanz, obwohl er von den unterdrückten Massen die Überzeugung übernommen hatte, daß Krönungen bald der Vergangenheit angehören würden. Für den Rest der Woche stand er zu FitzRoys Verfügung. Sie dinierten zusammen und fuhren in seinem Einspänner umher, um ‹Bestellungen aufzugeben›. Der Captain erschien ihm verschwenderisch, wenn auch ‹sehr wissenschaftlich› eingestellt. Er gab große Summen für Bücher und Barometer sowie mindestens vierhundert Pfund für Schußwaffen aus. Charles war zu der Ansicht gelangt, daß er ein ‹Teleskop mit Kompaß› um fünf Pfund und einige eigene Waffen benötigen werde. Er kaufte sich eine Flinte um fünfzig Pfund für die Jagd und ein paar ‹gute Pistolen›, um ‹die Eingeborenen ruhig zu halten›. ‹Wir werden genügend Kämpfe mit den verd... Kannibalen auszufechten haben›, frohlockte er gegenüber Whitley. ‹Das wäre doch etwas, den König der Kannibaleninseln zu erschießen.›

Es war ‹ein kapitaler Spaß›, und Charles fühlte sich, als sei er soeben selbst gekrönt worden. Er war ‹glücklich wie ein König›, sein ‹Vertrauen zu Capt. FitzRoy› grenzenlos. Er hatte ihn ‹auf den ersten Blick› sympathisch gefunden und fast unwillkürlich angefangen, ihm zu vertrauen. FitzRoy wurde zu seinem ‹Schönheitsideal eines Captain›, und seine Liebenswürdigkeit gab Charles das Gefühl, als sei er dazu prädestiniert gewesen, diese Reise zu machen. Dennoch bat er seine Schwestern, Stillschweigen zu bewahren, bis er sich endgültig entschlossen habe. Auch FitzRoy gefiel, was er sah und hörte. Seine Befürchtungen in bezug auf Darwin waren unbegründet gewesen; Kinderstube und gutes Benehmen transzendierten schließlich Partei und Familie.[5]

Einige Dinge blieben noch zu regeln. Beaufort versicherte Darwin, daß es ihm freistehe, über Sammlungen zu verfügen, die er anhäufe, solange diese an eine ‹öffentliche Körperschaft› gingen, und FitzRoy wiederholte, daß er das Schiff verlassen könne, ‹sobald und wo immer› er wolle. Er bezweifelte, daß Darwin tatsächlich die Ausdauer habe, die Reise durchzustehen. FitzRoy, der auf Physiognomik schwor, beurteilte den Charakter eines Menschen nach seinem Gesicht, und Darwins Nase deutete auf einen Mangel an ‹Energie und Entschlossenheit› hin. Doch gegenwärtig bestand kein Mangel daran. Er schwebte auf Wolken und hoffte, daß es eine Weltumseglung sein werde. Er wollte den Erdball ganz umrunden und lag Beaufort ohne Erfolg damit in den Ohren. Schließlich versprach ihm FitzRoy, sich bei Tory-Freunden dafür zu verwenden. Wie er Darwin sagte, habe er ‹Einfluß genug› bei hochgestellten Leuten, um zu erreichen, ‹daß man ihm die Rückkehrroute des Schiffes freistellen werde – insbesondere, wenn diese Regierung nicht ewig bleibt›. Charles berichtete die Geschichte nach Hause und scherzte: ‹Ich werde bald ein Tory werden!› Die Weltumsegelung sei ‹so gut wie gewiß›.[6]

Seine Begeisterung hätte vielleicht einen Dämpfer erhalten, wenn er die Größe des Schiffes gesehen hätte. FitzRoy wußte, daß sein Tischgast keine blasse Ahnung von den ‹Quadratzoll› hatte, die man ihm zuweisen würde. Am Sonntag, dem 11. September, nahm er Darwin nach Devonport mit, um mit ihm die *Beagle* zu besichtigen. Sie verließen London mit dem Postschiff, tuckerten die Themse hinunter, um die Küste von Kent herum in den Ärmelkanal, an Spithead vorüber und in die Sicherheit der Meerenge von Plymouth. Die Fahrt dauerte fast drei Tage und gab FitzRoy Gelegenheit, Darwins Seefestigkeit zu beurteilen.

Er unterrichtete ihn auch näher über den Auftrag der Admiralität. Die Vermessung Südamerikas hatte vor fünf Jahren begonnen. Der Subkontinent stand dem Handel offen; er stellte einen riesigen Markt für gewerbliche Produkte und eine Schatzkammer von Rohstoffen dar. Reiche Briten und ihre Bankiers hatten den entstehenden nationalen Regierungen Millionen Pfund zur Verfügung gestellt; Unternehmen hatten Unmengen Kapital investiert, um die Naturschätze auszubeuten. Manche der Spekulationen waren auf Sand gebaut gewesen, und selbst jetzt noch war die Zukunft ungewiß. In diesem Zusammenhang kam die Königliche Marine ins Spiel. Wenn die britischen Kaufleute ihre Konkurrenten aus Spanien und den Vereinigten Staaten schlagen sollten, dann benötigten ihre Schiffe einen mühelosen Zugang zu den südamerikanischen Häfen. Inseln und Küstenlinien mußten kartographisch erfaßt, Häfen und Kanäle ausgelotet werden. Die ursprüngliche Vermessung, die erst ein Jahr zuvor beendet worden war, hatte schon eine Menge geleistet, und FitzRoy selbst hatte – bei seinem ersten Kommando nach dem Selbstmord von Stokes – an deren späteren Stadien teilgenommen. Aber die Seekarten mußten überprüft und ergänzt werden; Gezeiten und Wetterbedingungen blieben noch zu verzeichnen – und FitzRoy würde der erste sein, der die Windstärken um den ganzen Erdball anhand von Beauforts Skala ermittelte. Auch Teile von Patagonien und den Falklandinseln waren noch zu vermessen und zu kartieren, ebenso das wüste Labyrinth von Gewässern an der Südspitze des Kontinents, in Feuerland.[7] Das waren seine Aufgaben.

Er war jedoch auf eher ungewöhnliche Weise dazu gekommen, und Charles hörte, wie. Im Sommer zuvor hatten in Feuerland, während ein Teil seiner Leute an Land kampierten, ‹einige Eingeborene sich mit der durchtriebenen Schläue, die Wilden zu eigen ist, genähert› und ihr Boot gestohlen. Sein Schiff verfolgte sie, und die Familien der Missetäter wurden ‹als Geiseln an Bord gebracht›. Die meisten entkamen, einige wurden freigelassen, einer wurde in einem Handgemenge getötet (sein Leichnam wurde ‹zum weiteren Studium› ordnungsgemäß skelettiert). Schließlich hielt FitzRoy noch zwei Männer sowie einen Jungen und ein Mädchen gefangen, für deren Aussetzung sich keine Gelegenheit ergab. So beschloß er, ein Experiment zu wagen: Er würde die Wilden zivilisieren, ihnen ‹Englisch, die einfacheren Wahrheiten des Christentums und den Gebrauch gängiger Werkzeuge› beibringen und sie dann als Missionare nach Feuerland schicken. Die vier kehrten mit ihm nach England zurück. Einer starb an einer Pockenimpfung. Die übrigen – York Minster, siebenundzwanzig, Jemmy Button, fünfzehn, und das Mädchen Fuegia Basket, zehn – hatten das Jahr bei Freunden der Kirchlichen Missionsgesellschaft verbracht. Im Juni war FitzRoy, da er kein Schiff finden konnte, das sie repatriierte, schon bereit gewesen, auf eigene Kosten nach Feuerland zu segeln, als sich ‹ein netter Onkel› bei der Admiralität für ihn verwendete und ihm das Kommando über die *Beagle* verschaffte. Die Feuerländer, inzwischen zivilisiert genug, um im Sommer bei Hofe vorgestellt zu werden, würden sich mit ihrem Betreuer, Richard Matthews, der selbst zum Missionar ausgebildet wurde, auf der *Beagle* einschiffen.[8] Wie trefflich die Vorsehung es gefügt hatte! Die Vermessung würde abgeschlossen werden, weil die Wilden zum Christentum bekehrt waren – Gott übergab die Eingeborenen Südamerikas den Engländern zu treuen Händen.

Charles war voll Bewunderung für den Captain. Sein Benehmen war untadelig, auch gegenüber Musters, dem ‹kleinen Midshipman›, den er mitgenommen hatte und der, wie sich herausstellte, mit Charles' Onkel aus Derbyshire, Sir Francis Darwin, bekannt war. Am Dienstag, als das Postschiff bei Devonport anlegte, kamen Darwin und der Captain bereits glänzend miteinander aus. Charles hatte diesbezüglich keine Befürchtungen, obwohl er spürte, daß seine ‹gewaltige Bewunderung› nicht anhalten könne. Dann erblickte er das Schiff.

Die *Beagle* war eine mit zehn Kanonen bestückte Brigg, elf Jahre alt und überholungsbedürftig. Sie wurde in den Marinedocks vollständig erneuert und zu einem dreimastigen Segler umgebaut. FitzRoy überwachte die Arbeit persönlich, und es wurden keine Kosten gescheut, selbst wenn er in die eigene Tasche greifen mußte. Das Schiff hatte ein neues Oberdeck mit Oberlichten, einen kupferverstärkten Boden und war mit der neuesten Technik ausgestattet: einem speziell konstruierten Steuerruder, einem patentierten Kombüsenofen, modernem Blitzableiter und Kanonen aus Messing statt Eisen, um eine Störung der Kompasse zu vermeiden. Charles ließ das alles auf sich wirken, während er mit den Offizieren bekanntgemacht wurde, ‹aktiven, entschlossenen jungen Burschen›. Was ihn zusammenzucken ließ, war die bescheidene Größe der *Beagle:* 90 Fuß (27,5 Meter) lang und mittschiffs 24 Fuß und 8 Zoll (7,4 Meter) breit. Sie hatte nur zwei Kabinen, und diese waren winzig. Die Achterkabine, hinter dem Steuerrad, maß lediglich 10 x 11 Fuß (3 x 3,3 Meter) und war so niedrig, daß der einen Meter achtzig große Charles nicht aufrecht darin stehen konnte. Sie enthielt einen großen Kartentisch mit drei kleinen Stühlen, und der Kreuzmast ging durch sie hindurch. Die Kabine des Captain befand sich unter Deck, unter dem Rad, und war noch kleiner. Alles war luxuriös, mit Mahagoni verkleidet, doch das war kein Trost. Eine enge Unterkunft, ja, aber Charles hätte sie sich niemals so eng vorgestellt. Seine Stimmung sank.

Bald erhielt er neuen Auftrieb. Kurz bevor er am Freitag nach London zurückfuhr, wurden die Namenstäfelchen an den Kabinen angebracht – seines zum Glück an der größeren Achterkabine (obwohl er sich auch in Fitz-Roys Kabine und dem angrenzenden Speiseraum aufhalten durfte). Die vordere Ecke backbord war sein Teil, dazu ein guter Quadratmeter des Kartentischs sowie eine Wand von Laden gegenüber der Schiffsbibliothek mit ihren mehreren hundert Bänden im Heck. Er teilte sich die Kabine mit dem Offizier, der ihm am sympathischsten war, John Lort Stokes, dem neunzehnjährigen Hilfsvermesser. Sie würden beide hier arbeiten, jeder auf seinem eigenen Stühlchen, während der dritte Platz dem vierzehnjährigen Midshipman, Philip King, vorbehalten war, dessen Vater die erste Forschungsreise befehligt hatte. Die Schlafgelegenheiten würden zwar unbequem, aber ausreichend sein. Die Koje von Stokes befand sich in einem winzigen Vorraum, die von King unter Deck. Charles würde seine Hängematte über dem Kartentisch aufknüpfen, sein Gesicht nur zwei Fuß unter dem Oberlicht.

FitzRoy gab sich Mühe, es Charles in seiner Achterkajüte so bequem wie möglich zu machen.[9] Charles verließ Devonport halbwegs beruhigt; er versuchte, die Beengtheit auf der *Beagle* als gemütlich zu empfinden.

Die Abreise war um ein paar Wochen verschoben worden, da FitzRoy an dem Umbau noch einiges auszusetzen hatte. Aber Charles befand sich dennoch unter Zeitdruck. Seine Pläne standen jetzt fest. Endlich konnte er es allen erzählen und sich verabschieden. Er jagte von Plymouth nach London – erstaunliche ‹250 Meilen in 24 Stunden› – und von dort mit der Nachtpost nach Cambridge, wo er zwei Tage lang Henslow die Ohren vollblies. Henslow erklärte sich bereit, die Sammlungen für ihn aufzubewahren, die er im Lauf der Zeit nach Hause schicken würde, und gab ihm als Abschiedsgeschenk ein Exemplar von Humboldts *Vom Orinoko zum Amazonas.* Er empfahl ihm auch, den soeben veröffentlichten ersten Band von Charles Lyells *Principles of Geology* mitzunehmen, sich jedoch ‹keinesfalls› mit dessen sämtlichen Auffassungen zu identifizieren. Dann machte sich

Charles erneut auf und fuhr nachts nach Shrewsbury, wo er am Donnerstag, dem 22. September, frühmorgens eintraf.[10]

Die Familie hatte in den letzten drei Wochen nach seiner Pfeife getanzt, seine Habe gesammelt, seine Kleider gepackt und Bankwechsel für ihn vorbereitet. Das war seine letzte Chance, ihnen allen persönlich zu danken, den lieben alten Neinsagern, und ihnen seine Liebe zu zeigen. The Mount war ihm oft wie ein Gefängnis erschienen, aber jetzt sah er es mit anderen Augen. Dieser große, von seinem Vater errichtete Steinbau war sein Zuhause, nicht FitzRoys schaukelnder Kahn. Sicherheit bedeutete eine Familie und vier feste Wände, eine Zuflucht vor der stürmischen Welt. Dennoch gab er all das und damit ‹eine halbe Lebenschance› auf. Sie würden jahrelang getrennt sein; vielleicht würde er seinen Vater und seine Schwestern nie wiedersehen. Sie bedeuteten ihm mehr denn je, und er ließ es sie wissen. Der Vater war inzwischen mit der Reise ‹um vieles versöhnter›, und sein Segen erleichterte den Abschied.

Am Wochenende fuhr Charles nach Woodhouse hinüber, wo ihn die Nachricht von Fannys geplatzter Verlobung aus der Fassung brachte. Reverend Hill hatte sie sitzenlassen, und sie war verreist, um ‹strenge Buße› dafür zu tun, daß sie sich törichterweise verliebt hatte – daß sie sich hatte ‹lebendig fressen› lassen wie ein Tier, wie sie es ausdrückte. Charles wußte kaum, ob er sich selbst oder sie mehr bemitleiden sollte. Als er mit einer Andenkennadel von Sarah wegfuhr, waren auch der Gutsherr und die ganze Familie melancholisch. In Maer war die Stimmung besser. Er erzählte FitzRoys Geschichten über patagonische Torfmoore und Kannibalen und das ‹gräßliche Klima›. Charlotte machte sich zwar Sorgen, daß sein drittes Jahr auf See ‹der Landpfarrei und dem Pfarramt› den Garaus machen werde, aber im übrigen brüstete sich der Clan damit, Dr. Darwin überredet zu haben, und gratulierte Charles zu seinem Mut.[11]

Für einige Tage kehrte er nach The Mount zurück und nahm dann am Sonntag, dem 2. Oktober, Abschied. Er konnte es kaum ertragen, seinen Vater und die Schwestern zum letztenmal zu umarmen, doch jetzt zu zögern hieße, sie alle zu verraten. Entschlossenheit war nötig. Er mußte seinen Mut beweisen. Er schluckte die Tränen hinunter und richtete seine Blicke auf London, Plymouth und die Welt.

In London tat er sich mit FitzRoys zweitem ‹landgängigem› Begleiter zusammen, dem Landschaftsmaler Augustus Earle. Auch Earle reiste in privater Funktion: Er war vom Captain engagiert worden, um die Stationen der *Beagle* in Bildern festzuhalten. Er verfügte bereits über reichlich Erfahrung, da er an der Royal Academy ausgebildet worden war und dann die ganze Welt bereist hatte. Er hatte Europa, Nordamerika, Brasilien und Australien besucht und dort Landschaften gemalt. Darwin fand ihn ein bißchen ‹exzentrisch›.

In der Hauptstadt beherrschte die Politik das Leben. Die Whigs, die aus den Parlamentswahlen mit einer noch größeren Regierungsmehrheit hervorgegangen waren, hatten ihren Würgegriff auf die Reformbewegung gefestigt. Aufbegehrende Landarbeiter waren gehenkt oder deportiert worden; Carlile legte gegen sein Urteil vergeblich Berufung ein, und Taylor schmachtete im Kerker in der Horsemonger Lane, ein gebrochener Mann, während seine Protestbriefe in der *Times* vom Innenminister kurz abgefertigt wurden. Eine neue Reform-Gesetzesvorlage machte Schlagzeilen. Sie hatte zehn Tage zuvor die dritte Lesung passiert und war an das Oberhaus weitergeleitet worden.

Während Darwin in seinem Quartier unweit von Whitehall zu packen begann, wurde die Oberhausdebatte eine halbe Meile davon entfernt immer hitziger. Jeder fürchtete das Schlimmste. Tatsächlich schmetterten die Peers am nächsten Samstag, dem 8. Oktober, die Vorlage ab, und das Land geriet in Aufruhr. Der Goldpreis schoß in die Höhe, die Aktienkurse sackten in den Keller. Zeitungen, die sich für die Reform eingesetzt hatten, brachten die Nachricht von der Ablehnung des Entwurfs in schwarzumrandeten Ausgaben. In den größeren Städten kam es zu Krawallen und Brandstiftungen. Adlige wurden mißhandelt und ihre Herrenhäuser angegriffen; Tory-Bischöfe verhöhnte man, weil sie gegen die Vorlage gestimmt hatten. In Cambridge fürchtete Henslow, daß man ihn für einen Tory halten und ihm die ‹Fenster einschlagen› könnte. Am 19. Oktober versuchte der König, das Land zu beruhigen, indem er das Parlament suspendierte. Doch nichts konnte siebzigtausend Demonstranten davon abhalten, durch die Hauptstadt zu ziehen und einen neuen Gesetzentwurf zu fordern.[12]

Darwin litt unter der Spannung. Er wartete ‹täglich sehnlicher darauf, wegzukommen›. Mit Empfehlungsschreiben von Henslow gewappnet, eilte er umher, um den Rat von Spezialisten einzuholen. Die beste Ausstellung von ausgestopften Tieren und Muscheln war im Zoomuseum im Westend zu sehen, einen kurzen Spaziergang am Piccadilly entlang. Es war eine Blütezeit für den Zoo; die Eintrittseinnahmen der Menagerie im Regent's Park waren in die Höhe geschnellt, so daß den Kuratoren des Museums tausend Pfund im Jahr zum Ankauf anatomischer Präparate blieben. Nicht daß sie sie benötigten; exotische Exemplare strömten von den Vermessungsreisen der Marine wie jener Darwins herein. Die Folge war, daß das Museum, das in Lord Berkeleys Stadthaus in der Bruton Street untergebracht war, bereits aus allen Nähten platzte. Darwin fand es ein Paradies für Kleptomanen, standen und lagen doch überall Tierpräparate herum – 600 Säugetiere, 4000 Vögel, 1000 Reptilien und Fische sowie 30 000 Insekten hießen ihn willkommen. Und all dies wurde noch laufend durch Captain Kings Ausbeute von der ersten *Beagle*-Fahrt nach Patagonien ergänzt.

Hier lernte Darwin die Tierpräparatoren kennen, deren Spezialität die Konservierung, das Ausstopfen und die Lagerung waren. Jeder gab ihm Ratschläge: Benjamin Leadbeater, der australische Kakadus ausstellte, brachte ihm bei, wie Bälge in terpentingetränkte Kartons verpackt wurden. Eine der treibenden Kräfte des Zoos, William Yarrell, ein Sportfreund, der eine Fischsammlung aufbaute, zeigte ihm, wie Gefäße mit Hilfe von Harnblasen, Stanniol und Firnis wasserdicht zu verschließen waren. Captain King erklärte ihm den Gebrauch von ‹Arsenseife und Konservierungspulver›. In bezug auf wirbellose Meerestiere war jedoch Robert Grant immer noch seine Hauptautorität. Er gab Darwin eine Liste von Konservierungstips: Krabben und Krebsen müsse man den Bauch aufschlitzen und die Kiemen auswaschen; empfindliche Zoophyten töte man ‹durch allmähliches Hinzufügen von Süßwasser›, Seeanemonen, ‹indem man kochendes Wasser in ihr Inneres gießt›. ‹Spiralförmige Muscheln› müsse er aufbrechen, damit die Konservierungsmittel ‹alle Teile› erreichten. Eine Mischung aus gleichen Teilen Wasser und Weinspiritus genüge, außer für Krabben, die Alkohol pur bevorzugten.[13] Am Britischen Museum wurde er vom führenden Botaniker der Stadt, Robert Brown, instruiert. Brown war außergewöhnlich introvertiert, aber ein hervorragender Mikroskopierer (er beschrieb den Zellkern und die Brownsche Bewegung). Er beriet Darwin bezüglich des Mikroskops, das er sich kaufen sollte, und Darwin versprach ihm, einige patagonische Orchideen für ihn zu pflücken.

Er war nun mit den besten Ratschlägen ausgerüstet, die ein Naturforscher bekommen konnte, und bestens darauf vorbereitet (wie Henslow sagte), zu ‹sammeln, zu beobachten und zu beschreiben›. Es konnte losgehen – zumindest theoretisch.

Eine weitere Verzögerung wurde gemeldet. Die *Beagle* würde nicht vor dem 4. November auslaufen können. Charles hatte inzwischen zwar schon seine ganze Habe beisammen, aber der Aufschub war ihm angesichts all dessen, was es einzupacken galt, willkommen. Schuhe und Pantoffeln, Reithosen und Stiefel, ein Dutzend Hemden, gekennzeichnet ‹DARWIN›, und Sarah Owens Anstecknadel – die persönlichen Dinge vermehrten sich schnell. Seine wissenschaftliche Ausrüstung nahm, sobald sie in Kisten verpackt war, erschreckende Proportionen an: Probenbehälter, vollgestopft mit Chemikalien und Konservierungsmitteln, Seziergeräte in Paletten, Präzisionsinstrumente in Kästen – Mikroskop, Klinometer, Teleskop, Kompaß, Niederschlagsmesser, Barometer –, ein Schleppnetz aus Eisenketten, Ersatzteile für die Schußwaffen, sein Geologenhammer und natürlich Humboldt, Lyell und andere Bücher. ‹Ich bin so ökonomisch gewesen wie irgend möglich›, versicherte er FitzRoy, aber falls es ‹zum Schlimmsten› komme und er den ihm zustehenden Platz überschreite, seien ‹zwei große Kisten› zum Zurücklassen vorgesehen.

Alle Kisten gingen bei einem Sturm aus südwestlicher Richtung per Dampfschiff ab, und Charles folgte über Land; er traf am Montag, dem

24. Oktober, abends in Plymouth ein.[14] In zehn Tagen würde die *Beagle* in See stechen.

Er war erschöpft. Seit August war er keine Woche an einem Ort oder auch nur ein Dutzend Tage zu Hause gewesen. Er hatte tausendfünfhundert Meilen zurückgelegt, das Geld seines Vaters ungestraft verpulvert, war in Tuchfühlung mit hohen Tieren der Marine gekommen und hatte das Gefühl, daß sein Leben auf den Kopf gestellt werde. Aber jetzt war der Zeitpunkt nahe; er war im Begriff, den Sprung zu wagen, die Alte Welt hinter sich zu lassen – ‹meinen endgültigen Abgang› zu machen. Und was für eine Erleichterung es war! Er wollte es nur schnell hinter sich bringen.

FitzRoy besorgte ein gemeinsames Quartier am Kai für Darwin, Stokes und sich selbst, so daß die Intelligenzia der *Beagle* Bekanntschaft schließen konnte. Nach einem lärmenden Abendessen unter Deck im Gun Room, der Offiziersmesse, war Darwin froh darüber. Die Männer waren ‹ziemlich ungehobelt und ihre Sprache so voll Slang und Seemannsausdrücken›, daß sie ihm ‹so unverständlich wie Hebräisch› erschien. Einer der Männer war der Chirurg Robert McCormick, der offizielle Naturwissenschaftler des Schiffes. Er war einunddreißig, im Krankenhaus ausgebildet, übellaunig – und das Produkt von drei Seereisen. Chirurgie zählte in der Königlichen Marine zu den niedrigen Diensten, und nur Gentlemen waren am Kapitänstisch zugelassen (deshalb wurde Darwin ja mitgenommen). Darwin kam gut mit McCormick aus, wenn dieser auch ‹ein Esel› war und sich mehr Gedanken über den Anstrich der *Beagle* machte als über wissenschaftliche Fragen.[15] Für Charles gab es kein Entrinnen vor der Naturwissenschaft, zumindest der Trigonometrie. Er begann wieder zu büffeln, wollte er doch mitreden können, falls sich das Gespräch der Navigation zuwandte. Stokes und FitzRoy präparierten ihn auf ihren Spaziergängen in den Docks, bei denen sie ihre Instrumente kalibrierten.

Die Stürme hielten an, und die Abfahrt wurde erneut verschoben. Samstag, der 5. November, der Guy-Fawkes-Gedenktag, hätte ihr erster voller Tag auf See sein sollen. Doch während im ganzen Land Puppen von Bischöfen verbrannt wurden statt der herkömmlichen Guys, saß Charles nachdenklich in seinem Zimmer und versuchte zu lesen. Es war eine ‹erbärmliche, elende Enttäuschung›. Am Sonntag ging er mit Musters in die Werftkapelle, unter der Woche besuchte er ein Konzert und unternahm die eine oder andere geologische Spritztour. Nichts davon vermochte ihn aufzuheitern.

Am nächsten Wochenende trafen die vier feuerländischen Missionare ein, beladen mit den Insignien der Zivilisation. Wohlmeinende Kirchgänger hatten sie mit ‹Kleidern, Werkzeugen, Geschirr und Büchern› überhäuft – mit allem, was sie für ihren vorgeschobenen Posten benötigten. Irgendwie wurde ihre Fracht in dem winzigen Laderaum der *Beagle* verstaut, wobei die Matrosen über den Platzmangel murrten und über die feinen Pinkel spotteten, die komplette Speiseservice mitgeschickt hatten. Die Missionare hatten zwar hehre moralische Ziele, reisten jedoch in mehr als einer Hinsicht auf Kosten anderer Leute. Darwin hatte für seine Fahrkarte bezahlt. Und nachdem er alles Unwesentliche gestrichen hatte, fragte er sich immer noch, wie er seine ganzen Siebensachen unterbringen könne. Er wurde von Klaustrophobie heimgesucht, die ihn in ‹ständige Furcht› versetzte. ‹Der absolute Raummangel›, stellte er niedergeschlagen fest, ‹ist ein Übel, dem durch nichts beizukommen ist›.[16]

Inzwischen schob sich der Tag der Abreise immer weiter hinaus. Jetzt war er für Anfang Dezember vorgesehen. Das wochenlange Alleinsein, mit nichts anderem beschäftigt, als Proviant einzukaufen und die Kabine umzuräumen, deprimierte Charles. Er machte sich Sorgen über Seekrankheit und wurde von Gedanken an den Tod gequält. Der Verlust Ramsays ließ ihn nicht los. Am 21. November fiel ein Matrose über Bord und ertrank. Wenn dies im Hafen geschehen konnte, wie standen dann seine Chancen, drei Jahre – oder vier, wie FitzRoy jetzt erwog – auf See durchzustehen? Er spürte, wie sein Herz hämmerte, und bekam Brustschmerzen. War er herzkrank? Er behielt seine Ängste für sich, sagte nichts zu dem Chirurgen McCormick und ließ sich auch in seinen Briefen nach Hause nichts anmerken.[17] Wenn sein Vater dahinterkäme, würde er ihn nicht ziehen lassen, gleichgültig, was Onkel Josiah meinte. Mochte kommen, was wollte, Charles war entschlossen zu fahren.

In all dieser ‹zermürbenden Angst› dachte er an seine Familie und seine Freunde. Er verließ alle seine Lieben, und er fragte sich, ob die Reise, falls er sie überlebte, den Verlust wert sei. Manche schrieben ihm, aber liebevolle Briefe verstärkten nur seine Einsamkeit. Henslow predigte ihm Toleranz gegenüber dem ‹derben oder vulgären› Verhalten der Schiffsbesatzung. Fox, den er abgewimmelt und seit einem Jahr nicht mehr gesehen hatte, war liebenswürdig und sprach von den Geschichten, die sie eines Tages ‹am Kaminfeuer› austauschen würden. Whitley beschwor Erinnerungen an die Kameraderie von Cambridge und ‹den schlichten, aber distinguierten Schlemmerclub›. Diese wöchentlichen Mahlzeiten waren bei weitem besser gewesen als FitzRoys kostspieliger Lunch zur ‹Einweihung des Schiffes› am 28. November. ‹Aber … es hat keinen Sinn, darüber nachzudenken›, antwortete Charles traurig. ‹Es ist endgültig vorbei.› Er schloß mit den Worten: ‹Erinnere Dich an mich … und grüße besonders den alten Matthew von mir, falls Du ihn siehst [...] Gott segne Dich.›

Niemand rührte ihn so wie Fanny, die ihm jetzt ihr Herz ausschüttete. Es war die grausamste Ironie. Sie waren aneinander vorübergezogen wie Schiffe in der Nacht, ihr Leben steuerte in entgegengesetzte Richtungen. Im September, als er in Devonport gewesen war und mit FitzRoy die *Beagle* inspiziert hatte, war sie in Exeter gewesen, nur fünfzig Meilen entfernt, und hatte dort ihre ‹Buße› vollendet. Tatsächlich waren sie einen Tag lang beide in Plymouth gewesen, ohne sich zu begegnen. Danach hörte sie von seinen Plänen und schickte ihm einen ‹kleinen Geldbeutel› als Andenken, doch als sie nach Woodhouse zurückkehrte, war er schon fort. Daß er sie verpaßte, hatte Charles ‹teuflisch traurig› gestimmt. Er schrieb ihr einen wehmütigen Brief, in dem er die Hoffnung äußerte, daß sie ihn nicht vergessen werde. Ihre Antwort war endlich einmal freimütig, wie es schien. Sie klagte um ihre verflossene Zärtlichkeit und sehnte sich danach, ihn wiederzusehen. Seine Rückkehr werde sie ‹im Status quo› im Wald vorfinden, sagte sie voraus, ‹nur *alt* geworden und *gesetzt*›. Weiter schrieb sie: ‹Die vielen glücklichen Stunden, die wir zusammen hatten seit der Zeit, als wir *Heimchen und Postillon* waren, sollen nicht vergessen sein›, und provozierend fügte sie hinzu: ‹und ich wünschte, daß sie nicht zu Ende sind!!›

In ihrem letzten Brief, der am Samstag, dem 3. Dezember, kam, schilderte sie in lebhaften Worten Sarahs Hochzeit. Doch da sie in zwei Tagen auslaufen würden, beschloß Charles, daß seine ‹Gedanken und Gespräche› fortan nur der Reise gelten sollten.[18] Erasmus war soeben eingetroffen und half ihm, sich zu konzentrieren.

Er hatte Erasmus so viel zu zeigen – die *Beagle,* schimmernd und makellos, mit ihren vierundzwanzig Chronometern zur genauen Bestimmung der geographischen Länge der Inseln rund um den Erdball, sodann die reichlichen Lebensmittelvorräte, die FitzRoy angelegt hatte, und nicht zuletzt das mahagonigetäfelte Kämmerchen, sein Zuhause. Mit den Augen seines Bruders gesehen, sahen die Dinge besser aus, und an diesem Samstagabend wagte es Charles erstmals, die Nacht an Bord zu verbringen. Er hatte ‹die lächerlichste Schwierigkeit›, in seine Hängematte zu gelangen, da er es, auf dem Kartentisch balancierend, mit den Füßen voran versuchte; aber sobald er den Trick heraus hatte, das Hinterteil zuerst hineinzuschwingen, klappte es. Er schlief sogar während eines leichten Sturms durch; also würde ihm vielleicht die Seekrankheit erspart bleiben. Erasmus wünschte beim Abendessen allen *bon voyage* und salutierte seinem Bruder zum Abschied. FitzRoy war bereit, am Morgen abzulegen.

Zu Mittag kam ein Südsturm auf, der ihre letzten Vorbereitungen hinfällig machte. Er hielt die ganze Woche an. Am Morgen des 10. Dezember, während Erasmus an Bord war, um sich zu verabschieden, klarte das Wetter schließlich auf, und FitzRoy gab Befehl, die Segel zu hissen. Der Effekt war elektrisierend – ‹die Steuerleute pfiffen, die Männer an den Trossen arbeiteten zum Klang einer Querpfeife›, und all das mit atemberaubender ‹Schnelligkeit und Präzision›. Um neun Uhr lichtete die *Beagle* den Anker und glitt bis zum Wellenbrecher hinaus, wo Erasmus von Bord ging, begleitet von einem Chor brüderlicher Zurufe.[19] Dann pflügte die winzige Bark durch den Sund und hinaus auf die offene See.

Charles' Leiden begann sogleich. Übelkeit nagelte ihn an die Reling, und er spie sein Frühstück in die Dünung. Den ganzen Tag konnte er nichts bei sich behalten. Am Abend kam ein heftiger Sturm aus Südwest auf, und die *Beagle* fing an, ‹Bug unter› in haushohe Wellen zu stampfen. Für Charles begann ein Alptraum. Die ganze Nacht hindurch schwang er wild in seiner Kabine hin und her und erbrach sich hilflos, während in der Schwärze draußen der heulende Wind, das ‹Tosen des Meeres, die heiseren Schreie der Offiziere und die Rufe der Männer› ein Crescendo erreichten. Mitten in dem Chaos erinnerte sich FitzRoy seines Gefährten. Er wankte hinter dem Steuerrad hervor und versuchte, es Charles bequemer zu machen, indem er seine Hängematte festzurrte. Am nächsten Morgen gab sich der Kapitän geschlagen. Er steuerte das Schiff nach Plymouth zurück, entschlossen, einen günstigen Ostwind abzuwarten.

Vor Anker ging das Warten endlos weiter. Das Schiff war ‹voll Brummbären und Murrköpfen›, und Charles zählte ‹zu den schlimmsten›. Am Mittwoch, dem 21. Dezember, waren die Sonne, das Meer und der Wind perfekt. FitzRoy unternahm einen neuerlichen Anlauf – und setzte das Schiff prompt auf Grund. Es war Ebbe, und die *Beagle* ließ sich nur befreien, indem alle gleichzeitig über das Deck vor- und zurückliefen und das Schiff auf diese Weise zum Schaukeln brachten. Am Nachmittag erreichten sie den Ärmelkanal, und nach erneuter Übelkeit schlief Charles gut die Nacht durch. Am Morgen warf er einen Blick auf seinen Taschenkompaß, und dieser zeigte unglaublicherweise Kurs zurück nach England. In elf Meilen Entfernung von Kap Lizard [südlichster Punkt Cornwalls und damit Englands; Anm. d. Ü.] hatte ein Südweststurm eingesetzt. Der Captain hatte das Schiff gewendet und steuerte jetzt die Meerenge von Plymouth an.[20]

Charles hatte inzwischen keine anderen Wünsche mehr, als ein für allemal auf dem Weg zu sein. Weihnachten ließ ihn kalt. Er ging an diesem Sonntag zur Kirche und hörte einen alten Freund aus Cambridge predigen. Um vier Uhr nachmittags dinierte er im Gun Room und dankte Gott dafür, daß er FitzRoys Tisch teilen durfte. Die Offiziere benahmen sich wie Schlawiner, doch mit dem Gehabe ‹grünschnäbligster Erstsemester›. Ihre gute Laune kam ebenso wie die der Matrosen geradewegs aus der Flasche, aber ohne den Beigeschmack gegenseitiger Verbundenheit wie bei den ‹Schlemmern›. Bei Einbruch der Dämmerung war niemand an Bord mehr nüchtern, nicht einmal Charles. Unnötig zu sagen, daß am nächsten Tag ideales Segelwetter herrschte, bloß daß ‹fast die gesamte Mannschaft betrunken und abwesend› war. Das Schiff verharrte in einem ‹Zustand der Anarchie›, nachdem einige der Matrosen ‹in schweren Ketten› unter Deck festgesetzt worden waren, wo sie abwechselnd tobten und schrien. Der Captain stellte gnadenlos die Ordnung wieder her, und bis zum Abend waren auch die Nachzügler vom Landgang zurück und stellten sich ihrer Strafe. Es kehrte Ruhe ein – und man wartete.

Am 27. Dezember wurden die dreiundsiebzig Seelen der *Beagle* morgens von einem kristallklaren Himmel begrüßt, reingewaschen von einer leichten östlichen Brise. FitzRoy sprach das Zauberwort, und das Schiff erwachte zum Leben: Die Offiziere bellten Befehle, und die Matrosen wuselten über das Deck und die Masten hinauf, um die Segel loszumachen. Die ‹Überflüssigen› hielten sich aus dem Weg – die Missionare unten in ihrer privaten Kajüte, Charles in seiner Kabine, letzte Briefe nach Hause kritzelnd. Um elf Uhr, als das Schiff den Anker lichtete, ging er mit FitzRoy und Lieutenant Bartholomew Sulivan zu einem Abschiedslunch an Bord der Jacht des örtlichen Marinekommissars. Während die *Beagle* von ihrem Liegeplatz in Barnpool gelotst wurde und in den Sund hinauslavierte, glitten die Herren, elegant speisend, auf einem Parallelkurs dahin. Jenseits des Wellenbrechers ging das Trio wieder an Bord der *Beagle,* die bei voller Besegelung langsam aufs offene Meer hinaustrieb. Die ‹Hammelkoteletts und der Champagner›, notierte Charles in seinem Tagebuch, ‹entschuldigen, wie ich hoffe, den völligen Mangel an Emotionen, den ich beim Verlassen Englands empfand.›[21]

9

Ein Chaos des Entzückens

Charles war es wieder fürchterlich übel. Es begann am zweiten Tag auf See, während FitzRoy die Strafen für die Weihnachtsverbrechen austeilte. Vier Männer erhielten insgesamt hundertvierunddreißig Peitschenhiebe wegen Aufsässigkeit, Ungehorsams und Pflichtvergessenheit. Darwin wand sich, während die Peitsche niedersauste und die Übeltäter aufheulten. Diese brutale Strafjustiz drehte ihm den Magen um. Oder war es das ständige Stampfen und Schlingern?

Früh genug wußte er die Antwort, denn die Übelkeit blieb. Sie ging ‹weit, weit über alles hinaus›, was er sich vorgestellt hatte. Zehn Tage lang konnte er nichts bei sich behalten außer ‹Zwieback und Rosinen› oder, wenn ihm das zuwider war, Glühwein, versetzt mit Sago. Wenn er zu stehen versuchte, wurde er vor Erschöpfung fast ohnmächtig; nur eine ‹horizontale Lage› brachte Erleichterung. Als die Nußschale *Beagle* im Golf von Biscaya durch schwere See auf und ab tanzte, schaukelte er, gequält von ‹dunklen und düsteren Gedanken›, unter dem Oberlicht der Achterkabine. Die erneute Lektüre von Humboldts ‹überschwenglichen Schilderungen tropischer Landschaften› munterte ihn etwas auf. Und wenn er nachts hin- und herschwang, war es ‹ziemlich amüsant›, den Mond und die Sterne zu beobachten, wie sie ‹kleine Kreise auf scheinbar neuen Umlaufbahnen› zogen. Ansonsten spürte er nichts außer Übelkeit und Reue. Neujahr war eher ein Zeitpunkt für Selbstvorwürfe als für gute Vorsätze. Die Reise war ein Fehler. Hätte er bloß auf den Vater gehört!

Die *Beagle* passierte Madeira, doch der seekrank in seiner Kabine liegende Darwin bekam nichts davon mit. Als sie sich Teneriffa näherten, wurde die Luft aromatisch, und die Dünung ließ nach. Alle lechzten nach Landurlaub, nicht zuletzt Darwin. Er begann sich besser zu fühlen und war fasziniert, als der Vulkangipfel der Insel über den Wolken auftauchte. Er erschien ihm wie ‹eine andere Welt›, ‹doppelt so hoch›, als er sich je erträumt hatte. Dieser Anblick entschädigte ihn für die Qualen der Seekrankheit. Als die *Beagle* am 6. Januar 1832 in den sonnendurchglühten Hafen von Santa Cruz lavierte, konnte er seine Augen kaum von dem Berg abwenden, der so lange das ‹Ziel meiner Träume› gewesen war. Doch als der Anker fiel, kam ein Boot der Hafenbehörde längsseits, und ein Beamter rief herauf, die *Beagle* sei wegen des Choleraausbruchs in England für zwölf Tage unter Quarantäne gestellt. Keine ‹persönlichen Kontakte›, kein Landgang.

Alle Blicke wandten sich dem Captain zu. Würde er warten? Die Antwort kam sofort. ‹Vorsegel hoch!› rief FitzRoy, und die *Beagle* glitt langsam in die dichter werdende Dämmerung hinein. Darwin war verzweifelt. Der Quarantänebefehl kam wie ein ‹Todesurteil›. Er hatte nicht mehr ‹die geringste Aussicht›, dieses tropische Paradies kennenzulernen. Einige Meilen vor der Küste geriet das Schiff in eine Flaute, und Darwin suchte Trost in der Nacht. Sie ‹tut ihr Bestes, unseren Schmerz zu lindern›, vertraute er seinem Tagebuch an, ‹die Luft ist unbewegt und wunderbar warm – die einzigen Geräusche sind die Wellen, die gegen das Heck plätschern, und die Segel, die schlaff um die Masten flattern [...] Der Himmel ist so klar und erhaben, und unzählige Sterne leuchten so hell, daß sich ihr Funkeln wie kleine Monde in den Wellen spiegelt›.[2]

Zwei Tage später verschwand Teneriffa am Horizont. Es war ‹wie der Abschied von einem Freund›, seufzte Darwin. Die *Beagle* kreuzte in einer frischen Brise südwärts, und es wurde täglich heißer. Er lag still in der Kabine und las den ersten Band von Lyells *Principles of Geology.* Oder er wagte sich an Deck, um ein Planktonnetz auszuprobieren, das er aus grobem Stoff angefertigt hatte. Er warf es vom Achterdeck über Bord und ließ es im Kielwasser nachziehen. Die Ausbeute war gewaltig. Darwin sah sich Myriaden winziger Lebewesen ‹von ungeheurem Formen- und Farbenreichtum› gegenüber. Ähnliches hatte er nie zuvor gesehen, nicht einmal mit Grant. Warum ‹so viel Schönheit› in der Weite des Ozeans, wenn doch niemand da war, sie zu bewundern? Sie schien ‹zu so geringem Zweck geschaffen›.

Das Wetter war ausgezeichnet, mit leichten Winden und Schäfchenwolken an azurblauem Himmel und atemberaubenden Sonnenuntergängen. Die Kapverdische Insel São Tiago, dreihundert Meilen vor der afrikanischen Küste, sollte ihr erster Anlegeplatz sein. Ein trostloser Ort, hatte er gelesen; er würde ihm nicht den ‹dauerhaften Eindruck von Schönheit› verschaffen, den er sich von den Tropen erhoffte.

In dichten Dunst gehüllt, war São Tiago nicht deutlich erkennbar, bis sich die *Beagle* auf drei Meilen genähert hatte. Die Insel entsprach ihrem Ruf: eine Anhäufung karger vulkanischer Hügel. Dennoch war Darwin erleichtert, einfach wieder festen Boden unter den Füßen zu haben, nachdem die *Beagle* vor Praia geankert hatte. Er begleitete FitzRoy, als dieser dem portugiesischen Gouverneur und dem amerikanischen Konsul seine Aufwartung machte. Dann verwirklichte sich endlich sein Traum – er sah seine erste tropische Vegetation. In einem tiefen Tal stieß er auf eine Szene, die an Humboldts Beschreibungen erinnerte, ein üppiges Gewirr von Obstbäumen und Palmen. Er war von Ehrfurcht ergriffen und fühlte sich wie ein Blinder, dem das Augenlicht geschenkt wird: ‹überwältigt› und außerstande, ‹es zu fassen›. Darwin war mit São Tiago ausgesöhnt und begann, sich auf die vor ihm liegenden Wochen an Land zu freuen.[3]

Während FitzRoy ein Observatorium einrichtete und Messungen vornahm, entfaltete Darwin eine hektische Aktivität. Er unternahm Wanderungen mit Musters und McCormick, ritt mit Rowlett und Bynoe, dem Zahlmeister und dem Hilfschirurgen, auf Ponys landeinwärts oder erforschte die Umgebung auf eigene Faust. Es war wie eine Paukparty in Barmouth, aber bei weitem aufregender. Wildkatzen jagten vorüber, grellbunte Eisvögel flitzten herum, und er stieß auf ‹die berühmten Affenbrotbäume›, im Umfang bis zu zehn Meter messend, doch genauso mit Graffiti bedeckt ‹wie x-beliebige Bäume in Kensington Gardens›. Selbstverständlich trug er Waffen. ‹Sehr gut für schwarzen Mann›, meinte sein Dolmetscher mit zustimmendem Nicken; er neigte offenbar nicht zu Skrupeln. Doch Darwin hatte niemals jemand ‹Intelligenteren› gesehen als ‹die Neger- und Mulattenkinder›, die ‹*sofort* begriffen› und ‹über die Perkussionsgewehre staunten›. ‹Sie untersuchen alles mit lebhaftester Aufmerksamkeit und ziehen einem alles aus den Taschen, wenn man sie läßt. Mein silbernes Bleistiftetui war Gegenstand großer Spekulationen.›

Darwin war in seinem Element. Auf seinen Edinburgher Spaziergängen hatte er oft ‹die kleinen Wasserpfützen inspiziert, welche die Ebbe zurückließ, und anhand der winzigen Korallen malte ich mir die größer werdenden aus›. Jetzt war er am Ziel und sammelte an der Küste prächtig gefärbte Schwämme und zauberhafte tropische Korallen. Was ihn am meisten fesselte, war das vulkanische Gelände. Wenn er allein über die sonnenverbrannten Ebenen wanderte, auf denen ‹schwarze und verkohlte Felsbrocken› herumlagen, geriet er in Ekstase, so beflügelten die Urkräfte der Natur seine Phantasie. Die Kargheit und die Einsamkeit verdrängten alle kleinlichen Gedanken: Er sah sich mit der ehrfurchtgebietenden Macht der Erde konfrontiert.

Etwas Merkwürdiges fiel ihm auf, ein horizontaler weißer Streifen, von dem das Gestein etwa zehn Meter über dem Meeresspiegel durchzogen war. Er bestand aus komprimierten Muschelschalen und Korallen und setzte sich fort, so weit das Auge reichte. Offenkundig war das ganze Gebiet einst unter Wasser gewesen. Aber warum jetzt nicht mehr? Fasziniert stellte sich Darwin der Herausforderung.

Sedgwick hatte ihn in Nordwales mit Geologie im Cambridge-Stil bekannt gemacht – einer Wissenschaft von gewaltsamen Gesteinsverschiebungen, zerreißenden Schichten und Gebirgsauffaltungen. Aber wie war dieses

Muschelband in diese Höhe über dem Meer gelangt? Lyells *Principles of Geology* konnten hier helfen, obwohl Henslow zur Vorsicht geraten hatte. Lyell schilderte eine Welt in langsamer und ständiger Veränderung, deren Vergangenheit nicht gewaltsamer war als die Gegenwart, so daß man zur Erklärung der vorgeschichtlichen Welt nichts weiter brauchte als die derzeitigen Klimate, die Vulkantätigkeit und die Erdbewegungen. Die Krustenbewegungen glichen einander aus: Land stieg in einer Zone empor, während es in einer anderen absank, nicht kataklysmisch, wie Sedgwick dachte, sondern allmählich.

Hatte Lyell recht? Tausende Meilen von Cambridge entfernt dachte Darwin allein darüber nach. Es war unmöglich, daß der Meeresspiegel gesunken war; ein niedriger Atlantik war innerhalb der vulkanischen Lebenszeit von São Tiago unvorstellbar. War die Insel also langsam oder abrupt aus dem Meer emporgetaucht? Darwin inspizierte den Austernstreifen nochmals. Er war faktisch intakt und wies kein Anzeichen katastrophischer Gewalt auf. Sein Abstand vom Meeresspiegel schwankte auf der ganzen Länge, was ein späteres Absinken an einzelnen Stellen vermuten ließ. São Tiago zumindest schien Lyells Auffassung zu bestätigen. Darwin fing an, die Welt als in langsamem und allmählichem Wandel begriffen anzusehen.[4]

Jetzt, da sich seine Notizhefte zu füllen begannen, erkannte Darwin, daß er einen ernstzunehmenden Beitrag zur Geologie leisten könnte. Er stellte sich sogar vor, wie er mit Bezug auf die Länder, die er besuchen würde, sein eigenes Buch über das Thema schreiben würde. Nur gelegentlich kam er mit seinen Gedanken auf ‹England und seine politischen Machenschaften› zurück; die Aussicht auf tropische Abenteuer hatte sogar die Reformdiskussionen der Matrosen verstummen lassen. FitzRoy lichtete am 8. Februar 1832 den Anker. Abermals konnte Darwin kaum an anderes denken als an die südamerikanische Vegetation. Er stellte sie sich noch üppiger vor, obwohl er wußte, daß seine ersten Eindrücke von São Tiago ‹nie ausgelöscht werden› würden.[5]

Als ‹überempfindlich und unwohl› beschrieb er sich, während die *Beagle* auf den Äquator zujagte. An den meisten Tagen bezwang ihn die Übelkeit, und dabei haßte er es herumzuliegen. Während er in seiner Hängematte schaukelte, starrten ihn Tierkadaver an und warteten auf ‹Etiketten und wissenschaftliche Beschreibungen›. Es wurde ‹feucht und drückend› in der Kabine; trotzdem konnte er nicht aufstehen, nicht einmal, um sich die steifen Beine zu vertreten. Zum Glück waren manche Nächte kühl, doch tagsüber war es, als würde man ‹in warmer, geschmolzener Butter gedünstet›.

FitzRoy lief die Insel São Paulo an, um sich mit frischem Proviant einzudecken. Die Insel, ‹der Gipfel eines unterseeischen Berges›, war gespickt mit Nestern von Tölpeln und Tölpelseeschwalben. Darwin fuhr mit Stokes und

Lieutenant John Wickham zu dem Schlachtfest an Land. Die Möwen, die keine räuberischen Lebewesen kannten, schienen fast zahm. Die Männer füllten ihre Hüte mit Eiern und wüteten dann unter den Vögeln ‹wie Schuljungen›. Sie schlugen ihnen mit Steinen den Schädel ein, und auch Darwins Geologenhammer leistete dabei gute Dienste; einer der Männer handhabte ihn so heftig, daß der Schaft abbrach. Sie stapelten ihre Beute, während die Matrosen vom Boot aus Barsche und andere Fische angelten und so den Haien das Nachsehen gaben. Die Frischfleischschwemme kam den Leuten auf der *Beagle* gerade recht, um am 16. Februar die Äquatorüberquerung zu feiern.

Die Scheidelinie zwischen nördlicher und südlicher Halbkugel lieferte den traditionellen Vorwand, um Dampf abzulassen. Die Disziplin war vorübergehend aufgehoben, und die Zeremonien nahmen an diesem Abend ihren Anfang. FitzRoy, als Neptun gewandet, zitierte jeden der Neulinge auf das Vorderdeck, wo halbnackte Matrosen in Kriegsbemalung und wie Dämonen tanzend darauf warteten, die Initiation zu vollziehen. Zweiunddreißig Mann hatten die Linie noch nie überschritten, und Darwin war der erste, der aufgerufen wurde. Ein Blick auf FitzRoy, und er flüchtete die vordere Luke hinunter, überzeugt, daß die Besatzung übergeschnappt war. Doch die Dämonen fingen ihn und verbanden ihm die Augen, stellten ihn auf eine Planke und stießen ihn in ein mit Wasser gefülltes Segel. Als sie ihn wieder herausgezogen hatten, schmierten sie ihm ‹Gesicht und Mund mit Pech und Farbe an und kratzten einiges davon mit einem aufgerauhten Eisenring wieder ab›; dann warfen sie ihn mit dem Kopf voran erneut ins Wasser. Das war eine Vorzugsbehandlung, wenn auch unangenehm genug; anderen erging es schlechter. Schließlich wurde das ganze Schiff zu ‹einem Brausebad›, in dem das Wasser ‹in alle Richtungen spritzte [...] Niemandem, nicht einmal dem Captain, blieb es erspart, bis auf die Haut naß zu werden.›[6]

Auch der 17. Februar verging mit Mummenschanz und Klamauk. Darwin erwachte in der südlichen Hemisphäre, den Himmel bestaunend. Draußen auf Deck sah er die Sonne im Norden und nachts das Kreuz des Südens und die Magellansche Wolke. Sein Magen hatte sich dank der veränderlichen leichten Äquatorwinde beruhigt. Aber die Temperatur war drückend und der Kampf um Schlaf eine Tortur. Er bettete sich schließlich auf den Kartentisch – alles war besser als die an ihm festklebende Hängematte –, doch selbst da kamen seine erhitzten Gedanken nicht zur Ruhe. Die kommenden Jahre mit all ihren Gefahren machten ihm angst. Eine neue Welt winkte ihm, aber sein Herz blieb zu Hause. Wenn er nur jetzt schon in Sicherheit und im Kreise seiner Lieben und seiner Freunde auf die Reise zurückblicken könnte! Diese Sehnsucht überkam ihn immer wieder, besonders in ‹lauen und köstlichen› Tropennächten.[7]

Darwin

Ein Passatwind erfaßte die *Beagle* und drückte sie unablässig nach Brasilien. Sie lief Salvador an und ankerte in der Allerheiligenbucht inmitten eines Waldes großer Schiffe, und am 28. Februar betrat Darwin den Subkontinent Südamerika. Salvadors Altstadt mit ihren stinkenden Lagerhäusern und ihren engen Gassen erinnerte ihn an seine Studentenzeit in Edinburgh. Aber hier waren die hohen Häuser ‹in kostbares Holz gehüllt›, und weißgetünchte Kirchen und imposante Säulengänge hoben sich von der Vegetation ab. Es war Regenzeit, die beste Saison, um den Wald zu sehen.

Endlich hatte sich sein Wunsch erfüllt. Humboldts Sprachbilder wurden lebendig, doch selbst dessen ‹großartige Beschreibungen› wurden ihrem Gegenstand nicht gerecht. Darwin wanderte Stunde um Stunde allein dahin, benommen von ‹dem Reichtum der Vegetation … der Eleganz der Gräser, der Neuheit der Schmarotzerpflanzen, der Schönheit der Blumen›. Ihn erfüllte ‹ein Chaos des Entzückens›. An einem schattigen Plätzchen rastend, lauschte er dem summenden, quakenden, pulsierenden Leben. Jetzt wie in vergangenen Zeitaltern, als keine menschlichen Eindringlinge da waren, um es zu hören, war der Wald erfüllt von ‹einer höchst paradoxen Mischung aus Geräusch und Stille›, wie eine große Kathedrale bei der Abendandacht, wenn der Choral in ‹allgemeines Schweigen› mündet. ‹Eine Wonne zur anderen› fügend, begann er zu sammeln: genug Blumen, ‹um einen Gärtner überschnappen zu lassen›, und zahllose Insekten. Solche ‹Wogen der Lust› hatte er nie gekannt. Und man stelle sich vor, rief er aus, nachdem er eine riesige, prächtige Eidechse geschossen hatte, daß man ein solches Vergnügen als ‹Pflicht› bezeichnet! Er mußte es seinem Vater mitteilen und berichtete ihm begeistert von seinem Erfolg. ‹Liebe Grüße an jede einzelne Seele daheim›, schloß er, ‹und an die Owens.›[8]

In Salvador war gerade Karneval, und er wagte sich mit den Lieutenants Wickham und Sulivan auf die festlichen Straßen. Allerdings traten sie unter dem Beschuß von ‹wassergefüllten Wachskugeln› und dem Strahl ‹großer blecherner Wasserspritzen› schleunigst den Rückzug an. Aus ihrer Sicht gab es hier wenig zu feiern. In den Lagerhäusern der Kaufleute, schrieb er kritisch, ‹wird die ganze Arbeit von Schwarzen verrichtet›. Sie kämen so billig, daß die Kapitalinvestition gleich Null sei; nur eine einzige ‹Schubkarre› sei zu sehen gewesen. Die Schwarzen schleppten alles. Doch selbst ‹wenn sie unter ihren schweren Lasten wanken, vertreiben sie sich die Zeit und heitern sich durch ein freches Lied auf›.

Die Schinderei der Schwarzen war ein wunder Punkt, der auch an Bord zu Unstimmigkeiten führte, da FitzRoy das Los der Neger rechtfertigte. Eines Tages bemerkte er, die Sklaverei sei gar nicht so schlimm, denn die Brasilianer behandelten ihre schwarzen Dienstboten im allgemeinen gut. FitzRoy war ein weitgereister Mann, und Darwin war es nicht. Aber in seinem Whig-Herzen konnte Darwin zwischen richtig und falsch unterschei-

142

den. Sklaverei war die einzige Institution, gegen die sich seine ganze Familie aufgelehnt hatte. Sie war schlecht, und Darwin äußerte die Ansicht, Emanzipation sei die einzige Lösung. FitzRoy geriet außer sich; ‹Heißer Kaffee› nannte die Mannschaft den Captain wegen seines Jähzorns, und Darwin verbrannte sich die Finger daran. FitzRoy hatte gehört, wie ein Sklavenbesitzer seine Dienstboten fragte, ob sie unglücklich seien oder frei sein wollten. ‹Nein›, hätten sie geantwortet. Ob man ihre Wünsche also nicht respektieren solle? Darwin fragte ihn, was die Antwort eines Sklaven in Gegenwart seines Herrn wert sei. Daraufhin explodierte FitzRoy und erklärte, sie könnten nicht länger zusammenleben; sein Wort sei in Frage gestellt worden. Damit stolzierte er aus der Kabine.

Das war's also. Es fällt nicht schwer, sich vorzustellen, daß Darwin fürchtete, über Bord zu fallen, als er sich derart verstoßen sah. Die Neuigkeit sprach sich herum, und er war froh über die Einladung, im Gun Room mit den Offizieren zu speisen, die ihn über FitzRoys Wutausbrüche aufklärten. Tatsächlich schickte ihm der Captain einige Stunden später eine Entschuldigung und bat ihn zu bleiben. Captain Paget von der *Samarang*, einem ‹echten Kampfschiff›, war an Bord, um seine Aufwartung zu machen, und Darwin wurde eingeladen, mit den beiden zu tafeln. Jetzt kam die süße Rache. Paget hatte ebensoviel von der Welt gesehen wie FitzRoy. Er kannte die Sklaverei, und als Gast konnte man ihm nicht widersprechen. All die Greuel, an die er sich erinnern konnte, wurden beim Abendessen aufgetischt. Auch er zitierte einen gut behandelten Sklaven, der sich danach sehnte, ‹noch einmal meinen Vater und meine beiden Schwestern zu sehen›. So hätten die Schwarzen zu leiden, schäumte Darwin danach, ‹die von den geschniegelten Wilden in England kaum als ihre Brüder, selbst in Gottes Augen, eingestuft werden›.[9]

FitzRoy ließ am 18. März ablegen, nachdem er den Hafen kartographiert hatte. Die *Beagle* fuhr südwärts die brasilianische Küste entlang, lotete den Meeresboden um die felsigen Abrolhosinseln aus und deckte sich zwischendurch mit frischem Geflügel ein. Dann ging es, mit Aprilscherzen unterwegs, in einer ‹lebhaften Brise› weiter nach Rio de Janeiro. Einmal stürmte Sulivan um Mitternacht in die Achterkabine mit dem Ruf: ‹Darwin, haben Sie je einen Killerwal gesehen?› Darwin stürzte aus seiner Hängematte, um einen Blick auf den Killerwal zu erhaschen – und wurde von der ganzen Nachtwache mit lautem Gelächter empfangen.

Die Lage hellte sich auf. Er sah seine erste Wasserhose, fing seinen ersten Hai und erwartete ungeduldig seine erste Post von zu Hause. Der Postsack kam am 5. April an Bord, als die *Beagle* in den Hafen von Rio einlief – ein bloßes Vermessungsschiff, das angesichts der anwesenden Kriegsschiffe seine Segel mit der Präzision von Sekundenbruchteilen setzte und einholte.

Darwin stellte seine Mithilfe bei dieser Demonstration ein und eilte nach unten, um seine Briefe zu lesen. Selbst der Anblick von Rio, ‹grandios mit seinen Türmen und Kathedralen› und bewacht vom Zuckerhut, mußte da zurückstehen.

Der Klatsch war überwältigend. Alle schienen sich zu verheiraten: Hensleigh mit Fanny Mackintosh, seine Schwester Charlotte mit einem von der ganzen Familie geschätzten Geistlichen. Charlotte konnte es nicht erwarten, daß auch Charles ‹in Deiner Pfarrei› eine Familie gründete und ‹ein guter, aktiver, religiöser Kirchenmann› würde wie ihr eigener Charles Langton. Es sei das ‹glücklichste Leben von der Welt›, schwärmte sie.

Eine weitere Hochzeit stand bevor – die von Fanny Owen. Zunächst wie vor den Kopf geschlagen, brach Charles zusammen, als er weiterlas. Sie habe sich zu Neujahr verlobt, keinen Monat nach ihrem letzten Brief. Ein reicher, schlawinerartiger Typ namens Biddulph (ein aufstrebender Politiker natürlich) habe nach der Hill-Affäre ihre Nähe gesucht, sie in ihrem Jammer bemitleidet und ihr schließlich einen Antrag gemacht. Das sei ‹im Laufe eines geheimen Ausritts› geschehen, und die Hochzeit sei im März. Fanny werde ‹eine *mütterliche, alte Ehefrau* sein, wenn Du zurückkommst›, schrieb seine Schwester Catherine, Salz in seine Wunden streuend. Charles war in Tränen aufgelöst. Er versuchte es philosophisch zu nehmen, doch innerlich ‹schmolz er vor Zärtlichkeit› und schluchzte immer wieder: ‹Meine liebste Fanny!› Ach, was für eine Landpfarrersfrau sie abgegeben hätte! ‹Wie es aussieht, habe ich, wenn es so weitergeht, keine Chance auf eine Pfarrei.›[10]

Um sich abzulenken, preschte er blindlings in das Landesinnere vor. Er schloß sich einem zusammengewürfelten Häuflein britischer Abenteurer aus Rio an, die hundert Meilen nordwärts ziehen wollten, wo einer von ihnen ein Gut besaß. Der Ritt dorthin ging über gewundene Pfade, die Unterkünfte waren schmutzig, das Essen kümmerlich. Charles wurde in der brennenden Hitze krank, hielt aber ‹schwach und erschöpft› durch. Was er zu sehen bekam, entschädigte ihn für die Strapazen: über drei Meter hohe, kegelförmige Ameisenhügel; Silberreiher, die in Salzlagunen wateten; Vampire, die sich an Pferdeblut gütlich taten; und eine Fülle von Orchideen und Kohlpalmen.

Bei seiner Ankunft auf dem Gut sah er ein weiteres ‹gräßliches und schamloses› Beispiel ‹jammervoll geschundener› Schwarzer. Der Besitzer, sein Reisegefährte, stritt mit dem Verwalter, der für die Farm zuständig war, und drohte damit, das farbige Lieblingskind des Mannes auf einer öffentlichen Auktion zu verkaufen. Der Streit eskalierte, und der Gutsherr ließ wütend alle Frauen und Kinder von dreißig Sklavenfamilien zusammentreiben in der Absicht, sie getrennt von den Familienvätern in Rio zu verkaufen. Es war widerwärtig. Wie konnte ein ansonsten so umgänglicher Mann einen solchen Grad von Verworfenheit erreichen? ‹Wie schwach sind die Argumente derjenigen, die behaupten, daß Sklaverei ein erträglicher Mißstand sei!›

Die Farm war aus dem jungfräulichen Dschungel herausgehackt worden, und Charles wanderte in der dampfenden Stille umher. Wieder war er entzückt – nein, tief ergriffen. Mit seiner Flinte und seinem Notizbuch allein, wußte er, daß ihn keine Fanny erwartete, keine schwarzhaarige Schönheit, mit der er den Wald teilen konnte. Auf einem bemoosten Baumstamm sitzend, erinnerte ihn die Szene an sie, und seine Gefühle strömten. ‹Schlingpflanzen schlingen sich um Schlingpflanzen›, kritzelte sein Bleistift, ‹Flechten wie Haar – schöne Schmetterlinge – Stille – Hosianna.› Es war ‹höchste Hingabe›, was er empfand – die Natur war an die Stelle der Liebsten getreten. Er fühlte, wie seine Seele auf sie ansprach, und dachte an die Göttin der Natur.[11]

Der Besuch dauerte nur ein paar Tage, dann machte sich Charles entlang einer ‹glühendheißen, sandigen Ebene› nahe der Küste auf den Rückweg nach Rio. Die *Beagle* kehrte nach Salvador zurück, um die geographische Länge zu überprüfen, aber er beschloß, in Rio auf ihre Rückkehr zu warten. Er holte seine Sachen ab und ruderte am 25. April in die Botafogobucht, einen guten Stützpunkt, von wo aus er weitersammeln konnte. Als er sich dem Ufer näherte, wurde sein Boot von einem großen Brecher überrollt, der ihn umwarf. Als er sich aufrichtete, sah er zu seinem Schrecken, daß all seine Papiere, ‹Bücher, Instrumente und Gewehrfutterale› in der Dünung davonschwammen. Er erwischte zwar alles, aber der Schaden war eingetreten, und er vergeudete einen ganzen Tag damit, die Sachen in einem gemieteten Häuschen zu trocknen und zu reparieren.

Das Haus teilte er sich mit dem Künstler des Schiffes, Augustus Earle, der zwar an Rheumatismus litt, aber gleich daranging, das ‹schöne Fleckchen› zu malen, und einer der zivilisierten Wilden, ‹Miss Fuegia Basket, die täglich in jeder Richtung zunimmt, außer an Höhe›. Die Lage war idyllisch; dabei war die Stadt zu Fuß zu erreichen, wo er den Botanischen Garten auf sich wirken lassen und den Aquädukt finden konnte, der hinauf zum Corcovado führte. Zweimal bestieg er diesen knapp siebenhundert Meter hohen ‹Buckel›, schwelgte in der Aussicht und schauderte bei dem Gedanken, was für eine ‹gräßliche Selbstmordklippe für unglücklich Liebende› das sei.[12]

Wochen vergingen ohne Lebenszeichen von der *Beagle*. Aber er war von seiner Arbeit in Anspruch genommen, jagte und stellte an einem Tag Fallen und präparierte am nächsten, während die Abende der Korrespondenz gewidmet waren. Sein längster Brief ging an Henslow. Charles war prallvoll mit Neuigkeiten: geologischen Fakten, die Mr. Lyells Interesse finden würden, Berichten über Meeresmollusken und Oktopusse, die blitzschnell ihre Farbe verändern konnten, und seinen neuesten Entdeckungen rund um die Bucht. Der landeinwärts gelegene Wald war eine wahre ‹Goldmine›. Hier stieß er auf seinen ersten Affen in der Neuen Welt – einen toten. Auf der Jagd mit einem portugiesischen Padre sah er das bärtige Tier mit seinem

Greifschwanz an einem riesigen Baum hängen. Es war am Tag zuvor geschossen worden, und man bemächtigte sich seiner einfach, indem man den Baum fällte. Er hörte Frösche quaken und Papageien krächzen, sah Glühwürmchen und irisierende Kolibris und beobachtete Eidechsen auf der Flucht vor Marschkolonnen von Raubameisen. Aber was ihn stets am meisten faszinierte, war das niedrige Getier. Wenn er sich, manchmal in sintflutartigem Regen, einen Weg durch das Buschwerk freihackte, stieß er unter modernden Baumstämmen auf ‹schön bunte› Plattwürmer und alle Arten von Käfern; allein am 23. Juni fing er achtundsechzig verschiedene Spezies. Die meisten der kleineren Varietäten waren in Europa nie zuvor gesehen worden, und er forderte Henslow auf, ‹den Entomologen schon einmal Bescheid zu geben, sich gefaßt zu machen und für die Beschreibung ihre Federn zu spitzen›. Es waren ihm auch eine Menge Spinnen ins Netz gegangen, ja er hatte sogar eine winzige Spezies entdeckt, die auf fremden Netzen schmarotzte und sich bei Gefahr totstellte und fallen ließ. Und einen garstigen Parasiten sollte er nie vergessen: eine Raubwespe, die Raupen stach und sie als Nahrung für die Larven in ihr Lehmnest stopfte.

Die Geologie sei so aufregend, bekam Fox zu lesen, ‹wie der Wettspaß›, denn man könne sich vor dem Eintreffen an einem Ort die Chancen ausrechnen, bestimmte Steine zu finden. ‹Ich bekomme Pökelfleisch und muffigen Zwieback zum Abendbrot›, protzte Charles gegenüber dem ‹Schlemmer› Herbert, ‹da siehst Du, wozu es ein Gimpel bringen kann!› Seine Lieben in Shrewsbury erhielten eine Vorstellung davon, wie er seine Aussichten einschätzte, jetzt, da sowohl Charlotte als auch Fanny vergeben waren. ‹Maer und Woodhouse könnte man jetzt glatt zusperren›, schrieb er; dabei sah er ‹durch einen Palmenhain› immer noch ‹eine sehr stille Pfarrei› vor sich. Zumindest die Naturgeschichte würde ihm immer bleiben. Sie würde ihm ‹Beschäftigung und Vergnügen für den Rest meines Lebens› bieten, selbst ‹wenn ich kein anderes Ziel erreiche›.[13]

Die *Beagle* kehrte schließlich mit bedrückenden Nachrichten zurück. Drei Matrosen waren gestorben. Sie waren nach einer Schnepfenjagd erkrankt, hatten ein heftiges Fieber bekommen und waren ihm innerhalb einer Woche erlegen. Als letzten hatte es den ‹armen kleinen Musters› erwischt, seinen ersten Freund aus dem Gun Room. Erst Tage zuvor habe Musters vom Tod seiner Mutter erfahren, schrieb Charles nach Hause; mit einem hilflosen Versuch zu scherzen schloß er: ‹Wie viele hat die Schnepfenjagd zur Strecke gebracht, und wie rasch hat es sie erwischt.›

Noch jemanden hatten sie ebenso unerwartet verloren. Robert McCormick, der Chirurg und Naturwissenschaftler des Schiffes, hatte den Dienst quittiert und die Rückfahrt angetreten; offenbar war er es leid gewesen, im Schatten einer reichen Landratte zu leben. Er mißgönnte Darwin die gesellschaftliche Bevorzugung: Darwin durfte an Land gehen, sammelte, wie es ihm gefiel, saß am Tisch des Captain und verkehrte dank seines Standes ebenbürtig mit der Creme der Kolonialgesellschaft. Wie Darwin zugab: ‹Ich bin der einzige auf dem Schiff, der regelmäßig zu Admirälen, Chargés d'affaires und anderen großen Tieren eingeladen wird› – und dies war wichtig in einem Zeitalter, da sich Botschafter für die örtliche Geologie interessierten. In allem wurde Darwin bevorzugt. Mit seiner eigenen Sammlung war McCormick nicht vorangekommen. Gereizt über seine Zurücksetzung, hatte er den Captain verärgert, der froh war, ihn loszuwerden. Seine Abreise war auch Darwin recht – er war jetzt der offizielle Naturforscher der Expedition.

Darwin schiffte sich wieder auf der ‹schönen› *Beagle* ein, die mit einer neuen Kanone ausgestattet worden war. Sie seien jetzt bereit, witzelte er, es mit jedem ‹Piraten auf See› oder ‹tausend Wilden auf einmal› aufzunehmen. Als er seine Sachen wieder in ‹meiner eigenen Ecke› verstaute, fühlte er sich sogar zur Königlichen Marine gehörig. ‹Die Männer, die am Vordeck singen, der Wachtposten, der über meinem Kopf auf und ab geht, und das leise Knarren der Möbel› waren beruhigende Geräusche.

Am Sonntag, dem 1. Juli 1832, nahm er an einem Gottesdienst an Bord des Kriegsschiffes *Warspite* teil und war gerührt, daß sechshundertfünfzig Männer ihre Mützen abnahmen, als die Band *God Save the King* spielte. ‹Wenn man unter Ausländern die Stärke und Macht seiner Nation erlebt›, bemerkte er, ‹dann ist das ein erhebendes Gefühl, das man zu Hause nicht verspürt.› Jedenfalls unter Brasilianern. Er verabscheute diese ungehobelten Sklavenhalter. Die Männer seien ‹in höchstem Maße unwissend, feige und indolent›, die ‹älteren Frauen› voll ‹Schläue, Sinnlichkeit und Stolz›. Die ‹Mönche› seien genauso schlimm oder noch schlimmer. Alle degradierten sich durch brutale Behandlung der Schwarzen, die Darwin wegen ihres Mutes bewunderte. Er sah den Tag voraus, an dem die Sklaven ‹ihre Rechte durchsetzen und nicht vergessen werden, sich für das ihnen angetane Unrecht zu rächen›.[14]

Die *Beagle* lichtete am 5. Juli den Anker. Sie würde auch im Winter ihre Fahrt nach Süden fortsetzen, an stürmischen Küsten entlang, weiter in Richtung auf die heimtückische Spitze des Kontinents. Alle schauderten bei dem Gedanken und ließen sich Bärte wachsen, die im Einklang mit den ‹barbarischen Regionen› standen, sogar die Offiziere, die ein entsprechend patriarchalisches Aussehen annahmen. Nach zwei Wochen Fahrt fiel die Temperatur auf fünfzehn bis zehn Grad; der Himmel wurde grau, und Böen fegten über das Deck. Darwin litt wieder an Übelkeit und fand seine Hängematte ermüdend. Sein Exemplar von Miltons *Paradise Lost* bot einigen Trost. Er trug stets eine Taschenausgabe des Werkes bei sich, inspiriert von Miltons Vision einer prähistorischen, durch Titanenkämpfe zerrissenen

Welt. Natur und Kunst verschmolzen nun zu einer Einheit, als sich das Schiff dem Río de la Plata näherte. Blitze durchzuckten die Nacht in einem infernalischen Feuerwerk. Die *Beagle* leuchtete auf, und ihre Mastspitzen glänzten im Elmsfeuer, als wären sie mit Phosphor bestrichen. Gleichzeitig war das Meer so hell durch Mikroorganismen erleuchtet, daß man Pinguine ‹an ihrem Kielwasser erkennen› konnte. Der Ozean hatte kein ‹phantastischeres Schauspiel› zu bieten.[15]

Am 26. Juli ankerten sie im Río de la Plata vor Montevideo. Charles hoffte auf Nachrichten von zu Hause; doch es lagen keine Briefe für ihn vor. Politische Neuigkeiten wären willkommen gewesen. Seit Wochen waren an Bord Spekulationen umgelaufen, da das Schicksal des Reformgesetzes alle beschäftigte. War mit einer Revolution zu rechnen, oder hatte sie bereits stattgefunden? Endlich kam die Nachricht, daß die Vorlage doch noch angenommen worden war. Herbert berichtete genüßlich, wie Tory-Lords, in die Enge getrieben, die Fahne verlassen hatten und den Entwurf mit knapper Not passieren ließen. Die doppelzüngigen Torys, die die Reform preisgegeben hätten, machten jetzt den Eindruck einer aussterbenden Rasse. ‹Du bist ja, soviel ich weiß, in einer Tory-Mannschaft; leg bloß einen davon in Spiritus ein, denn wenn Du nach Hause kommst, wird er als naturgeschichtliche Rarität wertvoller sein als Deine Fungi und Coleoptera [...] Solltest Du ein Exemplar mit einem Schwanz oder Spitzohren zu fassen kriegen, dann wird es auf noch größeres Interesse stoßen.› Die einzig Frage, die jetzt noch offenbleibe, brummte der Obertory FitzRoy, sei, ob ‹es einen König oder eine Republik geben wird›.

Kaum hatte Charles angefangen, darüber nachzudenken, als sie selbst politische Spannungen zu spüren bekamen. Montevideo hatte eine unberechenbare Militärregierung, und Buenos Aires war in einem Zustand permanenter Revolution. Britische Truppen hatten dazu beigetragen, die beiden Hauptstädte zu destabilisieren, die sie fünfundzwanzig Jahre zuvor ausgeplündert hatten. Sie hatten ein bitteres Erbe hinterlassen, und die Königliche Marine patrouillierte immer noch am Río de la Plata, um die Interessen der englischen Kaufleute zu schützen. Für manche war die *Beagle* ein Störenfried. Als sie Buenos Aires anlief, feuerte ihr ein Schiff der Hafenwache einen Schuß über den Bug. Wütend weigerte sich FitzRoy, die offizielle Erklärung zu akzeptieren, es habe sich um eine Quarantänewarnung gehandelt. Er lud eine Breitseite und wendete die *Beagle,* wobei er das abgetakelte Wachschiff im Vorüberfahren beschied, das nächstemal werde die Begrüßung beantwortet.

Weitere Abenteuer erwarteten die *Beagle* bei ihrer Rückkehr nach Montevideo. Der Polizeichef bat um Hilfe bei der Niederwerfung eines Aufstands unter den einheimischen schwarzen Truppen. Britische Staatsbürger waren in Gefahr; deshalb entsandte FitzRoy zweiundfünfzig Mann der Besatzung, bis an die Zähne bewaffnet, die die Festung halten sollten, bis Verstärkungen eintrafen. Pistolen im Gürtel und ein Entermesser an der Seite, begleitete Darwin sie in die ‹schmutzige Stadt›. Die schwarzen Rebellen hielten das Munitionslager besetzt; sie hatten in den Straßen Kanonen aufgefahren sowie Gefangene befreit und bewaffnet. Der bunt zusammengewürfelte Haufen der *Beagle* nahm die Festung ohne Zwischenfall und grillte ‹im Hof Beefsteaks›, während die Verhandlungen liefen. Darwin indes, von Kopfschmerzen gepeinigt, kehrte auf das Schiff zurück, um die weitere Entwicklung abzuwarten. Die anderen folgten ihm, sobald bewaffnete Bürger an ihre Stelle traten. Wenige Tage später begann die Schießerei im Stadtzentrum. Darwin fragte sich, ‹ob Despotismus nicht besser ist als eine solche unkontrollierte Anarchie›. Zwar bereitete ihm das ‹Erregende eines solchen Auftrags› zugegebenermaßen ‹eine Menge Vergnügen›, aber das sei es nicht, ‹was uns Philosophen vorschwebt›.[16]

Am 19. August schickte Darwin seine erste Kiste mit Sammelstücken an Henslow ab, der sie für ihn aufbewahren würde. Am selben Tag begann die *Beagle* die erste ihrer Vermessungsfahrten entlang der patagonischen Küste. Die Fahrt nach Süden war beschwerlich, aber es gab Entschädigungen. Vor Bahía Blanca beobachtete Darwin nahe der Wasseroberfläche Schwärme von Würmchen mit reibeisenartigem Kiefer, Millionen transparenter Kleinlebewesen mit krummen Klauen an ihren hufeisenförmigen Mundöffnungen, alle prallvoll mit Eiern. Er hatte keine Ahnung, um was es sich handelte, fing aber eine große Anzahl davon im Netz, von der Aussicht angespornt, den Laich untersuchen zu können. Er war zu seiner ersten, von Grant geweckten Liebe zurückgekehrt, den winzigsten Meereslarven. Mit Hilfe seines leistungsfähigen Mikroskops zerlegte er die Eier; das war Präzisionsarbeit, denn sie waren nur knapp einen halben Millimeter groß.[17] Aber es gelang ihm, sie zu spalten, so daß ihre ‹Moleküle› austraten, in denen er immer noch die Grundbausteine des Lebens vermutete.

Er füllte ganze Quarthefte mit zoologischen Notizen, wobei die polypentragenden Geschöpfe seine Gedanken beherrschten. Das war kein blindes Sammeln hier; er verfolgte seine Edinburgher Interessen weiter. Systematisch studierte er die Fortpflanzung chitinhaltiger Moostierchen wie der *Flustra*. In Bahía Blanca entwurzelte er eine Federkoralle der Art *Virgularia* aus dem Schlamm und schrieb Seite um Seite über die granularen Wanderungen in ihrem Stamm. Dieses in ständiger koordinierter Bewegung befindliche, federähnliche Geschöpf bestand aus Tausenden von fressenden Polypen, besaß aber nur einen Eierstock für alle, was Darwin veranlaßte, über die Bedeutung von Individualität nachzusinnen.[18]

Bahía Blanca war eine abgeschiedene Siedlung. Von der Regierung als ‹Grenzfestung› gedacht, lag es in einer Einöde aus gestrüppreichen Hügeln und Grassteppen – ‹Teufelsland› für die örtlichen Indianer. Das Land gehörte ihnen, obwohl die Spanier es erobert hatten. Scharmützel waren häufig, und eine Kavallerie aus halbblütigen Gauchos patrouillierte in der Region, ‹die wildeste, malerischste Truppe›, die Darwin je gesehen hatte. Nur ihre indianischen Gefangenen, die Knochen eines ‹halbgebratenen Pferdes› abnagten, hatten noch mehr Ähnlichkeit mit ‹wilden Tieren›. Darwin hörte Greuelgeschichten über den Grenzkrieg und seine Barbarei. ‹Die Indianer foltern alle ihre Gefangenen, und die Spanier erschießen die ihren.› Selbst Häuptlinge, die mit einer weißen Fahne zum Palaver kamen, seien schon ohne Federlesens erschossen worden. Die Ebenen würden unbarmherzig gesäubert werden, und Darwin mußte feststellen, daß er mit Mördern fraternisierte.

Engländern drohte in der Regel keine Gefahr, solange sie Waffen und einheimische Währung bei sich hatten. Darwin besaß von beidem genügend, und die Gauchos betrugen sich zivilisiert. Sie nahmen ihn auf Ausritte mit und zeigten ihm, wie man mit der Bola, der Wurfschlinge, einen schnellfüßigen Pampasstrauß (Nandu oder Rhea) zu Fall brachte. Dann servierten sie ein am offenen Feuer gebratenes Gürteltier und Straußeneiknödel. ‹Die Gürteltiere, ohne Panzer gekocht, schmecken und sehen aus wie Enten›, schrieb er; sie seien eine ausgezeichnete Nahrung. Kurioseres Fleisch hatte keiner der Cambridger ‹Schlemmer› je verzehrt. Er verbrachte den September so, wie er es in England getan hätte: auf der Jagd. Hochwild war reichlich vorhanden, und er brachte drei Exemplare zur Strecke; andererseits lieferte ein Aguti, ein fast zehn Kilo schweres, schokoladenbraunes Nagetier, ‹das beste Fleisch›, ‹das ich je gegessen habe›.[19]

Ihm war etwas bang, ob er in Südamerika gute Fossilien finden würde. Mit Widerwillen vernahm er, daß der französische Sammler Alcide d'Orbigny seit sechs Monaten die Gegend abgesucht und die besten Stücke in das Pariser Museum verfrachtet hatte. Die Galle konnte einem hochkommen; Charles war auf eigene Kosten hierhergefahren, nur um feststellen zu müssen, daß die französische Regierung ihren Mann finanzierte und ihm gestattete, sechs Jahre lang gratis die Pampas durchzukämmen. Das sprach Bände über die ernsthafte französische Einstellung zur Naturwissenschaft. ‹Ich befürchte egoistischerweise sehr, daß er die Creme von allen guten Dingen abschöpfen wird›, bekannte er Freund Henslow.

Seine Befürchtungen waren unbegründet. Am 22. September durchstreifte er zehn Meilen von der *Beagle* entfernt die Bucht von Punta Alta. Bei der Überprüfung einiger niedriger Felsen stieß er auf die versteinerten Knochen eines kolossalen ausgestorbenen Säugetiers. Aufgeregt grub er die Zähne und einen Schenkelknochen aus dem Quarz- und Kieselschotter aus und belud seine Lastpferde damit. FitzRoy reagierte lakonisch und neckte seinen Reisegefährten wegen der ‹Kisten voll nutzlosem Zeug›, die die Gangway hinaufgetragen wurden. Darwin, der an all den Plunder der

Feuerländer im Laderaum dachte, ließ sich von dem Spott des Captain jedoch nicht beirren.

Am nächsten Tag kehrte er an die Stelle zurück und fand einen riesigen Schädel, ‹eingebettet in weiches Gestein›. Er brauchte ‹fast drei Stunden, um ihn herauszubekommen›, und es war bereits dunkel, als er ihn endlich an Bord schaffen konnte. Darwin wußte wenig über fossilisierte Säugetiere, zumal derartige Ungetüme. Am ehesten vermutete er, daß sie ‹mit dem Rhinozeros verwandt› seien, also einem jetzt in Afrika und Asien lebenden Tier. Am 25. September fand er weitere Knochen. Viele boten keinen besonderen Anblick, waren ungefüge Trümmer oder lediglich Splitter; andere am Strand hatten die Wellen abgeschliffen. Dennoch waren sie kostbar. In ganz England gab es nur ein einziges südamerikanisches Riesenfossil – ein Riesenfaultier, das soeben vom College of Surgeons erworben worden war.

Am 8. Oktober war Darwin wieder da und meißelte einen Kieferknochen aus dem Gestein. Dessen einziger Zahn war charakteristisch und wies seinen ehemaligen Besitzer als Megatherium aus, einen am Boden lebenden Verwandten des Faultiers von enormer Größe. In der Nähe fand Darwin polygonale Knochenplatten mit einem Durchmesser von fünfzehn Zentimetern. All diese Funde verschmolz er in seiner Vorstellung zu einem ‹vorsintflutlichen› gepanzerten Faultier von der Größe einer Kuh. Er zerbrach sich den Kopf darüber, wie die Knochen da hingekommen waren, wie der sie bergende Schotter entstanden war. Vielleicht war eine ‹äußerst heftige› Sturzflut über die Pampa hereingebrochen und hatte die Knochen und Kiesel vor sich hergefegt? Wie auch immer, was zählte, war, daß er sie gefunden hatte. ‹Ich hatte ungeheures Glück›, schrieb er nach Hause. Manche der Säugetiere seien riesig und ‹viele davon völlig neu›. Henslow teilte er mit, er habe Fragmente von mindestens sechs Tieren – solche von Riesenfaultieren, Panzer von Riesengürteltieren, Zähne eines enorm großen Nagers, Teile von Verwandten des Meerschweinchens. Er verpackte sie versandfertig für Cambridge in Kisten, ‹sehr gespannt› zu erfahren, was genau er gefunden hatte.[20]

Am 19. Oktober nahm die *Beagle* wieder nördlichen Kurs auf Montevideo. Sie pflügte durch das leuchtende Meer, das Darwin an ‹die Regionen von Chaos und Anarchie› erinnerte, die in *Paradise Lost* beschrieben sind. Milton schien wieder wunderbar zu passen, als sie sich dem Río de la Plata näherten, denn hier, wo Revolutionen brodelten, wollte sich FitzRoy auf ihren Sturm auf das satanische Bollwerk, das ‹Land des Feuers›, Tierra del Fuego, rüsten. Er hatte den göttlichen Auftrag, dort zu landen, drei Feuerländer und einen Engländer dort abzusetzen; dies war jetzt die dringlichste Aufgabe der *Beagle*. Das Schiff legte in Montevideo an, um die wartenden Missionare abzuholen und sich für den Vorstoß nach Süden zu wappnen. Auch Darwin mußte seine Vorbereitungen treffen; aber zunächst gab es die neueste Post zu lesen.[21]

Vetter Fox berichtete den politischen Klatsch: Die Monarchie war noch intakt, obwohl ‹wir einige Tage lang sicherlich am Rand der Revolution standen›. Trotzdem seien die Gemüter sehr in Wallung, da die Wahl eines reformierten Unterhauses vor der Tür stehe. Charles' Schwestern berichteten die Familienneuigkeiten. Hensleighs Schwiegervater, Sir James Mackintosh, war gestorben. Noch trauriger für Charles war, was sie von Fanny Owen erzählten – von ihrer prächtigen Hochzeit, daß sie ‹mit Mr. Biddulph›, der für die Whigs kandidierte, ‹in Denbigshire *um Stimmen werbe*›, von ihrem verschwundenen ‹*Heimchen*geist›. Das war es nicht, was er hören wollte, aber wenigstens war die Familie von seinem Tagebuch begeistert, das er in Fortsetzungen schickte, und alle hatten große Erwartungen. Susan freute sich, ganz im Sinne des Vaters, bei der Vorstellung von der ‹stillen Pfarrei›, in der er sich eines Tages niederlassen werde. Catherine pflichtete ihr bei und suchte ihn mit einer zukünftigen Braut zu ködern, Fanny Wedgwood, der Schwester von Charlotte und Emma. Sie würde ‹eine nette kleine, unschätzbare Ehefrau sein› und ‹eine ausgezeichnete Wahl für einen Geistlichen›.

Erasmus, der es sich in London mit einem ‹Labor in meiner Wohnung› gemütlich gemacht hatte, goß Säure über den Plan. Er sei entsetzt zu hören, ‹daß Du Dich immer noch auf diese gräßliche kleine Pfarrei in der Wüste freust›. Er wollte, daß sich sein Bruder in der Stadt niederlasse, ‹in der Nähe des Britischen Museums oder einer anderen wissenschaftlichen Einrichtung›. ‹Meine einzige Chance ist›, meinte Erasmus, ‹daß die Staatskirche abgeschafft wird, und mancherorts werden schon Zusagen dieser Art verlangt.› Jetzt, da kirchenfeindliche Radikale die Trennung von Kirche und Staat forderten, könne sich der Gedanke an eine kirchliche Laufbahn als akademisch erweisen.

Erasmus fuhr in seinen politischen Tiraden fort; er sprach über die Wahl, die Abschaffung des Zehnten und der Zeitungssteuer (die eingeführt worden war, um die radikale Presse zu knebeln), über die National Political Union, die sich weigerte, den König hochleben zu lassen. Aber er fragte sich auch, ob ihm sein Bruder überhaupt zuhöre. ‹Ich habe Dir all diese politischen Dinge geschildert, obwohl ich glaube, daß Du zu weit von England weg bist, als daß es Dich sonderlich interessieren könnte. Politik läßt sich nicht gut verschicken.›[22]

Charles wußte nicht, was er denken sollte. Die Heimat war ständig in seinem Bewußtsein, besonders an ‹ruhigen, herrlichen› Tagen, aber seine alte Welt schien zu zerfallen. Die Cholera hatte ebenso wie die Reform das Land erfaßt und sogar Shrewsbury erreicht. Freunde aus Cambridge gelangten in den Genuß ihrer Dozenturen, Professuren und Pfarreien. Und er war so weit weg. ‹Armes, liebes altes England›, schrieb er seufzend an Fox. ‹Ich hoffe, daß meine Wanderungen mich nicht ungeeignet machen werden für ein ruhiges Leben, und daß ich eines künftigen Tages das Glück haben werde, mich wie Du für das Amt eines Landgeistlichen qualifizieren zu können. Aber der Captain meint, wenn ich in solchen Visionen schwelge wie grünen Wiesen und reizenden Frauchen usw. usf., dann würde ich mit Sicherheit abdampfen. Ich muß mich daher mit sandigen Pampas und Riesenfaultieren zufriedengeben.›

Das tat er auch, aber nur knapp. Da die südlichen Regionen noch zu erkunden waren, hatte er es eilig weiterzukommen. Der ‹widerwärtige› Río de la Plata deprimierte ihn. ‹Lieber würde ich in einem Kohlenschlepper auf dem Cam leben›, stöhnte er gegenüber dem Vater und den Schwestern. Zum Glück hatte ‹ein sehr netter, kultivierter Mensch›, Robert Hamond, kürzlich als Maat auf der *Beagle* angeheuert. Hier war endlich jemand, mit dem er die Zeit verbringen konnte, und zusammen planten die beiden ihre letzten Landgänge. In Buenos Aires ankerte das Schiff diesmal unbelästigt. Die Gentlemen machten sich auf in die Stadt, durchstreiften zu Pferde die schmutzigen, schachbrettartig angeordneten Straßen und taxierten die Señoritas. ‹Beim Anblick … dieser vorübergleitenden Engel› verzweifelten sie über die ‹törichten Engländerinnen›. Selbst von hinten, wenn er seine Augen an ‹ihrem bezaubernden Rücken› weidete, konnte Darwin nicht anders, als sich vorzustellen, ‹wie schön› sie sein mußten.[23]

Er machte auch Einkäufe – Zigarren und Scheren, Notizbücher und Schreibfedern –, ging zum Zahnarzt und ins Theater und wünschte dennoch, daß sie aufbrächen. Jede Verzögerung um einen Tag bedeutete einen Tag weniger während des kurzen Sommers im Süden, wo der Wind im Winter tückisch wurde. Am Sonntag, dem 4. November, besuchte er ‹mehrere der Kirchen›. ‹Götzendienst› mochte es sein, aber er müsse ‹die Inbrunst respektieren, die während des katholischen Gottesdienstes, verglichen mit dem protestantischen, zu herrschen scheint›; zudem beeindruckte ihn, daß es während des Gottesdienstes ‹keine Rangunterschiede› zu geben schien. Vor ihrer Abreise suchten Hamond und er ihren Frieden mit Gott zu schließen. Hamond, ein Verwandter von Musters, wußte ebensogut wie Darwin, welche Gefahren vor ihnen lagen, und sie baten den Marinekaplan, ihnen die heilige Kommunion zu spenden. Für sie allein sei dies nicht möglich, bedauerte dieser und legte ihnen nahe, mit anderen Schiffskameraden zurückzukommen, falls sie es ernst meinten.[24] Darwin und Hamond gingen mit dem Gefühl auf die *Beagle* zurück, sich nun auf FitzRoys Seemannskunst und andere Gnadenmittel verlassen zu müssen.

Die Post in Montevideo enthielt eine freudige Überraschung, den zweiten Band von Lyells *Principles of Geology*. Er war merkwürdig anders geartet als der erste. Während sich dieser mit den allmählichen Veränderungen früherer Landschaften befaßt hatte, warf jener die Frage auf, ob sich Tiere und Pflanzen nicht parallel zu diesem Wandel verändert hatten. Gab es einen natürlichen Mechanismus der langsamen Transformation, um Schritt zu halten? Nein, lautete die kurze Antwort. Darwin hielt ein Buch in Händen, das eine einzige Widerlegung Lamarcks war. Er grübelte über Lyells Auffassung nach, daß jede Tier- oder Pflanzenart an ihren Geburtsort – ihr ‹Entstehungszentrum› – angepaßt sei. Jede Veränderung, jede Umweltbelastung würde sie ausrotten, nicht transformieren. (Das konnte Darwin nachvollziehen, nachdem er die Gruft des Megatheriums gesehen hatte.) Die Spezies lösten einander ständig ab; wenn alte natürlicherweise ausstarben, wurden auf mysteriöse Weise neue geboren.

Es war ein lebendig, brillant geschriebenes Buch, das Werk eines Advokaten, vollgestopft mit gescheiten Argumenten gegen die Behauptung der Evolutionisten, das Leben gleiche einem Baum. Können alle Tiere ihre Herkunft von einem einzigen Stamm ableiten? Lyell verneinte das, entsetzt über die Vorstellung von einem Schimpansen in der Familie, einem Affen, der Anspruch auf ‹die Attribute und die Würde des Menschen› erhöbe. Er ging noch weiter und behauptete, die Geschichte des Lebens auf der Erde sei völlig mißverstanden worden. Die Abfolge der Fossilien aus vorgeschichtlichen Zeiten weise keinen allgemeinen Fortschritt in Richtung Menschheit auf, lautete sein Tenor.[25] Er wußte, daß es keine Transmutation geben konnte, wenn kein Fortschritt vorhanden war. Aber Lyell hatte zumindest die Frage gestellt, wie Arten sterben und wiedergeboren werden, und das in einer genealogischeren Weise, als Darwin je erlebt hatte. Das war Stoff zum Nachdenken.

In Montevideo vergrub sich Darwin aber nicht bloß in Lyells neues Buch. Er nahm am ‹großen Ball› im Theater ‹zur Feier der Wiedereinsetzung des Präsidenten› teil und kehrte am nächsten Abend dorthin zurück, um sich Rossinis *La Cenerentola* anzusehen. Daneben arbeitete er hart; zwei große Behälter mit fossilen Knochen und ein kleiner mit Häuten, Käfern und Fischen in Spiritus gingen am 24. November, zwei Tage vor ihrer Weiterfahrt, an Henslow ab. Ausgepumpt in der Achterkabine liegend, fragte er sich, wie lange er noch durchhalten werde. ‹Ein Jahr ist fast um, und das zweite wird ebenfalls vergehen, bevor wir auch nur die Ostküste Südamerikas verlassen. – Und dann kann man sagen, daß unsere Reise erst richtig angefangen hat.›[26] Er hatte es schrecklich eilig weiterzukommen, Feuerland zu erreichen und danach die Welt zu umsegeln.

10

Geister aus einer anderen Welt

Mit Wilden hatte Darwin ja gerechnet. Sie sollten einer der Höhepunkte der Reise sein – wilde Primitive, Menschen aus einem anderen Zeitalter, die Objekte von FitzRoys Mission. Aber von dem Schock der ersten Begegnung war ihm immer noch schwindlig.

Drei Wochen nach der Abfahrt von Montevideo erblickte er sie. Die Luft war ‹so erfrischend wie ein englischer Winter›, als die *Beagle*, den Böen trotzend, in die Buen-Suceso-Bucht nahe der Südspitze von Feuerland einlief. Und da waren sie, ‹auf einem wilden Felsvorsprung hockend, der auf das Meer hinausragte› – nackt. Rohe, ‹ungezähmte› Feuerländer, die heisere Laute ausstießen, wild mit den Armen fuchtelten und unter den spärlichen Tierfellen, die sie über die Schultern geworfen hatten, ihre ‹schmutzige, bronzebraune› Haut zeigten.

Nicht in seiner wildesten Phantasie hatte Darwin sich je vorgestellt, daß die drei einheimischen Missionare an Bord – York Minster, Jemmy Button und Fuegia Basket – einst so gewesen waren. Am 18. Dezember 1832 ruderte er mit FitzRoy und einer gutbewaffneten Wache an Land, um die Wilden kennenzulernen. Die jungen Männer waren fast so groß wie er und kräftig gebaut, sie hatten langes schwarzes Haar und bemalte Gesichter; ihre Mienen waren beunruhigt. Zunächst scheu und voll Angst vor den Schußwaffen, schwatzten und gestikulierten sie. Durch ein Geschenk von rotem Stoff ermutigt, verwickelten sie die Offiziere dann in eine groteske Scharade, wobei sie untereinander ‹scheußliche Grimassen› schnitten, sich fröhlich auf die Schulter schlugen und am Strand herumtanzten. Es war ‹ohne Ausnahme das merkwürdigste und interessanteste Schauspiel›, das Darwin je gesehen hatte, und er zog rasch seine Schlüsse. Diese ‹erbärmlich aussehenden Gestalten› hatten keine richtigen Kleider, keine ordentliche Sprache und keine anständigen Behausungen; sie besaßen nichts außer Bogen und Pfeilen. ‹Wie vollständig der Unterschied zwischen wildem und zivilisiertem Menschen ist. – Er ist größer als zwischen einem wilden und

155

einem domestizierten Tier [...] Ich glaube, wenn man in der ganzen Welt suchte, könnte man keinen tieferstehenden Menschen finden.›[1]

Waren das überhaupt Menschen? Ihre Bekleidung erinnerte an die ‹Teufel auf der Bühne› in der Oper *Der Freischütz,* die er in Edinburgh gesehen hatte. Ihre Gesten ließen sie wie ‹verstörte Geister aus einer anderen Welt› erscheinen. Fast mißgönnte er ihnen den Status von ‹Mitgeschöpfen›. ‹Ein Wilder ist ein armseliges Tier›, stellte er entsetzt fest. Doch was war dann mit York und Jemmy, die, obwohl sie aus anderen Stämmen kamen, mit ihrem Missionar und Mentor Richard Matthews ebenfalls hier an Land gingen? Waren sie nicht zivilisiert worden? Hatte ihr Jahr in England nicht ihre Verwandtschaft erwiesen – und die enorme ‹Entwicklungsfähigkeit› des Menschen? Vernünftig für einen englischen Winter gekleidet, standen sie am Strand etwas abseits beisammen und machten sich über die Wilden lustig. Als der älteste Feuerländer auf York zuging und ihn schalt, weil er sich einen Bart hatte wachsen lassen, brach York in ein ‹unmäßiges Gelächter› aus. Hier war sicherlich ein Beweis für die Plastizität der menschlichen Natur.

Als alle wieder zurück an Bord waren, bemerkte der junge Matthews leichtfertig, die Wilden seien ‹nicht schlimmer, als er erwartet hatte›. Das war schiere Kaltblütigkeit aus dem Munde eines Mannes, der im Begriff war, für Jahre bei ihnen zurückgelassen zu werden. Und woher bezog dieser grüne Junge seine Vergleiche? Darwin erinnerte sich an Cambridge – an Sedgwicks und Henslows Soireen und die großen Koryphäen an der Tafel. Stammten diese erhabenen Moralisten von denselben Vorfahren ab? Und Shakespeare und Newton? Als er die Umgebung erforschte, war er in gedrückter Stimmung. In die Berge hinaufsteigend, sammelte er alpine Pflanzen und Insekten inmitten ‹allgemeiner Anzeichen von Gewalt›. Die ‹gestürzten und verrottenden Bäume› gingen auf den Tropenwald zurück, aber hier, so spürte er, ‹in dieser stillen Einsamkeit ist der Tod, nicht das Leben der vorherrschende Geist›. Es war ein merkwürdiger Advent, hier, am Ende der Welt; eine erschreckende Erkenntnis über den Menschen gab ihm zu denken. Tage später, als die *Beagle* den Seemannsfriedhof von Kap Hoorn umrundete und York Minsters Heimat im Westen ansteuerte, spielte die Natur einen fürchterlichen Kontrapunkt dazu, mit ‹schwarzen Wolken, die sich über den Himmel schoben›, und Hagelschloßen, die das Meer peitschten.

Am 24. Dezember lief die *Beagle* die kleine Wigwambucht auf der weiter südlich gelegenen und zur Antarktis ausgerichteten Hermiteinsel an. Alle bekamen dienstfrei, und die Berge hallten von den Schüssen der Seeleute wider, die frisches Wild für ihr Festessen erlegten. Am Weihnachtsfeiertag wurde Grog ausgeschenkt, während Darwin mit Sulivan und Hamond daranging, den höchsten Berg der Insel zu besteigen. Es war ein leichter Aufstieg, und unterwegs erhöhten sie den Geräuschpegel ‹durch Schreien, um

Echos festzustellen; Sulivan amüsierte sich, indem er riesige Steine den Abhang hinunterrollte, und ich›, so notierte Darwin in seinem Tagebuch, ‹indem ich stürmisch auf die Felsen einhämmerte›. Die Feuerländer beobachteten sie dabei, wie sie später hörten. ‹Sie müssen uns für die Mächte der Finsternis gehalten haben›, meinte er amüsiert, denn Furcht ‹hielt sie verborgen›.[2]

Das sollte für Wochen sein letztes Amüsement gewesen sein. Das Wetter verschlechterte sich. Daß sie in der Silvesternacht während einer Flaute ausgelaufen waren, erwies sich als Fehler. Der Wind drehte mit ungeheurer Heftigkeit nach Südwest, und die *Beagle* mußte sich Meile um Meile an der zerklüfteten Südflanke des Kontinents entlangkämpfen. Für Darwin war es die Hölle. Bei Temperaturen zwischen fünf und zehn Grad und überflutetem Deck ständig an der Reling sich erbrechend, wußte er, daß sein ‹Geist, sein Gemüt und sein Magen nicht viel länger durchhalten› würden. Am Samstag, dem 12. Januar 1833 schwoll der heftige Wind zu einem Orkan an. Von der Gischt geblendet, verlor der Captain die Orientierung. Er gestand, noch nie in so schwieriger Lage gewesen zu sein.

Am Sonntag um die Mittagszeit erreichte der Sturm seinen Höhepunkt. Drei schwere Sturzwellen brachen über die *Beagle* herein. Sie ‹tauchte aus der ersten zwar unbeschädigt empor, aber ihre Fahrt war gebremst; die zweite stoppte sie völlig, so daß sie den Wind verlor; und der dritte große Brecher, der sie querab traf, legte sie so weit um, daß das gesamte Schanzkleid auf der Leeseite einen Meter unter Wasser geriet›. Das Rettungsboot riß sich los, und die Leine mußte gekappt werden; die See ergoß sich in die Achterkabine und unter Deck. Alles war in einem Chaos. Dann richtete sich das Schiff langsam ‹wie ein Faß› wieder auf, und da die Luken aufgestoßen wurden, floß das Wasser ab. Noch eine solche Sturzsee, und die Bark wäre dem Ruf ihrer Klasse gerecht geworden und hätte sich in einen ‹Sarg› verwandelt. Doch das Schlimmste war vorbei, und FitzRoy suchte hinter dem falschen Kap Hoorn Zuflucht, wo Darwin den Schaden überprüfte. Seine ‹Trockenpapiere und Pflanzen› waren von dem Salzwasser ruiniert. In schrecklicher Angst vor den Stürmen betete er: ‹Möge die Vorsehung die *Beagle* vor ihnen schützen.›[3]

Doch dies war Gottes Odyssee – sein Schutz konnte vorausgesetzt werden. Der Captain beschloß jetzt, seine Missionsstation bei Jemmys Volksstamm zu errichten, da sich York ‹aus freien Stücken› bereit erklärt hatte, dort zu leben. (Soweit Darwin. FitzRoy vermerkte die ‹Aufmerksamkeiten›, mit denen York ‹seine zukünftige Ehefrau Fuegia bedachte›, was ‹sehr zur Erheiterung beitrug›.) Eine große Gesellschaft einschließlich Darwins machte sich in einer Flottille kleiner Boote durch den Beaglekanal – der auf der letzten Reise entdeckt worden war – zum Ponsonbysund und nach Jemmys Heimat an der kleinen Woollyabucht auf. Am 23. Januar zogen sie

157

die Boote auf den Strand und entluden ‹Weingläser, Saucieren, Teetabletts, Suppenterrinen, Toilettenkästchen aus Mahagoni, feine weiße Bettwäsche und eine endlose Vielzahl ähnlicher Dinge›, für Darwin ein Beweis ‹sträflicher Torheit›. Hütten wurden errichtet und Gärten angelegt, während Scharen undurchschaubarer Feuerländer zuschauten. Matthews, zur Frömmigkeit entschlossen, sagte seinen Schiffskameraden in dem Bewußtsein Lebewohl, daß ihm der Captain einen letzten Besuch abstatten würde, sobald sich die Gesellschaft weiter westlich umgesehen hatte.

Die Landschaft war beeindruckend. Sie folgten dem Lauf des Beaglekanals und hatten dabei stets einen Gebirgskamm aus Granit vor Augen, das Rückgrat von Feuerland. Darwin erinnerte die horizontale Baumgrenze an die ‹Hochwassermarkierung› am Strand, und er begeisterte sich für den ‹Mantel aus ewigem Schnee›. Die Gebirgsflanken fielen steil zum Kanal hin ab, wo riesige ‹beryllblaue› Gletscher Eisberge auf die Wellen schickten. Einer dieser Gletscher hätte sie beinahe von der Außenwelt abgeschnitten. Während sie eine halbe Meile davon entfernt am Strand picknickten, hörten sie ein ‹donnerndes Getöse› – eine riesige Eismasse brach von der Front des Gletschers ab. Die Wucht des Aufpralls löste ‹große Sturzwellen› aus, die auf die Flottille zurollten. Darwin reagierte blitzschnell. Er und andere packten die Boote und zogen sie in Sicherheit, gerade als der erste Brecher niedersauste. FitzRoy war so beeindruckt, daß er am nächsten Tag einem Seitengewässer den Namen ‹Darwinsund› gab. Aber Darwin war es nicht darum gegangen, Eindruck zu schinden – er hatte aus Furcht gehandelt. Hätten sie die Boote verloren, ‹wie gefährlich wäre unser Los gewesen›, schrieb er, ‹umgeben von feindseligen Wilden und unseres Proviants beraubt.›[4]

Manche Feuerländer waren tatsächlich feindselig. Mit dem Mut ‹eines wilden Tieres› bedrohten sie das Nachtlager der Gruppe; deshalb wurden bewaffnete Wachen aufgestellt. Als Charles an der Reihe war, schauderte er bei dem Gedanken an seine Verletzbarkeit in diesem Land. ‹Die Stille der Nacht wird nur von dem schweren Atem der Männer und dem Schrei der Nachtvögel unterbrochen. Das gelegentliche ferne Bellen eines Hundes erinnert einen daran, daß die Feuerländer in der Nähe der Zelte auf der Lauer liegen könnten, bereit zu einem tödlichen Überfall.› Alle waren überzeugt davon, unter Kannibalen zu sein. Als man Jemmy nach dieser Praxis fragte, hatte er die erwartete Antwort gegeben und augenzwinkernd erklärt, ‹im Winter fressen sie manchmal die Frauen auf›. Niemand bezweifelte seine Autorität, und den Mitgliedern der Gruppe graute bei dem Gedanken, was sie bei ihrer Rückkehr in ‹die Siedlung› vorfinden könnten. Als sie neun Tage später nach der Rückfahrt durch den Beaglekanal dort eintrafen, erfuhren sie, daß Matthews und den übrigen nicht viel Schlimmeres widerfahren war als Pöbeleien und systematische Ausplünderung. Die Feuerländer hatten die gesamte Habe der Ankömmlinge wahllos unter sich aufgeteilt. Darwin vermutete hierin einen weiteren Beleg für kollektive Barbarei. ‹Die vollkommene Gleichberechtigung sämtlicher Einwohner wird auf viele Jahre ihre Zivilisation verhindern.› Bis ‹irgendein Häuptling› aufsteige, der ‹aufgrund seiner Macht› Besitztümer für sich anhäufen könne, ‹sollte man alle Hoffnungen begraben, ihre Lebensbedingungen zu verbessern›.

Angesichts dieses schnöden Empfangs gab sich Matthews geschlagen; er schloß sich wieder seinen Schiffskameraden an und überließ die elfjährige Fuega mit York und dem untröstlichen Jemmy der Gnade ihrer Landsleute. York werde versuchen, ‹wie ein Engländer zu leben›, glaubte Darwin, aber keiner der drei werde glücklich sein. ‹Sie sind viel zu gescheit, um nicht die gewaltige Überlegenheit einer zivilisierten Lebensweise zu erkennen.› Ihre einzige Hoffnung liege in den Gärten, die er anzulegen geholfen hatte. Die Bearbeitung des Bodens werde ihnen Disziplin beibringen und ihre Kost verbessern. Mit der Zeit werde das Beispiel ihres Wohlstands vielleicht die Gewohnheiten vieler ‹wilder Einwohner› verändern, und die ganze Küste Feuerlands werde englische Seeleute willkommen heißen.[5]

Mit dem zusätzlichen Ballast von Darwins Granit- und Schieferproben steuerte die *Beagle* auf die Falklandinseln beziehungsweise die Malwinen zu, wie sie in Buenos Aires genannt wurden. Er erwartete, Gast argentinischer Kolonisten zu sein, die dort seit Jahren siedelten. Aber am 1. März, als das Schiff in Port Louis, dem östlichsten Punkt des Archipels, ankerte, erblickte er eine britische Flagge. Britische Kriegsschiffe hatten die Inseln im Januar für die Krone erobert und die argentinische Armee vertrieben. Ganz Südamerika war ‹in Aufruhr› über die britische Aktion, wie Darwin hörte. ‹Nach der drohenden Sprache von Buenos Aires könnte man schließen, diese große Republik beabsichtige, England den Krieg zu erklären!› Das Ganze erschien absurd, zumal nur ein einziger Engländer auf den Inseln lebte, ein Ladeninhaber namens Dickson, der die Flagge hütete. Doch Darwin begriff die strategische Bedeutung der Malwinen für den Ost-West-Handel, und das war der Grund, warum FitzRoy seine Absicht erklärte, eine genaue Vermessung vorzunehmen.[6]

Während die Inseln kartiert wurden, durchstreifte Darwin das Land, ‹brach Steine, schoß Schnepfen und sammelte die wenigen Lebewesen› ein, die er auf Ostfalkland finden konnte. Die Region war öde und das Wetter ‹kalt und stürmisch›, doch wie zur Entschädigung stieß er auf ‹unerhört primitiv aussehenden› Sandstein. Er wußte, daß Sedgwick von diesem ältesten fossilhaltigen Gestein fasziniert war. Tatsächlich enthielt es Armfüßer, zweischalige Weichtiere, wie die Felsen in Wales. Mit einem Schlag seines Geologenhammers veränderte sich der ‹ganze Aspekt› der Falklandinseln. Hier war eine gute Chance, zwei vorgeschichtliche Faunen aus zwei Ecken der Welt miteinander zu vergleichen. Und nicht nur fossile Faunen; noch mehr interessierte sich Darwin für die Verbreitung lebender Tiere und Pflanzen. Er hatte noch nie so lange Zeit auf einer kleinen, küstennahen Insel zugebracht und notierte den Vorsatz, ‹Unterschiede der Spezies und die entsprechenden Zahlen› zu beobachten und sie mit ihren Habitaten in Beziehung zu setzen.[7]

Immer wieder kehrte er zu seiner ersten Liebe zurück, dem winzigen Meeresgetier, gefesselt von den Körnchen, die er aus ihren gespaltenen Eiern austreten sah, und überzeugt davon, die Uratome des Lebens vor sich zu haben. Auf den Falklandinseln sammelte er Exemplare ‹jenes vieldeutigen Stammes›, der krustenbildenden Algen: primitive, verhärtete, verzweigte Büschel. Ihre Primitivität ging so weit, daß es sogar umstritten war, welchem Reich sie angehörten: Grant bezeichnete sie als Pflanzen, Lamarck als Tiere. Darwin sezierte sie immer wieder, um herauszufinden, was eher zutraf. Er studierte auch ihre Eimaterie, die er ebenso wie Henslow für inaktiv und von irgendeiner äußeren ‹Schöpferkraft› mobilisiert hielt.[8] Schließlich kam er zu dem Schluß, daß diese verhärteten Gebilde seltsame, primitive Pflanzen sein müßten.

FitzRoy hatte inzwischen wieder in seine Tasche gegriffen. Von einem bramarbasierenden Robbenfänger hatte er einen Schoner gekauft und schlachtete jetzt ein Wrack aus, um ihn zu renovieren. Das geschah zwar ohne Genehmigung der Admiralität, gestattete ihm aber, seine Vermessungsleistungen zu verdoppeln. Die beiden Schiffe liefen Anfang April in nördlicher Richtung aus und fuhren die patagonische Küste entlang bis zur Mündung des Río Negro, hundertsiebzig Meilen von Bahía Blanca entfernt. Seit Monaten war Darwin darauf erpicht gewesen, hier an Land zu gehen, wo das ‹Landesinnere *völlig* unbekannt ist›. In ‹himmlischem› Wetter dahinsegelnd, heftete er sehnsüchtige Blicke auf die Steilküste. Sie erschien ihm als ‹Eldorado für einen Geologen›. Aber die Pläne des Captain änderten sich ständig, und in letzter Minute schob der Wind, ‹dieser allmächtige und herrische Despot›, dem Landgang einen Riegel vor. Die *Beagle* folgte ihrem Schwesterschiff den ganzen Weg zurück zum verhaßten Río de la Plata, wo sie in Montevideo ankerte. Inzwischen sei hier ‹mit Ausnahme einiger Revolutionen› nicht viel geschehen, bemerkte Darwin, als er die Post von fünf Monaten entgegennahm.

Der Schoner mußte zum Schutz vor Bohrwürmern mit einem neuen Kupferboden ausgestattet werden. Die Arbeit wurde in der sechzig Meilen weiter östlich gelegenen Hafenstadt Maldonado ausgeführt und sollte mehrere Monate dauern. Als FitzRoy hinfuhr, um sich von den Fortschritten zu überzeugen, begleitete ihn Darwin und quartierte sich in Maldonado ein. Die Stadt war öde, und in der hügeligen Umgebung wimmelte es von Pferden, Rindern und Banditen. Sein Spanisch war schlecht, aber es gelang ihm, zwei Führer zu finden, die ihm das Hinterland zeigen sollten, und am 9. Mai galoppierten sie ‹in guter Stimmung› und behängt mit ‹Pistolen und Säbeln› los.[9]

Sie ritten tagelang durch ‹endlose grüne Hügel›, übersät mit Kakteen und nackten Felsen. Darwin war beeindruckt von den Scharen von Nandus und wies auf den imposanten Anblick von dreißig dieser Pampasstrauße hin, die über den Kamm eines Hügels liefen. Den Gauchos zufolge nisteten sie zusammen. Viele Weibchen legten ihre Eier an derselben Stelle (Darwin hatte selbst siebenundzwanzig Eier in einem Gelege gezählt), und ein Männchen brütete sie aus und schützte die Brut. Die Abende verbrachte Darwin in Bodegas, wo schnauzbärtige Gauchos mit ‹Dolchen an den Hüften› und ‹großen, klirrenden Sporen an den Fersen› herumstanden, Schnaps in sich hineinschütteten und Zigarren rauchten. Im uruguayischen Rinderland wurde einem die Gastfreundschaft niemals verweigert, und obwohl selbst reiche Großgrundbesitzer Lehmböden in ihren Häusern hatten, gab es bei ihnen immer reichlich zu essen. Darwin revanchierte sich bei seinen Gastgebern mit technischem Spielzeug. Sein Taschenkompaß wurde sehr bewundert, und er imponierte den Leuten, indem er mit den Zähnen Streichhölzer anzündete. Nach diesen Späßen steckten sich die Männer Zigarren an, und ‹mit improvisierten Liedern zur Gitarre› neigte sich ein angenehmer Tag dem Ende zu.

Zwei Wochen später war Darwin wieder in Maldonado, nachdem er über zweihundert Meilen zurückgelegt hatte. Das ganze Gebiet war überschwemmt, die Ebenen schlammig und die Flüsse angeschwollen. Niemand konnte sich an Unwetter von solcher Heftigkeit erinnern. Den Beweis für die Gewalt der Blitze konnte man in den Dünen außerhalb der Stadt finden. Darwin stieß auf glatte, glasartige Röhren, von denen manche fünf Fuß tief in den Sand reichten: Der Blitzstrahl hatte die Sandkörner zu Glas verschmolzen. Was die Wildtiere betraf, stellte Darwin fest, daß es in der Stadt Wunder wirkte, eine Münze aufblitzen zu lassen: Das brachte jeden Jungen, der ein Tier gefangen hatte, an seine Tür. Die Kadaver häuften sich – von Ratten, Mäusen, Schlangen –, und das Abhäuten war eine unappetitliche, Übelkeit erregende Arbeit, insbesondere beim Hochwild, das einen ‹überwältigenden Gestank› absonderte.[10]

Er schoß ‹fast jeden Vogel in dieser Gegend›, achtzig Arten insgesamt, und jede Woche kamen ein Dutzend neue hinzu: Eulen, Kuckucke, Fliegenschnäpper, Würger und die seltsamen Scherenschwänze, die über das Wasser strichen und dabei mit dem Unterschnabel fischten. Er schnitt Mägen auf und untersuchte den halbverdauten Inhalt, vermerkte Lebensweisen, Gesang und Niststätten. Es war zuviel Arbeit für eine Person; deshalb hatte er sich einen sechzehnjährigen Matrosen als Helfer genommen. Syms

Covington, der Fiedler der *Beagle,* war zuständig für Dienste und Sonderaufträge aller Art. Die ausgefallensten Aufträge bekam er von Darwin. In kürzester Zeit lernte er, Vögel zu schießen und abzubalgen. FitzRoy war mit dem Arrangement einverstanden, doch da der Schoner fast fertig war und die *Beagle* bald auslaufen sollte, wollte sich Darwin die Dienste Covingtons auf Dauer sichern. Wenn er seinen eigenen Angestellten hatte, würde er seine Fangrate beträchtlich erhöhen können. Er bot an, Covington auf eigene Kosten zu übernehmen. FitzRoy stimmte zu und überließ Darwin den Jungen billig, für dreißig Pfund im Jahr.[11]

Darwin und der Captain kamen gut miteinander aus. Zumindest betrachtete FitzRoy den ‹Philosophen› – sein neuer Spitzname – als ‹einen sehr hochstehenden jungen Mann› mit der richtigen Mischung ‹notwendiger Eigenschaften, die bewirken, daß er sich heimisch und glücklich fühlt, und die ihm jedermann zum Freund machen›.

Darwin fühlte sich allerdings nicht immer so zufrieden, wie es seinem Tischgenossen erschien. Anfang Juli, als sie bei Montevideo vor Anker lagen, sehnte er sich danach, ‹das [Kap] Hoorn zu umrunden› und dann die Welt zu umsegeln, mit England als Endstation. In solchen Augenblicken hielten ihn nur Krabbenlarven und die ‹alten Knochen› davon ab, über den Atlantik auszureißen.

Briefe von zu Hause waren eine noch größere Verlockung. Die Nachrichten waren natürlich alt, mindestens drei Monate, aber deshalb nicht weniger erfrischend für einen Reformfreund, der mit einem Erztory zusammengesperrt war. Bei der Parlamentswahl im Dezember hatte Onkel Josiah in dem neuen Wahlbezirk von Stoke-on-Trent für die Whigs kandidiert und war mit einer hübschen Mehrheit wiedergewählt worden. Leider wurde der ‹Vormarsch der liberalen Meinung› allmählich zu einer Belastung, und die ganze Familie bekam es mit der Angst zu tun. Radikale strömten ins Unterhaus und schrien ihre Forderungen nach Demokratie und Trennung von Kirche und Staat heraus. Josiah Wedgwood konnte sie nicht ertragen. Susan berichtete, daß sie ‹so heftig und zügellos› würden, ‹daß Papa täglich mehr zu einem Tory wird›. Charles genoß den politischen Klatsch und jubelte: ‹Hurra für die ehrlichen Whigs!›, erwartete er doch, daß sie ‹diesem Schandfleck unserer vielgepriesenen Freiheit, der kolonialen Sklaverei› ein Ende bereiten würden. ‹Die kaltherzigen Torys sind Gott sei Dank einstweilen abserviert.›[12]

Der Postsack enthielt noch andere Überraschungen. Die neuvermählten Wedgwoods hatten Kinder bekommen und das jüngste, der Sprößling von Hensleigh und Fanny, war offenbar einem Skandal zuvorgekommen. In London hatte sich Erasmus ziemlich häufig mit der Frau seines Vetters getroffen. Es war ein offenes Geheimnis, die ganze Familie wußte es. Fanny scheine ‹mit ihm genauso verheiratet zu sein wie mit Hensleigh›, schrieb Schwester Catherine, ‹und Papa prophezeit ständig eine hübsche Glosse in der Zeitung über die beiden›. Doch das Baby setzte Erasmus' ‹Gastspielen in ihrem Haus› zumindest vorübergehend ein Ende, und der Familie blieb die Schande erspart.

Im Mittelpunkt all der Briefe stand jedoch die Geschichte von Fanny Wedgwoods Tod. Die Cousine, die man Charles zugedacht hatte, war im vorigen August gestorben. Charles' Schwestern und Cousine Charlotte berichteten das ganze bedrückende Geschehen. In einer Woche war alles vorbeigewesen: das Fieber mit ‹Erbrechen und Schmerzen›, gefolgt von einer mehrtägigen Besserung, dann ein plötzlicher Rückfall und innerhalb von Stunden das Ende. Fanny war erst sechsundzwanzig gewesen. Maer war melancholisch wie nie zuvor. Nur zwei von Charles' Cousinen waren jetzt noch dort: Elizabeth, die älteste, bucklig und nur vier Fuß groß, die sich damit abgefunden hatte, eine alte Jungfer zu werden; und Emma, die jüngste, die Fanny am nächsten gestanden hatte und der der Verlust sehr naheging. Das wurde auch von Charles erwartet. Dabei hatte er nie eine Schwäche für die kleine, unscheinbare Fanny gehabt; doch seine Schwestern meinten, als Pfarrersfrau wäre sie ideal gewesen. Alle befürchteten, daß er sich jetzt eine Heirat und die Kirche aus dem Kopf schlagen werde.[13]

Der auf dem Río de la Plata schaukelnde Charles erwähnte Fannys Tod mit keinem Wort. In seinem Antwortbrief an die Schwestern bat er statt dessen um Bücher, Stiefel, Linsen, Meßbänder und mehr Streichhölzer, um den Eingeborenen zu imponieren. Er rühmte sich seiner harten Arbeit und fügte hinzu, die Naturgeschichte werde noch für viele Jahre seine ‹Lieblingsbeschäftigung› bleiben. ‹Einen noch so *kleinen* Beitrag zur Erweiterung des allgemeinen Erkenntnisstandes zu leisten, ist ein so ehrenwertes Ziel im Leben, wie man es sich aller Wahrscheinlichkeit nach nur setzen kann.› Nicht daß es ihm an einer ‹köstlichen Vision› fehle, die er den glücklichen ‹Tagträumen› seiner Schwestern über seine Zukunft an die Seite stellen könne. Er sehne sich immer noch nach einer ‹lieben kleinen Lady›, die sich um ihn und sein Haus kümmere. Aber er vertraute sich seinen Schwestern nicht an; ihre Bemutterung war ihm unbehaglich. Nur Fox erfuhr seine wahren Gefühle. Ihm schrieb er, ‹soviel auf Wanderschaft verbrachte Zeit› sei in der Tat ‹ein ernstes Übel›. ‹Ich stelle oft Vermutungen darüber an, was aus mir werden wird; meine Wünsche würden mich sicher zu einem Landpfarrer machen.›

Ein Brief blieb ihm noch zu schreiben: an Henslow. Charles sparte ihn sich bis zuletzt auf, da er noch nicht erfahren hatte, ob seine Sammlungen sicher angekommen waren. Er schickte Henslow die nächste Sendung mit Bangen: vier Fässer mit Kadavern, Bälgen, konservierten Fischen, Käfern in Pillenschachteln, Steinen – der halbe Ertrag seines Sommers. Henslow bekam auch die weitere Reiseroute mitgeteilt. Charles brannte darauf, ‹diese stupide, unmalerische Seite› des Kontinents zu verlassen und nach Valparaiso in Chile zu gelangen, von wo er ‹die große Kette der Anden ... überqueren› könne. Sobald sie Feuerland endlich hinter sich gelassen hätten, würden es ‹nur noch Feiertage› sein. Der bloße Gedanke an ‹schöne Korallen, das warme, strahlende Wetter, den blauen Himmel der Tropen› mache ihn ‹verrückt vor Freude›. Das tat auch die Aussicht auf Henslows ersten Brief, sollte dieser je eintreffen.

FitzRoy benannte seinen Schoner in *Adventure* um, und am Abend des 24. Juli segelten die Schwesterschiffe endlich nach Süden in Richtung Río Negro. ‹Der ganze Himmel war hell erleuchtet von Blitzen; es war eine wild aussehende Nacht, um in See zu stechen, aber die Zeit ist zu kostbar, um selbst einen schlechten Teil davon zu verschwenden.›[14]

Nach einer mühsamen Fahrt in widrigen Winden erreichten sie die Mündung des Río Negro. Darwin ritt stromaufwärts zu der Stadt Carmen de Patagones, wo er beschloß, seinen Weg zu Lande fortzusetzen und in Bahía Blanca wieder zur *Beagle* zu stoßen. Dies war wiederum ‹Teufelsland›, voller Salzseen und Sandstein und marodierenden Indianern. Es war geologisch ebenso fesselnd wie politisch gefährlich. Darwin zahlte zwanzig Pfund für einen ‹vertrauenswürdigen› Führer, und die beiden machten sich mit einem britischen Händler und einer Schar Gauchos auf den Weg zu General Juan Manuel de Rosas, dessen Armee von Buenos Aires mit dem Befehl ausgesandt worden war, ‹die Indianer auszurotten›. Seine Erlaubnis wurde benötigt, um nach Norden weiterreiten zu können.

Am 13. August erreichten sie Rosas' Lager am Río Colorado. Die ‹nichtswürdige, banditenartige Armee› und ihre sechshundert indianischen Verbündeten stellten die außergewöhnlichste Rassenmischung dar, die Darwin je gesehen hatte. Aber der bemerkenswerteste Charakter von allen war der General. Er war ‹ein perfekter Gaucho›, mit einem grellbunten Schal um die Hüften, einer ‹Fransenhose› und einem Poncho. Seine Reitkunst war ebenso legendär wie seine ‹despotische Macht›. Als Besitzer von dreihunderttausend Rindern auf seinen Farmen hatte er Übung im Zusammentreiben und Abschlachten. Darwin schüttelte eine blutgetränkte Hand. Rosas war ernst, und das Gespräch verlief ‹ohne ein Lächeln›. Der General gewährte Darwin einen Passierschein und stellte ihm sogar Regierungspferde zur Verfügung, um den ‹Naturalista› schnellstens über die Pampas hinwegzubringen.

Diese grasbewachsenen Ebenen waren die Heimat von Indianern, Ameisenbären und Gürteltieren. Und noch eines anderen, selteneren Lebewesens, wie Darwin hörte. Die Gauchos erwähnten wiederholt einen Vogel namens ‹Avestruz petiso›, einen Nandu, aber kleiner und dunkler als die übliche Form, mit gefiederten Beinen und bläulichen Eiern.[15] Nur wenige hatten einen gesehen, aber die Nester hatte man gefunden, und alle bestätigten, daß er weiter südlich häufiger vorkomme.

Darwin entwickelte sich inzwischen selbst zu einem echten Gaucho. Die verwegene Reiterei war genau das Richtige für ihn. Wenn sie abends um ein Feuer hockten und gebratenes Wild verzehrten, machte er sich Notizen und entspannte sich. ‹Ich trinke meinen Mate und rauche meine Zigarre, und dann lege ich mich nieder und schlafe so bequem, mit dem Himmel als Baldachin, wie in einem Federbett.› Gut bewaffnet, mit frischen Pferden und skrupellosen Gefährten, hatte er vom Feind wenig zu befürchten. Tatsächlich fing er an, die ‹großen Vorteile› von General Rosas’ ‹Ausrottungskrieg› zu schätzen. Grundbesitzern verhieß er eine Goldgrube. ‹Dadurch wird schönes Land auf 400 oder 500 Meilen für die Viehzucht frei.›

Nach Bahía Blanca zurückgekehrt, trieb er sich einige Tage lang herum und wartete auf die *Beagle*. Dann kaufte er sich für weniger als fünf Pfund ein ‹schönes, kräftiges junges Pferd› und ritt an die Felsenküste bei Punta Alta zurück. Seine Glückssträhne hielt an. Diesmal entriß er der Felsengruft ‹fast ein ganzes Skelett›: ein bizarres, pferdegroßes Säugetier mit enormem Becken und schmalem, langgestrecktem Gesicht wie dem eines Ameisenbären. Dies war ein echter Schatz, weil es unbeschädigt an seinem ursprünglichen Platz geblieben war (statt in Stücken auf dem Strand zu liegen). Sein Notizbuch füllte sich Seite um Seite, während er über die Bedeutung seines Fundes nachdachte. Das Tier hatte vor den Muscheln gelebt, die in der Schicht darüber zu finden waren, und alles deutete auf eine allmähliche Ablagerung von Sedimenten und eine spätere Hebung der Schicht hin. Aber wie alt waren all diese Megatherien? Wie sah das Land zu ihrer Zeit aus? Und warum waren sie alle ausgestorben? Er träumte sich in eine archaische Welt zurück, in der stiergroße Megatherien durch unvorstellbare Ebenen gestreift waren.

Der Platz war abgeschieden und die Stille ‹fast erhaben›. Doch Darwin hegte keine Illusionen. Es war trotzdem ein infernalisches Land, wo Salzseen, überkrustet mit schneeweißem Salpeter, in der glühenden Sonne siedeten. Seine Eroberer waren nicht viel anders. Unter einer leidlichen Tünche von Anstand waren die Gauchos Schlächter. Ins Fort zurückgekehrt, hörte er das Neueste über den Krieg des Generals.

Alle glaubten, daß es ‹der gerechteste Krieg› sei, weil er ‹gegen Barbaren› geführt werde. Keine Taktik war zu extrem. Gefangene wurden wie Tiere behandelt – in einen ‹Christenzoo› gepfercht, wie Darwin schäumte. Indianerfrauen, ‹die älter als zwanzig Jahre zu sein scheinen, werden kaltblütig massakriert›, hörte er. Das galt auch für die jüngeren, falls sie häßlich waren. Taktvoll beschwerte er sich darüber, ‹daß dies ziemlich inhuman erscheint›, worauf er von einem Soldaten gesagt bekam, daß ‹sie sich so vermehren›.

Genozid war nicht das von Gott beabsichtigte Mittel zur Eindämmung des Bevölkerungswachstums. ‹Wer würde glauben, daß in diesem Zeitalter in einem christlichen, zivilisierten Land solche Greueltaten begangen werden?› Die Schlächterei mochte vielleicht der Wirtschaft zugute kommen; die Menschen jedoch würde sie verderben. ‹Das Land wird in den Händen weißer Gauchobarbaren sein statt in denen kupferfarbiger Indianer. Erstere sind ihnen zwar an Zivilisation etwas überlegen, aber in jeder moralischen Hinsicht unterlegen.›[16]

Als die *Beagle* eintraf, holte Covington die Knochen aus Punta Alta, während sich Darwin darauf vorbereitete, die vierhundert Meilen nach Buenos Aires, wo er wieder zum Schiff zu stoßen gedachte, auf dem Landweg zurückzulegen. Am 8. September brach er mit seinem Führer in nördlicher Richtung auf. Sie ritten entlang der Kette von befestigten ‹Postas›, die Rosas auf erobertem Territorium zurückgelassen hatte. Töten oder Sterben war das ungeschriebene Gesetz dieser gottverlassenen Ebene. Es gab ‹*nichts* zu essen› außer dem, was erlegt werden konnte – Pampasstrauße, Hochwild, Gürteltiere –, und die Geier kreisten unheildrohend über ihren Köpfen. Wie ein Gaucho ernährte sich Darwin tagelang von nichts anderem als Fleisch und fand Geschmack daran – selbst an ‹einem der Lieblingsgerichte des Landes›, ungeborenem Puma. Dennoch war er, als er zwei Wochen später Buenos Aires erreichte, dankbar, bei einer englischen Kaufmannsfamilie zu wohnen, an einer Tasse Tee zu nippen und ‹alle Bequemlichkeiten› der Heimat zu genießen.

Die *Beagle* war wieder am Río de la Plata mit Vermessungen beschäftigt. Darwin sandte Covington aus, Vögel zu schießen und abzubalgen, während er gerade so lange blieb, um sich mit Zucker, Schnupftabak, Zigarren, Schießpulver und Schrot zu versorgen. Dann ritt er hundertfünfzig Meilen landeinwärts, um Jagd auf weitere Knochen zu machen. Am Río Paraná fand er nur einen ‹enorm großen Nagezahn› und einige riesige ‹Mastodon›-Knochen. Aber diese waren ‹so vollständig verwest und weich›, daß sie in seinen Händen zerbröselten. Er ritt in die ‹wuchernde Stadt› Santa Fe weiter, wo er in der ersten Oktoberwoche an einem Fieber erkrankte. Zwei Tage Krankenlager überzeugten ihn davon, daß es besser sei, den Ritt abzukürzen. Er erinnerte sich an Musters, der binnen einer Woche an Fieber gestorben war. Vor die Wahl eines Sterbelagers gestellt, zog Darwin ein solches in Buenos Aires vor; er schleppte sich zum Río Paraná hinunter und buchte eine Passage auf einer kleinen Schaluppe. Die Fahrt flußabwärts war eine Strapaze mit Stürmen und blutgierigen Moskitos. Darwin lag stöhnend und fluchend auf seiner Pritsche; in seiner winzigen Kabine konnte er sich nicht einmal aufsetzen. Sein Fieber verging, und da er das Schiff satt hatte, paddelte er den Rest der Strecke bis zur Hauptstadt in einem Kanu.

In Buenos Aires war wieder einmal eine Revolution ausgebrochen. Darwin fand das spanische Militär in der Stadt von einer ‹wütenden, halsabschneiderischen Rebellentruppe› eingekreist, die sich zu General Rosas bekannte. Er pendelte zwischen den Armeen hin und her und erhielt schließlich die Erlaubnis, sich zu Fuß in die Stadt zu begeben, nachdem er das frühere ‹Entgegenkommen› des Generals erwähnt hatte. Er bestach einen Mann, Covington hineinzuschmuggeln, der ‹in einem Treibsand sein Leben beinahe und meine Flinte faktisch verloren› hatte. Zusammen eilten sie zehn Tage lang in der Stadt umher und sorgten für den Abtransport ihrer Habe, wobei sie ständig der ‹gesetzlosen Soldateska› aus dem Weg gehen mußten. Doch es gab einen echten ‹Gentleman in Buenos Aires, den englischen Gesandten›, der ihnen zu Hilfe kam. FitzRoy hatte ihnen aus Montevideo eine Botschaft geschickt, daß er sich zum Auslaufen vorbereite. Am 2. November pferchten sie sich auf ein Postschiff, das mit Flüchtlingen überfüllt war, und flohen nach Montevideo, während die ersten Musketensalven dröhnten. Die ‹äußerste Verworfenheit› der Diktatur beherrschte Darwins Gedanken, während er sich auf Deck einen Weg durch kranke Frauen und Kinder bahnte. Er wünschte, die Revolutionäre ‹würden sich wie Kilkennykatzen bekämpfen, bis nichts von ihnen übrig wäre als die Schwänze›.[17]

In Montevideo eilte Darwin an Bord der *Beagle,* voll Ungeduld, endlich abzusegeln und ‹den blauen Himmel und die Bananen der Tropen› zu sehen. Doch noch war es nicht soweit. FitzRoy wurde durch seine Kartierungsarbeit aufgehalten, und das Schwesterschiff mußte für die gefährliche Umrundung von Kap Hoorn noch mit Proviant versorgt werden. Darwin nutzte die Zeit, so gut er konnte. Er hatte Briefe zu lesen und zu beantworten – die letzten für viele Monate, fürchtete er. Die Neuigkeiten von zu Hause lösten teils wohliges Prickeln, teils Kopfschütteln bei ihm aus. Erasmus, der es immer noch mit Hensleighs Frau trieb, sollte jetzt mit Emma Wedgwood verkuppelt werden, um ‹eine *Aktion* in den Zeitungen› abzuwenden. Fanny Biddulph, unglücklich mit einem ‹entsetzlich egoistischen› Unmenschen verheiratet, hatte angefangen, ‹hübsch und kokett› nach ihrem ‹alten Postillon› zu fragen. Und seinen Schwestern – man stelle sich vor – wurde ‹bange, sooft wir lesen, daß Du Dich vergnügst›.

Darwin machte sich daran, zwei Kisten und ein Faß vollzupacken, und zwar mit ‹fast 200 Bälgen von Vögeln und anderen Tieren›, einer Sammlung von Mäusen, einem Gefäß mit Fischen, einem Kasten mit Insekten, einer Schachtel mit Steinen und ‹einem Säckchen mit Samen, die ich als ganz bescheidene Entschuldigung für meine Faulheit in Botanik schicke›, schrieb er an Henslow. Seine fossilen Knochen und seine Gesteinsproben gingen separat in einer riesigen Kiste nach Plymouth. Wieder expedierte er alles schweren Herzens. Noch immer war kein Brief gekommen. Wahrscheinlich lagen seine Schätze irgendwo auf dem Meeresgrund. Wenn nicht, lachten Sedgwick und die übrigen vielleicht darüber. Er lechzte danach, daß seine Sammlungen Anerkennung fanden, wollte unbedingt hören, ‹ob ich auf dem richtigen Weg bin›.[18]

Inzwischen bedeuteten ihm die Fossilien alles – den Zauber, vorgeschichtliches Leben zu beschwören. Nichts kam an die Euphorie der Steilküste heran. ‹Das Vergnügen der ersten Tage einer Rebhuhnjagd ... ist nicht damit vergleichbar, eine guterhaltene Ansammlung fossiler Knochen zu finden, die ihre Geschichte von früheren Zeiten fast mit lebender Zunge erzählen.› Er beschloß, eine Vierhundert-Meilen-Rundreise nach Mercedes in der Nähe des Río Uruguay zu machen, wo ihm nach seiner Erkrankung einige merkwürdige Gesteinsformationen entgangen waren. Wie all seine ‹Galoppe› seit Punta Alta hatten sie ein Hauptziel: die Ablagerungen zu untersuchen, in die die Megatherien eingebettet waren – die Welt der Riesenfaultiere und ihr Ende zu verstehen. Er ritt von Farm zu Farm, bis er das pittoreske Faultierland erreichte. Am 22. November hielt er sich auf einem Gut auf, das einem Mr. Keen (vermutlich ein Engländer) gehörte. Sein Gastgeber wußte von einer Farm, auf der ‹Riesenknochen› einfach so auf dem Hof herumlagen, und vier Tage später ritten sie hinüber. Für achtzehn Pence bekam Darwin den größten Teil eines perfekten, siebzig Zentimeter langen Schädels mit seltsamen gebogenen Zähnen.[19] Trotz des Gewichts beförderte er seinen unglaublichen Fang im Triumph die hundertzwanzig Meilen nach Montevideo zurück.

In der Stadt packte Darwin alles zusammen und ‹bereitete sich darauf vor, für immer von hier wegzugehen›. Es war ein unsentimentaler Abschied. Die Menschen am Río de la Plata deprimierten ihn, und er hatte zu lange unter ihnen gelebt. Raub war alltäglich, Mord wurde hingenommen, und Gerechtigkeit hatte Seltenheitswert. ‹*Jeder Beamte* ist bestechlich›, schrieb er, und es gebe keine ‹echten Gentlemen›. Ihr Fehlen war ärgerlich, und am 5. Dezember war er froh, wieder in FitzRoys Gesellschaft zu sein; die *Beagle* bereitete sich endlich auf die Abfahrt vor. Der Gesundheitszustand des Malers Earle hatte sich ‹so drastisch verschlechtert›, daß dieser das Schiff verließ. Der Captain stellte Earles Nachfolger, Conrad Martens, in typischer FitzRoy-Manier mit der schrulligen Empfehlung vor: ‹Bei meinem Glauben an die Birnologie, ich bin sicher, daß er Ihnen gefallen wird.› Mit Vorräten für zwölf Monate an Bord und in Begleitung der *Adventure* unter dem Kommando von John Wickham waren sie ‹jetzt auf dem Weg (wenn auch nicht dem kürzesten) nach England›.[20] Darwin zählte die Tage.

FitzRoy ließ am nächsten Morgen um vier Uhr früh die Anker lichten, und siebzehn Tage lang segelten die Schwesterschiffe die patagonische Küste hinunter. Am 23. Dezember legten sie in Puerto Deseado, sechshundert Meilen nördlich von Kap Hoorn, für die Feiertage an. Darwin schoß ‹mit großem Glück› ein lamaähnliches Guanako, das in bratfertigem Zustand fast achtzig Kilogramm wog und allen ein herzhaftes Weihnachtsmahl bescherte. Martens übertraf ihn noch und schoß einen kleinen Pampasstrauß. Erst nachdem der Vogel gebraten und verspeist worden war, erinnerte sich Darwin plötzlich und zu seiner Verlegenheit an die Berichte der Gauchos über den seltenen ‹Avestruz petiso›. Es war das erstemal, daß er den neuen Vogel zu Gesicht bekam, und er hatte ihn versehentlich aufgegessen! Zum Glück konnten ‹Kopf, Hals, Beine, ein Flügel› und größere Federn noch gerettet werden, und sie wurden denn auch prompt konserviert und im Laderaum verstaut.

Die ‹Stille und Verlassenheit› hier bereiteten ihm unerklärliches Vergnügen. Meilenweit über die öde Steppe wandernd, schoß er zwanzig neue Vögel. Und in den Felsen der Steilküste fand er ‹die gleiche große Muschelschicht› knapp über dem Meeresspiegel, die den ganzen Kontinent entlang anzutreffen war, was von der neuzeitlichen Hebung des Landes zeugte. Aber es gab keine Fossilien zu exhumieren. Er betrachtete sich bereits als einen ‹Fossilien-Wiedererwecker›, wenn auch etwas respektabler als die Burkes und die Hares, und als die *Beagle* im Januar 1834 in San Julián, hundertzehn Meilen weiter südlich, vor Anker ging, suchte er wiederum. Es war ein Ödland ohne Süßwasser; das einzige große Säugetier, das hier vorkam, das Guanako, konnte aus den Salzseen trinken. Wieder fand er in den Klippen am Rand des Hafens Teile einer Wirbelsäule und ein komplettes Hinterbein ‹irgendeines großen Tieres, ich nehme an, eines Mastodons›. ‹Das ist interessant›, sinnierte er; diese großen Tiere kamen offensichtlich bis weit hinunter in kalte Breiten vor, und eine Anzahl von ihnen schien ‹auf den vorzeitlichen Ebenen zusammengelebt› zu haben.[21] Wieder stellte sich die alte Frage: Wie war die Welt des Mastodons beschaffen – war sie so wasserlos und windgepeitscht wie die Erde, auf der er dahinritt?

Gegen starke Weststürme ankämpfend, lief die *Beagle* am 26. Januar in die Magellanstraße ein und segelte in die San-Gregorio-Bucht weiter, wo Angehörige eines halbzivilisierten Stammes patagonischer ‹Riesen› – über einen Meter achtzig groß – an Bord bewirtet wurden. ‹Sie benahmen sich durchaus wie Gentlemen›, trotz ihrer rotbemalten Gesichter, ihrer Guanakofelle und ihres langen Haars, und sie ‹benutzten Messer und Gabel und bedienten sich mit dem Löffel›, notierte Darwin anerkennend. Diese Indianer hatten seit langem mit Robbenfängern Handel getrieben, und sie radebrechten in englisch und spanisch. Sie waren ‹ausgezeichnete praktische Naturforscher›, und Darwin hatte ‹das größte Vertrauen in ihre Beobachtungen›. Er befragte einen in den Nordprovinzen geborenen Mischling nach dem ‹Avestruz petiso› und erfuhr, daß er der *einzige* Pampasstrauß so weit südlich sei. Die beiden Spezies trafen im Gebiet des Río Negro zusammen; im übrigen hielt sich der gewöhnliche Rhea an den Norden, der ‹Petiso› an den Süden. Das bestätigte, daß es sich um eine neue Spezies mit einem fest-umrissenen Verbreitungsgebiet handelte.

Zivilisierte Wilde waren ein Beweis für die Lernfähigkeit des Menschen. Rotbemalte Indianer mit besten Tischmanieren zeigten, daß die Kluft zwischen Primitiven und kultivierten Engländern überbrückbar war. Aber würde die Wirkung anhalten – oder würden diese zahmen Indianer wieder wild werden? Die Antwort lag weiter südlich. Darwin war gespannt auf das Schicksal von Jemmy, York und Fuegia.

Das Schiff eilte in Richtung Feuerland weiter und ankerte bei ‹schneidend kaltem› böigem Regen in Puerto Famine an der Ostküste der Brunswick-Halbinsel. Hier waren im 16. Jahrhundert Hunderte von spanischen Siedlern verhungert, und der frühere Kapitän der *Beagle*, Stokes, hatte sich 1826 hier das Leben genommen. Am 6. Februar verließ Darwin das Schiff mit dem Kompaß in der Hand, um den siebenhundertachtzig Meter hohen Monte Tarn zu besteigen. Wie zuvor entsprach seine Stimmung dem Gelände. ‹In den tiefen Schluchten entzieht sich der Anblick trostloser Öde jeder Beschreibung›, schrieb er schaudernd. ‹Große vermodernde Baumstämme› lagen verstreut herum, und ‹alles troff von Wasser›. ‹Selbst die Pilze konnten nicht gedeihen.› Auf dem Gipfel fand er ‹Muschelschalen in den Felsen› und eine ‹echte Feuerlandaussicht›: ‹unregelmäßige Hügelketten, gesprenkelt mit Schneeflecken, tiefe, gelblichgrüne Täler; in alle Richtungen verlaufende Meeresarme›. In neunzig Meilen Entfernung erhob sich der höchste Gipfel des Südens, der in ewiges Eis gehüllte, ehrfurchtgebietende Monte Sarmiento.

FitzRoy bugsierte das Schiff durch das Labyrinth von Meeresarmen, vorbei an aus dem Wasser springenden Spermazetenwalen. Er schloß seine Kartierung der Nordostregion ab und ankerte am 24. Februar an der Südflanke der Insel Wollaston, unmittelbar nordwestlich von Kap Hoorn.[22] Hier waren die Feuerländer zu Hause. Alle mischten sich zehn Tage lang unter die Einheimischen. Wie bei seiner ersten, schockierenden Begegnung mit diesen ‹verstörten Geistern› fühlte Darwin sich danach ratlos und stellte Fragen, bohrende, beharrliche Fragen.

Was sollte er von diesen unglückseligen Menschen halten? Hatten sie ‹seit Beginn der Schöpfung› in ihrem gegenwärtigen Zustand hier gelebt? Falls nicht, warum hatten sie ‹die schönen Regionen des Nordens›, die Tropen, verlassen, ‹um in eines der unwirtlichsten Länder der Welt vorzudringen›? Warum blieben sie nackt? Er sah eine völlig unbekleidete schwangere Frau, von ‹deren Körper der Regen tropfte›. Warum waren sie ungekämmt, ‹ihre rote Haut schmutzig und fettig, ihr Haar verfilzt, ihre Stimme mißtönend, ihre Gestik gewaltsam und ohne Würde›? Lyell sorgte sich in seinen *Principles of Geology*, daß die von Lamarck behauptete Abstammung vom Schimpansen den menschlichen ‹Glauben an die hohe Herkunft seiner Spezies› zunichte machen könnte. Aber wie hoch war die Herkunft hier? Unter Ureinwohnern, die kaum besser schienen als unvernünftige Tiere? Wo blieb die Würde von Menschen, die ‹wie Tiere zusammengerollt› unbedeckt ‹auf dem nassen Boden› schliefen oder in ständige Kämpfe um ‹den Lebensunterhalt› verstrickt waren? Er fand diese ‹ungebrochenen Wilden› verabscheuenswert, zwar ‹amüsanter als alle Affen›, aber weniger fähig, ihr Dasein in diesem verlassenen Land zu genießen. Dennoch war er, ohne es zu wollen, von ihnen gefesselt. Er mußte eine Erklärung finden. ‹Woher sind diese Menschen gekommen?›[23]

Nichts hatte ihn mehr fasziniert oder mehr entsetzt: ‹Man kann es kaum glauben, daß sie in dieselbe Welt hineingeborene Mitgeschöpfe sind.› Wie Tiere entbehrten sie der höheren Freuden.

‹Sie können das Gefühl nicht kennen, ein Heim zu haben, und noch weniger das familiärer Zuneigung [...] Was kann ihre Phantasie ausmalen, ihr Verstand vergleichen, ihr Urteil entscheiden? Eine Napfschnecke vom Fels herunterzuschlagen, erfordert nicht einmal Geschicklichkeit, diese niedrigste geistige Fähigkeit. Ihre Fertigkeiten verbessern sich wie die Instinkte von Tieren nicht durch Erfahrung; von dem Kanu, ihrem intelligentesten Produkt, wissen wir, daß es sich, so schlecht es auch sein mag, in den letzten 300 Jahren nicht verändert hat.›

‹Obwohl es sich im Grunde um dasselbe Geschöpf handelt›, räumte Darwin eingedenk des zivilisierten Jemmy und seiner Freunde ein, ‹wie wenig muß der Geist einer dieser Kreaturen dem eines gebildeten Menschen gleichen.›

Alles schien Lyells Ansichten hohnzusprechen – jenes Lyell, der das Gerede verurteilte, Affen und Wilde und Philosophen stellten Glieder einer Evolutionskette dar. Lyell wollte nichts hören von einer durchgehenden Entwicklungslinie ‹von «Affen mit scheußlich niedriger Stirn»› über Wilde bis hin zu sherryschlürfenden Angelsachsen. Menschen seien zwar verschieden, aber sie wiesen nur eine ‹geringe Abweichung von der Norm› auf. Hier sprach ein Mann, der niemals Wilde gesehen hatte; das war beruhigende Lehnstuhlphilosophie. Darwin war mit den primitivsten Eingeborenen konfrontiert und gezwungen, eine unfaßbare Kluft ‹zwischen den Fähigkeiten eines feuerländischen Wilden und denen eines Sir Isaac Newton› anzuerkennen – eine Kluft und gleichzeitig eine unfaßbare Entwicklung.

Doch trotz all ihrer Mängel starben die Feuerländer nicht aus; also mußten sie ‹ein ausreichendes Maß an Glück (welcher Art auch immer) kennen, um das Leben lebenswert zu machen›. Tatsächlich schienen ihr erbärmlicher Verstand und ihr ungeschlachtes Benehmen in ihre widerwärtige Umwelt zu passen. Die Natur hatte, ‹indem sie die Gewohnheit allmächtig machte›, den Feuerländer seltsamerweise ‹an das Klima und die Produkte seines Landes angepaßt›.[24] Die Frage war: Bedeuteten Jemmys Tischmanieren, daß

Wilde in nur wenigen Jahren erfolgreich zivilisiert werden konnten? Waren seine alten Gewohnheiten so leicht auszurotten?

Während Darwin darüber nachsann, segelte die *Beagle* fünfzig Meilen nach Norden und drehte zum Ponsonbysund ab, um Jemmy einen letzten Besuch abzustatten. Vor ihnen erhoben sich majestätische Berge. Schneebedeckt und vergoldet im rosigen Morgenlicht, boten ihre ‹scharfen, zerklüfteten Gipfel eine Augenweide›. Anläßlich des fünfundzwanzigsten Geburtstags des ‹Philosophen› hatte FitzRoy den höchsten von ihnen Mount Darwin genannt. Sie ankerten in der Nähe der Woollyabucht, wo sie die Missionare ein Jahr zuvor zurückgelassen hatten. Deren Hütten waren verlassen, die Gärten zertrampelt und überwuchert. Von fern näherten sich Kanus, und zwei der Insassen wuschen sich nervös das Gesicht. Der eine sah bekannt aus; es war Jemmy. Darwin hatte nie eine ‹so vollständige und traurige Verwandlung› gesehen. Es ‹tat weh, ihn anzuschauen: mager, blaß und ohne einen Rest von Kleidern außer einem Stückchen Decke um die Hüften; das Haar hing ihm über die Schultern, und er schämte sich so, daß er dem Schiff den Rücken zuwandte›, als das Kanu längsseits kam. Dann schaute er hinauf und hob die Hand, ‹wie sie ein Matrose an die Mütze legt›. Eine rührende Begrüßung. FitzRoy war überwältigt. Sie schafften Jemmy an Bord und kleideten ihn sofort zum Abendessen am Kapitänstisch ein. Er benutzte sein Besteck richtig und erzählte Darwin und FitzRoy, ‹soviel Englisch wie immer sprechend›, von der Schurkerei seiner Gefährten. York Minster habe ihn dazu überredet, ihn mit Fuegia in seine Heimat zu begleiten. Dort sei das Paar eines Nachts, während er schlief, mit all seinen Habseligkeiten durchgebrannt und habe ihn so zurückgelassen, wie ihn FitzRoy ursprünglich gefunden hatte: nackt.

Draußen in einem Kanu weinte ‹eine junge und für eine Feuerländerin ... schöne Squaw› untröstlich. Sie war schwanger und angeblich Jemmys Frau; erst sein Wiedererscheinen auf Deck beruhigte sie. Am nächsten Tag nach dem Frühstück sagte Jemmy seinen Gastgebern Lebewohl. Nein, er habe ‹nicht den geringsten Wunsch, nach England zurückzukehren›. Er sei ‹glücklich und zufrieden›, erklärte er, mit ‹viel Obst›, ‹viel Geflügel›, ‹zehn Guanakos in der Schneezeit›, und ‹zu vielen Fischen›. Aus seinem Überfluß hinterließ er ihnen Geschenke – ein Paar ‹schöne Otterfelle›, Pfeile für den Captain und ‹zwei Speerspitzen› ausdrücklich für Mr. Darwin. Er hatte sie selbst gemacht. Das Schiff nahm Fahrt auf, während er noch an Bord war, was bei seiner Squaw erneut die Tränen fließen ließ. Rasch enterte er das Kanu und trocknete sie.

Jedem ‹tat es leid, dem armen Jemmy zum letztenmal die Hand zu schütteln›, notierte Darwin. ‹Ich hoffe und habe wenig Zweifel, daß er genauso glücklich sein wird, als hätte er sein Land nie verlassen; und das ist viel mehr, als ich früher dachte.› Seine Lebensweise war tief in Jemmy verwurzelt, wie sich jetzt zeigte. Ungezählte Generationen lang hatte sich sein Volk an diese Wildnis angepaßt, und kein zivilisierender Einfluß konnte seine angeborenen Instinkte zum Erlöschen bringen. Die Unterschiede zwischen den Menschen waren fundamentaler, als Lyell wissen konnte.

Wie es seine Vorfahren seit Jahrhunderten in diesem ‹Land des Feuers› getan hatten, entzündete Jemmy ‹ein Abschiedssignal ... als das Schiff aus dem Ponsonbysund mit Kurs auf die Insel Ostfalkland auslief.›[25]

11

Erschütterte Fundamente

Die *Beagle* traf am 10. März 1834 in Port Louis auf Ostfalkland ein – genau im richtigen Moment. Ein Aufstand hatte sich ereignet. Gauchos und Indianer hatten britische Staatsbürger, darunter den Hüter der britischen Flagge, massakriert. ‹Kaltblütiger Mord, Raubüberfälle, Plünderungen, Leiden aller Art›, die Greuel waren endlos. Die Marine hatte vier bewaffnete Matrosen unter einem Lieutenant entsandt; sie hatten das Land von den Aufständischen gesäubert und diese in den Kerker geworfen, wo sie jetzt auf ihren Prozeß warteten. Aber der ‹oberste Mordgeselle›, Antonio Rivero, war noch flüchtig. Er hatte sich auf einer kleinen Insel im Berkeleysund verschanzt und Rache geschworen, und der Lieutenant, der jetzt als Gouverneur fungierte, ersuchte FitzRoy, ihn aufzuspüren. Also nahmen die Marinesoldaten der *Beagle* den ‹Bösewicht› gefangen und ketteten ihn im Laderaum des Schiffes an.

Darwin fühlte sich von der ganzen Episode angewidert. Niemand auf Ostfalkland, ‹diesem kleinen, erbärmlichen Zankapfel›, verdiente irgendein Lob. Natürlich würde die Regierung in Buenos Aires von ‹einem gerechtfertigten Aufstand› sprechen und behaupten, ‹ihre armen Untertanen ächzten unter der Tyrannei Englands›. Was England betraf, so war die schäbige Polizeiaktion der Marine eine Schande für die Krone. ‹Hier bemächtigen wir uns aus schierer Habgier einer Insel und hinterlassen eine britische Flagge zu ihrem Schutz; deren Besitzer wird natürlich ermordet. Daraufhin entsenden wir einen Lieutenant mit vier Matrosen ohne Befugnis und Instruktionen … die Mörder werden alle festgenommen, so daß es dort jetzt ebensoviele Gefangene wie Einwohner gibt.› Was für eine kurzsichtige Einstellung gegenüber einer Insel, die ‹eines Tages zu einer sehr wichtigen Zwischenstation im turbulentesten Meer der Welt werden muß›! Tatsächlich lasse sein expandierender Handel die koloniale Halbherzigkeit Englands nur noch verachtenswerter erscheinen. ‹Wie anders als das alte Spanien.› Die Admiralität hätte dem Beispiel der Konquistadoren folgen und Ostfalkland in eine Festung verwandeln sollen.[1]

Das Schiff, mit dem der Lieutenant gekommen war, hatte auch die Post gebracht. Charles vergaß die Politik und ließ sich den Klatsch schmecken. Fanny fragte immer noch nach ihm; Cousine Charlotte genoß ihr neues Leben in einer Pfarrei; Erasmus war von ‹all seinen Lieblingen› umgeben – Hensleighs Frau und Baby sowie Emma Wedgwood. Die Pfarrei blieb auch weiterhin im Gespräch, doch Charles teilte nicht Carolines Befürchtung, daß ‹das ruhige Leben eines Geistlichen, von dem Du früher sagtest, Du wolltest dazu zurückkehren›, unwiederbringlich verloren sei.

Endlich erblickte er auch einen Brief mit Henslows Handschrift; er enthielt die besten Nachrichten. Seine Sammlungen träfen unbeschädigt ein. Die Pflanzen seien willkommen, und die fossilen Megatherien wisse man ungeheuer zu schätzen, brächten sie doch Merkmale ans Licht, die man nie zuvor gesehen habe. Mit typischer Bescheidenheit hatte Darwin gegenüber Fox bemerkt, er sei nur ‹eine Art Schakal, der die Löwen mit Beute versorgt›, aber die Löwen brüllten ihre Zustimmung. Seine Megatherien waren der Creme der britischen Naturwissenschaft auf der Versammlung der Gesellschaft zur Förderung der Wissenschaft in Cambridge präsentiert worden. ‹Dein Name wird wahrscheinlich unsterblich werden›, prophezeite ihm sein käfersammelnder Freund Frederick Hope; ‹Darwin› sei das Wort auf jedermanns Lippen. Er solle noch mehr Knochen schicken, drängte Henslow, ‹jedes Bruchstück eines Megatheriumschädels, das Dir unter die Augen kommt – überhaupt *alle* Fossilien›. Er solle bei der Expedition bleiben und nicht abspringen. ‹Ich vermute stark, daß Du immer etwas finden wirst, um neuen Mut zu fassen.›[2]

Darwin war überglücklich. In den letzten zwei Jahren hatte nichts ihn so aufgemuntert. Jetzt wußte er, daß er seine Zeit nicht verschwendet hatte, daß sich all die Galoppritte, das Hämmern und Verpacken in Kisten gelohnt hatten. Er empfand Stolz. Er hatte sich als Feldforscher bewährt und die Anerkennung derjenigen gefunden, die er respektierte. In den nächsten drei Wochen arbeitete er weiter wie ein Besessener. Das Wetter war fürchterlich, aber das machte nichts. Auf der ganzen Insel ließ er die Felsen – manche ‹so groß wie Kirchen› – ertönen, balgte sich mit Brillenpinguinen und sammelte Fragmente ‹merkwürdiger kleiner Korallenalgen›. Er hatte auch eine Handvoll Samen geerntet, ein Zeichen der Dankbarkeit, das er einem langen, begeisterten Brief an seinen Mentor beifügte.

Er sah sich nicht mehr als Gelegenheitssammler, der ‹die Löwen mit Beute versorgt›. Jetzt wurde er zu einem eigenständigen Theoretiker – einem philosophischen Löwen, der an alten Knochen nagen und sie selber erklären konnte. Henslows Ankündigung, die Megatherien zu säubern, machte ihm Sorge. Er befürchtete, seine Identifizierungszahlen würden dabei weggescheuert, so daß es unmöglich wäre, die Fossilien mit dem Gestein, in das sie eingebettet gewesen waren, in Beziehung zu setzen. Beides jedoch war nötig, um die Welt des Megatheriums zu verstehen.

Darwin

Seine Felsenmatrix verriet sehr viel. Manche der fossilen Faultiere waren zusammen mit neuzeitlichen Muscheln und Überresten von Agutis (Goldhasen) begraben, was darauf hindeutete, daß die Knochen weniger alt waren, als er gedacht hatte. Die Schalentiere und die Agutis hatten offenkundig die Periode des Niedergangs der Megatherien überlebt, so daß nicht anzunehmen war, daß eine Katastrophe das Land verwüstet hatte. Die Riesenfaultiere mußten also auf natürliche Weise ausgestorben sein. Darwins großes Diorama des Kontinents wandelte sich: Im Hintergrund hob sich in langsamen Schüben die Küste Südamerikas aus dem Atlantik und bildete schließlich eine Reihe stufenartiger Plateaus. Im Vordergrund wurden die ‹vorzeitlichen Ebenen› von Megatherien und Mastodonten beherrscht, die in einer Welt gelebt hatten, welche nicht von mehr erdgeschichtlichen Katastrophen heimgesucht worden war als seine eigene.[3]

Nachdem er Henslow beruhigt hatte, daß er ‹die Seereise fortsetzen› werde, selbst wenn sie ‹als ein Häuflein weißhaariger Gentlemen zurückkehren sollten›, verließ Darwin die Falklandinseln so, wie er gekommen war: unter makabren Umständen. Am Sonntag, dem 6. April, während sich die *Beagle* auf die Weiterfahrt vorbereitete, wurde auf dem Strand des Berkeleysunds ein ertrunkener englischer Seemann gefunden. FitzRoy begrub ihn am nächsten Morgen. Am Nachmittag lichteten sie den Anker und kreuzten dann westwärts; ihr Gefangener, Rivero, dem ein Militärgericht und die Hinrichtung bevorstanden, war immer noch im Frachtraum angekettet. Das Schiff nahm Kurs auf den Río Santa Cruz in Südpatagonien, wo der Captain eine Expedition in das unerforschte Quellgebiet des Flusses führen wollte. Wenn dieser ‹fabelhafte Plan› gelänge, würde Darwin zum erstenmal die großartigste Gebirgskette der Welt, die Anden, erblicken.[4]

Die *Beagle* erreichte am 13. April die Mündung des Río Santa Cruz, und drei Tage später brach die Expedition auf, bestehend aus FitzRoy, Darwin, Stokes, Bynoe (der Chirurg) und einigen Offizieren, unterstützt von achtzehn Matrosen und Soldaten. Sie nahmen drei Rettungsboote mit, die miteinander vertäut und von den Männern in Eineinhalb-Stunden-Schichten stromaufwärts gezogen wurden. Das war anstrengende Arbeit, da sie es mit einem Gewässer zu tun hatten, das oft mit einer Geschwindigkeit von sieben Knoten strömte; jeder kam an die Reihe, die Offiziere genauso wie die Mannschaften. Wenn sie nicht dran waren, bildeten Darwin und Stokes oder Bynoe die Vorhut. Mit schußbereitem Gewehr gingen sie auf dem Ufer voran, immer nach Indianern und Pumas Ausschau haltend. Beide waren nie weit entfernt, wie die Spuren bewiesen.[5]

Sie legten fünfzehn oder zwanzig Meilen täglich an dem mäandernden Fluß entlang zurück und waren innerhalb von zwei Wochen hundert Meilen westlich der Mündung. Zwischen der Jagd auf Guanakos und Kondore

176

knobelte Darwin die Geologie aus. Das fünf bis zehn Meilen breite Flußtal wurde von mehr als hundert Meter hohen Wänden begrenzt. Diese führten zu beiden Seiten auf eine ‹vollkommen horizontale Ebene› hinauf. Die dort vorhandenen Muscheln und der Strandkies zeigten, daß diese Plateaus einst unter Wasser gestanden hatten. Während er eines davon mit FitzRoy inspizierte, brachte Darwin den Mut auf, seine Hypothese zur Diskussion zu stellen, wonach sich die Terrasse, ja die gesamten Anden langsam vom Meeresgrund emporgeschoben hätten.

FitzRoy wußte, daß dies mit dem neuesten, gradualistischen Denken der Lyellschen Schule übereinstimmte. Er selbst war mit der biblischen Deutung der Erdkruste aufgewachsen; man hatte ihm beigebracht, daß das Meer vor ein paar tausend Jahren, zur Zeit von Noahs Sintflut, plötzlich angestiegen sei und den südamerikanischen Kontinent überflutet habe und bei seinem Zurückweichen die Terrassen und Täler weitgehend so zurückgelassen habe, wie sie sich heute zeigten. Aber er hatte diese ‹biblische Geologie› nie sehr ernst genommen, und Darwin redete sie ihm in seiner gewinnenden Art jetzt ganz aus. Der Captain schüttelte den Kopf, als er sich umsah, und gab zu, daß diese Hochebenen ‹niemals durch eine vierzigtägige Flut zustande gekommen sein konnten›.[6]

Als sie weiter vordrangen, waren die Ebenen mit einer Lavaschicht bedeckt; der Fluß arbeitete sich hier durch eine wilde, vulkanische Schlucht. Vor ihnen lag eine dichte Wolkenbank, und am 29. April erkletterten Darwin und Stokes das Steilufer, um eine bessere Aussicht zu haben. Dreihundert Meter über dem Fluß schrien sie ihre Entdeckung hinaus: Durch ‹die dunkle Wolkenhülle› konnten sie die Umrisse der schneebedeckten Andengipfel ausmachen. Obwohl die Männer ermüdet waren und ihre Füße schmerzten, zogen sie noch einige Tage weiter, bis ihre Vorräte zur Neige gingen. Dreißig Meilen entfernt von den Bergen, die sie voll Ehrfurcht betrachteten, mußten sie umkehren. Gleichwohl wußte Darwin, daß er binnen Jahresfrist die Anden von der anderen Seite aus erreichen würde. Als sie stromabwärts dahinschossen, konnte er nur daran denken, ‹auf einer ihrer Zinnen zu stehen und auf das weite Land hinunterzuschauen›.

Am 12. Mai lief die *Beagle* zum letztenmal von den östlichen Küsten Südamerikas aus. Von Graupeln und Hagel gepeitscht, taumelte sie kopfüber in Wellenberge, als FitzRoy die Magellanstraße anpeilte. Die Temperatur fiel, und wenn Darwin von seiner Hängematte aufblickte, in der er wie eh und je ‹seekrank und elend› dalag, konnte er auf dem Oberlicht die Eisschicht wachsen sehen. Vor der Meerenge erwartete sie die von den Falklandinseln herkommende *Adventure* mit der Post, und die Schiffe durchmaßen die berühmte Wasserstraße bis Puerto Famine in immer kürzer werdenden Tagen. Die Temperatur lag jetzt ständig unter Null, und es schneite. Wie seltsam, um diese Zeit ein Paket zu erhalten, das vor Weihnachten aufgegeben worden war! Doch es machte auch am äußersten Ende der Welt den Juni zu einer festlichen Jahreszeit, und Darwin riß es auf wie ein Kind. Angesichts des tiefverschneiten Oberdecks und ‹ohne knackendes Kaminfeuer› war jede Erinnerung an zu Hause eine Kostbarkeit.[7]

Da waren jede Menge Briefe und Geschenke. Seine Schwestern sprudelten wie immer über und meinten, sie genössen sein Tagebuch ungeheuer, sehnten sich jedoch danach, daß er ‹irgendwo zur Ruhe› komme, selbst wenn das bedeute, die Reise abzubrechen. Fanny Biddulph stieß keck in das gleiche Horn; ihre Töne waren ein Bestandteil der orchestrierten Kampagne. Sie freue sich darauf, ihn und seine ‹kleine Frau in dem *kleinen Pfarrhaus*› zu besuchen. Fanny, unterdrückte und kränkelnde Mutter einer sechs Monate alten Tochter, war bei Dr. Darwin in Behandlung, und die Darwin-Schwestern hatten sie sichtlich für ihre Sache eingespannt. Charles, der das Gefühl hatte, unter dem Pantoffel zu stehen, verbannte das Thema zehntausend Meilen aus seinem Bewußtsein. Fannys Erfahrung mit der Ehe empfahl diese Institution ebensowenig, wie ihre Befürwortung für die Kirche sprach.

Willkommener waren die Geschenke – ein Geldbeutel, eine Kette für sein Bleistiftetui, Wanderstiefel und eine Handvoll Bücher. Immer froh über Ergänzungen der Schiffsbibliothek, musterte er den Lesestoff. Caroline, besorgt über die Gefahren, denen er so häufig nur knapp entrann, hatte ihm *Biblische Offenbarungen über einen künftigen Zustand* geschickt, da ‹wir oft festgestellt haben, daß wir dieselbe Art von Literatur mögen›. Und alle seine Schwestern empfahlen *Poor Laws and Paupers Illustrated,* ein mehrteiliges Werk in Broschürenformat. Seine Verfasserin war ‹eine große Londoner Gesellschaftslöwin›, eine äußerst unabhängige Dame, Harriet Martineau. Sie war der Liebling der Whigs und eine One-Woman-Werbeagentur; mit ihren schmalzigen Novellen popularisierte und erläuterte sie die Reformpolitik. ‹Erasmus kennt sie und ist ein sehr großer Bewunderer. Alle lesen ihre kleinen Bücher, und wenn Du nichts Besseres zu tun hast, kannst Du es auch tun und sie dann über Bord werfen, damit sie Dir nicht Deinen kostbaren Platz wegnehmen.›[8]

Welch eine Ironie! Da lag er in einer gottverlassenen Siedlung, ausgerechnet mit dem Namen ‹Hungerhafen›, und verteilte Büchlein an die Männer, in denen sexuelle Enthaltsamkeit als Mittel zur Überwindung des Hungers empfohlen wurde. Erstaunlicherweise kamen sie gut an. Alle redeten über Lady Harriets ‹politisch-ökonomische Erzählungen›, biedere Geschichten von Armut und Leidenschaft, von aufgeschobenen Hochzeiten und von heroischer Klugheit, mit der sich Paare vor der Not und dem Armenhaus retteten. Auf dem Schiff wurden sie, genau wie in London, so gierig verschlungen wie die Romane Walter Scotts.

Zu Hause in Großbritannien trugen die Schmöker mehr als die gesamte Regierungspropaganda dazu bei, dem neuen Armengesetz den Weg zu ebnen. Die Minister wußten das; Lordkanzler Henry Brougham hatte sie selbst in Auftrag gegeben, um dem unpopulären Gesetz die Zustimmung zu sichern, ja er hatte die Martineau mit geheimen Kommissionsberichten als Quellenmaterial versorgt. Ihre erbaulichen Moralpredigten verbreiteten die Auffassungen von Reverend Thomas Malthus, einem Nationalökonomen im Solde der Ostindischen Gesellschaft. Der Kern seiner Theorie eröffnete düstere Aussichten: Da sich die Bevölkerung schneller vermehre als das Angebot an Nahrungsmitteln, müßten Verteilungskämpfe und massenhafter Hungertod die unausweichliche Folge sein. Öffentliche Wohltätigkeit – die alte Armenfürsorge – verschlimmere nur das Problem; Almosen linderten die Not der Armen und ermunterten sie, sich zu vermehren. Mehr Münder, mehr Not, mehr Forderungen nach Sozialhilfe – es sei ein Teufelskreis.[9]

Inzwischen hätten die Fürsorgeleistungen völlig überhandgenommen, und die Bevölkerung explodiere. Die Volkszählung von 1831 habe die unglaubliche Zahl von vierundzwanzig Millionen Menschen in Großbritannien ergeben, eine Verdoppelung in dreißig Jahren. In harten Wintern lebe jeder zehnte von der Fürsorge. Die Grenze sei erreicht für die Kommunalsteuerzahler des Mittelstands; ein heroischer Eingriff sei nötig, um dieses ‹Eitergeschwür des Staates›, wie Harriet Martineau es nannte, herauszuschneiden. Warum sollten sie die Arbeitsscheuen unterstützen? Warum sollten sie ‹Eheschließungen zwischen armen Jungen und Mädchen› und die Geburt noch elenderer Kinder subventionieren?

Die Novelle zum Armengesetz, die soeben in Kraft trat, als Darwins Schiffskameraden die Büchlein lasen, sah drastische Maßnahmen vor. Sie beendete die Fürsorge für alle außer den Allerärmsten, die so krank oder alt waren, daß sie sich sogar in die entsetzlichen Armenhäuser begaben, um Nahrung oder Geld zu erhalten. Da deren Gefängnissystem den Zweck hatte, die Leute abzuschrecken – Ehefrauen wurden von ihren Männern getrennt, um Nachwuchs zu verhindern –, mußte sich die Zahl der Fürsorgeempfänger drastisch verringern, und enorme Einsparungen waren garantiert. Mrs. Martineau behauptete, dies werde den Armen selbst zugute kommen, weil es sie aus ihrer Abhängigkeit befreie. Doch indem sie sie zwangen, um Arbeitsplätze zu konkurrieren, senkten die Whigs vor allem die Lohnkosten und erhöhten die Gewinne. Dadurch, daß sie dem Reverend Malthus Gehör schenkten, würden sie ‹mehr für das Land tun als alle Regierungen seit der Revolution›, jubelte ein Kommentator. Das neue Armengesetz werde sie ‹unsterblich machen›.[10]

Was die einfachen Seeleute der *Beagle* von der Martineau hielten, läßt sich vermuten. Charles' Schwestern betrachteten das Armengesetz als die ‹brennendste Zeitfrage›, und Vater Darwin disputierte mit den örtlichen Torys über dessen Meriten. Aber Charles war zu weit vom Schuß und behielt seine Meinung für sich, obwohl niemand einen entscheidenderen Einfluß auf seine wissenschaftlichen Erkenntnisse haben sollte als Malthus.

Er lebte in einer anderen Welt, ganz der Bewunderung hingegeben für die ‹zerklüfteten, schneebedeckten Felsformationen, die blauen Gletscher und die Regenbogen›, als die *Beagle* von Puerto Famine gegenüber dem Monte-Sarmiento-Massiv auslief und in den Cockburnkanal einschwenkte. Am Fuß gewaltiger senkrechter Felswände sah Charles einen verlassenen Wigwam, der daran erinnerte, daß manchmal ein Mensch diese Wildnis durchstreifte. ‹Die Phantasie könnte sich kaum eine Szene ausmalen›, notierte er beklommen, in der Menschen ‹weniger Autorität zu haben› schienen. Die Elementargewalten herrschten hier unumschränkt. In dieser Verlassenheit ‹entziehen sich die größeren Kräfte der Natur jeglicher Kontrolle›, als wollten sie sagen: ‹Wir sind der Souverän.› Hier habe die Menschheit ‹keinerlei Ähnlichkeit mit Gott›.[11]

Nachdem sie vierzehn Stunden lang in pechschwarzer Dunkelheit gefährlich in Kreisen gesegelt war, fand die *Beagle* am 10. Juni aus dem Cockburnkanal heraus. Endlich hatten sie die Westküste erreicht. ‹Jede Handbreit Leinwand› gehißt, kämpfte sich das Schiff auf die lange Dünung des Pazifiks hinaus, die *Adventure* längsseits. Hier genügte die schroffe Granitküste, gegen die tosende Brecher donnerten, um bei Landratten Alpträume über ‹Gefahr und Schiffbruch› auszulösen. Heulende Nordstürme verstärkten den Effekt und peitschten wütende Wogen auf. Dies waren nicht die einzigen Todessirenen. Während FitzRoy am Steuer zu kämpfen hatte, rang der älteste Offizier unter Deck um sein Leben. Rowlett, der achtunddreißigjährige Zahlmeister, war Darwins Freund gewesen, seit sie auf São Tiago zusammen gewandert waren; am 27. Juni mußten sie mit ansehen, wie er ‹einer Komplikation von Krankheiten› erlag. Am nächsten Tag, als sich das Schiff San Carlos auf der Insel Chiloé, tausend Meilen nördlich von Kap Hoorn, näherte, las FitzRoy auf dem Achterdeck die Totengebete, und Rowletts sterbliche Überreste wurden der Tiefe übergeben. Für Darwin, der die Stürme unbeschadet überstanden hatte, war ‹das Zusammenklatschen der Wellen über dem Leib eines alten Schiffskameraden ein schauerliches, durch Mark und Bein gehendes Geräusch›.

Chiloé war die Nässe schlechthin. Nur ›ein amphibisches Tier könnte dieses Klima ertragen‹, stöhnte Darwin, als er sich umsah. Was ihn aufmunterte, waren die ‹tropische Landschaft› – die schönste seit Brasilien – sowie die Anzeichen vulkanischer Aktivität und einer neuzeitlichen Auffaltung. Auch die Vögel waren interessant und forderten zu Vergleichen mit denen auf Feuerland heraus. Am merkwürdigsten indes war eine Geschichte, die er hörte. Der Chirurg eines Walfangschiffes erzählte ihm, die Läuse, die den Bewohnern der Sandwichinseln zu schaffen machten, gingen in wenigen Tagen ein, wenn sie auf Engländer überwechselten. Was besagte dies über die menschlichen Rassen? Er begann, die Auswirkungen in seinen Notizen durchzuarbeiten. ‹Der Mensch entstammt einer einzigen Wurzel› – das war sein erster Grundsatz. Daraus folgte, daß all die verschiedenen Menschentypen ‹*Varietäten*› waren. Hieß das, daß auch ihre Parasiten eng verwandt waren? Wenn er das beweisen könnte, wäre es ein Schlag für die Apologeten der Sklaverei, welche die Schwarzen zu einer eigenen Spezies erklärten. Da war ein Faden, den er mit den Experten zu Hause in London weiterverfolgen mußte.

Nach zwei verregneten Wochen setzte die *Beagle* ihre Fahrt fort; sechshundert Meilen ging es die Küste entlang nordwärts gegen einen ‹alles andere als «Pazifischen» Ozean›. FitzRoy plante, die stürmischen Monate in Mittelchile abzuwarten, während die Schwesterschiffe überholt wurden. Am 23. Juli ankerten sie in dem von steilen Hügeln umrahmten und ‹flüchtige Ausblicke auf die Anden› im Norden bietenden Hafen von Valparaiso. Das Klima hier war ‹köstlich›, ‹der Himmel so klar und blau, die Luft so trocken und die Sonne so strahlend›, daß die ganze Natur ‹von Leben zu strotzen schien›.[12]

Darwin ging in die Stadt. In Valparaiso, ‹einer Art London oder Paris›, war man ‹verpflichtet, sich anständig zu rasieren und anzuziehen›. Er logierte bei Richard Corfield, einem alten Klassenkameraden aus Shrewsbury, der Kaufmann geworden war. Corfield besaß ein schönes Haus am Stadtrand, nahe dem offenen Land, und Darwin machte sich auf, die Umgebung zu erkunden. Die Hügel waren voll prächtiger Blumen und duftender Sträucher. In vierhundert Meter Höhe fand er Schichten neuzeitlicher Muscheln, aber merkwürdigerweise nur wenige Insekten, Vögel und Säugetiere. Vielleicht waren keine ‹erschaffen worden, seit dieses Land aus dem Meer emporgestiegen war›.

In der Ferne winkten die Anden oder vielmehr deren Vorgebirge, die im Winter leichter zu besteigen waren. Um sich das alles näher zu besehen, kaufte er sich ‹ein kleines Rudel Pferde› zur abwechselnden Benutzung und zog am 14. August los. Die Landschaft glich der von Feuerland. Ohne Zweifel waren auch diese Ebenen einst Meeresboden gewesen, und die fernen Berge hatten die Küstenlinie gebildet. Von weiter oben, aus etwa zwölfhundert Meter Höhe, blickte er auf den ‹paradiesischen Flickenteppich› des Tals hinunter. In dieser Höhe waren die Lavafelsen ‹auf jede mögliche Weise gebrutzelt, geschmolzen und verformt› worden, und das vor nicht allzu langer Zeit. Vulkane hatten sie ausgespien, und Erdbeben erschütterten und zermahlten sie immer noch; hier war der Mensch ein winziges Lebewesen. Darwin beeilte sich, an massiven Überhängen vorbeizukommen, die jeden Augenblick herunterzustürzen drohten. Es war unmöglich, nicht ‹die grandiose Kraft› zu bestaunen, ‹die diese Berge aufgefaltet hat, und noch mehr die unzähligen Jahrtausende›, die nötig waren, ‹ganze Gebirgsmassive entzwei-zubrechen, abzutragen und einzuebnen›.[13]

Am 27. August erreichte Darwin Santiago. Eine Woche verbrachte er da-mit, tagsüber die Natur zu erforschen und abends mit Kaufleuten zu dinie-ren. Corfield war ebenfalls da, ‹um die Schönheiten der Natur in Form von Señoritas zu bewundern›, und sie taten sich für die Rückfahrt nach Valpa-raiso zusammen. Auf einer reichen Hazienda, in der sie unterwegs einkehr-ten, unterhielt Darwin die ‹hübschen Señoritas› mit Geschichten über seine Reisen. Aber es wurde recht frostig, als er erwähnte, wie er in Buenos Aires probeweise verschiedene Predigten angehört hatte. Als Katholikinnen dreh-ten die Damen ‹ihre charmanten Augen in frommem Entsetzen zum Him-mel, weil ich eine Kirche betreten hatte, um mich umzusehen; sie fragten ... warum ich kein Christ würde, «denn unsere Religion bietet Gewißheit». Ich versicherte ihnen, daß ich eine Art Christ sei; das wollten sie nicht wahrha-ben [...] «Heiraten nicht Ihre Padres, ja sogar die Bischöfe?» Die Absurdität, daß ein Bischof eine Frau haben könnte, schockierte sie besonders, und sie wußten kaum, ob sie über eine solche Schändlichkeit mehr amüsiert oder mehr empört sein sollten›.

Es genügte, um ihn an zu Hause zu erinnern – an Schwestern, Pfarreien und Ehefrauen. Eine katholische ‹Art von Christ› würde er nie sein können. Aber wie stand es mit seiner eigenen Kirche?

Er wußte es nicht. Monate waren vergangen, seit er zum letztenmal Visionen von ‹Zurückgezogenheit, grünen Häuschen und weißen Unter-röcken› beschworen hatte. Die Reise war immer weitergegangen; jetzt fühl-te er sich ‹wie ein ruinierter Mensch, der nicht erkennt, wie er sich aus sei-ner Lage befreien soll, und dem das auch gleichgültig ist›. Das einzige, was er wußte, war, daß ihn mit der Geologie ‹ein nie nachlassendes Interesse› verband. Das war auf seine Weise religiös, gab es ihm doch ‹dieselben groß-artigen Ideen› über die Erde ein, wie es ‹die Astronomie in bezug auf das Universum tut›. Das hatte ihm jedenfalls Reverend Sedgwick beigebracht, doch jetzt, umgeben von ‹grandiosen Schneemassen›, empfand er in seinem Herzen, daß es auch stimmte.

Sie ritten weiter durch eine atemberaubende Szenerie, immer noch Rich-tung Valparaiso. In einem amerikanischen Goldbergwerk beobachtete Dar-win blasse junge Männer, wie sie sechzig Kilogramm schwere Steine einen mit Leitersprossen versehenen hundertvierzig Meter hohen Schacht hinauf-schleppten. Sie ‹bekommen nur Bohnen und Brot›, erklärte der Eigentümer, als er mit seinen Gästen beim heimischen Wein saß. Einige Stunden später wurde Darwin krank, und obwohl er nach wenigen Rasttagen geheilt schien, revoltierte sein Magen erneut, sobald er im Sattel saß; sein Appetit schwand, und er begann zu fiebern. Das war dieser saure Wein gewesen, dessen war er sicher. Am 21. September konnte er kaum sein Pferd besteigen. Die Ruhepausen wurden häufiger, doch nichts konnte ihn davon abhalten, fossile Entenmuscheln aus Lagerstätten in der Ebene herauszumeißeln – der definitive Beweis dafür, daß es sich um Meeresgrund handelte. Nach einer weiteren Woche des Leidens erreichte er Valparaiso als ein schlurfendes Wrack. Er ließ sich ins Bett fallen und konnte es einen Monat lang nicht verlassen.[14]

Bynoe, der Chirurg, brachte Medikamente und beklemmende Nachrichten von der *Beagle:* FitzRoy hatte einen Nervenzusammenbruch erlitten. Er war ein reizbarer Perfektionist, und die anstrengende Vermessungstätigkeit hatte an seinen Nerven gezehrt. Die Renovierung der *Adventure* hatte sich als zu teuer erwiesen, und die Lords der Admiralität hatten ihn getadelt, weil er sie gekauft hatte. Notgedrungen hatte er das Schiff wieder verkauft – und war durchgedreht. Zuerst *wollte* er in dieses ‹verfluchte Land› namens Feuerland zurückkehren, um seine Messungen zu überprüfen, und riskierte damit eine Massendesertion der Mannschaft, Darwin eingeschlossen. Deprimiert und an seiner geistigen Gesundheit zweifelnd, hatte er schließlich das Kommando niedergelegt. Er fürchtete das Schicksal seines Onkels und erinnerte sich an Stokes' Selbstmord. Wickham führte jetzt das Schiff; er hatte Anweisung, die Kartierung der Westküste abzuschließen und dann direkt nach England zurückzukehren.

Darwin war wie vor den Kopf geschlagen. Damit war die Weltumseglung ins Wasser gefallen – kein Pazifik, kein Indischer Ozean! Sein Geist war wieder ‹ein schwingendes Pendel›, abwechselnd niedergeschlagen und heimwehkrank; die Trübsal einer verlorengegangenen Welt wurde einzig durch die Aussicht auf eine baldige Wiedervereinigung mit der Familie aufgehellt. Hin und her gerissen, quälte er sich eine Nacht lang ab. Sollte er alles hinwerfen und verschwinden? Nein, seine ‹geologischen Luftschlösser› kamen als erstes. Diese würde er nicht für alle Pfarreien und Unterröcke Englands opfern. Er beschloß, allein durch Chile und Peru zu reisen, die Anden zu überqueren, sich nach Buenos Aires durchzuschlagen und von dort die Heimfahrt anzutreten. Schöne fünfzehn Monate würden das sein.

FitzRoy pendelte genauso wild hin und her. Nachdem ihm die Offiziere gut zugeredet hatten, änderte er seinen Kurs, zog seine Demission zurück und kündigte an, daß sie doch den Pazifik überqueren würden. Es gebe kein Zurück; er werde die Segel hissen, sobald der ‹Philosoph› wieder auf den Beinen sei. Die Nachricht traf bei Corfield ein und lieferte das Tonikum, das Darwin benötigte. ‹Was für eine Revolution ... fünf Minuten ... in allen meinen Gefühlen bewirkten›, frohlockte er gegenüber seiner Familie. Die *Beagle* würde mehrere Monate lang in Küstengewässern bleiben; dann ‹den Pazifik zu überqueren und von Sydney nach Hause› zu segeln, würde ein Kinderspiel sein. Die Welt lag wieder vor ihm.

Beflügelt vollendete er am 7. November einen langen Brief an Henslow, seinen ‹Vater› und ‹Proproktor› in Naturgeschichte, worin er seine Entdeckungen genau schilderte. Inzwischen verstand Henslows wissenschaftlicher Sohn die patagonische Geologie. Er wußte genügend Bescheid, um Lamarcks Klassifizierung der Korallen in Frage zu stellen; er hatte sich über die Entstehung der Anden den Kopf zerbrochen, ›600 kleine Quartseiten‹ mit Notizen gefüllt und zwei weitere Kisten mit Präparaten und Proben abgeschickt. Und es sollte noch besser kommen, denn in drei Tagen starteten sie zu den Chonosinseln, wo sie ‹beim Licht eines Vulkans steuern› konnten. Die Zukunft sah so strahlend aus, daß Darwin nicht wußte, ‹welcher Teil der Reise jetzt die größten Attraktionen bietet›.[15]

Die Insel Chiloé war das Tor zu diesem Archipel. Nach einer schönen Fahrt südwärts traf die *Beagle* am 21. November im Hafen von San Carlos ein. FitzRoy dispensierte die *Beagle* vom Vermessungsdienst und übertrug Sulivan das Kommando über Jolle und Beiboot des Schiffes mit der Order, die Ostküste von Chiloé bis zur Südspitze der Insel zu kartieren. Darwin begleitete Sulivan selbstverständlich auf dieser Hundert-Meilen-Fahrt. Nach zwei Tagen erblickte er drei große Vulkane mit Rauchfahnen, zehn Tage später seinen ersten versteinerten Baum, ein schönes Fossil in gelbem Sandstein; der Stamm war ‹dicker als mein Körper›, und die Adern waren aus durchsichtigem Quarz.

Zur *Beagle* zurückgekehrt, segelten sie entlang der ‹hoch aufragenden, verwitterten› Südküste von Chiloé und hielten dann Kurs auf die Chonosinseln. Der Weihnachtstag war deprimierend; der Wind pfiff schneidend, und die durchnäßten, verlassenen Inseln erinnerten alle an Kap Hoorn. Doch der Archipel war nicht ganz verlassen – am 28. Dezember erspähten sie auf einer Landzunge einen Seemann, der wild sein Hemd schwenkte. Ein Boot wurde hinausgeschickt, in dem sich auch Darwin befand. Sie stießen auf fünf amerikanische Schiffbrüchige. ‹Ich habe niemals solche Angst in menschlichen Gesichtern gesehen›, schrieb er. Die armen Teufel waren von einem Walfänger aus Massachusetts desertiert, ‹ohne zu wissen, wo sie waren und in welche Richtung sie fahren mußten›. Ihr Boot war zerschellt, und seit über einem Jahr hatten sie von Robbenfleisch und Schalentieren und von der Hoffnung gelebt. In all dieser Zeit hatten sie nur ein einziges Mal Segel gesehen. Sie ‹sprangen fast ins Wasser›, als das Boot sie abholte.[16]

FitzRoy vermaß die Inseln und ließ dann in Port Low an der Nordspitze des Archipels Anker werfen. Eine Woche lang deckte sich die Mannschaft mit Wild, Austern und Kartoffeln ein. Nach den wilden Menschen erschienen FitzRoy die wilden Kartoffeln als Höhepunkt der Reise, und Darwin sammelte Samen für Henslow. Er stellte auch seine Fallen auf und fing eine ‹einzigartige kleine Maus›. Sie sei auf manchen Inseln verbreitet, sagten die Einheimischen, was ihn veranlaßte, darüber nachzusinnen, was die Kolonisierung zu einer so zufallsbedingten Angelegenheit machte. Im übrigen las er Dutzende von Seemuscheln am Strand auf, von denen jede ‹unzählige Bohrgänge› aufwies. Die Muscheln waren von winzigen Parasiten befallen. Unter dem Mikroskop entpuppten sie sich als bohrende Rankenfüßer, nicht größer als Stecknadelköpfe. Dies waren sicherlich die kleinsten, seltsamsten Rankenfußkrebse der Welt, und Darwin nahm sich Hunderte mit, um sie zu studieren.

Die *Beagle* war am 15. Januar 1835 wieder in Chiloé zurück und ankerte in San Carlos, wo drei Wochen Rast gemacht werden sollten. Etwa um Mitternacht des 19. Januar sichtete der Posten am Horizont ‹etwas wie einen großen Stern›, das langsam größer wurde. Von morgens drei Uhr an waren Darwin und die Offiziere an Deck und wechselten sich am Fernrohr ab: In siebzig Meilen Entfernung veranstaltete der Vulkan Osorno ein grandioses Schauspiel. Der ‹große, grellrote Schein› ging von explodierenden Felsen und Lava aus, die sich die Hänge hinabwälzten. Die ganze geschmolzene Masse glühte so hell, daß der Himmel erleuchtet war und die See das Schauspiel reflektierte. Es handelte sich indes nur um eine kleinere Eruption, die schließlich verlosch, und am Morgen, so notierte Darwin, ‹schien der Vulkan seine Fassung wiedergewonnen zu haben›.[17]

Während FitzRoy seine Peilungen vornahm, durchstreifte Darwin mit einem gemieteten Führer und dem Midshipman King eine Woche lang Chiloé. Das Wetter war schön, und es gab Käfer im Überfluß. Die Siedlungen waren von Obstgärten umgeben. Überall sah man Apfelbäume, am Straßenrand, in den Städtchen – er hatte nie so viele gesehen. Zum Schluß erstiegen sie eine Anhöhe, um noch einmal die Vulkane zu sehen, und stießen etwa hundert Meter über dem Meeresspiegel auf eine weitere Ablagerung von Muscheln.[18] Die Westküste des Kontinents hatte sich ebenso wie der Osten in jüngerer Zeit aus dem Meer erhoben, und zwar genauso schubweise.

Am 5. Februar lag die *Beagle* endlich auf Nordkurs, und Darwin zog sich in seine enge Kabine zurück, um seine Aufzeichnungen zu machen. Er kehrte zu der strittigen Frage der Megatherien und ihres Aussterbens zurück. Lyell habe recht in bezug auf das ‹allmähliche Auftreten und Absterben von Spezies›, notierte Darwin. Nach der Auslöschung müsse ‹eine Abfolge von Geburten den Erdball erneut bevölkern› und die Bestände der Arten wieder auffüllen, um die Harmonie zu erhalten, die der ‹Urheber der Natur› hergestellt habe.

Noch einmal kam Darwin auf das ‹Mastodon› zurück, das er in San Julián gefunden hatte. Keine Überschwemmung und auch keine sonstige Katastrophe konnte es getötet haben; zumindest zeigte das Gestein keine Anzeichen davon. Außerdem war es in eine Wasserrinne eingebettet gewesen, in dieselbe Art von Lehm, welche die muschelhaltige Kieselschicht auf dem Plateau darüber bedeckte. Dies konnte nur bedeuten, daß das Tier *nach*

185

diesen Muscheln gelebt hatte. Und da ähnliche Schalentiere auch jetzt noch im Meer gediehen, konnte sich das Klima nicht erheblich verändert haben, ebensowenig die Vegetation; diese Schotterböden waren zu schlecht, um etwas anderes als Gestrüpp zu ernähren. Mit einem Streich hatte Darwin die beiden gebräuchlichsten Erklärungen für das Aussterben von Arten beiseite gewischt: eine katastrophale Überschwemmung und eine Klimaänderung. Er glaubte zwar immer noch an Lyells ‹Schöpfer›, hatte aber mit Lyells Klimatheorie gebrochen; er entwickelte jetzt seine eigene.[19]

Lyell sprach von dem ‹sich wiederholenden Absterben› als Bestandteil ‹des normalen Kreislaufs der Natur›. Doch was konnte eine ganze Spezies veranlassen, zu sterben wie ein einzelnes Individuum? Warum waren alle Megatherien zugrunde gegangen?

Auf der Suche nach einer neuen Antwort griff Darwin jetzt auf sein anderes Interesse zurück: das an der Lebenskraft in belebter Materie. Er nahm jedoch einen neuen Blickwinkel ein. Gewöhnliche Äpfel waren der Schlüssel – genauer gesagt: die allgegenwärtigen Apfelbäume auf Chiloé. Gerade als er davon schrieb, legte die *Beagle* in dem hundertfünfzig Meilen nördlicher gelegenen Hafen von Valdivia an, einer heruntergekommenen Siedlung, ‹völlig versteckt in einem Wald von Apfelbäumen›. Die ‹Straßen sind bloße Wege in einem Obstgarten›, bemerkte er, als er von Bord ging. ‹Ich habe diese Obstart niemals in solchem Überfluß gesehen.› Er begriff jetzt, was diese Bäume so fruchtbar machte:

‹... Die Einwohner besitzen ein fabelhaftes Schnellverfahren zum Anlegen einer Obstplantage. Am unteren Ende fast jeden Zweiges ragen kleine konische, faltige braune Spitzen heraus; diese sind stets bereit, sich in Wurzeln zu verwandeln, wie man bisweilen da sehen kann, wo zufällig etwas Erde gegen den Baum gespritzt ist.›

Solche Ableger wurzelten sofort an, und die Bevölkerung habe sich diese Tatsache zunutze gemacht. Ganze Plantagen gingen auf einen Baum zurück. Die Stecklinge schössen in diesem Klima so üppig ins Kraut, daß man innerhalb von achtzehn Monaten Ableger von Ablegern schneiden könne.

Das veranlaßte Darwin, darüber nachzudenken, was ein Ableger eigentlich ist. Waren alle Ableger eines Baumes *Teil* dieses Elters? Waren sie die abgetrennten Glieder eines Individuums? Wenn ja, dann mußten sie dieselbe Lebensspanne haben. Wie Darwin es formulierte: ‹... all diese tausend Bäume sind von der Lebensdauer abhängig, die eine Knospe enthielt.›[20] Sie seien an eine Lebenskraft gebunden, die durch das Abschneiden zwar enorm verlängert werde, aber dennoch begrenzt sei – so glaubte er jedenfalls. Sobald diese dann erschöpft sei, würden alle Sprößlinge gleichzeitig sterben. Darwin machte jetzt einen Riesensprung und zog einen Vergleich mit den Spezies. Vielleicht hatten alle Megatherien eine Lebenskraft miteinander gemein; vielleicht waren auch geschlechtlich fortgepflanzte Tiere wie ‹Ableger› eines ursprünglichen Stocks. War das der Grund, warum alle Riesenfaultiere gleichzeitig verschwanden?

Auf Anregungen erpicht, schnüffelte er in Valdivia herum. Der Captain gab eine Party an Bord. Eine Bootsladung errötender Señoritas wurde zu diesem Anlaß engagiert, und, potztausend, ‹schlechtes Wetter zwang sie, die ganze Nacht zu bleiben›. Das sei allen ‹sehr lästig› gewesen, witzelte Darwin. Ansonsten verbummelte er seine Stunden mit Spaziergängen im Wald.

Am Vormittag des 20. Februar lag er gerade rastend auf dem Waldboden, als um 10 Uhr die Erde erbebte. Er hatte schon einmal zuvor einen Erdstoß verspürt, während seiner Genesung im Haus von Richard Corfield, doch verglichen mit diesem war das nichts gewesen. Es begann plötzlich, wurde immer heftiger und schien ewig zu dauern. Er versuchte aufzustehen, brach jedoch schwindelig und verwirrt in die Knie. Im Bruchteil einer Sekunde verschwand die einzige bleibende Sicherheit im Leben: der feste Erdboden. ‹Die Erde, der Inbegriff aller Festigkeit›, schrieb er verstört, erzitterte unter seinen Füßen ‹wie eine Kruste über einer Flüssigkeit›. Das Beben dauerte nur zwei Minuten, umfaßte aber eine Ewigkeit; jeder Halt ging verloren, so daß er sich wochenlang in einem philosophischen Schwindelzustand befand. Er eilte in die Stadt, wo ihn der Anblick schiefer Holzhäuser empfing und das Entsetzen, ‹das sich auf den Gesichtern aller Einwohner malte›. ‹Ein Erdbeben nicht nur verspürt, sondern *gesehen* zu haben›, war ein schreckliches Erlebnis für ihn, und ihm graute bei dem Gedanken an die Zerstörungen in der zweihundert Meilen entfernten Stadt Concepción.[21]

Die *Beagle* lief aus und segelte die Küste hinauf. Hier waren die Untiefen tückisch, und das Schiff verlor zwei Anker, den sechsten und den siebten auf der Reise, bevor es den Hafen von Concepción erreichte. Die Verwüstung war unfaßbar. ‹Die ganze Küste war übersät mit Kleinholz und Mobiliar, als wären tausend große Schiffe zu Bruch gegangen.› Riesige Felsblöcke waren auf den Strand hinaufgeschleudert worden, und die Stadt glich einem antiken Trümmerfeld. Häuser und Schulen waren Schutthaufen; selbst die große Kathedrale war halb zerstört, ihre meterdicken Mauern wankten auf zerborstenen Fundamenten. Das Beben war das schlimmste, das Chile je erlebt hatte, hörte Darwin. Es hatte sich nicht angekündigt und mit ungeheurer Gewalt zugeschlagen. ‹Dröhnend ... wie fernes Donnergrollen› hatte eine Schockwelle nach der anderen die Stadt getroffen und den Himmel mit einer dichten Staubwolke verdunkelt. Überall waren Brände ausgebrochen. Die Menschen rannten schreiend aus ihren Häusern. Dann hatte eine sechs Meter hohe Flutwelle das Land überrollt, die einen Schoner mitten in die Stadt trug. Zahllose Menschen waren ertrunken oder verschüttet worden, und selbst jetzt, zwei Wochen später, lagen noch viele Opfer unter den Trümmern begraben. Plünderer durchstreiften die Straßen und mischten

‹Religion in ihre Verdorbenheit [...] Bei jedem kleinen Erzittern des Bodens schlugen sie sich mit der einen Hand an die Brust und riefen «Misericordia», und mit der anderen fuhren sie fort, aus den Ruinen zu stehlen.›

Die Verluste an Menschenleben waren unvorstellbar, und Darwins Gedanken wandten sich der Heimat zu. Was wäre, wenn ein Erdbeben England träfe, mit seinen ‹hochragenden Häusern, den dichtbevölkerten Städten, den großen Fabriken, den schönen privaten und öffentlichen Gebäuden›? Welche ‹entsetzliche Vernichtung an menschlichem Leben das wäre›! Das Land würde ‹bankrott gehen; alle Papiere, Akten, Aufzeichnungen ... gingen verloren [...] Die Regierung könnte keine Steuern einziehen›. Es war eine schreckliche Vorstellung – eine mit nichts vergleichbare Revolution, der gewaltsame Sturz von allem, was ihm teuer war. Und, noch schlimmer: Niemand konnte vorhersagen, wann ein Erdbeben ausbrechen würde. ‹Wer kann sagen, wie bald so etwas geschehen wird?›

Trotz seiner aufgewühlten Gefühle begann Darwin nüchtern zu überlegen. Er fand frische Muschelbänke über der Flutlinie. Die Schalentiere waren alle tot – das Land hatte sich gehoben, und zwar um mehrere Fuß! Was hatte er die ganze Zeit anderes im Sinn gehabt, als daß der Kontinent aus dem Meer aufgetaucht war? Und jetzt hatte er es *erlebt*! Lyell hatte dasselbe für die Bucht von Neapel bewiesen, wo ein versunkener römischer Tempel durch ein Erdbeben aus dem Wasser emporgehoben worden war. Es war die endgültige Bestätigung dafür, daß sich Berge nicht in einem einzigen kolossalen Umbruch auffalteten. Lyell hatte recht: Sie wuchsen kaum merklich im Lauf von Äonen, Ergebnis von tausenden kleiner Hebungen wie dieser. Zeit, unvorstellbare Zeit, das war der Schlüssel; in solchen Zeitspannen war jede Veränderung möglich. Darwin hatte verstanden. Er stellte das Epizentrum des Bebens fest und identifizierte beginnende Vulkantätigkeit als dessen Ursache. Heiße Quellen sowie ‹Blasen von Gas und verfärbtem Wasser›, die in das Meer einsickerten, bewiesen unbezweifelbar, daß ‹die Erde eine bloße Kruste über einer flüssigen, geschmolzenen Gesteinsmasse ist›.

Erdbeben und Vulkane hatten die erschreckende Macht der Natur, ihre Triebkraft offenbart. Aber wo paßte der Mensch, der winzige Mensch, in ihr Bild? Es war ‹bitter und demütigend›, seine Verletzbarkeit einzugestehen, bewegte er sich doch ‹auf sehr dünnem Eis›, einer verkrusteten Gesteinsschicht über einem Höllenschlund. Doch er mußte das akzeptieren.[22]

12

Koloniales Leben

Sie würden bei ihrer Rückkehr nach England keine weißhaarigen Gentlemen sein. Als die *Beagle* in Valparaiso einlief, um neue Anker abzuholen, kündigte FitzRoy an, daß sie in achtzehn Monaten zu Hause sein würden. Endlich konnte Darwin das ‹definitive und gewisse Ende› der Reise absehen.

Am 12. März 1835 quartierte er sich wieder in Corfields Villa ein, um sich auf die Andenexpedition vorzubereiten, von der er seit zwei Jahren geträumt hatte. Während man auf dem Schiff die Kartierungsarbeit abschloß, würde er das Gebirge überqueren. Doch selbst während er seine ‹Pferdedecken, Steigbügel, Pistolen und Sporen› packte, dachte er an zu Hause, ja plante ‹genau, mit welchen Kutschen ich ... Shrewsbury in der kürzesten Zeit erreichen werde›. Er sandte einen neuen Stapel erwartungsvoller Briefe ab. Ach, wenn er doch nur schon wieder ‹ruhig in Cambridge leben› könnte, seufzte er gegenüber Henslow am Ende eines Berichts, in dem er nachwies, ‹daß sich beide Flanken der Anden in neuerer Zeit emporgehoben haben›. Fox mit seiner jungen Frau erhielt einen noch nachdenklicheren Brief. ‹Du ein verheirateter Geistlicher, Ave Maria, wie seltsam das in meinen Ohren klingt.› Würden sie noch etwas außer Erinnerungen miteinander gemein haben, wenn er nach Hause käme? Er könne nicht mehr erkennen, was die Zukunft in England bereithalte. ‹Was ich letzten Endes mit mir anfangen werde – *quién sabe*? Wer weiß? Aber es ist sehr unseemännisch, an die Zukunft zu denken.›[1]

Da sich der Winter näherte, würde er seine Bergtour rasch durchführen müssen. Er machte sich auf den Weg nach Santiago, und von dort begann er am 18. März mit zehn Maultieren, einer Stute, zwei Führern und ‹einer Menge Proviant, falls wir eingeschneit werden›, den langen Aufstieg zum Portillopaß. Dank eines ‹starken Passierscheins vom Präsidenten› Chiles schlüpften sie durch die Zollkontrolle, und am 21. März stand Darwin keuchend auf der kontinentalen Wasserscheide. In rund dreitausendneunhun-

189

dert Meter Höhe blies ein ‹heftiger und sehr kalter Wind›, und auf Kopf und Brust lastete ein Druck. Dann blickte er hinter sich.

‹Die Atmosphäre so strahlend klar, der Himmel ein sattes Blau, die tiefen Täler, die wilden, gebrochenen Formen, die Trümmerhaufen, die sich im Lauf von Jahrtausenden aufgetürmt haben, die leuchtendfarbenen Felsen, von denen sich die stillen Schneegipfel abhoben, ergaben zusammen eine Szene, die ich mir nie hätte vorstellen können [...] Ich war froh, daß ich allein war. Es war, als beobachte man ein Gewitter oder höre im vollen Orchester einen Chor aus dem *Messias*.›

Von Gefühlen gepackt, war er in ‹einer anderen Welt›. Doch selbst hier, in dieser unfruchtbaren Wildnis, wo es ‹weder Pflanze noch Vogel› gab, fand er fossile Muscheln in den Felsen.

Dies war der erste der beiden Andenhauptkämme. Die Gruppe überquerte das Zentralmassiv und hatte nun den sechstausendsechshundert Meter hohen Tupungato vor sich. Die Männer kämpften sich durch eisige Wolken zum Portillo vor, einem ‹schmalen Einschnitt› im zweiten Kamm, von wo der Abstieg kurz und steil war. Während sie in dieser Nacht kampierten, wobei sie unter großen Findlingsblöcken Schutz vor der bitteren Kälte suchten, klarte der Himmel auf. Die Wirkung war ‹geradezu magisch›. Vollmond übergoß die Berge mit Licht, und der Himmel war mit Sternen übersät; die Luft war trocken und unbewegt. Statische Elektrizität vervollständigte die Illumination. Jedes ‹Haar auf einem Hunderücken knisterte›, und Darwins Flanelljacke leuchtete, wenn man sie rieb, ‹als sei sie mit Phosphor getränkt›. Vor ihnen lagen die Pampas, die Darwin schon immer aus solcher Höhe hatte sehen wollen. Doch im Morgenlicht war der Anblick enttäuschend; die Pampas waren flach und gesichtslos, unterbrochen nur durch Flüsse, die sich ‹wie Silberfäden› in der aufgehenden Sonne wanden.[2]

Am 28. März erreichten sie Mendoza, nachdem sie mehrere kieselbedeckte Plateaus überquert und sich durch einen Heuschreckenschwarm hindurchgekämpft hatten. (‹Das Geräusch, das sie bei ihrem Herankommen machten, war das einer starken Brise, die durch die Takelage eines Schiffes streicht.›) Riesige Vinchuca-Wanzen plagten sie; es war ‹furchtbar ekelhaft›, nachts aufzuwachen und zu spüren, wie einem die Tiere, ‹einen Zoll lang ... schwarz und weich›, über den Körper krochen, ‹vollgesogen mit dem eigenen Blut›. Nachdem sie sich einen Tag in der ‹trostlosen und stupiden› argentinischen Stadt ausgeruht hatten, wandten sie sich nach Nordwesten, um die Anden erneut zu überqueren, diesmal über den Uspallatapaß. In zweitausendeinhundert Meter Höhe stieß Darwin auf eine faszinierende Gruppe von fossilisierten Bäumen. ‹Ich gestehe, daß ich zunächst so erstaunt war, daß ich das ins Auge Springende kaum glauben konnte›: einen versteinerten Wald, fünfzig fossilisierte Stämme in einem Steilabbruch aus Sandstein, ‹schneeweiße Säulen wie Lots Weib›, vollkommen kristallisiert. Selbst die

Vertiefungen der Rinde waren sichtbar, und die Wachstumsringe konnte man noch zählen. Die Sandsteinablagerungen erzählten die ganze Geschichte. Dieses ‹Wäldchen schöner Bäume hatte seine Zweige einst an der Küste des Atlantiks gewiegt, als dieser Ozean (der inzwischen siebenhundert Meilen zurückgedrängt wurde) noch bis an den Fuß der Anden heranreichte›.[3] Das Land sei später abgesunken, so daß der üppige Tropenwald ertrank, und unter einer weit über tausend Meter dicken Schicht aus Sand und Schlick begraben worden. Diese Ablagerungen hätten sich zu Fels verdichtet, das Holz habe kristallisiert, und Lava habe sich darüber ergossen. Dann habe sich der Kontinent langsam und unaufhaltsam aus dem Meer erhoben, bis dieser unheimliche Steinwald hoch oben in den frostigen Bergen stand.

Darwin baute jetzt buchstäblich ‹geologische Luftschlösser›. In der verdünnten Atmosphäre, inmitten der hoch aufragenden Felsspitzen und der schroffen Schluchten, entwickelte er eine Theorie zur Erklärung der Anden. Ihr Granitkern sei schubweise entlang einer Nord-Süd-Linie emporgehievt worden, wobei ‹die darüberliegenden Schichten auf äußerst ungewöhnliche Weise umgestürzt wurden›. Dieser die Bäume begrabende Sandstein sei ‹umhergeschleudert› worden ‹wie die zerreißende Kruste einer Pastete›. Mächtige Kräfte – in Zeitlupe wirkende Urgewalten, wie es Menschen erscheinen muß – hätten die darüberliegenden Felsen schräggestellt und zerbrochen, so daß die Bäume jetzt in einem Winkel geneigt standen. Dieser Anblick ließ Darwin nach Atem ringen. ‹Ich kann mir keinen Teil der Welt vorstellen, der ein außergewöhnlicheres Bild des Aufbrechens der Erdkruste bietet.›[4]

Nachts ‹konnte er kaum schlafen›, so bewegten ihn die Gedanken an das Gewoge der Erdkruste und die sich hebenden und senkenden Kontinente. Am 4. April, als sich der Maultierzug durch die heimtückischsten Pässe schlängelte, wirkte er fast geistesabwesend, doch ein falscher Schritt hätte ihn rettungslos in den Abgrund gestürzt und zu ‹Las Ánimas› – den armen Seelen – gesellt, nach denen eine der Schluchten benannt war. Jenseits davon waren die berüchtigten Schneestürme des Uspallatagebiets zu gewärtigen, doch genoß Darwin weiterhin ‹das strahlendste Glück› und die ehrfurchterweckende Szenerie, ‹ein schönes Chaos aus riesigen Bergen, getrennt von tiefen Schluchten›. Die Gruppe stieg in das Tal des Río Aconcagua ab und traf am 10. April in Santiago ein. Eine Woche später war Darwin wohlbehalten mit ‹einer halben Maultierladung› von Sammelstücken in Valparaiso zurück.

Er packte sie in zwei Kisten, welche die letzte Sendung sein sollten, die vor ihm zu Hause einträfe, und schrieb Henslow einen Bericht über die Expedition. Dieser Brief hatte absoluten Vorrang. ‹Absurd und unglaublich› schienen seine Entdeckungen; dennoch skizzierte er sie atemlos, mit breiten geologischen Pinselstrichen, malte Bilder von fossilen Muscheln und Bäumen, die von der neuzeitlichen, ruckweisen Hebung des Kontinents zeugten. Das war ein kühnes Auftreten für einen jungen Naturwissenschaftler. Aber Darwin lechzte nach Anerkennung; er brannte darauf, daß man ihn für objektiv und unvoreingenommen hielt, und schwor, daß ‹keine vorgefaßte Annahme mein Urteil getrübt hat›.

Genauso wichtig war es ihm, den Vater und die Schwestern zu beeindrucken. Er brüstete sich damit, daß seine Befunde, falls akzeptiert, entscheidend für ‹die Theorie von der Entstehung der Welt› sein würden. Auch einen weiteren Kredit wollte er von seinem Vater. Zum zweitenmal innerhalb von sechs Monaten hatte er ‹einen Wechsel über hundert Pfund ausgestellt› und erwartete, daß seine Verschwendung verurteilt würde. Es war ein ‹schwarzes und bedrückendes› Thema, ‹dieses gräßliche Phantom Geld›. Alle seine Budgets waren überschritten worden. Er ersann allerlei Ausreden, gestand aber dann seine Anfälligkeit für die Versuchung: Geologische Exkursionen seien nun einmal ebenso unwiderstehlich wie kostspielig. Die Überquerung der Anden allein hatte ihn sechzig Pfund gekostet, und wenn er die Chance hätte, würde er zweifellos ‹sogar auf dem Mond Geld ausgeben›.[5]

Der zusätzliche Betrag war natürlich für die nächste Expedition gedacht. Während die *Beagle* nordwärts Kurs auf die peruanische Hauptstadt Lima nahm, zog Darwin auf dem Landweg dorthin. Am 27. April brach er mit vier Pferden, zwei Maultieren und einem Führer auf. Sie nahmen die Straße nach Coquimbo, die durch ausgedörrte Täler und über kahle Berge führte. Prospektoren durchstreiften die Hügel auf der Suche nach Kupfer und Gold. Fabelhafte Vermögen waren hier gemacht und verschleudert worden; selbst einige englische Arbeiter, ‹die als Mechaniker hierherkamen›, hatten ‹einige tausend Pfund› verdient und sich eine Mine gekauft. Darwin besuchte die Bergwerke und sah erneut die furchtbare Schinderei, die dort zu leisten war.

In Coquimbo wurde die *Beagle* für die lange Heimreise überholt. Nachdem Darwin sich in der Umgebung umgesehen hatte, wusch er seine Kleider, holte sich *Paradise Lost* aus der Achterkabine und brach am 1. Juni nach Copiapó auf, zweihundert Meilen nördlich, wo er sich wieder aufs Schiff begeben wollte. Diese letzte Strecke der Expedition erwies sich als harte Prüfung für Mensch und Tier. Wasser und Brennholz waren knapp, und die Vegetation wurde immer kümmerlicher. Im Huascotal machten sie einige Tage Rast, aber von dort bis Copiapó ging es nur durch Wüste. Hätte Darwin nicht die Freuden des Meißelns gehabt, wäre es ‹geradezu ein Martyrium› gewesen.

Er litt für seine Geologie und genoß sie. Und wie um seine Schmerzschwelle zu testen, ging er ein letztes, kostspieliges Risiko ein. Nachdem er am 23. Juni in Copiapó eingetroffen war, mietete er einen Führer und acht Maultiere für eine Woche in den winterlichen Anden. Dort überprüfte er seine Vorstellungen über die Auffaltung und schloß aus den Indianerruinen, daß das Klima in der Vergangenheit gastfreundlicher gewesen sein müsse. Die Berge erwiesen sich als ‹sehr zahm›, doch der Nachtwind war schneidend. Er ließ das Wasser gefrieren und drang durch die Kleidung. ‹Ich litt sehr … so daß ich nicht schlafen konnte, und stand am Morgen mit steifen und gefühllosen Gliedern auf.›[6] Zum erstenmal war er erleichtert, das Schiff zu sehen.

Die renovierte *Beagle* legte am 6. Juli zu der langen Fahrt ab, die sie entlang der Küste nordwärts führen sollte. Eine Woche später erreichten sie Iquique. Die Stadt war in Aufruhr, eine Folge der in die ‹Anarchie› abgeglittenen peruanischen Politik. Kirchen wurden geplündert, Ausländer dieser Untaten bezichtigt. Die erregten Einwohner hatten sogar einige Engländer gefangengenommen und gefoltert, bevor die Behörden die Ordnung halbwegs wiederherstellen konnten. Es war ein Vorgeschmack auf das, was FitzRoys Mannschaft in Lima, siebenhundert Meilen weiter nördlich, erwartete. Kaum hatte das Schiff am 19. Juli im Hafen von Lima angelegt, als die Besatzung davon unterrichtet wurde, daß vier bewaffnete Gruppen sich um die Macht stritten und der Präsident ‹jeden erschießt und ermordet, der seinen Befehlen nicht gehorcht›. Er hatte sogar während der Messe eine schwarze Flagge mit einem ‹Totenkopf› entrollt und bestimmt, daß ‹jeglicher Besitz dem Staat zur Verfügung stehen müsse›. Auch hier waren Ausländer vogelfrei. Drei, unter ihnen der britische Konsul, waren soeben von marodierenden Soldaten überfallen, ‹bis auf die Unterhosen› entkleidet und ausgeraubt worden. Das war ein Akt ‹heißer Vaterlandsliebe› gewesen. Die Gangster hatten ‹die peruanische Fahne geschwenkt und abwechselnd gerufen: «*Viva la patria!*», «Her mit der Jacke!», «*Libertad!*» […] «Runter mit der Hose!»›

Als junger Engländer mußte man auf der Hut sein. Darwin gelangte zwar wohlbehalten in die Stadt, konnte sich jedoch nicht in die Umgebung hinauswagen. Er vermerkte die ‹auffallende Rassenmischung›, die zahlreichen Kirchen zwischen ‹Schmutzhaufen› und den ‹elenden Verfallszustand›. Zwar gab es Anzeichen einer heruntergekommenen Pracht, doch nur eins verdrehte ihm den Kopf: Er ‹konnte seine Blicke nicht abwenden von den *Tapadas*, den eleganten Damen. Ihre Aufmachung und ihr Benehmen lockten den Seemann in ihm hervor. Er hatte das Gefühl, unter ‹hübsche, rundliche Meerjungfrauen› geraten zu sein.

‹Das … elastische Kleid schmiegt sich sehr eng an die Figur und zwingt die Damen, kleine Schritte zu machen, was sie sehr elegant tun, und dabei kommen sehr weiße Seidenstrümpfe und sehr hübsche Füße zum Vorschein. Sie tragen einen schwarzen Seidenschleier, der hinten in der Taille

193

befestigt ist und der über den Kopf gezogen und mit den Händen vor dem Gesicht festgehalten wird, wobei nur ein Auge unbedeckt bleibt. Aber dieses eine Auge ist so schwarz und glänzend und hat solche Fähigkeiten der Bewegung und des Ausdrucks, daß es eine sehr mächtige Wirkung ausübt.›

Diese verlockenden Geschöpfe seien es ‹mehr wert, angeschaut zu werden, als all die Kirchen und Gebäude in Lima›.[7]

Während der Monate Juli und August taumelte das Land von Krise zu Krise; Limas wichtigste Straße vom Hafen zur Stadt, wurde ‹durch Banden berittener Räuber› unpassierbar. Die *Beagle* war Darwins einzige Zuflucht. Aber die Zeit lastete wie Blei, und FitzRoy, der ‹alte Karten und Papiere› gefunden hatte, die er studierte, machte keine Anstalten, in See zu stechen. Es war eine weitere ‹beklagenswerte› Verzögerung, obwohl der Captain schwor, die Weltumseglung werde in Kürze beginnen.

Auf seine Achterkabine beschränkt, nutzte Darwin die Zeit, indem er seine Notizen auswertete. Die warmen Tage vertrieb er sich mit der Errichtung seines geologischen Theoriegebäudes. Wenn sich der Kontinent emporschob, dann sank der Meeresboden des Pazifiks vermutlich ab. Dies würde mit Lyells Theorie von einer pulsierenden Kruste übereinstimmen, und Darwin betrachtete sich jetzt als ‹eifriger Schüler› Lyells. Aber wie war seine Annahme zu beweisen? Die Belege, vermutete er, müßten auf den über den Pazifik verstreuten palmengesäumten Koralleninselchen zu finden sein. Sanken sie? FitzRoy hatte von der Admiralität unter anderem den Auftrag, die Umgebung dieser Inseln auszuloten, um festzustellen, ob sich die Korallenringe tatsächlich auf ‹den Gipfeln erloschener Vulkane› gebildet hatten. Reisende wußten, daß Korallenpolypen Wärme, Licht und seichte Stellen benötigten, und viele nahmen an, daß *sie aufsteigende* Vulkanränder besiedelten. Auch Lyell tat das. Aber was war, wenn sich Lyell in diesem Punkt irrte?

Darwin hatte die Lehre seines Meisters – wie gute Schüler das tun – schon vorher in Frage gestellt. Jetzt hatte er den Verdacht, daß die ganze Theorie auf dem Kopf stand. Wahrscheinlicher war, daß die Riffe Berggipfel besetzten, die *untergingen*. Während das Land sank, vermehrten sich die Korallen, wuchsen zum Ausgleich immer höher und hielten sich so in der optimalen Tiefe.[8] Darwin hatte eine Antwort für die Admiralität bereit, bevor er je eine Koralleninsel gesehen hatte. Nun blieb nichts weiter zu tun, als eine solche Insel zu finden und die Vermutung zu bestätigen.

Er feuerte Briefe ab. An Henslow schrieb er über chilenische Geologie, an die Familie über seine Vorhaben für die erste Woche nach der Heimkehr. ‹In Wirklichkeit›, warnte er die Lieben daheim, ‹werde ich noch lange Zeit nach unserer Rückkehr alle Hände voll zu tun haben.› Sein Beichtvater Fox vernahm mehr. Fox hatte das Loblied der Ehe gesungen und von seinem ‹lieben kleinen Weib› und dem erwarteten Kind geschwärmt. Er hatte Charles dringlich um einen Brief, um einen freimütigen Einblick in seine diesbezüglichen Gedanken gebeten und ihm damit ein willkommenes Stichwort geliefert. Charles verglich das glückliche Paar am pfarrhäuslichen Herd mit sich selbst, eingepfercht in eine beengte Kabine in einem stinkenden Hafen. Er öffnete Fox sein Herz.

‹Diese Reise dauert schrecklich lang. Ich wünsche mir so sehnlich, zurückzukehren, doch wage ich kaum, mich auf die Zukunft zu freuen, denn ich weiß nicht, was aus mir werden wird. Deine Situation ist über jeden Neid erhaben; ich gestatte mir nicht einmal, so glücklichen Visionen nachzuhängen. Für eine Person, die für dieses Amt geeignet ist, stellt das Leben eines Geistlichen den Inbegriff all dessen dar, was ehrenwert und glücklich ist. Und wenn er ein Naturforscher ist und den «Diamantkäfer» besitzt, Ave Maria; dann fehlen mir die Worte. Du führst mich in Versuchung, indem Du von Deinem Kaminfeuer sprichst, während das für mich eine Szene ist, über die ich nie nachdenken sollte.›

Er beneidete Pfarrer-Naturforscher um ihr Leben und um ihre Frauen. Eine ‹englische Lady› war eine ‹sehr engelhafte und gute› Person, ein Typus, den er ‹fast vergessen› hatte. Die Frauen hier ‹tragen Mützen und Unterröcke, und sehr wenige haben hübsche Gesichter; damit ist alles gesagt›. Doch Darwin versuchte nur die Schönheiten zu vergessen, die er in der Stadt sah, während sich die Mannschaft der *Beagle* auf die einsame Überquerung des Pazifiks vorbereitete. Seine erste Liebe, die Geologie, würde seine emotionalen Bedürfnisse befriedigen.

Jedenfalls war es töricht, an Kaminfeuer und weibliche Gesellschaft zu denken. Sie standen im Begriff, endlich zu ihrer Weltumseglung aufzubrechen: über den Pazifik nach Australien, dann über den Indischen Ozean nach Südafrika. Der nächsten Station, den Galápagosinseln, sah er ‹mit größerem Interesse› entgegen ‹als jedem anderen Teil der Reise›.[9]

Er war fast wehmütig, als sich die Schiffsbesatzung auf den endgültigen Abschied von Südamerika vorbereitete. So vieles hatte er in dreieinhalb Jahren erlebt: Erdbeben, Vulkanausbrüche, Riesenfossilien, wilde Völker. Er verabschiedete sich von den Anden und von Schiffskameraden, die in ihren Gräbern zurückblieben. Aber es gab immer neue Gesichter – und nicht nur menschliche. Ein Matrose, J. Davis, brachte einen Coati an Bord, einen südamerikanischen Verwandten des Waschbären mit Wühlrüssel, welcher der Mannschaft bis zum Ende der Reise Gesellschaft leistete.[10]

Eine Woche nachdem sie Lima verlassen hatten, war die *Beagle* schon sechshundert Meilen entfernt und näherte sich den Galápagosinseln. Es war der 15. September, als sie zum erstenmal die nächstgelegene Insel, Chatham – heute San Cristóbal –, sichteten. ‹Wir landeten auf schwarzen, trostlos aussehenden Haufen zerborstener Lava; sie bilden eine Küste, die sich als

195

Pandämonium eignet›, notierte FitzRoy. ‹Unzählige Krabben und abscheuliche Leguane liefen in alle Richtungen auseinander, als wir von Fels zu Fels
kletterten.› Darwin war genauso entsetzt; auf der schwarzen Schlacke konnte man schlecht gehen, und sie war brennend heiß. Sie glühte ‹wie ein Ofen›
in der prallen Sonne; die schroffe Ungastlichkeit wurde noch durch die fast
leblosen, verkümmerten Bäume unterstrichen. Jeder große Lavaspritzer sah
aus, als sei er ‹in seinen ungebärdigsten Momenten versteinert› worden. Die
Luft war schwül, der Geruch unangenehm und das Ganze ‹so, wie man sich
vielleicht den kultivierten Teil der Hölle ausmalt›.

Diese ‹brutzelnd heißen Inseln› waren ‹Paradiese für die ganze Familie der
Reptilien›. Wasserschildkröten glitten durch die Bucht und schnellten immer wieder mit den Köpfen hoch, um zu atmen, und landeinwärts versammelten sich Riesenschildkröten um Wasserlöcher. Die Quecksilbersäule
eines Thermometers schoß bei sechzig Grad über die Skala hinaus, und das
war gerade richtig für die Haufen ‹ekelhafter, schwerfälliger Echsen›, die auf
den Küstenfelsen schliefen. Die Seetang fressenden ‹Kobolde der Dunkelheit›, wie einer sie taufte, waren sicherlich sonderbare Geschöpfe. Doch da
diese am Wasser lebenden Leguane in den Museen fälschlich dem südamerikanischen Festland zugeordnet wurden, erkannte Darwin nicht, daß
sie nur auf den Galápagosinseln vorkommen.

Die Vögel kannten weder den Menschen noch irgendein Raubtier und
schienen ‹zahm›. Darwin näherte sich einem Falken und stupste ihn tatsächlich mit seinem Flintenlauf. Wo war da der Sport? Das Abschlachten war
widerlich einfach, und so wurden achtzehn Riesenschildkröten, von denen
manche fünfunddreißig Kilogramm wogen, als Frischfleisch an Bord geschleppt. Die Spottdrosseln glichen der chilenischen Spezies; sie ‹sind lebhaft, neugierig, aktiv, laufen schnell und stibitzen aus den Häusern das
Fleisch›, das dort zum Trocknen ausgelegt wurde. Aber ihr Gesang schien
anders zu sein.[11] Die Blumen waren häßlich wie alles übrige. Falls die
Vögel einen südamerikanischen Aspekt hatten, dann vielleicht auch diese
Blumen.

Vulkane hatte Darwin erwartet, und er wurde nicht enttäuscht. Erlo-
schene Kegel, oft sechzig nebeneinander, die sich fünfzehn Meter hoch erhoben, erinnerten an eine Industriewüste oder ‹die Hochöfen bei Wolver-
hampton›. Manche der ‹älteren Schlote› waren mit Vegetation bedeckt,
andere bloß ‹nackte, kahle› Lavaströme, schrundig und unbesiedelt. Diese
ganze Urszene wurde gekrönt von den sich dahinschleppenden Schildkröten, die einen Umfang von über zwei Metern hatten und sich an stachligen
Birnen gütlich taten. Darwin hatte Sedimentschichten erwartet wie in
Europa. Fehlanzeige! Dies war eine neue Welt, die nur ihre feurigflüssige,
subterrane Herkunft bezeugte und so ungewohnt war, daß er ‹auf irgendeinem anderen Planeten› zu stehen meinte.

Die Fremdheit wurde noch durch den Mangel an Insektenschwärmen verstärkt. Darwins erster Gedanke war, daß die Inseln so weit draußen im Ozean ‹wirksam davon ausgeschlossen sind, von wandernden Kolonisatoren besetzt zu werden›. Die meisten Vögel waren körnerfressende, an das Tieflandgestrüpp angepaßte Finken mit kurzen, robusten Schnäbeln wie Gimpel, mit denen sie Körner von der ‹eisenartigen Lava› aufpicken konnten.[12]

Die Galápagosinseln dienten als Strafkolonie. Als die Mannschaft am 23. September auf die Insel Charles – heute Floreana – übersetzte, stieß sie auf eine Siedlung von über zweihundert aus Ecuador deportierten Verbannten, die von einem englischen Regierungsbeauftragten geleitet wurde. Man hatte hierfür den besten Fleck gewählt. Hier, vier Meilen landeinwärts und in dreihundert Meter Höhe, brachte der südliche Passat Abkühlung, und die Bananenhaine waren so ‹grün wie England im Frühling›. Trotzdem führten die Sträflinge ein herbes ‹Robinson-Crusoe-Leben›, geplagt von dem Mangel an Süßwasser und von ihrer Abgeschiedenheit, die nur gelegentlich von Walfangschiffen unterbrochen wurde. Schildkröten waren die wichtigsten Fleischlieferanten, riesige Reptilien, die sechs Männer nicht tragen konnten. Doch es gab nicht mehr so viele wie vordem. Einst hatte die Mannschaft einer Fregatte ihrer zweihundert zum Strand schleppen können; jetzt wurde nur noch ein Bruchteil davon gefangen. Ihre Anzahl verringerte sich rasch, und der Gouverneur rechnete damit, daß sich die Art kaum noch zwanzig Jahre würde halten können.

Die Gefangenen glaubten, jede Insel habe ihre eigene Schildkrötenart, die sich hinsichtlich ihrer Panzerform nur geringfügig voneinander unterschieden. Auch der Vizegouverneur behauptete, nach dem Aussehen einer Schildkröte deren Herkunftsinsel bestimmen zu können. Es wäre für Darwin ein leichtes gewesen, typische Exemplare zu sammeln; auch auf der Insel Charles lagen leere Rückenpanzer mit sattelförmiger Zeichnung umher, die schändlicherweise als Blumentöpfe benutzt wurden. Aber er beachtete sie nicht und sammelte keine Schildkröten, da er die Reptilien für Importe hielt. Er nahm an, Piraten hätten sie zu Nahrungszwecken von ihrer eigentlichen Inselheimat im Indischen Ozean mitgebracht. Im Gegensatz dazu fiel ihm auf, daß sich die hiesigen Spottdrosseln von denen auf Chatham unterschieden. Von da an hielt er seine Spottdrosseln sorgfältig nach Inseln getrennt und etikettierte sie entsprechend.[13]

Am 28. September legten sie in Albemarle – heute Isabela – an, der größten Insel des Archipels. Hier erwartete sie eine noch verkohltere Rauchfanglandschaft mit Lavakegeln, aus denen Dampf zischte. Darwin durchstreifte die Einöde auf der Suche nach Süßwasser. In dem ‹dürren und unfruchtbaren› Gestrüpp tummelten sich schartige Riesenechsen, bis zu sieben Kilogramm schwere Landleguane, die ‹mit schwerfälligem und doch flinkem Gang› zu ihrem Bau trotteten. Er empfand diese gelben und roten Leguane als ‹abstoßend häßlich›, nur für den Kochtopf geeignet; an einem Tag ‹wurden vierzig eingesammelt› (‹keine schlechte Kost› war das Freundlichste, was FitzRoy über diese einzigartigen Echsen zu sagen hatte).[14] Das Wasser wurde jetzt rationiert, und in der brütenden Sonne konnte Darwin nur kleine Vertiefungen im Felsen finden, die ein paar Liter Wasser enthielten. Diese Tränken zogen alle Finken an, was es leicht machte, sie miteinander zu vergleichen. Aber er bemühte sich nicht, in der sengenden Hitze welche zu fangen, da er annahm, sie seien im Gegensatz zu den anomalen Spottdrosseln auf allen Inseln ähnlich.

Sie segelten nordwärts zur Insel James – heute Santiago –, wo Darwins Leute in der Piratenbucht biwakierten und wie die alten Seeräuber von in ihrem eigenen Fett geschmorten Schildkröten lebten. Zwei Tage lang sammelte Darwin hier, schoß Spottdrosseln (die wieder anders aussahen) und wanderte hoch auf die farnbestandenen Kraterhänge hinauf. Dort begegnete er meterlangen Schildkröten, die sich über ausgetretene Pfade zu den stets gefüllten Regenwassertümpeln höher oben auf den Hängen hinaufschleppten. Darwin ritt auf einer, die sich ungeachtet ihres Reiters das Wasser schmecken ließ. Leider glichen seine hiesigen Reittiere den Schildkröten auf Chatham, den einzigen anderen, die er gesehen hatte, was ihn davon überzeugte, daß ihre Unterschiede übertrieben worden seien.

Wasser besaß auf diesen Lavafeldern Seltenheitswert. Drückendheiße, durstige Tage brachte Darwin sammelnd zu; oft waren es fünfunddreißig Grad im Schatten, und er war ausgedörrt. Hätte ein vorüberkommender amerikanischer Walfänger der Truppe nicht drei Fässer Wasser geschenkt, ‹wäre es uns schlecht ergangen›.[15] Diese Freundlichkeit der Amerikaner war typisch für die Reise; die ‹herzliche Art› der Yankees stand im Gegensatz zu der englischen Reserviertheit auf hoher See.

Auf allen Inseln herrschten Finken im Dickicht des Flachlands vor, doch Darwin hatte Mühe, sie zu unterscheiden. Ihr Gefieder war fast identisch; die ‹alten Männchen› in seinen Stichproben schienen schwarz, die Weibchen braun zu sein. FitzRoy, Covington und andere legten ihre eigenen Sammlungen an, und manche fingen schwarze Weibchen, was Darwin noch mehr verwirrte. Ebensowenig war die Lebensweise der Vögel unterscheidbar, denn ‹sie fressen gemeinsam ... in großen, unregelmäßigen Schwärmen›. Am Ende seines Aufenthalts gestand er resignierend eine ‹unerklärliche Verwirrung› ein.

Insgesamt schoß er auf drei Inseln Finken von sechs Arten, und seine Exemplare von zweien davon wurden vermischt. Doch trotz seiner Schwierigkeiten hatte er das Gefühl, daß diese Vögel ‹sehr merkwürdig› seien. Während seiner letzten Tage auf dem Archipel hatte er gehört, daß auch viele Baumarten wie die Schildkröten jeweils auf eine Insel beschränkt seien. Doch inzwischen war seine Sammlung schon abgeschlossen; er hatte seine

Proben unsystematisch etikettiert und sich selten die Mühe gemacht, sie den einzelnen Inseln zuzuordnen. Das war ihm nicht wichtig erschienen. Die Spottdrosseln bildeten die Ausnahme; er hatte seine Exemplare von vier Inseln getrennt gehalten.

Darwin fing auch einen Zaunkönig, mehrere *Icteri* (Mitglieder der Pirol/ Amsel-Familie) und einige Kernbeißer mit ihren robusten Schnäbeln. Er hatte jede blühende Pflanze für Henslow gepflückt, und er fragte sich immer noch, ob die Flora ebenso wie die Spottdrosseln ‹zu Amerika gehört› – ob, um Lyells Formulierung zu gebrauchen, ihr ‹Bezirk oder «Entstehungszentrum»› auf dem Festland liege.[16]

FitzRoy deckte sich mit Schweinen, Gemüse und dreißig weiteren Schildkröten von der Insel Chatham ein, genug Nahrung für die Pazifiküberquerung. Darwin und sein Bursche Covington nahmen sich jeweils eine junge Riesenschildkröte mit, allerdings nicht für den Kochtopf, sondern als Maskottchen.

Am 20. Oktober setzten sie ihre Fahrt nach fünf Wochen Aufenthalt auf den Galápagosinseln fort, dankbar, den Archipel hinter sich zu lassen. Darwin hatte Mühe, sich tropische Inseln ‹so völlig nutzlos für den Menschen oder die größeren Tiere› vorzustellen.[17] Sie waren zu feindselig, vor zu kurzer Zeit aus dem Meer emporgestiegen. Die Vögel, die Reptilien und die Pflanzen waren ihm merkwürdig, aber nicht sonderlich bedeutsam erschienen.

Auf See begann er jedoch, seine Kadaver näher zu untersuchen, zunächst die Spottdrosseln. Die Vögel von Chatham und Albemarle sahen ähnlich aus, aber die anderen beiden unterschieden sich von ihnen. Er habe es also mit ‹zwei oder drei Varietäten› zu tun, notierte er, während die *Beagle* nach Tahiti segelte. ‹Jede Varietät ist auf ihrer eigenen Insel konstant. Dies ist eine Parallele zu der obenerwähnten Erkenntnis bezüglich der Schildkröten.› Doch er nahm immer noch an, daß dies unerhebliche Anomalien seien, und während der ganzen Pazifiküberquerung verleibte er sich die Schildkröten nach und nach ein und schaute zu, wie der Koch ihre aufschlußreichen Rückenpanzer über Bord warf.[18]

Nachdem sie den düsteren Dunstkreis Südamerikas verlassen hatten, schien ihnen auf der langen Fahrt nach Tahiti die Sonne, und sie kamen flott voran. ‹Grenzenloses Meer› konnte langweilig sein, doch für Darwin hatte es etwas ‹Ehrfurchtgebietendes›. In gut drei Wochen blies der Passat die *Beagle* die dreitausendzweihundert Meilen bis Polynesien. Am 9. November kündigten Seeschwalben und Möwen die erste der Tuamotuinseln an, die Darwin indes nicht beeindruckte. ‹Uninteressant› fand er sie; für ihn war sie nur ‹ein langer, leuchtendweißer Strand›, überragt von Kokospalmen. Der Monsun und die Hitze verschlimmerten noch sein Heimweh. Sogar Tahiti, die

Perle der Südsee, die sie am 15. November erblickten, sah aus der Ferne wenig einladend aus. Doch er lebte auf, als er die tropische Üppigkeit und die ‹lachenden, heiteren Gesichter› der in ihren Kanus herbeieilenden Tahitianer sah.

Die Besatzung der *Beagle* wurde von einem Missionar empfangen, und Darwin, entzückt von der wuchernden Vegetation, brach alsbald zu Fuß zu einem Streifzug auf. Die Insel war ‹ein wunderschöner Obstgarten von tropischen Pflanzen›: Bananen, Kokospalmen, ausladende Brotfruchtbäumen sowie kultivierte Süßkartoffeln und Ananas. Selbst die köstlichen Guaven wuchsen wie Unkraut. Die Einheimischen hießen Darwin mit freundlichen Mienen und ‹einer Intelligenz, die zeigt, daß sie Fortschritte in der Zivilisation machen›, in ihren Häusern willkommen. Auch ihre Kleidung machte Fortschritte; sie trugen Hemden und buntfarbige Lendentücher aus Baumwolle. Die Männer waren zwar immer noch tätowiert, wirkten dadurch aber ‹elegant und ansprechend›. Die Frauen trugen Kamelien hinter den Ohren und hatten die Sitte angenommen, sich den Scheitel zu rasieren, so daß nur ein Haarkranz übrigblieb. Den Grund dafür, notierte Darwin lakonisch, wisse eigentlich niemand; ‹es ist Mode, und das ist in Tahiti genauso wie in Paris Antwort genug›.

Mit einem Führer unternahm er eine zweitägige Klettertour zu den schroffen Vulkangipfeln, wo er sich zwischen den Schluchten und Felswänden etwas verloren fühlte. Er sammelte Farne für Henslow, bahnte sich einen Weg durch wilde Bananenhaine und war gebannt von dem Ausblick aufs Meer, wo Brecher das der Küste vorgelagerte Riff markierten. Sein Führer garte Bananenstreifen, Fische und Rindfleisch in Blättern, verzehrte seine Mahlzeit jedoch erst nach inbrünstigem Gebet. ‹Er betete, wie es ein Christ tun sollte›, vermerkte Darwin, ‹mit der angemessenen Ehrfurcht und ohne Angst vor Spott oder Zurschaustellung.›

Die Missionen hatten gute Arbeit geleistet; allerdings hatten sie auch viel Zeit gehabt. Die Inseln wurden schon seit langem besucht; es lebten noch Tahitianer, die sich an Captain Cook erinnerten, und andere, die Geschichten über die Meuterei auf Blighs *Bounty* erzählten. Seit fast zwanzig Jahren war eine Missionsdruckerei in Betrieb, und einer der älteren Missionare hatte vierzig Jahre mit der Übersetzung der Bibel zugebracht.[19] Die Inseln waren außerdem ‹trocken›: Alkohol war verboten, und es gab keine Betrunkenen.

Darwin war beeindruckt von dem ‹hohen und angesehenen› Rang der Missionare; ihre Erfolge waren unübersehbar. Das überraschte ihn etwas, wurde doch in so manchen Büchern, die er gelesen hatte, ein viel trübseligeres Bild gezeichnet, ein Bild von unterdrückten Eingeborenen, die unter einem tyrannischen Regime lebten. Der Charakter der Missionare war so oft in Zweifel gezogen worden, daß Darwin sich verpflichtet fühlte, sie in

Schutz zu nehmen. Selbst ihre Töchter waren unflätigen Angriffen ausgesetzt gewesen, doch ‹ihre Erscheinung und ihr Auftreten zeigten, daß sie gut erzogen worden waren›. Und ebenso straften ‹viele frohe, glückliche Gesichter› unter den Tahitianern die Behauptung Lügen, sie seien eine unterjochte und demoralisierte Rasse unter der Knute der Kirche. Wenn man bedenke, daß zwanzig Jahre zuvor blutige Kriege, Zügellosigkeit, Kindermord, ‹Menschenopfer und die Macht einer götzendienerischen Priesterkaste› angeblich die Norm gewesen seien, dann spreche der gegenwärtige ‹Zustand von Moral und Religion› sehr für die Missionare. Selbst wenn die ‹Tugend der Tahitianerinnen› immer noch zweifelhaft sei, habe das Christentum viel bewirkt. Es wäre zu begrüßen, so Darwin, wenn solche Missionen auch auf wildere Küsten ausgedehnt würden, so daß Schiffbruch erleidende Seeleute nichts zu befürchten hätten.

An Schiffbruch denkend, paddelte Darwin zu dem Riff hinaus, um ‹die hübschen, verzweigten Korallen› zu sammeln. Er war erstaunt darüber, daß diese ‹winzigen Architekten› so gewaltige Ringwälle um die Insel errichten konnten. Nachdem FitzRoy seine Arbeit abgeschlossen hatte (er nahm auf See Polizeiaufgaben wahr und hatte dreitausend Pfund Schadenersatz einzutreiben für die Plünderung eines Schiffes zwei Jahre zuvor bei den Tuamotuinseln), kam Königin Pomare von Tahiti am 25. November zu Besuch an Bord. Die ‹flaggengeschmückte› *Beagle* wurde durch ein Feuerwerk erleuchtet, das man ihr zu Ehren veranstaltete. ‹Sie ist eine linkische große Frau ohne Schönheit, Anmut oder würdevolles Benehmen›, bemerkte Darwin. Ihre Majestät habe ‹nur ein königliches Attribut, nämlich eine völlige Unbeweglichkeit des Ausdrucks›. Am nächsten Abend, nachdem die Entschädigung kassiert worden war, lief die *Beagle* in einer sanften Brise aus und nahm Kurs auf Neuseeland.

Die Fahrt dauerte drei Wochen, in denen nichts als die Weite des tiefblauen Meeres zu sehen war; doch ‹jede Meile, die wir zurücklegen, ist eine Meile näher an England›.[20] Darwin nutzte die Zeit für Aufzeichnungen. Er vervollständigte seine Korallentheorie, indem er das Auftauchen Südamerikas mit dem Absinken des Pazifikbeckens in Beziehung setzte, wobei die Atolle die letzte Erinnerung an die untergehenden Gipfel darstellten.

Sie sichteten die Nordspitze Neuseelands am 19. Dezember und liefen zwei Tage später in die Bay of Islands ein. Darwin schaute auf die farnbestandenen Hügel hinaus, getupft mit adretten, weißgetünchten Häusern, zwischen denen sich ‹kleine und armselige› Eingeborenenhütten duckten. Die weißen Häuser waren Teil einer seit zwanzig Jahren bestehenden Missionssiedlung; jedes einzelne rief mit seiner rosenumrankten Tür Erinnerungen an England wach.

Das galt nicht für die Hügel. Sie waren mit Farnen überwuchert, undurchdringlich und von Palisaden durchzogen, die noch aus der Zeit

stammten, in der die Maoris sich untereinander bekriegt hatten. Die Eingeborenen erschienen Darwin als ein furchterregendes Volk; ‹eine kriegeri-
schere Rasse von Ureinwohnern ist wohl in keinem Teil der Welt zu finden›.
Doch Engländer hatten jetzt nichts mehr zu befürchten, dank der Missionen – und der Tatsache, daß ihr Fleisch zu salzig war, jedenfalls ‹nicht so süß
wie Maorifleisch›. Der Kannibalismus war in dieser Region ausgemerzt worden, und wie Covington berichtete, bekam man keine Köpfe mehr zu kaufen, ‹obwohl sie sehr gesucht waren›. Dennoch äußerte sich Darwin verächtlich. Gemessen an seinem Maßstab für ‹Zivilisation› standen diese Leute
kaum höher als die Feuerländer. Von seiner privilegierten Warte herunter-
schauend, äußerte er sich geringschätzig über einen Häuptling wegen dessen ‹wilden und grimmigen Ausdrucks› und über einen anderen, den er als
‹notorischen Mörder und ausgemachten Feigling dazu› abtat. Verschlagene
Blicke verrieten gemeine Hinterlist, tätowierte Gesichter eine niedrige Natur. Gab es ‹in ganz Neuseeland einen Menschen mit dem Gesicht und der
Miene des alten tahitischen Häuptlings›?

Davon abgesehen waren die englischen Finsterlinge noch schlimmer. Die
Missionare nahmen ihn nach Kororarika mit, einer von entflohenen Sträflingen aus Neusüdwales beherrschten Siedlung, in der ‹Trunkenheit und Laster aller Art› an der Tagesordnung waren. Die Missionare hatten in diesem
Sodom zwar eine Kapelle errichtet, aber so, wie die Dinge standen, ‹benötigen sie nur einen einzigen Schutz ... den einheimischer Häuptlinge gegen
Engländer›![21]

Diese ‹wertvollen Männer› hatten ihr Bestes getan, und die Wochen in
Tahiti und Neuseeland brachten FitzRoy und Darwin zu der Überzeugung,
daß den Missionen Erfolg beschieden war. Für beide war das Christentum
ein Zivilisierungsprogramm, und am meisten lobten sie den Edelmut der
Missionare. In diesen Vorposten des Empire mache eine hochstehende Klasse von Weißen die Küsten sicher für die britischen Seeleute, predige gutes
Benehmen und setze sich für eine gute Verwaltung ein. Ihre ‹politische Ver-
mittlerrolle› werde benötigt, wo immer Schiffe anlegten und Land besiedelt
werde.

FitzRoy und Darwin betrachteten die heidnischen Horden durch eine
christliche Brille. Beide benutzten einen starren ‹Maßstab› an Zivilisation,
wobei der Fortschritt immer am europäischen Ideal gemessen wurde. Dies
war jedoch nicht die einzige Sichtweise gegenüber den einheimischen Stämmen. Manche Reisende standen, ebenso wie die ‹frechen› Sozialisten zu
Hause, fremden Kulturen mit größerer Sympathie gegenüber und warfen
den Missionen vor, das Christentum Völkern aufzuzwingen, denen es nicht
gemäß sei. Den Zorn Darwins und FitzRoys zog sich speziell Augustus
Earle zu, der Maler, der 1833 in Montevideo unter Hinterlassung eines
Exemplars seines *Narrative of a Nine Months' Residence in New Zealand* von

Bord der *Beagle* gegangen war. Der anläßlich einer früheren Reise verfaßte Bericht enthielt Angriffe auf die örtlichen Missionen, die bei Darwin und FitzRoy Empörung auslösten. Darwin wußte jetzt ‹ohne Zweifel›, daß ‹gerade die Missionare, denen Kälte vorgeworfen wird ... Earle immer mit weitaus größerem Entgegenkommen behandelten, als seine unverhohlene Zuchtlosigkeit hätte erwarten lassen›.[22]

Nachdem er auf seinen Spaziergängen an den Elendsquartieren der Einheimischen vorübergekommen war, freute sich Darwin immer, ‹ein englisches Bauernhaus und seine wohlbestellten Felder› zu sehen, ‹die wie durch Hexerei da hingekommen sind›. Diese Missionshäuser seien umgeben von gepflegten Gärten mit Blumen, Obst und Gemüse, Dreschböden und Schmieden, und ‹in der Mitte befindet sich jene glückliche Mischung aus Schweinen und Geflügel, die man in jedem englischen Bauernhof so behaglich beieinanderliegen sieht›. Die Maori-Hausmädchen wirkten äußerlich ‹genauso sauber, adrett und gesund wie die Milchmädchen in England›. Teetrinkend und der Heimat gedenkend, besuchte Darwin eine Reihe der ländlichen Anwesen. ‹Nie traf ich nettere und fröhlichere Leute, und das ausgerechnet im Herzen des Landes der Menschenfresserei, des Mordes und aller grausigen Verbrechen!› Dank der Missionare, schrieb Darwin an seine fromme Schwester Caroline, könnten jetzt Weiße hier ‹mit derselben Sicherheit herumspazieren wie in England›, obwohl sie von Stämmen umgeben seien, die ‹wahrscheinlich die grausamsten Barbaren sind, die es auf dieser Erde gibt›.

Während die Missionen auf Tahiti den Geist zu schulen versuchten, so Darwin, vermittelten jene in Neuseeland landwirtschaftliche Kenntnisse; die ‹moralische Wirkung› auf die Maoris sei jedoch dieselbe. Das eigene Vorbild des Missionars war der alles bewirkende ‹Zauberstab›. Wie konnten die wilden Radikalen zu Hause solche Bemühungen verurteilen und fordern, die Eingeborenen sich selbst zu überlassen? Mehr Missionen würden benötigt, mehr Kolonisierung. Darüber sann Darwin am Weihnachtstag nach, überzeugt davon, daß allein die Bekehrung der ‹Heiden› Früchte trage; ‹so vorzüglich ist der christliche Glaube, daß sich das äußere Betragen der Gläubigen durch seine Lehren aufs entschiedenste gebessert haben soll›.

Auf der *Beagle* wurde eine Weihnachtskollekte durchgeführt. Dankbar für die eine Woche lang genossene Gastfreundschaft und bestrebt, diesen Vorposten zu verstärken, spendeten FitzRoy, Darwin und die Offiziere fünfzehn Pfund für den Bau weiterer Kirchen. Am 30. Dezember verabschiedeten sie sich schließlich von den Missionaren und nahmen Kurs auf Australien.[23]

Die Fahrt dauerte dreizehn Tage. Nach all den elenden Hütten und dem Schmutz der Ureinwohner Neuseelands war die Bucht von Sydney eine

Augenweide. Es gab große Handelsschiffe, Lagerhäuser am Hafen, wohlsortierte Geschäfte und – Wolle. ‹«Wolle, Wolle» ... tönt es von einem Ende des Landes bis zum anderen.› Auf den breiten Straßen herrschte ein großes Gewühl, ‹zwei- und vierrädrige Droschken und Equipagen mit livrierten Lakaien› klapperten in alle Richtungen. Nach seinen Erfahrungen in Südamerika mit dem eklatanten Mangel an Gentlemen konnte Darwin über Sydneys Reichtum und Prachtentfaltung nur staunen. In diesem ‹Paradies der Götzendiener des Mammons› warteten Vermögen geradezu darauf, gemacht zu werden.

Mit dem in der Reederei oder in der Bauwirtschaft verdienten Geld wurden schöne Häuser gebaut. Die Bodenpreise schossen auf achttausend Pfund je Acre in die Höhe – in besten Lagen das Doppelte davon. Ein seinerzeit auf einem Wagenrad ausgepeitschter Sträfling hatte jetzt ‹ein Einkommen von 12 000 bis 15 000 Pfund *per annum*›. Ein anderer – der ‹Rothschild der Botany Bucht› – besaß eine halbe Million. Das mache alles ‹schurkisch teuer›, schrieb Charles nach Hause und brannte in seinem Brief ein Feuerwerk an Witzen ab, um zu erklären, warum er einen weiteren ‹Wechsel über 100 Pfund› eingelöst habe. Die Bevölkerungszahl von gegenwärtig 23 000 steige rapide an; ‹nicht einmal um London oder Birmingham ist ein derartig schnelles Wachstum zu verzeichnen›. Kurz, nichts habe ihn auf Sydney vorbereitet. Es rangiere hoch unter den ‹100 Weltwundern›, und er schrieb das der ‹Riesenkraft des Mutterlandes› zu. ‹Es ist ein blendendes Zeugnis für die Stärke der britischen Nation; einige Dutzend Jahre haben hier ein Vielfaches dessen bewirkt, was in Südamerika Jahrhunderte vollbrachten. Mein erstes Gefühl war, mich selbst zu beglückwünschen, daß ich als Engländer auf die Welt gekommen bin.›[24]

Am 16. Januar 1836, einem sonnigen Sonntag, zog er mit einem Führer los, um etwa hundert Meilen in das Landesinnere vorzudringen. Sie wanderten auf Schotterstraßen, einer der Segnungen der Zwangsarbeit, und kamen auch an einem Trupp von Kettensträflingen in ihrer gelb-grauen Anstaltskleidung vorüber, die in der Hitze hart arbeiteten. Dann fielen Darwin die Bierschenken auf, siebzehn auf den ersten fünfzehn Meilen. Kein Wunder, daß die Hälfte der Regierungseinnahmen aus der Alkoholsteuer stammte (und daß die Gefängnisse voll waren und in den Straßen von Sydney Fußblöcke zur vorübergehenden Festsetzung von ‹Damen und Herren› dienten, ‹welche die übliche Buße für allzu reichliche Opferung am Altar des Bacchus nicht bezahlen können›). Noch in fünfunddreißig Meilen Entfernung von Sydney sah er ‹massive Häuser› und eingezäunte Weiden. Der schütterbelaubte Eukalyptusbaum ergab ‹lichte und schattenlose Wälder›. Es war Hochsommer, und das Land war trocken und ausgedörrt. Die Ernte schien gefährdet, und er konnte sehen, warum es zu periodischen Ausfällen kam.

Er hielt eine ‹gutgelaunte› Gruppe von ‹schwarzen Ureinwohnern› an, die ihm für einen Shilling ihre Fähigkeiten im Speerwerfen demonstrierten. Ihre Heiterkeit hinterließ bei ihm Zweifel, ob sie wirklich ‹so unendlich tiefstehende Kreaturen sind, wie man sie üblicherweise darstellt›.[25] Welches Schicksal erwartete die Aborigines in einer zivilisierten Welt? Er wußte, daß sie von den Plagen der Weißen, Masern und Schnaps, dahingerafft wurden und daß das Leben ihrer Kinder viel stärker von der unmittelbaren Verfügbarkeit von Nahrung abhing, als dies für Europa galt. Das war eine Frage, über die er nachsann, als er an Wollwagen und verkümmerten Eukalyptuswäldern vorüber in die Blue Mountains wanderte. Der Blick auf die Bucht war phantastisch, und selbst in tausend Meter Höhe fand er noch Gasthöfe mit fünfzehn Betten, nicht viel anders als die in Nordwales, wo er mit Sedgwick übernachtet hatte.

Er besuchte eine der riesigen, spartanischen Schaffarmen, die von einem Verwalter mit Häftlingen betrieben wurde. Hier arbeiteten ‹vierzig Verworfene› wie Sklaven, doch ohne den gleichen ‹Anspruch auf Mitgefühl›. Eines Morgens machte er sich mit den Windhunden der Farm auf die Känguruhjagd. Er erwischte jedoch nur eine Känguruhratte, die ihm die erste nähere Untersuchung eines Beuteltiers ermöglichte. Das Fehlen großer Känguruhs war ein Zeichen dafür, wie schädlich diese Siedlungen für die Wildtiere waren – und für die Aborigines. Die munteren Schwarzen gingen ihm nicht aus dem Sinn. Man konnte schwermütig werden bei dem Gedanken, daß ‹der weiße Mann ... prädestiniert scheint, das Land zu erben› und die ‹kindlichen› Ureinwohner zu enteignen.

An einem sonnigen Flußufer liegend, dachte er über die grundlegenden Unterschiede zwischen den Beuteltieren hier und den ‹normalen› plazentalen Säugetieren nach. Sie waren anatomisch so ganz anders geartet. ‹Ein Ungläubiger ... könnte ausrufen: «Sicher müssen da zwei verschiedene Schöpfer am Werk gewesen sein.»› Dabei hätte jeder eine vollkommene, aber einmalige Schöpfung hervorgebracht. Was Darwin an diesem Abend an dem Flußufer sah, ließ sogar einen dritten Schöpfer im Pantheon vermuten. Der Verwalter nahm ihn auf die Schnabeltierjagd mit. Sie erblickten mehrere der ‹ungewöhnlichen› schwimmfüßigen, entenschnäbligen Geschöpfe, die unter der Wasseroberfläche dahinschnüffelten. Der Verwalter ‹tötete tatsächlich eines›, schrieb Darwin. ‹Ich halte es für eine große Auszeichnung, beim Tod eines so wunderbaren Tieres dabeisein zu dürfen.› Er hob den schlaffen Körper hoch und untersuchte den Schnabel; zu seiner Überraschung war dieser weich und empfindlich, nicht hart wie bei den präparierten Exemplaren. Merkwürdigerweise glaubten viele Kolonisten, das Schnabeltier lege lederhäutige Eier wie ein Reptil und brüte sie in einem Nest aus, obwohl die Debatte darüber in London und Paris noch tobte (wobei sein alter Lehrer Robert Grant und der Pariser Geoffroy Saint-Hilaire die Partei der Kolonisten ergriffen).

Selbstverständlich war die Vorstellung von mehreren Schöpfern absurd; sie hätte nur Primitiven wie den Maoris oder den Aborigines angestanden. Die Natur bewies das sogleich. Darwin beobachtete einen Ameisenlöwen, eine am Grund einer trichterförmigen Sandgrube lebende Insektenlarve mit enormen Kiefern. Um seine Beute zu fangen, schleuderte der Ameisenlöwe Sandstrahlen hoch, was einen Sandrutsch bewirkte, der unvorsichtige Ameisen in seinen weitgeöffneten Kiefern landen ließ. Europäische Ameisenlöwen taten genau dasselbe. Was würde nun ein ‹Ungläubiger› dazu sagen? Könnten zwei Urheber jemals eine so schöne, so einfache und doch so kunstvolle Vorrichtung erfinden?[26] Nein, es war der überzeugendste Beweis dafür, daß auf der ganzen Erde nur eine einzige schöpferische Hand am Werk war. Darwin hatte Paleys klassische Schlußfolgerung nachvollzogen: von der vollkommenen Schöpfung auf einen vollkommenen Schöpfer.

Am 20. Januar – nachdem er Temperaturen von fünfzig Grad und ofenheiße Winde ertragen hatte – traf er in Bathhurst ein, einer Garnison am Macquirefluß. Auch hier dominierte die Schafzucht. Im Flußtal gab es gute Weiden, auch wenn das Land jetzt, im Hochsommer, ausgedörrt dalag und der Fluß auf wenig mehr als vertrocknende Tümpel reduziert war. Ringsumher tobten Buschbrände, und am nächsten Tag ‹passierten wir große Landstriche, die in Flammen standen›.

Nach der Rückkehr besuchte er Captain King, den früheren Kommandanten der *Beagle,* den er an dem Tag, als das Schiff in Plymouth auslief, zum letztenmal gesehen hatte. Kings Vater war Gouverneur der Kolonie gewesen, und der Captain war hier geboren. Darwin traf ihn dreißig Meilen von Sydney entfernt auf seiner Viertausend-Acre-Farm an. Er war damit beschäftigt, einen Bericht über seine eigene Südamerikareise zu schreiben. Auch der junge Midshipman King war da, der die *Beagle* verlassen hatte und zu seinen Eltern zurückgekehrt war, die ihren Sohn seit zehn Jahren nicht mehr gesehen hatten. Die Sammlungen des Captain waren umfangreich; Darwin hatte sie bei der Zoologischen Gesellschaft in London gesehen, als er sich von King Konservierungstips geben ließ. Die beiden verband ein Interesse an Rankenfüßern und Weichtieren, und sie verbrachten einen angenehmen Tag mit Spaziergängen in der Umgebung und Gesprächen über ‹die Naturgeschichte von Feuerland›.[27]

Gegen Ende des Aufenthalts begann die Gesellschaft von Sydney ihren Reiz für Darwin zu verlieren. Der Reichtum hatte ihn anfänglich für ihre Mängel blind gemacht. Das Gemeinwesen war gespalten; die zu Geld gekommenen entlassenen Sträflinge wetteiferten mit den freien Siedlern, die sie als Eindringlinge ansahen. Wer wollte schon durch die Straßen spazieren, ‹wo jeder zweite Mensch sicherlich irgend etwas zwischen einem kleinen Gauner und einem blutrünstigen Schurken ist›? Das Klima sei fabelhaft,

aber die geistige Anregung gleich Null. Großvater Erasmus, der fünfundvierzig Jahre zuvor das Wachstum von Sydney gefeiert hatte, war poetisch
geworden:

> Künftige Newtons werden hier das Himmelszelt betrachten,
> Künftige Priestleys, künftige Wedgwoods ihrem Namen Ehre machen.

Darwin konnte sich das angesichts der winzigen Buchläden mit ihren leeren
Regalen nicht recht vorstellen. Die Aussicht, von Sträflingen bedient zu werden, war ihm ein Greuel. Die weiblichen Dienstboten waren am schlimmsten, wobei sich hinter ‹dem bösartigsten Gesichtsausdruck ... ebenso
bösartige Gedanken› verbargen. Es werde kein Versuch unternommen, die
Moral der Kriminellen zu erneuern, und wie ihm ein junger Straftäter sagte,
‹kennen sie keine anderen Vergnügungen als die Sinnlichkeit, und die wird
ihnen genommen›. Die Sträflinge wüßten es nicht besser. Was Darwin wirklich schockierte, war die Beobachtung, daß viele Angehörige der höheren
Schichten derselben ‹offenen Lasterhaftigkeit› frönten. Es sei eine unmora-
lische, auf Sklavenarbeit beruhende Wirtschaft, die riesige Gewinne erziele.
Nichts als ‹härteste Not›, so schloß er, könnte ‹ihn zur Emigration zwingen›.

Erfreulicher war die Gesellschaft in Hobart auf Tasmanien, damals noch
– bis 1856 – Vandiemensland genannt. Leider konnte man das vom Wetter
nicht sagen. Die *Beagle* legte am 5. Februar in einer Bucht mit dem bezeichnenden Namen Storm Bay an. Die Stadt selbst entsprach nicht den
‹Panorama›-Bildern, die Darwin in London gesehen hatte. Es gab einige
wenige große Gebäude; allerdings waren manche der Farmen durchaus einladend. Höfliche englische Gesellschaft war immer höchst willkommen,
und hier war sie zumindest nicht mit ‹reichen Sträflingen› durchsetzt.

Die vornehmsten Häuser standen Darwin wie üblich offen. Der Gene-
ralkronanwalt hatte italienische Musik, eine schöne Einrichtung und ein
‹höchst elegantes Diner mit *anständigen*! Dienstboten (obwohl natürlich
lauter Sträflinge) zu bieten›. Der Generalvermessungsinspektor, George
Frankland, offerierte noch Besseres: eine Exkursion zu den alten Kalkstein-
brüchen. Darwin versorgte sich dort mit weiteren Armfüßern, um sie mit
denen von den Falklandinseln und Wales zu vergleichen. Seinen siebenund-
zwanzigsten Geburtstag verbrachte er mit dem Fangen von Skinks und
Schlangen. Außerdem sammelte er viele Plattwürmer und hundertneun-
zehn Insektenarten. (Darunter waren Mistkäfer, die er aus Kuhfladen her-
auszog.) Das war an sich schon bemerkenswert, denn die Rinderherden waren erst vor dreißig Jahren eingeführt worden. Wie hatten sich die Käfer so
rasch angepaßt? Das Diner im Hause Frankland war der ‹erfreulichste
Abend seit meiner Abreise›.[28] Frankland war seit über acht Jahren mit der
Vermessung von Land für die Einwanderer beschäftigt, die jetzt hereinströmten. Doch die koloniale Expansion hatte eine finstere Kehrseite: Das

Land war mit Gewalt gesäubert worden – Darwin bekam keine tasmanischen Ureinwohner zu Gesicht. Der Genozid an ihnen war fast vollständig; die letzten zweihundertzehn hatte man auf eine Insel verfrachtet. Es war der deutlichste Beweis dafür, daß die Einwanderung der Weißen den einheimischen Rassen die Totenglocke läutete.

Trotzdem, falls er je irgendwohin auswandern würde, dann an diesen Ort. Jetzt allerdings zog ihn sein Herz nach Hause. Jedes Handelsschiff, das nach England aufbrach, weckte in ihm ‹eine gefährliche Neigung, Reißaus zu nehmen›. Die *Beagle* beschränkte sich inzwischen auf ‹chronometrische Messungen›, und er betrachtete diese Monate als ‹soundso viele Blätter, die aus dem Buch des Lebens gerissen werden›. Nur der Gedanke an die Atolle im Indischen Ozean hielt seine Neugier wach. ‹Noch nie hat es ein Schiff gegeben, das so voll war mit heimwehkranken Helden›, schrieb er an Fox. ‹Ich werde mich sehr hüten›, jemals wieder ‹freiwillig als Philosoph (mein üblicher Titel) auf welchem Schiff auch immer anzuheuern›.[29]

Wenn er auch ‹jede Welle des Ozeans haßte›, die See versorgte ihn dennoch mit exotischen Exemplaren. Die Reize des Koloniallebens an Land waren nichts verglichen mit dem fesselnden Kolonialleben an der Küste. Er war fasziniert von den Korallentieren und durchkämmte die Küste bei Hobart nach Meerespflanzen. In Tidebecken stieß er auf zerbrochene Büschel von Kieselalgen mit Knospen wie an den Äpfelbäumen von Chiloé. Hohe und niedrige Pflanzen konnten sich also durch Ableger vermehren. Und dasselbe galt für die verzweigten Korallen, die versteinerten, riffbildenden Tiere – auch sie konnten sich aus abgebrochenen Stengeln entwickeln. Als die *Beagle* am 6. März im King-George-Sund an der Südwestküste Australiens vor Anker ging, war Darwin in seine Aufzeichnungen über die krustenbildenden Pflanzen und Korallen vertieft. Er brachte diese primitiven Lebensformen in immer engere Verbindung und plazierte sie nahe an den Nullpunkt, wo sich Pflanzen und Tiere treffen.

Hinsichtlich der Landerkundung hatte er nie ‹eine langweiligere, uninteressantere Zeit› verbracht als die acht Tage hier. Die keine zehn Jahre alte Siedlung am King-George-Sund – das spätere Albany – war ein vernachlässigter Vorposten. Als potentielle Strafkolonie war sie verwahrlost, da ihr die neue Siedlung am Swanfluß – das spätere Perth – den Rang ablief. FitzRoy war beim Anblick der ‹trostlosen›, verstreut liegenden Häuser sogar in Versuchung geraten, das Steuer herumzureißen. Doch die Pflicht rief. Darwin bekam allerdings einen Tanz der Aborigines zu sehen, den die weißbemalten ‹Kakadumänner› vorführten. Ein Außenseiter erblickte darin nichts weiter als ein Herummarschieren und Stampfen. Auch wenn es ‹eine äußerst rohe, barbarische Szene› sein mochte, da sich ‹alle ohne jede Harmonie bewegten›, fand Darwin diese ‹gutmütigen› Ureinwohner einfach sympathisch, so völlig ungezwungen und ‹frohgemut›, wie sie waren.

Während seiner letzten Tage auf dem Kontinent sammelte er fleißig Muscheln und Fische, fing eine einheimische australische Buschratte und machte Aufzeichnungen über die Grasbäume und über Granitausstriche. Doch die Enttäuschung ließ sich nicht verbergen. Der Boden sei sandig und schlecht, schrieb er, die Vegetation derb, die Landschaft reizlos, die Känguruhs selten; er hatte nichts Gutes zu sagen und wünschte, ‹nie wieder ein so uneinladendes Land zu durchstreifen›.

Die *Beagle* segelte in einem Sturm ab und lief prompt auf Grund. Es war ein passender Schlußpunkt. Als das Schiff endlich wieder flott war, verabschiedete sich Darwin pathetisch von der Kolonie. ‹Leb wohl, Australien, du bist ein heranwachsendes Kind und wirst zweifellos eines Tages als große Prinzessin im Süden regieren. Aber du bist zu groß und zu ehrgeizig, als daß man dich lieben könnte, und dennoch nicht groß genug, um respektiert zu werden. Ich verlasse deine Gestade ohne Schmerz und Bedauern.›[30]

13

Tempel der Natur

Am 1. April 1836 hatte das Schiff die Keeling- oder Kokosinseln im Indischen Ozean erreicht, Korallenparadiese südlich des Äquators, siebenhundert Meilen von Java entfernt. Dies waren echte Atolle, die ersten, die Darwin erblickte. Der Gipfel eines Berges war abgesunken, so daß nur das Riff übrigblieb, das einen Ring um eine smaragdgrüne Lagune bildete, die seicht genug war, die Sonnenstrahlen bis zum Meeresboden durchdringen zu lassen.

Vom Schiff aus sah man nichts als ‹gleißende› Sandstrände, überschattet von Kokospalmen. Doch an Land fand Darwin eine gänzlich auf die Kokosnuß ausgerichtete Wirtschaft vor. Die Inseln waren von britischen Händlern und befreiten malaiischen Sklaven kolonisiert worden, die von einem einzigen Exportgut, dem Kokosöl, lebten. Tatsächlich ernährte sich hier alles von Kokosnüssen. Die Schweine und das Geflügel wurden mit ihnen gemästet, und selbst ‹eine riesige Landkrabbe› hatte sich auf Kokosnüsse spezialisiert, ‹der bemerkenswerteste Fall von Anpassung und Instinkt, der mir je begegnet ist›.

Das Riff selbst zählte Darwin ‹zu den Wundern dieser Welt›. Er verbrachte ganze Tage bis zu den Hüften im Wasser und machte sich Notizen über Hirn- und andere Steinkorallen sowie die Fische, die zwischen ihnen hindurchflitzten. Er war hingerissen von den Schattierungen und Tönungen, den leuchtenden Farbblitzen. Unter dem Mikroskop stellten ihn diese lebenden Korallen allerdings vor ein Problem: Sosehr er sich auch bemühte, er konnte keine einzelnen Polypen unterscheiden. Sie schienen aus einer ‹fleischigen Masse› zu bestehen, die sich ‹über die ganze Oberfläche› verbreitete.[1] Außerdem wuchs das versteinerte Gerüst der Koralle offenbar so wie bei den panzerbildenden Algen. Er war jetzt davon überzeugt, daß sich die niedrigsten Tiere und Pflanzen auf dieser primitiven Ebene faktisch berührten. Damit hatte er sich der Position seines lamarckianischen Lehrers Robert Grant angenähert, die dieser zehn Jahre zu-

210

vor vertreten hatte: daß das Pflanzen- und das Tierreich einen gemeinsamen Ausgangspunkt hätten.

So manche Abende verbrachte Darwin lang ausgestreckt unter den Palmen und sann über diese taxonomischen Grundfragen nach, während er den Einsiedlerkrebsen zusah. Niemand wisse, ‹wie köstlich es ist, in einem solchen Schatten zu sitzen und die kühle, wohlschmeckende Milch der Kokosnuß zu trinken›. Und von noch etwas anderem war er überzeugt. Nachdem er ein Atoll untersucht hatte, war er sich seiner Rifftheorie sicher.

Die britische Admiralität hatte FitzRoy angewiesen, jedes Mittel heranzuziehen, ‹das der Erfindergeist aufbieten kann, um herauszufinden, in welcher Tiefe die Korallenbildung beginnt›. Auch er suchte nach Anhaltspunkten für die Entstehung des Riffs. In einer Meile Entfernung nahm er Lotungen vor, doch auch hier war der Meeresboden abgesunken. Sie rollten mehr als zweitausend Meter Leine aus, ohne daß das Lot auf Grund stieß. Das Riff war offensichtlich auf einem ozeanischen Berggipfel entstanden. Der ‹kreisförmige Wall› von Korallen war in dem Maße gewachsen, in dem der Berg versank, bis nur noch eine leuchtendgrüne Lagune übrigblieb, wie Darwins Theorie vorausgesagt hatte.[2]

Vor der Weiterfahrt nach Mauritius deckte sich die *Beagle* mit Vorräten ein: frischem Quellwasser, Kokosnüssen, Fischen und Schildkröten zur Ergänzung der schwindenden Galápagosbestände. Die heimwehgeplagte Besatzung setzte wieder einmal die Segel, diesmal jedoch in dem Bewußtsein, nur noch knapp sechs Monate der Reise vor sich zu haben. Bestrebt, die Anlaufhäfen rasch abzuhaken, vermerkte Darwin lustlos: ‹Es gibt kein Land mehr, das jetzt irgendwelche Reize für uns hat, es sei denn, wir sehen es genau vom Heck aus.›

Wieder auf hoher See, verbrachte er drei Wochen mit der ‹völligen Neufassung› seiner geologischen Notizen. Dabei bemühte er sich ohne rechten Erfolg um Flüssigkeit. Selbst bei dem Versuch, seinen Schwestern das Problem klarzumachen, verheddterte er sich in der Syntax. ‹Ich beginne eben erst, die Schwierigkeit zu entdecken, meine Ideen zu Papier zu bringen. Solange es sich bloß um Beschreibungen handelt, ist das ziemlich leicht; aber wo Argumentation ins Spiel kommt, einen richtigen Zusammenhang herzustellen, Klarheit und ein Minimum an Flüssigkeit, ist das für mich, wie ich gesagt habe, eine Schwierigkeit, von der ich keine Vorstellung hatte.› Sei's drum, ‹was mich begeistert, ist meine Geologie›. Er fühlte sich inzwischen isoliert und wünschte sich Bestätigung durch die Familie. In Neuseeland und Australien hatte ihn keine Post erreicht. Tatsächlich hatte er seit dreizehn Monaten keinen Brief mehr erhalten, und er fragte sich, wie seine jüngsten geologischen Erkenntnisse aufgenommen wurden. ‹Ich denke mit erheblicher Beunruhigung an den Augenblick, da Henslow, ein ernstes Gesicht aufsetzend, über die Meriten meiner Aufzeichnungen entscheiden wird. Falls er mißbilligend den Kopf schüttelt, werde ich wissen, daß ich besser daran tue, die Wissenschaft augenblicklich aufzugeben, denn die Wissenschaft wird mich aufgegeben haben.›

Er war ‹ein Märtyrer der Seekrankheit› geblieben. Sie klang nie völlig ab, wenngleich FitzRoy auffiel, daß ‹er sich beim Anblick von Land erholt›. Diesmal bewirkten das die am Horizont auftauchenden Berge von Mauritius. Aus großer Entfernung hatte die Insel eine ‹Aura vollkommener Eleganz›, und aus der Nähe verstärkten die ‹schöne Landschaft› und die in Wolken gehüllten Gipfel diesen einladenden Eindruck.

Darwin besichtigte am 30. April die französischsprachige Stadt Port-Louis und begeisterte sich für ihre Oper und ihre gutsortierten Buchhandlungen. Nach mehr als vier Jahren des Reisens war es wunderbar, ‹so müßige und zerstreuende Stunden› zu verbringen. Die Insel war exotisch, voll ‹lebendiger, bezaubernder Szenen›, der vollkommene Ort für Romantik. Was für eine ‹Gelegenheit, Liebesbriefe zu schreiben›, sinnierte er. ‹O daß ich eine süße Virginia hätte, der ich eine inspirierte Epistel schicken könnte!› Er spazierte durch die von einer Melange aus Europäern, ‹edel aussehenden› Indern und Schwarzen aus Madagaskar bevölkerten Straßen. Mit massiven Zuckerexporten hatte man geteerte Straßen finanziert, und Darwin konnte mühelos die malerische Insel erkunden. Im Grunde benötigte er allerdings gar keine Straßen; einen Teil der Strecke legte er mit dem Elefanten eines Landvermessers zurück, der Darwin sein Haus und seinen Dickhäuter zur Verfügung stellte.[3]

Das letzte Teilstück der Pazifiküberquerung war das längste, und am 31. Mai blies sie eine steife Brise in die Simonsbucht am Kap der Guten Hoffnung, an der Südspitze Afrikas. Am nächsten Tag mietete Darwin eine zweirädrige Pferdedroschke und ließ sich die zweiundzwanzig Meilen nach Kapstadt fahren. Die Fahrt ging durch die Wüste, vorbei an schwerfälligen, von einem Dutzend Ochsen gezogenen Lastwagen und dann an schönen Häusern und Plantagen vorüber, hinter denen sich der Tafelberg erhob. Kapstadt war eine ‹große Herberge› auf der ‹Route nach Osten›; in seinen Pensionen und Fremdenheimen drängten sich Kaufleute und Matrosen aller Nationen. Die Stadt wurde mehr und mehr anglisiert, und zum Befremden der Holländer sprach alle Welt englisch. Inzwischen hatte Darwin ein Bewußtsein vom Empire bekommen, von den unzähligen Kolonien rings um den Erdball, in denen ‹kleine Ableger Englands heranreifen›. Hier wie anderswo befanden sich die Einheimischen auf dem Rückzug. Er sah nur wenige Neger und noch weniger Hottentotten, ‹die schlechtbehandelten Ureinwohner des Landes›. Manche dienten als Hauspersonal. Auch er selbst hatte einen Hottentottenburschen, tadellos gekleidet und mit besten Manieren, der ihn in weißen Handschuhen formvollendet durch die Dörfer der Umgebung führte.

In seiner zweiten Woche am Kap kam er in Berührung mit wissenschaftlichen Kreisen. Armeechirurgen nahmen ihn auf geologische Exkursionen mit, und Astronomen erläuterten ihm den südlichen Himmel. Einen Astronomen wollte er vor allen anderen kennenlernen: seinen Helden, Sir John Herschel, dessen Buch er in Cambridge verschlungen hatte. Herschel war seit zwei Jahren hier, um die Konstellationen zu kartieren; er hatte sich ‹ein komfortables Landhaus› gekauft, das sechs Meilen außerhalb von Kapstadt zwischen Tannen und Eichen lag. ‹Ich habe so viel über seine exzentrischen, aber sehr liebenswürdigen Eigenheiten gehört›, schrieb Darwin, ‹daß ich sehr neugierig bin, den großen Mann kennenzulernen.›

Er brauchte nicht lange zu warten. Mit FitzRoy stattete er Herschel am 3. Juni einen Besuch ab. Sir John war ‹überaus freundlich› und lud sie zum Abendessen ein, wobei Darwin die Berichte bestätigt fand, daß seine Manieren ‹ziemlich schlecht› seien. Die Gäste wurden in dem ‹hübschen Garten voller Kapzwiebeln› herumgeführt. Flankiert von Tannen, den imposanten Tafelberg im Hintergrund, machte man einen Spaziergang durch die Umgebung. Das Gespräch drehte sich um Vulkanausbrüche und die Hebungen und Senkungen von Kontinenten, und Darwin stellte fest, daß die Auffaltungen der Erdkruste Herschel ebenso am Herzen lagen wie ihm. Sir John war fasziniert von der Mechanik unterirdischer Bewegungen. Er hatte sie bereits in einem Brief an Lyell erklärt, dessen *Principles of Geology* sein Interesse gefunden hatten. Möglicherweise unterhielten sich Herschel und Darwin eingehender über Lyells Theorie vom allmählichen Entstehen der Landschaften. In seinem Brief hatte Herschel Lyell kritisiert, weil er das heiße Eisen jenes ‹Mysteriums aller Mysterien› nicht angepackt habe: das schrittweise sich vollziehende Auftauchen neuer Spezies auf der Erde. Wenn sich Landschaften, geformt von Kräften, die sich von den heutigen nicht unterschieden, allmählich veränderten, sollte man dann Leben nicht auf dieselbe Weise interpretieren? War die Entstehung von Arten nicht etwas genauso Natürliches? Sir John war dieser Meinung. Ob sie auf dieses heikle Thema zu sprechen kamen oder nicht, die Begegnung erschien Darwin jedenfalls als ‹das denkwürdigste Ereignis seit langem, das zu erleben ich das Glück hatte›.[4]

Die Nachrichten von zu Hause bestärkten ihn in seinem Entschluß für die Wissenschaft. Am Kap holte ihn endlich ein Brief von Catherine ein, in dem sie ihm mitteilte, daß sein Name in den Kreisen der englischen Naturwissenschaftler ständig erwähnt werde. Was Charles nicht wußte, war, daß Henslow zehn seiner wissenschaftlichen Briefe über südamerikanische Geologie ediert und als Büchlein für den privaten Vertrieb herausgegeben hatte. Alle Welt habe seit sechs Monaten darin geschwelgt. Der Vater sei so erfreut darüber, daß er ein halbes Dutzend Exemplare verschenkt habe, um den Foxes, den Owens, den Wedgwoods und örtlichen Honoratioren Gelegenheit zu geben, über die Entdeckungen seines Sohnes zu lesen. Henslow habe gegenüber der Familie Loblieder auf Charles gesungen, was sie alle unerhört stolz gemacht habe. Charles war entzückt, dies zu hören, jedoch entsetzt bei dem Gedanken, daß seine flüchtig hingeworfene Prosa jetzt gedruckt vorlag. Er hatte ‹Henslow in derselben nachlässigen Weise geschrieben›, wie er seine Briefe nach Hause verfaßte. Wie um Himmels willen las sich das in Lettern gesetzt? ‹Doch wie der Spanier sagt: «No hay remedio»› – da kann man nichts machen.

FitzRoy war mehr mit Missionsfragen beschäftigt. Angriffe auf Missionare waren in Kapstadt ebenso häufig wie anderswo. Nachdem er die Erfolge der Missionen im Pazifikgebiet gesehen hatte, stand er ganz und gar auf deren Seite; schließlich war die Christianisierung der feuerländischen Wilden der Ausgangspunkt dieser Reise gewesen. In Kapstadt wurde er um einen Artikel für den *South African Christian Recorder* gebeten. Auf See, mit Nordkurs durch den Südatlantik schippernd, schrieb er am 18. Juni für die Zeitung einen offenen Brief über den ‹moralischen Zustand Tahitis›. Darin zitierte er Auszüge aus Darwins Tagebuch über das Verhalten der Missionare und die Alkoholabstinenz der Eingeborenen. Ein bezeichnendes Beispiel war Darwins Schilderung seines Bergführers, der, nachdem er seine Bananen gegart hatte, vor dem Essen in die Knie gesunken war und gebetet hatte, ‹wie es ein Christ tun sollte›, mit Ehrfurcht. Wie Darwin damals geschrieben hatte: ‹Jene Reisenden, die durchblicken lassen, ein Tahitianer bete nur, wenn die Blicke des Missionars auf ihm ruhen, hätten aus einer ähnlichen Erfahrung Nutzen gezogen.›[5] Der Artikel wurde auf See fertiggestellt und mit einem vorüberkommenden Schiff zur Veröffentlichung zurückgeschickt.

Darwin trennten nur noch vier Monate von zu Hause; es war Zeit für Bewertungen und Reflexionen. Im Atlantik fertigte er Kataloge seiner Sammlungen an, die Exemplarnummern, Fundstellen und Beschreibungen enthielten. Im Lauf einiger Wochen brachte er es auf zwölf solcher Kataloge, für jede Kategorie einen: ‹Fische in Spiritus›, ‹Tiere› (das heißt Säugetiere), ‹Reptilien in Spiritus›, ‹Ornithologie›, ‹Insekten in Spiritus› und so weiter. Er war entschlossen, seine kostbaren Häute und Felle und die in Alkohol konservierten Exemplare von entsprechenden Experten korrekt identifizieren und beschriften zu lassen. Ohne diese Beschriftungen, so hatte der Insektenfachmann William Kirby gewarnt, seien die von Vermessungsschiffen nach Hause gebrachten ‹zoologischen Schätze› wertlos. Man könne sie genausogut ‹in ihren heimischen Wüsten oder Wäldern verenden› wie ‹in unseren Ablagen und Museen verschimmeln› lassen.[6] Dieses Schicksal würde Darwins Fracht nicht drohen. Die Kataloge sollten den Spezialisten helfen, die seine Beute in England übernahmen.

Bei der Katalogisierung seiner Galápagos-Spottdrosseln, von denen sich drei je nach Insel unterschieden, machte er sich Gedanken über die daraus zu ziehenden Schlüsse.

‹Wenn ich mir die Tatsache vor Augen halte, daß ... die Spanier sofort sagen können, von welcher Insel eine Schildkröte herstammt, und wenn ich mir diese Inseln in Sichtweite voneinander anschaue, auf denen nur wenige Tierarten vorkommen und diese Vögel heimisch sind, die sich in ihrer Struktur nur geringfügig unterscheiden und in der Natur den gleichen Platz einnehmen, dann muß ich vermuten, daß es sich nur um Varietäten handelt [...] Wenn es auch nur die geringste Grundlage für diese Bemerkungen gibt, dann wird es sich sehr lohnen, die Zoologie des Archipels zu untersuchen; denn solche Tatsachen würden die Stabilität der Arten untergraben.›

Wenn sich die von den Seeräubern importierten Schildkröten von Insel zu Insel unterschieden, dann hatten sich die ursprünglich von Chile herübergewehten Spottdrosseln vielleicht auch auf die Inseln verteilt und sich im Lauf der Zeit an die jeweiligen Gegebenheiten angepaßt. Diese jedoch waren nur ‹Varietäten›, und Naturforscher akzeptierten, daß Varianten einer einzigen Spezies ganz von selbst auftreten konnten. Eine gewisse Formbarkeit war sogar notwendig, um es einer Spezies zu ermöglichen, sich von ihrem ‹Entstehungszentrum› auszubreiten. Diese Geschmeidigkeit blieb noch weit unterhalb der Transmutation, aber sie ließ Darwin darüber nachsinnen, wie weit sich eine Spezies von ihrem Ursprung entfernen könne. Herschels ‹Mysterium aller Mysterien› war vielleicht gar nicht so undurchschaubar.

Alle dachten an die Heimat. Am 29. Juni überquerten sie den Wendekreis des Steinbocks – ‹zum sechsten- und letztenmal›, wie Darwin vermerkte. Neun Tage später tauchte der unwirtliche Felsen von Sankt Helena ‹wie eine riesige Burg aus dem Meer› auf. Gefängnis wäre vielleicht der passendere Vergleich gewesen, denn die aus Lavaströmen geformten Steilküsten der Insel schienen die Verteidigungsanlagen und die Geschützstellungen der Festung noch zu verstärken.

Die ganze Insel war düster, wozu der bedeckte Himmel und die Regenschleier das Ihre beitrugen. Hier war Napoleon 1821 in der Verbannung gestorben – Darwin logierte fünf Nächte lang nur einen Steinwurf von seiner Gruft entfernt. Wenn das Gespenst des alten Kämpen an diesem trostlosen Ort herumspuke, scherzte Darwin am 9. Juli, während der Regen an die Fenster schlug, in einem Brief an Henslow, dann sei dies die vollkommene Nacht für seine ‹Wanderung›. Er finde es etwas unpassend, daß ein ‹so großer Geist›, der Eroberer Europas, auf diesem öden Felsen neben einigen Häuschen am Straßenrand die letzte Ruhe gefunden habe.[8]

Noch unpassender seien die englischen Pflanzen, die ihn umgäben. Die ganze Insel sei bedeckt von importierten Arten, stellte Darwin fest: Stechginster, Föhren und Brombeersträucher überwucherten die ganze Felsenfestung und verdrängten die einheimischen Arten. Froh, dem Schiff entronnen zu sein, durchstreifte er die gesamte Insel zu Fuß und begegnete diesen britischen Invasoren auf Schritt und Tritt. Aber auch die fossilen Muscheln in sechshundert Meter Höhe entgingen ihm nicht. In den geologischen Lehrbüchern wurde das als Beweis dafür angeführt, daß sich die Insel erst in jüngerer Zeit aus dem Meer erhoben habe. Doch Darwin war inzwischen hinreichend beschlagen, um diese Muscheln als *Land*mollusken zu identifizieren, und zwar einer inzwischen ausgestorbenen Art.

Weiter ging die Reise, der Heimat näher. Nach fünftägiger Fahrt erreichten sie die Insel Ascension mitten im Südatlantik. Die einzige Ansiedlung hier war eine Marinekaserne. Die Marine sorgte auf der Insel für peinliche Ordnung und Sauberkeit; alle Straßen waren mit Meilensteinen markiert, und es gab Wasserpumpen, die aus natürlichen Quellen schöpften. Das Wasser war notwendig. Ascension war weniger ein Felsen – wie ein altes Scherzwort besagte – als eine ‹Schlacke› im Meer, und Darwin war begierig, die Zielscheibe des Spottes zu untersuchen: die roten Vulkankegel. Beim Durchqueren der abweisenden Insel hatte er das Gefühl, der Natur in all ihrer ‹nackten Scheußlichkeit› ins Gesicht zu starren. Die Urgewalten hatten hier ihre Spuren hinterlassen: erstarrte Lavaströme, Schichten von Bimsstein und Asche und dazwischen, über die Inselfläche verstreut, ‹Vulkanbomben›, weißglühende Geschosse, die aus den explodierenden Kratern herausgeschleudert worden waren.

Als sie am 23. Juli erneut in See stachen, hätte die *Beagle* auf Nordkurs gehen müssen. Das tat sie aber nicht. Der Schiffskompaß zeigte WSW. FitzRoy, der aufreizende Perfektionist, hatte einen Kurs zurück nach Salvador in Brasilien eingeschlagen, um seine Längengradmessungen zu überprüfen. Darwin verzeichnete mit milder Untertreibung ‹Mißbehagen und Überraschung› bei der Mannschaft und fuhr fort, seine Muscheln zu katalogisieren. Seine Schwestern fragten sich bereits, ‹ob Du jetzt ausreichend gereist bist, um für den Rest Deines Lebens genug zu haben, und ich denke mir, daß im allgemeinen das Ja, Ja überwiegt›. Er hatte in der Tat mit Überdruß zu kämpfen, und das sagte er ihnen auch. ‹Dieser Zickzackkurs ist äußerst quälend; das hat meinen Gefühlen den Rest gegeben. Ich hasse, ich verabscheue die See.›[9]

Sie brauchten zwar nur eine Woche bis Salvador, aber das waren sieben Tage mit zusammengebissenen Zähnen. ‹Die Neuheit und die Überraschung› fehlten diesmal, klagte Darwin, als er die ‹wilde Üppigkeit› Brasiliens erneut auf sich wirken ließ. Fünf Tage lang drehte er Anfang August die Daumen. Er füllte sein Tagebuch und drang in den Wald vor, wo er zum letztenmal Mangos und Bananen aß, dem monotonen Zirpen der Zikaden lauschte und den planlosen Flug der tropischen Schmetterlinge beobachtete. Der Eindruck des Dschungels als ‹eines einzigen großen, wilden, ungeordneten, wuchernden Treibhauses› würde stets in ihm lebendig bleiben. Er machte einen letzten Spaziergang und versuchte sich das Bild einzuprägen. Jede der ‹tausend Schönheiten›, aus denen der Urwald bestand, würde welken; dennoch würden sie, ‹wie eine Geschichte, die man in der Kindheit hörte›, ein Gefühl der ‹Pracht und Herrlichkeit einer anderen Welt› hinterlassen.

Am 6. August machten sie sich abermals auf die Heimreise, und Darwin ging daran, seine Hunderte von Insekten zu katalogisieren. Doch das Wetter verschlechterte sich und zwang sie nach Pernambuco, weiter nördlich an der Küste. Wieder vertrieb sich Darwin die Zeit und seine Ungeduld, indem er die Mangrovensümpfe und das Riff untersuchte. Am 17. August wurde der Anker gelichtet, und das Schiff stampfte wütend in den tropischen Sturm. Endlich war er ‹auf dem Weg nach England›, und keine noch so ‹lästige Misere› konnte seine Stimmung bei dieser Aussicht dämpfen. In seiner Hängematte pendelnd, plante er ein weiteres Mal, welche Kutschen er für die Fahrt nach Shropshire nehmen würde, und stellte sich den Gesichtsausdruck seiner Schwestern vor.

Sie überquerten den Äquator am 21. August und deckten sich Anfang September in São Tiago, wo sie neben Sklavenschiffen festmachten, die zu ihrem üblen Bestimmungszweck unterwegs waren, mit Vorräten ein. Am 9. September überquerte das Schiff den Wendekreis des Krebses in den gemäßigten Norden. Auf der Azoreninsel Terceira wurden weitere Vorräte eingekauft. Während die Fässer an Bord gerollt wurden, lieh sich Darwin vom britischen Konsul ein Pferd und galoppierte davon – vorbei an walisisch anmutender Landschaft, einfachem Landvolk und englischen Amseln –, um sich einen aktiven Krater anzuschauen. Er war wieder auf vertrauterem, nördlichem Territorium, obwohl es zu Hause keine Rauchlöcher gab, aus denen der Dampf pfiff, abgesehen von ‹Rissen im Kessel einer Dampflokomotive›. Die *Beagle* segelte zu der größeren Insel São Miguel und legte dort neben Hunderten mit Orangen beladenen Schiffen an, von denen viele für England bestimmt waren. Es gab immer noch keine Post. Am 25. September segelten sie ab, ‹Gott sei Dank mit direktem Kurs› auf die Heimat.

In einer Woche würden sie vor Land's End sein. Unterdessen ging Darwin immer wieder ein Gedanke durch den Kopf: ‹Wie schön mir Shropshire erscheinen wird.› Er wurde euphorisch, überschwenglich, vergaß die üppigen Tropen. ‹Die englische Landschaft ist zehnmal schöner›, befand er schließlich. Und ‹was die grenzenlosen Ebenen und die undurchdringlichen Wälder betrifft, wer würde sie mit den grünen Wiesen und Eichenwäldern Englands vergleichen›? Die lächelnden Tropen, was für ein ‹ausgemachter Unsinn›! ‹Wer bewundert das Gesicht einer Dame, die immer lächelt. England ist nicht eine dieser langweiligen Schönheiten; es kann abwechselnd weinen und zürnen und lächeln.›

Nach fünf Jahren auf See gingen die Gefühlswogen jetzt hoch unter den homerischen Helden. Sie hatten überlebt – sogar das Coati des Matrosen Davis. In solchen Augenblicken wollte jeder ‹irgendeinen Akt außergewöhnlicher Torheit und Verschwendung begehen›. Die ‹Männer auf den Kriegsschiffen› machten es richtig, meinte Darwin, ‹wenn sie Münzen ins Meer werfen oder ihre Tabakspfeifen mit Pfundnoten anzünden, um ihrer Freude Ausdruck zu geben›.[10]

Es war eine böige letzte Woche, und die blauen Seeteufel waren wieder hinter ihm her. Daniederliegend dachte er über die ‹Freuden und Schmerzen unserer fünfjährigen Odyssee› nach. Würde er anderen raten, eine so gefährliche Reise zu machen? Ja, aber nur, wenn sie ein leidenschaftliches Interesse hätten, etwa für Zoologie oder Geologie; ansonsten würden die Freuden von den Schmerzen überwogen, den kleinlichen Ärgernissen, die gigantische Ausmaße annehmen könnten: ‹der Mangel an Platz, an Rückzugsmöglichkeit, an Ruhe; das ermüdende Gefühl ständiger Eile; die Entbehrung kleiner Genüsse, der Annehmlichkeiten der Zivilisation› und, bei weitem am schlimmsten, die unablässige Seekrankheit. Es dürfte sich indes nicht um bloß dilettantisches Interesse handeln. Die Reisenden hätten die Ernte ihrer Beobachtungen einzubringen und zu nutzen; ‹irgendwelche Früchte›, schloß er, müßten ‹geerntet werden›.

Darwin dachte an seine eigene Ernte. Die Jahre des Säens und Hegens waren für ihn vorüber. Er besaß eine vollständige Dokumentation, sein 770 Seiten langes Tagebuch, das er bereits halb für die Veröffentlichung geschrieben und in Fortsetzungen nach Hause geschickt hatte. Erasmus hatte es ebenso begeistert genossen wie Hensleigh, und beide waren sich darin einig, daß ‹es ein höchst interessantes Reisebuch ergeben wird, wenn Du es veröffentlichst›. Seine Schwestern hatten es ‹vorgelesen, und Papa genießt es sehr, außer wenn ihm die Gefahren, in denen Du schwebst, einen Schauder verursachen›. Wie Susan sagte: ‹Wenn ich Deine Rechtschreibung korrigiert habe, wird es vollkommen sein.›[11]

Aber er hatte noch viel mehr vorzuweisen: Notizbücher über nur für Eingeweihte verständliche Geologie (1383 große Seiten) und Zoologie (368 Seiten); bisher unbekannte Arten, nicht zuletzt den halbverzehrten Kadaver seines kleinen Nandus; eine junge Galápagos-Schildkröte in seiner Kabine, die inzwischen eine Handbreit gewachsen war; und Kisten voll Knochen und Vögeln, Steinen und Korallen, die ihn zu Hause erwarteten. Die Ausbeute war gigantisch gewesen. In seinen Hauptkatalogen waren 1529 Spezies in Spiritus und 3907 etikettierte Häute und Felle, Knochen und andere getrocknete Exemplare verzeichnet.[12]

Würde all dies Früchte tragen? Er erwartete jedenfalls, daß die eigentliche Arbeit erst jetzt beginnen werde, und blickte ‹mir einer komischen Mischung aus Furcht und Befriedigung auf das Arbeitspensum, das mir in England zu bewältigen bleibt›. Er wußte, daß er in London leben mußte, damit seine Proben in die richtigen Hände gelangten; deshalb begann er zu planen. Er wandte sich an Henslow, ‹meinen ersten Lord der Admiralität›, mit der Bitte, ihn für ein Forschungsstipendium der Geologischen Gesellschaft vorzuschlagen, und schrieb an Erasmus, er möge für ihn die Mitgliedschaft in irgendeinem Gentleman's Club arrangieren.[13] Freunde hatten ihn bereits für die Entomologische Gesellschaft nominiert, wo er dank seiner tropischen Insekten im Mittelpunkt stehen würde.

Er wußte, daß Bälge und Knochen und ‹isolierte Tatsachen bald uninteressant werden›. Man mußte mehr aus ihnen machen. Für Kirby, einen Mann der älteren Generation, war die Benennung das A und O. Aber Darwin wollte mehr. Er stellte Fragen, eine Million Fragen: Wie war die Welt der alten Megatherien beschaffen? Warum waren sie ausgestorben? Wie besiedeln Tiere und Vögel Inseln im Meer? Seine geologischen Theorien über das Auftauchen von Kontinenten und die Entstehung von Korallenriffen hatte er bereits in großen Zügen fertig. Er ‹verfolgte Ideen bereits bis zur letzten Konsequenz›, übertrug seine Erkenntnisse von Südamerika auf den ganzen Erdball. Und er prophezeite, im Lichte seiner Einsichten werde sich die ‹Geologie der ganzen Welt als einfach erweisen›.[14] Bei ihm hatte eine lebenslange Tendenz eingesetzt, von kleinen Ursachen auf große Resultate zu extrapolieren, von mikroskopischen Korallen auf riesige Riffe, von Erschütterungen der Erdkruste auf die Anden. Durch Darwins lyellsche Brille gesehen, war die Welt eine Anhäufung winziger Veränderungen, die sich alle natürlich, schrittweise und langsam vollzogen.

Nicht länger ‹Nahrungsbeschaffer für Löwen›, würde er sein Material selbst verzehren. Sedgwick hatte im vergangenen November vor der Geologischen Gesellschaft eine Zusammenfassung von Darwins Schlußfolgerungen präsentiert. Über die südamerikanische Geologie war wenig bekannt, und Darwins Auffassung, daß sich die Pampas ‹allmählich oder in aufeinanderfolgenden Schüben gehoben haben› müßten, erregte großes Aufsehen. Der Bericht darüber in dem Samstagsblatt *The Athenaeum* machte Vater Darwin überglücklich über Charles' ‹Lorbeeren›. Lyell selbst war ekstatisch. ‹Wie ich mich nach der Rückkehr von Darwin sehne!› ließ er Sedgwick wissen. ‹Ich hoffe, Sie haben nicht vor, ihn in Cambridge zu monopolisieren.› Sedgwick erkannte selbst, daß ‹es das Beste in der Welt für ihn war, auf diese Entdeckungsreise zu gehen. Er hat die Gefahr gemeistert, zum Müßiggänger zu werden; doch sein Charakter wird jetzt gefestigt sein, und wenn Gott sein Leben schont, wird er unter den Naturforschern Europas einen großen Namen haben›.[15] Darwin mußte Sedgwicks Glauben rechtfertigen und Lyells Erwartungen entsprechen. Er kam mit mehr relevanten Fragen als konservierten Proben nach Hause, und es war seine Aufgabe, sie zu beantworten.

Die bedeutsamste Frage von allen betraf die Menschheit. Er konnte sich keinen beklemmenderen Anblick vorstellen als ‹einen echten Barbaren›, einen ‹Menschen auf dem niedrigsten und primitivsten Entwicklungsstand›. In seiner Hängematte liegend, sinnierte Darwin: ‹In Gedanken durcheilt man vergangene Jahrhunderte, und dann stellt man sich die Frage: Könnten unsere Vorfahren so gewesen sein wie sie?› Er hatte jede Stufe auf der menschlichen ‹Skala› gesehen, von den rohen Feuerländern – deren ‹Mimik und Gestik uns unverständlicher sind als die der domestizierten Tiere› – über Maoris, Tahitianer und Pampasindianer bis hin zu den Gauchos, die letztere ausrotteten. Und alle wurden von den britischen Kolonisatoren in den Schatten gestellt, die unter dem Union Jack marschierten.

Es war eine ‹Skala›, die in europazentrischen Einheiten maß: Die da oben beurteilten die da unten. Darwin bewertete die Einheimischen nach ihrer Bereitschaft, zu arbeiten, ihre Stellung zu verbessern, mit den Siedlern Freundschaft zu schließen und deren christliche Moral anzunehmen. Zwischen den hochstehenden und den niedrigstehenden Rassen gähnte eine Kluft. ‹Ich glaube nicht, daß es möglich ist, den Unterschied zwischen dem wilden und dem zivilisierten Menschen zu beschreiben oder bildlich darzustellen. Es ist der Unterschied zwischen einem wilden und einem zahmen Tier.› Und wie Jemmy zeigte, waren die primitiven Instinkte stark. Die Feuerländer waren an ihre elende Existenz ebenso gut angepaßt wie Darwin an eine Sherry nippende Gesellschaft. Aber wie war das möglich? Wie konnte derselbe Schöpfer den Menschen einerseits so primitiv und andererseits so hochentwickelt erschaffen haben?

Die Fragen blieben, seine religiösen Gefühle desgleichen. Er hatte die Anden erstiegen, am Rand von Vulkankratern gestanden, Gletscher ins Meer stürzen sehen, war an Korallenriffen entlanggewatet, doch letzten Endes übertraf nichts davon ‹die Pracht der Urwälder›. Er hatte hingerissen in wuchernden, lianenverhangenen Dschungeln gesessen, ‹Tempeln, angefüllt mit den mannigfaltigen Erzeugnissen des Gottes der Natur›. Er war von religiöser Ehrfurcht erfüllt gewesen. ‹Niemand kann unbewegt in dieser Einsamkeit stehen, ohne zu spüren, daß der Mensch mehr in sich hat als den bloßen Atem seines Körpers.› Und das war es, worauf er sich jetzt freute: die Andacht in einem neuen Tempel.

Das Pfarrhaus wurde von der Natur verdrängt – überholt, überwachsen. Seine Schwestern hatten es bereits geahnt. ‹Papa und wir grübeln oft am Kaminfeuer darüber, was Du nach Deiner Rückkehr tun wirst, denn ich fürchte, es gibt nur noch wenig Hoffnung, daß Du Dich der Kirche anschließt.›[16] Tatsächlich verrichtete Charles seinen Gottesdienst bereits anderswo. Er hatte die Urgewalten unter der zerbrechlichen Erdkruste gespürt, in Concepción, wo die Kathedrale einstürzte, und in den Elementarkräften, die Kontinente heben und senken – Kräfte, welche die schwächlichen Anstrengungen des Menschen zur ‹Bedeutungslosigkeit› reduzierten. Hier war tatsächlich etwas Verehrungswürdiges, ja Numinoses: die Urgründe des Lebens selbst. Seine Cambridge-Professoren hatten die Ehrfurcht vor dem Gott der Natur zu den höchsten Werten gezählt. Er würde über sie hinausgehen – die Natur um ihrer selbst willen studieren, ihre Kräfte erklären, ihre Weisheit verstehen, ihre Mittel und Wege rechtfertigen.

Als in der stürmischen Nacht des 2. Oktober Falmouth am Horizont auftauchte, hatte er Fragen genug für eine ganze Laufbahn.

1836–1842

1886–1848

14

Ein Pfau, der sein Gefieder bewundert

Schier platzend vor Ungeduld, alle wiederzusehen, eilte Charles von Falmouth nach Shrewsbury, den Kopf ‹ganz wirr vor so viel Entzücken›. Bei vollem Tempo dauerte die Fahrt zwei Tage; die schwitzenden Pferde galoppierten an den Wäldern und Obstgärten Westenglands vorüber, die ihm ‹schöner und heiterer› erschienen, als er sie in Erinnerung hatte. ‹Den dummen Leuten in der Kutsche scheinen die Wiesen kein bißchen grüner vorzukommen als üblich›, überlegte er; für ihn, der die tropischen Wälder, die stoppligen Pampas und die mächtigen Kordilleren gesehen hatte, war klar, ‹daß die weite Welt keinen beglückenderen Anblick bietet als den reichen, kultivierten Boden Englands›. Am Dienstag, dem 4. Oktober 1836, traf er schließlich spätabends in The Mount ein, und zwar so spät, daß die Familie bereits zu Bett gegangen war. Obwohl er fünf Jahre und zwei Tage fortgewesen war, schlüpfte er leise und erschöpft in sein Zimmer, ohne die Seinen aufzuwecken.

Erst als er zum Frühstück hereinkam, wußten sie, daß er da war. Aus Überraschung wurde Ekstase. Der ‹arme Charles› war voll Zuneigung und Entzücken› beim Anblick seines Vaters und seiner Schwestern nach so vielen Jahren. Sie umarmten und küßten einander, und die Dienstboten betranken sich zur Feier der Rückkehr von Master Charles. Die Mädchen waren besorgt, daß er zu mager sei; in der Tat hatte er acht Kilogramm Untergewicht. Aber was machte das – er war zu Hause. Die endlose Reise war zu Ende. Caroline freute sich insgeheim, daß sein ‹Haß auf die See› dank der fürchterlichen Dünung im Golf von Biskaya ‹genauso heftig› war wie eh und je. Doch selbst sie räumte ein, daß die Reise ihren Zweck erfüllt hatte, denn ‹er hat Glück und Interesse für den Rest seines Lebens gefunden›.

In seinem Freudentaumel, seinem ‹toten und halblebendigen Zustand› feuerte Charles eine Salve von Briefen an Verwandte ab, die auf jeder Seite eitel Wonne ausstrahlten. ‹Ich bin so überglücklich, daß ich kaum weiß, was ich schreibe›, vertraute er Onkel Josiah an. Bevor er wieder festen Boden

225

unter den Füßen hatte, lud ihn Squire Owen ein, mit seiner Flinte herüber-
zukommen, um zu sehen, ‹ob Du *durch Deine Reisen besser geworden* bist›;
vielleicht sei ja ein bißchen Jagen das beste Mittel, um wieder eine Landratte
zu werden.¹

Aber war das derselbe Master Charles? Fünf Jahre und eine Welt trennten ihn von seinem konfusen, ziellosen, unsicheren alten Ich. Da war ein
neues Selbstvertrauen, ein neuer Ernst; er hatte, auf sich selbst gestellt, in
unwirtlichen Zonen überlebt, hatte Kriege durchgemacht und war Wilden
begegnet, und er hatte zu Fuß die Anden überquert. Jetzt freute er sich einfach darüber, am Leben zu sein. Er war selbständig geworden, dachte seine
eigenen Gedanken und war selbstbewußt genug, um die Autoritäten herauszufordern. Er hatte sich einen Namen gemacht, sich bewährt, und er war
stolz auf das, was er erreicht hatte. Es machte ihn zum Mittelpunkt der Aufmerksamkeit seiner Familie, und das genoß er. Zum erstenmal erfreute er
sich der uneingeschränkten Anerkennung seiner Lieben. Er war kaum mehr
derselbe Mensch wie zuvor – er hatte seine eigene Reform durchgemacht.

Und zu was war er zurückgekehrt? Wie stand es um das Land? Er mußte
zugeben, daß ‹ganz England verändert erscheint›. Die Reformen waren weit-
reichend gewesen und hatten die Macht der neuen städtischen und industriellen Zentren gefestigt. Soviel hätten die Whigs verändert, meinte ein
Spaßvogel, daß sie offensichtlich ‹vorhaben, nicht nur alles auf Erden um-
zukrempeln, sondern auch die Gezeiten umzukehren, das Prinzip der
Schwerkraft aufzuheben und das Sonnensystem zum Einsturz zu bringen›.²

Wenig war beim alten geblieben. Das Reformgesetz war bereits seit vier
Jahren in Kraft. Erst im Vorjahr waren die konservativen Stadträte demokratisiert und von den Whig-Dissenters infiltriert worden, die in manchen
Städten jetzt sogar unitarische Bürgermeister wählten. Die Dinge hatten
sich zweifellos gewandelt. Die Macht verschob sich, wie der eiserne Herzog
von Westminster klagte, von anständigen Tory-Anglikanern zu Whig-
Fabrikherren, -Ladenbesitzern und -Atheisten.

Ebenfalls in Kraft war das von der wachsenden Armee von Notleidenden
so verabscheute neue Armengesetz. Darwin kehrte in eine mit neuem
Schwung versehene malthusische Welt zurück – Malthus' Worte hatten
endlich gewirkt: Die alte öffentliche Mildtätigkeit war abgeschafft, und die
Armen waren gezwungen, entweder zuzupacken oder sich in Arbeitshäuser
einweisen zu lassen. Diese Arbeits- oder Armenhäuser wurden gebaut, obwohl Agitatoren sie als Kennzeichen eines bösartigen Gesetzes anpranger-
ten, das Hilfsbedürftige ‹dafür bestraft, arm zu sein›. Das neue Armengesetz
wurde von ihnen als ‹ein malthusisches Gesetz› verdammt, das den Zweck
habe, ‹die Armen zu zwingen, für geringere Löhne zu arbeiten, auszuwandern oder sich mit billigerer Nahrung zufriedenzugeben›. Im Mai 1835 brachen in den südlichen Grafschaften die ersten Aufstände aus, in deren Ver-

lauf Armengesetzkommissare mit Steinen beworfen wurden und Magistratsbeamte die Menge durch Verlesen der Aufruhrakte zu zerstreuen suchten. Der Widerstand war erbittert in diesem Winter; Arbeitshäuser wurden niedergebrannt und Straßenschlachten mit der Polizei ausgefochten.[3]

Die von den Whigs initiierte Umgestaltung der Gesellschaft kam den malthusischen Wertvorstellungen des Mittelstandes entgegen. Darwin stellte fest, daß Malthus eine ungeahnte Bedeutung erlangt hatte. Sein Name war in aller Munde; den einen galt er als Satan, den anderen als Erlöser. Seine Lehre über Bevölkerungsentwicklung und Fortschritt war nicht mehr nur akademisch. Sie bildete den Kern der Armengesetzgebung und lieferte den Stoff für aufwieglerische Rhetorik, für Widerstand in der Bevölkerung und für Regierungspropaganda.

Tatsächlich begegnete Darwin einer trügerischen Ruhe, dem Auge des Hurrikans. Die Situation schwelte vor sich hin, etwas abgekühlt durch die ausgezeichnete Ernte und den Eisenbahnboom des Sommers. Dennoch hatte es die Regierung noch nicht gewagt, das neue Armengesetz in London und dem industrialisierten Norden einzuführen. Und schon setzte eine Rezession mit Aussicht auf massive Arbeitslosigkeit ein.

Seit dem Verlassen der *Beagle* war Darwin wieder in seinem Whig-Element. Während er den eingefleischten Tory FitzRoy an Bord bei Laune gehalten hatte, teilte er ihm jetzt genauso verbindlich mit, ‹meine politischen Überzeugungen werden, wenn wir wieder zusammentreffen, ebenso unerschütterlich und wohlbegründet sein wie eh und je›. Jetzt, da seine eigene Partei das Staatsschiff lenkte, war er an der Reihe, mit gelassener Entschiedenheit aufzutreten. FitzRoy seinerseits legte ein ganz und gar unerwartetes Verhalten an den Tag. Er erstaunte Darwin, indem er prompt heiratete. Fünf Jahre lang hatte er seine Herzensdame verheimlicht, selbst vor seinem täglichen Tischgenossen.

Darwin hielt es nicht lange zu Hause. Der Mensch, den er am sehnlichsten zu sehen wünschte, war Henslow. Er schrieb ihm unverzüglich, noch ‹schwindlig vor Freude und Verwirrung›: ‹Ich möchte Deinen Rat in vielen Punkten, denn ich schwebe völlig in den Wolken.› Er wußte nicht, was er mit den Präparaten und Proben von der *Beagle* tun sollte, von denen viele sorgfältig numeriert und aufgelistet noch an Bord waren und auf die Experten warteten. Er wollte, daß sie beschrieben würden. Doch an welche Spezialisten sollte er sich wenden? Nach zehn Tagen daheim war er am 15. Oktober bereits wieder unter den Türmen von Cambridge und ließ sich von Henslow beraten. Hier war zumindest jemand, der ihm die Pflanzen abnehmen würde. Auch Professor Sedgwick nahm mit ihm Verbindung auf, und sie frühstückten zusammen, wobei sie über Geologie sprachen und die politische Entwicklung in Cambridge Revue passieren ließen. Darwin wurde mit den besten Londoner Naturwissenschaftlern bekannt gemacht – und darauf hingewiesen, daß sie mit Arbeit überlastet seien. Er müsse sehen, was sich machen lasse.[4]

Aus dem stillen Cambridge stürzte er sich am 20. Oktober in das geschäftige London. Er logierte bei Erasmus in der Great Marlborough Street, einer Seitenstraße der neuen Regent Street. London: das ‹moderne Babylon› mit seinen einschüchternden Dimensionen, so groß, daß ‹ein Fußgänger es in einem Tag nicht umrunden könnte›. Die ungeheure Einwohnerzahl von zwei Millionen schüchterte Besucher ein, die sich ‹von großen Menschenwogen erfaßt fühlten, welche schweigend durch die Düsternis eilten›. Darwin fand eine Metropole im Wandel vor. Die Euston Station wurde soeben gebaut, die London Bridge war vollendet und gewährte am Abend einen hinreißenden Blick auf die Stadt, die ‹im magischen Licht ihrer Millionen Gaslichter erstrahlt›. Alle Straßen waren so hell von Laternen erleuchtet, daß sich Londons Weichbild, von der Anhöhe von Hampstead Heath aus gesehen, in einen funkelnden Sternenhimmel verwandelte. Straßenarbeiten gaben ständig Grund zur Klage: Kanäle wurden gegraben, Gasleitungen verlegt. Manche der Zerstörungen waren unbeabsichtigt gewesen, etwa die des Parlamentsgebäudes, das 1834 einem Brand zum Opfer gefallen war und dessen verkohlte Außenmauern einen traurigen Anblick boten. Doch die meisten Bauarbeiten kündeten von aufwendiger Erneuerung.[5] Dies galt auch für die wohlhabendsten wissenschaftlichen Institutionen, das Britische Museum und das Royal College of Surgeons, hinter dessen Baugerüst ein imposanter neuer Säulengang entstand.

Darwin verbrachte Tage damit, eine Institution nach der anderen aufzusuchen: die Zoologische und die Geologische Gesellschaft, das Linnésche und das Britische Museum, alle vom Haus seines Bruders aus bequem zu Fuß zu erreichen. Er stellte sich vor und bestritt manches Diner mit seinen südamerikanischen Geschichten, wobei er die Neugier der Experten auf seine Sammlungen schürte. Er war jetzt eine Berühmtheit und trat entsprechend auf; die Geologen hatten seine gedruckten Briefe gelesen, und viele hatten seine Megatherium-Fossilien gesehen. Alle Welt wollte den Tropenreisenden kennenlernen und seine Geschichten über wilde Stämme und Regenwälder und Riesenfaultiere hören. Bezeichnend war in diesem Zusammenhang der Versuch von Charles Bunbury, ebenfalls in Cambridge ausgebildeter Gutsherr und Naturforscher, ihn mit Beschlag zu belegen. Darwin ‹scheint ein universeller Sammler zu sein›, berichtete Bunbury begeistert, der ‹zur Überraschung aller Koryphäen› neue Spezies entdeckt habe. Einen Monat nach seiner Landung wurde Darwin schon ‹in aufregender Weise unter den Leuchten der Wissenschaft herumgereicht›. Anfangs erzielte er bei der Vergabe seiner Präparate und Proben gemischte Resultate. Die Geologen stürzten sich zwar auf seine südamerikanischen

Steine, doch wie Henslow vorausgesagt hatte, ‹scheinen die Zoologen eine Kollektion unbeschriebener Geschöpfe eher als lästig zu empfinden›.[6]

Das war nicht überraschend, denn sie wurden mit Muscheln und Bälgen aus allen Kontinenten eingedeckt. Die Zoologische Gesellschaft, die Auswanderer und militärische Vermesser um exotische Spezies gebeten hatte, ertrank jetzt in der Flut. Trotz ihres neuen Museums im Londoner Westend kam sie mit der Aufarbeitung kaum nach. Aus den Kolonien trafen so viele Belegstücke ein, daß, wie Darwin feststellte, mehr Sammlungen vorhanden waren als kompetente Naturforscher, die sie zu beschreiben vermochten.

Das alte Museum war seit langem ein Zankapfel unter den Zoologen gewesen. Die Verwalter des Tiergartens hatten soeben das Museum des großen Chirurgen John Hunter auf dem Leicester Square übernommen, um Abhilfe zu schaffen. Es war weitläufig, doppelt so groß wie das alte Gebäude, mit ‹günstig aufgeteilten, von oben beleuchteten Sälen und Galerien›. Als Darwin eintraf, waren soeben 1200 Pfund für die Einrichtung ausgegeben worden. Doch auch die beachtliche neue Ausstellungsfläche, die nunmehr zur Verfügung stand, war bereits vollgestopft. An den Wänden reihten sich endlose verglaste Schränke aneinander, gefüllt mit 6720 Säugetieren, Vögeln, Reptilien und Fischen aus den Kolonien – die größte Ausstellung, ‹die in diesem Königreich der Öffentlichkeit zugänglich ist›. Tatsächlich waren es so viele Spezies, daß die Hälfte erst noch identifiziert beziehungsweise etikettiert werden mußte. Assistenten waren immer noch damit beschäftigt, konservierte Fische und Reptilien aus provisorischen Spiritusbehältern zu nehmen. Welche Aussichten gab es da für Darwin, wo das Museum doch ‹fast voll war und über tausend Proben noch in den Magazinen lagerten›?[7] Er konnte verstehen, weshalb man bei der Zoologischen Gesellschaft keine weiteren anzunehmen gedachte.

Noch etwas anderes war offenkundig: die gespannte Atmosphäre. Die Gesellschaft war von den politischen Stürmen durchgerüttelt worden, und streitbare Demokraten, angeführt von Darwins altem Tutor Robert Grant (jetzt am University College), versuchten, eine neue zoologische Ära einzuleiten. Ihnen lag das Interesse der Aristokraten fern, Wild für die Tafeln der Reichen zu züchten (eines der ursprünglichen Ziele des Zoos). Sie wollten, daß die Gesellschaft von bezahlten Experten geleitet werde. Sie hatten nichts mehr für die alte Zoologie übrig, bei der betuchte Amateure den Vorsitz führten, Pfarrer, Dilettanten und Adlige. Das neue Museum war ein Ergebnis ihrer Kampagne, ein Denkmal ernsthafter, der Allgemeinheit nützlicher Zoologie. Reformer hatten dafür gekämpft, es im Westend unterzubringen, fern dem Zoologischen Garten im Regent's Park, der den Aristokraten als Promenade diente. Diese Reformgefechte hatten Bitterkeit hinterlassen, wie Darwin bemerkte. ‹Ich habe keine Geduld mehr mit den Zoologen›, meinte er verächtlich, ‹nicht weil sie überarbeitet sind, sondern wegen ihrer üblen

Streitsucht. Kürzlich erlebte ich einen Abend in der Zoologischen Gesellschaft, wo die Sprecher einander in einer Weise anschnauzten, die alles andere als *gentlemanlike* war.›

Darwin erhielt jetzt ein neues Bild von Grant: Das politische Verhalten seines alten Lehrers war seit den Edinburgher Tagen militanter geworden. Wie so viele Radikale in den turbulenten, reformfreudigen 1830ern war Grant ein Demokrat, ein Kirchenkritiker, ein Cambridge-Hasser, der ständig die Privilegien angriff. Ein Gesinnungsgenosse sagte: ›Wann immer es um ein gutes, ehrenwertes, großzügiges und liberales Anliegen ging, stieß man mit Sicherheit auf den Namen von Professor Grant.› Aber diese ehrenwerten Anliegen waren nicht unbedingt diejenigen Darwins. Seine Freunde waren Kleriker aus Cambridge. Als Whig-Gentleman mit privatem Vermögen genoß er die Freiheit, seine eigenen Steckenpferde zu reiten und sein Heim in ein Labor zu verwandeln, wie es die Reichen seit Jahrhunderten getan hatten. Er war nicht dafür, die Wissenschaft Gehaltsempfängern zu überlassen und die aristokratischen Granden des Zoos gegenüber Mitgliedern rechenschaftspflichtig zu machen. Verhaltensmaßstäbe waren ihm dagegen wichtig, und er teilte den Abscheu seiner Familie vor den ›verbissenen und sittenlosen› Radikalen.[8]

Nicht nur die Zoologen hatten unter ihnen zu leiden. Auch in anderen Institutionen wurde die traditionelle Führung in Frage gestellt. Sogar das Britische Museum war in Aufruhr. 1836 war es Gegenstand einer scharfen parlamentarischen Anfrage, ausgeheckt von Radikalen, welche die adligen Treuhänder hinauswerfen und das Museum in eine Forschungseinrichtung nach französischem Vorbild umwandeln wollten. Wieder tat sich Grant mit einer harschen Kritik an den inkompetenten aristokratischen Vorständen des Museums unter dem Erzbischof von Canterbury hervor. All dies ließ Darwin zögern, seine Sammlung dem Museum zu übertragen. ›Nach allem, was ich höre, kann ich keinen großen Respekt für den gegenwärtigen Zustand dieser Institution empfinden.› Es machte ihn allmählich auch zurückhaltend gegenüber Grant, der zunehmend als scharfzüngiger Kirchengegner hervortrat und deshalb von den Torys angeprangert wurde, weil er die ›gedungene Presse› unterstützte, die für ihre ›blasphemische Verhöhnung der heiligen Wahrheiten des Christentums› sattsam bekannt sei.[9] Den Gentlemen der Wissenschaft, Stützen des Establishments, waren Grants Polemiken in der Schmutzpresse verhaßt.

All dieses Herumlaufen, die Bemühungen, seine Präparate unterzubringen, und das Anhören langweiliger politischer Tiraden hatten Charles erschöpft. ›Ich bin ziemlich müde›, seufzte er gegenüber Caroline, ›und sehne mich danach, friedlich mit dem lieben alten Henslow zusammenzuleben.› Cambridge war eine Zuflucht, fern von allem Gezänk wie auch von Smog und Ruß. Er überlegte, ob er seine Sammlung in Cambridge nicht besser auflösen und stückweise verteilen sollte. Die Unterstützung seines Vaters und dessen Versprechen, ihm finanziell auch weiterhin den Rücken freizuhalten, bedeuteten, daß er sich Kirche und Karriere aus dem Kopf schlagen und sich seiner Arbeit widmen konnte. Der Vater setzte ihm einen festen jährlichen Zuschuß aus und schenkte ihm Aktien, was ihm etwa vierhundert Pfund im Jahr einbrachte und es ihm erlaubte, einen unabhängigen Lebensstil zu pflegen, frei von akademischen Zwängen des Geldverdienens. Vierhundert Pfund reichten für den Unterhalt eines alleinstehenden Gentleman und dessen Faktotums – Covington blieb in Darwins Diensten – sowie für einiges mehr. Tatsächlich konnte Darwin es sich leisten, die Helfer zu bezahlen, die er benötigte. ‹Was die Muschelfossilien betrifft – ist Sowerby ein guter Mann?› fragte er Henslow. ‹Wie ich höre, kann man seine Mitarbeit kaufen.›[10] Darwin sollte im Lauf der Jahre eine Reihe von Spezialisten, unter ihnen den Illustrator und Muschelhändler George Sowerby, finanzieren. Er konnte sich als unabhängiger Naturforscher selbständig machen und Arbeiten an andere delegieren.

Aber wo? Er hatte die Wahl, ob er seiner Arbeit lieber inmitten der Zerstreuungen von London mit den ‹Leuchten der Wissenschaft› oder in der Ruhe von Cambridge bei den Klerikernaturforschern nachgehen wollte. Sollte er Lyell und Erasmus in der Metropole mit ihrer geistig anregenden Atmosphäre nacheifern und sich in ihren Kreisen fortschrittlicher Intellektueller bewegen? Hier gab es die frischesten Fische und die neuesten Neuigkeiten, die erregendsten Theateraufführungen und das größte Reservoir an wissenschaftlichen Begabungen im Lande. Erasmus genoß immer noch sein müßiggängerisches Literatenleben; seine Woche drehte sich um intellektuelle Abendgesellschaften. Lyell war ein vollkommenes Rollenvorbild, ein finanziell unabhängiger Spezialist, der sich einen fabelhaften Namen gemacht hatte. Oder sollte Darwin sich in ländliche Gefilde zurückziehen wie Henslow, was ihm Ruhe zum Nachdenken verschaffen würde? Er war hin und her gerissen, aber es war ihm klar, daß er sich schließlich würde entscheiden müssen, damit seine kostbaren Präparate zur Weiterbehandlung vergeben werden konnten, so unbehaglich ihm diese Aussicht auch war.

In London leistete ihm Erasmus Gesellschaft. Zumindest zeitweilig, denn sein Bruder war viel mit der Schriftstellerin Harriet Martineau zusammen. Oft schlich sich Charles abends müde ‹von den Ausfahrten mit Miss Martineau› nach Hause. Die Martineau war Londons führende literarische Apologetin für die gesamte Palette der Whig-Reformen. Sie war sogar dem alten Reverend Malthus vorgestellt worden.[11] Die Begegnung dürfte eher intellektueller Art gewesen sein, zumal die Schriftstellerin auf ein Hörrohr angewiesen war und der sechsunddreißig Jahre ältere Sozialforscher einen Wolfsrachen hatte. Immerhin überwanden beide ihre Behinderungen und verständigten sich ausgezeichnet. Die Martineau hörte jedes von Malthus' Worten auch ohne Hörrohr, pries er doch ihre Geschichten über das Armenrecht als Inbegriff seiner Auffassungen.

Anderswo stieß sie auf heftige Gegenwehr. Patriarchalisch gesinnte Torys brandmarkten sie als Malthusianerin, ‹die Mildtätigkeit und Fürsorge für die Armen herabsetzt!!!›. Auf der Gegenseite organisierten sich radikalere Ärzte als Erasmus gewerkschaftlich, um gegen die unzumutbaren Arbeitshäuser zu protestieren. Auch hier waren Grant und seine fanatischen Freunde 1836 aktiv; sie gründeten einen militanten Interessenverband, die in London ansässige British Medical Association, welche die Armengesetzkommissare behinderte und Malthus' Statistiken widerlegte.[12]

Doch die Martineau besaß genügend Rückhalt in den erlauchten Whig-Zirkeln, Darwins Kreisen, wo sie wegen ihrer malthusischen Standfestigkeit gefeiert wurde. Sie gehörte sozusagen zur Familie. Erasmus war von ihr hingerissen, aber Charles hatte Bedenken in bezug auf eine so bedrohlich selbstsichere Dame. ‹Unser einziger Schutz vor einer so bewundernswerten Schwägerin ist, daß sie ihn [Erasmus] allzu heftig bearbeitet. Es beginnt ihm zu dämmern ... daß er nicht viel mehr sein wird als ihr «Neger». Man stelle sich den armen Erasmus als «Neger» einer so philosophischen und energischen Lady vor [...] Sie liest ihm bereits die Leviten über seine Faulheit.› Die Martineau war soeben von einer Blitztour durch Amerika zurückgekommen und engagierte sich heftig für die Eigentumsrechte verheirateter Frauen, wie Charles hörte. ‹Eines Tages wird sie ihm ihre Vorstellungen von der Ehe erklären; völlige Gleichberechtigung ist ein Teil ihrer Doktrin. Ich bezweifle sehr, ob es auch in der Praxis gleiche Rechte sein werden. Wir müssen für unseren armen «Neger» beten.›

Der ‹Neger› wurde nicht versklavt, und aus der Martineau wurde keine Mrs. Darwin. Indes gab es Familienverbindungen mit Malthus. Hensleigh Wedgwoods Schwiegervater, der Nationalökonom Sir James Mackintosh, war mit Malthus eng befreundet gewesen (und hatte wie er am East India College in Haileybury unterrichtet), und Malthus' Tochter Emily war bei der Hochzeit von Fanny und Hensleigh Brautjungfer gewesen.[13] Darwin wurde in einen engen, privaten Kreis von Malthusianern hineingezogen.

Beflügelt durch Darwins Berichte aus Südamerika, war Lyell begierig, seinen Schüler wiederzusehen. Auch Darwin war voll Erwartung. Am Samstag, dem 29. Oktober, trafen sie schließlich zusammen. Darwin, der zum Abendessen eingeladen war, stellte fest, daß Lyell seine Begeisterung nur mühsam zu dämpfen vermochte. Während er Darwins Erdbebengeschichten lauschte, versank er immer tiefer in seinem Sessel. Lyell war der unternehmungslustigste Geologe in der Stadt und seit Erscheinen der *Principles of Geology* auch der berühmteste. Er wußte sich mit der Mühelosigkeit eines

Anwalts auszudrücken, verfügte über ausgezeichnete Fremdsprachenkennt-
nisse, hatte ein sicheres Auftreten und bewegte sich ungezwungen in hohen Kreisen. Als politisch bewußter Zeitgenosse und Freund der liberalen
Lords nahm er Anteil an den Reformbestrebungen. Dann war da Mrs. Lyell,
die Tochter Leonard Horners, bildhübsch und ein Ausbund an Geduld.
Darwin war überwältigt von der Liebenswürdigkeit der beiden und
schwärmte, daß sie mit ‹Herz und Seele› zur Hilfe bereit seien. Lyell überbot
sich mit Ratschlägen in bezug auf Spezialisten und verhielt sich überhaupt
‹*äußerst* entgegenkommend›. Darwin fühlte sich von ihm angezogen und
beherzigte seinen Rat, in London zu bleiben, wo für seine Vorhaben günstige Voraussetzungen gegeben seien. Er solle auch seine Energie nicht mit
der Leitung wissenschaftlicher Gesellschaften verschwenden. (Lyell, der als
Präsident der angesehenen Geologischen Gesellschaft viel Zeit opferte, fügte
hinzu: ‹Sagen Sie niemandem, daß ich Ihnen diesen Rat gegeben habe.›)[14]

An diesem Oktoberabend hatte Lyell auch noch andere Leute eingeladen,
um sie mit dem Weltreisenden bekannt zu machen. Er stellte Darwin einem
hochgewachsenen, auffallenden Mann mit funkelnden Augen namens
Richard Owen vor. Owen war der Mann der Stunde, der neue Inhaber des
Hunterschen Lehrstuhls am Royal College of Surgeons in Lincoln's Inn
Fields. Er wirkte etwas schüchtern, fast linkisch, aber er wurde unterstützt
von seinem besten Freund vom entgegengesetzten Ende von Lincoln's Inn
Fields, dem Friedensrichter William Broderip. Diese beiden, eingefleischte
Torys, hatten es soeben erreicht, daß der ‹unzufriedene› Grant von seinem
Posten in der Zoologischen Gesellschaft abgewählt wurde, und zweifellos
bekam Darwin bei Tisch alles über den Vorgang zu hören.[15] Damit hatte
Owen im Zoo als dessen leitender Anatom das Heft in der Hand und konnte jedes dort verendete Tier nach Gutdünken sezieren. Niemand war viel-
seitiger und produktiver als Owen, der bereits mit einer Reihe von Abhandlungen über die Kadaver des Zoos hervorgetreten war. Broderip besaß
seinerseits eine eindrucksvolle Muschelsammlung in seinen Amtsräumen in
Lincoln's Inn Fields. Während des Abendessens muß ihm Darwin mit der
Beschreibung seiner exotischen Ausbeute den Mund wäßrig gemacht haben,
denn Owen bot ihm an, sie zu inspizieren.

Lyell hatte die Tischgäste richtig gewählt. Owen teilte Darwins Interesse
an Fossilien und wirbellosen Tieren. Er bewohnte das oberste Stockwerk des
College of Surgeons mit Aussicht über die Dächer. Als ihn Darwin später
besuchte, fand er den Bibliotheks- und Museumsneubau fast vollendet; nur
die Anstreicher waren noch mit den letzten Pinselstrichen beschäftigt. Der
Bau war zum Teil durch die politischen Angriffe auf das College erzwungen
worden, die zu kritischen parlamentarischen Anfragen hinsichtlich seiner
Rolle als Aufbewahrungsstätte für nationale Schätze geführt hatten. Die
Speerspitze hatte wie immer Grant gebildet, der dem College Korruption

vorwarf.[16] Der gesetzte, moralbewußte Owen brachte seinem feindseligen Rivalen mehr als nur ein bißchen Argwohn entgegen.

Mit Owen ging es unaufhaltsam bergauf, und er war bereit, den ‹großen Grant› als führenden vergleichenden Anatomen der Stadt zu stürzen.[17] Am College fand Darwin Owen charmant, vehement in seiner Ablehnung von Grants Evolutionslehre und gut informiert über die jüngsten Erkenntnisse der deutschen Naturwissenschaft. Zur Vorbereitung auf seine ersten Vorlesungen war Owen gerade damit beschäftigt, eine Synthese deutscher Ideen über die Leben und Wachstum regulierenden Kräfte zu erstellen, Ideen, die Darwin bei seiner eigenen Suche nach den Gesetzen des Lebens anregen sollten.[18] Im Augenblick indessen ging es Darwin vor allem darum, seine kostbaren Pampasrelikte unterzubringen. Owen übernahm einige der in Spiritus konservierten Tiere. Daraufhin überredete ihn Darwin, sich seine fossilen Knochen anzusehen.

Zu diesem Zeitpunkt bot Grant freiwillig seine Hilfe an. Er war einer der wenigen, die sich von sich aus bereit erklärten, die Bestände zu untersuchen, und vermutlich einer der wenigen, denen Darwin eine Absage erteilte. Zehn Jahre zuvor, in Edinburgh, hatte Grant den halbwüchsigen Darwin in die Auffassungen Lamarcks und in das Studium der Korallen eingeführt. Jetzt bot er an, die tropische Ausbeute des Seefahrers zu sichten. Doch Darwin war inzwischen selber zu einem kompetenten und konkurrierenden Korallenexperten geworden, und er hatte seine eigenen Pläne. Er interessierte sich für die Fortpflanzung der Polypen und selbstverständlich für die Entstehung der Riffe. Nun brachte er Erasmus dazu, deutsche Abhandlungen über Korallenbänke für ihn zu übersetzen. Am Ende wurden paradoxerweise die Korallen nicht monographiert.[19] Und es scheint auch, daß Darwin und Grant danach nichts mehr miteinander zu tun hatten.

Darwin mag sich gewünscht haben, seine Präparate umgehend beschrieben zu sehen, jedoch nicht von einem verrufenen Dissidenten, der Henslows Cambridge wegen dessen ‹klösterlicher Ignoranz› mit Gift und Galle bespie. Ein übermächtiges Bedürfnis nach stiller Ehrbarkeit beherrschte Darwins Leben. Seine Neigung, ‹an ungehobelten Manieren und allem, was eines Gentleman unwürdig ist›, Anstoß zu nehmen, hatte ihm sogar Henslow schon vor Jahren angekreidet. Er haßte lärmenden Radikalismus, und Grant hatte ohne Zweifel den Bogen überspannt.

Andere kamen zu spät. Wenn Darwin von jemandem den Eindruck hatte, er wolle an seine Präparate herankommen, brachte er sie außer Sicht. Bei einem Gespräch mit dem scheuen Robert Brown, Botanikkustos am Britischen Museum, traten die Fallstricke zutage. Er ‹fragte mich in einer nichts Gutes verheißenden Weise, was ich mit meinen Pflanzen vorhätte. Im Verlauf der Unterhaltung sagte der ebenfalls anwesende Mr. Broderip zu ihm: «Sie vergessen, wie lange Captain Kings Expedition zurückliegt.» Er antwortete: «Tatsächlich habe ich etwas in Gestalt von Captain Kings unbeschriebenen Pflanzen, was mich daran erinnert.»[20] Brown hatte seit sechs Jahren untätig auf einem Schatz von Galápagospflanzen gehockt. Das war kein Ansporn für Darwin, ihm die seinen auszuhändigen.

Bis Ende Oktober hatte FitzRoy die *Beagle* nach Woolwich herübergebracht und sie längsseits der anderen Zehn-Kanonen-Briggs festgemacht. Hier, auf der Themse nahe London, nahm er seine letzte chronometrische Ablesung vor und bezahlte die Mannschaft aus. Auf den Docks wimmelte es von Seeleuten, Soldaten, Steuermannsmaaten und Lieferanten, als Darwin hinunterkam, um seine Kisten abzuholen. Es war ziemlich ernüchternd für ihn, all die von Covington verpackten Proben und Präparate zu sehen. Er hatte ‹nicht die geringste Ahnung, wie und wo ich anfangen sollte›. Eine Kiste voll Galápagospflanzen schickte er Henslow per Kutsche, gefolgt von vier Kästen mit Gesteinsproben, Vogelbälgen, Insekten und Spiritusflaschen. Alles war bereits nach Kategorien geordnet; dennoch fühlte er sich fast erdrückt von der Aufgabe. ‹Das einzige, was ich weiß, ist, daß ich weitaus härter arbeiten muß, als es diese armen Schultern je gewohnt gewesen sind.›[21]

Während der ganzen Zeit hatte er die Wedgwoods faktisch ignoriert; noch immer warteten sie geduldig darauf, ihn zu Gesicht zu bekommen. Am 12. November kam er schließlich nach Maer und mußte eine endlose Runde von Verwandtenbesuchen über sich ergehen lassen. Die Mädchen fanden, daß ihm seine jetzige Schlankheit besser stehe, und ließen sich sogar zu einem zweischneidigen Kompliment hinreißen: ‹Dadurch sieht er besser aus, und seine Miene ist so freundlich, daß seine Unscheinbarkeit nicht ins Gewicht fällt.› Am Kaminfeuer ergötzte er sie mit Geschichten über seine Riesenfossilien und die wilden, frauenfressenden Feuerländer.

Er dachte immer noch daran, ein Buch über seine Reise zu veröffentlichen. Die ganze Familie bestärkte ihn in diesem Plan. Fanny und Hensleigh hatten sein fünf Jahre umfassendes Tagebuch mit großem Genuß gelesen, besonders die Abschnitte über Tahiti und Neuseeland. In ihren Augen übertraf es die ‹99 100 Reisebücher, die herauskommen›. Dr. Henry Holland, ein entfernter Cousin und aufgeblasener Gesellschaftsarzt, war anderer Meinung, aber das bewirkte nur, daß Hensleigh an den Fähigkeiten des Doktors zweifelte. Auch Emma Wedgwood glaubte nicht, daß Vetter Henry ‹beurteilen kann, was amüsant oder interessant ist›. Sie fand, es würde ein wunderbares Buch ergeben, und sie ackerte sich durch unvertrautes Gelände – andere Berichte über Pampasdurchquerungen –, um im Gespräch mit Charles mithalten zu können. FitzRoy wünschte sich einen dreibändigen Bericht über seine und Kings Expeditionen, zu dem King, er und der ‹Philosoph› je einen Band beitragen sollten, und setzte mit dem Verleger Colburn einen entsprechenden Vertrag auf. Zu Hause ließen sich alle von dem Projekt anstecken, und Charles, der am 16. November wieder in The Mount war, fand seine Schwestern in Reiseberichte vertieft in der Absicht, ihm Tips geben zu können.[22]

Am 2. Dezember kehrte Darwin nach London zurück, wo er Abnehmer für seine wertvollen Präparate zu suchen begann. Der neue Zoologieprofessor am King's College am Strand, Thomas Bell, der von den Reptilien gefesselt war, bekundete sein Interesse. Die Seetang fressenden Galápagos-Leguane faszinierten den Oxforder Geologen Reverend William Buckland. Auch die Zoologen zeigten sich aufgeschlossen; Experten begutachteten ‹ganze Stämme von Tieren, von denen ich nichts weiß›. Das meiste bedurfte des Engagements von Spezialisten; er war damit überfordert – so sehr, daß er sich von einem Botaniker in der Linnéschen Bibliothek blamiert fühlte.

‹Ich kam mir sehr dumm vor, als er von der Schönheit irgendeiner Pflanze mit einem erstaunlich langen Namen schwärmte und mich nach ihrem Standort fragte. Jemand anderer schien ziemlich überrascht, daß ich nichts über ein Riedgras von ich weiß nicht wo wußte. Ich war schließlich gezwungen, meine restlose Unkenntnis zu bekennen und zuzugeben, daß ich über die Pflanzen, die ich gesammelt habe, nicht mehr wußte als der Mann im Mond.›

Verunsichert in Sachen Botanik, machte sich Darwin wieder Sorgen, wie die Experten auf seine Ausbeute reagieren würden. ‹Sag mir, ob Du enttäuscht über die Galápagospflanzen bist›, schrieb er an Henslow, ‹ich habe da einige Befürchtungen.›[23]

Seine eigentlichen Trophäen waren jedoch die fossilen Säugetiere, die er in Owens College of Surgeons ausgepackt hatte. In dem Museum waren noch immer die Maler am Werk, und als Hensleigh vorbeischaute, war er entsetzt darüber, daß der riesige Schädel, den Darwin für achtzehn Pence in der Nähe von Mr. Keens Gut gekauft hatte, sich ‹in einem Raum mit Arbeitern› befand. Dies war das erste Fossil, das Owen diagnostizierte, und seine Schlußfolgerung war überraschend. Es handelte sich um ein riesiges Nagetier, einen nilpferdgroßen Verwandten des südamerikanischen Wasserschweins, das Owen *Toxodon* nannte. Und das Skelett von Punta Alta mit dem enormen Becken und der spitzen Schnauze stammte von einem pferdegroßen Ameisenbären. Die Fossilien ‹erweisen sich als große Schätze›, rühmte sich Charles gegenüber Caroline.[24] Nashorngroße Nager! ‹Was für tolle Katzen es damals gegeben haben muß!›

Diese spektakulären Fossilien waren sein Entree für die Welt der wissenschaftlichen Elite. Das College schickte Abgüsse an die Geologische Gesellschaft und das Britische Museum; Cambridge erhielt einige, ebenso Oxford, wo Buckland sie in einer neuen Ausgabe seines Standardwerks *Geology and Mineralogy* vorstellen wollte. Am Ende blieb kein Gelehrter in Unkenntnis über Darwins Pampasriesen.

Der gesellschaftliche Trubel hielt an. Darwin fühlte sich verpflichtet, Erasmus' Schwarm Harriet Martineau einen Besuch abzustatten. ‹Sie war sehr freundlich›, befand er, ‹und schaffte es, in der kurzen Zeit über eine fabelhafte Anzahl von Themen zu sprechen.› Die Martineau schrieb gerade *Society in America* über ihre Reise in die Vereinigten Staaten, wo auch sie neue soziale und natürliche Welten hatte entstehen sehen. Sie floß über von amerikanischer Demokratie, Frauenrechten und den Greueln der Sklaverei. An den Niagarafällen, wo die Natur mit furchteinflößender ‹blinder und tauber› Gewalt die Landschaft formte, hatte sie über den ‹Prozeß der Welterschaffung› gestaunt. Auch sie hatte die ‹Großartigkeit und Schönheit› der ‹Werkstatt› der Erde erlebt, und das gab dem Gespräch der beiden Nahrung.[25]

‹Ich war erstaunt, wie häßlich sie ist›, berichtete Charles, und er setzte hinzu: ‹Sie ist überwältigt von ihren eigenen Projekten, ihren eigenen Gedanken und Fähigkeiten.› Dem hohen Anspruch der Literatin begegnete er mit männlicher Arroganz: ‹Erasmus schwächte all dies mit dem Hinweis ab, man solle sie nicht als Frau betrachten.› Die Martineau erfaßte die Persönlichkeit des Bruders ihres Verehrers viel treffender: ‹Einfach, kindlich, gewissenhaft, tatkräftig› nannte sie Charles Darwin.

Charles dachte an seine eigene Liebe zurück: Er schickte Fanny Biddulph, seit vier Jahren unglücklich verheiratet und in ein walisisches Schloß verbannt, wo sie ihr drittes Kind erwartete, Blumen zum Geschenk, für die sie keine Worte fand.[26]

Zwei Monate war Charles zu Hause, und schon verfluchte er das ‹schmutzige, gräßliche London›. Der Winter in der Stadt erschien ihm unerträglich. London mochte zwar für die Hautevolee, die von Paris gelangweilt war, ‹die wahre Hauptstadt der Welt› sein, doch er erstickte fast an dem Nebel und dem Rauch. Dunkle Wolken senkten sich herab wie ‹ein sanfter schwarzer Nieselregen aus Schornsteinen, mit Rußpartikeln darin, so groß wie ausgewachsene Schneeflocken, die, so könnte man sich vorstellen, um den Tod der Sonne Trauer tragen›. Kohle qualmte in jedem Kamin, Kohle, ‹der Brennstoff der Hölle, aus den Eingeweiden der Erde gerissen›. Die Folge war, daß die Straßen von eiskaltem Smog erfüllt waren. Dies ‹läßt nur ein schwaches Tageslicht zu und deckt ein Leichentuch über alle Dinge. In London saugt man mit jedem Atemzug Melancholie ein; sie liegt in der Luft, dringt in jede Pore [...] der Kopf wird schwer und schmerzt, der Magen funktioniert nur mit Mühe, das Atmen fällt schwer wegen des Mangels an reiner Luft›.

Schmutzbedeckte Bürgersteige, frostige Nebelschwaden, die von der infernalisch stinkenden Themse heraufwallten: er verabscheute das alles. Das Geklapper der Hufe und der eisenbeschlagenen Wagenräder auf dem Kopfsteinpflaster machte einen taub. Er wußte, daß er sich für eine Zeitlang hier niederlassen mußte, besonders, wenn er weiterhin mit seinen Häuten und Knochen hausieren ging, wie ihm Lyell riet.[27] Aber er sehnte sich danach, zunächst einige Monate in Cambridge zu verbringen, wo er frische Luft schöpfen und, so hoffte er jedenfalls, bei den Henslows wohnen konnte.

So ging er am 13. Dezember nach Cambridge zurück. Drei Tage hielt er es in einem Haus voller Henslows aus; dann fand er in Fitzwilliam Street ein ‹Einzelquartier›. Cambridge war ein ruhiger, sauberer Kontrast zu London. Es hatte sich nicht viel verändert. Die Reformen waren an seiner anglikanischen Fassade abgeprallt. (Der Gesetzentwurf, Dissenters ohne Bekenntnis zu den Neununddreißig Artikeln zuzulassen, war gescheitert.) Er konnte über die Lehrer nachdenken, die er so lange nicht mehr gesehen hatte. Da war der liebenswürdige, dicker gewordene Henslow, inzwischen Vater von fünf Kindern. Noch auf der *Beagle* war Darwin gebeten worden, für das jüngste als Taufpate zu fungieren. Er fühlte sich Henslow verbunden wie einem nahen Verwandten. Bei Sedgwick war es anders. Darwin berichtete vor der Philosophischen Gesellschaft in Cambridge über die glasigen Röhren in den Sanddünen von Maldonado, wo der Blitz den Sand zu schwarzglänzenden Trichtern geschmolzen hatte. Als er dies beim Tee mit Whewell und Sedgwick, den ‹sprechenden Riesen› erörterte, muß etwas geschehen sein, was ein merkwürdiges Licht auf Sedgwicks Geisteszustand warf. ‹Ich habe wirklich manchmal den Eindruck, daß er im Begriff ist, verrückt zu werden›, bemerkte Charles gegenüber Caroline, blieb aber jegliche Erklärung schuldig. Der alte Junggeselle sei ‹völlig geistesabwesend und sehr sonderbar› gewesen; gleichwohl ‹gibt es nirgendwo einen hochherzigeren Menschen›.[28]

Cambridge mochte sich nicht verändert haben; wohl aber hatte Darwin sich verändert. Es bestand keine Gefahr, daß er seine alten Gewohnheiten wiederaufnehmen könnte, selbst wenn er einmal einen fröhlichen Abend lang mit Herbert in Erinnerungen schwelgte und gelegentlich im Aufenthaltsraum des Christ's College eine Wette verlor. Jetzt ging es ihm um seine Ausbeute und darum, seinem wissenschaftlichen Ruf in den Augen der Lyells und Henslows Glanz zu verleihen. Seine kalten Wintertage waren ausgefüllt; von Schnupfen geplagt, sortierte er seine Beutestücke. Jeden Abend zog er sich zurück, um seine erste Abhandlung zu schreiben, in der er den Nachweis führte, daß sich die Küste von Chile, ja die ganze südamerikanische Landmasse langsam hob. Jene Seemuscheln, die er im Landesinneren in zunehmender Höhe über dem Meeresspiegel gefunden hatte, waren der entscheidende Beweis.

Lyell war sehr angetan von dieser Arbeit, zumal er selbst mit der These hervorgetreten war, daß das Absacken der Kontinente durch eine Auffaltung der Gebirge kompensiert werde. Darwin wurde zu einem Partner in Lyells geologischem Geschäft, dem er sich mit Elan widmete. Von Anfang an war seine Geologie kreativ, spekulativ und in unberechenbarem Englisch geschrieben (was Sedgwick zu der Bitte um straffere Prosa veranlaßte). Darwin hatte einen Lyellschen Sinn für Ausgewogenheit; seine emporsteigenden Anden wurden durch einen absinkenden Pazifik wettgemacht. Er erweiterte die von Lyell vertretene These, wonach die Gebirgsauffaltung von Erdbeben verursacht wurde, und wies, sozusagen spiegelbildlich hierzu, auf die Korallenriffe als die letzten Relikte verschwindender Berge hin. Damit freilich war Lyells eigene Rifferklärung erschüttert. Dennoch war Lyell hingerissen. ‹Koralleninseln sind die letzten Anstrengungen versinkender Kontinente, ihre Köpfe über Wasser zu halten›, sprach er feierlich, den Rückzug antretend. Angetan von der ‹Vorstellung, daß sich die Pampas pro Jahrhundert um drei Fingerbreit heben›, drängte er Darwin, über seine südamerikanischen Erkenntnisse zu berichten. ‹Was für ein großartiges Gebiet Sie zu bearbeiten haben!›[29]

Auch Owen war beeindruckt, und Darwin schickte bereitwillig eine weitere Kiste mit fossilen Knochen von Cambridge ab. Nach dem Jahreswechsel reiste er selbst hinterher, und eine weitere hektische Runde schloß sich an: Abendessen mit Lyell, Besprechungen über seine Abhandlung, Auspacken der Fossilien am College of Surgeons.

Seinen wirklich großen Tag hatte er am 4. Januar 1837. Am Abend trug er seine Abhandlung über die chilenische Küste als aufgestiegenen Meeresgrund in der Geologischen Gesellschaft vor. Es war sein Debüt, und Freunde und Angehörige hatten sich eingefunden. Hensleigh war anwesend, selbstverständlich auch Lyell. Viele der Geologen waren brillante Rhetoriker, die das langweiligste Thema zum Funkeln bringen konnten. Doch Darwin war ein Neuling und nervös. Vor Lyell, dem Präsidenten, stehend und Reihen von geologischen Experten beiderseits auf Bänken vor sich, mit Landkarten und Diagrammen von Gebirgsschnitten hinter ihnen auf den Wänden, las er sein Referat vor, während ihm das Herz bis zum Halse hämmerte. Auf dem Tisch lagen seine Austernfossilien und andere Pampasproben, die er eine Welt von hier entfernt gesammelt hatte. Lyell war zwar voll auf seiner Seite, warnte ihn aber: ‹Bilden Sie sich nicht ein, daß man Ihnen glauben wird, bis Sie eine Glatze bekommen wie ich.› Aber Darwin brauchte nicht zu warten, bis er kahl wurde. Tatsächlich wurden seine Kordilleren und Korallenriffe so positiv aufgenommen, daß er sich ‹wie ein Pfau fühlte, der sein Gefieder bewundert›.

Darwin war ehrgeizig, und die Geologische Gesellschaft sollte sein Forum bilden. Bald nach Ankunft der *Beagle* zum Mitglied gewählt, fühlte er sich hier unter den urbanen Großbürgern wohler als bei den zankenden zoologischen Gehaltsempfängern. (Es sollten zwei Jahre vergehen, bevor er bei den Zoologen Mitglied wurde.) Als ‹Hammerschwinger› zählte er in der

Öffentlichkeit zur Elite. Er war zwar immer noch besorgt, den Ansprüchen seines Vaters nicht zu genügen, aber hier würde er es bei harter Arbeit zu etwas bringen. Dies waren Boomzeiten für das Fach. Die widerspenstigen älteren Gesteinsschichten wurden jetzt erobert, Schichten, die die frühesten erschaffenen Formen offenbarten; und Kambrium, Silur und Devon wurden zu vertrauten Begriffen. Die Geologie bot Einblicke in eine ferne, graue Vorzeit, sie erhellte die wechselhaften Schicksale von Kontinenten ebenso wie das Los fossiler Dynastien. Lyells *Principles of Geology* wurde von Tausenden gelesen. ‹Jeder ehrgeizige junge Mann studiert Geologie; so kommen Parlamentsmitglieder zustande und Kirchenmänner› – und selbst die Theologen gewöhnten sich daran, daß die ‹Sintflut ins Reich der Legenden verbannt wurde›.[30] Es war eine Wachstumsindustrie, und Darwin war im Begriff, sich zu deren Kapitänen zu gesellen.

Darwins steigende und sinkende Landmassen hatten noch andere – hintergründigere – Konsequenzen. Sie schnitten aufreizende Fragen über deren Bewohner an; über Ausrottung und Neubevölkerung, über die Schöpfung selbst. In dieser Schlüsselfrage bewegte er sich immer noch von Lyell weg. Die Galápagos-Finken, die, wie er dachte, alle in Schwärmen ihre Nahrung suchten, deuteten darauf hin, daß sich Lyell irrte – daß die Umweltbedingungen nicht strikt darüber entschieden, was wo entstand.[31] Wodurch waren diese Varianten also zu erklären? Es mußte eine andere Lösung geben.

Am 4. Januar hatte er einen weiteren Auftritt. In der Verwaltung des Tiergartens am Leicester Square übereignete er der Zoologischen Gesellschaft 80 Säugetiere und 450 Vögel. Da er das Museum der Zoologen kannte, stellte er klugerweise die Bedingung, daß alle präpariert und beschrieben werden müßten. Tatsächlich erwiesen die Kustoden des Museums ihren Wert. An vielen Tagen schaute er von Erasmus' Haus zu ihnen in die Regent Street hinüber. Er freundete sich mit George Waterhouse an, einem alten Käferliebhaber und ehemaligen Architekten, der als neuer Museumsdirektor endlich sein Ziel eines bezahlten Postens in der Zoologie erreicht hatte. Waterhouse arbeitete bereits an der Katalogisierung der 870 Säugetiere des Museums, als er sich bereit erklärte, Darwins Sammlung zu übernehmen.

Es waren die Vögel, die andere, wenn nicht Darwin, faszinierten. In bezug auf die Galápagos-Finken war er nach wie vor ratlos; er glaubte, daß sie unterschiedslos gemeinsam Nahrung suchten, da er sich der Bedeutung ihrer unterschiedlichen Schnäbel nicht bewußt war. Übrigens hatte er immer noch Schwierigkeiten, die Spezies beziehungsweise ihr Vorkommen zu identifizieren; und er glaubte nach wie vor, seine Sammlung enthalte Finken, Zaunkönige, ‹Kernbeißer› und ‹Ikterusse› (eine Drosselart). Er hatte keine Idee, daß es sich um eine einzige, eng verwandte Gruppe handeln könnte, die sich spezialisiert und an verschiedene Umweltnischen angepaßt hatte. Die Vögel erschienen ihm gar nicht einmal so wichtig, als er sie der Zoologischen Gesellschaft als viertbeste Lösung, ziemlich mangelhaft beschriftet, schenkte.[32]

Der Fachmann, dem er sie übergab, war der Ornithologe, Maler und Tierpräparator John Gould, der sich bereits durch seine reichhaltigen Vogelbücher einen Namen zu machen begann. Gould war ein produktiver Beschreiber der gehäuteten Exemplare, die an die Gesellschaft geschickt wurden. Er hatte Zaunkönige, Tukane und australische, himalayische, afrikanische und europäische Vögel studiert. Im Gegensatz zu Darwin war er kein müßiggängerischer Gentleman; Sohn eines Gärtners, hatte er sich 1828 zu dem schlechtbezahlten Posten eines ‹Tierkonservators› der Gesellschaft hochgearbeitet. Fünf Jahre später erhielt er den großartigen Titel ‹Superintendant› der ausgestopften Vögel, aber die Bezahlung betrug immer noch nur hundert Pfund im Jahr. Die Folge war, daß er eine Reihe illustrierter Bücher herausbringen und vertreiben mußte, um über die Runden zu kommen. Sein Ausstoß war gewaltig, wie Darwin in diesem Januar erkannte: Der fünfte und letzte Band seiner *Birds of Europe* erschien soeben, und der erste seiner *Birds of Australia* sollte in Kürze herauskommen. (Tatsächlich waren diese Bildbände so lukrativ, daß er sein Gehalt am Zoo eben hatte halbieren lassen, um sich auf seine Druckwerke zu konzentrieren.) Als ihm Darwin seine Kadaver übergab, war Gould noch damit beschäftigt, die exotischen Papageien zu beschreiben, die in den Siedlungen von Neusüdwales erlegt worden waren.[33] Wenn irgend jemand Darwins Zaunkönige und Finken und Schwarzdrosseln voneinander trennen konnte, dann Gould.

Er unterbrach seine bezahlte Arbeit und erkannte bald, daß Darwins Galápagosvögel gar nicht so verschieden waren. Das Gegenteil traf zu: Die Schnäbel täuschten, die Vögel waren erstaunlicherweise eng miteinander verwandt. ‹Kernbeißer›, ‹Drosseln› – in Wirklichkeit waren sie alle Finken. Bis zum nächsten Treffen am 10. Januar – nur sechs Tage später – hatte Gould sie als ‹eine Reihe von Erdfinken› identifiziert, die so merkwürdig sind, daß sie ‹eine völlig neue Gruppe, bestehend aus zwölf Arten, bilden›.[34] Über ihre Bedeutung sollte sich Darwin erst später klarwerden. Darwins Vögel und Säugetiere wurden ausgestellt, und Reporter der Tageszeitungen vernahmen Goulds Erkenntnisse. Die Zeitungen brachten die Geschichte, so daß selbst Catherine im *Morning Herald* über Charles' Finken lesen konnte.

Inzwischen hatten auch die Geologen ihre Sensationen. Owen, der die Fossilien durcharbeitete, hatte in Darwins letzter Sendung ein Riesenfaultier und ein ochsengroßes Glyptodon entdeckt. Das war noch nicht alles: Die Bein- und Halsknochen, die er im Januar 1834 in San Julián gefunden hatte, erwiesen sich, nach den Arterien in der Wirbelsäule zu urteilen, als

‹Fragmente eines Riesenlamas!›. Darwin konnte sich also endlich die Szene vorstellen – auf den wasserlosen, windgepeitschten Ebenen, die heute von dem lamaähnlichen Guanako beherrscht werden, hatten einst gigantische Lamas geweidet. Lyell erkannte die Implikationen. Ebenso wie die Wombats und die Känguruhs von Australien riesengroße Vorläufer hatten, waren die vorzeitlichen Ebenen Patagoniens von gigantischen Vorfahren der heutigen Lamas, Wasserschweine, Faultiere und Gürteltiere bevölkert gewesen. Lyell sah hier ein ‹Nachfolgegesetz› am Werk: Säugetiere werden auf jedem Kontinent durch ihre eigenen Verwandten ersetzt.[35]

In seinem Vortrag vor der Geologischen Gesellschaft am 17. Februar ließ Lyell Darwins fossile ‹Menagerie› Revue passieren. Er zog aus Owens Befunden den Schluß, daß eine enge Verwandtschaft zwischen fossilen Faunen und ihren lebenden Nachfolgern bestehe. Auf Lyells Einladung nahm Darwin an seinem Vortrag teil. Er wußte von Owens Ergebnissen, aber dieser Vortrag machte ihm die wahre Bedeutung seiner Fossilien zum erstenmal klar. Die nahe Verwandtschaft zwischen den ausgestorbenen Megatherien und Glyptodonten und den heutigen Faultieren und Gürteltieren lag auch für ihn jetzt klar auf der Hand.[36] Darwin hatte dies nie erwartet; auf seiner Reise hatte er angenommen, er habe europäische und afrikanische Mastodonten und Rhinozerosse gefunden, nicht ausschließlich südamerikanische Arten. Das rüttelte ihn auf und veranlaßte ihn, die entscheidende Frage zu stellen: Warum sind die gegenwärtigen und die früheren Lebensformen eines Landstrichs so eng miteinander verwandt?

Seine Aktien stiegen, und er wurde auf derselben Versammlung in den Vorstand der Geologischen Gesellschaft gewählt. Fossilien waren nicht das einzige, worauf es Lyell ankam; er wußte einen Verbündeten zu schätzen, und er betrachtete Darwin als ‹ungeheuren Gewinn für meine Gesellschaft der Geologen›. Seine Gesellschaft war ein erlesener Zirkel. Alle Gelehrten entstammten der Oberschicht, die meisten waren vermögend oder hatten Lehrstühle in Oxford und Cambridge inne. Zusammen bildeten sie eine sich gegenseitig empfehlende und feiernde Elite. Sie waren die letzten virtuosen Gelehrten in einer Epoche, bevor die Klasse der Gehaltsempfänger den Vormarsch antrat. Unabhängig von Arbeitgebern und Forschungsgeldern, waren sie reiche Karrieristen und fühlten sich nur der wissenschaftlichen Integrität, der gesellschaftlichen Stabilität und einer verantwortlich gehandhabten Religion verpflichtet. Die Geologische Gesellschaft war die anregendste und meistbeneidete wissenschaftliche Vereinigung in der Stadt. Diese Disziplin setzte sich mit der Frage nach dem Alter der Erde und den Schöpfungstagen auseinander; sie war in Mode, schwierig und gefährlich und stand als solche unter wachsamer ‹öffentlicher Aufsicht›. Hier rechtfertigte Darwin die Erwartungen, die Lyell in ihn setzte. Er bewies, daß er für sich einzutreten verstand. ‹Ich habe noch nie erlebt, daß dieser Langweiler

Dr. Mitchell so erfolgreich zum Schweigen gebracht beziehungsweise so gekonnt mit einem Eimer kalten Wassers übergossen wurde, als wie Darwin seine unverschämten und irrelevanten Fragen über Südamerika beantwortete›, frohlockte Lyell nach einer Kontroverse.[37] Darwin war jetzt der unangefochtene Experte für dieses Thema.

All dies ermutigte ihn, sich ernsthaft in die Arbeit an einem Buch über südamerikanische Geologie zu stürzen. Sein zwei Jahre vor ihm zurückgekehrter französischer Rivale Alcide d'Orbigny hatte bereits mit einer mehrbändigen Darstellung des Kontinents begonnen, aber Darwin und Lyell übten vernichtende Kritik an d'Orbignys kataklystischer Erklärung der Gebirgsbildung. Es war Zeit für eine Gegendarstellung im Geiste Lyells. Darwins öffentliche Karriere begann Gestalt anzunehmen. Ein Vikariat auf dem Land, eine ‹Pfarrei in der Wüste›, schwand aus seinem Gesichtskreis. Ihm war die gräßliche Wüste von Kopfsteinpflaster und Beton, das Klappern von Wagenrädern und erstickender Smog beschieden. Er stählte sich für London. ‹Das einzige, was ich Cambridge ankreiden konnte›, sagte er, ‹war, daß es zu idyllisch war.› Über die Hauptstadt würde er dies nie sagen können. ‹Aber ich habe mich mit meinem Schicksal so ziemlich abgefunden.›[38]

15

Die Natur reformieren

Es war eine Ironie, daß die Naturgeschichte keinen besseren Nährboden hatte als ‹diese fürchterliche, verrußte Stadt›, weil niemand hier überhaupt eine nennenswerte Natur zu sehen bekam. Aber Darwin mußte an Ort und Stelle sein, um seine Sammlungen zu beaufsichtigen.

Lyell schärfte ihm ein, rechtzeitig zu einer von Charles Babbages Samstagssoireen am Manchester Square einzutreffen, wo er Londons führende Literaten und Publizisten sowie, noch wichtiger, eine Menge ‹hübscher Frauen› kennenlernen würde.[1] Die Saison war in vollem Gang, als Darwin am Freitag, dem 6. März 1837, von Cambridge herunterkam und bei Erasmus Quartier bezog.

Auf Babbages Partys traf man ‹die Welt›. Man konnte sich auch ein Bild davon machen, was in der Wissenschaft los war: Man bekam den Klatsch mit und hörte, was sich die Leute spontan und ungeschützt zuraunten. Das waren glanzvolle Anlässe, ‹zu deren Renommee elegante Frauen ebensoviel beitrugen wie Literaten und Wissenschaftler›. Bankiers, Politiker und Industrielle trafen hier mit vermögenden Gelehrten zusammen, mit Lyell, Owen, Broderip, dem ‹König von Siluria› Roderick Murchison und jetzt auch Darwin. Der Universalgelehrte Babbage war Mathematiker, Apologet der Industrie, Verfechter der Arbeitsteilung und Erbauer der kostspieligen ‹Difference Engine›, einer Rechenmaschine. Er war ein Reformer und ein gescheiterter Parlamentskandidat der Whigs; es gab also genug Stoff für politisches Geplänkel. Die turbulenten Zeiten verlangten das. Die Rathäuser wurden gegenwärtig demokratisiert und die Kirche reformiert. Schon als Darwin von seiner Reise zurückkehrte, drohte die Kirche ihre Pfründen zu verlieren, und der Klerus hatte sein Monopol auf die Riten rund um Geburt, Eheschließung und Tod eingebüßt. Die Dissenters waren nicht länger gezwungen, sich von anglikanischen Pfarrern trauen zu lassen, und die Unitarier brauchten keinen Meineid mehr zu leisten, indem sie sich zur Dreifaltigkeit bekannten. Standhafte Torys sprachen von den schlimmsten

Reformen seit dem Bürgerkrieg der 1640er Jahre, als das Parlament die Bischöfe abzuschaffen versuchte. Dies gab natürlich zu zahlreichen Witzen Anlaß. Den allmächtigen Babbage versuchte man einmal mit der Frage zu provozieren: ‹Was wollen Sie werden, wenn die Revolution kommt?› Er antwortete: ‹Laienerzbischof von Winchester.›[2]

Im Einklang mit den Zeitläufen hatte Babbage seinen anspielungsreich so genannten *Neunten Bridgewater-Traktat* verfaßt, der bereits als Leseexemplar vorlag. Der Titel verriet schon seine Stoßrichtung. Es war ein Affront gegen die acht offiziell sanktionierten ‹Bridgewater-Bücher›. Diese üppig ausgestattete Reihe war von dem verstorbenen Earl of Bridgewater als Buße für ein gottloses Leben finanziert und vom Erzbischof von Canterbury approbiert worden. Die Bridgewater-Bücher variierten endlos das Thema von Gottes Weisheit und Güte, ablesbar an der Natur. Kaum ein Stein blieb ungewendet auf der Suche nach dem göttlichen Plan, obwohl das ganze Unternehmen für Zyniker und Säkularisten entschieden passé war. Inzwischen waren alle acht Bände erschienen, und die dekadenten Londoner – wie der Freigeist Erasmus – waren des Themas ‹etwas *überdrüssig*›. Kritiker bezweifelten, daß selbst der possenreißerische Buckland in seinem Bridgewater-Buch *Geology and Mineralogy* aus ‹einem so abgestandenen Thema› noch etwas herausholen könne. Babbage dagegen konnte das. In seinem inoffiziellen *Neunten,* so kündigte er Lyell im Vertrauen an, ‹soll dem Teufel Gerechtigkeit widerfahren›.[3]

Das war natürlich nicht der Fall. In dem Buch wurde Gott als himmlischer Programmierer dargestellt, und Babbage zog seine handbetriebene Rechenmaschine als Beweis dafür heran. Die konservative Auffassung von Gott als herumpfuschendem Wunderonkel sollte untergraben werden. Er war ein weitsichtiger göttlicher Gesetzgeber, kein launenhafter feudaler Monarch. Also weg mit der Vorstellung von ‹schöpferischem Eingreifen›, wie es Buckland nannte; keine spontanen Wunder mehr, sooft ein kleines Weichtier oder eine vorsintflutliche Katze benötigt wurde. Ein solcher Unsinn untergrabe die rationale Wissenschaft ebenso wie eine fundierte Religion, da sie Gott ‹das höchste Attribut der Allwissenheit› abspreche, die Voraussicht. Auf Babbages kluger Maschine konnte die Einschaltung jeder Zahlensequenz programmiert werden, ganz gleich, wie lang eine andere Serie gelaufen war. Genauso habe Gott bei der Schöpfung neue Gruppen von Tieren und Pflanzen dazu bestimmt, mit der Präzision eines Uhrwerks im Lauf der Weltgeschichte aufzutreten – er habe die Gesetze geschaffen, die sie hervorbringen, statt sie direkt zu erschaffen. Babbages Gott wies ‹Macht und Wissen einer weitaus höheren Ordnung› auf.[4]

Dutzende von Geologen hatten sich in Babbages Probeabzüge vertieft. Lyell hatte sein Exemplar im Januar gerade aus der Hand gelegt, als Darwins Südamerika-Abhandlung eintraf. Babbages Position war den Eingeweihten also wohlbekannt. Lyell hielt seine ‹philosophischen Spekulationen› für großartig, bestätigten sie doch seine eigenen Auffassungen.

‹Zweifellos werden manche Leute keinen Gefallen an einer Argumentation finden, die Wunder eher vereinbar mit den Möglichkeiten des normalen Laufs des Universums und seiner Gesetze erscheinen läßt; aber Sie schreiben ja nicht, um ihnen zu gefallen [...] Ich bewerte Ihre Darstellung der Attribute des Schöpfers viel höher als die der anderen.›

Das tat auch Darwins Cousin, der Arzt Henry Holland, der von Babbages ‹Originalität und Geist› beeindruckt war. Als das Buch im späten Frühjahr herauskam, widmete Babbage ein Exemplar der Prinzessin Victoria, wobei er das Werk auf die Formel brachte, es sei ‹zur Verteidigung der Wissenschaft und zur Unterstützung der Religion geschrieben worden›.[5]

Der *Neunte Bridgewater-Traktat* war allgemeines Gesprächsthema. Selbst vor seinem Erscheinen mußte Darwin alles über das Buch gewußt haben, vielleicht sogar von Babbage persönlich (den er selbst als eine ziemlich kalte ‹Rechenmaschine› bezeichnete). Er war sich bewußt, daß der Trend in Richtung ‹Gesetzmäßigkeit› verlief. Der Wandel in der Natur war das Produkt einer sorgfältig orchestrierten Vorsehung, eines rationalen Planes. Die Propheten hatten es richtig vorausgesehen: Die radikalen Whigs verfolgten tatsächlich das Ziel, Himmel und Erde umzuwerten.

Darwins andere Helden argumentierten ähnlich, auch John Herschel, den er nahe Kapstadt kennengelernt hatte. Herschel spielte offen auf das Problem an, das ‹Mysterium aller Mysterien›, wie er es nannte: Was veranlaßte das Auftreten neuer Spezies anstelle der ausgestorbenen? War es ein Wunder? Er bezweifelte es. Nach seiner Ansicht mußten die gleichen natürlichen Ursachen, die im Lauf der Äonen die Erde geformt hatten, das Kommen und Gehen des Lebens auf ihrer Oberfläche erklären. Gott interveniere nicht persönlich durch übernatürliche Einmischung. Er habe bei der Erschaffung des Universums Gesetze aufgestellt, und diese seien während der ganzen geologischen Geschichte wirksam gewesen und hätten die Arten hervorgebracht. So ehrfurchtgebietend die Entstehung einer Spezies sein müsse, so sei sie doch kein größeres Wunder als die Geburt eines Kindes.[6]

Herschel war nicht der Ansicht, daß eine Tierart in eine andere *transmutiere,* und ebensowenig betrachtete er den Menschen als Abkömmling des Affen, eine Vorstellung, die ihm Abscheu einflößte. Tatsächlich konnte er sich keinen fortlaufenden Prozeß vorstellen. Aber er vermutete, daß ein guter Naturforscher früher oder später das Geheimnis aufklären werde.

Obwohl er noch am Kap lebte, war Herschel einflußreich, faktisch der führende Kopf der britischen Naturwissenschaft. (Babbage hatte ihn 1830 als Kandidaten für die Präsidentschaft der Royal Society vorgeschlagen; den Posten hatte aber schließlich der Sohn des Königs erhalten.) Herschels Brief an Lyell über das ‹Mysterium aller Mysterien› war schon recht abgegriffen, da ihn Lyell hatte herumgehen lassen. Darwin erkannte dessen Wirkung auf Babbage, der in seinem *Neunten Bridgewater-Traktat* Auszüge daraus gebracht hatte. Es war ein ausdrücklicher Auftrag, das rätselhafteste aller Geheimnisse aufzuklären. Wer sich an dieses Geheimnis heranwagte, bedurfte der Kühnheit. Herschel hatte seinen Bemerkungen das Motto vorangestellt:

> Wer solche Suche unternimmt,
> Muß bannen Furcht und Zagen,
> Denn bange Seele, zages Herz
> Wird keine Früchte tragen.

Manchen kam es vor wie die Suche nach dem Heiligen Gral. Aber Darwin lehrte es, daß auch die Natur der ‹Reform› und der Neubewertung bedürfe – daß auch sie der Herrschaft des Gesetzes unterworfen werden müsse.[7]

Darwin wußte auch, daß jede Suche nach der Entstehung der Arten in tiefe und schwierige Gewässer führen würde. Es würde sich um eine viel gefährlichere Entdeckungsreise handeln, als es die der *Beagle* gewesen war, und jeder, der sie unternahm, würde ‹einen Schwarm von Vorurteilen› aufscheuchen.

Herschels Epistel war gewaltig, und sie zeigte, wie sehr sich eine historische Sensitivität in den Wissenschaften ausbreitete. Die Entstehung der Sprache und die Entstehung von Gestein, beides mußte als eine allmähliche Entwicklung begriffen werden.

‹Worte sind für den Anthropologen das, was Kieselsteine für den Geologen sind: abgeschliffene Relikte vergangener Zeitalter, die oft untilgbare Spuren enthalten, welche einer Deutung zugänglich sind. Und wenn wir sehen, wie weitgehende Veränderungen zweitausend Jahre in den Sprachen Griechenlands und Italiens oder tausend in denen Deutschlands, Frankreichs und Spaniens hervorgerufen haben, beginnen wir uns naturgemäß zu fragen, wie große Zeitspannen verstrichen sein müssen, seit das Chinesische, das Hebräische, das Delawarische und das Madegassische etwas mit dem Deutschen und dem Italienischen sowie untereinander gemein hatten. Zeit! Zeit! Zeit! Wir dürfen der Heiligen Schrift nicht die Chronologie absprechen, aber wir *müssen* sie in Einklang damit interpretieren, *was auch immer* sich bei redlicher Nachforschung als die *Wahrheit* erweist, denn es kann nicht zwei Wahrheiten geben. Und es gibt wahrlich Spielraum genug, kann man doch das Leben der Patriarchen mit demselben Recht auf jeweils fünftausend oder fünfzigtausend Jahre ausdehnen wie die Tage der Schöpfung auf ebenso viele tausend Millionen Jahre.›

Darwin kannte diese Passage gut. Er zitierte sie gegenüber Caroline, als er ihr Herschels Auffassung von den Zeitaltern erklärte, ‹seit der erste Mensch wunderbarerweise auf dieser Welt erschienen ist›. Das könne keinesfalls erst vor sechstausend Jahren gewesen sein. ‹Sir John meint, daß eine

weitaus größere Zahl [von Jahren] vergangen sein muß›, um die Auseinanderentwicklung der Sprachen ‹aus einer Wurzel› erklären zu können.[8]

Aber was war, wenn auch die Tiere, wie Lyells Kiesel und Herschels Worte, ‹Relikte vergangener Zeitalter› waren, lebendige Zeugnisse, ‹die einer
Deutung zugänglich› sind? Was war, wenn sie genau solche Naturprodukte
waren und allmählich ‹aus einer Wurzel› hervorgegangen waren? Dies war
der Ansatz, der Zukunft hatte, und Darwin muß das erkannt haben: Die
Gegenwart enthielt den genealogischen Schlüssel zur Vergangenheit. Sie war
der Königsweg zur historischen Wahrheit.

Charles nahm in diesem Frühjahr immer wieder im Hause seines Bruders
Quartier. Er entfernte sich nie weit von Erasmus. Als er Mitte März eine
eigene Wohnung bezog, lag diese nur wenige Häuser weiter, in der Great
Marlborough Street 36. Erasmus' Domizil war ein Sammelpunkt intellektueller Aktivität. Nach fünf einsamen Jahren auf See war Charles mehr als
dankbar für den Freundeskreis seines Bruders und genoß die intimen
Abendessen mit ihm und Harriet Martineau. Hier waren die Gespräche radikal, und ‹Heterodoxie war die Norm›.[9] Dieser eigene Kreis war eine Quelle der Selbstsicherheit für ihn.

Auch Hensleigh gesellte sich zu ihnen. Er war selbst Philologe und als
solcher auf der Suche nach den ‹Gesetzen›, nach denen sich die Alphabete
allmählich verändern. Er pries die Deutschen für ihre Auffassung von der
‹organischen› Entwicklung der Sprache und für die Zurückverfolgung ‹jedes
Abkömmlings› auf dessen gotischen Ursprung. Sprachen müßten seziert, die
ihnen zugrunde liegende Einheit aufgedeckt, die Urlaute herauspräpariert
werden. Die Parallele zu Charles' Zoologie lag auf der Hand. So, wie er fossile Faultiere ausgegraben hatte, horchte Hensleigh auf ‹fossile Überreste› in
der Sprache. Hensleighs Aufgabe war noch schwieriger; die Faultiere hatten
ungestört in ihren Gräbern gelegen, aber die Laute waren durch ihren ‹täglichen Gebrauch abgenutzt worden, bis sie wie Kieselsteine am Strand jede
Kante und jedes Kennzeichen eingebüßt haben und kaum ein Rest geblieben ist, der ihre ursprüngliche Form verrät. Doch selbst hier fehlen nicht alle
Spuren› der Herkunft.[10]

Durch Hensleigh und Herschel begriff Charles die historische Analogie.
Diese modernen entwicklungstheoretischen Überlegungen konnten auch
noch häretischere Dienste tun: die Entstehung neuen Lebens, neuer Arten
erklären. Wahrscheinlich wurden diese Fragen auf Erasmus' literarischen
Diners diskutiert. Hier bildete der sardonische Erasmus das Gegengewicht
zu dem ernsthaften Hensleigh, während die unitarische, deterministische
Martineau mit ihrem Höhrrohr lauschte. Sie und Erasmus waren inzwischen so intim, daß die sich ausgeschlossen fühlende Fanny Wedgwood
meinte, sie wirkten schon wie ein Ehepaar. (Vater Darwin mißbilligte das

alles. Die Liaison gab zu allerlei Gerüchten Anlaß, und Emma Wedgwood fragte sich, wie Susan und Catherine mit all dem fertig wurden.) Alle interessierten sich für deutsche Bibelkritik und Sprachstudien und schworen auf die malthusischen Ideale der Whigs. Alle waren belesener als Charles, und er genoß ihre Konversation. Ebenso wie bei Lyell oder Babbage bildeten Politik, Wissenschaft und Literatur auch hier ein untrennbares Ganzes.

Die Zirkel waren schließlich auch nicht unterscheidbar; Lyell kam zu Harriet Martineau und Erasmus zu Besuch, und die Martineau wußte Babbages ‹fabelhafte Soireen› zu schätzen. Aber angesichts ihrer Intimität zog Charles die Gesellschaften bei Erasmus doch allen anderen vor. Sie stellten ‹alle übrigen, auch brillantere, hundertmal in den Schatten›, selbst wenn Thomas Carlyle wieder einmal ‹lauthals› vom Leder zog, wie er es meistens tat. Charles erinnerte sich an ein ‹komisches Abendessen bei meinem Bruder, an dem unter einigen anderen Babbage und Lyell teilnahmen, die sich beide gern reden hören. Carlyle brachte jedoch alle zum Schweigen, indem er sich während des ganzen Diners über die Vorzüge des Schweigens verbreitete. Nach dem Essen dankte ihm Babbage in seinem ätzendsten Ton für seinen sehr interessanten Vortrag über das Schweigen›.

Zu Hause machte sich der Vater Sorgen über den Martineauschen Radikalismus und dessen Einfluß auf seine Söhne. Als potentielle Schwiegertochter war die Schriftstellerin schlimm genug, aber ihre politische Einstellung war einfach zu extrem. Als er in der *Westminster Revue* einen Artikel las, der die Radikalen aufforderte, mit den Whigs zu brechen und den Arbeitern das Stimmrecht zu verschaffen, geriet er gewaltig in Rage ‹in der falschen Annahme, daß er von ihr sei, und verschwendete eine Menge heiligen Zorns, und selbst jetzt kann er noch kaum glauben, daß sie ihn nicht geschrieben hat›. ‹Die arme Martineau scheint mit Hensleigh und Erasmus auf die schiefe Bahn geraten zu sein›, äußerte sich Emma amüsiert gegenüber Fanny Wedgwood, ‹ich hoffe daher, daß Du ihr die Stange halten wirst.›[11] Die wissenschaftliche Einstellung der Martineau war typisch für die radikalen Unitarier. Sie betrachtete die Natur als voraussagbar, vorherbestimmt und unveränderlich. Sie sei Gesetzen und Regeln unterworfen, in ihr ereigneten sich keine Wunder. Dieser ‹Determinismus› der Unitarier begünstigte Auffassungen über die Selbstentwicklung des Lebens. Da wäre etwa Dr. Southwood Smith zu nennen, der dieselbe Unitarierschule besucht hatte wie die Martineau und für die Armenrechtskommission arbeitete. In seinem Buch *Divine Government* wurde die Natur als aufwärtsstrebend dargestellt, wobei es die Bedürfnisse der Organismen seien, was diese zu ständiger Höherentwicklung antreibe. Tiere und Menschen unterschieden sich hierin nicht, beide entwickelten sich ständig weiter und ‹schreiten unaufhörlich von einer Stufe des Wissens, der Vollendung und des Glücks zur nächsten fort›. Die Selbsthilfe in der Gesellschaft – und hier dachten die Malthusianer an die Armen, die sich an ihren eigenen Schnürsenkeln aus dem Sumpf ziehen sollten – sei ein Bestandteil der größeren, sich selbst entwickelnden Natur. ‹Alle vernunftbegabten Lebewesen, so untergeordnet auch der Zustand sein mag, in dem sie ihr Dasein beginnen, sind dazu prädestiniert, in endloser Progression immer höher zu steigen und zu ihrer eigenen Entfaltung beizutragen.›[12]

Eine solche Auffassung erforderte, daß die Fesseln abgeworfen und religiöse und weltliche Hemmnisse beseitigt wurden, um jedem zu gestatten, frei zu konkurrieren und damit sein ihm von Gott geschenktes Potential zu verwirklichen: aufzusteigen, wie es die Natur und Gott beabsichtigt hatten. Die anglikanischen Priester hinderten die Menschen an ihrer Entwicklung. Dies war natürlich der Grund, warum manche radikalen Unitarier Reform und Evolution als Hand in Hand gehend betrachteten. Eine sich selbst entwickelnde Natur hatte keinen Schrecken für sie. Erasmus' Freundeskreis mit der Martineau im Mittelpunkt gab Charles die Freiheit, seine eigenen deterministischen Theorien zu entwickeln.

Darwin lernte die malthusischen Whig-Ideale kennen. Seine Angehörigen und seine Freunde rechtfertigten die Reformen, rationalisierten Mittelstandswerte, befürworteten Konkurrenz und traten für freien Handel, industrielle Expansion und die Beseitigung religiöser Hemmnisse ein. Sie betrachteten ihre gesellschaftliche Welt als Teil der Natur, die ihrerseits im Einklang mit den göttlichen Gesetzen von Kampf und Fortschritt bestimmt sei. Ebenso wie bei Erasmus waren auch bei Lyell Sprache, Genealogie und Entwicklung die heißen Themen. Beim Abendessen kaute man die fossilen Knochen durch, wobei die führenden Köpfe der Whigs und die weltläufigen Gelehrten an den vertrackteren Problemen knabberten. Wenn die Damen gegangen waren, wandte sich das Gespräch Herschels Brief zu oder der Entstehung ‹neuer Arten und jenem Mysterium aller Mysterien, der Erschaffung des Menschen›.

Diese Diskussionen fanden statt, während Darwin selbst über die Herrschaft Gottes nachdachte. Auch er kam schließlich zu der Überzeugung, daß ‹der Schöpfer durch ... Gesetze erschafft›. Gesetz regiere die Erde ebenso wie den Himmel; alles andere hätte Gott herabgewürdigt. Er beklagte, daß wir ‹Satelliten, Planeten, Sonnen, dem Universum, ja ganzen Systemen von Universen zubilligen, von Gesetzen regiert zu werden, aber das kleinste Insekt soll nach unserem Wunsch durch einen einmaligen Akt erschaffen worden sein›.[13] Das sei absurd; ebenso, wie die Winde in den Anden regelhaften Gesetzen gehorchten, treffe dies auch für das Kommen und Gehen von Tieren auf der Oberfläche des Planeten zu. Während er bei Lyell dinierte und bei Babbage tanzte, stellte er fest, daß die Vorstellung von wundersamen, katastrophenartigen Eingriffen auf zunehmende Ablehnung stieß. Die Herrschaft des Gesetzes mußte gewahrt werden.

Um 1837 hatten die Angriffe auf die anglikanischen Wundergläubigen an Schärfe gewonnen. Aufstrebende Dissenters wollten mehr Reformen; sie waren empört darüber, daß man sie von Posten in Krankenhäusern, Gerichtshöfen, Oxford und Cambridge fernhielt. Sie wetterten gegen anglikanische Privilegien und bezichtigten die Staatskirche des ‹schmutzigen Verbrechens› der Hurerei mit dem Staat. Die ‹Dirne› müsse aus ihrem Lotterbett gerissen werden.

Diesen radikalen Dissenters erschien die Natur als ein Produkt sich selbst regulierender Gesetze, die von Gott geschaffen und jedermann durch seine Worte und Werke verkündet worden seien. Alle Menschen seien deshalb vor ihm gleich, und es seien keine vom Staat approbierten Priester nötig, um das Leben zu deuten oder die Wissenschaft zu kontrollieren. Die Kirche müsse vom Staat getrennt und ihrer Privilegien entkleidet werden. Da die vier Millionen Dissenters unter den Whigs politisches Terrain gewonnen hatten, stellte ihre gesetzmäßige Erklärung der Natur eine immer stärkere Herausforderung für die übernatürliche der Anglikaner dar.

Für konservative Anglikaner wurde die ganze Welt unmittelbar durch Gottes Willen regiert, der sich ‹durch Sein Machtwort› manifestierte. Die Kirche war die göttliche Statthalterin auf Erden. Würde sie gestürzt, würde alles zusammenbrechen. Ein Zeitgenosse witzelte: ‹Viele unserer Kleriker meinen, wenn es keine Kirche von England gäbe, würden Gurken und Sellerie nicht wachsen; Senf und Kresse könnten nicht gezogen werden. Wenn Establishments so sehr mit den großen Naturgesetzen verflochten sind, geht es ohne sie einfach nicht mehr.› So ins Lächerliche gezogen, wollte das den Scharen der Gläubigen allerdings nicht mehr einleuchten.

Andere fanden es nicht zum Lachen. Eine Marionettennatur, die nach der Pfeife göttlicher Laune tanzt, erschien ihnen absurd. Der Anblick von Reverend William Kirbys Universum, das von engelhaften Halbgöttern in Bewegung gehalten wurde, veranlaßte einen Kommentator zu folgender Widerrede: ‹Nein, nein. Der Allmächtige hat am Anfang allgemeine Gesetze erlassen, für den Menschen, für die Tiere, für die Elemente und auch für das sie umgebende Universum. Diese Gesetze bedürfen, da sie auf unendlicher Weisheit beruhen, weder der Revision noch der Beaufsichtigung. Sie sind ewig und unveränderlich.› Darwin hatte auf dem Schiff Kirbys Bridgewater-Buch über tierische Instinkte gelesen; jetzt stellte er fest, daß es zu Lande süffisante Heiterkeit auslöste. Alle feixten beim Anblick von Kirbys Marionettenschöpfung, dieses ‹albernen und abergläubischen Unsinns›, zu dem sich ‹Männer von Mr. Kirbys Klasse› verstiegen.[14]

Darwin mit seinen unitarischen Angehörigen und Freunden stand am Scheideweg. Während er über die Entwicklung des Lebens auf der Erde nachdachte, hörte er ständig einen Klagechor über die alten, wunderhaltigen Erklärungen.

Die Angriffe gegen die korrupte Kirche wurden von neuen Fragen begleitet. Kann man Gottes Güte aus der vollkommenen Anpassung der Tiere ableiten? In Cambridge hatte Darwin Paleys Logik mächtig imponiert, die von der weisen Gestaltung der Tiere auf die Existenz eines weisen Gestalters schloß. Aber das erschien allmählich suspekt. Manche straften die abergläubischen Theologen mit Verachtung, welche die Anatomie der Tiere ‹mit einem spirituellen Heiligenschein› umgaben; ‹als ob die Wahrheit geheiligt würde, wenn man sie so überhöht›. Reformistische Zoologen betrachteten die Tiere nicht als kontingent von Gott erschaffen, um in ihre Nischen zu passen, sondern durch einen einheitlichen Plan miteinander verwandt: Der Fledermausflügel und die Walflosse hatten schließlich die gleichen Knochen wie ein menschlicher Arm.

Darwin fand die alten Gestaltargumente völlig zerfleddert in London vor. Die medizinischen Fakultäten sprudelten über von ketzerischen Ideen. Die Bridgewater-Bücher wurden als ‹Bilgewater› (= Quatsch) abgetan. Demagogen warnten den Klerus davor, sich auf geistige und moralische Spekulationen einzulassen. Es war eine optimistische Zeit. Die Dinge hatten sich so zugespitzt, daß die meisten Mediziner inzwischen von der Natur als einem gesetzmäßigen ‹Veränderungs*prozeß*› sprachen.[15]

Manche Mediziner spielten tatsächlich mit dem Gedanken der Transmutation (der Veränderung einer Art in eine andere). Grant hielt am University College alljährlich Vorlesungen über die ‹Metamorphosen› fossiler Spezies. Und James Gully, ein anderer Absolvent von Edinburgh und Herausgeber einer radikalen Londoner Zeitung, übersetzte die evolutionäre Abhandlung *Physiologie des Menschen* des Heidelberger Embryologen Friedrich Tiedemann. Gully – der in späteren Jahren Darwins Arzt wurde – bekannte sich zu dem, was ein empörter Kritiker als ‹die extravaganteste aller Mutmaßungen, die kriecherischste aller Religionen› bezeichnete: ‹die selbsterschaffenen und sich selbst erschaffenden und versorgenden Kräfte der Natur.›[16]

Darwins London war also voll erregender Ideen. Die Naturtheologie steckte in der Krise, und viele erwarteten, daß sich eine neue Biowissenschaft wie ein Phönix aus der Asche erheben werde. Hier konnte Darwin seinen Rang erweisen. Er erkannte die Notwendigkeit, das große ‹Geheimnis aller Geheimnisse› zu lösen. Lyell war kühn; er würde noch kühner sein. Er würde jene Art von reformistischer, entwicklungsbezogener Naturwissenschaft einleiten, die in den Kreisen seines Bruders so bewundert wurde.

Fast unmerklich näherte er sich selbst der Transmutation. Das fiel ihm aus mehreren Gründen leicht. Erstens war er durch die Schriften seines Großvaters und die Gespräche mit Grant daran gewöhnt worden; zweitens stellte London ein günstiges Umfeld dar; drittens schließlich brachte er die Zeit, die Geduld und die Liebe für verzwickte theoretische Probleme auf. Die Frage der Stabilität der Arten hatte ihn schon seit dem letzten Abschnitt seiner Reise beschäftigt. Jetzt mußten die Experten die zoologischen Klammern liefern, die seine Ideen zusammenhalten sollten. Die erste davon lieferte der Vogelmaler John Gould.

Einige Tage nach seiner Ankunft aus Cambridge traf Darwin Gould im Museum des Zoos wieder und erfuhr Näheres über seine Finkenerkenntnisse. Gould war sich inzwischen im klaren darüber, daß selbst Darwins Galápagos-‹Zaunkönig› ein Fink war, so daß sie es insgesamt mit dreizehn Arten zu tun hatten. Darwins bunte Vogelmischung war in Wahrheit ein einziger Finkenschwarm.

Das war eine Überraschung, aber nachdem es Darwin verabsäumt hatte, die meisten der Vögel nach Inseln getrennt zu halten, entging ihm deren Bedeutung. Goulds Schlußfolgerungen über die anderen Vögel waren die eigentliche Sensation. Die vier Spottdrosseln hatte Darwin den verschiedenen Inseln zugeordnet, und er hatte müßig darüber spekuliert, daß die ‹Stabilität der Arten in Frage gestellt wäre›, falls sie sich als echte Rassen erwiesen. Es würde darauf hindeuten, daß Gestrandete, die von ihren Verwandten auf dem Festland getrennt waren, anfangen konnten, sich zu verändern. Es stellte sich jedoch heraus, daß sie mehr waren als Rassen: Gould teilte ihm mit, daß es sich bei dreien davon um verschiedene *Arten* handle.[17] Außerdem hätten sie Verwandte auf dem amerikanischen Festland – enge Verwandte, aber nicht identische Spezies.

Jetzt hatte Darwin sein verzwicktes Problem: Wie erklärte man eine Reihe neuer, verwandter Arten, von denen jede auf eine Insel beschränkt war? Die Belege für inselspezifische Arten häuften sich. Thomas Bell bestätigte, daß die Riesenschildkröten in der Tat vom Galápagosarchipel stammten und nicht von Piraten als Nahrung mitgebracht worden waren. Zusammen mit den Erkenntnissen über die Finken und die Spottdrosseln erhöhte dies die Wahrscheinlichkeit, daß der Vizegouverneur recht gehabt hatte: daß jede Insel tatsächlich ihre eigene heimische Schildkröte besaß. Aber es war zu spät, den Beweis dafür anzutreten: Darwin hatte diese Gelegenheit verpaßt oder vielmehr sie aufgegessen. Nur sein Schildkrötenbaby hatte überlebt, und dem fehlten die Unterscheidungsmerkmale des erwachsenen Tieres.[18]

Mitte März erkannte er, daß sich die ursprünglichen Immigranten irgendwie verändert hatten und daß diese Veränderung tatsächlich eine Reihe neuer Arten hervorgebracht hatte. Er hatte sich zu den ‹*ungläubigen* Naturforschern› gesellt, wie Sedgwick sie schalt, die sich ‹falsche Theorien › der Schöpfung zu eigen machten. In den Augen der Anglikaner wurde das christliche Großbritannien durch eine solche Transmutation (oder Evolution, wie wir es heute nennen) in seinem Kern bedroht. Wenn sich das

Leben selbst erschuf, was wurde dann aus der delegierten Macht Gottes, die eine prekäre patriarchalische Gesellschaft zusammenhielt? Selbst für Lyell war diese Aussicht erschreckend, fürchtete er doch, daß eine Abstammung vom Affen die Menschheit brutalisieren und ihren ‹hohen Status› zunichte machen werde. Darwin stand an der Schwelle zur Ketzerei.

Warum entschied er sich also für die Transmutation? Sicherlich hatten ihn die Befunde der Zoologen überrascht; man *konnte* die Spottdrosseln und die Schildkröten zwar als Immigranten ansehen, die sich auf jeder Insel anders eingelebt hatten. Auch die heutigen Lamas *konnte* man als kleinere Nachfahren der patagonischen Riesen betrachten, die Darwin ausgegraben hatte. Aber man *mußte* es nicht unbedingt. Niemand sonst betrachtete sie so, weder Gould noch Lyell, die über solche Dinge ehrfürchtig schwiegen. Und auch die Reverends Henslow und Sedgwick hätten nichts dagegen einzuwenden gehabt, wenn Darwin solche Entdeckungen dazu benutzt hätte, die von Gott vorgesehene Verteilung wohlgeformter Insel- und Festlandarten zu preisen.

Er segelte nahe an der Kante seiner geistigen Welt. Was trieb ihn an, so gefährlich zu leben? Warum optierte er für eine physische Transformation von Tieren, die nach Lyells Ansicht eine so bestialisierende Wirkung hatte? Seine Kollegen leugneten sie rundheraus; der einzige, der hier eine Ausnahme machte, Robert Grant, wurde wegen seiner Bedenkenlosigkeit kaltgestellt. Es erforderte intellektuellen Mut und einen dickschädligen Charakter, seinen Weg entschlossen weiterzugehen und zu beweisen, daß man keine ‹bange Seele› und kein ‹zages Herz› hatte. Es bedurfte einer bestimmten Persönlichkeit, dafür empfänglich zu sein, darin nichts Ketzerisches, nichts mit den eigenen moralischen und sozialen Werten Unvereinbares zu sehen. Einer Persönlichkeit, die sich vielleicht sogar einen Gewinn davon versprach.[19]

Darwin hatte den Wilden in Fleisch und Blut, in all seiner nackten, abstoßenden Roheit gesehen, und Lyell hatte das nicht. Dies machte einen Großteil des Unterschieds zwischen ihnen aus. Für Lyell drohten die Transmutation und ein Affe im Stammbaum den Menschen zu vertieren, ihn in die Gosse hinunterzuziehen und seines ‹hohen Status› zu berauben. Aber Darwin hatte Menschen Auge in Auge gegenübergestanden, die auf die niedrigste, armseligste Stufe reduziert waren, barbarisch, stupid, mordlustig, amoralisch – Menschen, die kaum über den Tieren standen. Hier lag die eigentliche Gefahr; hier *war* der Mensch bereits brutalisiert und degradiert. Worauf es Darwin ankam, war nicht, zivilisierte Gentlemen zu schützen, sondern zu erklären, wie es möglich war, daß sie und der Feuerländer ‹im wesentlichen dasselbe Geschöpf› aus der Hand desselben Schöpfers waren.

Er erinnerte sich an Jemmy Button und seine Freunde. Zwei Jahre nach ihrem Empfang bei Hofe waren sie zu einer nackten, schmutzigen Existenz zurückgekehrt und anscheinend glücklich dabei. Jemmy hatte gezeigt, wie schwer es war, eine barbarische Lebensweise abzulegen. Die feuerländischen Wilden schienen an ihre wasserlose Wüstenei ebenso gut angepaßt wie die Zivilisierten an europäische Städte. Aber wie war dies möglich? Wieder schien es, als seien zwei Schöpfer am Werk. Wie hatte *ein* Gott dieses kulturelle Spektrum hervorgebracht? Hatte er persönlich den Feuerländer in seine elende Umwelt eingesperrt? Es konnte doch sicher nicht seine Absicht sein, daß der Mensch ein Barbar bleibe. Um wieviel besser war es da, davon auszugehen, daß der einzige Gott die Evolution dazu benutzte, die menschlichen Rassen natürlich zu verbreiten. Und um wieviel beruhigender – für Darwin enthielt die Evolution keineswegs die Gefahr der Entmenschlichung. Die Gentlemen an der Spitze standen an dem ihnen zukommenden Platz; sie verkörperten den evolutionären Erfolg.

Zu jedermanns Überraschung wurden in diesem Frühjahr die ersten fossilen Affen angekündigt. Zwei waren gleichzeitig aufgetaucht, der eine im Vorgebirge des Himalajas, der andere in Südfrankreich. Beide waren ungeheuer alt, Zeitgenossen längst ausgestorbener Säugetiere, was Lyell zu der Äußerung veranlaßte, dies verschaffe Lamarck die Zeit, die er benötigte. (Lamarck hatte die Frage einer langsamen Entwicklung eines gebeugten Schimpansen zu einem aufrechten Menschen angeschnitten.) Lyell räumte zähneknirschend ein, daß es aus ‹Lamarcks Sicht unzählige Jahrtausende gedauert haben muß, bis ihre Schwänze verschwunden waren und die Transformation zum Menschen stattgefunden hatte›.[20] Der indische Affe war eine Art Pavian, aber größer als jeder heute lebende. Ein ‹fast vollkommener Kopf› war zu jedermanns Erstaunen gefunden worden, wie am 3. Mai in der Geologischen Gesellschaft bekanntgegeben wurde. Dies war die Zusammenkunft, bei der Darwin seinen nächsten Vortrag über die Pampas hielt. Sowohl er als auch Lyell waren sich der Möglichkeiten des prähistorischen Affen bewußt. Lyell sandte an diesem Abend einen Brief an seine Schwester ab, in dem er über die sich abnutzenden Schwänze spöttelte, aber Darwin reagierte in einer Weise, die seinen Mentor erstarren ließ: Innerhalb von Monaten betrachtete er die ‹wunderbaren› Affen in einem evolutionären Licht.[21] Die menschliche Abstammung stand von dem ersten Augenblick an zur Debatte, in dem Darwin seinen Glauben an die Transmutation äußerte.

Richard Owen setzte Darwin stark unter Druck und zwang ihn, die Gesetze, welche die lebendige Materie steuern, neu zu durchdenken.

Im Museum des College of Surgeons sprachen Owen und Darwin über fossile Schädel und die Bedeutung des Lebens. Es war der vollkommene Ort dafür: Die Renovierungen am College waren abgeschlossen und die Bauleute gegangen. Im Februar war es mit dem sattsam üblichen Gepränge in Anwesenheit des Herzogs von Wellington, Sir Robert Peel, und von fünfhundert Gästen offiziell wiedereröffnet worden. Die Besucher strömten in das imposante, drei Stockwerke umfassende neue Museum, dessen auf dorischen Säulen ruhende Wandelgänge mit Ausstellungsstücken vollgepackt waren. Alles wurde gezeigt, von einem zweieinhalb Meter großen irischen Riesen bis zu Schimpansenskeletten, von Schnabeltieren bis zu fossilen Gürteltieren. Es war, als habe man ‹die ganze Erde geplündert, um seine Sammlungen zu bereichern›.

Hier kamen Owen und Darwin auf die Grundfragen zu sprechen. In einer wichtigen Hinsicht unterschied sich Owen von Darwins altem Lehrer Henslow. Owen folgte dem Berliner Physiologen Johannes Müller in dessen Auffassung, daß es keine *von außen* einwirkende Schöpferkraft gebe, welche die ‹inerte› Materie mit Leben erfülle. Im Gegenteil, der einfachsten lebenden Materie wie dem embryonalen Keim wohne eine einzigartige ‹organisierende Energie› inne. Diese steuere das Wachstum und befähige die Gewebe, sich planvoll zu entwickeln. Diese Kraft sei im Keim konzentriert, schwäche sich jedoch in dem Maße ab, wie sie sich in die entstehenden Gewebe verströme, wodurch sich mit zunehmendem Alter das Wachstum verlangsame. Es sei eine umgekehrt proportionale Beziehung zwischen dem Organisationsgrad und der Stärke dieser Kraft vorhanden. Darwin war mit dieser ‹organisierenden Energie› einverstanden, begann sie jedoch in seinen Spekulationen über die Arten zu modifizieren.[22]

Als Darwin eines Tages zu Owen zum Tee kam, diskutierten sie über einem Mikroskop im Salon über die Grundlagen des Lebens. Darwin behielt seine wahren Neigungen zweifellos für sich; sein Ziel war schließlich verfemt. *Er* suchte jetzt nach einer Möglichkeit, eine Spezies in die andere zu verwandeln. Aber Owen verabscheute Gerede über die Abstammung vom Schimpansen und die Selbstentwicklung des Lebens. Da die Lebenskraft begrenzt sei, könne kein Individuum über den Organisationsgrad hinauswachsen, der für seine Art charakteristisch sei. Ein Weichtier könne nicht spontan seine Lebenskraft erhöhen, um ‹neue Organe zu entwickeln› oder zu einer Makrele zu mutieren.[23] So kam Darwin nicht weiter.

Andere waren flexibler als Owen. Der scheue Botaniker Robert Brown meinte, daß sich sogar die körnige Materie *in* den Keimen ‹von selbst bewegt›. Wenn man die winzigen Polypeneier aufbreche, strömten die Atome heraus und wuselten herum wie ‹Bienenschwärme›. Über ‹lebendige Atome› war man sich unter den leidenschaftlichen Demokraten fast generell einig. Das verlieh ihrem Glauben an freie Menschen, die ihr Schicksal selbst bestimmten – so wichtig in einer Epoche demokratischer Forderungen –, eine wissenschaftliche Basis. Es lieferte die perfekte politische Analogie: Macht von unten, die Mandate nach oben verleiht, die von den ‹sozialen Atomen› – dem Volk – aufsteigt, statt von oben zu regieren wie eine Gottheit oder ein Monarch. Die Vorstellung von sich selbst organisierenden Atomen verbreitete sich wie ein Steppenbrand durch die demokratische Presse. Beim Anblick von Browns ausschwärmenden Atomen ließ sich auch Darwin davon überzeugen. Er wagte sich noch über Owens Position hinaus und akzeptierte, daß die Atome selbst lebendig seien. Damit ersetzte er eine Cambridger Tradition, wonach die inerte Materie von Gott in Bewegung versetzt wurde, durch eine weltlichere.[24] Belebte Atome bildeten einen wesentlichen Schritt zu seinem Verständnis der Selbstentwicklung der Natur.

Owen war ein konservativer Anglikaner. Er verurteilte die Transmutation als subversiv und antichristlich: Sie werde den Menschen in einem brutalen Sumpf versinken lassen und seine Verantwortlichkeit zerstören – die atheistischen Agitatoren zeigten ja, wo das alles enden werde. (Owen stellte sich dieser Bedrohung durch die Straße auf unmittelbarere Weise. Er exerzierte regelmäßig mit der Honourable Artillery Company, dem Freiwilligenregiment des städtischen Großbürgertums, das bei Unruhen die Polizei unterstützte.) Die Entmenschung des Menschen sei verdammenswert; Menschen seien keine Überaffen. Den einzigartigen Status der Menschheit durch Streckung der Lebenskraft zu zerstören, das sei, als werfe man dem Pöbel Musketen zu. Aber Darwin mit seinem reformistischen Unitarierkreis ging mit der Selbstentwicklung der Natur ganz locker um. Affen machten ihm keine Angst; die Brutalisierungsgefahr brauste harmlos über seinen Kopf hinweg. Was ihn ärgerte, war genau das Gegenteil: die Arroganz derjenigen, welche die Menschheit auf ein Piedestal stellten.

Er rang immer noch erbittert mit der Frage des Aussterbens. Im Gegensatz zu Owen argwöhnte Darwin, daß Individuen mit Arten vergleichbar seien. Er schrieb beiden festgesetzte, durch ihre Vitalkraft begrenzte Lebensspannen zu. Auf See hatte er die Individuen einer Spezies mit den Ablegern eines der üppigen Apfelbäume von Chiloé verglichen. Sie alle gingen gleichzeitig zugrunde. Wie sollte man sich sonst das Aussterben der Riesenfaultiere erklären?

Vielleicht durch Veränderung der Umweltbedingungen? Darwin sammelte Gegenbeweise in seinem ‹roten Notizbuch› für Vermischtes, das er auf der *Beagle* begonnen hatte. Domestizierte Tiere könnten unter den unterschiedlichsten Bedingungen leben, bemerkte er. ‹Hunde, Katzen, Pferde, Rinder, Ziegen, Esel – alle sind einst wild gewesen und haben sich vermehrt, zweifellos mit großartigem Erfolg.›[25] Wo war da die Anpassung an örtliche Bedingungen? Seine fossilen Lamas zeigten, daß Arten aussterben konnten, ohne daß sich das Klima änderte. Wieder führte ihn das zu der Schlußfolgerung, daß ihre Zeit einfach abgelaufen gewesen sei.

Er leitete noch weitere Implikationen für Leben und Tod daraus ab. Säugetiere als Spezies müßten, da sie komplexer seien und ihre Lebenskraft diffundierter sei, eine kürzere Lebensspanne haben als einfache, mikroskopisch kleine Lebewesen. Diese seien fast unsterblich; sie existierten jetzt genauso, wie sie schon in den heißen Urmeeren vorhanden gewesen sein müßten. Im

Gegensatz dazu seien die Säugetiere nacheinander ausgestorben; daher die lange Kette von Fossilien in den Gesteinsschichten. Darwin erklärte der Geologischen Gesellschaft, daß seine eigenen Pampassäuger ein viel kürzeres Leben gehabt hätten als die zu ihrer Zeit existierenden Mollusken. Mit dieser Frage setzte er sich auch in seinem *Journal of Researches* auseinander, das er auf der Grundlage seines *Beagle*-Tagebuches schrieb. In seinem Bericht über Patagonien gab er seinen Lesern eine harte Nuß zu knacken. Seine prähistorischen Riesensäuger seien nicht durch klimatische Veränderungen ausgerottet worden, schrieb er. Vielleicht sei es ‹bei den Arten so wie bei den Individuen, daß die Lebensuhr abgelaufen ist und stehenbleibt›.[26]

Was hatte es dann mit der Wiederbevölkerung auf sich, der Geburt neuer Arten, welche die Lücken füllten? Wenn die ‹organisierende Energie› bei jeder Spezies begrenzt war, wie konnten dann komplexere Formen entstehen?

Seine weitergehenden Spekulationen hielt Darwin vermutlich vor allen geheim, außer vielleicht Erasmus und seinem Zirkel. Darwin hörte Owen und Lyell zu, ließ sich aber wenig in die Karten schauen.

In seinem Arbeitszimmer in der Great Marlborough Street zerbrach er sich weiter den Kopf über die Galápagosinseln. Er wurde ungeduldig zu erfahren, was sonst noch außer Spottdrosseln, Finken und Schildkröten von südamerikanischen ‹Kolonisatoren› abstammte. Er bat Henslow, die Galápagospflanzen als erstes zu untersuchen, da er hoffte, er werde auf jeder Insel entsprechende, aber unterschiedliche Arten identifizieren (‹repräsentative Arten›, wie man sie nennt – die Abkömmlinge desselben Immigranten). Er spornte auch seinen mürrischen Freund Reverend Jenyns zur Eile an, der notgedrungen die *Beagle*-Fische erhalten hatte, weil niemand sonst sie wollte. Aber er war zu langsam, da er sich in das Thema völlig neu einarbeiten mußte. Darwin bat ihn, sich zunächst den Galápagosfischen zuzuwenden.

Er arbeitete auch weiterhin mit Gould zusammen und sprach in der Zoologischen Gesellschaft mit ihm über die südamerikanischen Nandus. Gould bestätigte, daß es sich bei den Überresten von Darwins Weihnachtsfestessen in Puerto Deseado um eine neue, kleinere und flaumigere Art handelte. Und zur ‹Erinnerung› an Darwins Geschenke für die Gesellschaft taufte er ihn *Rhea Darwinii* (Darwinstrauß).[27] Das veranlaßte Charles, über diese patagonischen Vögel nachzudenken. Die Galápagosinseln veranschaulichten die Bedeutung der Isolierung für die Entstehung neuer Arten. Aber wie sollte man die beiden Rheas erklären, deren Lebensräume sich in der Nähe des Río Negro überlappten? Keine Barriere trennte sie. Wie hatten sie sich also entwickelt?

Bald begannen die ersten provisorischen evolutionstheoretischen Aufzeichnungen in seinem ‹roten Notizbuch› aufzutauchen. Kryptische Notizen: ‹Spekuliere über neutralen [sich überschneidenden] Lebensraum von zwei Straußenarten [Rheas]›, kritzelte er. Warum gab es keine Bindeglieder zwischen der großen und der kleinen Spezies am Río Negro? Er spekulierte, daß ‹Veränderung nicht progressiv, sondern auf einen Schlag entstanden›, daß also wohl die eine Art voll ausgebildet aus der anderen entsprungen sei; die eine sei als Mutante aus dem Ei der anderen zur Welt gekommen. Solche fötale Abarten – man sprach von ‹Mißgeburten› oder ‹Fehlbildungen› – waren Medizinern wohlbekannt; im Hunterschen Museum gab es unzählige in Spiritus. Owen selbst schrieb über diese Mutanten aus der Gebärmutter, die durch einen unbekannten Vorgang deformiert wurden. Was auch immer die Ursache sein möge, notierte Darwin, diese mißgebildeten Babys ‹stellen eine Analogie zur Entstehung von Arten dar›.[28]

War es das gleiche bei den Lamas? Hatten die ausgestorbenen Riesen Mißgeburten hervorgebracht, die jetzigen kleinen Guanakos und Lamas, die auf denselben dürren Ebenen umherstreiften? Darwin jedenfalls erschienen die Mutationen dramatisch.

In anderen Punkten war das Beweismaterial widersprüchlich. Das Leben auf den Galápagosinseln hatte sich wegen deren isolierter Lage diversifiziert, und die Finken wiesen in ihren Schnäbeln eine ‹vollkommene Abstufung› auf. Aber für die Rheas war keine Isolierung nötig – sie streiften frei auf dem Festland umher. Das zeigte, wieviel weiteres Nachdenken nötig war.

Sein Problem war die Zeit beziehungsweise der Zeitmangel; er mußte zunächst das *Journal of Researches* fertigstellen. Er fing an, Geselligkeiten fernzubleiben, um mit dem Reisebericht weiterzukommen, wobei er etwas von Überarbeitung murmelte und über Magenbeschwerden klagte. Er ackerte weiter und ergänzte seine täglichen Eintragungen durch Einzelheiten aus seinen geologischen und zoologischen Notizbüchern von der *Beagle* sowie durch neueste Erkenntnisse seiner Spezialistenschar. Alles finde Eingang in den Bericht, teilte er seinem Vetter Fox mit: die Lebensweisen von Tieren, die Geologie und die Eingeborenen, und die Landschaft ‹wird das Sammelsurium vervollständigen›.

Alles war es auch wieder nicht; die Finken wurden kaum erwähnt. Er vermerkte lediglich seinen Verdacht, sie seien wahrscheinlich ‹auf verschiedene Inseln beschränkt›. Er glaubte auch weiterhin, daß diese Vögel ähnliche Lebensweisen hätten. Dies und das ähnliche Terrain auf den Inseln ließ es ihm rätselhaft erscheinen, wie sie sich so unterschiedlich entwickeln konnten. Vielleicht waren auch sie ‹auf einen Schlag› erschienen.[29]

Er ließ nicht locker, sondern bemühte sich, die Ablieferungsfrist für sein Buch einzuhalten. Als ob das *Journal* nicht genug wäre, begann er mit einem neuen Projekt zu spielen: die Berichte der Experten über seine *Beagle*-Tiere zu sammeln und eine mehrbändige *Zoology* herauszugeben, ein Bestimmungsbuch für künftige Reisende. Ihm gefiel die Vorstellung, ‹das eigenhändig Gesammelte, nachdem es durch die Hände fähigerer Naturwissenschaftler gegangen ist, in einem Werk vereinigt› zu sehen. Die *Zoology* erschien hoffnungslos ehrgeizig, sofern die Regierung nicht einen Zuschuß gewährte (zumindest um die Kosten der hundertfünfzig Kupferstiche zu decken, die auf tausend Pfund geschätzt wurden). Alle Zoologen – Bell, Waterhouse, Owen, Gould – sprachen sich dafür aus; aber die Stimme von Museumskustoden hatte wenig Gewicht, wenn es um die Finanzierung ging.

Hier waren große Mäzene gefragt. Darwin arrangierte ein Gespräch mit dem Earl of Derby, dem Präsidenten der Zoologischen Gesellschaft, einem Aristokraten, der sich mehr für seine Menagerie interessierte als für die Debatten im Oberhaus (wo er zur Stärkung der Whig-Fraktion plaziert worden war). Auch an den antiquitätenliebenden Herzog von Somerset, den Präsidenten der Linnéschen Gesellschaft, trat man heran, und natürlich war Reverend Whewell von der Geologischen Gesellschaft gleichfalls bereit, um Regierungsunterstützung zu werben. Darwin fragte sich, wie andere an Fördermittel herangekommen waren. Er wandte sich an John Richardson, den Naturforscher, der einen Bericht über Captain Franklins Suche nach der Nordwestpassage veröffentlicht hatte und dessen zoologische Ausbeute ebenfalls im Museum des Tiergartens ausgestellt war.[30]

Darwin verfügte vielleicht nicht über persönliche Beziehungen zum Schatzkanzler, aber er kannte jemanden, der diese besaß. Henslow konnte das Old-Boy-Netzwerk mobilisieren. Der Schatzkanzler war Thomas Spring Rice, Parlamentsabgeordneter der Whigs für Cambridge; Henslow hatte für ihn Wahlkampf gemacht. Beide Männer hatten 1836 auch mitgewirkt, um einen Freibrief für jene große Whig-Initiative, die Londoner Universität, zu erhalten. Seine Freunde im Kabinett hatten Henslow soeben eine ‹Kronpfründe› in Hitcham in der Grafschaft Suffolk verschafft, die ihm tausend Pfund im Jahr einbrachte. Er besaß also gute Verbindungen, und er streckte Fühler aus. Spring Rice bestellte Darwin zu einem Gespräch ein, forderte ihn aber, statt ihn zu verhören, schlicht auf, die öffentlichen Gelder möglichst gut zu nutzen! Henslow hatte ganze Arbeit geleistet. ‹Du hast mich gerettet›, schrieb ihm Darwin anerkennend. ‹Wenn Du *allein* nicht gewesen wärst, dann hätte ich die 1000 Pfund nie bekommen.›[31] Diese Summe legte beredtes Zeugnis ab für den Status, die Beziehungen und die Möglichkeiten Darwins, obwohl seine akademischen Leistungsnachweise unerheblich waren. Gesellschaftlich Tieferstehende hatten unerhörte Schwierigkeiten, von einer auf Sparsamkeit bedachten Regierung Zuschüsse zu erhalten, aber für Darwin flossen sie mühelos. Das ermöglichte ihm, selbst Unterstützungsgelder zu verteilen, als Auftraggeber und Zahlmeister zu fungieren und eine Truppe von hochqualifizierten Museumsleuten herumzuscheuchen. Die *Zoology* war gesichert.

Das bedeutete einen Berg Arbeit für ihn, eingesperrt an diesem ‹üblen, verrauchten Ort›. Er hatte immer noch kostbare Beutestücke unterzubringen. Die eßbaren Pilze aus Feuerland und das versteinerte Holz aus den Anden bekam der scheue Robert Brown, was zur Folge hatte, daß er zutraulicher wurde. ‹Ich glaube, mein versteinertes Holz hat Mr. Browns Herz erweicht›, schrieb Darwin schmunzelnd. Die Käfer gingen an Reverend Hope in Erinnerung an längst vergangene Tage der Insektenjagd, und die Kartoffeln von den Chonosinseln erhielt Henslow, der jetzt so von seiner Pfarrei in Anspruch genommen war, daß er es kaum zu registrieren schien. Eine Landpfarrei – der bloße Gedanke erinnerte Darwin daran, wie sehr er das Landleben vermißte. Er fühlte sich eingesperrt in seinem ‹Gefängnis› in der Great Marlborough Street, wenn sein Blick auf die schmutziggrauen Wände des gegenüberliegenden Hauses fiel. Dann stieß er einen unterdrückten inneren Schrei aus: ‹Ich hasse die Straßen von London!›[32]

Die Vorstellung von der Transmutation wurde allmählich zur Besessenheit. Alles gerann ihm zu quälenden Fragen: Wie waren Pflanzen auf die Galápagosinseln gelangt, gar auf mitten im Ozean liegende Vorposten wie die Keelinginseln? Welche Arten in seinen Keelingproben enthalten seien, fragte er Henslow. Ob es möglich sei, daß ihre Samen ‹im Salzwasser schwimmend überleben› könnten?

Bei der Fortsetzung seiner Zusammenarbeit mit Gould bereitete es Darwin Verlegenheit, daß ihm korrekte Beschriftungen fehlten. Verspätet unternahm er den Versuch zu beweisen, daß jeder Fink auf einer bestimmten Insel zu Hause war. Er untersuchte FitzRoys gewissenhaft dokumentierte Bälge, die dem Britischen Museum übereignet worden waren, und nahm Verbindung zu Besatzungsmitgliedern auf, die ihre eigenen Sammlungen angelegt hatten. Auch sein Faktotum, Syms Covington, besaß drei Galápagos-Finken mit Angabe der Herkunftsinseln. Die Antworten halfen ihm, sein Gedächtnis zu strapazieren und die Herkunft seiner eigenen Finken zu lokalisieren, wenngleich diese Mischung aus Ratespiel und Gottvertrauen auch zu Irrtümern führte. Zuletzt gelangte er zu der Überzeugung, daß die Finken ebenso wie die Spottdrosseln und die Schildkröten inselspezifisch seien. Das gestattete ihm, sie als diversifizierte Abkömmlinge von Festlandrassen zu betrachten.

Am 20. Juni wurde Staatstrauer angeordnet, da König William IV. gestorben war. Während draußen die Flaggen auf Halbmast wehten, vollendete Darwin schließlich das *Journal of Researches*. Sein Reisebericht war in einer Rekordzeit von insgesamt sieben Monaten entstanden. Angesichts seiner ungewöhnlichen Schwierigkeit, sich in ‹gewöhnlichem Englisch› auszudrücken, erklärte er, er werde ‹immer Respekt für jeden empfinden, der irgendein Buch geschrieben hat›. Als er am 26. Juni zu einem zehntägigen

Besuch bei seiner Familie nach Shrewsbury aufbrach, blickte er als Autor in die Zukunft – und als Geologe, nach der Art zu urteilen, wie seine dritte, den Korallenriffen gewidmete Veröffentlichung aufgenommen worden war. Der Applaus der ‹großen Kanonen›, so gestand er, ‹gibt mir viel Selbstvertrauen›. Er ermutigte ihn, sich ‹vor den Karren zu spannen› und ein Buch über südamerikanische Geologie zu planen.[35]

Gleichzeitig spannte er sich auch noch vor einen anderen, größeren Karren. Er stürzte sich in eine Studie über Transmutation.

16

Die Barrieren niederreißen

Mitte Juli 1837 wagte Darwin den Sprung und begann ein heimliches Notizbuch über Transmutation (sein ‹B›-Notizbuch). Er betrat eine intensive und einsame neue Welt von Monologen und Grübeleien. Auf die Titelseite des braun eingebundenen Büchleins schrieb er in dicken Lettern das Wort *Zoonomia* zum Zeichen dafür, daß er den gleichen Weg wie sein Großvater beschritt. Dann füllte er, ohne abzusetzen, siebenundzwanzig Seiten mit Notizen, ein atemloser Erguß von Einfällen im Telegrammstil, eilig und erregt hingeworfene Gedankengänge über die Gesetze des Lebens. Die Transmutation war ein Faktum, und diese Notizen bildeten den Rahmen seiner Erforschung der Mechanismen, die zur Veränderung von Tieren und Pflanzen führten.

Der Text ist gespickt mit ausgefallenen und naheliegenden Fragen. ‹Warum ist das Leben kurz› und die geschlechtliche Fortpflanzung so wichtig? Weil geschlechtliche Vermischung Varianten hervorbringe und schnelle Vermehrung sie in der ganzen Bevölkerung verbreite. Sexualität erzeuge Vielfalt, die nötig sei, um Arten zu befähigen, mit neuen Bedingungen zurechtzukommen. Wenn sich Klimate veränderten, könnten die Arten schnell darauf reagieren, indem sie automatisch neue Anpassungen hervorbrächten.[1]

Aber Owen hatte geleugnet, daß einfache Arten komplexer werden könnten. Sie seien außerstande, mit neuer Vitalität über sich hinauszuwachsen, neue Quellen ‹organisierender Energie› oder Lebenskraft zu mobilisieren. Frustriert begehrte Darwin gegen die von Owen postulierte Lebenskraft auf, die jede Spezies limitiere. Darwin wußte, daß etwas ‹die Rasse verändern muß, um sie einer sich *ändernden* Welt anzupassen›. Wie er immer wieder schrieb, *müssen* sich die Arten ‹dauerhaft verändern können›. Sie *müssen* ihre Modifikationen weitergeben und darauf aufbauen.

Eine Klippe war zu meistern. Offensichtlich wurden alle erzeugten Varietäten normalerweise durch ‹Mischehen› beziehungsweise Kreuzungen wieder mit der Population verschmolzen. Diese enthielt normalerweise die Spielarten und verlieh einer Spezies ein gleichförmiges Aussehen. Das erklärte, warum die Systematiker immer angenommen hatten, die Arten seien fixiert und unveränderlich. Die Isolierung von Varietäten brachte den Ausweg. Finken oder Drosseln, die es auf irgendeine ‹neue Insel› verschlagen hatte und die dort Inzucht betrieben, führten zu einer stärkeren Ausprägung neuer Merkmale.[2] Ein etwas dickerer Schnabel auf einer Galápagosinsel konnte nicht verlorengehen, indem er wieder in die Population des amerikanischen Festlands eingekreuzt wurde. Der Schnabel konnte vielmehr bei fortgesetzter Inzucht der Finken noch dicker werden. Die Insellage eröffnete die Möglichkeit einer rapiden und dauerhaften Abweichung von der Norm. Je länger ein Landstrich abgetrennt war – wie Australien mit seinen merkwürdigen Schnabeltieren –, desto andersartiger würden seine Säugetiere sein.

Darwin kokettierte dann mit einigen der Hauptthesen Lamarcks. Waren die simpelsten Monaden – die Bausteine des Lebens – spontan aus anorganischer Materie entstanden, dann waren sie es, die den Fahrstuhl nach oben *drückten*. Sie lieferten den Druck von unten, der das Leben vorwärtstreibt – oder, wie Darwin sinnierte: ‹Das Einfachste kann gar nicht anders … als komplizierter werden.› Vielleicht standen die Arten wie heranreifende Individuen in einem Fahrstuhl und wurden mühelos nach oben getragen. In dem Maße, wie sie sich weiterentwickelten, stiegen die Lebewesen darunter auf, um ihre alten Plätze einzunehmen. ‹Wären alle Menschen tot, würden Affen zu Menschen werden›, witzelte er, ‹Menschen würden zu Engeln.›[3] Es war ein Witz mit entsetzlichen Konsequenzen für die alte Elite, ein Spiel mit der unmenschlichen Vorstellung einer Abstammung vom Affen. Es zeigte, daß ein solcher Stammbaum für Darwin keine Schrecken hatte.

Owen machte Fortschritte mit der *Beagle*-Beute. Er unterschied jetzt fünf riesige, archaische Gürteltiere und Faultiere und beschrieb sie in *Fossile Mammalia,* seinem Beitrag zu Darwins *Zoology*-Reihe. Diese riesigen Pflanzenfresser mußten auf den Pampasebenen gelebt haben, wie es das afrikanische Hochwild derzeit tat. ‹Was für ein außerordentliches Rätsel das ist›, gab Darwin Lyell zu bedenken, ‹die Todesursache dieser unzähligen Tiere, die vor so kurzer Zeit und bei so geringen umweltbedingten Veränderungen ausgestorben sind!›

Die blitzartigen Erleuchtungen setzten sich fort, als er in seinem Notizbuch die Frage des Aussterbens anpackte. Erneut griff er Owens Idee auf, daß die Komplexität einer Spezies in umgekehrtem Verhältnis zu deren Lebensspanne stehe. Er skizzierte einen ‹unregelmäßig verzweigten› Baum, um die genealogische Geschichte von Tieren und Pflanzen zu vermitteln. Wenn das Leben wie eine riesige alte Eiche war, die seit ewigen Zeiten wuchs, dann waren die fossilen Säugetiere die ‹letzten absterbenden Knospen›, deren Lebenskraft sich erschöpft hatte. Der Stamm symbolisierte die gemeinsamen prähistorischen Vorfahren, die Urformen, denen alle Tiere entsprangen. Und dieser einzelne Stamm mußte einen einzigen Wurzelstock haben. Darwin erkannte, daß die ursprüngliche, spontane Entstehung des Lebens auf der Erde aus anorganischer Materie ein einmaliger Vorgang in grauer, ferner Vorzeit gewesen sein mußte. Lebende Moleküle konnten nicht ständig und überall entstehen, sonst würden Millionen beziehungsloser Lebensbäume hervorsprießen, was das ganze Bild ‹äußerst kompliziert› machen würde.[4] Die Entstehung war also ein einmaliges Ereignis, das irgendwann in vorkambrischer Zeit stattgefunden hatte.

Seine Feder flog übers Papier, als er die Implikationen durchdachte. Wenn sich alles in ferner Vergangenheit aus einem Satz lebender Atome oder ‹Monaden› entwickelt hatte, dann konnten diese Partikeln keine Lebensspannen haben, die von ihrer Komplexität abhingen; andernfalls wäre auf jedem Zweig *alles* gleichzeitig gestorben, wären ganze Klassen auf einen Schlag verschwunden: Säugetiere, Vögel, Reptilien oder was auch immer. Das war nicht geschehen. Plötzlich dämmerte es ihm. ‹Die Monade hat keine begrenzte Existenz.› Es gab *keine* limitierte Lebenskraft, die den Arten Grenzen setzte. Er hatte den Durchbruch durch Owens Barriere geschafft.

Das Leben war nur einmal entstanden und hatte sich dann die ganze Geschichte hindurch verzweigt, ein endloses Wachstum, bei dem Endknospen abstarben, während sich andere neu bildeten. Keine Revitalisierung war notwendig, keine schöpferischen Energiespritzen. Darwin füllte Seite um Seite mit der Erforschung des Bildes vom Stammbaum. Das Absterben einzelner Zweige erzeugte die Lücken, etwa zwischen Vögeln und Säugetieren oder zwischen Familien von Käfern. Je entfernter zwei Gruppen voneinander waren, desto weiter unten am Stamm war ihr gemeinsamer Vorfahr zu finden und desto mehr abgestorbene Äste mußten dazwischen weggefallen sein.[5] Da er die Auslöschung nicht mehr auf das Alter zurückzuführen vermochte, kam Darwin jetzt im Gegensatz zu seiner früheren Auffassung vom Untergang der Riesenlamas zu der Überzeugung, daß dieser die Folge eines zu rapiden Wandels der Umweltbedingungen gewesen war. Damit rückte die Anpassung – die Eignung eines Organismus für seine Nische – wieder in den Mittelpunkt. Wenn sich die Umwelt allmählich änderte, dann paßten sich die Tiere an und transmutierten, um mit dem Wandel Schritt zu halten; falls ihnen das nicht gelang, war ihre Auslöschung unvermeidlich.

Die Anpassung war jedoch nicht die einzige Erklärung für die Beschaffenheit eines Tieres. Es gab auch eine ‹erbliche Belastung›. Die ‹Belastung› war der vom ersten gemeinsamen Vorfahren vererbte Generalplan. Alle Fische, Reptilien, Vögel und Säugetiere hatten den Bauplan der Wirbeltiere miteinander gemein. Alle Schnecken, Tintenfische und Muscheln entsprachen dem Bauplan der Mollusken. Die Anpassung werde einfach auf diesen Strukturplan aufgepfropft.

Aber wie glichen sich die adaptiven Veränderungen den klimatischen Rhythmen an? Modifizierte das Klima den Fortpflanzungsvorgang, so daß die Nachkommen bereits angepaßt geboren wurden? Darwin nahm an, daß alle Varianten perfekt zur Welt kämen, aber da lebte er schließlich noch in Paleys perfekter Welt. Dennoch hätten seine Cambridger Mentoren eine derartige Ableitung von Paleys Theorie nicht gebilligt. Die Vorstellung eines sich ständig anpassenden Organismus, ob vollkommen oder nicht, war als solche tabu. Dies war dynamische Selbstgenügsamkeit.

Darwins Reflexionen wurden immer verblüffender. Weil das Leben den Wechselfällen des Klimas folge, gebe es keinen Maßstab für die Messung von Fortschritt. Für Grant trieb der auskühlende Planet das Leben zu immer höheren, wärmerblütigen Formen. Aber Darwin schwor jeglichem in eine Richtung verlaufenden Wandel ab; das Leben passe sich den Kapriolen des jeweiligen Habitats an. Es mache sich überall breit; Tiere erkletterten nicht eine mythische Leiter und seien nicht über ihren eigenen Schatten gesprungen, um die höchste, menschliche Sprosse zu erreichen. Auch Menschenrassen breiteten sich lateral in ihren jeweiligen Nischen aus: Jemmy Buttons Feuerländer in einer desolaten, windgepeitschten Wildnis, zivilisierte Engländer in ihren Fabrikstädten. Darwin war bei einer schockierend relativen Sichtweise gelandet. ‹Es ist absurd, davon zu reden, daß ein Tier höher stehe als ein anderes›, sinnierte er. ‹*Wir* betrachten diejenigen mit den entwickeltsten geistigen Fähigkeiten als die Höchsten. Eine Biene würde zweifellos ... die Instinkte› als Kriterium heranziehen.[6] Mit den Augen einer Biene gesehen, sei der Mensch nicht länger die Krone der Schöpfung. Selbst die radikalen Lamarckisten plazierten den Menschen an die Spitze der Entwicklungskette und erlaubten einem herrischen Menschen, auf das Leben hinunterzuschauen. Darwins nichtmenschliche Orientierung war eine totale Abkehr vom radikalen Standpunkt, ganz zu schweigen von der religiösen Konvention.

Den ganzen heißen August hindurch ‹schmorte er in seinem höhlenartigen Bau› und brachte ketzerische Auffassungen zu Papier. Im September schlug er sich immer noch mit dem Problem herum, während er nebenbei die Fahnen des *Journal of Researches* korrigierte und sich darüber beklagte, daß er ‹am Bein gefesselt schufte wie ein Galeerensklave›.

Er wandte sich Transportproblemen zu und ersann Möglichkeiten, Lebewesen auf Inseln zu verfrachten, um den Prozeß der Artenbildung in Gang zu setzen. Schon aufgrund der Tatsache, daß es auf manchen Chonosinseln Mäuse gab und auf anderen nicht, wußte er, daß dies ein Lotteriespiel war. Einfallsreichtum war der Schlüssel. ‹Eulen. Transportieren sie Mäuse lebendig?› fragte er sich. Nun, das mochte eine Erklärung für das Vorhandensein von Nagetieren sein. Samen gaben weniger Rätsel auf; sie konnten an Land geweht oder gespült worden sein. Oder Drosseln und Bläßhühner flogen vielleicht auf Inseln hinaus und ‹bringen sie in ihrem Magen›. Er machte sich eine Notiz, dem nachzugehen. Was würde sonst noch eine Überquerung des Meeres überleben? Er begann, Tests zu ersinnen, um das herauszufinden. ‹Mit Landmuscheln in Salzwasser experimentieren, ebenso mit Eidechsen›, das nahm er sich für die Zukunft vor. Vielleicht veränderten die extremen Umstände der Überquerung als solche die schwimmenden Samenkörner. ‹Es wäre ein interessantes Experiment, herauszufinden, ob Samen durch das Einweichen in Salzwasser› sich verändern.[7] Vielleicht mußten die Eulen und die Bläßhühner und die Samenkörner gar nicht so weit reisen wie angenommen. Sie konnten ja über Inselketten gehüpft sein, die später unter den Wellen versanken. Seine Theorie der Erdsenkung gestattete ihm, die Existenz von Inselketten als Trittsteinen der Auswanderung anzunehmen.

Das Nachdenken über blaue Meere weckte Erinnerungen an seine Reise. In den Jahren, als er selbst von Insel zu Insel hüpfte, hätte er seinen rechten Arm dafür gegeben, zu Hause zu sein. Jetzt träumte er sich wieder auf das Meer zurück. Auf dem Schiff hatte er seine Familie so sehr vermißt, und jetzt saß er weit entfernt von Shrewsbury in seinem Londoner Gefängnis fest. All seine Sehnsucht, all seine Pläne – was war daraus geworden? Er hatte seinen Vater und seine Schwestern seit seiner Rückkehr nur neun Tage lang gesehen!

Von seinem geheimen Notizbuch gefangengenommen, saß er in seinen vier Wänden fest. ‹Was für eine Verschwendung des Lebens, den ganzen Sommer in dieser häßlichen Marlborough Street zu hocken und nichts anderes zu sehen als das scheußliche Haus gegenüber.› Um die Korrektur des *Journal* abzuschließen, lehnte er sogar Elizabeth Wedgwoods Einladung zu einem Konzert ab. Die Arbeit zog sich hin; schwerfällige Prosa und widerspenstige Kommata vergrößerten noch seine Misere und veranlaßten ihn zu dem Stoßseufzer: ‹Was für eine unerhört schwierige Sache ist es doch, richtig zu schreiben.› Die Bände seiner *Zoology* mußten ebenfalls geplant werden, und auch die Besprechungen mit Autoren und Verlagslektoren kosteten ihn Zeit. Der staatliche Zuschuß sollte den Ladenpreis niedrig halten und die Bücher für die Allgemeinheit erschwinglich machen; die Verleger gedachten das 800 Seiten starke Werk einschließlich 250 Illustrationen für neun Pfund auf den Markt bringen zu können.

Seine tolpatschige Formulierung des Vorworts für sein *Journal* brachte Darwin prompt in Schwierigkeiten. Der stets auf Etikette bedachte FitzRoy zeigte sich ‹erstaunt über das völlige Fehlen jeder Erwähnung der von den Offizieren geleisteten Hilfe›, ganz zu schweigen von der beiläufigen Art, wie auf ihn Bezug genommen wurde. Das war zwar taktlos von Darwin, aber auch eine Überreaktion FitzRoys. ‹Ich schätze Sie viel zu hoch, um mit Ihnen brechen zu wollen›, tönte FitzRoy in seiner überheblichen Art.[8] Die Verknüpfung von Darwins Werk mit seinem eigenen sei ‹von Gefühl und Loyalität diktiert, keine Frage der «*Zweckmäßigkeit*»›. Darwin machte seinen Fehler sofort wieder gut, indem er seiner Dankbarkeit Ausdruck verlieh. So war FitzRoys Ehre wiederhergestellt; der Vorfall zeigte Darwin aber auch, daß er gegenüber dem Captain immer noch auf der Hut sein mußte.

Arbeit und Sorgen setzten ihm immer mehr zu. Auf der Reise hatte er, ohne merkliche Schäden davonzutragen, enorme geistige und körperliche Kraftakte vollbracht. Aber jetzt, da er tief in seiner heimlichen Arbeit steckte und Material zusammentrug, das die englischen Geologen schockieren würde, begann seine Gesundheit zu leiden. Er führte ein Doppelleben und war außerstande, über seine Speziesarbeit mit irgend jemandem außer Erasmus zu sprechen, weil er befürchtete, als verantwortungslos, religionsfeindlich oder noch schlimmer gebrandmarkt zu werden. Das machte sich allmählich in seiner Magengrube bemerkbar. Am 20. September erlitt er einen Anfall von ‹beunruhigendem Herzklopfen›, und seine Ärzte empfahlen ihm ‹*nachdrücklich,* jede Arbeit ruhen zu lassen› und aufs Land zu fahren.[9] Zwei Tage später beendete er die Korrekturen am *Journal* und floh nach Shrewsbury, um sich auszuruhen.

Viel Ruhe fand er nicht. Er kehrte über Maer zurück, wo ihn Emma und die Familie mit Fragen über das Gaucholeben ermüdeten. Die achtundzwanzigjährige Emma war ein Jahr älter als er und begabt. Sie konnte Französisch und Italienisch und mehr als ein bißchen Deutsch (was ein bißchen mehr war, als Charles konnte). Sie spielte ausgezeichnet Klavier (nachdem sie bei Chopin Stunden genommen hatte) und betrieb gern Sport im Freien; so war sie eine ‹Amazone› im Bogenschießen. Während Charles auf See war, hatte sie vier oder fünf Heiratsanträge ausgeschlagen. Dann hatte ihre Mutter einen Schlaganfall erlitten und war bettlägerig geworden, was Emmas ständige Anwesenheit zu Hause erforderte. Die Tage ihres Umworbenseins schienen zu Ende – trotz des Präzedenzfalles ihres Bruders Josiah, der im August Charles' siebenunddreißigjährige Schwester Caroline geheiratet hatte.

Aber Emma ließ die Hoffnung nicht sinken, während sie der Familie als Krankenschwester, Haushälterin und Tante diente. Zur Zerstreuung las sie die neuesten Romane und arbeitete im Garten. Hier spazierte jetzt Charles umher, und Onkel Josiah zeigte ihm ein ungenutztes Stück Erde, wo Kalk und Asche, Jahre zuvor dort ausgebracht, im Boden verschwunden waren und eine Lehmschicht zurückgelassen hatten. Der Onkel nahm an, Würmer hätten die Arbeit getan; allerdings meinte er, solche gärtnerischen Bagatellen könnten einen jungen Mann nicht interessieren, der in kontinentalen Dimensionen dachte.[10] Charles widersprach, und aus diesem bescheidenen

Beginn entwickelte sich ein lebenslanges Interesse an dem unscheinbaren Regenwurm – einem kleinen, unbesungenen Geschöpf, dessen ungezählte Millionen Exemplare das Land ebenso transformierten wie die Korallenpolypen die tropischen Meere.

Darwin kehrte am 21. Oktober nach London zurück, aber sein klopfendes Herz blieb in Shropshire zurück. Sein Referat über Würmer und ihren Auswurf, das er am 1. November vor der Geologischen Gesellschaft halten sollte, bestätigte nur seine zunehmenden Idiosynkrasien. Dieser erlauchte Zirkel erwartete sich etwas Großartigeres als *Würmer*. Darwin wußte das; er wagte jetzt den Sprung und machte sich an die Konzeption eines Buches über südamerikanische Geologie. Einzelne Abhandlungen über die chilenische Küste, über Fossilienfundstätten und Korallenriffe waren nicht genug. Er mußte sie zu einem abgerundeten Werk zusammenfügen. Der Gedanke bereitete ihm größere Atemnot als der Novembernebel. Er sehnte sich nach einem eigenen ländlichen Refugium. Mit Neid gedachte er seiner Cambridger Freunde Henslow, Fox und Jenyns in ihren Landpfarreien. Im November dispensierte er sich endlich für ein paar Tage von den tropischen Lagunen, um Fox in seiner Pfarrei auf der Insel Wight zu besuchen. Der Kontrast zu seinen palmengesäumten Stränden war kraß. Es herrschte bitterkaltes Winterwetter, und der Ärmelkanal war unruhig und eher schwarz als blau. Aber Darwin war einfach glücklich, ‹dem gräßlichen Londoner Nebel› entronnen zu sein.[11]

Vom Leben in einem Pfarrhaus hatte er eine ziemlich idealistische Vorstellung. Jenyns ‹beklagte sich bitterlich über seine Einsamkeit› in Swaffham Bulbeck. Es war nicht bloß die Isolierung. ‹Henslow sagt mir, daß er Dich gelegentlich ächzen hört, wenn Du meine Fische erwähnst›, meinte Darwin verständnisvoll. Das war eine Untertreibung. Sein Freund wankte unter der Last eingelegter Fische. Obwohl die Hälfte des Fangs auf der Reise verdorben war, blieben ihm immer noch 137 Arten zu beschreiben, davon 75 neue. Der Band über Fische in der *Zoology*-Reihe erschien in Fortsetzungen, und Darwin hoffte, jede Nummer mit sechzehn Fischen füllen zu können. Doch Jenyns fiel es schwer, diese Quote einzuhalten. In seiner gewinnenden Art redete Darwin ihm zu. ‹Um des Ansehens der englischen Zoologen willen – verzweifle nicht und gib nicht auf›, flehte er, selbst wenn ‹Du diese Aufgabe hauptsächlich aus Freundschaft zu mir übernommen hast. Ich weiß, daß ich Dir sehr zu Dank verpflichtet bin›. Dann machte er eine Kehrtwendung und konfrontierte seinen Freund mit dem entwaffnenden Rat: ‹Du darfst aber keinen Augenblick *zögern*, alles hinzuwerfen, wenn Deine Gesundheit oder Zeitmangel Dich daran hindert, Befriedigung aus dieser Tätigkeit zu ziehen.›[12] Darwin bekam, was er wollte und was er erwartete; Jenyns mühte sich weiter ab, zu bestätigen, daß alle Galápagosfische neu waren.

269

An der Fossilienfront ging es zügiger vorwärts. Owen hatte das ‹Lama› *Macrauchenia* getauft und über Weihnachten und Neujahr 1838 stetig daran gearbeitet. Sein Ruf der Flinkheit war verdient, und die *Zoology*-Reihe wurde denn auch mit seinem Beitrag eröffnet. Unter dem Titel *Fossil Mammalia* erschien er mit einer ganzseitigen, aufklappbaren Abbildung des über einen halben Meter großen Schädels des Nagetiers *Toxodon* im Februar zum Preis von acht Shilling. Er kam zu einem günstigen Zeitpunkt heraus. Owen war ‹überaus erfreut›, auf der Jahresversammlung der Geologischen Gesellschaft am 16. Februar die Wollaston-Medaille der Gesellschaft für die Identifizierung von Darwins nilpferdgroßen Fossilien zu erhalten.

Darwin sonnte sich in dem auf ihn abstrahlenden Ruhm. Aber es lohnte sich nicht, Owens Schlußfolgerungen allzu genau zu betrachten, die von seiner Erwartung abwichen. *Macrauchenia* erwies sich weniger als Lama denn als Tapir ‹mit einem Stich ins Kamelartige›.[13] Das war ein klein wenig unwillkommen; Darwin wünschte sich ein Lama als Vorfahren für seine Pampas-Guanakos. Nun, er ignorierte einfach Owens Kleingedrucktes und beharrte darauf, die Knochen mit den Augen eines Naturforschers zu betrachten. Weil die Fundstelle der Fossilien auf einen kargen, rauhen Lebensraum hindeutete, fuhr er fort, sie sich als kamelartige Lamas vorzustellen.

Darwin befolgte Lyells Rat und lehnte, um mit seinen Projekten voranzukommen, auch Angebote der Geologischen Gesellschaft ab. Deren Präsident, William Whewell, hatte ihm 1837 die Stelle eines Sekretärs angeboten, und Henslow schrieb ihm, ‹als Adept der Wissenschaft› sei er verpflichtet, sie anzunehmen. Aber Darwin lehnte mit der vorgeschobenen Begründung ab, er wisse zu wenig über englische Geologie. Noch peinlicher, ja ‹eine Schande für die Gesellschaft› wäre es, einen Sekretär zu haben, der kein Wort Französisch aussprechen könne. Man stelle sich die Fauxpas im Umgang mit ausländischen Schriften vor! Das Schriftenglische war ihm ein kaum geringeres Rätsel; deshalb hatte die Aussicht, Manuskripte exzerpieren zu müssen, wenig Verlockendes für ihn. Und als wären dies nicht Ausreden genug, setzte er noch eins drauf, indem er erklärte: ‹Alles, was mich überfordert, hat für mich ein schlimmes Nachspiel in Form eines Herzanfalls.›

1838 wurde er in seinem Entschluß wankend. Es fiel ihm schwer, offizielle Posten abzulehnen, ob sie nun seine Zeit verschwendeten oder nicht. Am 5. Februar nahm er die Vizepräsidentschaft der Entomologischen Gesellschaft an, die 1833 von den Käferliebhabern Waterhouse und Hope gegründet worden war. Whewells Druck wurde jetzt unbarmherzig. Er versuchte immer noch, Darwin für das Allerheiligste der Geologen zu gewinnen. In seiner Einstandsrede als Präsident pries er Owens Ergebnisse und rühmte Darwins Weltumseglung ‹als eines der wichtigsten Ereignisse für die Geologie seit vielen Jahren›. Bei solcher Schmeichelei vom Podium konnte sich Darwin nicht länger widersetzen. Er erklärte sich bereit, die Stelle eines Sekretärs anzunehmen. ‹Ich konnte nicht mehr mit gutem Grund ablehnen›, klagte er gegenüber Henslow, ‹obwohl es ein Amt ist, um das ich mich nicht reiße.›[14]

Einen Hinderungsgrund konnte er niemals erwähnen. Er trat der Elitetruppe der führenden Geologen Großbritanniens bei, die überwiegend dem städtischen Großbürgertum und dem anglikanischen Klerus entstammten, aufrechte Männer, welche die Evolution als moralisch verworfen und politisch anrüchig verabscheuten. Das war keine Übertreibung: Sedgwick, ein früherer Präsident, verurteilte Lamarck, Geoffroy und die revolutionären Franzosen wegen ihrer ‹anstößigen (und ich wage zu sagen: schmutzigen) Auffassungen von Physiologie›. Wie konnte Darwin dem aufbrausenden alten Proktor unter die Augen treten, wenn ihm dieser auf die Schliche kam? Für Sedgwick hatte die Wissenschaft in einem turbulenten Zeitalter moralische Erbauung zu bieten. Sie sollte die Augen der Menschen himmelwärts richten und sie gleichzeitig an ihre Stellung auf der Erde erinnern. Die geologische Elite mußte spirituelle Orientierung bieten, statt lasterhafte ‹Lehren der spontanen Entstehung und Transmutation von Arten mit all ihren ungeheuerlichen Konsequenzen› zu verbreiten.[15]

Am 7. März hielt Darwin vor Whewell, Sedgwick und den übrigen seinen bisher längsten Vortrag; diesmal ging es um das verheerende Erdbeben von Concepción. Er erklärte, dieselben Bewegungen der Erdkruste verursachten über Tausende von Meilen hinweg Vulkantätigkeit und Beben entlang der gesamten Andenkette, die sich als Folge davon allmählich emporhebe. Lyell war entzückt über diese Unterstützung seiner gradualistischen Thesen, und Darwin erblickte seinerseits sein ‹geologisches Heil› in Lyells Prinzipien. Der neue Sekretär verlas nicht nur seine eigenen Arbeiten, sondern auch die anderer. Doch sein Unbehagen blieb, obwohl er stundenlang übte und sich die Texte zu Hause vorflüsterte. ‹Ich war anfangs so nervös›, erinnerte er sich, ‹daß ich um mich herum überhaupt nichts wahrnahm und das Gefühl hatte, mein Körper sei verschwunden, und nur noch mein Kopf sei übrig.›[16]

Dies war das Lampenfieber eines ehrgeizigen jungen Geologen, der sich seinen Weg in die Korridore der geologischen Macht bahnte. Aber seine Identität war gespalten. Insgeheim empfand er grenzenlose Verachtung für die Arroganz der Professoren. Zu Hause, hinter ihrem Rücken, erging er sich in unverhohlenem Spott über sie, weil sie das Universum nach der menschlichen Vorstellung zurechtbogen und dann eine Lobeshymne auf Gottes Schöpfung anstimmten. Er verachtete jeden, der Whewell als ‹tiefsinnig› ansah, ‹weil er sagt, die Länge der Tage sei auf das Schlafbedürfnis des Menschen zugeschnitten!!! Das ganze Universum sei dem Menschen angepaßt!!! Und nicht der Mensch an die Planeten. Ein Beispiel von Arroganz!!› Das war Darwin, Whewells rechte Hand, innerlich zerrissen, heimlich voll Verachtung, in der Öffentlichkeit lächelnd.

Seine Notizen hielt er um so strenger geheim, je mehr sich seine öffentliche Stellung festigte. Seine deterministischen Äußerungen an Erasmus' Abendtafel waren Welten entfernt von dem wunderträchtigen, anthropozentrischen Weltbild des Reverend Whewell. Ungeachtet seiner Magenbeschwerden ließ Darwin nicht nach in seinem Bestreben, eine korrupte Wissenschaft zu säubern. Er war überzeugt davon, daß er recht hatte, und getrieben von dem brennenden Wunsch, sich auszuzeichnen, wobei er seine moralische Rechtfertigung aus dem massiven Umschwung im Lande hin zu den Wertvorstellungen der Dissenters bezog. Er stand an der Spitze einer missionarischen Reformbewegung, deren Ziel es war, mit Whewells alter, konservativer anglikanischer Dynastie zu brechen und die Privilegien abzuschaffen, die diese dem Menschen im Kosmos zuschrieb, so, wie die Whigs auf der Erde die Privilegien des Klerus zu beseitigen gedachten. Darwins Frustration über eine arrogante Theologie wurde immer größer. ‹Die Leute reden oft über das wunderbare Ereignis des Auftretens des denkenden Menschen›, erklärte er streng, doch ‹das Auftreten von Insekten mit anderen Sinnen ist noch wunderbarer›. Der menschliche Chauvinismus empörte ihn jetzt.

Dennoch tat er alles, um sich die Achtung der älteren Wissenschaftlerkollegen zu sichern. Sein Doppelleben wurde im Lauf der Monate immer enervierender und stürzte ihn in einen inneren Zwiespalt. Was war, wenn sie seine Maske durchschauten? Es bereitete ihm soviel Vergnügen, die Rätsel der Naturgeschichte zu entwirren, aber seine Gedanken wurden gefährlich, sein Grübeln masochistisch. Das Pandämonium in seinem Inneren bildete einen subtilen und komplexen Kontrapunkt zu den öffentlichen Unruhen in den britischen Städten. Das Land steckte tief in einer Wirtschaftskrise, und vor ihm lagen die härtesten fünf Jahre des 19. Jahrhunderts mit massiver Arbeitslosigkeit, Hunger und Aufständen. Darwins Erkenntnisse waren in anglikanischen Augen verwerflich und gesellschaftlich subversiv. Ihm schwebte nicht länger eine Welt vor, die von einem patrizischen Gott persönlich in Gang gehalten wurde, sondern eine Welt, die sich selbst erschuf. Von den Echinodermen bis zu den Engländern hatten sich alle Organismen durch eine gesetzmäßige Umverteilung lebendiger Materie als Reaktion auf eine sich geordnet verändernde geologische Umwelt entwickelt.

Hintergründige Bemerkungen flossen ihm mit zunehmendem Selbstvertrauen aus der Feder. Überall hinterließ er einen markanten Stempel, wenn er auf ‹meine Theorie› hinwies, an deren Bedeutung er nicht den geringsten Zweifel hegte. Hochgemut behauptete er, seine Theorie ‹würde der neueren und Fossilien vergleichenden Anatomie Schwung verleihen›. Sie würde ‹das Studium der erblichen Instinkte und des Geistes› revolutionieren und ‹die gesamte Metaphysik› transformieren.[17] Das würde sie – aber nicht jetzt. Die alte Garde mußte erst weichen, die reaktionären Kirchen- und Gemeindevorsteher jenes Schlages, die inzwischen im ganzen Land aus den Rathäusern gefegt wurden, jetzt, da die radikale Opposition die Gesellschaft mit einem neuen, reformfreudigen, weltlichen und industriellen Geist erfüllte.

Seine geheimen Notizen lassen Darwin als radikalen Unitarier erscheinen. Sie drückten die ethischen Gefühle einer größeren Gemeinschaft von Oppositionellen aus, welche die Sklaverei satt hatten sowie gleiche Rechte und die Abschaffung der Privilegien forderten. Sein Abscheu vor der Sklaverei färbte auf seinen evolutionären Elan ab. Er notierte:

‹Tiere, die wir zu unseren Sklaven gemacht haben, wollen wir nicht als uns ebenbürtig anerkennen. Wollen nicht Sklavenhalter auch den Schwarzen zu einer anderen Spezies machen? Tiere, die fähig sind zu Zärtlichkeit, Nachahmung, Furcht, Schmerz, Trauer um Verstorbene.›

Schmerz und Leiden verbänden den versklavten Menschen und das mißhandelte Tier. Als Darwin dies 1838 schrieb, wurde die leidenschaftliche Ablehnung der Sklaverei von dem ehemaligen Whig-Lordkanzler Henry Brougham angestachelt, der sich für die sofortige Freilassung der jamaikanischen Sklaven einsetzte. Auch die Martineau schrieb nach ihrer Amerikareise weitere moralische Geschichten über die Mißhandlung und die Ermordung von Sklaven und über den Heroismus der für ihre Befreiung kämpfenden Abolitionisten, Geschichten, die Emma Wedgwood trotz der eingestreuten ‹kleinen Harrietismen› als aufwühlend empfand. Darwin spiegelte wider, was andere Abolitionisten empfanden, und er war auch nicht der einzige, der das ethische Netz von den unterjochten Menschen bis zu den hilflosen Tieren spannte. Der Quäker-Arzt John Epps, ein Londoner Phrenologe, Homöopath und Kämpfer für die Trennung von Kirche und Staat, hatte angefangen, ‹alle Geschöpfe auf der Stufenleiter der Schöpfung als genauso wichtig wie mich selbst zu betrachten, den armen Indianersklaven als meinen Bruder anzusehen›.[18]

Von dieser Stimmung des Aufbegehrens fühlte Darwin sich bestärkt, als er seine ketzerischen Seiten füllte. Radikale Dissenters diskutierten offen über das Vorhandensein von Geist und Schmerz in der Natur. Viele beharrten darauf, daß die gesamte Schöpfung über Bewußtsein und Leidensfähigkeit verfüge. Sie lebten nicht in einer ‹glücklichen Welt›, in der es vor ‹entzücktem Dasein› wimmelte, wie Paley es durch seine rosige Brille sah. Es war John Wesleys düsteres Bild, wonach ‹die ganze Schöpfung sich mühet und stöhnet›. So interpretierte Epps den Apostel Paulus. Er ließ nicht daran rütteln, daß ‹*Tiere sich des GEISTES erfreuen*›, was bedeutete, daß sie eine Persönlichkeit mit Wünschen und Schmerzen hatten.[19]

Aber dieser von Darwin eingesogene geistige Egalitarismus hatte anrüchige doktrinäre Verbindungen. Obwohl manche Anglikaner – wie der alte William Kirby – akzeptierten, daß auch Tiere eine gewisse Denkfähigkeit besaßen, pfefferten Demagogen wie Epps ihre Ansichten so überreichlich mit antianglikanischer Polemik, daß sie einen gefährlich ketzerischen Ruf erlangten. Und wieviel Verstand Kirby den Würmern auch zusprach, Darwin räumte ihnen etwas ungleich Verabscheuenswerteres ein: einen Platz in der Erde zwischen den Wurzeln des menschlichen Stammbaums. Atemlos formulierte er:

‹Wenn wir unseren Mutmaßungen die Zügel schießen lassen, dann sind die Tiere unsere Mitbrüder in Schmerz, Krankheit, Tod, Leiden und Hunger; unsere Sklaven bei der mühseligsten Arbeit, unsere Gefährten bei unseren Vergnügungen. Sie können teilhaben, denn aufgrund unserer Abstammung von einem gemeinsamen Urahn sind wir alle miteinander verbunden.›

Der gefährliche Aspekt daran war die Behauptung, daß sich der menschliche Geist aus dem des Wurms entwickelt habe. Das war die Crux.[20] Indem er Geist und Moral sich selbst entwickelnden Kräften unterstellte, bedrohte Darwin die Ideale, die der geologischen Elite soviel bedeuteten: Menschenwürde und Verantwortung. Wenn der Mensch nur ein besseres Tier war, wo blieb dann seine spirituelle Würde? Und wenn er sich selbst entwickelt hatte, was war dann mit seiner moralischen Rechenschaftspflicht gegenüber Gott, der nicht mehr sein Schöpfer war? Da die moralische Verantwortung mit ewigen Strafen und Belohnungen ein Bestandteil des Systems war, das die Gesellschaft zusammenhielt, würde auch diese zusammenbrechen.

Hätten Lyell oder Owen, Sedgwick oder Whewell seine Überzeugungen gekannt, wären sie ihnen als äußerst demoralisierend erschienen. Darwin mußte mit einem Eklat unter seinen Geologenfreunden rechnen, falls sie sein Geheimnis entdeckten. Dann würde Schluß sein mit dem freundlichen Schulterklopfen. Er könnte als Verräter gebrandmarkt werden. Sein Ansehen wäre kompromittiert. Nun würde man nicht nur seinen wissenschaftlichen Standpunkt angreifen – ihn selbst würde man skrupelloser Verantwortungslosigkeit bezichtigen.

17

Geistige Revolte

Der neue Sekretär der Geologischen Gesellschaft setzte seine ‹geistige Revolte›, wie er es nannte, fort. Im Februar 1838 ackerte er sich durch ein zweites Notizbuch, das kastanienbraune Büchlein ‹C›.[1]

Er grübelte über ausgefallene und alltägliche Zuchtergebnisse nach. An frischen Frühlingsmorgen trabte er durch die Regent Street, um im Zoomuseum über Rassehunde und Taubenzucht zu diskutieren. Das Thema schien banal im Vergleich mit den Schnabeltieren und den Pythons, den Schlangen in Glasflaschen und den spiritustriefenden Fledermäusen. Aber die Gentlemen-Farmer wußten mehr ausgefallene Einzelheiten über Hunde zu berichten als über alle Zootiere zusammengenommen. Von William Yarrells Leuten war am meisten zu erfahren. Yarrell selbst war ein passionierter Jäger; eigentlich war er Zeitungsgrossist, doch in einer Stadt mit vierzehn Tageszeitungen konnte er es sich leisten, seinen ländlichen Steckenpferden zu frönen. Er war eine Fundgrube von Fakten über einheimische Rassen, Kreuzungen und Mischlinge, und Darwins Notizbücher füllten sich mit seinen Tips. Yarrell brachte ihm bei, wie man landwirtschaftliche Nutztiere kreuzt und daß ältere, gängige Rassen immer in der hybriden Nachkommenschaft vorherrschen. Darwin fiel es in diesem Frühjahr schwer, in seinem Arbeitszimmer in der Great Marlborough Street stillzusitzen und Anekdoten über Bluthunde, Jagdhunde und Pferdekreuzungen zu notieren, während er davon träumte, über die Felder von Shropshire zu galoppieren.

Er war immer davon ausgegangen, daß wilde Varianten vollkommen angepaßt aufträten, aber die Züchter weckten da Zweifel. Was ist, wenn ‹im Lauf großer Zeitspannen zehntausend Spielarten› hervorgebracht werden ‹und nur diejenigen überleben, die gut angepaßt sind›? Das war eine unkonventionelle, aber interessante Vorstellung. Nicht *alle* Nachkommen mußten geeignet sein; man brauchte nur an die Mißgebildeten und die Kümmerlinge zu denken. Er räumte jetzt ein, daß zwei Formen möglich seien, ‹Angepaßte› und ‹Mißgeburten›, Gute und Schlechte, wobei die letz-

275

teren zum Häßlichen führten. Um die phantastischen Schöpfungen der Liebhaber hervorzubringen, Tauben mit Federhaube, haarlose Hunde, schwanzlose Katzen und deformierte Schweine, wählten die Züchter gerade die ‹Mißgeburten› aus. Sie bürsteten die Natur gegen den Strich. Er fragte Yarrell rundheraus, ob die Züchter nicht gegen die Natur verstießen. Ihre Methode, ‹Varianten auszusuchen›, sei doch sicherlich ‹unnatürlich›.[2]

Dabei wählten die Menschen nicht bloß Tiere aus – sie wählten auch unter ihresgleichen. Der Mensch suchte sich seinen Lebenspartner aus und bevorzugte dabei bestimmte Merkmale; sie waren in der Menge zu finden, ein Bestandteil der natürlichen Prozesse. Darwin war davon überzeugt, daß der *Homo sapiens* eine einzige Spezies sei, die in klimatisch angepaßte Spielarten zerfalle. Er verurteilte Sklavenhalter, die sich als eine höherwertige Art fühlten, und er zerpflückte ihre Argumente, wobei er das Thema von jedem ausgefallenen Blickwinkel aus anging. Seit jenem Tag auf der Insel Chiloé im Jahr 1834, als der Chirurg eines Walfängers erwähnte, daß die Läuse der Bewohner der Sandwichinseln auf dem Körper von Engländern eingingen, war er von dieser Frage fasziniert gewesen und sammelte Parasiten der verschiedenen Rassen, um den Nachweis zu erbringen, daß ‹der Mensch einen einzigen Ursprung› habe.[3]

Um diese Zeit begann er, einen neuen Begriff für den Prozeß der Entwicklung durch Transmutation zu verwenden. ‹Deszendenz›, ‹Abstammung›, nannte er es, und die Abstammung des Menschen war für ihn ein ebenso legitimes Thema wie die Abstammung von Katzen und Kühen.

Als das Wetter wärmer wurde, begann er die Vollkommenheit der Natur in seinem Bild von der Abstammung neu zu bewerten. Die ganze Theologie der ‹Vollkommenheit› – die Meinung, alles sei so, wie es sein sollte – war von den säkularistischen Fanatikern als eine Art Rechtfertigung des Status quo abqualifiziert worden. Sie hatte in den Kreisen von Cambridge vorgeherrscht, und Darwin hatte nie daran gezweifelt. Aber er begann zu erkennen, daß die Natur nicht bloß vollkommene Anpassungen hervorbrachte. Sie selbst eliminierte die ‹Mißgeburten›, die den Züchtern gefielen. Wie arbeitete ihre Sense, wie wurden die Mißgebildeten getötet? In einem Fall dachte er sogar an einen Kampf, um den Geeignetsten herauszufinden. Er stellte sich einen ‹Zufallssprößling› vor, der dank irgendeiner Besonderheit über ‹etwas mehr Kraft› verfügte und damit einen Vorsprung hatte. Dann sprach er von männlichen Hahnenkämpfen, von ‹kriegerischen› Hähnen sowie Weibchen, welche die ‹siegreichen› Männchen bevorzugten.[4] Es war ein Erkenntnisblitz, dessen Licht aber für den Augenblick wieder erlosch.

Darwin strebte weg von der Cambridger Theologie; sein Beispiel ließ vermuten, daß Vollkommenheit das Ergebnis eines glücklichen Zufalls sein *konnte*. Tatsächlich mußte Tauglichkeit angesichts der Kapriolen des Klimas als zufallsbedingt gelten. Was in einer Umgebung ein häßliches Mißgebilde war, konnte sich in einer anderen als Geschenk des Himmels erweisen. Seine Kritzeleien wurden an diesem Punkt faszinierend. ‹Kommt ein Hund [in einem warmen Klima] mit dickem Fell zur Welt, dann [ist er eine] Monstrosität; [aber] in ein kaltes Land verfrachtet ... [ist er gut] angepaßt.› Selbst Gut und Schlecht, Anpassung und Mißbildung waren jetzt nicht mehr die Absoluta, die sie einst geschienen hatten. Ihr Wert schwankte mit der Umgebung. Ein weiterer Erkenntnisblitz, der verlosch.

All das verwarf Darwin, indem er eine bessere – und zielstrebigere – Methode in Betracht zog, Anpassungen hervorzubringen. Wie entstanden Flossen bei Landtieren, deren Lebensraum häufig überflutet wurde? Er folgte Lamarcks Ansicht, daß sie sich der Herausforderung stellten, indem sie ihre Lebensweise änderten. Die Vorfahren von Enten und Ottern hatten angefangen zu paddeln, zu fischen und die neuen Nahrungsquellen auszunutzen. Diese ständig eingeschliffenen Gewohnheiten wurden zur zweiten Natur; die Tiere schwammen jetzt instinktiv, dehnten die Haut zwischen den Zehen, kräftigten ihre Muskeln und bekamen zuletzt Schwimmhäute. Dies war der reine, unverwässerte Lamarckismus, über den sich Lyell lustig machte, den Sedgwick verfluchte und die Geologen als Unsinn abtaten. Darwin steckte jetzt tief in seiner lamarckistischen Phase. Insgeheim pries er den Franzosen für seinen ‹prophetischen Geist in der Wissenschaft, die höchste Gabe eines großen Genies› – Worte, die er in der Öffentlichkeit nie wiederholt hätte.[5]

Er fing an, Züchter mit Fragen zu bestürmen, nicht einzelnen, sondern ganzen Fragenlisten, etwa über die Tendenz von Jungen, einem Elternteil nachzugeraten, und darüber, ob Weibchen ‹bestimmte Männchen bevorzugen›. Da er sich für die ‹Auswirkungen von Gewohnheiten› auf den Körper interessierte, wollte er auch wissen, ob sich ‹das Handwerk auf den Körperbau des Menschen› auswirke, ob sich also der Bizeps des Hufschmieds auf dessen Söhne vererbe.[6] Mr. Wynne, der Gärtner seines Vaters und ein Orakel in bezug auf landwirtschaftliche Nutztiere, ebenso wie die Hinterzimmerzoologen – alle wurden von ihm ins Kreuzverhör genommen. Er prüfte jeden denkbaren Ansatz, um sich ein Bild von der Vererbung spezieller Eigenschaften bei Tieren und beim Menschen zu machen.

Darwin hielt sich jetzt ständig im Museum der Zoologen auf und quetschte Gould über Vögel und Yarrell über die Tiere auf dem Bauernhof aus. Er hörte einen französischen Besucher sagen, die Galápagos-Schildkröten gehörten soundso vielen verschiedenen Spezies an, und sah seine Vermutung schließlich bestätigt. Gould und Waterhouse waren mit der Beschreibung der *Beagle*-Präparate beschäftigt, während er selbst das Gesamtprojekt leitete. Aber das Förderungsgeld aus der öffentlichen Schatulle blieb knapp. Darwin beschränkte Gould auf fünfzig Vogelabbildungen, um das Budget nicht zu überschreiten, und selbst dann konnte er nur fünf Pence pro Stück aufwenden, um sie kolorieren zu lassen. Er lehnte eine Einladung Henslows zu einem Diner von Naturwissenschaftlern mit der Entschuldigung ab, er sei wegen der Koordination der *Zoology* in London ‹festgebunden›.[7]

FitzRoy brachte seine eigenen Entschuldigungen vor. Darwins *Journal of Researches* lag gedruckt vor; es fehlte jedoch der Band des Captain, damit es veröffentlicht werden konnte. Aber FitzRoy war säumig. ‹Ich bin ziemlich altmodisch in meinen Gewohnheiten wie in meinen Ideen – ergo ein Trödler›, schrieb er. Darwin war frustriert und seit FitzRoys pikiertem Ausfall wegen des Vorworts auch etwas argwöhnisch. Trotzdem, er war jetzt eine Landratte. Er saß nicht mehr am Tisch des Captain, brauchte nicht mehr freundlich zu lächeln und alles hinunterzuschlucken. Ende März luden ihn die FitzRoys zum Tee ein. Darwin schrieb seiner Schwester darüber: ‹Dem Captain geht es sehr gut, und das bei einem Mann, der die vollendete Gabe besitzt, alles und jeden auf eine verdrehte Weise zu betrachten.› Zweifel an der Qualität von FitzRoys Beitrag beschlichen ihn. Der dritte, von Captain King beigesteuerte Band war schlicht ungenießbar. ‹Kein Pudding für kleine Schuljungen lag je so schwer im Magen. Er ist vollgestopft mit Naturgeschichte sehr minderwertiger Art. Ich hoffe, daß FitzRoys eigener Band besser sein wird.› Der Sekretär der erlauchtesten wissenschaftlichen Gesellschaft der Metropole legte seinen eigenen hohen Maßstab an.

Darwins Geologiebuch gewann inzwischen Gestalt. Er arbeitete das ganze Frühjahr unter Hochdruck weiter, in seiner Phantasie in blauen Lagunen plätschernd, als er über die Korallenriffe schrieb. Er ‹bedeckte so viel Papier›, daß es unmöglich sein würde, seine Ideen in einem einzigen Band unterzubringen. Ursprünglich hatte er vorgehabt, Korallenatolle und Vulkaninseln zusammen abzuhandeln und später einen zweiten Band herauszubringen, aber selbst diese beiden Themen entwickelten ein Eigenleben und mußten voneinander geschieden werden. Er marschierte entschlossen weiter, beschrieb die atlantischen Inseln und das Kap der Guten Hoffnung, sprach vor der Geologischen Gesellschaft über Erdbeben, beaufsichtigte die *Zoology* und setzte seine Notizen über die Abstammung fort.[8]

In der Abstammungsfrage konzentrierte sich sein Interesse jetzt auf den Menschen. Er hatte die Mauern der Zitadelle erreicht. Nach seiner Auffassung erklärte die Evolution jede geistige Eigenheit, jede körperliche Haltung: nicht nur Wirbelsäule und Milz, sondern auch die Lebensweise des Menschen, seine Instinkte, seine Gedanken, Gefühle, sein Gewissen und seine Moral. ‹Der Mensch, der wunderbare Mensch›, müsse sich in den großen Kessel der Natur werfen lassen. Der Mensch ‹mit seinem zum Himmel erhobenen göttlichen Gesicht› sei ‹keine Gottheit, sein Ende in der gegenwärtigen Form wird kommen [...] Er ist keine Ausnahme. Er besitzt einige der gleichen allgemeinen Instinkte und Gefühle wie die Tiere›. Die radikalen Tiefen auslotend, erkannte Darwin die kataklystischen Konsequenzen. ‹Sobald man eingeräumt hat, daß eine Art ... in eine andere übergehen kann ... wankt und stürzt das ganze Gebäude.›[9] Das ‹Gebäude› der Schöpfungsgläubigen und alles, was damit zusammenhing, bildete seine Zielscheibe. Er spähte in die Zukunft und sah den alten, auf Wundern errichteten Bau zusammenbrechen, während Sedgwick gleichzeitig als Folge davon die anglikanische Gesellschaft zerbröseln sah.

Der Refrain verstärkte sich durch seinen ersten Anblick eines Menschenaffen. Es war ungewöhnlich warm an jenem 28. März, als er zum Zoo fuhr; ‹dank eines außerordentlich glücklichen Zufalls› war es warm genug, daß man das Nashorn herausließ. ‹So etwas hat man selten gesehen, wie dieses Nashorn ausschlug und Freudensprünge vollführte›, schrieb er an seine Schwester. Aber was ihn wirklich in Bann schlug, war Jenny, der erste Orang-Utan, der im Zoo zu sehen war. Das Affenweibchen verursachte eine Sensation, unter den Gelehrten ebenso wie unter den oberen Zehntausend. Jenny war soeben, anstandshalber in Frauenkleider gehüllt, der Herzogin von Cambridge vorgestellt worden. Das Kuratorium des Zoos hatte die Dreijährige im November 1837 für 105 Pfund gekauft und sie in dem besonders gut geheizten Giraffenhaus untergebracht. Hier beschrieb Broderip das ‹ernste› und dabei ‹verständige Betragen› der jungen Äffin (offenbar hatte er sie in getrübter Stimmung angetroffen).[10] Darwin erlebte eine breitere Palette ihrer Leidenschaften, und er ergötzte Susan mit ihren Possen.

‹Der Wärter zeigte ihr einen Apfel, aber wollte ihn ihr nicht geben, worauf sie sich auf den Rücken warf, mit den Füßen strampelte und schrie, genau wie ein unartiges Kind. Dann sah sie sehr beleidigt drein, und nach zwei oder drei weiteren Wutanfällen sagte der Wärter: «Jenny, wenn du aufhörst herumzutoben und ein braves Mädchen bist, dann werde ich dir den Apfel geben.» Sie verstand sicherlich jedes Wort davon, und obwohl es ihr wie einem Kind sehr schwerfiel, mit ihrem Gegrein aufzuhören, brachte sie es zuletzt doch fertig und bekam den Apfel, sprang mit ihm auf einen Lehnstuhl und begann ihn mit dem zufriedensten Gesichtsausdruck, den man sich vorstellen kann, zu essen.›

Sein erster Affe hinterließ bei Darwin einen tiefen Eindruck, doch diese Anekdote täuschte über die tiefere Bedeutung von Jennys menschenähnlichen Emotionen hinweg. Er war fasziniert von ihrer Auffassungsgabe; diese wurde zu einer weiteren Waffe, die er gegen die menschliche Arroganz richtete, zu einem weiteren schlagenden Argument, mit dem er die Menschheit von ihrem Podest zu stoßen gedachte. In seinen Notizen machte er sich Luft.

‹Der Mensch sollte sich den domestizierten Orang-Utang anschauen, seine ausdrucksvollen Klagelaute anhören, seine Intelligenz erleben, wenn man [mit ihm] spricht, so, als verstünde er jedes Wort, das man zu ihm sagt. Er sollte seine [= des Affen] Zuneigung gegenüber den ihm vertrauten Perso-

nen sehen, seine Leidenschaft und seine Wut, sein Schmollen und seine Ver-
zweiflungshandlungen. Und er sollte sich einen Wilden anschauen, der
seine Eltern brät, nackt und ungesittet, der keine Fortschritte macht, obwohl er dazu fähig ist. Und dann soll er noch einmal wagen, sich stolz als
Krone der Schöpfung zu bezeichnen.›

Natürlich hatte Darwin nie Kannibalen bei der Mahlzeit gesehen, aber
verglichen mit den Feuerländern und den Maoris fand er Jenny Orang in
ihrer zivilisierten Zelle richtig sympathisch.[11]

‹Soviel über Affen, und nun zu Miss Martineau›, schrieb er nach Hause.
Dort waren sie ganz versessen auf den Klatsch, und der Stand der Dinge zwischen Erasmus und Harriet grenzte ja tatsächlich an Liederlichkeit. Charles
berichtete, Miss Martineau sei ‹neuerdings so ausgelassen wie das Rhinozeros. Erasmus war morgens, mittags und abends bei ihr; wenn ihr Charakter nicht so gefestigt wäre wie ein Berg in den Polarregionen, wäre es sicher
um ihn geschehen.› Die beiden steckten offenkundig ständig beisammen
(was Vater Darwin vermutlich überhaupt nicht paßte), und die Martineau
gab das auch ohne Erröten zu. ‹Lyell hat ihr unlängst seine Aufwartung gemacht; da stand eine schöne Rose auf dem Tisch, und sie wies ihn ganz un-
geniert darauf hin und sagte: «Die hat mir Erasmus Darwin geschenkt.» Was
für ein Glück, daß sie so gar nicht hübsch ist; sonst bekäme ich es mit der
Angst zu tun.›

Es drängte Charles, selbst an Heirat und an die Zukunft zu denken. Er
war neunundzwanzig, sein Herz machte ihm zu schaffen, und er trat dem
Leben allein gegenüber. ‹Wir armen Junggesellen sind nur halbe Menschen,
wir kriechen wie Raupen durch die Welt, ohne unsere Bestimmung zu erfüllen›, scherzte er, als sein Cambridger Studienkollege Charles Whitley heiratete.

‹Von der Zukunft weiß ich nichts; ich schaue nie weiter voraus als zwei
oder drei Kapitel, denn mein Leben wird jetzt nach Bänden, Kapiteln und
Seiten gemessen und hat wenig mit der Sonne zu tun. Was ein Eheweib betrifft, dieses interessanteste Exemplar im ganzen Stammbaum der Wirbeltiere, so weiß allein die Vorsehung, ob ich je eines angeln werde und falls ja,
ob ich imstande sein werde, es zu ernähren.›[12]

Das *Journal of Researches* sollte bald erscheinen, die *Zoology* war auf dem
Weg, seine Präparate waren zur Auswertung vergeben. In absehbarer Zukunft würde er die Aufgabe beenden, die ihn nach London geführt hatte.
Was dann? Kühl stellte er Überlegungen an; er vergegenwärtigte sich erneut
seine Lebensoptionen und widmete seinen Telegrammstil den Aussichten
auf Heirat und Geld. Wie alles übrige mußten auch sie in zwanghaft geord-
neter Weise analysiert und abstrahiert werden. Er führte die Pro und Contra auf der Rückseite eines alten Briefes an.

Das Junggesellentum bot vielfache Vorteile. ‹Reisen. Europa, ja? Amerika????› Er umrandete ‹Europa› mit dem Bleistift; es war eine hübsche Vorstellung. Er hatte zwar die ganze Welt umsegelt, wußte aber fast nichts über den Kontinent. Was würde er dafür geben, eine ‹rein geologische› Reise durch die ‹Vereinigten Staaten› zu machen! Oder aber, ‹wenn ich nicht reise, Arbeit an der Transmutation der Arten› und Rückkehr zu den ‹einfachsten Lebensformen›. Das war es: Tage der wissenschaftlichen Muße, wobei Erasmus die Richtung angab. ‹In London leben, denn wo sonst in kleinem Haus möglich, nahe Regent's Park – Pferd halten – im Sommer kürzere Reisen.›

Heirat war die Kehrseite dieses reizvollen Bildes. All dies konnte er sich dann aus dem Kopf schlagen, und die verbleibenden Möglichkeiten waren wenig verlockend. Er würde vielleicht ‹für Geld arbeiten› müssen. Konnte er seine Wissenschaft ‹mit Kindern und in Armut› weiter betreiben? ‹Nein›, befand er klipp und klar. Und konnte er ohne seine zoologische Berufung, die ihn bei Verstand halten würde, ‹in London wie ein Gefangener leben›? Offensichtlich nicht; er würde sich also außerhalb der Stadt umsehen müssen. Welchen besseren Weg gab es, sich seinen Unterhalt zu verdienen, als in einer ‹Cambridger Professur, entweder Geologie oder Zoologie›? Ein Lehrstuhl wie der von Henslow käme ihm sehr zupaß, denn er würde ihm sowohl ein Einkommen als auch einen angenehmen Lebensstil garantieren. Der Widersinn, als Evolutionist einen Lehrstuhl in einem unreformierten anglikanischen College innezuhaben, wurde ihm nicht bewußt. ‹Dann eine Professur in Cambridge – und das Beste daraus machen›, schloß er mit Aplomb.

Doch angenommen, er heiratete und bekam keinen Lehrstuhl? Diese Alternative war das trostloseste Szenarium. Er würde wieder ‹in Armut› enden, und ohne wissenschaftlichen Nebenverdienst wäre er in Cambridge ein ‹Fisch ohne Wasser›, ein heruntergekommener Müßiggänger mit einer nörgelnden Frau. Nein, das wäre auch nicht das Richtige. Um bei seiner Wissenschaft zu bleiben, würde er sowohl ein eigenes Einkommen als auch ein Heim außerhalb der Stadt benötigen. Lyell neckte ihn zwar oft genug mit dem Hinweis, das Landleben stumpfe den Geist ab, zweifellos in der Annahme, die ‹Nebelschleier› über den Wiesen würden seine ‹vulkanischen Spekulationen› auslöschen. Doch in der widerwärtigen, schmutzigen Metropole hatte Lyells Lebensstil seine Anziehungskraft verloren. Endlich kam Charles zu einem Entschluß.

‹Ich habe soviel mehr Vergnügen an direkter Beobachtung, daß ich nicht so leben könnte wie Lyell, nämlich alte Gedankengänge korrigierend und durch neue Erkenntnisse ergänzend, und ich wüßte nicht, welchen Beruf jemand ergreifen könnte, der an London gebunden ist. Auf dem Land [kann man] experimentieren und niedere Tiere beobachten; [man hat] mehr Raum.›[13]

Er hatte seine Aufgabe, der er sich widmen mußte, eine gefährliche neue Theorie, die zu verfolgen war, nicht ein Buch wie Lyells *Principles of Geology*, das immer wieder gefahrlos revidiert werden konnte. Wenn sein Vater also bereit war, ihn zu unterstützen, würde er heiraten und den Reverends Henslow, Jenyns und Fox aufs Land folgen, um dort seine Forschung fortzusetzen.

Geld war die Voraussetzung dafür, doch sein Vater hatte beträchtliche Kapitalien investiert und verfügte über entsprechende Einkommensquellen. Seine 20 000 Pfund in Staatsanleihen fielen kaum ins Gewicht, verglichen mit dem Kapital, das er in Form von Hypotheken an die ersten Familien von Shropshire verliehen hatte. Das brachte ihm eine hübsche Rendite ein: in den 1830ern etwa 7000 Pfund im Jahr, was zeigte, daß Dr. Darwin ‹in finanzieller Hinsicht so agil wie körperlich schwerfällig war›. Daran wurde Charles im April erinnert, als er von dem ‹ungeheuer höflichen Robert Clive› zum Abendessen eingeladen wurde; Clive war Tory-Parlamentsmitglied aus Shropshire, Sohn des Earl of Powis und Enkel des Mitbegründers des britischen Weltreichs, Robert Clive von Indien. Charles hatte keine Illusionen bezüglich der Einladung. ‹Es ist wirklich sehr anständig von ihm, denn natürlich bedeutet das alles nur, daß er seine Freundschaft gegenüber meinem Vater beweisen will.› Vater Darwin, der keine Skrupel hatte, die örtlichen Torys zu subventionieren, hatte dem Earl 50 000 Pfund geliehen und verwahrte nach wie vor die Hypothekenurkunden unter seinem Bett.[14] Wenn der väterliche Reichtum Charles aristokratische Freunde verschaffen konnte, dann konnte er ihm gewiß auch eine Zukunft mit genügend Muße sichern. Als Angehöriger der letzten Generation selbstfinanzierter Privatgelehrter, der sich das Labor im eigenen Haus einrichten konnte, würde er sein Leben voll auskosten können.

Doch Cambridge hatte immer noch seine Reize. Am 10. Mai nahm Darwin sich vier Tage Zeit, um Henslow zu besuchen. Am ersten Abend stand er auf Henslows Party im Mittelpunkt. Am nächsten Morgen ritt er zu Jenyns hinüber, um mit ihm über Fische zu sprechen. Dann kehrte er zurück zu Henslow, um sich mit ihm über Pflanzen zu unterhalten und ihn zu fragen, warum Meeresinseln so viele einzigartige Spezies enthielten, obwohl er inzwischen wußte, daß diese die Abkömmlinge von Festlandsimmigranten waren. Anschließend stürzte er sich in Einladungen und Bowlingpartien auf einem College-Rasen. Nachdem ihn das Geklapper der Wagenräder auf dem Londoner Kopfsteinpflaster seit Monaten fast in den Wahnsinn getrieben hatte, empfand er jetzt den ‹ohrenbetäubenden Gesang der Nachtigallen› als angenehm. Er dinierte im Trinity College und schwelgte in der Kirche in Haydns *Schöpfung* – ‹der letzte Chor schien die Mauern erbeben zu lassen› –, bevor es zu Sedgwicks Party weiterging.[15] Das nannte er Leben; zunehmend konnte er sich vorstellen, in Cambridge zu

Hause zu sein und seine Ketzereien über die Schöpfung in einer geheimen Schublade verschwinden zu lassen. Es war ein Elixier, das seinem Schritt neue Spannkraft verlieh.

Nach seiner Rückkehr zerbrach er sich weiter den Kopf über domestizierte Rassen. Er sann darüber nach, wie Rassetauben je nach der gerade herrschenden Mode abwechselnd darben und sich mästen lassen mußten, wie man sie herumhetzte und ihnen einen Federschopf anzüchtete. Zu diesem Zeitpunkt glaubte er, daß all dies nichts mit ‹wahrer› Natur zu tun habe; die Methoden der Züchtung edler Rassen waren jedoch höchst aufschlußreich.

Diese Interessenverlagerung auf den Bauernhof war angesichts seiner Vorliebe für Jagdhunde und Jagdvögel nicht verwunderlich. Er war im landwirtschaftlichen Herzen Englands aufgewachsen, wo in jedem Gutshof Fachzeitschriften über Gartenbau und Viehzucht auflagen. Auch seine Mutter hatte Tauben gehalten; Onkel Josiah war ein führender Schafzüchter, der kurzhaarige spanische Merinos in seine Herde eingebracht hatte. Onkel John Wedgwood kultivierte Dahlien und beriet ihn über Pflanzenkreuzungen. Die Grundbesitzer verfügten über reiche Kenntnisse, wie man heimische Rassen nach Wunsch züchtete; sie mußte man befragen, nicht die Schreibtischtaxonomen. Man brauchte sich nur anzusehen, wie Lord Orford die Ausdauer seiner Windhunde erhöhte, indem er ‹die besten aus jedem Wurf nahm und sie kreuzte›. Züchter *selektierten* die gewünschten Merkmale.

Eine Broschüre fiel Darwin in die Hände, die das ganz klar zur Sprache brachte. Sie stammte von dem liberalsten aller Großgrundbesitzer, Sir John Sebright, einem für Sparpolitik und Freihandel eintretenden Whig, der die Reformvorlage im Parlament durchgeboxt hatte. Der siebzigjährige Sebright kannte Yarrell. Er besaß Land in drei Grafschaften und war ein hervorragender Geflügelzüchter, der sich rühmte, ‹in drei Jahren jede Feder und in sechs jede Form hervorbringen› zu können.[16] Seine Broschüre enthielt den Schlüssel zu dem Selektionsverfahren. Aber sie verriet auch etwas über die Sense der Natur.

‹Ein harter Winter oder Nahrungsmangel hat all die positiven Auswirkungen der sorgfältigsten Selektion, weil er die Schwachen und Ungesunden ausmerzt. In kalten und unfruchtbaren Ländern erreichen nur solche Tiere das Erwachsenenalter, die eine starke Konstitution haben; die Schwachen und Ungesunden leben nicht lange genug, um ihre Mängel an ihre Nachkommen weiterzugeben.›

Darwin unterstrich diese Stelle mit ihren ‹ausgezeichneten Beobachtungen darüber, wie kränkliche Nachkommen ausgemerzt werden›, bevor sie sich vermehren konnten. Er fing an, die dunklere Seite der Natur schätzenzulernen. Erfahrene Züchter wie Sebright hoben auch die Konkurrenzsituation hervor, in der sich beide Geschlechter bewähren mußten. Er sprach davon, daß die Weibchen ‹den kräftigsten Männchen› zufielen, und behauptete, daß ‹die stärksten Exemplare beider Geschlechter durch Vertreibung der Schwächsten sich selbst und ihren Nachkommen das beste Nahrungsangebot und die günstigsten Situationen sichern›.[17] Hier war die Evidenz für die natürliche Verschwendung, über die Darwin nachzugrübeln begonnen hatte.

An der Art und Weise, wie Landwirte ausgewählte Tiere verpaarten, zeigte sich ‹die ganze Kunst der Hervorbringung heimischer Rassen›. Aber Darwin hatte nicht den Eindruck, daß die Züchter die Natur nachahmten. Für ihn blieb der Bauernhof ein unnatürliches Laboratorium, und Schafe und Hunde hatten eine unnatürliche Geschichte. Die Natur merzte die Zurückgebliebenen aus und förderte die Tauglichen; im Gegensatz dazu erhielten die Liebhaber gewisse Fehlbildungen am Leben, um sie zu Kreuzungen zu verwenden. Die Gesetze des Dschungels waren nicht mit denen der Wildparks von Gutsherren identisch. Die Weiterentwicklung der Rassen in der Natur und die Hervorbringung einer Schmuckente waren für ihn asymmetrische Vorgänge. In letzterer erblickte er lediglich eine ‹geschickt produzierte Monstrosität›.[18]

Er bestürmte auch seinen Cousin Fox mit Fragen über die Kreuzung heimischer Rassen. ‹Es ist mein liebstes Steckenpferd, und ich glaube tatsächlich, daß ich eines Tages imstande sein werde, etwas über dieses höchst komplexe Thema der Arten und Varietäten zu machen.› Dies war sein erstes Eingeständnis, daß er an kniffligeren Aspekten arbeitete.

Im Zweifelsfall versorgten ihn Hunde und Enten mit strategischer Munition, und er war immer auf der Suche nach Fakten, um der erwarteten Opposition den Wind aus den Segeln zu nehmen. So formulierte er Entgegnungen unter Heranziehung dieser bodenständigen Beispiele vom Bauernhof. Es müsse ‹tausend Zwischenformen› zwischen dem Otter und seinem landbewohnenden Vorfahren gegeben haben, sinnierte er. ‹Gegner werden sagen: Zeigen Sie sie mir. Ich werde antworten: Ja, wenn Sie mir jede Stufe zwischen Bulldogge und Windhund zeigen.›[19]

Das *Journal of Researches* blieb also liegen, weil FitzRoys Band noch nicht fertig war. Dafür gab es aber an anderen Fronten Bewegung. Darwins Aufenthalt in London war ertragreich gewesen, sowohl für die *Zoology* (die erste Nummer von Waterhouse' *Mammalia* war inzwischen erschienen) als auch für den geologischen Reisebericht, der inzwischen bis Neuseeland gediehen war. Die Transmutation lag Darwin immer noch schwer im Magen, aber er hatte gelernt, zur Stärkung lange Ausfahrten zu unternehmen, und war ‹erstaunt, daß es drei Meilen von London entfernt tatsächlich schöne Gegenden gibt›.

In der Stadt beschränkte er sein Erscheinen in Gesellschaft auf Erasmus' ‹glänzende› Diners (‹wie sie es regelmäßig sind›). Erasmus' Leben ‹literarischer Muße›, fand weiterhin Nahrung in Lachssoupers mit den Hensleighs, der Martineau und Carlyle. Dem knauserigen Charles wurde schwindlig bei dem Gedanken an deren Kosten. Nach einem dieser Soupers gestand er in einem Brief nach Hause: ‹Mir ... täte es leid, das bezahlen zu müssen. N. B. Sag dem Governor [= Vater Darwin], daß der Nachtisch allein acht Shilling und sechs Pence gekostet hat.› Die Martineau begann damals ihren dreibändigen Kleine-Leute-Roman *Deerbrook,* dessen Held ein Chirurg ist. Charles sprach sie bei Tisch darauf an, fassungslos, daß ihr eine so flüssige Prosa von der Zunge oder zumindest aus der Feder floß, während er, von Kommata verwirrt, holpernd und stolpernd im Nebel der Grammatik stocherte. Es empörte ihn, daß sie ‹niemals Anlaß hat, auch nur eine einziges Wort zu korrigieren, das sie schreibt›. Seine Selbstachtung vermochte er erst dann halbwegs zu retten, als er entdeckte, daß sie ‹keine völlige Amazone› war ‹und das Gefühl der Erschöpfung von zu vielem Denken kennt›. ‹Ich habe vergessen zu erwähnen›, berichtete er Susan, absichtlich Spekulationen anheizend (wußte er doch genau, daß es dem Vater zu Ohren kommen würde), ‹daß mich Miss Martineau demnächst besuchen wird, um mich als Autor in meiner Höhle in Augenschein zu nehmen; wir haben also ein rechtes Techtelmechtel miteinander.›[20]

Inzwischen wurde das Leben in seiner Höhle immer unerfreulicher. Er ging weiter der Mutation von Arten nach, doch mit jedem konzeptionellen Sprung zog sich der Knoten in seinem Magen fester zusammen. Soeben von Cambridge zurückgekehrt, dachte er mit Beklommenheit an die Hysterie, die seine Auffassungen unter seinen Klerikerfreunden auslösen würden. Er war weit über Lamarck hinausgegangen, den von Sedgwick und Whewell, welche die revolutionären Sturmwolken wieder über den Ärmelkanal zurückbliesen, so verachteten Lamarck. Darwin verlegte sich auf die Taktik der Entwaffnung. ‹Verfolgung der frühen Astronomen erwähnen›, notierte er. ‹Wenn ich einige gute Stellen über den Widerstand des Klerus gegen den Fortschritt des Wissens brauche, siehe Lyell.› Sein Freund hatte über das Schicksal Galileis während der Inquisition geschrieben und wie die Astronomie dem religiösen Obskurantismus den Todesstoß versetzte, um ‹die Nachwelt zu befreien›.[21] Darwin sah sich schon auf dem Folterstuhl leiden, um die Zukunft zu befreien, um den Whewells der Welt die Worte Lyells entgegenzuschleudern.

In diesem Frühjahr trat Darwin in seine radikalste Phase ein. Er spielte mit höchst brisanten Themen, während das Land immer tiefer in die Wirtschaftskrise hineinglitt. Seine Notizen nahmen eine zwanghafte Qualität an. Er hatte das Leben auf dessen grundlegende Elemente reduziert: sich selbst organisierende Atome. Diese Art von hitziger Wissenschaft wurde von Straßenagitatoren bevorzugt, den Leuten, die den undemokratischen Staat zu stürzen versuchten. Das ließ die klerikale Gesellschaft vor Schreck erstarren; Selbstgenügsamkeit war für sie mit Atheismus gleichzusetzen. Da das Christentum ein Bestandteil der herrschenden Ordnung war und dazu diente, die unteren Schichten in Schach zu halten, galt alles, was es unterminierte, als staatsgefährdend. Wenn lebende Atome die Kraft zur Selbstentwicklung besaßen, dann war der göttliche Einfluß von Sedgwicks Allmächtigem überflüssig. Und da dieser Einfluß durch die Kirche wirkte, war die Befehlskette von Gott herab über die Priesterschaft zur Natur abgebrochen. Und nach Sedgwicks Überzeugung bedeutete dies das Ende der Zivilisation.[22]

Darwin hatte sich selber in eine Ecke manövriert. Ungeachtet des aufsässigen Geredes an Eramus' Tafel nahm er weder an der anglikanischen Leibeigenschaft Anstoß noch an Schandtaten der Geistlichkeit. Persönlich beneidete er seine Mentoren um ihren privilegierten Lebensstil. Dennoch gab er radikale Ansichten wieder. Der Geist sei ein Produkt der Materie, lebende Atome organisierten sich selbst. Und das erwies sich als eine gebrauchsfertige Lösung für ein Problem: die Evolution und die Vererbung von Instinkten. Wie gingen die Instinkte eines Vaters auf einen Sohn, wie die einer weiblichen Amsel auf ihre Jungen über? Wie wurden geistige Eigenschaften von einer Generation an die andere weitergegeben? Er benötigte irgendeine Art von physischem Code für Gedanken und Gefühle, etwas Materielles, das weitergegeben werden konnte. Wenn die Instinkte Produkte neuraler Organisation waren, dann wurden sie als Bestandteil des Gehirns geerbt. Und wenn veränderte Instinkte die Physiologie des Gehirns modifizierten, dann wurden diese veränderten Verhaltensweisen weitergegeben.[23] Das war zwar eine Lösung, aber sie setzte jene Art von Identität zwischen Geist und Materie voraus, wie sie von Freidenkern und den extremsten Dissenters favorisiert wurde.

Seine Notizbücher würzten jetzt die schockierendsten Metaphern, die gottlose Mediziner im Munde führten. So setzte er jegliche mentale Aktivität mit Gehirnzuständen gleich. ‹Denken› sei geerbt; ‹man kann es sich schwerlich als etwas anderes vorstellen denn eine Gehirnstruktur›, erklärte er. Gewohnheiten und Überzeugungen hätten sich in unentwirrbarer Verbindung mit der mentalen Maschinerie entwickelt. Jeder Trieb, jedes Verlangen könnten hier lokalisiert werden, seien sie doch alle evolutionäre Erbgüter – selbst die Anbetung Gottes. ‹Liebe zur Gottheit [ist] Folge von [geistiger] Organisation, o du Materialist!› flüsterte er sich zu.[24] Solche aufreizenden Sprüche gehörten zum Repertoire der wachsenden Schar von Säkularisten, die sie den auf ihren Pfründen sitzenden Priestern um die Ohren schlugen. Er hatte diese Art der Herausforderung zehn Jahre zuvor von den mißbilligten Plinier-Phrenologen gehört; man konnte sie immer noch an mancher Straßenecke vernehmen.

Er näherte sich dem brisanten Thema mit einer Mischung aus Furcht und Euphorie. ‹Materialismus› war als solcher ein negatives Etikett. Theoretisch bedeutete dieser Begriff nichts anderes, als daß Materie existierte (und sicherlich keine Geister), beziehungsweise, daß Denken eine Funktion des Gehirns war. Er diente jedoch zur wahllosen Verteufelung eines jeden, der nach den Gesetzen des Geistes oder nach der Mutationsfähigkeit der Arten fahndete.

Der Begriff jagte den anglikanischen Anatomen einen Schrecken ein. Sie sahen ihn durch die medizinische Unterwelt schwappen wie Jauche, insbesondere in dem von Krankheiten geplagten London. London war die sündige Stadt, das ‹moderne Tyrus›. ‹Materialismus› wurde an den radikaleren medizinischen Fakultäten gelehrt, und auch den atheistischen Handwerkern schwebte ein seelenloses, sich selbst in Gang haltendes Universum vor.

Der materialistische Mann der Stunde war der extravagante John Elliotson, Medizinprofessor am Londoner University College. Der sich selbst als ‹Cockney› bezeichnende Elliotson bewies erstaunliche Courage. Er verteidigte die Londoner Universität gegenüber den ‹barbarischen› Hochschulen Oxford und Cambridge und galt unter seinen Kollegen als ‹der entschiedenste Materialist› seiner Zeit. Seine Standardprovokation lautete, das Gehirn sondere Gedanken ab wie die Leber Galle. Genau das war auch Darwins Bonmot: ‹Das Denken, so unverständlich es sein mag, scheint ebensosehr eine organische Funktion zu sein wie die Absonderung von Galle durch die Leber.› Doch Darwins Dreistigkeit hatte einen Stachel, wie er selbst Elliotson fehlte. Es werde allseits akzeptiert, daß die Schwerkraft eine inhärente ‹Eigenschaft der Materie› sei; niemand erkläre sie zu einem spirituellen Anhängsel. ‹Warum wird dann das Denken nicht in derselben Weise als Absonderung des Gehirns angesehen? Das geschieht aufgrund unserer Arroganz, unserer Bewunderung für uns selbst.›[25]

Darwin erprobte dies gegenüber seinem Vetter Hensleigh Wedgwood, dem maßvollsten seiner wissenschaftlichen Diskussionspartner, als dieser in die Stadt zurückkehrte. Hensleigh war vorübergehend in Maer gewesen, nachdem er seinen Magistratsposten wegen des Schwörens überflüssiger Eide, das er als unchristlich empfand, aufgegeben hatte. Er hatte für seine Prinzipien ein enormes finanzielles Opfer gebracht. Bei der Erörterung des Dualismus von Leib und Seele legte er ähnliche Skrupel an den Tag. Charles' Theorie über das Gehirn, erklärte er, sei ‹Unsinn›.

Die Aussprache verlief freimütig. ‹Hensleigh sagt, die Liebe zu Gott und der Gedanke an ihn oder die Ewigkeit sei der einzige Unterschied zwischen dem Geist des Menschen und dem von Tieren›, notierte Darwin. Wie könne das sein? Die Wilden seien ein lebender Gegenbeweis; ‹wie schwach [ist doch diese Idee von Gott] bei einem Feuerländer oder einem Australier ausgeprägt.› Wenn Gott dem Menschen die Kenntnis von seiner Existenz eingepflanzt hätte, würden alle sie besitzen.[26] Es bestand keine Notwendigkeit für den Unterschied im religiösen Glauben zwischen Feuerländer und Europäer, es sei denn, naturgemäß, daß sich dieser erst entwickelt habe.

Darwin äußerte dies nur unter vier Augen, doch das Beispiel Elliotsons zeigte, was geschehen konnte, falls er seine Meinung publik machte. Die Vorlesungen des Professors wurden in den späteren 1830er Jahren von Tory-Medizinern in Grund und Boden verdammt. Sie brandmarkten seinen zynischen ‹Spinozismus›, der den freien Willen und eine Seele leugne und die ‹Tausende von Verachteten und Elenden› ihrer ‹tröstlichen› christlichen Hoffnungen auf eine künftige Entschädigung beraube.[27]

Sein eigener Materialismus, das wußte Darwin, war nicht weniger radikal und herausfordernd. Für seine Geologenkollegen wurden die Strukturen der Gesellschaft durch solch provozierendes Gerede im Innersten erschüttert. Das war es genau, was Lyell an Lamarck haßte, was standhafte Torys an den Gossenatheisten verabscheuten. Es gab Blasphemiegesetze und Aufruhrparagraphen, die dem einen Riegel vorschoben, und Gerichte, die es strafrechtlich verfolgten. Darwin hatte genügend Schikanen miterlebt. Er konnte sich an den Aufruhr bei den Pliniern erinnern und daran, wie Taylor und Carlyle aus Cambridge verjagt worden waren. Das scharfe Vorgehen hielt an, und verfemte Materialisten gingen daran zugrunde wie die Londoner Fliegen. Kein Wunder, daß die Furcht vor Verfolgung auf ihm lastete. Um diese Zeit mag sein morbides Interesse an allen ‹merkwürdigen Strafprozessen› begonnen haben, über die in den Tageszeitungen berichtet wurde. Gerichtsfälle erschienen ihm inzwischen als ‹interessantester Teil der Zeitung›.[28]

Medizinische Großmäuler, extremistische Dissenters und Arbeiteragitatoren waren nicht die Art von Gesellschaft, in der er sich wohl fühlte. Sie stiegen auf ihre improvisierten Rednerpodeste, um gegen Mediziner- oder Klerikerprivilegien vom Leder zu ziehen. Alle hatten Ärger mit den Behörden, und manche waren nur einen kurzen Schritt vom Gefängnis entfernt. Der draufgängerische Elliotson geriet in diesem Juni erneut in die Schlagzeilen. Er wurde vom University College gerüffelt, als seine mesmerisierten Patientinnen in Trance Amok liefen. Sein Rücktritt war jetzt nur noch eine Frage der Zeit; Ende Dezember war es dann soweit. Viele seufzten – aus den unterschiedlichsten Gründen – über seinen Sturz erleichtert auf.[29] Hier war der Materialismus angesiedelt – auf einer gleitenden Skala zwischen in Verruf geratenen Ärzten und rüpelhaftem Gesindel. Es war eine schiefe Bahn, auf die Darwin nicht geraten wollte.

Im Juni verschlechterte sich sein Gesundheitszustand. Er klagte über Magenbeschwerden, Kopfschmerzen, Herzflattern, während sich in seiner Vorstellung Tiere transformierten und Gedanken materialisierten. Er war überarbeitet, von Sorgen geplagt; tagelang hütete er das Bett. Eine dreijährige Anstrengung stand ihm bevor, um die bei der Reise mit der *Beagle* gewonnenen geologischen Forschungsergebnisse abschließend aufzuarbeiten; erst danach konnte er sich etwas Ruhe gönnen. Er mußte sich auf einen zähen Kampf gefaßt machen. ‹Ich hoffe, daß ich es schaffe, in den nächsten drei Jahren hart zu arbeiten ... aber ich stelle fest, daß Kopf und Magen widerstreitende Kräfte sind und daß es erheblich leichter ist, an einem Tag zuviel zu denken, als zuwenig zu denken. Was Denken mit der Verdauung von Roastbeef zu tun hat, kann ich nicht sagen.›[30]

Seine wissenschaftlichen Erkenntnisse hatten soziale Implikationen, die genauso radikal waren. Da sich Denken und Handeln vererbten, war es wesentlich, die Arbeiter *und* ihre Frauen zu bilden, was den positiven Einfluß auf die Kinder verdoppeln würde. ‹Unterricht für alle Schichten›, kritzelte er zwischen den Notizen zur Evolution, ‹Bildung für die Frauen (doppelter Einfluß), und es wird mit der Menschheit aufwärtsgehen.› Auf dem Papier hatte dies Ähnlichkeit mit den Forderungen der roten Lamarckisten, die für eine ordentliche Schulbildung der Frauen eintraten, weil beide Eltern erworbene Eigenschaften auf die Kinder vererbten. Faktisch indessen befürwortete der ganze Wedgwood-Darwin-Clan einen beschränkten Unterricht für Mädchen, die Martineau noch entschiedener.[31] Dennoch war dies das konsequenteste Eintreten für eine Konditionierung durch die Umwelt, zu dem sich Darwin je durchrang.

Er redete ohnehin bereits wie ein Dissident. ‹Der Mensch in seiner Arroganz hält sich für eine große Schöpfung, des Eingreifens einer Gottheit würdig; bescheidenere Leute und ich glauben dagegen, daß er aus Tieren entstanden ist.› Keinen Stein ließ er ungewendet, um zu begreifen, wie dies geschehen sein konnte. Um diese Zeit beschäftigte er sich erstmals mit der Entstehung von Gesichtsausdrücken. Charles Bell, der von Darwins Studienkollegen in Edinburgh so verspottet worden war, hatte den ursprünglichen Zweck des Grinsens darin gesehen, die Eckzähne zu entblößen. ‹Zweifellos eine Gewohnheit, die wir angenommen haben, weil wir früher Paviane mit riesigen Reißzähnen waren›, hatte Darwin gewitzelt, den Spott damit noch um einiges verschärfend. Es war ein faszinierender Ansatz, mit dem Problem der Vorfahren des Menschen umzugehen; inzwischen hatte er dessen Potential erkannt. ‹Lachen ist ein abgeschwächtes Bellen, Lächeln ist ein abgeschwächtes Lachen. Bellen [sollte dem Rudel] gute Nachrichten ... verkünden: Entdeckung von Beute; zweifellos aus Wunsch nach Unterstützung entstanden. Weinen schwerer zu enträtseln.›[32]

Eine solche Ohrfeige für den menschlichen Stolz würde seine Theorien – falls sie bekannt würden – anfällig machen für eine Ausbeutung durch Extremisten. Die Untergrundverlage hatten Übung in der Herausgabe von Raubdrucken. Alles, was Wasser auf ihre Mühlen war, wurde billig vervielfältigt und fand seinen Weg an jede Straßenecke. Und das war eine reale Gefahr, zumal die Aktivisten den Materialismus zur Untermauerung ihrer antiklerikalen Propaganda benutzten.

Zensierte Werke wurden von diesen Leuten routinemäßig ausgeschlachtet, ganz besonders gründlich das des Chirurgen William Lawrence. Lawrence war ein republikanisch gesinnter Wissenschaftler von großer rhetorischer Brillanz. Nach einem bösartigen Angriff in dem Tory-Blatt *Quarterly Review* war er gezwungen gewesen, von seinem Posten am College of Surgeons zurückzutreten und seine Ansichten zu widerrufen. Die Zeitschrift hatte seine materialistischen Erklärungen von Mensch und Geist gnadenlos zerpflückt. Das Kanzleigericht befand seine *Lectures on Man* für blasphemisch, wodurch er den Urheberrechtsschutz verlor. Das war für atheistische Ohren eine unüberhörbare Empfehlung. Sechs Untergrundverlage brachten Raubdrucke des anstößigen Buches heraus, so daß es jahrzehntelang auf dem Markt blieb. Die jüngste dieser illegalen Ausgaben war soeben erschienen und wurde in Flugblättern angekündigt, die ‹den Klerus verhöhnten›.[33] Als Folge davon war Lawrence' Hauptwerk, wiewohl offiziell nicht mehr aufgelegt, im Bücherregal jedes Dissidenten zu finden.

Darwin besaß ebenfalls ein Exemplar der in billige Pappe gebundenen *Lectures on Man,* eine Ausgabe, wie man sie in jeder Arbeiterbuchhandlung fast geschenkt bekam. Es war ein Raubdruck des berüchtigten William Benbow, eines Schusters, der zum Verleger geworden war und seine radikale Politik durch den Verkauf pornographischer Schriften finanzierte.[34] Darwin brauchte den schäbigen Band, in dem er gerade las, nur anzuschauen, um das Schicksal vor sich zu sehen, das ihn erwartete. Er war kein Atheist, und er würde sich auch nicht von zweifelhaften Fanatikern um sein geistiges Eigentum prellen lassen. Lawrence führte einem vor Augen, wie der eigene gute Name durch den Schmutz gezogen werden konnte.

Darwins Gefühle wurden noch zwiespältiger, als er in das Zentrum der literarischen Kreise rückte. Mit Lyells Unterstützung wurde er am 21. Juni zusammen mit Charles Dickens in den Athenaeum Club aufgenommen, wo er sich sehr wohl fühlte. Er speiste dort täglich und gestand, sich da ‹wie ein Gentleman oder vielmehr wie ein Lord› zu fühlen. ‹Der Club gefällt mir um so mehr, als ich erwartet hatte, ihn zu verabscheuen›, erklärte er, was Erasmus etwas pikierte; ‹man trifft hier so viele Leute, die man gern sieht.› Als leidenschaftlicher Beobachter genoß er es, die Stützen der Gesellschaft aus nächster Nähe zu beobachten. Ein Mitglied der Oberschicht hatte bestimmte Verpflichtungen einzuhalten und als Wissenschaftler bestimmte Wertbegriffe zu stützen. Es war ein Zeitalter, in dem, wie ein Lehrer sagte, ‹nicht *Wissen* allein, sondern *Charakter* Macht ist, während Wissen ohne Charakter nicht mehr als vorübergehende, sehr flüchtige Prominenz verleiht›.[35] Von all den Clubs repräsentierte der Athenaeum Club Wissen *und* Charakter, und Darwin war nicht gewillt, das eine auf dem Altar des anderen zu opfern.

Im Hochsommer gab es in der Great Marlborough Street Anlaß zu feiern. Hensleigh und Fanny Wedgwood waren in das Nachbarhaus von Erasmus eingezogen, und Catherine Darwin und Cousine Emma Wedgwood verbrachten eine Woche bei ihnen. Charles kam von Zeit zu Zeit vorbei, und sie waren ‹eine sehr nette, vergnügte Gesellschaft›. Eines Abends kamen Thomas und Jane Carlyle zum Abendessen. Emma entging der größte Teil der Ausführungen des sonoren Schotten, obwohl sie ihn ‹auffallend angenehm und … geradeheraus› fand. Charles seinerseits fielen Emmas ausgesprochen angenehme Manieren auf.[36]

Trotzdem war London nach wie vor voll ‹Rauch, schlechter Gesundheit und harter Arbeit›, und als sich die fröhliche Wedgwood-Darwin-Gesellschaft auflöste, beschloß Charles, etwas für seine Gesundheit zu tun. Er benötigte ein Tonikum; eine Reise würde genau das Richtige sein. Gesundheitliche Gründe vertrieben ihn schließlich aus der Stadt und aus England. Zum erstenmal seit der *Beagle*-Reise machte er wieder Ferien mit geologischem Programm, und zwar im schottischen Hochland.

Am 23. Juni brach er mit dem Dampfschiff nach Edinburgh auf, und die alte Seeratte, ‹schadenfroh, wie ich bin, genoß das Schauspiel zweier Damen und einiger kleiner Kinder, die ziemlich seekrank waren, während es mir gutging›. Er verbrachte einen Tag in Edinburgh, den ersten, seitdem er 1827 die medizinische Fakultät verlassen hatte, und unternahm ‹einen einsamen Spaziergang auf den Klippen von Salisbury, um alten Gedanken an frühere Zeiten nachzuhängen›.[37] Das waren andere Zeiten gewesen, von denen ihn jetzt eine Kluft trennte. Er änderte sich, Großbritannien änderte sich: Während seines Aufenthalts hier, am 28. Juni 1838, wurde eine schmächtige junge Frau namens Victoria einen Monat nach ihrem achtzehnten Geburtstag zur Königin gekrönt.

Darwin drang in das entferntere Hochland vor. Am Loch Leven vorüber reiste er in nördlicher Richtung durch Fort William an die Mündung des Glen Roy, wo er eine Woche nach seiner Abfahrt aus London eintraf. Hier genoß er ‹das schönste Wetter mit prächtigen Sonnenuntergängen und einer Natur, die so glücklich aussah›, wie er sich fühlte. Auf einem Feldweg wanderte er durch ein weites, grünes Tal und in die hügelige Landschaft hinein. Er folgte dem Glen Roy, dessen Lauf meilenweit zu überschauen war; schon als er knapp die Hälfte des Weges zurückgelegt hatte, erblickte er die berühmten drei ‹Parallelstraßen›, die neben dem Fluß verliefen. Sie zählten zu den großen geologischen Rätseln und waren der Grund seines Kommens. Im Grunde handelte es sich nicht um ‹Straßen›. Als er auf der mittleren stand, merkte er, daß sie nicht ganz waagrecht war. Es war ein schräges, knapp zwanzig Meter breites Schelf mit einer zwanzigprozentigen Neigung. Dasselbe galt für die beiden anderen Terrassen, die sechzig Meter unter beziehungsweise dreißig Meter über ihm verliefen. Diese ‹Parallelstraßen› führten um das ganze, tief eingeschnittene Tal herum, so weit das Auge reichte, während dahinter in zwölf Meilen Entfernung Großbritanniens höchster Gipfel, der Ben Nevis, das Panorama vervollständigte, ein schneebedeckter Wächter, der diese rätselhafte Formation beschützte.

Von all den Panoramen, die sein Geologenauge je erblickt hatte, hatte Darwin keines so fasziniert – ‹nicht einmal die erste Vulkaninsel, der erste emporgetauchte Strand oder die Überquerung der Kordilleren›. Er wußte, daß diese ‹Straßen› seit Jahren Geologen angelockt hatten. Waren sie Spuren eines prähistorischen Sees, der in drei Schüben abgesunken war und jedesmal eine Uferlinie in den Berg geschnitten hatte? Manche meinten das und nahmen an, daß das Tal einst von einem Damm verschlossen gewesen war, der das Wasser des Sees aufstaute.

Darwin näherte sich dem Glen Roy, bewaffnet mit seiner Theorie von einer oszillierenden Erdkruste. Er hatte solche Terrassen in Chile gesehen; dort waren die ‹Straßen› mit Muscheln übersät – es handelte sich offenkundig um alte Strände. Wenn die Berge um den Glen Roy ebenfalls schrittweise aus dem Meer emporgetaucht waren, mußten alte Küstenlinien ein aufschlußreicher Beleg dafür sein. Erwiesen sich die ‹Parallelstraßen› als Meeresufer, dann wäre dies eine weitere Bestätigung seiner globalen geologischen Theorie. Er war davon überzeugt, daß es sich um alte Meeresstrände handeln müsse, selbst wenn er keine verräterischen Rankenfußkrebse oder Seemuscheln fand. Sie waren am Meeresspiegel entstanden, und danach hatte sich das Land in drei Phasen gehoben.

Zufrieden machte er sich mit prallvollem Notizbuch auf die Heimfahrt. ‹Acht gute Tage am Glen Roy› hatten das Wunder vollbracht. ‹Meine Exkursion nach Schottland war ein großer Erfolg.›[38] Er fühlte sich fabelhaft.

18

Heirat und malthusische Ehrbarkeit

Gestärkt und voll Optimismus kehrte Charles im Juli 1838 über Shrewsbury zurück. Seine Überlegungen zu den religiösen Implikationen seiner Theorien hatten ihn aufs äußerste erregt, so daß er beschloß, alles mit einem klugen alten Freigeist zu besprechen: seinem Vater. Auch die Möglichkeit einer Heirat stand mehr denn je zur Debatte. Drei Wochen nachdem Emma Wedgwood in der Great Marlborough Street seine Blicke auf sich gezogen hatte, erwog er seine Optionen und suchte Rat.

Vater Darwin sah klar die sich auftuenden Schwierigkeiten. Charles riskierte, sich in einer Falle zu fangen. Die Darwins und die Wedgwoods waren miteinander durch Heirat verbunden und durch ihre Religion getrennt. Seit der alte Erasmus Darwin den Unitarismus von Großvater Josiah Wedgwood als ‹Federbett zum Auffangen eines strauchelnden Christen› geschmäht hatte, war die Religion ein wunder Punkt zwischen den beiden Familien gewesen; wenn Charles also ernste Absichten in bezug auf die Cousine Emma hatte, mußte er sich in acht nehmen. Der Vater riet ihm, seine religiösen Zweifel für sich zu behalten, damit sie nicht ‹äußerstes Unheil› stifteten. Dr. Darwin sprach aus Erfahrung. ‹In der Regel ging alles ziemlich gut, bis die Gesundheit der Frau oder des Mannes nachließ›, sagte er. ‹Dann mußten manche Frauen schrecklich leiden, weil sie an der Erlösung ihrer Männer zweifelten, mit der Folge, daß auch die Männer zu leiden hatten.›[1] Die Wedgwood-Frauen fürchteten speziell um das ewige Seelenheil ihrer Männer.

In gewisser Weise schien Vater Darwins Rat prophetisch, da Charles jetzt viele geheiligte Wahrheiten anzweifelte und von Krankheiten mitgenommen war.

Geld war ein weiterer Gesichtspunkt, der das eheliche Glück beeinträchtigen konnte. Auch hierzu mußte der Vater konsultiert werden, und Charles verfeinerte während des Aufenthalts zu Hause seine Kosten-Nutzen-Analyse der Ehe. Er setzte sich noch einmal mit den Pro und Contra von Nachwuchs auseinander, wog Auslagen gegen Verpflichtungen ab und künftige Sicherheit gegen verlorene Muße. Seine Kalkulationen waren in ihrer schonungslosen Offenheit typisch für die vermögende Klasse. Nachdem er sich täglich über Tierzucht Notizen gemacht hatte, schien es nur natürlich, auch an die eigene Fortpflanzung in derselben perfektionistischen Weise und mit derselben zweckdienlichen Distanz heranzugehen.

Auf einem blauen Blatt Papier ließ er seiner Phantasie in eigener Sache die Zügel schießen und brachte folgende Pro- und Contra-Spalten zustande:

Heiraten	*Nicht heiraten*
Kinder (so Gott will). Ständige Gefährtin (und Freundin im Alter), die sich für einen interessiert. Jedenfalls besser als ein Hund. Eigenes Heim und jemand, der den Haushalt führt. Charme von Musik und weiblichem Geplauder. Diese Dinge gut für die Gesundheit – *aber schreckliche Zeitverschwendung.*	Freiheit, hinzugehen, wo man will. Wahl der Gesellschaft, und *wenig* davon. Gespräche mit klugen Männern in Clubs. Nicht gezwungen, Verwandte zu besuchen und sich in jeder Kleinigkeit zu unterwerfen. Kosten für Kinder, Sorgen um sie. Vielleicht Streit. Zeitverlust. Keine Lektüre an den Abenden. Man wird fett und faul. Angst und Verantwortung. Weniger Geld für Bücher usw. Wenn viele Kinder, Notwendigkeit eines Brotberufs (dabei ist es sehr schlecht für die Gesundheit, zuviel zu arbeiten).
Mein Gott, es ist unerträglich, sich vorzustellen, daß man sein ganzes Leben lang wie eine geschlechtslose Arbeitsbiene nur schuftet und sonst nichts hat. Nein, nein, das geht nicht. Stell dir vor, den ganzen Tag allein in einem verrauchten, schmutzigen Londoner Haus zu verbringen. Halte das Bild einer lieben, sanften Frau auf einem Sofa am Kaminfeuer mit Büchern und Musik dagegen. Vergleiche diese Vision mit der schäbigen Realität der Great Marlborough Street. Heiraten – heiraten – heiraten. Q. E. D.	Vielleicht mag meine Frau London nicht; dann lautet das Urteil Verbannung und Degradierung zu einem nutzlosen, faulen Narren.

Trotz aller Einwände hatte sich die Waagschale bereits zugunsten der Ehe geneigt.

Was die frustrierte ‹geschlechtslose Arbeitsbiene› benötigte, war eine sanfte, ungesellige Gattin mit einer Mitgift, die es ihm gestattete, ungestört zu arbeiten. Ohne eine Frau gab es kein Weiterleben durch Kinder, ‹kein zweites Leben›, wie Darwin es nannte. Die ‹Arbeitsbiene› beschloß, die Kaste zu wechseln. Das bedeutete freilich: ‹Ich werde nie Französisch können oder den Kontinent sehen, oder nach Amerika fahren, oder in einem Ballon aufsteigen. [...] Macht nichts, mein Junge. Kopf hoch! Man kann nicht dieses einsame Leben führen mit der Aussicht auf ein kaltes und kinderloses Alter, vielleicht wirr im Kopf und ohne Freunde, und die ersten Falten zeigen sich schon. Was soll's, vertraue auf dein Glück. Halte die Augen offen.› So schlimm würde es schließlich nicht kommen. ‹Es gibt viele glückliche Sklaven.›[2]

Noch besser, wenn seine Frau ‹ein Engel war und Geld hatte› – wie Emma. Sie war Josiah Wedgwoods Enkelin, Hensleighs Schwester (und Erasmus' alte Gefährtin) und nahezu die einzige heiratsfähige Tochter, die in Charles' engerem Familienkreis übrig war. Noch wichtiger: Sie brachte ihr Geld als Mitgift mit, was sie attraktiver machte als eine unabhängige, berufstätige Frau wie die Martineau. Emma war verläßlicher, sie bot Sicherheit, und da sie seine Cousine war, ließen sich die Kosten genau berechnen. Onkel Josiah hatte seinem Sohn Josiah III. einen Pfandbrief für 5000 Pfund und ein jährliches Einkommen von 400 Pfund ausgesetzt, als er im Jahr zuvor Charles' Schwester Caroline geheiratet hatte. Angesichts so vieler Heiraten zwischen Cousins und Cousinen ersten Grades würde Charles weniger ein neues Band zwischen den Darwins und den Wedgwoods knüpfen, als vielmehr dem vorhandenen Seil einen weiteren lukrativen Strang hinzufügen.

Die Heirat war also beschlossene Sache – er würde sich eine Frau anschaffen und keinen Hund. Auf die naheliegende Frage nach dem Termin riet ihm der Vater, ‹bald› zur Tat zu schreiten. Charles stimmte zu. Emma war ideal, bereits ein Muster an Häuslichkeit. Sie eignete sich zur Krankenschwester, zur Matrone und zur Beschützerin und würde ihm die Behaglichkeit und die Abgeschiedenheit gewährleisten, die er sich in seinen vier Wänden ersehnte. Allerdings hielt er sich für so ‹abstoßend reizlos›, daß er tatsächlich zweifelte, ob sie ihn nehmen werde. Schließlich meinte er: ‹Ich beschloß ... mein Glück zu wagen.›[3]

Charles notierte, er sei ‹in Shrewsbury sehr müßig› gewesen, was bedeutete, daß er verbissen arbeitete, ohne auf einen grünen Zweig zu kommen. Die Zeit verging ohne Patentlösungen für seine Abstammungsprobleme. Dennoch arbeitete er; zu Hause, in Sicherheit, begann er zwei neue, ledergebundene Notizbücher, eines in der Transmutationsreihe (‹D›), das andere (‹M›) über die allgemeineren Konsequenzen. Er packte jetzt die materialistischen Mysterien an und ging daran, die evolutionäre Basis des moralischen und sozialen Verhaltens zu erforschen. In den ‹müßigen› zwei Wochen schrieb er sechzig Seiten des ‹M›-Notizbuchs voll, wobei die einleitenden Worte, ‹Mein Vater sagt ...›, den Ton angaben.

Seine hingeworfenen Stenogramme wurden frenetisch. Er versuchte immer noch zu erklären, wie sich Instinkte, irgendwie im Gehirn codiert, von einer Generation auf die andere vererbten. Zu diesem Zweck fragte er seinen Vater nach dessen schwachsinnigen Patienten aus, nach der Wirkung von Schlaganfällen, Senilität, den Anzeichen von Geisteskrankheiten und den Eigenarten des Gedächtnisses. Er hörte sich Anekdoten über alte Leute an, die sich zwar nichts mehr merken konnten, trotzdem aber fast instinktiv Lieder aus ihrer Kindheit singen konnten, und zwar in einer Weise, die mit der ‹singender Vögel vergleichbar› war. Eine Erinnerung, die, ohne daß sich der Betreffende ihrer bewußt war, in ihm geschlummert hatte, ließ die Vorstellung von ‹Erinnerungen›, die ebenso wie Instinkte von einer Generation an die nächste weitergegeben wurden, weniger ‹wunderbar› erscheinen.[4] Vielleicht war auch der Instinkt nichts weiter als eine physisch im Gehirn verzeichnete unbewußte Erinnerung.

Gleich nach seinen Gesprächen mit dem Vater und nach seiner Kalkulation der Kosten einer Eheschließung war Charles bereit, den Sprung zu wagen. So ritt er am 29. Juli ‹in erwartungsvoller Stimmung› nach Maer hinüber. Auch Emma hoffte, daß Charles, wenn sie sich öfter sahen, ‹mich wirklich mögen würde›. Sie flüsterten lange miteinander und kamen sich später bei einer intimen Plauderei am behaglichen Kaminfeuer der Bibliothek noch näher. Das Thema Heirat wurde nicht angeschnitten – sei es, weil es noch zu früh war, sei es, weil Charles nicht den Mut dazu fand –, doch sie freuten sich beide auf ‹einen weiteren Plausch›.

Bedauerlicherweise warf Charles bei Emmas Anblick die Ratschläge seines Vaters über Bord. Er kannte seine Cousine schon zu lange, um Geheimnisse vor ihr zu haben. Seine heterodoxe Gehirnkunde beschäftigte ihn immer noch. In The Mount hatte er gestanden, daß der freie Wille keinen Platz in seinem determinierten Weltsystem habe, und diesen Materialismus nahm er auch nach Maer mit. Das Nervengewebe unterstand der eisernen Herrschaft von Gesetzen – wie konnte das Denken daher frei sein? Er schien tiefer zu sinken, und es erschreckte ihn. Seine Notizen betrafen jetzt die Psychologie der Panik; seine Aufmerksamkeit richtete sich nach innen. ‹Ich bin nachts aufgewacht, habe mich etwas unwohl gefühlt und große Angst gehabt [...] Die Empfindung von Furcht wird von erregtem Herzklopfen, Schwitzen und Muskelzittern begleitet.› Bei ihren Gesprächen muß er Emma, außerstande, sie von seinem Geheimnis auszuschließen, sein Herz in mehr als einer Weise geöffnet haben. Seine Aufzeichnungen aus Maer, mit neuer Tinte und in einer neuen Tonart, deuten darauf hin, daß er über Emmas Reaktion bestürzt war. Er begann Mittel zu ersinnen, um seinen Materialismus zu tarnen, und ermahnte sich, ihn nicht zu erwähnen, nur von ererbtem geistigem Verhalten zu sprechen. ‹Um dir nicht anmerken zu lassen, wie weitgehend du an den Materialismus glaubst›, warf er eilig aufs Papier, ‹sage nur, die Emotionen, Instinkte und Begabungsgrade seien deshalb erblich, weil das Gehirn des Kindes dem der Eltern gleicht.›[5] Er lernte, seine Worte behutsam zu wählen.

Er hätte auf seinen Vater hören sollen. Der hatte ihn zum Schweigen ermahnt – Emma brachte ihn zum Plaudern. Doch das war wahrscheinlich leicht, denn er besaß eine Qualität, die Emma mehr als alle anderen schätzte: ‹Er ist der offenste, transparenteste Mann, den ich je sah, und jedes seiner Worte drückt seine wahren Gedanken aus.› Und so dürfte er auch das Thema Evolution angeschnitten haben, aber wieder scheint sie ihn erschreckt zu haben, indem sie ihm peinliche Fragen nach den frühesten Ursprüngen stellte. Was auch immer gesagt wurde, er erkannte die Schwierigkeit, einen Menschen zu überzeugen, und kehrte ernüchtert und mit der Warnung an sich selbst, sein Revier einzuschränken, zu seinem Notizbuch zurück. Er müsse der Frage nach den Ursprüngen ausweichen und nur erklären, wie sich Organe beziehungsweise Tiere *veränderten;* sonst ‹wird es nötig werden zu zeigen, wie das erste Auge entstanden ist›.[6] Und das konnte er nicht.

Am 1. August fuhr er nach London zurück. Er stand an der Schwelle, bereit, sich ins Familienleben einzuspinnen, während er die überkommenen anglikanischen Glaubensinhalte aus den Angeln hob. Dabei war er davon überzeugt, daß seine wissenschaftlichen Erkenntnisse nicht nur richtig, sondern ebenso umstürzlerisch waren wie die Galileis. ‹Meine Theorie ist kühn›, räumte er ein; sie war eine Erklärung der menschlichen Abstammung, welche die Philosophie und die Ethik revolutionieren würde. Triumphierend formulierte er: ‹Abstammung des Menschen jetzt bewiesen. Metaphysik muß florieren. Wer Pavian versteht, wird mehr für die Metaphysik tun als Locke.› Diese Ankündigungen von Unsterblichkeit hatten banalere Folgen. Ein zunehmendes Bewußtsein der eigenen Bedeutung veranlaßte ihn, seine Notizen zu datieren und ein Tagebuch zu beginnen, in dem er die wichtigsten Ereignisse in seinem Leben verzeichnete. Er schrieb auch eine 1700 Worte umfassende Erinnerung an seine Kindheit im Alter von vier bis elf Jahren. All dies waren Anzeichen eines Wandels, einer neuen Zuversicht, daß seine wissenschaftlichen Pionierleistungen nicht ohne Anerkennung bleiben würden.[7]

Nach einigen Tagen in London fiel ihm eine Rezension der *Abhandlung über die Philosophie des Positivismus* des französischen Mathematikers Auguste Comte in die Hände, die ihn faszinierte und ihm bestätigte, daß seine Weltsicht die richtige war. Im Athenaeum Club vertiefte er sich darein, ergötzte sich an den verdeckten Seitenhieben auf Whewell und pries den Tenor als ‹großartig›. Reife Wissenschaft war für Comte durch den Glauben an die Herrschaft von Gesetzen gekennzeichnet, ganz so, wie auch Darwin meinte. Alle anderen Ansätze seien bloße Relikte aus der ‹theologischen› Phase der menschlichen Entwicklung (Comte war Atheist), in der man sich auf die Hand Gottes verlasse, oder aus der mittelalterlichen ‹metaphysischen› Phase, die von einer Welt ausgehe, welche von ungreifbaren Emana-

tionen und mystischen Einflüssen beherrscht sei. Dieses historische Voran-
schreiten zur modernen Wissenschaft hatte einen universellen Anspruch;
Darwin fragte sich sogar, ob Kinder nicht ähnliche Stadien durchmachten
und in ihrer geistigen Entwicklung den kulturellen Fortschritt rekapitulier-
ten. → s. Heckels Hypothese!

Comte glaubte, daß echte Erkenntnis nur aus ‹positiven› Fakten bestehen
könne (weshalb seine Anhänger als ‹Positivisten› bezeichnet wurden). Seine
Vorstellung von einem ‹theologischen Stadium der Wissenschaft› sei ein
‹großartiger *Gedanke*›, notierte Darwin. Und ungeheuer nutzbringend; damit war ein neues abwertendes Etikett für die zu überwindende ‹Wissenschaft› nach Cambridger Art gefunden. ‹Selbst die Zoologie ist heute rein
theologisch›, stellte Darwin fest. Wilde wie York Minster, die ‹Donner und
Blitz für den direkten Willen Gottes halten›, seien kaum weniger primitiv
als der wundergläubige ‹Philosoph, der behauptet, das angeborene Wissen
von einem Schöpfer sei uns ... durch einen besonderen Akt Gottes eingepflanzt worden›, statt sich in Einklang mit ‹seinen großartigsten Gesetzen›
zu entwickeln.

Göttliche Anthropomorphismen und Animismen waren passé; Comte
gab sich damit zufrieden, ‹Fakten auf Gesetze zurückzuführen›. Der Rezensent, den Darwin in Athenaeum Club las, sträubte sich zwar noch dagegen, Comte *allzu* weit zu folgen, aus Furcht, daß sein hemmungsloser Positivismus ‹die Quellen von Moral und Religion› vergiften könnte. Aber
Darwin war dem bereits um einen Schritt voraus und tat, was der Kritiker
fürchtete. Selbst ‹unser Wille erwächst vielleicht› aus den ‹Organisationsge-
setzen›, erklärte er; ‹dazu tendieren meine Ansichten›. Einige Tage später las
er den Artikel nochmals so aufmerksam, daß er von der Anstrengung Kopfschmerzen bekam. Die vertrieb er sich mit der Lektüre von Dickens. Doch
seine Migräneanfälle verschlimmerten sich, und er besuchte schließlich die
Werften von Woolwich, ‹um mich geistig zu entspannen›.[8]

Auch andere waren von Comtes Positivismus fasziniert. Die Martineau
fing sofort an, sein Buch zu übersetzen, und schrieb ekstatisch: ‹Plötzlich befinden und bewegen wir uns in der Mitte des Universums ... nicht unter lau-
nenhaften und willkürlichen Bedingungen ... sondern unter großen, allgemeinen, unveränderlichen Gesetzen, die auf uns als Teil eines Ganzen
einwirken.› Darwin hatte sich bereits ähnlichen Überlegungen hingegeben;
der Positivismus hatte sie einfach verstärkt. ‹Was für eine großartige Weltsicht sich jetzt eröffnet!› rief er aus. Gewaltige Gesetzmäßigkeiten beherrschten das Klima, die Landschaft, die Veränderungen in Tieren und
Pflanzen, und alles war synchronisiert ‹durch bestimmte Harmonieregeln›.[9]

Das war ‹viel großartiger› als die perverse Vorstellung, daß Gott jede Muschel und jede Schnecke individuell geformt habe. Der Allmächtige, der
persönlich ‹eine lange Kette ekliger Weichtiere erschafft – das ist doch unter

seiner Würde›! Darwin war dabei, eine überzeugende Strategie auszuarbeiten, wie Babbage, der Gott seine Allmacht zurückgab, wie die Dissenters,
die dem Schöpfer zu einer gewissen Folgerichtigkeit verhalfen. Was waren
Wunder schließlich anderes als das Hineinpfuschen Gottes in sein eigenes
Werk? Seine Gesetze herrschten über alles; spätere Eingriffe waren nicht
nötig. Die Unitarier wußten das, Darwin ebenso. Nur eine ›verkorkste
Phantasie‹ konnte Gott ›gegen genau die Gesetze aufbegehren lassen, die er
in der gesamten organischen Natur eingeführt hatte›.[10] Insgeheim suchte
Darwin Anschluß an die größere Unitarierbewegung, und um sich die Unterstützung der Dissenters zu sichern, bereitete er sich auch darauf vor, eine
größere Öffentlichkeit mit Fanfarenstößen aufzuwecken.

Seine Leugnung des freien Willens schob Darwin näher an den metaphysischen Abgrund. Er führte Denken und Verhalten jetzt konsequent auf
Gehirnstrukturen zurück, reduzierte sie auf Teile des Gehirns. Wenn Wünsche ein Ergebnis neuraler Organisation seien und sich unter den Gegebenheiten von ›Umständen und Erziehung‹ entwickelten, dann könne anti-
soziales Verhalten geerbt werden. ›Die Mängel der Väter werden dann
materiell und physisch auch die Kinder heimsuchen.› *Das* war erschreckend.
Wenn man anerkannte, daß Verhaltens- und Denkmuster geerbt wurden,
dann ›würde dies den Menschen zu einer neuen Art von Anhänger der Prädestinationslehre machen, weil er dann dem Atheismus zuneigen würde›.
Aber Darwin war kein Atheist. Er ging davon aus, daß all dies aus Gottes
Naturgesetzen resultierte, und wenn es den Anschein hatte, zu einer gottlosen Schlußfolgerung zu führen, dann würde ein ›Mensch ... ernsthafter beten: «Erlöse uns aus der Versuchung»›. Andererseits könne die Anerkennung
dieses evolutionären Determinismus das menschliche Verhalten transformieren, denn ein Vater würde ›danach streben, seine Gehirnstruktur um
seiner Kinder willen zu verbessern›. Männer ›würden nur gute Frauen heiraten und der Erziehung ihrer Kinder große Aufmerksamkeit widmen, um
es ihnen dadurch zu ermöglichen, glücklich zu werden›.[11]

Während er dies schrieb, las er eine Vertreterin der Prädestinationslehre
alten Schlages, Harriet Martineau. Sie argumentierte gegen jeglichen ›universellen Moralanspruch‹ und behauptete, ›richtig‹ und ›falsch‹ seien bei den
Menschen kulturell bedingt und keine spirituelle Mitgift. Dieser moralische
Relativismus war unter den radikalen Dissenters verbreitet, und Darwin war
nach seinen Aufenthalten in Feuerland und Neuseeland dafür empfänglich.
Er stimmte dem Axiom der Martineau zu, wonach moralische Normen
durch äußere Einflüsse entstanden und alle Laster und Tugenden von ihrem
sozialen Kontext abhingen.[12] Mitmenschen in Stammeskriegen zu massakrieren oder altruistisch Leben zu retten, konnte gleichermaßen als Tugend
gelten; sie manifestierte sich auf diesem Erdball in bizarrer und unvorher-
sagbarer Weise.

Was sollte man sagen, wenn polynesische Mütter aus Pflichtgefühl ihre Kinder ertränkten oder östliche Potentaten über englische Könige lachten, weil sie nicht hundert Frauen hatten? Dieses moralische Spektrum sei nicht seltsamer als Hunderassen, die unterschiedliche Instinkte aufwiesen. Und die Tatsache, daß alle Menschen über eine (wie auch immer geäußerte) Moral verfügten, sei darauf zurückzuführen, daß ‹der Mensch ebenso wie Reh und Hirsch› ein ‹soziales Tier› sei. Moralische Handlungen seien ebenso instinktiv wie der Warnruf eines Hirsches. Sie hätten sich aus den sozialen Instinkten entwickelt, um den Zusammenhalt der menschlichen Urhorden zu stärken. Sie seien sozial nützlich, weil sie dazu beitrügen, die Beziehungen zu festigen. Auch die christlichen Gebote ‹Tu anderen wie dir selbst› und ‹Liebe deinen Nächsten wie dich selbst› hätten sich ganz natürlich aus den ‹sexuellen, elterlichen und sozialen Instinkten› unserer Vorfahren entwickelt.

Darwin merkte, daß sich seine evolutionären Gebote und die Moral des Neuen Testaments ‹sehr stark annäherten›. Beide führten zu ähnlichen Verhaltensweisen. Beide forderten, daß sich Menschen aus ‹Furcht vor künftigem Unglück› moralisch verhielten, wobei es dem um seine Kinder besorgten Evolutionisten um das Diesseits ging, dem Christen um das Jenseits. Seine Pflicht vor Gott zu erfüllen, bedeutete für beide, für künftiges Glück zu sorgen.[13] Bis zum Herbst 1838 hatte Darwin all die sozialen und moralischen Konsequenzen mit Hensleigh, der Martineau und Erasmus ausdiskutiert und sie in seine Evolutionstheorie eingearbeitet, was deren Tragweite enorm erweiterte.

Er hatte so viele Töpfe auf dem Feuer, daß manche anfingen überzukochen. Sein ganz auf Korallenriffe beschränktes Geologiebuch machte langsame Fortschritte; er versuchte zu beweisen, daß der Glen Roy ein ehemaliger Meeresarm sei; und die *Zoology*-Reihe ‹ermordet einen Großteil meiner Zeit›. Die Notizbücher kosteten ihn viel Kraft, und das *Journal* war noch nicht erschienen. Lyell hatte die Fahnenabzüge für die ‹*saftige*› neue Ausgabe seines Lehrbuchs *Elements of Geology* geplündert, und Darwin empfand Genugtuung, daß er ‹so unendlich viel mehr Gebrauch von meinem *Journal* gemacht hat, als ich erwartet hätte›. Es gab aber noch immer keine Anzeichen für FitzRoys Band und auch kein Erscheinungsdatum. Lyell beklagte sich in seinem eigenen Vorwort über die Verzögerung, und Darwin vermerkte, daß FitzRoy ‹ein ziemlich finsteres Gesicht machte› und ‹ein Knurren von sich gab›, als er es las. ‹Ich höre nie auf, mich über seinen Charakter zu wundern›, berichtete er Lyell, ‹der so voll von guten und großzügigen Eigenschaften ist, aber durch diesen unseligen Jähzorn ruiniert wird.› Er schloß: ‹Irgendein Teil der Organisation seines Gehirns bedarf der Reparatur›, womit er unter der Hand ein Thema einführte, das ihm viel bedeutete.

Andere Zornesäußerungen faszinierten ihn. Er verbrachte viele Stunden mit der Beobachtung der Paviane im Zoo und dem Versuch, das Spiel ihrer Augenbrauen zu deuten. Er neckte Affen, indem er ihnen Nüsse vorenthielt, um sie zu einem ‹mürrischen› Gesichtsausdruck zu veranlassen. Ähnlich gereizt reagierte der neue Orang-Utan; ‹er warf sich auf den Rücken, strampelte mit den Beinen und kreischte wie ein ungezogenes Kind›. Darwin wagte sich in den Käfig der Äffin, um ihre verschämte, durchtriebene oder fragende Miene aus der Nähe zu studieren. Auf ihr Spiegelbild reagierte sie mit einem Schmollen; sie benutzte Strohhalme als Werkzeug, spielte Mundharmonika und versteckte sich, wenn sie ungehorsam gewesen war.[14] Der Schmollmund und der beschämte Gesichtsausdruck waren überaus menschlich und zeugten von ähnlichen mentalen Zuständen, was Darwin erneut zu dem Schluß veranlaßte, zwischen einem feuerländischen Wilden und einem zivilisierten Affen bestehe keine große Kluft.

Selbst das menschliche Wutverhalten habe sich entwickelt. Wir hätten Emotionen wie ‹Rache und Zorn›, sosehr diese auch sublimiert seien, weil sie unseren äffischen Vorfahren genutzt hätten. Die Wurzel ‹all unserer bösen Leidenschaften› sei ‹somit unsere Abstammung›, notierte Darwin. Gut und Böse seien weniger moralische Absoluta als vielmehr äffische Attribute. Oder, um es plastischer auszudrücken: ‹Der Teufel in Gestalt des Pavians ist unser Großvater!› Die Evolution erklärte die Leidenschaften in einer Weise, wie nichts anderes es konnte. Erasmus machte sich darüber lustig, daß Plato dachte, ‹unsere «*notwendigen Ideen* [von Gut und Böse]» entstehen durch die Präexistenz der Seele› und seien ‹nicht aus Erfahrung ableitbar›, was Darwin mit der Bemerkung krönte: ‹Lies Affen statt Präexistenz [der Seele].›[15]

Am 6. September beendete er den für die Royal Society bestimmten Glen-Roy-Artikel. Er begann, unersättlich zu lesen, insbesondere Bücher über menschliche Statistik, in denen das gesetzartige moralische und soziale Verhalten von Populationen hervorgehoben wurde. Religion, Moral und Abstammung beherrschten jetzt seine Gedanken. Er ackerte immer noch einsam vor sich hin und behielt seine Gefühle und Ängste für sich. Mitte September eröffnete er Lyell zaghaft, er sinne ‹über Klassifizierung, Affinitäten und Instinkte von Tieren im Zusammenhang mit der Artenfrage› nach; ‹ein Notizbuch nach dem anderen ist gefüllt worden mit Fakten, die sich *klar* zu Untergesetzen zusammenfügen›.[16] Lyell hätte daraus die Richtung, in die seine Forschung zielte, zwar nicht erraten können, aber es war ein Fingerzeig.

Darwin war isoliert. Er benötigte einen Bundesgenossen von Lyells Format. Er war auch verletzbar, und eine Woche später, am 21. September, übersetzte sich seine Verfolgungsangst in einen merkwürdigen Hinrichtungstraum. Es war kein düsterer Alptraum; so, wie er ihn schilderte, klang es fast frivol. Doch war der Traum lebhaft genug, daß Darwin sich am nächsten Tag an ihn erinnerte. Er hatte geträumt, ‹daß jemand gehenkt wurde und wieder zum Leben erwachte und dann viele Witze darüber riß, daß er nicht weggelaufen sei, sondern dem Tod wie ein Held ins Auge geblickt habe›. Hier war Darwin, der, nachdem er einen wissenschaftlichen Standpunkt bezogen hatte, immer noch in seinem ‹Gefängnis› in der Great Marlborough Street schmachtete und darauf wartete, sich damit zu verteidigen, daß seine Auffassungen nicht strafbar seien; vielleicht erinnerte er sich auch an den armen Teufel, der während seines Aufenthalts in Cambridge gehenkt worden war. Dann fiel ihm aus seiner Anatomiezeit ein, daß ein Gehenkter nicht ins Leben zurückkehren kann; deshalb wechselte er mitten im Traum zu einer Enthauptung über, deren Opfer mit Genugtuung ‹auf die Wunde hinten [im Nacken] hinwies›, wo ihm der Kopf abgeschnitten worden war, um zu beweisen, daß er ‹ehrenhafte Blessuren› davongetragen habe.[17] Der Evolutionist war an die Stelle des Straßenräubers getreten und berief sich zwar auf ehrenhafte Motive, mußte jedoch den Preis für seinen Verrat bezahlen.

Nach wie vor von Statistiken fasziniert, setzte der Verurteilte seine Lektüre fort. Ende September griff er zu der sechsten Ausgabe von Malthus' *Essay on the Principle of Population,* der polemischen Schilderung einer Menschheit, die sich stärker vermehrte als ihre Nahrungsproduktion, mit der Folge, daß die Schwachen und Unbedachten im Kampf um die verfügbaren Ressourcen unterlagen.

Malthus war selten aktueller gewesen. Auf dem Tiefpunkt der Wirtschaftskrise mit noch nie dagewesener Not waren das Armengesetz und die Hungeraufstände überall Tagesgespräch. Immer noch wurden Arbeitshäuser überfallen und Kommissare mit Steinen beworfen. Malthus hatte die öffentliche Fürsorge verurteilt, und die Aufständischen verabscheuten alle malthusischen Ideen, auf die sich das neue Armengesetz berief. Inzwischen hatten sich die Dissidentengruppen unter einem gemeinsamen Dach, dem sogenannten Chartismus, zusammengetan; sie unterstützten die Volkscharta, eine Liste, in der das allgemeine Wahlrecht, jährliche Wahlen und bezahlte Volksvertreter gefordert wurden. Dies war eine landesweite Massenbewegung, und das neue Armengesetz war eines ihrer wichtigsten Angriffsziele. Christliche Chartisten verurteilten ein System, das ‹den notleidenden Armen das ihnen von Gott gegebene Recht auf eine würdige Unterstützung auf ihrem heimatlichen Boden› vorenthalte. Sie marschierten im September unter Bannern, die mit dem Psalmisten verkündeten: ‹Bleibe im Lande und nähre dich redlich.› Die Reden der Chartisten, in denen die ‹grausamen und verabscheuungswürdigen Lehren der Malthusianer› verdammt wurden, wurden in den Fabrikstädten von Zehntausenden gehört, und die *Times* berichtete darüber.[18] Ob er nun verklärt oder verteufelt wurde, Malthus konnte man nicht ignorieren.

Natürlich kannte Darwin seine Theorie. Wie hätte es anders sein können, da die Martineau bei ihm zu Gast war? Wenn man den Armen die Fürsorge strich, dann verstärkte sich die Konkurrenz zwischen den Arbeitern, und die Steuern sanken. Konkurrenz war das Allerwichtigste, was Malthus in den 1830ern zu einem Geschenk des Himmels für die Befürworter des Freihandels unter den Whigs machte. Aber was Darwin in seinem dafür aufgeschlossenen Zustand am meisten beeindruckte, war Malthus' Umgang mit der Statistik. Malthus ging davon aus, daß sich die Menschheit, wenn sie nicht gebremst werde, in nicht mehr als fünfundzwanzig Jahren verdoppeln könnte. Aber sie würde sich nicht verdoppeln; täte sie es, dann bliebe kein Lebensraum mehr auf der Erde. Der Kampf um die Ressourcen verlangsame das Wachstum, und ein Bündel von Schrecknissen, Tod, Krankheit, Kriege, Hungersnot, setzten der Vermehrung Grenzen. Darwin erkannte, daß derselbe Kampf in der ganzen Natur stattfand, und er begriff, daß er in eine wahrhaft schöpferische Kraft verwandelt werden könnte.

Bisher hatte er geglaubt, es würden nur genügend Individuen geboren, um eine Spezies stabil zu halten. Jetzt sah er ein, daß sich Populationen auch über das ihnen zuträgliche Maß hinaus vermehren konnten. Ebenso wie die Initiatoren des Armengesetzes bewies auch die Natur keine Mildtätigkeit; wie die wachsenden Scharen von Abfallsammlern auf den Londoner Müllhalden waren die einzelnen zu einem harten Existenzkampf gezwungen und ständig vom Hungertod bedroht. Malthus schärfte Darwins Blick für diese Zusammenhänge. Andere, wie der Botaniker Augustin de Candolle, hatten geschrieben, daß Pflanzen ‹Krieg gegeneinander› führten. Aber niemand, fand Darwin, mache einem den ‹Krieg zwischen den Arten› so klar wie Malthus.[19] Und de Candolle hatte auch gemeint, nur eine Art kämpfe gegen eine andere um Raum – niemand hatte die Auffassung vertreten, daß dies auch ein Bürgerkrieg sei, der unter den Angehörigen *derselben* Spezies tobe. In der Gesellschaft und in der Natur hätten sowohl Schwache als auch Starke zu kämpfen, und nur die Besten überlebten. Das Gesicht der Natur lächelte nicht mehr; es blickte finster auf eine Gladiatorenarena herab, die übersät war mit den Leichen der Verlierer.

Dieser Populationsdruck werde zu einer ‹Kraft wie hunderttausend Keile›, die zwischen die Mitglieder einer Spezies getrieben würden und ‹Lücken schlagen, indem sie Schwächere verdrängen›.[20] Die am besten angepaßten Spielarten überlebten, um sich zu vermehren, und expandierten auf Kosten der übrigen, so daß sich die ganze Spezies langsam verändere. Derselbe ‹starke Bevölkerungsdruck›, der die Menschen aus ihrer Trägheit rüttle, halte das Leben auf seinem Gipfel der Vollkommenheit.

In Darwins Natur fallen die vielen, damit die wenigen Fortschritte machen können. Der Tod nahm eine neue Bedeutung an, und er schien überall auf dem Vormarsch; bei steigender Arbeitslosigkeit und Obdachlosigkeit zogen die medizinischen Statistiker ihre ‹Bilanz des Todes› (Sterblichkeits-statistiken) unter den Slumbewohnern.[21] Die Bücher der Natur waren dauernd geöffnet; der schwarzgekleidete Gevatter legte die Feder nie aus der Hand. Der Fortschritt war weniger ein Hymnus auf die Güte Gottes als ein Klagelied, das den unbarmherzigen Kampf begleitete. Sowohl die Darwinsche Naturwissenschaft als auch die Gesellschaft mit ihrem Armengesetz wurden jetzt in Einklang mit Malthus' wettbewerbsorientierten Thesen reformiert. Skrupellose Konkurrenz war die Norm; sie garantierte den Fortschritt des Lebens und eine kapitalistische Gesellschaft mit niedrigen Löhnen und hohen Gewinnen.

Die Emigration schwoll 1838 in dem Maße an, wie die Fabriken schlossen und die Entlassungen zunahmen. Die Anzahl der ‹überschüssigen› Arbeiter, die in die Kolonien verfrachtet wurden, stieg exponentiell an. Malthus sanktionierte einen solchen Ausweg in der sechsten Auflage seines Werkes, die sich auffallend von der schonungslos düsteren ersten Ausgabe unterschied. Diese war ein Frontalangriff auf William Godwins Visionen von utopischem Fortschritt gewesen. (Sie war auch ein Angriff auf den Unsinn vom ‹edlen Wilden›, und Darwin wußte aus Erfahrung, wie wenig edel der Feuerländer wirklich war.) Malthus hatte den Bevölkerungsdruck als Beweis dafür herangezogen, daß kooperativer Fortschritt eine Illusion sei. Aber die Godwinsche Gefahr und die egalitären Übel der Französischen Revolution waren längst vergangen, und in der sechsten Auflage räumte Malthus ein, daß die Bevölkerungsexplosion durch Bildung, Fortpflanzungsbeschränkung und Emigration zu mildern sei. Der Preis für ‹allmähliche Fortschritte in der ... Gesellschaft› sei jedoch immer noch ein schrecklicher Existenzkampf.[22]

Malthus' Anhänger überlisteten den Tod in den 1830ern durch Deportation – indem sie die Armen außer Landes drängten. Ein weiterer Freihandelsbefürworter und Evolutionist, Patrick Matthew, wies ihnen den Weg. Sein zu diesem Zeitpunkt geschriebenes Werk *Emigration Fields* dirigierte die unterlegenen Armen in die Kolonien. Sie wanderten in riesigen Scharen aus; als sich die Wirtschaftskrise verschlimmerte, waren es vierhunderttausend jährlich, die nach Amerika, Australien, Südafrika gingen. Radikale Parlamentsabgeordnete planten, die staatliche Bürokratie zu umgehen und ihnen auch Neuseeland zu öffnen. Es war in der Tat so: ‹Man kann jetzt sämtliche unbevölkerten Regionen der Erde als britischen Boden bezeichnen.› Wenn man den Überschuß außer Landes verschiffte, würde sich im Inland die Armut vermindern, die Löhne würden steigen, und der malthusische ‹Fluch wird ... zu einem Segen›. Die Emigranten würden im Ausland neue Märkte schaffen, so daß sich ‹unsere Armen in reiche Abnehmer verwandeln›. Auch die Rasse als solche werde dadurch gestärkt, denn ‹Ortsveränderung ... scheint die Tendenz zu haben, sowohl bei Tieren als auch bei

Pflanzen die Arten zu verbessern, und die Beschäftigung in der Landwirtschaft und im Handel ist der Gesundheit und der Vermehrung weitaus zuträglicher als die Arbeit in der Produktion. Es ist daher nicht zu bezweifeln, daß die Vermehrung der britischen Rasse ... deren Ausbreitung über die Welt und auch deren Vitalität durch dieses Kolonisierungssystem eher gefördert werden›.

Die soziale und organische Evolution Matthews war ebenso wie die Darwins ganz aus einem Guß, beherrscht von malthusischer Konkurrenz und Auslese.[23]

Die Emigration löste vielleicht das Armutsproblem zu Hause, aber andere befürchteten, daß diese Schiffsladungen voller Ausgestoßener im Ausland Verheerungen anrichten würden. Unkenrufe begleiteten diese Flutwelle menschlichen Strandguts. Europäische Siedler seien immer ‹Vorboten der Ausrottung für die einheimischen Stämme› gewesen, und es wurde prophezeit, daß alle ‹Urvölker› innerhalb eines Jahrhunderts aufgerieben würden. In jedem Vorposten der Zivilisation war die Mannschaft der *Beagle* Zeuge der Zerstörung gewesen: Die Tasmanier waren fast völlig ausgerottet, die Aborigines starben an europäischen Krankheiten, General Rosas verfolgte eine Politik bewußten Genozids. Aber Darwin hielt diese Kolonialkriege für notwendig, damit sich ‹die Zerstörer wandeln› und an das neue Terrain anpaßten. Zerstörung wurde zu einem Bestandteil seines malthusischen Menschenbildes.

‹Wenn zwei Menschenrassen aufeinanderstoßen, dann verhalten sie sich genau wie zwei Tierarten: Sie bekämpfen und fressen einander, bringen Krankheiten übereinander usw. Aber dann folgt das noch tödlichere Ringen, nämlich [darum], wer die am besten angepaßte Organisationsform oder die [entsprechenden] Instinkte (i.e. menschlicher Intellekt) hat.›

Die ‹Stärkeren rotten immer die Schwächeren aus›, und die Briten schlügen alle. Diese imperiale Expansion beende die Isolierung der Eingeborenenrassen und durchkreuze ihre Entwicklung auch auf andere Weise. In dem Maße, wie sich die Weißen vom Kap aus verbreitet hätten, seien die schwarzen Stämme in das Landesinnere zurückgedrängt worden, wobei sich die Rassen vermischt hätten und deren speziesbildende Isolierung beendet worden sei. Wäre dies nicht geschehen, so spekulierte Darwin, wäre der ‹Neger in 10000 Jahren wahrscheinlich eine eigene Spezies› geworden.[24]

Jetzt, da die Emigration Schlagzeilen machte, gelangte Lyell zu der Überzeugung, daß auch Tiere durch Übervölkerung zur Auswanderung getrieben wurden. Er stimmte Darwins Auffassung zu, wonach aufblühende Arten zu Kolonisatoren wurden, in neue Gebiete vordrangen und die Einheimischen besiegten. Aber der Populationsdruck nach Darwinschem Verständnis zwang Arten, auch noch auf andere Weise über ihre natürlichen Grenzen hinauszuwachsen. Darwin sah in dem Druck eine schöpferische

305

Kraft. Die Überfüllung, die Schiffsladungen von Menschen in die Kolonien trug, bedeutete, daß nur Individuen mit einem Konkurrenzvorsprung überlebten.

Darwins biologische Initiative entsprach dem fortgeschrittenen sozialen Denken der Whigs. Das verlieh ihr die Durchschlagskraft. Endlich hatte er einen Mechanismus gefunden, der mit den wettbewerbsorientierten, auf Freihandel setzenden Idealen der Ultra-Whigs vereinbar war. Die seiner Theorie zugrunde liegende Transmutation würde zwar immer noch von vielen verabscheut werden. Aber ihr malthusischer Überbau schlug eine emotional befriedigende Saite an; ein offener Kampf ohne milde Gaben an die Verlierer – das entsprach dem Whig-Denken, und kein Armenrechtskommissar hätte Darwins Sichtweise übertreffen können. Er hatte mit den radikalen Randalierern gebrochen, die Malthus verabscheuten. Ebenso gesichert und unangreifbar wie die Whig-Granden in ihrer eigenen, durch *noblesse oblige* gekennzeichneten Welt lebte Darwin von einem Familienvermögen und verordnete einer hungrigen Welt zu deren eigenem Nutzen eine erbitterte Konkurrenz. Von jetzt an konnte er an bessere Schichten der Öffentlichkeit appellieren: an die aufstrebenden Industriellen, die Verfechter des Freihandels und die oppositionellen Akademiker.

Paleys ‹glückliche Natur› verlor ihre idyllische Gutartigkeit. Das Leben war kein Pfarrhausgarten an einem Sommernachmittag, sondern ein erbarmungsloser Kampf unter den Erniedrigten und Beleidigten auf den Straßen von London. Aus diesem Konflikt entsprang die ständige Anpassung. Fortschritt durch ewigen Zwist: Das schien wie ein Paradox, aber es war das Geheimnis des Zeitalters – ‹ein Zeitalter der Schönheit, aber auch der Verdorbenheit, ein Zeitalter der Dunkelheit, aber auch des Lichtes. *Dampf, Eisen, Rauch, Egoismus, Zweifel und Mißtrauen,* sie haben alle dieselbe Farbe›. Darwin stellte schicksalhafte Fragen und war sich der Antworten sicher, auch wenn sie noch mehr Zweifel hervorriefen. Seine verwegenen Spekulationen schienen charakteristisch für eine unternehmungslustige Gesellschaft mit dem Hang, die Dinge auf die Spitze zu treiben. ‹Der Bann ist gebrochen – Ritterlichkeit, Mildtätigkeit, die Kirche sind tot›, auf diese Formel brachte jemand den Geist dieser Epoche. ‹Wir suchen eine neue Gottheit zu ergründen, wir deuten sie auf unsere eigene Weise, sie mag gut oder böse sein, vielleicht ist sie ein Gott, vielleicht ein Dämon.› Dasselbe galt für den malthusischen Zwist im Kern von Darwins neuer Evolutionstheorie.

Die Blicke wandten sich der Zitadelle zu. ‹Der Mensch ist als Mikrokosmos bezeichnet worden›, schrieb ein Rezensent, doch ‹wir haben bisher noch keinen richtigen Schlüssel, um jene geheimen Kammern aufzusperren, in denen die großen Gesetze seiner Natur offenbart sind; wir rütteln immer noch an der Tür›.[25] Inzwischen drehte Darwin, dessen Magen ‹nein› schrie und dessen Kopf ‹ja› entgegnete, leise den Schlüssel im Schloß.

Darwin näherte sich dem viktorianischen Dilemma: Er ‹verlor den Glauben, hatte jedoch schreckliche Angst vor dem Skeptizismus›. Seine neue, malthusische Theorie von der Evolution mochte zwar implizit diesseitig sein, aber sie war nicht atheistisch. Wie könnte sie, fragte er, wenn Gottes Gesetze einen so ‹großen Geist› hervorgebracht haben wie den unseren? Dies wies auf einen Sinn und Zweck hinter dem ganzen dubiosen Prozeß hin. Es zu leugnen, hieß zu leugnen, daß die Evolution der ‹Hervorbringung höherer Tiere› diente oder daß ‹wir [eine] Stufe hin zu einem Endziel sind›.[26]

Nichts von alledem war unvereinbar mit dem Unitarismus, nicht einmal Darwins Leugnung einer ‹hinzugekommenen› Seele. (Unitarier wie Harriet Martineau vertraten sogar die Auffassung, daß die Materie mit Geist ausgestattet sei, wodurch eine separate Geisteswelt überflüssig wurde.) So vieles von Darwins Vorstellung von Transmutation schmeckte nach diesem konfessionslosen, rationalen Glauben an einen gesetzgebenden Gott – von der kulturellen Bedingtheit der Moral bis zum mentalen Kontinuum zwischen Mensch und Tier. Dennoch bleibt offen, wie viele Unitarier sich tatsächlich mit einer Abstammung vom Affen einverstanden erklärt oder aus einer höheren Lebensform eher Hoffnung geschöpft hätten als aus einem materiellen Himmel. In der Tat gerieten seine eigenen religiösen Überzeugungen ins Wanken, sobald Darwin auf diesem Terrain operierte. Das einzige, was er wußte, war, daß Kinder in diesem Leben für die Handlungen ihrer Eltern belohnt und bestraft wurden. Was geschehe, ‹wenn wir uns in Engel verwandeln›, sei irrelevant, meinte er achselzuckend.[27]

Im Oktober begann er zwei neue Notizbücher, ‹E› in der Transmutationsreihe und ‹N› über Metaphysik. Er hatte nun Zeit, seine Auffassungen in eine endgültige Form zu bringen und seine rhetorischen Fähigkeiten zu üben. Er begann fulminant:

‹Das Studium der Metaphysik ... erscheint mir wie ein Rätselraten über Astronomie ohne Kenntnis der Mechanik. Die Erfahrung zeigt, daß das Problem des Geistes nicht durch einen Angriff auf die Zitadelle selbst gelöst werden kann. Der Geist ist eine Funktion des Körpers. Wir benötigen ein *tragfähiges* Fundament, von dem aus wir argumentieren können.›

Die ‹Abstammung› war dieses Fundament; sie bot einen rationalen Schlüssel zum Verständnis des Geistes. Das menschliche Gewissen war vielleicht die härteste Nuß, die es zu knacken galt. Darwin suchte nach dessen Ursprung im Rudelverhalten von Hunden und Pavianen. In typisch anthropomorpher Weise argumentierte er, ein abartiger Hund, der gegen seinen ‹sozialen und sexuellen Instinkt› verstieße und dem Rudel schadete, würde Reue empfinden, *falls* er über sein Tun nachdenken könnte. Ein solcher nachdenklicher Hund hätte ein Gewissen erworben. Aber ‹das Gewissen dieses hypothetischen Hundes wäre nicht dasselbe wie das des Menschen, weil dessen ursprünglicher Instinkt anders ist›. Er war jetzt völlig davon überzeugt, allein aus den Herdeninstinkten all das ableiten zu können, ‹was an den moralischen Empfindungen am schönsten ist›.[28]

Charakter und Gewissen seien also nicht durch das Lesen der Bibel entstanden, sondern durch die Familienbindung unserer äffischen Vorfahren. Gewissen liege außerhalb des Zugriffs eines Menschen. ‹Man kann einem Menschen ... dazu gratulieren [Gutes zu tun]›, aber der Akt als solcher sei konditioniert und ‹verdient keine Anerkennung›. Umgekehrt sei ‹Schlechtigkeit ebensowenig die Schuld eines Menschen wie körperliche Krankheit›. Dieser kulturelle Determinismus erstrecke sich sogar auf unsere Kenntnis von Gott, und hier ging Darwin über die meisten Dissenters hinaus. Unsere ‹angeborene Kenntnis des Schöpfers› habe sich infolge ‹seiner erhabensten Gesetze› entwickelt.[29] Sie sei ein großartiger Instinkt, der wegen seiner sozialen Nützlichkeit entstanden sei.

Die Sorgen über seine Ketzereien machten ihn wiederholt krank. Am 25. Oktober, als er gerade über die Entstehung von Schamgefühl und Schönheitssinn nachdachte, verbrachte er zwei Tage zur Erholung in der gesunden Luft der Schloßstadt Windsor, wo er das ‹prachtvolle Wetter› nach Kräften nutzte.

Schamgefühl und Schönheitssinn beschäftigten ihn wiederholt, während er sich darauf vorbereitete, um Emmas Hand anzuhalten. Nach einem entsetzlichen Tief Anfang November fühlte er sich gut genug, um nach Maer aufzubrechen. Der 11. November war ‹der große Tag!›, wie er in seinem neuen Tagebuch notierte. Er faßte sich ein Herz und machte Emma einen Antrag. Das kam für diese überraschend. Sie hatte ‹gedacht, wir könnten unsere bisherige Freundschaft jahrelang so fortsetzen›. Daß sie annahm, ließ Onkel Josiah Freudentränen vergießen. Fanny, Hensleighs Frau, hatte sofort mitbekommen, was geschehen war, und die Frauen blieben bis tief in die Nacht kichernd und flüsternd auf. Andere hatten einen direkteren Einblick; Tante Jessy, die aus der Hand las, hatte es immer schon gewußt. Emma stellte jetzt ihre eigene Analyse an; sie pries Charles' Offenheit und Ehrlichkeit. Er sei so ‹wunderbar sanftmütig und besitzt manche kleinere Vorzüge ... zum Beispiel ist er nicht pedantisch, und er ist human zu Tieren›.[30]

Am nächsten Tag galoppierte Charles nach The Mount, wo ihm Caroline dazu gratulierte, ‹sich die süßeste ... der Frauen gesichert› zu haben. Die Verlobung wurde geheimgehalten; Lyell war einer der wenigen Außenseiter, die davon hörten. Emma sei die Schwester von Hensleigh und Josiah, erklärte ihm Darwin, ‹wir sind also durch mannigfache Bande verknüpft und dazu meinerseits durch die aufrichtigste Liebe und die innigste Dankbarkeit ihr gegenüber, weil sie so einen wie mich akzeptiert hat›. Briefe gingen an alle Verwandten ab; allerdings brachte eine der Adressatinnen die Dinge durcheinander und meinte, Emma heirate Dr. Darwin, was sie wegen des ‹Altersunterschieds› in Besorgnis versetzte.

Vater Darwin selbst war hocherfreut, um so mehr, als ihn Emmas Mutter ständig mit der Aussicht geneckt hatte, Charles werde bei Harriet Martineau landen, worauf ihn jedesmal fast der Schlag rührte.[31] Charles hätte freilich gar nicht die Chance gehabt, da Erasmus die Dame Tag und Nacht mit Beschlag belegte. Sein Bruder vernahm die Neuigkeit, als er gerade im Begriff war, mit Harriet eine Ausfahrt zu machen; daraufhin nutzten die beiden ihre Spritztour gleich dazu, für das glückliche Paar ein Haus zu suchen.

Die idyllischen Tage in Maer hatten eine Kehrseite, denn Emma hegte noch heimliche Bedenken. Außerstande, seine Zweifel zu verbergen, hatte Charles ihr gegenüber wieder das heikelste aller Themen angeschnitten, die Religion. Jetzt konnte sie ihre Angst nicht verbergen.

‹Wenn ich mit Dir beisammen bin ... bleiben mir alle melancholischen Gedanken fern, aber seit Du fort bist, haben sich mir traurige aufgezwungen, aus Furcht, daß unsere Ansichten über das wichtigste Thema weit voneinander abweichen. Mein Verstand sagt mir, daß ehrliche und gewissenhafte Zweifel keine Sünde sein können, aber ich habe doch das Gefühl, daß es eine schmerzhafte Kluft zwischen uns bedeuten würde. Ich danke Dir von ganzem Herzen für Deine Offenheit mir gegenüber; ich würde das Gefühl fürchten, daß Du mir Deine Meinungen verbirgst, um mir nicht weh zu tun. Es ist vielleicht töricht von mir, all das zu sagen, aber, mein lieber Charley, wir gehören ja jetzt zusammen, und ich kann nicht anders, als Dir gegenüber offen zu sein. Willst Du mir einen Gefallen tun? Ja, dessen bin ich sicher; ich bitte Dich, die Abschiedsworte unseres Heilands an seine Jünger zu lesen, die am Ende des 13. Kapitels von Johannes beginnen. Sie sind so voll von Liebe zu ihnen und Ergebenheit und jedem schönen Gefühl. Es ist der Teil des Neuen Testaments, den ich am liebsten habe. Das ist ein plötzlicher Einfall von mir; es würde mir große Freude machen, obwohl ich kaum sagen kann, warum.›[32]

Ohne es zu wissen, hatte ihn Emma auf das Evangelium hingewiesen, dessen Lektüre Caroline ihm zehn Jahre zuvor in Edinburgh ans Herz gelegt hatte. Es war der gefühlvolle Abschied Jesu vor der Kreuzigung, gipfelnd in seinem ‹neuen Gebot, einander zu lieben›.

In diesem Gespräch versichert Jesus seinen Jüngern, er werde ihnen nach seinem Tod im Himmel ‹eine Stätte bereiten› und dann wiederkommen und ‹euch zu mir nehmen›. Aber der zweifelnde Thomas fragt nach dem Weg zu der verheißenen Stätte. Jesus antwortet: ‹Ich bin der Weg und die Wahrheit und das Leben.› Aus Furcht, Charles für immer zu verlieren, wollte Emma, daß er sich an den Weg erinnere, und rief ihm die Worte Jesu ins Gedächtnis:

‹Ich bin der Weinstock, ihr seid die Reben [...] Wenn jemand nicht in mir bleibt, so wird er hinausgeworfen werden wie die Rebe und verdorren; und man sammelt sie und wirft sie ins Feuer, und sie verbrennen.›

Das Abschiedsgespräch mochte zwar voll Liebe gewesen sein, doch dies war die glühende Unterseite, und Charles dürfte die Warnung kaum entgangen sein. Er bezweifelte die Existenz der Hölle, er bezweifelte die Existenz der Seele, und tatsächlich sollte dieses Evangelium immer zwischen ihm und Emma stehen. Aber er schickte ihr eine herzliche Antwort, und sie tröstete sich damit, daß er zumindest die Sorge ihres Herzens ‹ein bißchen mehr› nachempfinden könne.[33]

Charles wollte die Hochzeit beschleunigen, und er wiederholte gegenüber Emma den ersten Satz in seinem Notizbuch: ‹Bedenke, das Leben ist kurz.› Aber sie war es gewohnt, kranke Eltern zu pflegen, und machte sich auch Sorgen, ob ihre bucklige kleine Schwester Elizabeth ohne sie zurechtkommen werde. Sie hoffte, er werde ‹die Dinge gemächlich angehen›. Das hoffte auch Elizabeth, die traurig war über die Aussicht, ihre Schwester zu verlieren. Sie schrieb an Catherine: ‹Sieh zu, Catty, ob Du nicht ein bißchen bremsen kannst›, damit Emma es genießen könne, verlobt zu sein. Sie solle Charles zureden, ‹auf den Frühling und das schöne Wetter zu warten›.

Am 17. November nach Maer zurückgekehrt, veranstaltete Charles weitere sentimentale ‹Plausche› am Kaminfeuer, wobei es diesmal eher um praktische Dinge ging, die ‹Häuserfrage – Stadtrand oder Stadtmitte von London› und ähnliches. ‹Meine Hauptbefürchtung ist, daß Du ... unsere ruhigen Abende langweilig finden könntest›, warnte er Emma in einem Brief. ‹Bedenke bitte, daß «alle Männer Rohlinge sind», wie eine junge Dame sagte, und daß ich die Tendenz zum einsiedlerischen Rohling habe.› Einsiedlerisch und reich inzwischen, denn Emmas Vater versprach eine Mitgift von 5000 Pfund plus 400 Pfund jährlich, dem Vater Darwin 10 000 Pfund für Charles hinzufügte, ein Betrag, der investiert werden sollte; Erasmus und Josiah III. waren als Erbschaftsverwalter vorgesehen. Das Familienvermögen war somit gesichert.[34]

Das junge Paar hörte auf Dr. Darwins Rat und entschied sich für ein Haus in London, bis, wie Charles sagte, ‹ich das geologische Publikum mit meiner neuerworbenen Schreibmanie überstrapaziert habe›. Dann würden sie ‹entscheiden, ob die Freuden der Zurückgezogenheit und des Landlebens der Gesellschaft vorzuziehen sind›. Charles trabte also durch die verhangenen Novemberstraßen und besichtigte Häuser. Das Westend war out, der Verkehrslärm betäubend (er war so schlimm, daß in der Oxford Street demnächst ein Straßenbelag aus Holzblöcken erprobt werden sollte). Bloomsbury, in der Nähe des Britischen Museums, war ruhiger und seine baumbestandenen Plätze einladender. Emma legte Charles ans Herz, ‹die Seitenstraßen um den Regent's Park› oder die Nachbarschaft von Covent

Garden auszukundschaften, ‹wenn es nicht zu teuer ist›. Aber die Mieten waren schockierend hoch. Die ‹Hausherren sind alle verrückt geworden, solche Preise verlangen sie›; 150 Pfund im Jahr sei gar nichts. (Und Charles blieb auch jetzt gewitzt, da er 15000 Pfund in Aussicht hatte.) Er und Erasmus befanden, daß die Plätze in Bloomsbury am günstigsten seien.

Inzwischen machte Emmas ‹alter Brummbär› in der Gesellschaft die Runde und steckte seine Nase in so viele Winkel wie möglich, bevor seine Junggesellentage zu Ende gingen. Er dinierte mit den Lyells und Henry Holland, und Erasmus nahm ihn zum Tee bei Thomas Carlyle mit (dessen Frau Jane er mit ihrem ‹hysterischen Kichern› nicht ‹ganz natürlich oder ladylike› fand). Schon trafen die Einladungen für das junge Paar ein. Sedgwick lud die beiden in sein Haus ein, was Emma entsprechend beeindruckte. ‹Was für eine Ehre, daß mich der große Sedgwick in sein Haus einlädt. *Mich* – das muß man sich vorstellen! Ich fühle mich jetzt schon als größere Person. Wie wird mein Kopf das aushalten, wenn ich wirklich Mrs. D. bin.›[35]

Abends, nach der Wohnungssuche, gingen die Überlegungen zu Malthus weiter. Darwin klopfte alle Implikationen auf ihre Brauchbarkeit ab. Inzwischen war er davon überzeugt, daß jedes Gewebe, jedes Organ ‹zu unzähligen Abwandlungen fähig› war und die Natur die jeweils beste Variante auswählte. Mehr und mehr erkannte er die Ironie, daß Vollkommenheit durch mörderische Konkurrenz entstand. Die perfekt angepaßte Nuance sei diejenige, ‹die von zehntausend Versuchen überlebt, wobei jeder Schritt vollkommen oder nahezu vollkommen ... für die jeweils vorhandenen Bedingungen› sei.[36] Aus den Millionen, die zugrunde gingen, werde die eine vollkommene Variante herausgefiltert.

Jedenfalls so vollkommen, wie es die Vererbung gestatte, denn Brustwarzen beim Mann seien kaum funktionale Anpassungen. Die Selektion könne nur das vorhandene Modell formen, die Grundkonstanten, und selbst dann blieben nutzlose Rudimente erhalten wie das menschliche Steißbein (der Schwanz). Darwin hielt nichts von der gängigen Vorstellung, daß Gott diese überflüssigen Reste und Enden zur Abrundung seines Wirbeltiereplans geschaffen habe, auf diese Weise ‹seinen ursprünglichen Gedanken oder Entwurf ... bis zur äußersten Erschöpfung› befolgend. ‹*Was für ein Quatsch!!*› polterte Darwin, ‹die Entwürfe eines allmächtigen Schöpfers erschöpft [...] Eine solche Philosophie faselt sich der Mensch zusammen, wenn er über seinen Schöpfer spricht!› Dies seien ererbte Relikte, Überbleibsel von den Ahnen, die sich allmählich zurückbildeten. Die Überreste von Gliedmaßen bei den Walen verrieten ihre Abstammung von Landbewohnern, und auch am Steißbein hänge eine interessante Geschichte.

Wenn menschliche Fossilien fehlten, lieferten rudimentäre Organe Anhaltspunkte für ‹die Eltern des Menschen›. Der Schwanzstummel deute auf
einen Affen hin. Und dabei brauche man nicht stehenzubleiben. Darwin
verfolgte diese Überlegung bis zu ihrem ziemlich schleimigen Ende. Der
Schlüssel zu unserer niederen Herkunft liege im Schädel, den Londoner
Mediziner für eine Modifizierung der Wirbelsäule hielten. ‹Der Kopf besteht aus sechs umgewandelten [erweiterten und miteinander verschmolze-
nen] Rückenwirbeln›, bemerkte er, ‹der Vorfahr aller Wirbeltiere muß ein
molluskenartiges, zweigeschlechtliches Tier mit lediglich einer Wirbelsäule
und ohne Kopf gewesen sein!!›[37] Wir hätten uns aus einer Art Tintenfisch
mit Kuttelfisch-Rückgrat entwickelt.

Nichts war sakrosankt in Darwins Notizbüchern, und die Analyse seiner
eigenen Gefühle löste neue Gedankengänge aus. Im Zusammenhang mit
der Werbung um Emma richtete er seine Aufmerksamkeit auf die mit Sab-
bern und Küssen verbundene sexuelle Erregung und verfolgte sie bis zu unseren animalischen Vorfahren zurück. Erregt notierte er:

‹27. November. Sexuelle Begierde verursacht Speichelfluß, ja, *sicherlich*.
Kuriose Assoziation: Ich habe gesehen, wie sich [die Hündin] Nina die
Lefzen leckte. Jemand hat sabbernde, zahnlose Kiefer als Inbegriff widerwärtiger alter Lüstlinge beschrieben. Unsere Tendenz, zu küssen und fast zu
beißen, was wir sexuell begehren, hängt wahrscheinlich mit dem Speichelfluß zusammen; daher die Aktion von *Mund* und Kiefern. Von lasziven
Frauen sagt man, daß sie beißen; Hengste tun das immer.›

Auch Erröten müsse sexuell bedingt sein, weil es sich bei der Interaktion
zwischen Männern und Frauen verstärke. Vielleicht treibe der Gedanke an
‹die eigene Erscheinung ... das Blut an die entblößte Oberfläche, [das] Gesicht des Mannes [... und den] Busen der Frau: wie [bei einer] Erektion›.[38]

Immer noch wurde Malthus verdaut, und es war ein langsamer, schwerfälliger Prozeß. Auch jetzt noch, zwei Monate nach der Lektüre des Buches,
erschloß Darwin Neuland. Er hatte angenommen, gewohnheitsmäßiges
Verhalten werde zur zweiten Natur und rufe die notwendigen Veränderungen in Körper und Geist hervor; so entstünden Varianten. Jetzt führte er
eine völlig neue Vorstellung ein; er sprach von der Möglichkeit, daß ausgefallene Varianten durch *Zufall* entstünden.[39] Vielleicht träten sogar Instinkte zufällig auf, und die natürliche Auslese behalte nur die nützlichen bei.

Das hatte einen Vorzug. Wenn die Natur die tauglichen unter den zu-
fälligen Varianten aussiebte, dann ahmte sie die Züchter mehr nach, als
Darwin sich vorgestellt hatte. Liebhaber erschufen ihre Tauben und Schweine, indem sie alle außer den gewünschten Eigenschaften ausmerzten. Offenbar tat die Natur dasselbe. Sie war die unbestechliche Aussieberin, ein
besserer Sir John Sebright, wachsamer, gnadenloser und effizienter. Wir
müßten sie uns als ‹unendlich viel klüger als den Menschen vorstellen›,

meinte er, wenn auch ‹nicht als allwissenden Schöpfer›. Der Landadel siebe
seine Windhunde nach demselben Prinzip aus wie die Natur die Schakale –
mit dem Unterschied, daß die Züchter nur auf ein oder zwei Aspekte ach-
teten, während die Natur mit einer Million Varianten jongliere, darauf
bedacht, daß ‹jeder Teil [jeglicher] neuerworbener Struktur ausgefeilt und
vervollkommnet ist›. Im Dezember gestand Darwin, diese Ähnlichkeit zwischen natürlicher und künstlicher Auslese sei der ‹schönste Teil meiner
Theorie›.[40] Er hatte jetzt seine Theorie samt einer erstklassigen Analogie zur
Tierwelt. Aber in diesen von Unruhen gebeutelten Jahren blieb sie in seinen
geheimen Notizbüchern sicher verschlossen; erst in sehr ferner Zukunft
würde er allenfalls daran denken, sie zu veröffentlichen.

Seine Gedanken pendelten jetzt zwischen Malthus, Heirat und Häuser-
preisen hin und her. Die *Zoology* stellte immer noch eine Belastung dar.
Owens Mutter war soeben gestorben, was zur Folge hatte, daß Owen seine
Arbeit an *Fossil Mammalia* unterbrach, und Darwin mußte sich auch den
halbfertigen Band *Birds* aufhalsen, nachdem Gould nach Tasmanien aufgebrochen war. ‹Was kann ein Mensch zu sagen haben, der den ganzen Morgen an der Beschreibung von Falken und Eulen arbeitet, dann hinauseilt
und konfus durch die Gassen irrt auf der Suche nach den Worten «Zu ver-
mieten»!› Emma konnte sehen, unter welcher Belastung er stand.

‹Ich möchte Dir zureden, lieber Charley, sofort die Stadt zu verlassen und
Dir etwas Ruhe zu gönnen. Du siehst schon seit einiger Zeit so unpäßlich
aus, daß ich fürchte, Du könntest bettlägerig werden [...] Ich möchte, daß
Du Dir alle diesbezügliche Besorgnis um mich aus dem Kopf schlägst und
mit Sicherheit weißt, daß mich nichts glücklicher machen *würde* als das Gefühl, daß ich meinem lieben Charles von Nutzen oder Trost sein könnte,
wenn es ihm nicht gutgeht [...] Werde also nicht mehr krank, mein lieber
Charley, bis ich bei Dir sein und Dich pflegen kann.›

Es war der Anfang ihres Paktes, bei dem Emma bereitwillig die gebrech-
liche Mutter gegen einen magenleidenden Ehemann eintauschte. Sie wollte
keinen ‹Mann›, der ein tapferes Feiertagsgesicht aufsetzte. Sie gedachte ihr
Pflegewerk fortzusetzen, und Charles tat ihr gern den Gefallen.

Am 6. Dezember kam Emma in die Stadt, um ihm bei der Wohnungssuche zu helfen. Sie wohnte bei den Hensleighs, und tagsüber ‹trieb sie sich›
mit Charles ‹in Einspännern und Omnibussen herum›, inspizierte Woh-
nungen in Bloomsbury, kaufte Küchengeschirr und ging mit ihm ins Theater. Zuletzt fühlte sie sich schon ganz ‹*cockneyfiziert*›.[41]

In der Geologischen Gesellschaft wurde Darwin in diesem Monat an sein
Dilemma erinnert. Der schwelende Haß der Geologen auf die Evolution
brach am 19. Dezember offen aus, als den Auffassungen seines alten Lehrers
Robert Grant schlußendlich ‹der Gnadenstoß› versetzt wurde.[42]

Grant sollte im Schnellverfahren abgeurteilt werden, weil er behauptete, das älteste Säugetier der Welt, ein ‹Opossum›, das man nur aufgrund von vier einzolligen Kieferknochen identifiziert hatte, die im Gestein von Oxford gefunden worden waren, sei in Wirklichkeit ein Reptil. Dies paßte besser zu Grants lamarckistischen Vorstellungen einer aufsteigenden Evolution von niedrigen zu höheren Formen. Dieses Oxforder Gestein habe sich im Zeitalter der Reptilien als Sediment abgelagert. Es sei zu alt; so früh könnten noch keine Säugetiere existiert haben. Die ersten echten Beuteltiere, so Grant, seien erst viel später aufgetreten, während des Zeitalters der Säuger. Im Gegensatz dazu konnten die Kleriker mit ihrem im Bedarfsfall aktiven Schöpfer zu jeder Zeit und an jedem Ort Säugetiere unterbringen. Sie entschieden sich für ein prähistorisches Opossum und schrieben Grants Auffassungen dem irregeleiteten Lamarckismus des Gelehrten zu.

Gegen Grant war eine Konspiration im Gang. Verschwörerische Briefe gingen zwischen Buckland und Owen hin und her, in denen es darum ging, wie er zur Strecke gebracht werden sollte. Der in seinem Ehrgeiz angestachelte Owen, gegenwärtig *der* Londoner Experte für Beuteltiere, verschob die zweite Nummer der *Fossil Mammalia*, um Grant zu überführen. In den Hinterzimmern wurde sogar darüber geflüstert, wie der Coup publik zu machen sei, und Buckland lud listig den vielseitigen Lord Brougham ein, ‹Zeuge unseres Scharmützels› zu sein.

Die Ironie war vollständig. Von seinem Sekretärsstuhl aus beobachtete Darwin die Zusammenkunft der Professorenelite, die sich anschickte, Grants Fossilienketzerei den Garaus zu machen. Da saß er als stummer Zeuge vor Sedgwick, Buckland und den übrigen, die meisten von ihnen Absolventen von Oxbridge, viele anglikanische Geistliche, alle fanatische Gegner des Lamarckismus. Doch während er diesem Schauspiel beiwohnte, nahm sein eigenes evolutionäres System in ihm Gestalt an. Nun ja, er war über Grants Nonsense hinausgewachsen. Owen hatte ihn davon überzeugt, daß es sich tatsächlich um ein Opossum handelte. Und dennoch zweifelte Darwin nicht daran, daß seine Vorfahren unter den ausgestorbenen Reptilien zu finden waren. Während Owen und Buckland Grant abkanzelten, bezeichnete Darwin ihr primitives Opossum insgeheim in seinem Notizbuch als ‹den Vorfahren aller Säugetiere in längst vergangener Zeit›, eine Salve, die das Gedankengebäude der Schöpfungsgläubigen erzittern lassen sollte.[43] Was ging in ihm vor, als Grant heruntergemacht wurde? Blutete ihm das Herz, als er Grants temperamentvolle Verteidigungsrede hörte? Wahrscheinlich nicht, denn er empfand keine Sympathie mehr für den Ultraradikalen, und er beschloß den Abend mit der ‹Elite› im Gasthof Crown and Anchor, wo man den Sieg feierte.

Er konnte etwas aus dieser Episode mitnehmen. Sie trieb ihn weiter von dem lamarckistischen Minenfeld weg. Die Vorstellung einer sich unaufhaltsam aufwärtsentwickelnden Natur hatte er bereits fallengelassen. ‹In meiner Theorie›, notierte er, ‹gibt es keine absolute Tendenz zum Fortschritt.› Die Umwelt verändere sich nur ‹langsam und unmerklich›, und das Leben folge dem nach. Die Bedingungen könnten auch stabil bleiben; in diesem Fall veränderten sich die Arten überhaupt nicht. Nicht einmal der Mensch bilde eine Ausnahme; er habe seit der griechischen Antike keine Fortschritte erkennen lassen. Manche Tierarten, zum Beispiel Parasiten, hätten sich sogar vereinfacht, und wenn sie ausstürben, würden andere ‹degenerieren›, um ihre Nische zu füllen.[44] Unaufhaltsamer Aufstieg und garantierter Fortschritt seien also eine Illusion der Radikalen.

Darwins neue Auffassung von der Natur stand in trotzigem Gegensatz zu Grants utopischen Vorstellungen. Sie befand sich in Einklang mit der konkurrenzorientierten, kapitalistischen malthusischen Dynamik einer Armenrechtsgesellschaft, Broughams Gesellschaft. Tatsächlich las Darwin um diese Zeit Broughams hochmütige *Dissertation on Subjects of Science*. Der ehemalige Lordkanzler war für sein enzyklopädisches Wissen bekannt; manche sprachen auch von ‹enzyklopädischer Ignoranz›, aber das Buch entfernte Darwin noch weiter von früheren Vorstellungen. Brougham überzeugte ihn davon, daß viele Instinkte nicht aus bewußten, zweckdienlichen Gewohnheiten entstanden sein konnten. Was sollte man zum Beispiel von einer parasitären Wespe halten, die eine Raupe lähmte und ihre eigenen Eier in deren Körper ablegte? Darwin hatte diese Wespen in Brasilien genau das tun sehen. Die Raupe mochte sich als Nahrung für die Larven eignen, aber die Wespe hätte das nicht wissen können. Die Larven schlüpften erst nach dem Tod der Wespe. Keine erwachsene Wespe lebte lang genug, um ihren Nachwuchs zu sehen. Wie konnte dieser Instinkt also als ein bewußter, zielgerichteter Akt entstanden sein?[45] Er mußte zufällig aufgetreten sein und sich als nützlich erwiesen haben.

Dies hatte entscheidende Konsequenzen. Wenn seine Evolutionsmaschine nicht von bewußten Gewohnheiten angetrieben wurde, dann war es irrelevant, ob diese im Gehirn codiert waren oder nicht. Er konnte das Argument fallenlassen, daß der bewußte Verstand mit dem Gehirn identisch sei. Er konnte den mentalen Materialismus über Bord werfen, der mit Ultraradikalismus assoziiert werden und ihn, falls er seine Theorie je veröffentlichte, Stimmen kosten würde. Abermals neigte Darwin eher dazu, mit der urbanen Oberschicht zu jagen, als mit der radikalen Meute mitzulaufen.

Sobald der Zufall ins Spiel kam, wurde allerdings die Vorstellung, daß der Mensch von Gott vorhergeplant sei, weniger haltbar. (Plante Gott etwa zufällige Ereignisse?) Babbages programmierte Natur wurde arg lädiert, als Darwin planlose Variationen ins Auge faßte. Kontingenz und Unvorhersagbarkeit wurden zur Norm. Doch Darwin blieb in dieser Frage verschwommen und konnte sich nie ganz von seinem harmonischen, auf Gesetzen beruhenden System trennen. Manchmal betrachtete er den ‹Zufall› als unbeabsichtigte Überschneidung von Kausalketten, eine hinreichend vage Idee, um den unterschiedlichsten Auslegungen Raum zu geben. Dann sprach er wieder so deterministisch wie die Martineau und bezeichnete ihn als ein Ereignis mit unbekannter Ursache oder meinte, die Variationen seien nicht auf eine bestimmte Richtung festgelegt.[46] Das gab Anlaß zu künftiger Konfusion.

Konfusion entartete zu Chaos, als Emma am 21. Dezember die Stadt verließ. Da die Hochzeit bereits in einem Monat stattfinden sollte, schloß Charles sein ‹E›-Notizbuch, um endlich eine gemeinsame Bleibe zu finden. Ein Haus mit Terrasse in der Upper Gower Street hatte es ihnen besonders angetan. Die Lage war ideal ruhig; es gab keine Pubs, keine Geschäfte und fast keine Stallungen in der Nähe. Das University College befand sich in derselben Straße, die sich hier aber in eine private Zufahrt verwandelte und durch ein Tor abgeschlossen war. Das Haus war protzig eingerichtet und häßlich, aber es hatte den Vorteil, billig zu sein. ‹Gower Street ist unser, samt gelben Vorhängen und allem›, teilte Charles Emma am 29. Dezember frohlockend mit.[47] Die Miete war ‹außerordentlich niedrig›, und die Möbel und das Geschirr für 550 Pfund waren ein Schnäppchen; da konnte man schon übersehen, daß im hinteren Garten fatalerweise ein toter Hund lag.

Den Silvestertag, einen Sonntag, verbrachten Darwin und Covington mit dem Einpacken von Büchern und Gesteinsproben, und am Neujahrstag 1839 wurden zwei Möbelwagenladungen in die Gower Street hinübergebracht. Charles berichtete Emma:

‹Ich war ebenso erstaunt wie Erasmus, wieviel Zeug ich hatte, und die Träger wunderten sich noch mehr über das Gewicht der Kisten, die meine geologischen Proben enthielten. Das Speisezimmer, der Vorraum und mein eigenes Zimmer sind mit Sachen vollgestopft. In einem Dienstbotenzimmer im Obergeschoß und in meinem eigenen hübschen Zimmer wird alles wunderbar Platz haben. Für *mich* hat es nie ein besseres Haus gegeben, und ich hoffe inständig, daß es Dir ebenso gefällt [...] Mein Zimmer ist so ruhig, daß der Kontrast zur Marlborough ebenso erstaunlich wie köstlich ist.›

Um sechs Uhr abends glich das Haus bereits einem Museum.

Plötzlich fiel Charles ein, daß er schon einmal in diesem Haus gewesen war. Leonard Horner, der frühere Rektor der Londoner Universität, hatte hier gewohnt, und Charles hatte vor seiner Weltreise bei ihm vorbeigeschaut. Aber seit Horners Zeit war das Haus in geschmackloser Weise umdekoriert worden. Macaw Cottage (‹Papageienhäuschen›) nannten sie es, und der Grund für die grellbunte Ausstattung kam auch bald ans Licht. Der vierundachtzigjährige Besitzer, Oberst Irvine, hatte zuletzt mit seiner schönen, dreißigjährigen Frau hier gelebt. Die azurblauen Wände und die knallgelben Vorhänge verrieten etwas über den Geschmack der vormaligen Hausherrin, ‹an dem es ihr›, so Charles süffisant, ‹vermutlich ebenso mangelte wie an Charakter›. Die entsetzten Hensleighs beschworen die beiden, die Vorhänge sofort ‹in die Färberei zu schicken›.

Nach dem Lärm im Westend war Macaw Cottage dennoch vollkommen. Onkel Josiah hielt es für ‹das stillste Haus, das er je betreten hatte›. Nachdem der Hund entfernt worden war, gewöhnte sich Darwin an, täglich in dem schmalen, dreißig Meter langen Garten spazierenzugehen, eine Vorliebe, die er sein Leben lang beibehielt. Und er plante, Goldregen zu pflanzen, um sich gegen die Nachbarn abzuschirmen.[48]

Macaw Cottage war nur einen Steinwurf von Grants Hörsaal entfernt, aber die Verbindung war jetzt unwiderruflich abgerissen. Darwin wollte nichts mehr mit diesem demagogischen Lamarckianer und seiner Zoologie zu tun haben. Wichtiger war, daß Gower Street nur ein paar hundert Meter von Regent's Park entfernt war, wo Charles mit Emma in ihrer schönsten Aufmachung promenieren konnte.

Tage wurden jetzt damit zugebracht, Kisten in die vordere Dachstube hinaufzuschaffen, ‹die fortan als das Museum bezeichnet wurde›. Nach soviel manueller Arbeit fühlte Charles sich ‹stupid und dabei wohl, so dumpf im Kopf und müde in den Beinen›. In diesem Zustand fuhr er mit der Droschke zum Athenaeum Club, um dort zu Abend zu essen, oder er ließ sich von Erasmus dazu überreden, eine Pause zu machen, um mit den Hensleighs und den Carlyles zu dinieren, obwohl sich das Gespräch regelmäßig den Schwierigkeiten mit den Domestiken zuwandte. Auch die Unterhaltung mit Lyell drehte sich jetzt weniger um die Entstehung von Kohle als um den besten Kohlenhändler in der Nachbarschaft.

Er ließ in seinem Eifer etwas nach und reagierte mißmutig, als er hörte, daß die Wedgwoods die Hochzeit vom 24. auf den 29. Januar verschoben hatten. Jetzt nahm er sich Zeit für ein paar Eintragungen in sein Notizbuch, in denen er die Liebe in haarsträubend unromantischer Weise analysierte. Nur ein klinischer Naturforscher wie er konnte fragen: ‹Was geht in einem Menschen vor, wenn er sagt, er liebe jemanden?› Am 11. Januar startete er zu einer letzten Runde nach Shrewsbury und Maer, und am 18. Januar kehrte er zu abschließenden Vorbereitungen nach London zurück. Erasmus und er mußten nur noch die Trödelläden von Baker Street nach billigen Möbeln für die Dienstboten absuchen, damit Macaw Cottage komplett war.[49]

Es war Charles bewußt, daß er in fünf Jahren des Alleinlebens ein in sich gekehrter Mensch geworden war, wie er sich freimütig gegenüber Emma entschuldigte.

‹Ich habe heute morgen darüber nachgedacht, wie es denn eigentlich gekommen ist, daß ... meine Vorstellungen von Glück so völlig von Ruhe und weitgehender Einsamkeit abhängig sind; aber ich glaube, die Erklärung ist sehr einfach, und ich erwähne sie, weil sie Dir Hoffnung geben wird, daß ich mich allmählich zu einem weniger großen *Rohling* entwickle. In den fünf Jahren meiner Reise (und ich muß auch diese letzten beiden hinzufügen ... habe ich mein ganzes Vergnügen daraus bezogen, was in meinem Kopf vor sich ging [...] Ich denke, Du wirst mich vermenschlichen und mich bald lehren, daß es ein größeres Glück gibt, als schweigend und einsam Theorien zu entwerfen und Fakten anzusammeln.›

Er hatte seine ‹liebe, sanfte Frau auf einem Sofa› gefunden, oder besser gesagt, eine sanfte Krankenschwester, während er auf dem Sofa lag. Schon jetzt lieferte er ihr dramatische Berichte über seine ‹magenmäßigen Desaster› und schwelgte in der Vorstellung, daß sie kommen werde, um ‹sich endgültig meiner anzunehmen›. ‹Der Vorsehung sei Dank›, tönte er, ‹daß meine Bindungslosigkeit bald zu Ende gehen wird.›

Emma sollte den Rohling vermenschlichen, sich um ihn kümmern, das Kommando über das Sofa übernehmen. Ihre Rolle war von Anfang an eng umschrieben – der Einzelgänger wollte keine intellektuelle Seelengefährtin. Sie versuchte sich in Lyells *Elements of Geology* einzulesen, worauf sie hören mußte, sie solle sich nicht die Mühe machen. Die Art, wie Lyell mit seiner schwergeprüften Frau umging, konnte als Leitbild dienen. Charles berichtete über einen Besuch der beiden: ‹Wir sprachen eine halbe Stunde über ganz simple Geologie, und die arme Mrs. Lyell saß dabei, ein Denkmal der Geduld. Ich brauche *Übung* in der Mißhandlung des weiblichen Geschlechts.› Natürlich sollte das wieder ein Witz sein, doch Frauen waren Zuschauerinnen im männlichen Revier der Wissenschaft, wo sie ebenso unwillkommen waren wie im Athenaeum Club. Sie mußten diesen männlichen Interessenschwerpunkt tolerieren, und Emma würde sich ihm in bezug auf Geduld als ebenbürtig erweisen.

Charles konnte es kaum erwarten, das Hochzeitszeremoniell hinter sich zu bringen. Am 24. Januar 1839, dem ursprünglich festgesetzten Datum, tröstete er sich damit, zum Mitglied der Royal Society gewählt zu werden, was noch weitgehend ein Privileg der reichen und über gute Verbindungen verfügenden wissenschaftlichen Elite war. Am nächsten Morgen fuhr er nach Shrewsbury, wo er einen Brief Emmas fand, die von ihrem großen Tag träumte.

‹Ich werde das Ereignis des 29. immer als ein überaus großes Glück ansehen [...] Es gibt nur ein Thema in der Welt, das mir für einen Augenblick Besorgnis verursacht, und ich glaube, ich denke sehr wenig daran, wenn ich bei Dir bin, und ich hoffe, daß wir, obwohl unsere Meinungen nicht in allen Punkten der Religion übereinstimmen mögen, in unseren *Gefühlen* in diesem Bereich weitgehend sympathisieren.›

Am 28. Januar traf Charles in Maer ein, und am folgenden Tag wurden die beiden in der St. Peter's Church vom dortigen Pfarrer, ihrem Vetter John Allen Wedgwood, getraut.

Die Zeremonie war, obwohl anglikanisch, so arrangiert worden, daß sie keine unitarischen Empfindlichkeiten verletzte. Emma trug ein ‹grünlichgraues, kostbares Seidenkleid ... und einen weißen Basthut, besetzt mit Spitzen und Blumen›. Charles war aufgeregt und entrann anschließend den Fängen der Verwandten, indem er Emma mit unziemlicher Eile auf den Bahnhof entführte; sie hatte kaum Zeit, den Hut zu wechseln. Die überstürzte Abreise erregte Anstoß und verstimmte Emmas Schwester Elizabeth. Das Paar aß seine ‹Sandwiches dankbaren Herzens› im Zug und stieß mit einer ‹Flasche Wasser› auf die Zukunft an. Emma zog Trost aus dem Umstand, daß ihre bettlägerige Mutter während der ganzen Trauung geschlafen und ihnen so ‹den Schmerz der Trennung› erspart hatte.

Nun waren sie wieder im Macaw Cottage. Darwin vermerkte in seinem Tagebuch: ‹In Maer geheiratet und dreißigjährig nach London zurückgekehrt.› Doch an diesem seinem Hochzeitstag zeigte sich seine wahre Leidenschaft. Er schlug eigens sein geheimes ‹E›-Notizbuch auf, um Onkel John Wedgwoods Ansichten über Rüben festzuhalten.[50]

19

Der mörderische Kampf

Ein Schatten fiel von Anfang an auf das Paar. Achtundvierzig Stunden nach der Trauung, am 31. Januar 1839, verlor Charles' Schwester Caroline ihr erstes Kind, die sechs Wochen alte Sophie. Ein glücklicher Monat hätte kein traurigeres Ende nehmen können; der Todesfall umwölkte ihre ersten gemeinsamen Wochen. Emma wartete sehnsüchtig auf ‹Nachrichten von der armen Caroline›, wußte sie doch, daß der Tod eines Kindes selten ‹bittereren Schmerz hervorgerufen hat als bei ihr›. Caroline war achtunddreißig, ihr Mann Josiah, Emmas Bruder, dreiundvierzig. Das Kind war von Geburt an schwächlich, ‹ein armes, winziges, zartes Ding›, das Erstgeborene einer Ehe zwischen Cousin und Cousine ersten Grades wie der von Charles und Emma.[1] Es war kein gutes Omen.

Emma tröstete sich mit ihrem behaglichen ‹Cottage› in der Stadt und ihrem neuen Leben. Sie wohnten nach hinten hinaus mit Blick auf den Garten; hier war es viel ruhiger. Der Monat wurde damit zugebracht, sich häuslich einzurichten und Einkäufe zu machen, Morgenmäntel, Teller und ein Klavier aus Mahagoni.

Aber Emmas Befürchtungen in bezug auf Charles' künftiges Leben kehrten immer wieder zurück. Als sie ein paar Monate später feststellte, daß sie schwanger war, brachte sie ihre Ängste zu Papier. Es fiel ihr leichter, sich in einem Brief an Charles zu äußern, denn ‹wenn ich mit Dir rede ... kann ich nicht genau sagen, was ich sagen möchte›. Natürlich handle er ‹bei seinen Bemühungen, die Wahrheit [über die Natur] herauszufinden, gewissenhaft›, aber andererseits wisse sie, daß es nicht die ganze Wahrheit sein könne. Seine wissenschaftliche Arbeit schließe ‹Gedanken anderer Art›, religiöse Gedanken, aus. Und da war ja auch immer das schlechte Beispiel, das Erasmus bot, der ‹vor Dir diesen Weg gegangen ist› und ‹einiges von der Furcht und der Angst› beseitigt habe, die den Zweifel begleiteten.

Charles hatte alle Bedenken gegenüber dem Skeptizismus aufgegeben und sie in seinen Notizen als ‹irrationales und abergläubisches Gefühl› abgetan. Emma erkannte, daß ihn seine private Arbeit in gefährliche Gewässer führte. Die Gewohnheit, ‹nichts zu glauben, bis es bewiesen ist›, habe ihn daran gehindert, ‹andere Dinge in Betracht zu ziehen, die nicht in derselben Weise bewiesen werden können und die, falls sie wahr sind, wahrscheinlich unser Begriffsvermögen übersteigen›. Sie wurde von dem Gedanken gequält, daß er Christi Offenbarung des ewigen Lebens aufgebe und seine Erlösung opfere. Seit dem Verlust ihrer geliebten Schwester Fanny hatte sie in der Hoffnung gelebt, ‹eines Tages wieder mit ihr vereint zu sein und niemals mehr getrennt zu werden›. Sie hoffte, die Ewigkeit auch mit ihrem teuren Gemahl zu verbringen, aber seine Zweifel drohten sie im Tod zu trennen. Es wäre ein Alptraum, schloß sie, ‹wenn ich mir vorstellte, daß wir einander nicht für immer angehören›.[2]

Emmas Christentum entsprach dem schlichten Gebot der Evangelien, durch den Glauben an Jesus das ewige Leben zu erringen. Ewiges Leben ‹kann nicht bewiesen werden›; es war vielleicht nicht einmal faßbar, aber in einer so schicksalhaften Frage bat Emma Charles, sich ‹von Vorsicht, vielleicht sogar Furcht› leiten zu lassen, wenn es darum gehe, das ‹wegzuwerfen›, was Jesus ‹für Dein Seelenheil sowie für das der ganzen Welt getan› habe. Der Brief rührte ihn zu Tränen, und er sollte ihn nie vergessen.

Als die Verbindung des Paars enger wurde, nahm Emma Charles an Sonntagen in die Kirche des King's College am Strand mit. (Dem gottlosen College in der Gower Street war selbstredend keine Kirche angeschlossen.) Gleichzeitig verschlimmerte sich Charles' Krankheit, und Emmas Ängste verstärkten noch die seinen. ‹Die Frage›, die sie schied, wie Emma es nannte, war nicht, ob die Bibel eine unanfechtbare göttliche Offenbarung sei – das bezweifelte Charles bereits, was in Anbetracht seiner Integration in den Kreis um Erasmus verständlich erscheint. Sie lautete vielmehr, ob er die Ewigkeit im Himmel oder in der Hölle zubringen würde.[3]

Trotzdem verlief das Leben der beiden überwiegend glücklich. Der Haushalt wurde, wie alle großbürgerlichen Haushalte, durch eine Schar von Domestiken besorgt. Sie schufteten von früh bis spät, schleppten Kohlen und Wasser treppauf und treppab, legten Kleider bereit, servierten Mahlzeiten, putzten Herde – sie versorgten, wie Darwin vielleicht gesagt hätte, die Termitenkönigin und ihren König gegen geringes Entgelt. Der getreue Syms Covington, der Darwin seit den *Beagle*-Tagen diente, blieb nach der Hochzeitsreise nach London noch eine Weile bei ihnen und verließ sie dann im Februar mit einem Abschiedsgeschenk von zwei Pfund. Einige Monate später emigrierte er mit der Auswandererwelle nach Australien. Er war mit einem Empfehlungsschreiben Darwins an Captain King ausgestattet und verdiente sich seine Überfahrt als Koch. Neuer Butler Darwins wurde der Respekt einflößende Joseph Parslow, von Tante Jessy als ‹der liebenswürdigste, zuvorkommendste, aktivste, dienstfertigste Hausangestellte, den es je gab› gepriesen.

Das richtige Personal zu finden, war offensichtlich ein Problem. Charles verließ sich auf die Empfehlungen von Freunden und Angehörigen – mit geringem Erfolg. ‹Die Köchin aus Shrewsbury ist ein Fiasko, denn sie kann nicht kochen, und ihr Mann ist Trinker. Ich zögere, von Miss Farrer eine konvertierte Jüdin zu übernehmen.› Emma war genauso wählerisch in bezug auf ihre Dienstboten. Die neue Köchin war ‹allzu durchtrieben› und mußte gehen, das Hausmädchen ‹vulgär und unansehnlich›, wenn man auch einen besseren Vorwand benötigte, um sie hinauszuwerfen.

Es war ein sehr properes Haus, und die Anstandsregeln wurden bis ins letzte Detail eingehalten. Charles legte sogar noch größeren Wert auf Etikette als Emma. Daß sie ihrem Hausmädchen erlaubte, ohne Haube auszugehen, hatte eine heftige Auseinandersetzung zur Folge. Charles war entsetzt, wie jedermann in Shrewsbury; das Mädchen war schließlich die Bedienstete einer *Dame,* kein Ladenmädchen, das Männer dazu einlud, sich Freiheiten herauszunehmen. Ebensowenig wurde Parslows langes Haar geduldet; Vater Darwin hielt ihm eine sarkastische öffentliche Standpauke über seine Richterlocken, die bei jemandem von so geringem Stand fehl am Platze seien.[4]

Darwin hatte jetzt den Kopf frei für die Freuden ungehinderten Denkens. Sein im Januar gehaltener Vortrag vor der Royal Society über den Glen Roy ‹krönte die [Vortrags-]Reihe› zur globalen Auffaltung. Aber es gab kein Anzeichen für eine Veröffentlichung des *Journal of Researches,* und Whewell mußte in der Geologischen Gesellschaft davon abgebracht werden, öffentlich zu protestieren, damit FitzRoy nicht verärgert wurde. Der Captain steckte tief in der Arbeit, und fairerweise muß man sagen, daß sein eigener Band den Darwins um tausend Seiten übertraf, als er schließlich im Druck erschien.

Privat beobachtete Darwin jetzt die Verfahrensweise von Gartenbauexperten. Sie zogen zweifellos Nutzen aus zufällig auftretenden Eigenheiten. Er bemerkte, daß Züchter über die ‹*zufällige Entstehung von Sämlingen mit widerstandsfähigerer Konstitution*› redeten, und sah selbst, daß das ‹erbitterte Ringen zwischen Starken und Schwachen zur Erhaltung *zufällig auftretender,* resistenter Sämlinge› führte.[5] Der ganze auf Gewohnheiten beruhende Mechanismus, den Darwin postulierte, war für Pflanzen ohnehin irrelevant; aus seiner Sicht war jetzt nicht mehr daran zu rütteln, daß widerstandsfähigere Saaten nur durch Zufall entstehen konnten.

Im verrauchten London blieb Darwin im Herzen ein Krautjunker, der mit Bauern über deren Methoden der Zuchtwahl korrespondierte und sich weit von den Anliegen der Schreibtischzoologen und der akademischen Botaniker entfernte. Er begann ein Notizbuch über ‹Fragen und Experimente›, das er mit Einzelheiten der Gänseblümchenzucht auf guten Böden, der Aussaat von Samen unter farbigem Glas, der Kreuzung von Kohlarten und Hunderassen, des Skelettierens von Enten und des Vergleichs von Blutkörperchen füllte – lauter scharfsinnigen Annäherungen an das Rätsel der Variabilität, die nach zeitgenössischen Maßstäben ausgesprochen bizarr waren. Kein Cambridge-Professor erwartete, daß Kreuzungen zwischen Pfirsich und Nektarine den Schlüssel zur Schöpfung enthielten.

Darwin ließ Fragen drucken, eine ganze Reihe für jeden Spezialisten, wobei er seine *Fragen über die Tierzucht* so formulierte, daß er die erforderlichen Antworten erhielt. Seine Fragebogen verschickte er an Gutsherren zur Weitergabe an ihre Pflanzen- und Tierzüchter; er erhoffte sich davon Aufschluß über die Art und Weise, wie sie Varietäten kreuzten beziehungsweise Abkömmlinge auswählten, um die ‹erforderlichen Eigenschaften› zu erzielen. Dieses Fragengewitter erwies sich offensichtlich als zuviel. Nur drei antworteten, und einer von ihnen gab sich als überfordert zu erkennen, indem er darauf hinwies, daß ‹Mr. Darwins Fragen ... eine längere Erfahrungsspanne erfordern, als das Leben eines Menschen ... zu bieten hat›.[6]

Darwins malthusische Brille paßte allmählich immer besser; der Blick durch sie offenbarte ‹den mörderischen, aber lautlosen Kampf organischer Lebewesen, der in den friedlichen Wäldern und auf den idyllischen Feldern tobt›. Oder vielmehr in den schmutzigen, verseuchten Straßen der Hauptstadt, bekam Darwin doch die Natur kaum mehr zu sehen. Seine zunehmend düstere Auffassung von der Natur bildete den Kontrapunkt zu einer Gesellschaft, die sich im Würgegriff der Wirtschaftskrise befand. Die sozialen Auseinandersetzungen in den Londoner Slums zwangen immer mehr hungernde Arme zur Auswanderung oder zu Protestmärschen.

Der Schweizer Botaniker de Candolle war bei Darwin zum Abendessen zu Gast und gab ihm Gelegenheit, persönlich mit jenem Mann über den ‹Krieg› in der Natur zu sprechen, der als erster diesen Gedanken vorgebracht hatte. Der Wettkampf beherrsche alles, und die Natur sei ein Schlachthaus, gepflastert mit Verlierern. Für jeden winzigen Fortschritt müßten viele sterben. Welche Zeitspannen seien etwa nötig, bis sich kleine Vorteile in einer Gesamtpopulation von Hunden durchsetzten! Angenommen, ‹daß von je hundert Würfen nur ein Hund mit langen Beinen zur Welt kommt und im malthusischen Lebenskampf nur zwei von ihnen es schaffen, sich fortzupflanzen›; wenn das Gelände hart und die Beute schnell sei, würden ‹die langbeinigen Exemplare tendenziell öfter ... überleben›, und ‹in zehntausend Jahren wird die langbeinige Rasse die Oberhand behalten›. Doch wie viele müßten zugrunde gehen, bis dieses Ziel erreicht sei!

Das leuchtete so unmittelbar ein, daß Darwin es an Hensleigh zu erproben gedachte, dessen entwicklungsbezogenes Herangehen an die Sprache er kannte und der die Eleganz dieser Theorie sicherlich zu schätzen wissen würde. Doch nein, Hensleigh ‹schien es für absurd zu halten ... daß ein

Tiger, der ein paar Zentimeter weiter springt, damit sein Überleben sichere›. Auch die Transmutation als solche stellte Hensleigh vor Rätsel.[7] Java und Sumatra seien ähnliche Inseln, gab er zu bedenken; dennoch habe jede ihr eigenes Nashorn. Warum? Dies war natürlich die Nuß, die Darwin auf den Galápagosinseln bereits geknackt hatte; doch offenkundig mußten andere erst noch überzeugt werden.

Darwin überforderte nicht nur seinen Cousin, sondern ging auch über dessen verstorbenen Schwiegervater, Sir James Mackintosh, hinaus. Als Anfänger hatte Charles Sir James im Hause Wedgwood kennengelernt, aber von damals trennten ihn Welten. Jetzt, im März 1839 griff er nochmals zu Mackintoshs *Ethical Philosophy*, als er mit Emma Maer besuchte. Mackintosh glaubte, daß die moralischen Fähigkeiten angeboren und das Wissen von richtig und falsch instinktiv seien. Dies paßte hervorragend in Darwins Theorie, doch er wollte wissen, wie diese moralischen Instinkte auftraten.[8] Durch ein Wunder – das war keine Antwort. Sie mußten sich aus Herden- und Bindungsinstinkten entwickelt haben, die nützlich waren, um die Beziehungen in der Urhorde zu festigen.

Hensleigh war Stammgast bei den Dinnerpartys, und Emma ertrug stoisch die wissenschaftlichen Gesprächsrunden. Am 28. März kam Sedgwick zu Besuch, und Emma stellte fest, daß er ‹etwas erstaunlich Frisches und Ungewöhnliches an sich hat›. Im April machten sich ihre widersprüchlichen Gefühle Luft. Am Ostermontag die Konversation mit Leuten wie Lyell und Robert Brown in Gang zu halten, stellte sie auf eine äußerst harte Probe. Lyells Geflüster ‹ließ jede Party veröden›, und Browne war so scheu, daß er den Eindruck machte, ‹er würde sich am liebsten in sich verkriechen und ganz verschwinden; trotz dieser beiden Nieten, nämlich des größten Botanikers und des größten Geologen in Europa, verlief alles sehr gut, und es entstanden keine Pausen›.[9] Doch Emma wirkte auf alle reserviert und ernst – es war Charles, der sich unmöglich machte, indem er ständig Witze riß.

Ende Mai – zweieinhalb Jahre nach der Rückkehr der *Beagle* – gab es Grund zu feiern. Darwins erstes Buch, *Journal of Researches into the Geology and Natural History of the Various Countries visited by H. M. S. ‹Beagle›* [dt.: *Charles Darwins Naturwissenschaftliche Reisen nach den Inseln des grünen Vorgebirges, Südamerika, dem Feuerlande, den Falkland-Inseln, Chiloe-Inseln, Galapagos-Inseln, Otaheiti, Neuholland, Neuseeland, Van Diemen's Land, Keeling-Inseln, St. Helena, den Azoren etc.*, übers. von Ernst Dieffenbach, zwei Teile, Braunschweig 1844], war endlich erschienen. Für den jungen Autor waren dies Tage zwischen Bangen und Hoffen, bis die ersten Besprechungen erschienen. Captain Basil Hall äußerte sich in der *Edinburgh Review* freundlich und lobte FitzRoy, weil er ‹beträchtliche Summen aus seinem Privatvermögen› aufgewendet habe, ‹um die Vermessung der peruanischen Küste abzuschließen›. Dennoch fand FitzRoy den Artikel ‹sehr unschlüssig und widersprüchlich›. Was an Darwins Band allgemein hervorgehoben wurde, war sein ‹Geist kühner Verallgemeinerung›. Von dem Samstagsblatt *The Athenaeum* war dies in einem Zeitalter, dem es auf Fakten ankam, als Tadel gedacht. Schließlich müsse ‹mindestens eine Million Jahre vergangen sein›, ereiferte sich der Rezensent über Darwins Theorie der langsamen Auffaltung, ‹seit ... das Meer den Fluß der Andenkordillere umspült hat›![10] In derselben Rezension wurde der Verlag dafür kritisiert, daß er die drei Bände gemeinsam herausgebracht und endlose Wiederholungen in Kauf genommen hatte. (Das nahm man sich zu Herzen, und am 15. August, nachdem die dreibändige Ausgabe zehn Wochen auf dem Markt gewesen war, wurde Darwins *Journal* separat herausgebracht.)

Darwins Kollegen waren viel liebenswürdiger, insbesondere Owen. Er schrieb: ‹Es ist so voll guter, ursprünglicher, bekömmlicher Nahrung wie ein Ei, und wenn das Genossene nicht gebührend verdaut worden ist, dann deshalb, weil es zu hastig verschlungen wurde.› Was einem anderen gefiel (mit einem Seitenhieb auf die Franzosen), war ‹der Ton einer gütigen und großzügigen Einstellung, der aus jedem Teil spricht›. Er meinte, es sei ‹das Werk eines schlichten englischen Gentleman, der um der Informationen und nicht um des Effekts willen reist und alle Dinge *wohlwollend* betrachtet›. Selbst der dünnhäutige FitzRoy, der die wuchernden Urwälder nach Verstößen gegen die Etikette durchkämmte, bezweifelte, daß er ‹einen mich persönlich betreffenden Ausdruck darin› finden werde, ‹von dem ich wünschte, daß er nicht darin wäre›; er erwartete, ‹in dieser Hinsicht völlig gelassen sein zu können›.

Im Gegensatz dazu brachte der Schluß von FitzRoys Band Lyell und Darwin in Rage. Der in den Schoß der Familie zurückgekehrte und mit einer religiösen Frau verheiratete Captain war zu einem buchstabengläubigen Bibeldeuter geworden und schloß seinen Band mit einer Auslegung der Schöpfungsgeschichte. Er bedauerte, in Darwins Gegenwart an der Sintflut gezweifelt zu haben. Jetzt sei ihm völlig klar, wie unrecht die Geologen hätten. All die hoch oben im Trockenen abgelagerten Muscheln Darwins, all seine versteinerten Bäume in den Anden, all seine schotterhaltigen Pampasplateaus, all die fossilen Knochen zeugten nur von einem: einer großen Flutkatastrophe. Es war ein direkter Hieb auf Darwins Naturwissenschaft und Lyells *Elements of Geology*. Lyell fand, es stelle ‹all den anderen Unsinn in den Schatten›, den er je ‹über das Thema gelesen› habe. ‹Obwohl ich FitzRoy sehr viel verdanke›, meinte Darwin, ‹werde ich ihm soweit wie möglich aus dem Weg gehen.› Er sei zu aufbrausend, seine Frau zu herablassend, ‹aber dies ist schließlich auch kein Wunder bei einer so schönen und religiösen Dame›.[11]

Darwins Held Alexander von Humboldt schrieb eine Lobeshymne. Er bezeichnete das *Journal* als einen der bedeutendsten Reiseberichte, die je veröffentlicht wurden. Selbst ‹ein junger Autor kann einen so großen Bissen Schmeichelei nicht schlucken›, antwortete ihm Darwin. Humboldt wiederholte das Lob später ebenso dick aufgetragen in London; Darwin hörte ihn drei Stunden lang pausenlos reden und empfand am Ende mehr Mattigkeit als Verehrung. Die Deutschen, wie immer besonders schnell, wünschten eine Übersetzung, und der Bergwerksdirektor Carl Hartmann aus Braunschweig, der Lyells *Elements of Geology* übersetzt hatte, bekundete sein Interesse. Aber die Aufgabe fiel schließlich an Ernst Dieffenbach. Er war Chirurg bei der New Zealand Company (die in diesem Jahr von radikalen Abgeordneten gegründet worden war in der Absicht, überschüssige Arbeitskräfte in das neue Land zu schaffen), und er machte sich nach seiner Rückkehr nach Berlin an die Arbeit.

Das Lob kam zur richtigen Zeit. Im Juni beendete Darwin sein letztes größeres Notizbuch und setzte die *Coral Reefs* mit dem Gedanken fort: ‹Es ist eine sehr angenehme, leichte Arbeit, das Gerüst einer geologischen Theorie zusammenzuzimmern, doch es kostet eine Menge Schweiß, die harten, unbestreitbaren Tatsachen zu sammeln und zu vergleichen.›[12] Wie die Rezensenten erkannten, war Darwin ein Theoretiker in einem Zeitalter, dem es um Einzelheiten ging. Hypothesenbildung war anrüchig. Gottes Wirken in der Natur zu verstehen, sei zeitraubend, und die Wahrheit könne nur durch die Anhäufung trockener Fakten ans Licht kommen, meinte Reverend Sedgwick; jeder Versuch, diesen mühsamen Prozeß mit einer hurtigen Hypothese oder einer A-priori-Vermutung zu umgehen, sei Sünde.

Die Kritik sollte Darwins Evolutionstheorie noch härter treffen. Das Gerüst dafür stand ebenfalls; die Fakten waren in malthusischer Manier daran festgemacht und notfalls gestreckt. Stimmte die Theorie? Für die Cambridge-Professoren führte die Wahrheit von der Natur zu Gott und war moralisch, konservativ sowie in der Obhut der Elite. Darwins Spekulationen dienten ganz anderen Herren: den aufstrebenden Industriellen und der gebildeten Mittelschicht. Und was sollte radikale Dissidenten davon abhalten, sich seine Theorie zu wirklich revolutionären Zwecken anzueignen?

Im Sommer konnte man dem Aufruhr auf den Straßen nicht mehr aus dem Weg gehen. Die Bewaffnung des chartistischen Mobs war Gegenstand von Debatten im Unterhaus. Auf dem ersten Chartisten-Kongreß in London wurde der gemäßigte Delegierte von Perth, der malthusische Evolutionist Patrick Matthew, als ‹Mittelstandsverräter› ausgeschlossen. Die radikalen Arbeiter, die durch das Reformgesetz benachteiligt wurden, nahmen die Dinge jetzt selber in die Hand. Eine nationale Petition, unterstützt von 1,3 Millionen Unterschriften, die das allgemeine Männerstimmrecht forderte, war im Juli vom Parlament abgelehnt worden. Als Darwin im August an der einwöchigen Tagung der British Association for the Advancement of

Science in Birmingham teilnahm, fand er eine Stadt fast unter Kriegsrecht vor. Die Chartisten hatten ihren Kongreß hierherverlegt. Sie wurden unterstützt von Sozialisten – unter ihnen einige rote Lamarckisten –, die eine halbe Million Broschüren verteilten, in denen die Ehe, das Privateigentum und der unkooperative Staat verurteilt wurden. Im Vormonat waren in der Stadt Unruhen ausgebrochen. Beinahe hätten die gelehrten Herren ihre Tagung abgesagt. Darwin traf in einer Stadt ein, in der ‹fieberhafte Ruhe› herrschte, ein Friede, der durch ‹Männer in Grün und Männer in Rot, Polizeiknüppel und Kavalleriesäbel› gewahrt wurde.[13]

Darwin war krank vor Sorge. Dennoch trieb ihn etwas, den vom Pöbel geschmähten Priestern – zumindest dem orthodoxen Henslow – zu gestehen, daß er ‹ständig Fakten aller Art› sammle, ‹die Aufschluß über Entstehung und Veränderung der Arten geben können›. Das wäre Musik in den Ohren der Straßenatheisten gewesen, aber natürlich nicht für Henslow. Darwin hoffte verzweifelt, sein alter Mentor werde ihn verstehen. Als er im September zehn Tage in Shrewsbury verbrachte, fühlte er sich ‹so matt und unbehaglich›, daß er sich ins Bett verkroch und niemanden sehen wollte. Emma war im sechsten Monat und fühlte sich selbst an vielen Tagen krank. So zogen sie sich mehr und mehr in ihr Heim zurück und spannen sich dort ein.

Gäste zu haben wurde zur Last. ‹Wir führen ein Leben extremer Geruhsamkeit [...] Wir haben alle Partys aufgegeben, denn sie bekommen uns beiden nicht; und wenn man in London zurückgezogen lebt, dann ist die Ruhe dort unvergleichlich – der rauchige Nebel und die gedämpften fernen Geräusche von Kutschen und Droschken haben etwas Imponierendes.› Die Gower Street war jetzt ein Refugium. ‹Wir sehen nichts, tun nichts und hören nichts.› Der alte Kreis hatte seinen Reiz verloren, und manche Mitglieder verschwanden. Harriet Martineau, die befürchtete, einen Tumor zu haben, war nach Newcastle gezogen, um ihrem Bruder, einem Arzt, nahe zu sein; allerdings korrespondierte sie immer noch mit Erasmus, der, seiner eigenen verschwommenen Welt überlassen, ‹mit viel Gestöhne bei seinem Opium bleibt›. Mit Hensleigh war es mühsam geworden, und Carlyle war ein noch größerer Langweiler. Darwin war ‹inzwischen ziemlich angewidert von seinem Mystizismus, seiner gewollten Unverständlichkeit und Affektiertheit›.[14]

Die Tage begannen sich ‹wie zwei Erbsen› zu gleichen: Um sieben Uhr aufstehen, ohne Emma zu wecken, bis zehn Uhr Arbeit an den *Coral Reefs*, ‹unser Frühstück essen, in unseren Lehnstühlen sitzen, und ich beobachte die Uhr, während der Zeiger leider zu schnell auf halb zwölf zuwandert, dann in mein Arbeitszimmer, wo ich bis zum Mittagessen um zwei Uhr arbeite›. Nach dem Mittagessen in die Stadt und rechtzeitig wieder zurück zum Abendbrot um sechs Uhr. ‹Sitze wie vom Schlag gerührt, nur gelegentlich ein bißchen lesend, bis halb acht da, Tee, Deutschstunde, manchmal ein bißchen Musik und etwas Lektüre, bis die Schlafenszeit einen erfreulichen Abschluß des Tages bildet.› Es war zwar eintönig, aber, so tröstete er sich, ‹um wieviel schlimmer wäre es gewesen, wenn ich in irgendeinem Geschäft gewesen wäre›.

Als Emmas Niederkunft näherrückte, wurde er zunehmend kränker und litt täglich an Migräne. Am Heiligen Abend wurde ihm ‹unwohl, was mit Ausnahme von zwei oder drei Tagen anhielt›, und zwar monatelang.[15] Als sich seine Krankheit verschlimmerte und das Land auf ein Chaos zutrieb (der Aufstand der walisischen Chartisten war soeben niedergeschlagen und die Anführer zum Tod verurteilt worden), erwog er neuerlich, aus London zu flüchten. Eine morbide Atmosphäre senkte sich auf das Heim der Darwins. Emma kränkelte noch stärker; gleichwohl konzentrierte sich die Aufmerksamkeit auf Charles. Sein Theoretisieren ließ ernste Konsequenzen befürchten; er bangte um seinen guten Ruf, und bald würde er auch noch die Sorge für eine Familie haben.

Nach Weihnachten traf Emmas Schwester Elizabeth ein, um bei der Entbindung zu helfen. Die schauerliche Angelegenheit regte den gesundheitlich angegriffenen Charles auf. ‹Was für eine schreckliche Sache eine Niederkunft ist; es hat mich mitgenommen, fast ebenso sehr wie Emma selbst.› Am 27. Dezember um 9.30 Uhr wurde eine Junge, Charles' ‹kleiner Prinz›, geboren, ‹ein Ausbund an Schönheit und Geist›. Er nannte den Jungen William Erasmus nach seinem Urgroßvater, der einen Ichthyosaurus ausgegraben hatte, bevor man sich von solchen Dingen träumen ließ, ‹so daß *wir* ein ererbtes Recht darauf haben, Naturforscher und insbesondere Geologen zu sein›.[16] Der kleine Willy wurde zwar getauft, aber ohne Taufpaten, da Charles und Emma religiöse Stellvertreter ablehnten. Der Säugling mit seinem schrumpeligen Gesicht und seinen instinktiven Bewegungen wurde sofort zum Gegenstand obsessiver Beobachtungen und Notizen von seiten des vernarrten Vaters, der sich über das Bettchen beugte, um die Grimassen des Sprößlings zu deuten. Willy Darwins Reaktion auf einen Spiegel wurde mit der des Orang-Utan-Weibchens Jenny verglichen, und seine ersten Anzeichen von Zorn, Furcht, Vergnügen und Verstand wurden gewissenhaft aufgezeichnet.

Die übrige Arbeit kam 1840 stotternd zum Stillstand. Darwin überschritt die Fristen für seine *Birds*-Ausgaben und legte die *Coral Reefs* beiseite. Krankheit zwang ihn schließlich, Dr. Holland aufzusuchen, jedoch ohne Erfolg. ‹Ist es nicht fürchterlich, daß ich jetzt seit neun Wochen keinen vollen Tag mehr gearbeitet habe›, klagte er gegenüber Lyell im Februar. ‹Aber ich will nicht mehr murren.› Die geringste Aufregung zwang ihn, das Bett zu hüten; deshalb mied er sie und zog ruhige Abgeschiedenheit vor. Sein ‹kleines Animalculum [= Tierchen] von einem Sohn› lernte Mitte Februar lächeln, während er selbst immer weniger Grund dazu sah. Er blieb vier Versammlungen der Geologischen Gesellschaft hintereinander fern und versuchte am 24. März seine Sekretärsstelle zu kündigen, was man ihm jedoch ausredete. Dies alles war zutiefst verstörend für Emma. Charles war ‹ständig in einem Zustand der Mattigkeit, der sehr besorgniserregend ist›. Doch zumindest war er ‹nicht wie die übrigen Darwins, die einem nie sagen, wie es ihnen wirklich geht; er sagt mir immer, wie er sich fühlt, und will nie allein sein ... so daß ich das Gefühl habe, ihm eine Stütze zu sein.›[17]

Emma pflegte ihn und Willy, während sie Carlyles Streitschrift über den Chartismus las, diese ‹bittere Unzufriedenheit, die wild und wütend geworden ist›, wie der schottische Prophet wetterte. Sträflingskolonie und brutale Polizeieinsätze seien keine Lösung; ebensowenig könne man die Gesellschaft durch Arbeitshäuser von ihren Problemen befreien. Parlament, Kirche und Aristokratie müßten aufhören, sich vor ihrer Verantwortung zu drücken, müßten aufhören, sich bloß um Jagdgesetze zu kümmern, müßten von ihrer hochtrabenden malthusischen Apologetik ablassen und sich den sozialen Problemen stellen. Emma fand das Buch ‹voll Mitgefühl und Sympathie, aber äußerst unpraktikabel›. Auch Charles auf seinem Krankenlager las ständig darin und schimpfte über den Verfasser.

Fanny und Hensleigh waren mittlerweile gleichfalls in die Gower Street gezogen, vier Häuser weiter, was Besuche und gegenseitige Hilfe erleichterte; dennoch herrschte weiterhin eine morbide Lustlosigkeit im Macaw Cottage. Willy wurde gegen Pocken geimpft, aber nichts konnte seinen Vater schützen, der in acht Monaten ebenso viele Pfund abgenommen hatte. Als er im April nach Shrewsbury fuhr, war sein Vater außerstande, das Übel zu diagnostizieren.[18]

Im Mai ging es Charles etwas besser, so daß er sich stark genug fühlte, einen Sitz im Vorstand der Königlichen Geographischen Gesellschaft anzunehmen. Anschließend setzte er sich jedoch nach Maer und Shrewsbury ab, um sich fünf Monate lang zu erholen. Obwohl er unablässig über die Evolution nachdachte, schaffte er nur einige beiläufige Notizen über Bienen, und im August erlitt er einen Rückfall, der ihn ins Bett zurückzwang. Es war ein langer, müßiger, verlorener Sommer, dieser Sommer 1840.

Am 14. November kehrte Darwin nach London zurück und war am nächsten Tag in der Zoologischen Gesellschaft, wo er Schlangenschädel untersuchte. Die Exoten in Spiritus konfrontierten ihn mit scheinbar unüberwindlichen Problemen. Wie in aller Welt hatten sich zum Beispiel Fledermäuse entwickelt? Es war Unsinn, sich ein Mittelstadium vorzustellen, etwa eine *halb*geflügelte Fledermaus! ‹Man kann sich unmöglich vorstellen, welche *Lebensweise* ein so gebautes Tier gehabt habe könnte.› Aber seine Stimmung besserte sich, als er an die auf Mangrovenbäume kletternden Schlammfische mit ihrer fächerartigen Rückenflosse dachte: Hätte sich irgend jemand einen segelnden, kletternden und im Schlamm spazierengehenden Fisch vorstellen können?

Sein anderes Problem waren die fossilen Belege für die Evolution. Hierzu war fast nichts Nennenswertes vorhanden. Aber er war optimistisch; die fossilen Bruchstücke, die wir besäßen, seien ‹nur der karge Rest› dessen, was einst existierte, und es werde noch mehr auftauchen, das die Lücken füllen werde. Selbst jetzt würden ‹wunderbare Entdeckungen› gemacht, allen voran ein fossiler Affe, der in Brasilien gefunden wurde und größer als ein Schimpanse war. Jetzt sollten die Gegner bloß versuchen, einen prähistorischen ‹Affenmenschen› für Unsinn zu erklären, meinte er auftrumpfend.[19]

Darwins größtes Problem war sein Publikum. Ironischerweise brannte er darauf, sich seinen alten anglikanischen Freunden zu offenbaren. Abgeneigtere Ohren konnte man sich jedoch schwerlich vorstellen, zumal in dieser Ära wachsender Klassenfeindschaft. Der Klerus war im Belagerungszustand; die Barbaren rüttelten bereits am Tor. Das Gerede über ‹Affenmenschen› erinnerte an den Unflat, den die Gossenatheisten von sich gaben. Keiner der Zoologen hätte mit Darwin sympathisiert. Wie groß war also die Aussicht, in den Salons der Pfarrhäuser Bundesgenossen zu finden? Doch die Obsessionen, die ihn mit seinem Cousin Fox verbanden – für abessinische Katzen und bizarre Vögel –, ließen ihn seine Vorsicht beiseite schieben. Er erzählte Fox, daß er an ‹Varietäten und Arten› arbeite, und bat ihn um Informationen aller Art über Hundekreuzungen und ‹einheimische Vögel›. Skelette seien seine neueste Passion; wenn Fox ihm also ‹etwas zukommen lassen› wolle, dann wäre seine tote ‹afrikanische Mischlingskatze› oder der Kadaver irgendeiner Geflügelkreuzung ‹willkommener als die schönste Rehkeule oder die hübscheste Schildkröte›.[20]

Sein eigener ‹armer Kadaver› zeigte 1841 Anzeichen der Besserung. Er konnte an einigen Tagen der Woche eine oder zwei Stunden arbeiten, und er widmete diese Zeit einem Aufsatz über die Verfrachtung von Findlingen durch Eisschollen in Südamerika. ‹Ich bin jedoch gezwungen, sehr ruhig zu leben, und bin kaum imstande, jemanden zu sehen. Nicht einmal mit meinen nächsten Angehörigen kann ich lange reden. Ich war schon richtig verzweifelt und erwartete, mein ganzes Leben als elender, nutzloser Hypochonder zu verbringen, aber jetzt habe ich doch wieder mehr Hoffnung.› Er blieb der Geologischen Gesellschaft immer noch fern und trat schließlich im Februar von seinem Posten zurück, aber er konnte ja Hensleigh ersuchen, seinen Artikel über die Eisberge in der Gesellschaft vorzulesen, und sich von ihm die Kommentare übermitteln lassen.[21] Er hatte angefangen, Aufgaben in einer Weise zu delegieren, die charakteristisch werden sollte. Stellvertreter waren hier durchaus akzeptabel.

Emma war glücklich, selber ‹von allen Londoner Festivitäten dispensiert zu sein›, während sie ihren leidenden Mann pflegte. Die zweite Schwangerschaft machte ihr diesen Rückzug leichter. Wieder war es eine Zeit der

Sorge, aber Anne Elizabeth kam am 2. März wohlbehalten zur Welt, eine blonde Rivalin mit sonnigem Gemüt für ‹Doddy›, wie Willy jetzt genannt wurde. Charles vergötterte seine erste Tochter von Anfang an. Sie war ein normal unruhiges Kind, aber Berührungen besänftigten sie wie nichts anderes, und er liebte es, sie auf den Arm zu nehmen und zu küssen. Eines Tages, das wußte er, würde ihm all seine Liebe großzügig vergolten werden. Annie würde ihrer beider ‹Trost im Alter› sein und ihn bis ans Lebensende pflegen.[22]

Selbst jetzt kränkelte Darwin; er fühlte sich ‹unwohl und fröstelig›, wie er es nannte, war von Kopfschmerzen und Übelkeit geplagt. Bestürzt, wieder ‹in meinen alten, erbärmlichen Zustand› zu versinken, hielt er sich in den Monaten Juni und Juli allein in Maer und Shrewsbury auf. Hier war er ‹skandalös untätig›, ignorierte Briefe und dilettierte in Gemüseexperimenten. Er ließ den Gärtner seines Vaters Erbsenkreuzungen ausprobieren, in der Hoffnung, neue Sorten zu erhalten, hatte aber keine große Freude daran. ‹Ich habe die Erbsensamen geerntet›, berichtete er, ‹aber ich kann keine neuen Arten entdecken, weil sie alle ihrer Sorte entsprechend aufgegangen sind.›[23] Auf seinen Spaziergängen in Maer bemühte er sich mit größerem Erfolg, die Beziehung zwischen Bienen und Blumen zu verstehen.

Es war das einzige, was er an diesen Sommertagen tun konnte, da ihm alle ‹geistige Spannkraft› fehlte. Nach Meinung der Ärzte würde es ‹einige Jahre dauern, bis ich wieder zu Kräften komme›. Er fühlte sich elend und wollte verhätschelt werden. Sein verzweifelter Hilferuf erreichte die stillende Emma. ‹Ich war sehr, sehr unglücklich und verloren ohne das Mitgefühl meiner eigenen Titty und vermißte Dich schrecklich.› Das Schicksal hielt einen weiteren Trick parat. Seine Befürchtungen bezüglich Eheschließungen zwischen nahen Verwandten erwiesen sich als berechtigt, als sein Vater Willy als ‹ein sehr zartes Kind› diagnostizierte, das eine spezielle Diät benötige. Eine melancholische Stimmung senkte sich jetzt über die ganze Familie: Vater und Sohn waren beide gezeichnet. Im ‹malthusischen Konkurrenzkampf› zählten sie, die ungesunden Resultate der Inzucht, zu den Verlierern. Sein Vater bezweifelte, ‹ob ich binnen weniger Jahre kräftiger werde; es war für mich eine bittere Demütigung, die Schlußfolgerung zu verdauen, daß der «Wettlauf nur etwas für die Starken» sei und ich wahrscheinlich nur noch wenig leisten würde und mich damit zufriedengeben müsse, die Fortschritte zu bewundern, welche andere in der Wissenschaft machen›.

Was er brauchte, waren Behaglichkeit und Ruhe, ein ländliches Refugium fern dem großstädtischen Tumult und der Inanspruchnahme durch Dritte. Andere waren bereits gegangen. FitzRoy hatte sich fünfzehn Meilen außerhalb der Stadt niedergelassen. Der aus Südafrika zurückgekehrte Herschel hatte sich für einen Landsitz im Hopfenanbaugebiet von Kent entschieden. In diesem Sommer überredete Charles seinen Vater, ihm ein Haus zu kaufen; nach seinen Vorstellungen sollte es etwa zwanzig Meilen entfernt sein und Eisenbahnanschluß haben.[24]

Im Juli kehrte er in den Rauch zurück und nahm nach dreizehnmonatiger Unterbrechung die Arbeit an seinem Buch über die Korallenatolle wieder auf. Es gelang ihm, sich jeden Morgen zwei Stunden dem Band zu widmen; daraus sowie aus einem kurzen Spaziergang oder einer Ausfahrt bestand sein Tag.

Im August begann er sich nach einem Haus umzusehen und durchkämmte die Gegend südöstlich von London entlang dem Kreidekalk-Hügelland der Downs. Seine Freunde aus Cambridge – Fox, Henslow und Jenyns – hatten Pfarreien, die ihnen zu passen schienen. Henslow sei ‹glücklich und erfolgreich; er hält Vorträge, arrangiert Feuerwerke, initiiert Landwirtschaftspreise und was weiß ich noch alles für seine Gemeindemitglieder›. So war es richtig; man brauchte nur die private Wissenschaft, die Henslow so gut wie aufgegeben hatte, durch öffentliche Vorträge zu ersetzen. Trotzdem hatte Henslow fossile Fußabdrücke ausgestorbener Amphibien entdeckt, was Darwin grün vor Neid machte.

In der Wirtschaftskrise waren die Londoner Straßen Krankheitsherde, und er sehnte sich danach, ‹in reiner Luft zu leben, fern von all dem Schmutz, Lärm, Laster und Elend dieser großen Wucherung, wie es der alte Cobbett genannt hat›. Er las William Cobbetts anregendes Buch *Rural Rides,* das Tagebuch einer Reise zu Pferde durch den Süden Englands. Der alte Kämpe Cobbett haßte zwar London ebenfalls, aber sein Buch enthielt dennoch wenig Trost für Darwin. Es war ein Abfallprodukt seines Billigblattes *Weekly Political Register* und bestand aus einer Mischung friedlicher Landschaftsbilder und politischer Tiraden. Zwischen Schilderungen der malerischen Dörfer von Kent schmähte Cobbett den Klerus, Sir James Mackintosh, ‹PFARRER MALTHUS› und die Korngesetze.[25] Dem Geist des Zeitalters konnte man nirgends entrinnen.

Darwin war weder imstande noch bereit, auszugehen und Besucher zu empfangen. Nach eigenem Eingeständnis war er ‹zu einem langweiligen alten, schwunglosen Hund geworden›. Owen war einer der wenigen befreundeten Wissenschaftler, die noch zum Tee kamen, und als er am 10. November erschien, fand er Darwin noch behinderter als üblich vor, den Arm in einer Schlinge. Die beiden kamen gut miteinander aus; sie verkehrten im Eliteverein der Geologen, und es kam vor, daß sie im Athenaeum Club nach einer vertraulichen Unterhaltung ein Nickerchen machten. Beide wirkten im Zoo hinter den Kulissen, aber Owen interessierte sich mehr für die Anatomie der Affen als für ihr Verhalten und sicherte sich die seltenen Kadaver zum Sezieren. Er wurde von der anglikanischen Elite protegiert und gehätschelt, die ihre Beziehungen spielen ließ, ihm schon jetzt, mit siebenunddreißig, eine königliche Pension zu verschaffen. Im August war Owen in der

British Association aufgrund seines Vortrags über fossile Reptilien gefeiert worden, bei dem er den Begriff des ‹Dinosauriers› geprägt hatte. Beim selben Vortrag erhielt er indes noch größeren Applaus für seine Abrechnung mit dem Lamarckismus. Er wies die Vorstellung von ‹sich selbst entwickelnden Lebensenergien› zurück und wäre über Darwins Schubladenüberzeugungen entsetzt gewesen.[26]

Freundschaften sind schon an Geringerem gescheitert. Owen verabscheute das Gerede über eine Abstammung vom Affen. Er leugnete sie nachdrücklich, als er das älteste Skelett eines erwachsenen Schimpansen beschrieb, der weniger dem sympathischen, großäugigen jungen Äffchen im Zoo geglichen habe, sondern eine Bestie mit wulstigen Augenbrauen und einem Hundegebiß gewesen sein müsse. Wenn man den Menschen seiner Seele beraube und ihn zu einem haarlosen Affen mache, werde er restlos verkommen. Doch Owen hatte der *Zoology* Ehre gemacht, und in seinem College of Surgeons war Darwin immer willkommen. Es füllte sich mit südamerikanischen Relikten, darunter so manchem Beitrag Darwins. In der Bibliothek befand sich an einem Ende der riesige Panzer eines ausgestorbenen Gürteltiers, und Arbeiter waren eben dabei, ein Riesenfaultier aufzustellen. Die Owens bewirteten Darwin hier in ihrer Wohnung, ohne zu ahnen, daß er ein Evolutionist war. Bei Darwin löste dieses Doppelleben einen inneren Konflikt aus, wie seine Krankheit bestätigte. Jeden Augenblick konnten sich seine Vertrauten von ihm abwenden, wie sie es gegenüber Grant getan hatten. Er versuchte, sich wieder öfter bei Owen und den anderen in der Geologischen Gesellschaft blicken zu lassen, gab die Bemühungen aber schließlich auf, ‹da ich mich am Abend ruhig verhalten muß, wenn ich nicht am nächsten Tag völlig erledigt sein will›.[27] Die Selbsterhaltung hatte Vorrang.

Dennoch war Darwin ständig in Versuchung, sein Geheimnis aus schierem Enthusiasmus auszuplaudern. Er war sich der Schlüssigkeit und der Kraft seiner Theorie bewußt; er wußte, daß ihr die Zukunft gehörte. Es war nicht leicht gewesen, sein dreijähriges Ringen geheimzuhalten und zu tarnen, ebensowenig, mit einer Lüge zu leben. Genauso, wie er entgegen gutem Rat Emma gegenüber mit seinen Zweifeln herausgeplatzt war, vermochte er der Versuchung nicht zu widerstehen, Lyell einzuweihen. Lyell konnte man getrost ein Geheimnis anvertrauen, sosehr er Lamarck auch verabscheute. Im Januar 1842 ließ Darwin die Katze aus dem Sack, wahrscheinlich vorsichtig, verklausuliert und mit einigem Bangen.

Lyell hielt sich damals in Nordamerika auf; er war dem Bostoner Winter entflohen und zu geologischen Studien nach Süden gefahren. Vor seiner Abreise in die Neue Welt hatte er gehört, daß Darwin London verlassen werde. Er bezweifelte, daß ‹eine geistesverwandte Seele, die genau dieselben Interessen verfolgt und die Unabhängigkeit besitzt, sie zu verfolgen, je wieder so nahe meinen Weg kreuzen wird›. In Amerika muß ihn Darwins Brief vor den Kopf geschlagen haben. Sein geologischer Zwilling – ein Evolutionist! Er war sicherlich enttäuscht, notierte aber lediglich auf einem Blatt Papier, daß Darwin ‹leugnet, einen Beginn jeder einzelnen Spezies erkennen zu können›.[28] Ihre Interessen waren also doch nicht so parallel; über die fundamentalste aller Fragen hegten sie verschiedene Meinungen. Die Transmutation zerstörte die biologische Grundlage von Lyells *Principles of Geology*, die als Bollwerk gegen die Angriffe der Lamarckisten gedacht gewesen waren. Vielleicht war es doch besser, daß die Darwins fortzogen.

Charles neigte immer noch zu Panikreaktionen. Nachdem er die Fahnen von *Coral Reefs* fertig korrigiert hatte, überredete ihn Emma, nach Shrewsbury zu gehen, ‹um zu sehen, ob mich eine Luftveränderung wieder in Ordnung bringen würde›. Aber schon bei seiner Ankunft in The Mount am 7. März litt er an Erbrechen und Schüttelfrost; an diesem Abend umsorgte ihn Susan bis zum Einschlafen. Es war keine Besserung eingetreten.

Während des ganzen Frühjahrs suchte er nach einem Haus, das nicht mehr als fünf Meilen von einer Bahnstation entfernt sein sollte – das sei ‹die Länge meiner Leine›, wie er sarkastisch bemerkte. Seine Arbeit näherte sich endlich der Vollendung. Im Mai erschien *Coral Reefs*. Er hatte, mit Unterbrechungen, drei Jahre und sieben Monate damit gelebt, aber es war ein technisches Buch, das ‹kein Mensch je lesen wird›. Finanziell machte das keinen Unterschied. Von seinem *Journal of Researches* waren 1337 Exemplare verkauft worden; er hatte jedoch keinen Penny gesehen. Auch der Wälzer *Fish* war jetzt fertig. Der Zuschuß für den Rest der *Zoology* war fast aufgebraucht, und er fragte sich, wie er die restlichen Teile der *Beagle*-Ausbeute drucken lassen sollte, ohne in die eigene Tasche zu greifen.[29]

Am 18. Mai verließen die Darwins für zwei Monate die Stadt und besuchten die Verwandten in Maer, wo sich Charles der Beobachtung der Bienen widmete, bevor er am 15. Juni nach Shrewsbury weiterfuhr. Die Abgeschiedenheit nutzend, brachte er schließlich einen fünfunddreißigseitigen Entwurf seiner Entwicklungslehre mit Bleistift zu Papier. Er enthielt sich zwar aller Bezugnahmen auf die Entstehung von Gewissen und Moral, doch was übrigblieb, war alles andere als blutleer. Zum erstenmal zusammengefügt, nahm es sich auf dem Papier gut aus.

Er beschrieb, wie Landwirte je nach Bedarf selektiv Renn- oder Zuchtpferde, Fleisch- oder Fettrinder züchten, ehe er die Natur als eine analoge Superselektionistin darstellte. Inzwischen war ihm vollkommen klar, daß Übervölkerung und Konkurrenz zu einer ‹natürlichen Auslese› führten, da die Sieger triumphierend aus dem ‹Krieg der Natur› hervorgingen. Dies sei der Mechanismus der Abstammung. In der Gegenwart sei alles miteinander verwandt. Die Tiere stiegen indes nicht stetig auf einer Lamarckschen Leiter nach oben, eines hinter dem anderen und mit fließenden Übergängen. Der Stammbaum des Lebens gleiche vielmehr einem Baum; wir könnten die Säugetiere, etwa ‹Pferd, Maus, Tapir, Elefant›, zueinander in Beziehung setzen, indem wir die Genealogie nach dem ‹gemeinsamen Elter› durchsuchten.

Dann führte Darwin die Argumente für die ‹Abstammung› im allgemeinen an. Die alten Fossilien wurden zu gemeinsamen Vorfahren verschiedener neuzeitlicher Gruppen. Er erklärte die Inselbesiedlung und die Diversifizierung. Die Klassifizierung wurde so einfach und natürlich wie die Ahnentafel eines Gentleman. Soviel war erklärlich: die rudimentären Organe, Überreste einst funktionaler Teile, und die Einheitlichkeit des Bauplans, wonach Flügel, Hände und Flossen von einem gemeinsamen Erbe zeugten.

Darwin hatte jetzt seine Gliederung, und diesen Aufbau würde er beibehalten. Er hatte auch seine Strategie. ‹Wir betrachten ein Tier nicht mehr wie der Wilde ein Schiff›, schrieb er, ‹als etwas völlig Unverständliches.› Wilde Tiere seien ebensowenig ein Produkt göttlicher Laune, wie die Planeten vom göttlichen Willen auf ihrer Bahn gehalten würden. Alles resultiere aus großartigen Gesetzen – Gesetzen, die ‹uns eine noch deutlichere Vorstellung von der Macht des allwissenden Schöpfers geben sollten›. Dies war eine modifizierte unitarische Auffassung von göttlicher Herrschaft. Und wie ein Unitarier argumentierte Darwin auch nicht ohne Widersprüchlichkeit so, daß er Gott von dem Bösen und allem Leiden in der Welt freisprach, indem er dem ‹Naturgesetz› die Schuld gab. Effektvoll schloß er:

‹Es ist eine Herabsetzung des Schöpfers zahlloser Weltsysteme, daß er jeden einzelnen der Myriaden von kriechenden Parasiten und [schleimigen] Würmern erschaffen haben soll, die an jedem einzelnen Tag den Erdball zu Lande und zu Wasser bevölkert haben. Wir wundern uns nicht mehr darüber, sosehr wir es auch beklagen mögen, daß eine Gruppe von Tieren [parasitäre Wespen] unmittelbar erschaffen worden sein soll, um ihre Eier in den Eingeweiden und im Fleisch anderer [Lebewesen] abzulegen – daß manche Organismen in Grausamkeit schwelgen ... daß alljährlich eine unberechenbare Verschwendung von Eiern und Pollen stattfindet. Wir erkennen, daß das höchste Gut, das wir uns vorstellen können, nämlich die Entstehung der höheren Tiere, ein direktes Ergebnis von Tod, Hungersnot, Plünderung und dem verborgenen Krieg der Natur ist.›

Hier wurden Realismus und Ehrfurcht miteinander verknüpft, ein theologischer Fortschritt gegenüber Paleys rosarotem Schöpfungsglauben. ‹Die Auffassung vom Leben mit seinen Kräften ... die der Materie in einer oder einigen wenigen Formen eingehaucht wurden, besitzt eine schlichte Größe.›[30]

Aber was für ihn Größe war, war für die Geologen Ketzerei und für die Pfarrer Gotteslästerung. Wäre es anders gewesen, hätte er damit an die Öffentlichkeit gehen können. Das *Journal of Researches* hatte Beifall gefunden. *Coral Reefs* lag in den Buchläden aus, und die *Zoology* war im Entstehen. Warum also diesen dreien nicht ein Buch über Evolution folgen lassen? Darwin hatte zwar genügend Material, aber nicht die geringste Absicht, sich damit hervorzuwagen – zumindest nicht in diesem hysterischen Klima.

Denn wer würde sein Buch lesen? Für seine Geologie gab es ein gehobenes Publikum, nicht aber für seine Artentheorie.

Bestenfalls würde sich der eine oder andere Züchter für seine wissenschaftlichen Erkenntnisse interessieren. Aber die besten von ihnen glaubten, daß die Haustierrassen bereits bis zur Grenze des Möglichen verändert worden seien. Und die Landwirte wollten praktische Handbücher, keine theoretischen Abhandlungen. Freilich gab es ein Publikum im weiteren Sinn. Manche Mediziner und freidenkerische Industrielle hätten Darwin vielleicht zugestimmt. Diese Oligarchen des neuen Reichtums besetzten in zunehmendem Maß die hinteren Bänke der Gelehrtengesellschaften: Bergbauingenieure, Gründer von Firmenimperien, aufstrebende Ärzte, Londoner Professoren.[31] Darwins ‹Natur› sanktionierte kein Privileg; alles war in die Konkurrenz einbezogen, und nur Begabung wurde belohnt. Die neuen Meritokraten, Vertreter einer Leistungsgesellschaft, wünschten sich nichts anderes.

Außerdem waren Gesetz und Ordnung in Wissenschaft und Gesellschaft das Credo der Dissenters. Eine festgefügte Rechtsordnung garantierte John Bull seine Freiheiten und verhinderte soziale Umbrüche. Auch für Darwin war das Gesetz dazu da, die Massen in die Schranken zu weisen und einen willkürlichen Gott von irdischen Dingen fernzuhalten. Revolutionäre Umwälzungen waren in der menschlichen Geschichte ebenso illegitim wie in der geologischen. Evolution war der Schlüssel. ‹Die waltenden [Entwicklungs-]Gesetze›, bemerkte er, ‹stehen in Widerspruch zum Gedanken der Revolution.›[32] Jetzt, da sich die Chartisten zusammenrotteten, war es an der Zeit, daß sich die malthusischen Mittelschichten erhoben und zeigten, daß die Natur auf seiten der Bosse war.

In religiöser Hinsicht hätte das Buch neben Southwood Smiths *Divine Government* gestanden, das natürlichen Fortschritt, Bürgerrechte und freien Wettbewerb versprach, alles, was sich die unitarischen Reformer wünschten. Doch diese Vertreter des sozialen Fortschritts waren neidisch auf die anglikanische Macht und hatten es darauf abgesehen, die privilegierte Elite auszuschalten. Darwin dachte zwar wie ein Unitarier, sympathisierte aber mit den Klerikern von Cambridge. Henslow, Sedgwick und Jenyns, sie alle hatten seine Karriere und sein Renommee gefördert; er wünschte sich ihren Lebensstil und ihr Ansehen. Seine Theorie, die einer sich fortentwickelnden Natur und halsabschneiderischer Konkurrenz das Wort redete, hätte ihren städtischen Feinden in die Hände gespielt. Schließlich – und das war die

Crux – bildete ihr Kernstück eine fluchwürdige Transmutation, die den Menschen zu einem Tier machen und ihre Welt aus den Angeln heben würde. Wie konnte Darwin ein solches Werk auf die Menschheit loslassen?

Und dies war noch nicht einmal das schlimmste Szenarium. Was, wenn es der Schmutzpresse in die Hände fiele? Die radikalen Zeitungs- und Buchverlage hätten zwar vielleicht seine Schwache-an-die-Wand-Ethik verwünscht. Sie haßten Malthus, verabscheuten die Armengesetze und haßten Darwins ‹gemeine, brutale und blutige Whigs› von ganzem Herzen. Für diese sozialistischen Flegel war es undenkbar, daß die Natur die Genossenschaften verwerfen und die Arbeitshäuser billigen könnte. Konkurrenz und Ausbeutung waren ihnen verhaßt.³³ Aber sie hätten sein Buch zu ihren eigenen Zwecken plündern und ausweiden können. Ein solches Risiko bestand tatsächlich.

Die Atheisten hatten bereits ein illegales Billigblatt, das kompromißlose *Oracle of Reason,* gegründet, das inzwischen ein Jahr alt war und immer noch zu Tausenden abgesetzt wurde. Es schmähte die reichen Pfaffen und wappnete die ungläubigen Agitatoren mit geologischen Erkenntnissen, die sie gegen jene ins Feld führen konnten. Einer dieser Agitatoren, William Chilton, Betreiber eines radikalen Verlags, begründete einen revolutionären Lamarckismus, der davon ausging, daß sich Natur und Gesellschaft, von unten angetrieben, zu einer höheren, glänzenderen, kooperativen Zukunft hin entwickeln (eine nichtssagende Vorstellung für die portweinschlürfende Aristokratie). Die hartnäckigen Redakteure bauten die Evolution in ihr militantes Credo ein. Der Materialismus erhielt revolutionäre Klassenuntertöne. Der Mensch sei bloß eine Ansammlung organisierter Atome. ‹Leben ist nichts, und nichts ist Leben›, lautete Chiltons Motto, das auf die Armen und Unterdrückten zugeschnitten war.³⁴

Die Zyniker vom *Oracle* zogen über die von Paley postulierte ‹glückliche› Natur her. Das sei eine ‹abgefeimte› Methode, den Status quo zu rechtfertigen. Laut Chilton hatte die Natur dagegen einen teuflischen Zug, der sogar Darwin schockiert hätte. Wo war denn ein Plan? Hätte Gott existiert, dann hätte er ‹weniger Leiden und mehr Freude› vorgesehen, ‹weniger Heuchelei und mehr Aufrichtigkeit, weniger Vergewaltigungen, weniger Betrug, weniger fromme und unfromme Schlächtereien›.³⁵ Das war roh und ungehobelt und eine kalkulierte Provokation. Die Folge war, daß mehrere *Oracle*-Redakteure nach aufsehenerregenden Prozessen wegen Blasphemie eingesperrt wurden.

Ihre Auffassung von Evolution trennten Welten von der Darwins. Die seine kam der aufstrebenden Intelligenz der Industriegesellschaft entgegen, die ihre war für sozialistische Arbeiter gedacht. Seine wirkte stabilisierend, ihre revolutionär. Dennoch hätte es ihnen gefallen, die Seele durch einen Affen ersetzt zu sehen. Nichts hätte sie davon abhalten können, sein Buch auszuschlachten und die Abstammung vom Affen hochzuspielen. Niemand entrann ihren demokratischen Raubzügen. Lyell, Southwood Smith, Elliotson, Lawrence – alle waren sie Wasser auf ihre Mühlen, alle wurden sie plagiiert. Darwins gesetzmäßige Ketten würden sich noch besser eignen, den intervenierenden Gott der Anglikaner in Fesseln zu schlagen.

Jedenfalls konnte Darwin nicht veröffentlichen. Der Materialismus jagte ihm Angst ein, und man kann verstehen, warum, da er von den Stützen der Kirche und des Staates als gotteslästerliche Verhöhnung der christlichen Gesellschaftsordnung verurteilt wurde. Darwin war zu weltklug, um nicht die Gefahr, die verheerenden Klassenimplikationen zu spüren. Er hegte keine Illusionen darüber, wie man ihn behandeln würde. Carlile und Taylor hatte man gehetzt, Lawrence den Prozeß gemacht, Elliotson in der Tory-Presse geschmäht und Grant vor seinen eigenen Augen gedemütigt. Durch die Verknüpfung von Mensch und Affe riskierte er, mit dem atheistischen Bodensatz oder mit extremen Freidenkern identifiziert zu werden, die über die ‹herumhurende› Kirche herzogen. Das ‹ganze Gebäude› der Gesellschaftsordnung war auch ohne seine Hilfe im Begriff einzustürzen. Jetzt, da die alte Welt ‹wankt und fällt›, durfte er sich nicht dabei ertappen lassen, daß er ihr den Todesstoß versetzte.

Letzten Endes fürchtete er um seinen guten Ruf. Für einen Gentleman aus den Oxbridge-Kreisen, die sich dafür wappneten, die Seele des Menschen gegen die sozialistischen Gleichmacher zu verteidigen, wäre die Veröffentlichung einem Verrat gleichgekommen – Verrat an der alten Ordnung. Es war ein furchtbares Dilemma. Darwins Krise mochte von einer sich industrialisierenden Gesellschaft beschleunigt worden sein – aber sie war der Stoff von Alpträumen. Vielleicht hätte er eine Wissenschaft für die expandierende Marktwirtschaft formulieren können. Doch im Augenblick bedrohte sie die vorhandene Elite, die Kirchenführer, die sich gegen den Wandel sträubten, weil sie argwöhnten, daß ein habgieriger Kapitalismus die alte Ordnung zerstören werde.[36]

Am 18. Juli kehrte Darwin nach London zurück und fing an, seine Evolutions-Entwurfskizze ins reine zu schreiben, wobei er den Text mit so vielen Änderungen und Hinzufügungen spickte, bis er kaum noch leserlich war. Die Stadt hatte sich in einen Hexenkessel verwandelt. Die Leichenhallen füllten sich, malthusische Haßgefühle schwelten, die Dickschädel im Norden wehrten sich gegen einen zweiten Ansturm von Londoner Armenrechtskommissaren, Lohnkürzungen und Arbeitslosigkeit ließen das Lager der Chartisten anschwellen. Die Gesellschaft taumelte am Rande des Abgrunds.

Die Haussuche der Darwins nahm neue Dringlichkeit an, und tatsächlich fanden sie innerhalb weniger Tage etwas Geeignetes, ein ehemaliges

Pfarrhaus in dem Weiler Down bei Farnborough in Kent, ‹einem ruhigen, ganz ländlichen Ort im Kreidekalk›. Sie verbrachten den 22. Juli mit der Erkundung des Dorfes und seiner Umgebung mit den strohgedeckten Scheunen und übernachteten im örtlichen Gasthof. Die erneut schwangere Emma war ‹ziemlich enttäuscht› über das Hügelland der North Downs und stellte sich vor, wie ‹trostlos› sie an einem düsteren Wintertag wirken würden. Das Haus war ‹bieder und bescheiden, aus schäbigen Ziegeln erbaut›, aber es gehörte ein kleiner Landbesitz dazu. Und das Dorf war ›außerordentlich ländlich und ruhig›, fern aller Krisenherde, ein Ort von altmodischem Charme, wo die Einheimischen noch den Hut zogen, wenn die Herrschaften vorübergingen.[37] Außerdem war das Anwesen billig: Charles handelte den Preis auf 2200 Pfund herunter.

Mitte August wurde das Land von einem Generalstreik lahmgelegt, den die Chartisten ausgerufen hatten. Eine halbe Million Arbeiter waren im Ausstand; sie wehrten sich gegen Lohnkürzungen und forderten das Stimmrecht, was der Justizminister als die ‹gefährlichste Verschwörung seit je› verurteilte. Die Anführer erklärten, der Streik werde andauern, bis die Volkscharta angenommen sei. Das Kabinett hielt eine Krisensitzung ab und versetzte die Truppen in Alarmzustand. In vielen Städten des Baumwollindustriereviers wurde die Aufruhrakte verlesen, und in manchen schossen die Truppen und töteten Demonstranten.

Drei Tage lang, vom 14. bis 16. August, marschierten Bataillone der Königlichen Garde und der berittenen Artillerie durch das Londoner Zentrum zur neuen Euston Station; sie waren auf dem Weg nach Manchester, um die dortigen Unruhen niederzuschlagen. Eine Menschenmenge lief hinter den Truppen her und verhöhnte sie. Der Tumult war schrecklich, als sie die Straße passierten, in der die Darwins wohnten. ‹Vergeßt nicht, daß ihr Brüder seid!› wurde den Soldaten entgegengeschrien. ‹Massakriert nicht eure hungernden Landsleute!› Als die Bataillone die Gower Street erreichten, wurden sie von den Demonstranten in die Enge getrieben; die Soldaten hatten ihre Bajonette aufgepflanzt. Auch die Darwins waren vorübergehend eingekesselt, und überall trieben sich Banden herum. Die Straßen waren furchterregend, trotz massiver Polizeipräsenz. Die Situation verschärfte sich von Tag zu Tag. Am 16. August wurde der nur wenige hundert Meter vom Darwinschen Haus entfernte Bahnhof blockiert, und die Truppen bahnten sich wiederholt mit Waffengewalt einen Zugang durch die Menschenmenge.[38]

Die geologischen Granden verurteilten die Chartisten, weil sie ‹versuchen, durch den Terror eines Bürgerkriegs Zugeständnisse zu erpressen›, und waren dankbar dafür, daß ‹die Aufständischen keine guten Anführer zu haben scheinen›. Die anwesenden Anführer wurden arretiert. Wenn Darwin die Gerichtsberichte der *Times* verfolgte, wird er den dramatischen Prozeß des *Oracle*-Herausgebers George Holyoake mitbekommen haben, der am 17. und 18. August stattfand. Holyoakes Sakrileg bestand darin, die Existenz Gottes zu leugnen und die Leute für zu arm zu halten, um während der Wirtschaftskrise Pfarrer durchzufüttern. Ein Prozeß bot eine öffentliche Plattform, und Holyoake verteidigte sich stilgerecht, indem er acht Stunden lang ohne Pause von Atheismus, Sozialismus und anderen ‹abscheulichen Sophistereien und Absurditäten› schwärmte. Die Agitatoren suchten sich durch Märtyrertum Ansehen zu erwerben, und Holyoake wurde denn auch wegen seines ‹scheußlichen Verbrechens› zu einer sechsmonatigen Freiheitsstrafe verurteilt. Während dieser Zeit, fügte die *Times* hinzu, ‹wird er reichlich Gelegenheit haben, über die Ungeheuerlichkeit seiner Schuld nachzudenken und die Sinnlosigkeit der gotteslästerlichen Lehren einzusehen, zu denen er sich zu bekennen erdreistet›.[39] Statt mit Einsicht reagierte Holyoake jedoch nur mit Bitterkeit, als seine ältere Tochter während seines Gefängnisaufenthalts an Unterernährung starb. Das ließ bei ihm einen bleibenden Haß auf das Christentum zurück.

Eine Woche später befürchtete der Herzog von Wellington einen Aufstand in London, so daß er die Garde zurückholte und Sondereinheiten der Polizei in Bereitschaft versetzt wurden. Die Gentlemen der Wissenschaft setzten sich ebenfalls zur Wehr. Darwins *Zoology*-Mitarbeiter Richard Owen exerzierte mit dem Artillerieregiment, das zur Verstärkung der Polizei mobilisiert wurde. Tagelang massierten sich Zehntausende von Demonstranten auf den öffentlichen Plätzen in allen Teilen der Hauptstadt. Arbeiterinnen und Arbeiter drängten unter lautem Protestgeschrei und sich gegenseitig anfeuernd durch die Straßen. Selbst wissenschaftliche Institutionen wappneten sich gegen Angriffe. Man rechnete mit dem Schlimmsten. Im Norden weigerten sich Truppen, auf das Volk zu schießen. In London hielt der Innenminister ein immenses Polizei- und Militäraufgebot auf den Straßen.

Emma, deren Niederkunft unmittelbar bevorstand, beaufsichtigte das Packen. Es war jetzt die vierte Woche des Generalstreiks, und die Deportation der Rädelsführer hatte begonnen. Die Darwins waren froh, die Stadt verlassen zu können. Willy, Annie und Emma fuhren am 14. September voraus; zwei Tage später war die letzte Truhe bereit zur Verladung. ‹Ich sehne mich nach dem morgigen Tag›, schrieb Charles aufgeregt. ‹Ich habe das sichere Gefühl, daß mir Down sehr ans Herz wachsen wird.›[40]

1842–1851

20

Am äußersten Rand der Welt

Der Tag kam, der 17. September 1842. Charles kleidete sich an, nahm seine Wertsachen an sich und warf die Tür von Upper Gower Street 12 zum letztenmal ins Schloß. Der Verkehr war schlimmer als bei seinem Einzug vor vier Jahren. Studenten strömten wieder ins University College, Anwälte eilten zur Euston Station, um Züge nach Norden zu besteigen, wo 1500 Streikteilnehmer auf ihren Prozeß warteten. Dies war kein Ort für eine größer werdende Familie oder für ein Paar, welches das Landleben liebte, schon gar nicht ein Ort für einen ehrgeizigen jungen Naturwissenschaftler mit einem Geheimnis. Was blieb, waren liebevolle Erinnerungen – Macaw Cottage war Charles' und Emmas erstes gemeinsames Heim gewesen. Aber er verließ es nicht zu früh.

Auf der Straße stand sein neuer, hundert Guineen teurer Einspänner bereit. Der kürzeste Weg aus der Stadt führte genau nach Süden über die Waterloo-Brücke, vorbei an Schnapsbuden und Bordellen zum Gasthof Elephant and Castle, zur Rechten in der Ferne die Westminster Abbey, zur Linken die Rotunda und das Gefängnis in der Horsemonger Lane, vor dem Verwandte von Häftlingen herumstanden und so daran erinnerten, daß dies radikales Territorium war. Noch ein Stück weiter, und die großen Wahrzeichen verschwanden aus dem Blickfeld. Am New Cross Gate ließ Charles den Rauch hinter sich und atmete Landluft. Der Verkehr ließ auf der Straße nach Keston hinter Bromley nach. Das Pferd mußte sich jetzt auf dem Anstieg in die Hügel der North Downs stärker ins Geschirr legen. Von Feuersteinen gespickte Felder erstreckten sich zu beiden Seiten. Vor Jahrmillionen war das Kreidekalkgebirge erodiert, und es hatten sich Täler mit flacher Sohle gebildet – ‹Bottoms› nannten sie die Einheimischen –, die von Waldstreifen getrennt wurden, welche sich jetzt herbstlich verfärbten. In der Nähe von Keston verwandelte sich die Straße in einen steinigen Feldweg.[1] Langsamer, auf den letzten beiden Meilen sechzig Meter ansteigend, ging es jetzt durch Buchenwälder zu dem Weiler Down. Zwei Stunden von London, sechzehn Meilen von St. Paul's entfernt, war dies das vollkommene ländliche Refugium: ein Pfarrhaus wie das von Henslow in Hitcham oder das von Fox in Cheshire, ein Pfarrhaus, wie es sich Charles an Bord der *Beagle* selbst erträumt hatte, wie es ihm der Vater schon vor Jahren hatte einrichten wollen. Die Szene brachte vertraute Saiten in ihm zum Klingen. Er stieß einen gewaltigen Seufzer der Erleichterung aus. Hier war er in sicherer Distanz von der Gesellschaft. Er brauchte sich keine Sorgen mehr darüber zu machen, was die Leute sagen könnten; das Landvolk würde ihn als den Gentleman respektieren, der er war, und ihn nicht danach beurteilen, was er dachte oder schrieb. Er würde jeden nur nach eigenem Gutdünken an sich heranlassen, wann und wie es ihm gefiel. Die nächste Bahnstation, Sydenham, war acht Meilen entfernt, und die Hügellage schnitt Down von seiner Umgebung ab, gewährte seinen Bewohnern Sicherheit und bewahrte ihre Vergangenheit. Eine Pfarrgemeinde in Aspik – das ideale Habitat für einen großbürgerlichen Evolutionisten. ‹Down bei Bromley, Kent›, lautete die Adresse, die er seinem alten Faktotum Covington nach Australien schrieb. ‹P. S.›, fügte er hinzu, ‹das wird für den Rest meines Lebens meine Anschrift bleiben.›[2]

Der Feldweg führte geradewegs in das Zentrum des Dorfes. Dort hatte sich bis vor einigen Jahren an der Kirchhofsmauer ein Pranger befunden. Die große Eibe am Friedhofstor war Jahrhunderte alt. Die aus Flintsteinen erbaute Pfarrkirche St. Mary stammte aus dem 14. Jahrhundert. Ein neunundzwanzigjähriger Vikar, Reverend John Willot, kümmerte sich um die 444 Seelen von Down, aber es war eine magere Pfründe; sein Einkommen aus Pacht und Zehnten betrug kaum hundert Pfund im Jahr. Die Baptistenkirche lag nur einen Steinwurf entfernt; das kleine Häuflein ihrer Gemeinde lebte seit dreißig Jahren geduldig unter dem anglikanischen Regime.[3]

Die Einwohner waren überwiegend Landarbeiter und Pachtbauern. Über ein Gebiet von zweieinhalb Quadratmeilen verstreut, lebten sie von ihrer Hände Arbeit und gingen überallhin zu Fuß. Ihr Leben hatte seinen Mittelpunkt im Dorf. In dessen vierzig Häusern waren alle wesentlichen Dienstleistungen anzutreffen: ein Fleischer, ein Bäcker, ein Zimmermann, ein Lebensmittelladen, ein Postamt und ein Pub. Das George and Dragon Inn befand sich praktischerweise gegenüber der Kirche. Was man hier nicht bekam, brachte der ‹Fuhrmann› von seiner wöchentlichen Tour nach London mit. Es war ein stabiles, eng verbundenes Gemeinwesen wie zehntausend andere Flecken im viktorianischen England.

Down hatte auch seine hohen Herrschaften. Etwa zwanzig Männer besaßen genügend Land, um wahlberechtigt zu sein; doch nur wenige waren wirklich reich. Die Betuchteren wohnten in Häusern, die den Namen alteingesessener Familien wie der Petleys und der Trowmers trugen. Die Bewohner von Down Court, einem ‹wunderschönen alten Bauernhaus mit großen, strohgedeckten Scheunen› und Überresten eines Burggrabens, waren die Nachfahren der Feudalherren.[4]

Etwas außerhalb lag ein Dreitausend-Acre-Besitz, auf dem eben eine neue Villa errichtet wurde. Dies war die High Elms Farm, die von Sir John Lubbock, seiner Frau und vier Kindern bewohnt wurde. Lubbock war City-Banker in der dritten Generation – von Sir John William Lubbock, Forster & Co. –, interessierte sich indes weniger für Geld als für Naturwissenschaft. Aufgrund seiner Leistungen in Astronomie und Mathematik war er zum Mitglied der Royal Society gewählt worden. Die Dörfler von Down wußten nichts von alledem. Für sie zählte nur das Geld, und Sir John tat ihnen den Gefallen, es auszugeben. Der Bau des Herrensitzes und das Gut verschafften Dutzenden einheimischer Handwerker, Hausbediensteter und Pächter Beschäftigung. Sir John war der größte Grundbesitzer und Arbeitgeber in der Gegend. Natürlich würden die Freunde des Gutsherrn ebenfalls hohe Herrschaften sein. Sir John hatte die gute Nachricht bereits seinem ältesten Sohn, dem siebenjährigen John, gemeldet: ‹Mr. Darwin wird nach Down übersiedeln.›[5]

Von neugierigen Blicken der Dorfbewohner begleitet, die sich zum Gruß an den Hut tippten, kutschierte Charles rechts an der Kirche vorbei durch die Luxted Road, am Dorfteich entlang und sanft bergauf ins offene Land hinaus. Ein paar hundert Meter weiter lag dicht an der Straße zur Rechten ein schlichtes Backsteingebäude: Down House.[6] Dies würde sein Zuhause sein.

Für ein Pfarrhaus war es recht bescheiden, ‹ziemlich alt und häßlich›, aber ‹einigermaßen geräumig und [...] billig›. Als Bauernhaus erbaut und vor etwa sechzig Jahren erweitert, enthielt es im ältesten Teil Küche, Spülküche und Vorratsräume, im Erdgeschoß Salon, Eßzimmer und Arbeitszimmer, in den zwei darüber liegenden Stockwerken genügend Schlafzimmer für alle Darwins und Wedgwoods zusammen. Darwins Vorgänger hatte drei Jahre hier gewohnt und verschiedene Verbesserungen vorgenommen. Diese waren auf den ersten Blick nicht sichtbar. Man sah dem Haus an, daß es zwei Jahre leergestanden hatte, und die verblichenen Wände in den muffigen Räumen bedurften der Renovierung. Aber sobald erst das Mobiliar ‹und der ganze Hausrat› an ihrem Platz standen, die Kaminfeuer brannten und Willy ‹in Ekstase› durch das ‹Landhaus› wieselte, erschien es Charles für den Augenblick gut genug.[7] Veränderungen konnten warten.

Da Emma kurz vor der Niederkunft stand, war es jetzt ohnehin das Wichtigste, es ihr und dem Baby bequem zu machen. Kaum war das geschehen, als auch schon – sechs Tage nach Charles' Ankunft – die Wehen einsetzten. Der Dorfchirurg eilte ‹von zwei Feldern weiter› herbei und entband sie von einem Mädchen, Mary Eleanor. Das Baby, wenn auch klein und schwächlich, lenkte Emma von der Angst um ihren Vater ab, der, wie sie jetzt hörte, dem Ende nahe war. Und auch ihre Genesung ging ‹dank der Landluft›, wie Darwin annahm, schneller denn je vonstatten. Nach neun Tagen, an einem Sonntag, wurde Mary in der Pfarrkirche getauft. Erasmus kam aus diesem Anlaß zu Besuch. Danach ging es dem Baby ‹halbwegs gut›, aber es lebte nur noch zwei Wochen. Am 19. Oktober versammelten sich Charles, Emma und Reverend Willott auf dem Friedhof, um das Kind zu bestatten. Charles hatte sich vor dem Begräbnis gefürchtet; aber er stand es durch. Emmas Schmerz war schlimmer. Sie hatte gehofft, die ‹Ähnlichkeit des Kindes mit Mama›, jetzt eine betagte Invalidin, ‹werde sich nicht nur auf sein Gesicht, sondern auch auf seine Persönlichkeit erstrecken›.[8] Beide trösteten sich damit, daß das Kind nicht länger gelebt und noch mehr gelitten habe.

Es war ein schlimmer Start für ihr neues Leben. Das Ehepaar stürzte sich in die Arbeit an dem Haus, und Willy und Annie sorgten für Zerstreuung. Charles äußerte sich gegenüber Fox erfreut darüber, daß ‹unsere beiden Seelchen hier gesünder und glücklicher sind› als in London. Er unterließ es zu erklären, warum es nicht ihrer drei waren. Fox hatte immer noch nicht den Tod seiner Frau verwunden, die im vorigen Frühjahr im Kindbett gestorben war; nicht einmal eine Auslandsreise hatte sein Herz zu heilen vermocht. ‹Starke Zuneigung›, tröstete ihn Charles, ‹ist mir immer als der edelste Aspekt der menschlichen Natur erschienen [...] Dein Schmerz ist der nötige Preis dafür, mit solchen Gefühlen geboren worden zu sein.› Und er fügte hinzu: ‹Aber ich schreibe das, ohne mich wirklich in Deine Lage versetzen zu können. Du hast mein aufrichtiges Mitgefühl und meinen Respekt in Deinem Kummer.›[9] Der Verlust von Mary war die unmittelbarste Bekanntschaft, die er in seinem Erwachsenenleben mit dem Tod gemacht hatte.

Auch andere Kinder lenkten Charles und Emma ab, wenn sie auch Sorgen mit sich brachten. In diesem Herbst war Emmas Bruder Hensleigh lange krank. Um Fanny zu entlasten, erklärten die Darwins sich bereit, die älteren Neffen bei sich aufzunehmen, den neunjährigen Snow, den achtjährigen Bro und den fünfjährigen Erny. Zusammen mit ihren eigenen Kindern, jetzt drei und zwei Jahre alt, war das Haus nun ganz schön voll. Eines Tages Anfang November schickte Emma sie alle mit dem Kindermädchen Bessy, selbst noch keine zwanzig, auf eine Wanderung. Sie hatten die Erlaubnis, sich im Wald von Cudham umzusehen, aber Bessy führte sie in die falsche Richtung, durch ein weitläufiges Tal in den ‹großen Wald›; hier gab es riesige Eichen und ein Dickicht von Haselnußstauden, durch das einzelne Fußwege führten. Es war winterlich, und die Felder waren mit Reif bedeckt. Snow und Willy hatten die anderen aus den Augen verloren und tauchten, die Schuhe voll Lehmklumpen, zu Hause auf. Mit den Tränen kämpfend, erzählte Snow Onkel Charles, daß sich die anderen verirrt hätten. Charles machte sich sofort mit Parslow auf die Suche, und nachdem sie in einem Bauernhaus nachgefragt hatten, fanden sie die Vermißten frierend und verängstigt aneinandergekuschelt, Erny, Bro und Bessy, die Annie seit drei Stunden getragen hatte. Die Männer nahmen die Kleinen auf den Arm und brachten alle zu einem stärkenden Imbiß in das Bauernhaus, und mit Hilfe des Nachbarn gelangten sie schließlich wieder wohlbehalten heim.[10]

Charles und Emma lernten jetzt das Landleben von Kent kennen. Down hatte keinerlei Ähnlichkeit mit London; eher erinnerte es an Maer. Die ländliche Wirtschaft unterschied sich von der städtischen, in der alles auf Geld hinauslief, ebenso grundlegend wie der ‹große Wald› von der Gower Street. Die Menschen hier waren stark voneinander abhängig. Sie handelten und feilschten miteinander auf der Basis langjähriger Vertrautheit, wenn nicht Ebenbürtigkeit. Beziehungen waren von höchster Wichtigkeit, und diese begannen zu Hause. Als die Darwinsche Heimstatt mit Parslow als der vertrauenswürdigsten Stütze Gestalt anzunehmen begann, mußte in der Umgebung weiteres Hauspersonal gesucht werden. Es konnte schwierig sein, jemanden zu finden, wenn die Familie nicht alle Gepflogenheiten einhielt und sich mit den Nachbarn gut stellte. Eine Köchin war für Emma ebenso wichtig wie ein Kutscher für Charles. Parslow benötigte einen zweiten Mann, der ihm an der Tür und bei Tisch zur Hand ging. Im Frühjahr würde man sich nach einem Gärtner umsehen müssen, bald darauf auch nach einer zweiten Amme.

Wenige Monate nach Marys Tod war Emma erneut schwanger. Mit der Aussicht auf drei Kinder unter vier Jahren benötigte die junge Bessy eine versierte Hilfe. Nun trat Brodie auf, ein zuverlässiges schottisches Mädchen, ‹rothaarig und mit kobaltblauen Augen› sowie einem Gesicht, das sich durch seine Pockennarben einprägte. Brodie hatte ihren Wert bewiesen, indem sie einen Freier ablehnte, um sich statt dessen der geistesgestörten Frau und den Kindern des verarmten Schriftstellers William Makepeace Thackeray zu widmen. Down House erschien ihr paradiesisch, verglichen mit Thackerays Menage in Paris. Zwar war da das Problem, daß Bessy sie ‹schnippisch› behandelte, aber Emma, die größten Wert auf Ruhe legte, sorgte nötigenfalls mit ‹Holzhammermethoden› für Frieden.

Während Emma den Haushalt führte, verbrachte Charles den Winter damit, sich auf seinem neuen Landgut umzusehen. Außerdem nahm er das ‹zweite, sehr dünne Bändchen› über die auf der *Beagle*-Reise gewonnenen geologischen Erkenntnisse in Angriff; es war den Vulkaninseln gewidmet. Ferner nahm er sich vor, jeden Monat ein oder zwei Nächte in London zu verbringen, um ‹meine Kommunikation mit Wissenschaftlern aufrechtzuerhalten›, damit er sich nicht ‹ganz in einen kentischen Hammel› verwandle. Doch allein der Gedanke daran drehte ihm schon den Magen um. Dort

Darwin

hinzufahren, ‹macht mich in der Regel so fertig, daß ich kaum irgend etwas unternehmen kann›.[11] Aber das Landleben belegte ihn ohnehin bald mit Beschlag. Ebenso wie Henslow in Hitcham, dem er vorgeworfen hatte, seine Botanik zu vernachlässigen, fing Charles an, um das alte Pfarrhaus herumzuwerkeln.

Down House wirkte irgendwie ‹verloren›, so exponiert, wie es da auf der Anhöhe stand. Die Gruppe alter, verkümmerter Bäume daneben – Eiben, Tannen, Maulbeerbäume, Kastanien – verstärkte noch den Eindruck von Öde, statt Schutz zu bieten. Dahinter lag der übrige Besitz, fünfzehn Acre Heuwiesen, die, nur durch eine Hecke vom Haus getrennt, in einen ‹eher häßlichen fernen Horizont› übergingen. Die öffentlichen Wege verliefen zu nahe für Charles. Sein einziger echter Schutz war das urzeitliche Terrain: im Süden ein großer Steilabbruch des Kreidekalksteins, der das Gut von den Niederungen Kents trennte; im Norden ein tiefes Tal zwischen dem Dorf und der Straße nach London; im Osten und im Westen ‹unpassierbare› Talsohlen. ‹Wir sind absolut am äußersten Rand der Welt›, meinte er großartig gegenüber Fox. Doch selbst dies gab ihm nicht genügend Sicherheit.

Der Wind war schneidend. Obwohl die See vierzig Meilen entfernt war, überzogen die Südweststürme die Fensterscheiben des Salons mit einem Salzfilm, an dem die Kinder manchmal leckten. In diesem Winter wurde die schutzlose Nordseite des Hauses schwer mitgenommen. Charles sehnte sich nach Einsamkeit und ‹einem ruhigen, geregelten Tagesablauf›. Nichts Außergewöhnliches, nichts Unerwartetes durfte geschehen. ‹Ich kann nicht auswärts essen oder Besucher empfangen, außer Verwandten, mit denen ich nach dem Abendessen eine Weile schweigend beisammensitzen kann.›[12] Für einen solchen Menschen mußte der Natur nachgeholfen werden; Befestigungen waren zu errichten.

Charles war voll Ideen für die Ausgestaltung seines Besitzes. Der Vater steuerte das Geld bei, ‹glatte 300 Pfund für den Anfang›, die von seinem künftigen Erbteil abgezogen wurden. Die Schlafräume in den Obergeschossen waren erneuerungsbedürftig. Emma sollte ein ‹wirklich prachtvolles› eigenes Schlafzimmer bekommen, und man benötigte auch einige Zimmer für Verwandtenbesuche. Auch ein Schulzimmer war unerläßlich; bald würde eine Gouvernante da sein, um die Kinder zu unterrichten. Im Erdgeschoß ließen Küche und Speisekammer zu wünschen übrig. Der Salon und das große Schlafzimmer darüber waren zwar große, aber charakterlose Räume. Sie gewährten Ausblick auf den Garten in Richtung auf den ‹großen Wald› und die untergehende Sonne. Was beide benötigten, waren hübsche Erker mit je drei Fenstern, die das Licht und die Sonne einfingen.[13] Und nach Abschluß aller Umbauten mußte alles neu tapeziert werden.

Als der Frühling kam, zogen Maurer und Zimmerleute ein. ‹Einen sehr täuschenden Besitz haben Sie da erworben, Sir›, meinte einer als Kompliment. Der Architekt hatte recht mit seinem Hinweis, um wieviel billiger die Arbeitskräfte hier waren im Vergleich zu London. Draußen wurden die Sicherheitsvorkehrungen verstärkt. Der Küchengarten sollte neu angelegt und durch eine hohe, fast hundert Meter lange Mauer abgeschlossen werden, die der Nordgrenze des Grundstücks folgte. Andere ‹große Erdarbeiten› wollte man unternehmen, um die Gartenarchitektur zu verbessern, und vor dem Vordereingang sollte ein Erdwall aufgeschüttet werden, der ‹das Ganze viel anheimelnder› machen würde. Jenseits des Walls sollte ein Obstgarten angelegt werden. Und noch weiter, auf der anderen Seite von Luxted Road, lag ein Grundstück, das Charles zu kaufen gedachte.[14]

Diese Straße war ein Problem. Obwohl nur ein Feldweg, bot sie leichten Zugang von Norden und Süden und führte in geringer Entfernung am Fenster von Charles' Arbeitszimmer vorbei. So, wie die Dinge jetzt standen, konnten Vorübergehende einfach hineinschauen. ‹Die Einsehbarkeit des Hauses ist gegenwärtig unerträglich›, erklärte er, und im April 1843 ersuchte er die Gemeindeversammlung um Erlaubnis, die Straße abzusenken und eine Umfriedungsmauer zu errichten. Die örtliche Obrigkeit war ‹so entgegenkommend wie nur möglich›, und die Arbeit wurde sofort in Angriff genommen. Charles stellte ‹ein Allroundtalent› namens Vinson zu seiner Unterstützung ein. ‹Ich vermute, daß er ein altes Schlitzohr ist, aber er ist nützlich.› Mit einem ‹Geschenk von einem Pfund und der Hoffnung auf ein zweites› brachte er ihn dazu, das Volumen des zu bewegenden Erdreichs zu berechnen: knapp zweihundert Kubikmeter. Dann begann die schwere Spatenarbeit. Es war ein Mammutprojekt: Auf einer Länge von 150 Metern wurde das flintsteindurchsetzte Straßenbankett um 45 bis 60 Zentimeter abgetragen; die Feuersteine fanden für den Bau einer zwei Meter hohen Mauer Verwendung, die vom hinteren Ende des Hauses bis zum nördlichsten Punkt des Grundstücks reichte. Das ganze Unternehmen kostete dennoch nur 110 Pfund.

Die verschiedenen Arbeiten zogen sich monatelang hin; alle hofften, die schlimmsten Unannehmlichkeiten würden rechtzeitig vor Ankunft des neuen Kindes vorüber sein. Als die Mauern schließlich standen und Charles sich sicher fühlte, setzte er dem Ganzen die Krone auf: Vor dem Fenster seines Arbeitszimmers brachte er einen Spiegel an, damit er sehen konnte, welche Besucher sich der Haustür näherten.[15]

Das ‹große Arbeitszimmer, 5½ x 5½ Meter›, wie Charles es nannte, war der Brennpunkt. Zwei große, mit Läden versehene Fenster auf der Nordseite erfüllten den Raum mit klarem weißem Licht, ideal zum Schreiben, Sezieren und Mikroskopieren. Der mit milchigem Marmor eingefaßte offene Kamin, dessen Sims zu beiden Seiten tiefe Nischen für Bücher und Ordner frei ließ, entschädigte für die fehlende Sonne. In einer Ecke zwischen Kamin und Fenster stand ein Lehnstuhl, flankiert von leicht erreichbaren Tischen. In der gegenüberliegenden Ecke öffnete sich die Tür auf einen langen Gang, der vom Vordereingang zur Küche führte. Das Leben spielte sich weit entfernt davon ab, in den Kinderzimmern oben und in den Räumen des Personals am anderen Ende des Hauses.[16] In seinem inselartigen Labor konnte Charles, von der Welt abgeschnitten, klare Gedanken fassen und den Widerspruch im Zaum halten, der ihn zu zerreißen drohte. Es war ein archimedischer Punkt, von dem aus er, wenn man ihm nur Zeit gab, die Erde bewegen würde.

Gegenwärtig geschah freilich nicht viel Erdbewegendes, außer vor der Haustür. Im Frühjahr machte sich Darwin an seinem Entwurf über die Entstehung der Arten zu schaffen, doch brachte ihn die Unruhe aus dem Konzept. So verlief sein erstes Jahr in Down ziemlich unergiebig; nur gelegentlich gelang es ihm, sich den größeren Umbrüchen in der Vergangenheit zuzuwenden. Er machte sich Sorgen, daß seine Erklärung der merkwürdigen ‹Parallelstraßen› am Glen Roy – als prähistorische Meeresküsten – bereits ins Wanken gerate. Der Schweizer Naturwissenschaftler Louis Agassiz, der seine neue Idee einer vormaligen Eiszeit propagierte, vertrat die Auffassung, einst habe ein Gletscher den Glen Roy blockiert und ihn zu einem See aufgestaut, so daß die ‹Straßen› eigentlich alte Seeufer seien. Agassiz' eisiges Katastrophendenken ließ Darwin schaudern; allmähliche Hebung und Senkung des Landes war der Schlüssel.[17]

Sein Manuskript über Vulkane hatte jahrelang herumgelegen; als er sich jetzt dem Thema erneut zuwandte, war er entsetzt, wieviel daran noch zu tun blieb. Er durchstöberte seine alten *Beagle*-Notizen und forderte die Spezialistenberichte über seine ‹vermaledeiten Steine› an. Er stattete sogar der Geologischen Gesellschaft einige Stippvisiten ab, wobei er den Kurator bat, Bücher, Landkarten und Obsidianklümpchen ‹für meine Inspektion *bereitzuhalten,* da meine Zeit beschränkt ist›. Der ganze Vorgang ließ jene von Seekrankheit gekennzeichneten Entdeckungstage wieder lebendig werden, als er die Galápagosinseln, Sankt Helena und São Tiago besucht und die Obsidianlager und die über Ascension verstreuten ‹Lavabomben› zum erstenmal erblickt hatte. Wieviel mehr hatten ihm diese romantischen Orte doch bedeutet, als sein auf 150 Seiten angeschwollener Band *Volcanic Islands* jemals der geologischen Fachwelt bedeuten würde. ‹Ich hoffe, Sie werden mein Buch lesen›, beschwor er seinen Lehrer Lyell verzweifelt, ‹denn wenn Sie es nicht tun, dann weiß ich nicht, wer es sonst lesen könnte.›[18]

Er dürstete nach Bestätigung durch seine Geologenkollegen. Anerkennung festigte seinen guten Ruf. Das trieb ihn an, die *Beagle*-Berichte zu vollenden. Andere Schriften in diesem Jahr ließen ketzerische Anliegen erkennen. Die Fortpflanzung, eine solche Alltäglichkeit in Down House, faszinierte ihn immer noch wegen des Lichtes, das sie auf die Abstammung warf. Er verfaßte einen kurzen Artikel über die laichenden Pfeilwürmer, die er zehn Jahre zuvor aus brasilianischen Seen gefischt hatte. Sein Interesse an ihren Eiern und der körnigen Materie, die diese bei Berührung freisetzten, ließ niemals nach. In einem anderen Aufsatz über einen speziellen gefüllten Enzian, den er an den *Gardeners' Chronicle* schickte, wies er darauf hin, daß aus den Blüten einer einzigen Pflanze, ‹entsprechend nebeneinander gelegt, ersichtlich wird, wie sich die Staubgefäße zunächst verformen und dann allmählich in kleine Blüten- und Schuppenblätter verwandeln›. Vielleicht sei diese ‹metamorphische Verwandlung› auf irgendeine Veränderung der Umwelt ‹in einem frühen Lebensabschnitt der Pflanze› zurückzuführen. ‹Kann diese Theorie eine Spur von Glaubwürdigkeit beanspruchen?›[19]

Diskret, aber provozierend verbarg Darwin hinter solchen Äußerungen viel mehr, als den Lesern bewußt wurde. ‹Metamorphische Veränderungen›, umweltbedingte Ursachen – diese Begriffe waren doppeldeutig. Sie bezogen sich auf individuelle Entwicklungen; Evolutionisten indes verliehen ihnen weiterreichende Konnotationen. Es gab zwar eine Metamorphose von Kaulquappen zu Fröschen, doch Evolutionisten redeten auch von der Metamorphose, die Fische in Reptilien und Affen in Menschen verwandelte. Die Sprache diente als Tarnung; die Metamorphose von Pflanzen konnte man gefahrlos ansprechen, aber sie wies auf Charles' inneren Widerspruch hin. Ohne sich dessen bewußt zu sein, hatte er den Habitus eines orthodoxen Klerikers und Naturforschers angenommen, eines in seiner Pfarre herumwerkelnden, harmlosen Dilettanten, und das verschlimmerte noch sein Dilemma. Er *bewohnte* nicht bloß das Haus eines Geistlichen, sondern war im Begriff, tatsächlich in die Fußstapfen des eminentesten aller naturforschenden Pfarrer, des Reverend Gilbert White, zu treten.

Fast fünfzig Jahre lang hatte Whites *Natural History* and *Antiquities of Selborne* Pfarrer und Landvolk animiert, den Rhythmus der Jahreszeiten zu beobachten. Das Buch lehrte sie, auch die kleinsten Phänomene der Natur zu beachten, ja sogar – wie es White so vorbildlich tat – Tagebücher über das Landleben zu führen. Charles hatte sich als Jüngling in die *Natural History* vertieft; im Februar 1843 hatte er sie in der eben von seinem geistlichen Freund Jenyns herausgebrachten Ausgabe erneut gelesen. Im Mai erneuerte er dann seine Bekanntschaft mit zwei der gängigsten Bücher, die aus Pfarrhäusern gekommen waren, Paleys *Natural Theology* und *An Introduction to Entomology* von Reverend William Kerby und William Spence. Und in diesem Monat begann er sein eigenes Tagebuch des Landlebens.[20] Er gab ihm die Überschrift ‹Der allgemeine Aspekt›.

Seine Beobachtungen waren überwiegend geologischer Natur, das Ergebnis ausgedehnter Streifzüge. Feuersteine, Fußwege, Bauernhäuser, auf alles wurde eingegangen. Auch der ‹rutschige rote Lehm› von Oktober bis April, die leuchtenden Blüten des beginnenden Frühlings, das ‹ganz unerhörte› Gesumm von Stockbienen im Sommer fanden Erwähnung, was zeigt, daß Darwin sich in seinem ersten Downschen Jahreskreis die Gemeinde zu eigen machte, sich ihres naturgeschichtlichen Aspekts annahm und dem Gutsherrn neuen Schlages, wie Lubbock ihn verkörperte, einen ‹Naturpfarrer› (wie die Bauern gern sagten) an die Seite stellte. Mit nachsichtigster Herablassung, wie man sie bei Geistlichen oft findet, vermerkte er die Irrtümer, die dem Landvolk unterliefen, etwa hinsichtlich des an heißen Tagen über ihren Köpfen herrschenden Gesumms. ‹Die Arbeiter hier sagen, das seien «Luftbienen», und ein Mann, der auf einer Blume eine Wildbiene sah, die sich etwas von den Stockbienen unterschied, bemerkte: «Das ist sicherlich eine Luftbiene.»›[21]

Da die Renovierungen in vollem Gang waren und die Handwerker beaufsichtigt werden mußten, nutzte Darwin die müßigen Momente, um Leuten Gefälligkeiten zu erweisen und ihnen Ratschläge zu geben. ‹Gib Dir einen Ruck ... und schau Dich in Wales um›, munterte er Fox auf, der sich immer noch nicht gefangen hatte; ‹diese prächtige Landschaft muß jedermanns Herz und Seele guttun.› Covington drohte in Australien zu ertauben; also schickte ihm Darwin ein Hörrohr. Wie ein echter Landpfarrer protegierte er überall seine Günstlinge. Bei FitzRoy, der kürzlich zum Gouverneur von Neuseeland ernannt worden war, intervenierte er zugunsten des emigrierten Sohnes seines Nachfolgers als Sekretär der Geologischen Gesellschaft. Dem entlassenen stellvertretenden Kurator der Zoologischen Gesellschaft, George Waterhouse, der die Säugetiere der *Beagle* beschrieben hatte, stellte er ein glänzendes Zeugnis aus, um ihm zu einem Posten am Britischen Museum zu verhelfen. Er fungierte sogar zusammen mit Richard Owen bei Waterhouse's Sohn (der den Namen Charles Owen Waterhouse erhielt) als Taufpate. Am folgenreichsten von allem (obwohl er es nicht wußte) war, daß er von einem jungen Schiffschirurgen und Botaniker namens Joseph Hooker hörte. Hooker, der mit der Antarktisexpedition von Captain Ross mitsegelte, war der Sohn des Direktors des Botanischen Gartens in Kew, Sir William Hooker. Darwin teilte Sir William mit, er werde seinem Sohn nach dessen Rückkehr seine eigenen Pflanzen aus ‹Feuerland und Südpatagonien mit größtem Vergnügen zur Verfügung stellen›.[22] Diese Großzügigkeit sollte belohnt werden.

In der ersten Juliwoche 1843 kam die Nachricht, daß Emmas Vater im Sterben liege. Charles und die im siebten Monat schwangere Emma machten sich sofort auf die lange, traurige, sorgenvolle Abschiedsreise nach Maer und trafen nur wenige Tage vor dem Ende ein. Der vierundsiebzigjährige Josiah Wedgwood war nur noch ein Schatten des Mannes, der er gewesen war. Der gebieterische Industrielle und Whig-Staatsmann von einst war zu einem halluzinierenden, bettlägerigen Wrack geworden, das sich mit zitternden, senilen Händen an die letzten Lebensfäden klammerte. Dies war der hochverehrte Onkel – ‹so hochherzig, so klar, so lauter und so gewinnend durch seine außerordentliche Bescheidenheit› –, der durch seine Intervention Charles den Weg an Bord der *Beagle* geebnet hatte. Auch seine Frau Bessy war jetzt ganz auf Pflege angewiesen und kaum imstande, sich über ihren ausgemergelten Gatten zu grämen. Ihr Leben erschien ‹trauriger als der Tod›; Maer war melancholisch wie nie zuvor. Nur Elizabeth war noch übrig, Emmas verwachsene älteste Schwester, die ihre Eltern unermüdlich pflegte. Die alten Zeiten herbstlicher Jagden und Feste waren für immer vorüber. Josiah Wedgwood starb am 12. Juli friedlich. Die Frauen suchten um so ernsthafter den Trost der Religion, als sie sich wegen der Gleichgültigkeit des Vaters gegenüber Gott Sorgen machten. Charles blieb noch eine Weile und unternahm dann seine übliche Sommerpilgerreise nach Shrewsbury, bevor er sich heimwärts wandte.[23]

Zu Hause erwarteten ihn Briefe von Waterhouse. Waterhouse wollte Auskünfte über das A und O der britischen Naturgeschichte, die Klassifizierung. Die herkömmliche Klassifizierung bedeutete, Ordnung in die Natur zu bringen, alle Lebewesen an ihrem Platz, jedes mit dem ihm zukommenden Rang versehen und in eine Hierarchie eingefügt. Legionen von Systematikern zähmten eine chaotische Welt, indem sie das Fundament lieferten, auf dem eine unveränderlich schöpfungsgläubige Biologie errichtet werden konnte. Nach ihrer Überzeugung enthüllten sie Gottes Plan. Darwin hatte, seitdem er seine Notizbücher über die Spezies angelegt hatte, mit dem Problem einer ‹natürlichen Klassifizierung› gerungen. Für ihn lag es auf der Hand, daß nur wenige die Sache richtig angingen, Waterhouse zuallerletzt. ‹Ich habe seit langem den Eindruck›, schrieb ihm Darwin, ‹daß der Hauptgrund der Schwierigkeiten bei der Beantwortung von Fragen wie den Ihren in unserer Unwissenheit liegt, wonach wir eigentlich suchen.› Wozu überhaupt eine Systematik konstruieren? Was sollte damit demonstriert werden?

Waterhouse war arm und machtlos, ein kleiner besoldeter Beamter. Als ihn Darwin in seinem Empfehlungsschreiben als ‹mir so unendlich überlegen› bezeichnete, meinte er sein zoologisches Faktenwissen. Waterhouse war vor allem ein Beschreiber. Überdies sah ihn Darwin sich in Kreisen bewegen. Nach Waterhouse bestand die Natur aus einer Konfiguration von Rädern. Alle Gruppen – Arten, Gattungen, Familien – waren kreisförmig angeordnet. Aufgrund dieser kreisförmigen Anordnung rotierte in der Natur alles sicher und ziellos um die eigene Achse. Es gab keine ‹Kette des Lebens›, keine lineare Aneinanderreihung von Geschöpfen; also war diese Systematik vor den lamarckistischen Evolutionisten sicher, die aus der Kette viel-

353

leicht einen Aufzug machen und diesen nach oben in Richtung auf den Menschen in Bewegung setzen könnten.

Darwin besaß das Vertrauen von Waterhouse. Jetzt war der Augenblick, zu versuchen, ihn umzudrehen. Tatsächlich fühlte er sich jetzt, eine Woche nachdem er seinen klugen, freidenkenden alten Vater gesehen hatte, zwei Wochen nach dem Tod seines geliebten Onkels, blutdürstig. Hinsichtlich der Klassifizierung beschied er Waterhouse:

‹Die meisten Autoren behaupten, sie stelle den Versuch dar, die Gesetze zu entdecken, nach denen der Schöpfer organisierte Lebewesen hervorgebracht hat. Aber welch leere, hochtönende Sätze sind das! Es bedeutet weder Ordnung zum Zeitpunkt der Schöpfung noch Nähe zu irgendeinem Typus wie dem Menschen. Im Grunde bedeutet es gar nichts. Nach meiner Meinung (über die zu spotten jedermann unbenommen ist) besteht der Sinn der Klassifizierung darin, Lebewesen nach ihrer tatsächlichen *Verwandtschaft* zu kategorisieren, das heißt ihrer Blutsverwandtschaft oder ihrer Abstammung von gemeinsamen Vorfahren.›

Er hatte jetzt einem Kollegen einen Wink gegeben, hatte sich aus der Deckung gewagt, wobei er seine Furcht hinter einer neuen Schroffheit verbarg. Er glaubte an eine wirkliche Genealogie, einen Stammbaum, eine Blutlinie.[24] Das System, das er vorschlug und dessen historischen Aspekt die Fossilien lieferten, war weitaus weniger ästhetisch; es war komplizierter und zufallsbedingter. Er war mit einer Heftigkeit explodiert, die ihn selbst überraschte.

Auch war das nicht sein letztes Wort. Wenige Tage später bombardierte er Waterhouse mit einem weiteren ausgefeilten Brief. Darin versuchte er, ihm mit anderen Worten dasselbe klarzumachen. *Alle Regeln für eine natürliche Klassifizierung sind sinnlos, wenn man nicht eindeutig erklären kann, worum es einem geht.* Alles, was hinter einer echten genealogischen Verwandtschaft zurückbleibe, sei als Kriterium ungeeignet, versicherte er. Dann verkündete er sein Credo:

‹Ich glaube (doch warum sollte ich Sie mit meinem Glauben behelligen, der als bloßer Humbug und Hypothese erscheinen muß und sollte?), wenn jeder Organismus, der je gelebt hat oder jetzt lebt, eingesammelt würde ... dann würde sich eine vollkommene Reihe ergeben, die alle, etwa alle Säugetiere, zu einer großen, völlig unteilbaren Gruppe verknüpfen würde, und ich glaube, daß all die Ordnungen, Familien und Gattungen unter den Säugetieren lediglich künstliche Begriffe sind, die sich sehr gut dazu eignen, die Verwandtschaft jener Mitglieder der Reihe zu demonstrieren, *die nicht ausgestorben sind.*›

Darwin hatte das ketzerische Thema angeschnitten, es aber dann mit der Angst zu tun bekommen. Was für einen Sinn hatte es denn, Waterhouse mit der Genealogie der Säugetiere und des Menschen zu behelligen, da er, Darwin doch wußte, daß sie einem Antievolutionisten als ‹der reinste Humbug› erscheinen mußte?[25] Er offenbarte sich und fühlte sich hin und her gerissen. ‹Aber es hat keinen Sinn, daß ich in dieser Weise fortfahre›, fügte er rasch hinzu. Dann richtete er das Schlaglicht wieder auf Waterhouse. ‹Ich bitte Sie, klar zu denken›, versetzte er herausfordernd, ‹Was meinen Sie genau mit›, ‹Ich bin neugierig zu hören›. Dann Verabschiedung und ein Postskriptum: ‹Wollen Sie ... diesen *einen* Brief von mir aufbewahren und mir zurückgeben. Denn in einem späteren Jahr werde ich neugierig sein auf das, was ich jetzt denke.›

Sicherheitsmaßnahmen waren unerläßlich, und Waterhouse erfüllte seine Bitte. Aber ihm mißfiel die unerhörte Art, wie der Taufpate seines Sohnes ihn behandelt hatte. Er fühlte sich gemaßregelt – nein, geradezu gekreuzigt. ‹Sie nageln mich an den Pfahl und murren, weil ich ein bißchen zapple [...] Nun, ich *werde* erklären, worum es mir geht.› Im folgenden sprach er davon, wie die Natur ‹symbolisch repräsentiert› werden könne und daß der spirituelle Mensch der ‹Maßstab der Vollkommenheit› sei.[26]

Der Sommer ging ins Land, während Arbeiter die Wege von Down House mit Kies bestreuten – ‹Ave Maria, wie das Geld dahingeht› – und Emma mit ihrer Schwester Elizabeth, die zur Entbindung gekommen war, den Verlust des Vaters betrauerte. Der September war sonnig; die große Mauer stand, und Charles' Gesundheit hatte sich ein Jahr nach dem Weggang aus London gebessert. Am 25. September, fast am Geburtstag der armen Mary, kam zu seiner großen Erleichterung Henrietta wohlbehalten zur Welt. Im Oktober wurde endlich der fünfte und letzte Teil der *Zoology* ausgeliefert. Charles feierte das Ereignis mit einer Fahrt nach Shrewsbury, wo er entspannt an alten Lieblingsplätzen umherstreifte und ‹sehr große Zuneigung zu meinen drei Küken› und ihrer stillenden Mutter, ‹meiner lieben alten Titty›, empfand. Er stieß auch auf eine Spur seiner eigenen Mutter; er fand nämlich zwei ‹sehr alte Briefe› von ihr, ‹so gütige und fürsorgliche›, in einer Handschrift, ‹wie sie für die Wedgwoods charakteristisch ist›.

Waterhouse bekam den Posten, aber sein folgender Artikel zeigte, daß er seinen eigenen Weg eingeschlagen hatte. Noch Schlimmeres, genaugenommen. Unter Anleitung Richard Owens attackierte er in einer Druckschrift die Ketzer, die glaubten, daß alle Gruppen von Tieren ‹merklich ineinander übergehen›. Darwin nahm an, daß als ‹einer der besonders Schuldigen›, die von *lebenden* ‹Bindegliedern› zwischen den Gruppen ausgingen, er gemeint sei; dabei ließ er lediglich vermittelnde *Vorfahren* gelten. Nun, jedenfalls ordnete Waterhouse seine Säuger in Kreisen ohne Bindeglieder dazwischen an, was nichts über ihre tatsächliche Verwandtschaft erklärte.

‹*Teufels*kreise›, schnaubte Darwin zurück; sie hätten ‹unendlich viel Schaden› angerichtet. Natürlich sei der deskriptive Ansatz wichtig, und Waterhouse habe ‹einen guten Dienst geleistet, indem er darauf hinwies, wie selten Zwischenglieder sind, wenn sie überhaupt existieren›. Das kam Darwin in gewisser Weise entgegen, denn für ihn waren diese ‹Zwischenglieder› *ausgestorben*: Sie waren die gemeinsamen Vorfahren, die an den Gabelungen eines gemeinsamen Stammbaums saßen, keine Mittelstadien zwischen lebenden Tieren. Die Klassifizierung war eine genealogische Aufgabe, keine geometrische, und sie konnte nur durch die Evolution erklärt werden. Darwin mußte diese symbolischen Kreise loswerden, die ihm im Weg standen. ‹Ich bewundere meine eigene Unverschämtheit, Sie zu kritisieren›, schloß er mit arroganter Gebärde. ‹Was Ihre hanebüchenen Kreise betrifft, wünsche ich sie alle miteinander in den Orkus.›[27]

21

Mord

Mit einem ‹Mord› verglich es Darwin. Er schrieb an seinen neuen Freund,
den Botaniker Joseph Dalton Hooker, der soeben von einer vierjährigen
Seereise zurückgekehrt war. Es war der 11. Januar 1844, und er sprach von
der Transmutation des Lebens. *Volcanic Islands* war soeben an die Druckerei
abgegangen, und Darwin grübelte wieder über seinen Bleistiftentwurf von
1842 nach. Von dem jungen, lebendigen, eben aus dem Ausland zurückgekehrten Hooker versprach er sich einiges. Er lauerte ihm auf. Von seiner Ver-
schanzung in Down aus nahm er seinen ganzen Mut zusammen und gestand
ihm sein fürchterliches Geheimnis, seine Überzeugung, daß alle Tiere aus
gemeinsamen Wurzeln abstammten.

Diese Enthüllung traf Hooker unvorbereitet. Als Junge war der ‹kräch-
zende Joe› in puritanischer Strenge erzogen worden; man hatte ihn gelehrt,
‹Spötter und Skeptiker› zu verachten und ‹in jeder Wendung der Ereignisse
die Hand einer übermächtigen Vorsehung› zu sehen. Das Medizinstudium
in Glasgow mochte befreiend gewirkt haben – selbst Charles' Bruder Erasmus war entsetzt gewesen, als er sah, daß die Glasgower Studenten innerhalb der College-Mauern Fußball spielten. Und Hookers Dienstzeit als
Hilfschirurg in der Marine muß seinen Horizont zusätzlich erweitert haben.[1] Dennoch entstammte er einem ziemlich disziplinierten, bibelgläubi-
gen Milieu ohne die freigeistige Geschichte der männlichen Darwins.

Warum vertraute sich Darwin also Hooker an? Er kannte den Mann
kaum und sprach ihn in seinem ersten Brief als ‹My Dear Sir› an. (Es sollte
ganze sechs Wochen dauern, bis er die ‹altmodische Formalität› beiseite ließ
und zu dem vertraulichen ‹Dear Hooker› überging.) Vielleicht war es, weil
auch Hooker auf die Erfahrung einer langen Seereise zurückblickte. Er war
im September 1843 von seiner ‹langen und glorreichen› Antarktisreise an
Bord der *Erebus* unter Captain Ross zurückgekehrt. Vielleicht war es, weil er
ein sehr tüchtiger, mit Inselflora vertrauter Wissenschaftler war und Darwins Angebot an Pflanzen von der *Beagle* mit Freuden annahm.[2]

Darwin war Hooker bereits viele Jahre zuvor, 1839, ein paarmal flüchtig begegnet. Hooker, damals einundzwanzig und kurz vor seiner Abreise, war mit Robert McCormick, dem Chirurgen der *Erebus* (und auch der *Beagle* bis Rio), in Charing Cross unterwegs gewesen. Sie liefen Darwin in die Arme, der Hooker durch ‹seinen lebendigen Gesichtsausdruck, die buschigen Augenbrauen, seine sympathische Stimme und die freimütige und herzliche Art, wie er seinen früheren Schiffskameraden begrüßte›, beeindruckte.[3] Er war acht Jahre älter als Hooker und hatte seine eigene Expedition schon hinter sich. Natürlich bestand ein offenkundiger Unterschied zwischen ihren Weltreisen: Darwin fuhr als selbstzahlender Gefährte des Captain, Hooker hatte eine Anstellung als Hilfschirurg, ein subalterner Dienstgrad in der Marine der jungen Victoria. Darwin hatte einen großartigen Bericht über seine Reise vorzuweisen. Was Darwin nicht wußte: Hooker hatte die Druckfahnen des *Journal of Researches* gelesen. Lyells Exemplar war an Hookers Vater gegangen, während sich Joseph auf seine Reise vorbereitete; er hatte mit ihnen unter seinem Kopfpolster geschlafen, um bei Tagesanbruch ‹ihren Inhalt zu verschlingen›. Die Druckfahnen raubten ihm alle Hoffnung, je Darwins Fußstapfen ‹in wenn auch noch so großer Entfernung› folgen zu können. Aber sie verstärkten auch sein ‹Verlangen, zu reisen und zu beobachten›. ‹Ein Exemplar des vollständigen Werkes war ein Abschiedsgeschenk von Mr. Lyell am Vorabend meiner Abreise aus England›, erinnerte sich Hooker, ‹und auf der ganzen Reise befand sich kein lehrreicheres und anregenderes Werk im Bücherregal meiner engen Unterkunft.›[4] Auch diese seine jugendliche Bewunderung trug dazu bei, Darwins Vertrauen zu erringen.

Die beiden jungen Seebären, welche die Welt und das Leben kennengelernt hatten, fühlten sich Ende 1843 voneinander angezogen. Der eigentliche Anstoß kam von Darwin. In einem langen Brief, in dem er Hooker zu Hause willkommen hieß, forderte ihn Darwin auf, über die weiteren Implikationen der südamerikanischen Flora nachzudenken und sie mit der europäischen zu vergleichen. Diese Aufforderung klang fast wie eine ‹Verpflichtung›, und Hooker hoffte, sich ihrer nicht als ‹unwürdig› zu erweisen. Er brachte einen Entwurf zu Papier, in dem er auf die unübersehbaren Ähnlichkeiten bei den Pflanzen der gesamten südlichen Hemisphäre von Tasmanien bis Feuerland hinwies.[5] Hooker strahlte Selbstvertrauen aus und verstand es, mit den Daten souverän umzugehen. Darwin war beeindruckt; und in seiner Antwort platzte er mit seinem Geständnis heraus, das er in seine übliche entwaffnende Prosa verpackte.

Seit sieben Jahren sei er ‹befaßt mit einem sehr vermessenen Werk›, vielleicht ‹einem sehr törichten›. Beeindruckt von den Lebensformen auf den Galápagosinseln und den südamerikanischen Fossilien, so schrieb er, habe er ‹blindlings› alles gesammelt, was mit den Spezies zu tun habe, einschließlich ‹Stößen von Büchern über Landwirtschaft und Gartenbau›. Langsam und widerstrebend sei er zu einer Schlußfolgerung gezwungen gewesen. ‹Inzwischen bin ich (ganz im Gegensatz zu meiner ursprünglichen Meinung) beinahe überzeugt davon, daß die Arten nicht (es ist, als gestehe man einen Mord) unveränderlich sind.› Ein Mord mochte das sein, aber in seiner Argumentation war die Natur schuld daran. Er hatte *blindlings* gesammelt; es steckte keine Absicht dahinter, ein Verbrechen zu begehen, *vorsätzlich* etwas so Ungeheuerliches zutage zu fördern wie die Evolution. Der puritanische junge Hooker wurde auf einen Richterstuhl gesetzt und aufgefordert, die mildernden Umstände zu bedenken. Sein Briefpartner plädierte nicht auf Mord, sondern auf hilflosen Totschlag. Darwin saß die Angst im Nacken. ‹Sie werden stöhnen und bei sich denken: «An welchen Menschen habe ich mit meinem Schreiben die Zeit verschwendet.» ›[6]

Warum ein ‹Mord›, der schlimmste Affront gegen die Gesellschaft? Die Transmutation wurde im Januar 1844 immer noch mit Aufruhr und Revolution assoziiert – mit anderen Worten: der Sudelpresse. Auch während sich Darwin des Mordes bezichtigte, riefen Extremisten in den Londoner Straßen ihre Billigblätter aus. Im *Movement,* einem skurrilen atheistischen Agitationsblatt, das von dem inzwischen wieder aus der Haft entlassenen George Holyoake und den *Oracle*-Evolutionisten herausgegeben wurde, erschienen in dieser Woche Angriffe auf das Christentum und Paleys Naturtheologie. Freilich sprachen sie von einer anderen Evolution, in der das Leben nach seiner eigenen Verbesserung strebte. Da war kein malthusischer Schwache-an-die-Wand-Mechanismus am Werk. Trotzdem wurde die Transmutation von Straßenatheisten propagiert, denen es darum ging, den anglikanischen Staat zu zerschmettern. Darwins Klerikerfreunde – wie Foxe, Jenyns und Henslow – waren in Gefahr, von den roten Lamarckisten ihrer Pfründen beraubt zu werden. Der gemästete Klerus, schrien die Revolutionäre, werde beweisen müssen, daß er für die Früchte der Arbeit einen Gegenwert anzubieten habe.[7] Das waren also die Umstürzler, die im Januar 1844 mit der Evolution assoziiert wurden. Aus diesem Grund hatte der Lamarckismus mörderische Untertöne.

Darwin distanzierte sich mehr und mehr von Lamarck. ‹Der Himmel bewahre mich vor Lamarcks Nonsens einer «Tendenz zum Fortschritt», «von Adaptionen der stumpfsinnigen Triebe von Tieren» usw.› Darwins eigenes malthusisches ‹Mittel der Veränderung› war anders als alles, was von den revolutionären Franzosen kam. ‹Kurz›, schrieb er Hooker, ‹ich glaube, ich habe die einfache Methode herausgefunden (wenn das keine Anmaßung ist!), durch die sich die Arten vortrefflich verschiedenen Umständen anpassen können.›

Er schickte das Geständnis ab in der Hoffnung, daß sein Vertrauen zu Hooker gerechtfertigt sei, und wartete und wartete. Zwei Wochen vergingen ohne ein Wort; Hooker war damit beschäftigt, seine gepreßten Blumen zu sichten und sich wieder an das Leben an Land zu gewöhnen. Am Ende des Monats kam dann eine lange, gelassene Antwort. Hooker schickte wie üblich lange Listen von südamerikanischen Pflanzen. Auf Darwins Zuwendung schien er geschmeichelt und etwas zurückhaltend zu reagieren; einerseits war er sich dessen bewußt, daß Darwin an jedem seiner Worte hing, andererseits befürchtete er, seinen Erwartungen nicht gerecht zu werden. ‹Sie nehmen soviel Notiz von mir, daß ich beinahe fürchte, zuviel zu sagen und den positiven Eindruck zu zerstören, den Sie von meinen Anmerkungen zu haben scheinen.› Er sagte nicht zuviel über die Arten, aber was er sagte, war ermutigend. Er ging so weit, wie er es in den nächsten zehn Jahren tun sollte, ängstlich darauf bedacht, ihre aufkeimende Freundschaft zu erhalten. Laut Hooker mochte es ‹eine allmähliche Veränderung der Arten gegeben haben. Ich würde mich freuen zu hören, wie sich diese Veränderung nach Ihrer Auffassung vollzogen haben könnte, da mich keine der gegenwärtig vertretenen Meinungen zu diesem Thema befriedigt›.[8]

Mehr hätte sich Darwin nicht wünschen können; sein Vertrauen hatte sich als richtig erwiesen. Von dieser Zeit an führte die Transmutation ein gespenstisches Dasein in seinen Briefen, immer vorhanden, aber niemals ganz sichtbar. Hooker wußte übrigens genau, warum ausgerechnet er ins Vertrauen gezogen wurde. Bald fing Darwin an, seinem jungen Freund Aufgaben zu stellen und ihn zu veranlassen, Inselfaunen mit Darwinschen Augen zu betrachten. Die Vögel und die Schalentiere der Galápagosinseln seien allesamt unterscheidbare Arten, schrieb er, aber mit südamerikanischen Stämmen verwandt. Ob das auch für die Galápagospflanzen zutreffe? Hooker wurde ein Resonanzboden für tausend solcher Fragen, ein zur Mitarbeit gewonnener Assistent auf Darwins Suche nach den Gesetzen des Lebens.

Nach dieser wirksamen Absolution ging Darwin erleichtert seinen zwei Jahre alten Spezies-Entwurf nochmals durch. Er hatte ständig daran herumgebastelt. Jetzt beschloß er, ihn ordentlich auszuführen, flüssiger zu machen, weniger schlagwortartig, weniger verworren. Die Gliederung behielt er bei; im ersten Teil stellte er seinen Mechanismus dar – Variabilität und Selektion –, basierend auf den Verfahren, die in der Tierzucht angewandt worden waren, während der zweite Teil das Beweismaterial für die Abstammungslehre im allgemeinen enthielt. Auch bei der Überarbeitung sah er die natürliche Auslese nur zeitweilig am Werk. Normalerweise, so glaubte er, variierten wildlebende Tiere und Pflanzen nicht stark. Sie blieben gut angepaßt, solange die Bedingungen stabil seien; erst wenn sich die Umwelt verändere, wirke sich das auf das Fortpflanzungssystem aus, und zwar destabilisierend: ‹Die Organisation der Lebewesen wird plastisch wie unter der Domestizierung.›[9] Neue Varianten kämen ins Spiel, Konkurrenz setze ein, und die Selektion filtere die Besten heraus. Im Jahr 1844 verstand er sie als eine Art automatische Rückkopplungsschleife, die das Gleichgewicht wiederherstelle.

Im Lauf des Frühjahrs schwoll der Entwurf zu einem ausführlichen, 189 Seiten langen Essay an. Darwin spürte dessen Durchschlagskraft und war von seiner Richtigkeit überzeugt.[10] Während seiner monatelangen Plackerei wußte er auch, daß er damit nicht an die Öffentlichkeit treten konnte – man würde ihm einen Angriff auf die Gesellschaftsordnung, wenn nicht Schlimmeres, vorwerfen.

Die Transmutation war immer noch eine Waffe in der Hand von Militanten, die mit Empörung auf die Inseln elitären Wohllebens starrten. In der ersten Juliwoche, als Darwin das fertige Manuskript dem Lehrer der Dorfschule zum Abschreiben anvertraute, veröffentlichte die Feministin Emma Martin ihr aufrührerisches Pamphlet *Conversation on the Being of God,* in dem sie behauptete, die Evolution brauche keinen Schöpfer. Sie reiste anschließend im Land umher, hielt Vorträge auf Märkten und in sozialistischen Bildungsvereinen und wurde schließlich wegen Störung des Kirchenfriedens vorgeladen. Der alte Orden der Ungläubigen mochte eine vorübergehende Erscheinung sein; gerade im vorigen Monat war der ‹Kaplan des Teufels›, Reverend Taylor, im Exil gestorben. Aber andere traten auf den Plan, um die Kampagne fortzusetzen, und schockierten die prüden Viktorianer durch ihr Verhalten. Mrs. Martin wurde als ein Beispiel hingestellt. Um der sozialistischen Sache willen hatte sie ihren baptistischen Mann verlassen; sie mußte um ihre Existenz kämpfen, lebte von Almosen und karrte ihre Kinder mit sich herum. Sie wurde von Stadt zu Stadt gehetzt und von Pfarrern und Magistratsbeamten schikaniert. Das war kein Benehmen für eine Mutter. Aber ebenso wie ihr Freund Holyoake war sie eine fesselnde Rednerin. Sie reiste im ganzen Land umher und rechnete mit der ‹Knechtschaft der Religion› ab, wobei sie bis zu dreitausend Zuhörer anzog, sooft sie den Klerus herausforderte.[11]

Nein, zu veröffentlichen wäre selbstmörderisch. Die Übergriffe gegen den Klerus mehrten sich, und Landpfarrer zählten zu Darwins Freunden und Angehörigen. Er riskierte, des Verrats an seiner privilegierten Klasse beschuldigt zu werden.

Am 5. Juli, als der Essay über die Evolution außer Haus war, schrieb er einen schwierigen, an seine Frau gerichteten Brief, den er wegschließen würde und der erst im Falle seines ‹plötzlichen Todes› geöffnet werden sollte. Vielleicht würde seine Konstitution zusammenbrechen oder die Cholera ihn hinwegraffen. (In Abständen kam es immer noch zu Epidemien. Später stellte er einmal ein auf Opium basierendes Rezept gegen die Symptome der Cholera aus.) Der Brief enthielt seine ‹höchst feierliche und letzte Bitte›, daß sie den Essay postum veröffentlichen möge. Vielleicht hoffte er halb, vor ihr zu sterben. Damit erlegte er ihr eine schreckliche Verpflichtung auf, denn ihrer beider Einstellungen zur Religion gingen weit auseinander. Aber er war sich dieses Essays ganz sicher. ‹Wenn meine Theorie richtig ist, was ich glaube, und wenn sie auch nur von einem einzigen kompetenten Menschen anerkannt wird, dann wird sie einen beträchtlichen Fortschritt für die Wissenschaft bedeuten.›[12] Emma solle einem guten Herausgeber vierhundert Pfund sowie seine Bücher und Exzerpte aushändigen, damit dieser das Werk erweitern und veröffentlichen könne, und er hoffe, daß sie oder ihr Bruder Hensleigh sich für dessen Verbreitung einsetzen würden.

Er zog mögliche Herausgeber in Erwägung, strich manche wieder und fügte andere hinzu. Als erstes sollte sich Emma an Lyell wenden. Oder vielleicht an Edward Forbes, einen guten Generalisten; er war Biogeograph und Botaniker sowie Pionier des Tiefseeschleppnetzfangs und hatte ein Buch über Seesterne veröffentlicht. Nein, wahrscheinlich wäre Henslow ‹in vielerlei Hinsicht der Beste›, aber auch Hooker sei eine ‹*sehr* gute› Wahl. Owens Name wurde auf die Liste gesetzt und dann wieder gestrichen, als Darwin an Owens Abscheu vor der Transmutation dachte. Da lag das Problem. Er würde jeden Mann vor ein moralisches Dilemma stellen: Lyell hatte seine *Principles of Geology* der Widerlegung von Lamarck gewidmet, Forbes war ein orthodoxer Anglikaner, der den Materialismus haßte, Henslow ein Geistlicher, Owen ein Tory, der gegen die radikale Propaganda von der ‹Selbstentwicklung› der Natur zu Felde zog.[13] Man studiere vergleichende Anatomie, verkündete Owen, um diese schädlichen Theorien auszurotten; keine noch so hohe Summe hätte ihn bestechen können, eine zu *veröffentlichen*. Darwin erwartete von seinen Kandidaten ein unmögliches Maß an Unparteilichkeit, erwartete, daß sie ihre gesellschaftliche Pflicht ignorieren und etwas tun würden, was ihnen zutiefst zuwider war.

Und warum sollten sie? Wie weit ging die Freundschaft? Forbes meinte, ein ‹gut geschriebenes schädliches Buch, das ist wie eine vergiftete Quelle, die ewig sprudelt›. Wie konnte einer von ihnen daran denken, Darwins Prosa aufzupolieren, um eine giftige Philosophie attraktiv zu machen? Um sie zu etwas zu machen, was Sedgwick einige Monate später von einem Buch über Evolution sagte: ‹Eine widerliche Pille aus Teufelsdreck und Arsen, überzogen mit Blattgold.›[14] Es war ein höchst belastendes Treuhandgut, das Darwin da zu vergeben hatte. Er fragte sich, ob es irgend jemand annehmen würde.

Er sagte Hooker nichts von dem Essay, doch er brannte darauf, über dessen Inhalt zu sprechen. Gelegentlich vergaß er Hookers Jugend und Mangel an Vermögen, das den Weg eines Gentleman vergoldete. So drängte er ihn ständig, sich um die Mitgliedschaft im Athenaeum Club zu bewerben, wo sie sich in einem feudalen Rahmen über Pflanzen der Welt hätten unterhalten können, bis er schließlich erfuhr, daß Hooker das längst getan hatte und nicht aufgenommen worden war. Auch in der Geologischen Gesellschaft konnten sie sich nicht treffen, weil die Beitrittsgebühr von sechs Guineen und der Jahresbeitrag von drei Guineen den jungen Botaniker abhielten. Als der Essay fertig war, faßte sich Darwin schließlich ein Herz und besuchte Hooker an einem schönen Julitag in Kew Gardens. Endlich lernten sie sich richtig kennen. Hooker sei wirklich ‹ein höchst sympathischer junger Mann›, hörte Lyell.[15] Bald tauschte Emma mit dem noch unverheirateten Hooker Rezepte und probierte seine Apfelkonfitüre und seine Kuchen aus.

Eine Woche später begann Darwin sein neuntes und letztes Buch auf der Grundlage der *Beagle*-Reise. In *Geological Observations on South America* wollte er die Pampas, die Plateaus und die Anden beschreiben und darlegen, wie sie mit Lyellscher Langsamkeit aus dem Meer aufgestiegen waren. D'Orbignys Unsinn über katastrophale Umbrüche war nichts für ihn. Darwin wußte, daß die Pampas allmählich durch Süßwassersedimente entstanden waren, nicht kataklystisch, als der Ozean ins Land eindrang und Tierkadaver vor sich herschob. Bis zum September hatte er sechzig Seiten ‹über die Auffaltung und die großen Schotterterrassen und Ebenen von Patagonien, Chile und Peru› geschrieben, und die waren ‹ziemlich gut›.[16]

In seinen wöchentlichen Episteln an Hooker flocht er ebenso aufregende Einzelheiten aus seinem Essay ein. Warum waren zum Beispiel an manchen Orten zahlreiche Arten vorhanden und an anderen nicht? Die Entstehung von Arten auf Inseln war der Schlüssel, wie die Galápagosinseln gezeigt hatten. Hier hatten sich die kolonisierenden Vögel und Reptilien in verschiedenen Nischen diversifiziert, die sich auf den neu entstandenen Vulkaninseln ergeben hatten. Jede hatte ihre spezielle Fauna. Anderenorts zerbarsten absinkende Kontinente zu Inseln, wodurch Arten isoliert und parallel zur Veränderung der Lebensräume neue Anpassungen gefördert wurden. Er könne nicht in Einzelheiten gehen, aber ‹hinsichtlich der ursprünglichen Erschaffung oder Entstehung neuer Formen ... scheint die Isolierung das wesentliche Element zu sein. Deshalb ... würde ich erwarten, daß ein Landstrich, der in den jüngeren geologischen Perioden am öftesten absank, zu Inseln verwandelt und wiedervereinigt wurde, besonders viele Formen enthält›.

Hooker brachte die Ausnahmen aufs Tapet: die Falklandinseln und Island, die kaum einheimische Arten aufwiesen. *Deren* Pflanzen seien identisch mit jenen Südamerikas beziehungsweise Europas. Und selbst wenn die Behauptung stimmte – wie fächere sich eine Art, die auf die vorgelagerten Inseln gelangt sei, in die diversen Formen auf? Solle man ‹den Mumpitz Lamarcks› oder die anderen ‹verrückten› Theorien glauben, welche die Runde machten? Die Arten mochten zwar mutationsfähig sein, ‹aber ich glaube nicht, daß sie selbst so systematisch ans Werk gehen, wie er behauptet›. Darwin stimmte ihm darin zu, daß Lamarck ‹wirklich Humbug› und die anderen nicht besser seien, aber schließlich habe sich auch keiner von ihnen ‹dem

Thema unter dem Aspekt der Variabilität bei der Domestizierung genähert.[17] Ein weiterer Köder, der da ausgelegt wurde. Ob sich Hooker dessen bewußt war?

Ende September war der Evolutionsessay wieder in Down House. Darwin unterbrach die Arbeit an *South America,* um die saubere Abschrift zu korrigieren, die in den Händen des Lehrers auf 231 Seiten angewachsen war. Es war ein Monat der Genesung nach einem Sommer, der seinem Magen übel mitgespielt hatte. Emma hatte ihm die zu Hause verbrachten Ferien so behaglich wie möglich gemacht. Sie hatte das Haus jetzt perfekt in Ordnung – ‹hübsch, blitzsauber, ruhig›, stellte ihre Tante Jessy bei einem Besuch fest, und Emma sei ‹die liebenswürdigste kleine Gastgeberin der Welt›. Die Ausstattung war schlicht und stilvoll. In dem ‹reizenden Salon›, dessen Einrichtung Emma sich besonders angelegen sein ließ, befanden sich einige Geschenke aus Shrewsbury, ein Lehnstuhl, eine Ottomane, ein Büfett sowie ihr überaus geschätztes Hochzeitsgeschenk, der Broadwood-Flügel.[18] Dort saß sie am Nachmittag gern, während Charles arbeitete, und sah Willy und Annie zu, die mit dem Kindermädchen im Garten spielten. Eines Tages trat Charles mit dem Essay in der Hand herein. Mit Bangen bat er Emma, ihn zu lesen.

Er konnte niemals hoffen, sie zu bekehren. Und das letzte, was er beabsichtigte, war, Salz in alte Wunden zu streuen. Aber da das Manuskript Emma nach seinem Tod anvertraut werden sollte, mußte er sich einfach vergewissern, daß sie keinen Anstoß daran nahm. Ihre Meinung war konventionell und gefahrlos, der mildeste Vorgeschmack dessen, was eines Tages die Welt sagen würde. Sie saß mit dem Stoß von Papieren da, wies ihn auf unklare Stellen hin, hinterließ bezeichnende Anmerkungen am Rand, die ihm zeigten, wo sie anderer Meinung war. ‹Eine gewagte Annahme/E. D.› , kritzelte sie neben seine Behauptung, das menschliche Auge sei ‹*möglicherweise* durch allmähliche Selektion geringfügiger, doch in jedem Fall nützlicher Abweichungen erworben worden›. Er schwächte diese Stelle daraufhin noch mehr ab; aber von da an ließ ihn die schrittweise Evolution eines komplexen, integrierten Organs wie des Auges in kalten Schweiß ausbrechen.[19] Andererseits zweifelte er niemals an der Stichhaltigkeit seiner Theorie, selbst wenn Emma ihren Segen vorenthielt.

Mitte der 1840er Jahre schaffte das Thema der Transmutation den Aufstieg aus den Straßen und den schäbigen Seziersälen in die Salons. Es war nicht länger der Tummelplatz sozialistischer Revolutionäre und republikanischer Ärzte. Ein Buch war mehr als jedes andere für diesen Umschwung verantwortlich. Im Oktober 1844 scheuchte Robert Chambers, Herausgeber populärer Zeitschriften in Edinburgh, die gebildeten Stände mit dem anonymen Werk *Vestiges of the Natural History of Creation* auf.

Ein golfspielender, überarbeiteter Mann des Volkes, wußte Chambers über die neuesten Erkenntnisse in der Anatomie und der Evolution Bescheid, die an den medizinischen Fakultäten umliefen, und er beschloß, diese ‹alternative wissenschaftliche Konzeption des Fortschritts› der Öffentlichkeit zugänglicher zu machen. Das Buch war brillant geschrieben und wurde genauso vermarktet; es war auch höchst eindrucksvoll. Die Selbstentwicklung der Natur wurde in einer Weise journalistisch behandelt, wie es nie zuvor versucht worden war. Der unbekannte Verfasser lieferte einen Abriß der gesamten kosmischen Evolution, von der Verschmelzung der Planeten über die chemoelektrische Entstehung des ersten Lebens bis zu der Fossilienreihe – auf die sich die ‹Spuren› *(vestiges)* des Titels bezogen – und der Entstehung des Menschen. Seine Darstellung dieser Progression wurde von der ernsten, evangeliengläubigen Gesellschaft als nicht bloß aufregend, sondern geradezu prickelnd empfunden. Dies war reformfreudige Wissenschaft, keine ornamentale Gelehrsamkeit für eine alte Elite. Der Autor beklagte das Spezialistentum der Wissenschaftler und ihr statisches Bild der Natur, mit dem ein patriarchalischer Wertekanon abgesegnet würde. Er wollte ‹gewöhnliche› Leser erreichen.[20] Er lieferte das, wonach in einem Zeitalter des Fortschritts und der Ambitionen viele verlangten: die Bestätigung einer aufstiegsorientierten Natur.

Im Gegensatz dazu blieb die Elite die Zielgruppe Darwins: die Vorstände der Gelehrtengesellschaften, die Hirten der Kirchengemeinden. Diese ‹Hunde von Klerikern›, wie Chambers sie verunglimpfte, waren Darwins engste Freunde. Er hätte nicht im Traum daran gedacht, geistliche Naturforscher wie Fox, Henslow und Jenyns durch eine demagogische Publikation vor den Kopf zu stoßen. Seine Erkenntnisse sollten von ‹Verantwortungsgefühl› zeugen. Sie sollten den Bedürfnissen einer neuen wissenschaftlichen Aristokratie entsprechen, der Aristokratie der Begabung. Darwins Umsturz würde eine ‹Palastrevolution› sein.[21]

Das von Chambers verlegte Werk wurde als Sensation empfunden, als es auf die Hauptstraßen gelangte. Es verkaufte sich fabelhaft, so daß sofort eine zweite Ausgabe nachgeschoben wurde. Selbst Hooker fand, daß es für die Arbeit eines Laien seine Verdienste habe, obwohl es einige krasse Fehler enthalte. Aber was für ein ‹komischer Bursche› der Autor sein müsse! Darwin war weniger erheitert. Der Stil sei zwar geschliffen, aber die ‹Geologie erscheint mir schlecht und seine Zoologie noch viel schlimmer›. Hooker sprach von einem ‹Neun-Tage-Wunder›, aber die neun Tage zogen sich hin, und während er das sagte, war bereits die dritte Auflage in Vorbereitung. Jede Auflage wurde überarbeitet und geglättet, so daß die Fehler abnahmen, was einen führenden konservativen Naturwissenschaftler zu der wutschnaubenden Feststellung veranlaßte, seine ‹Auswüchse erscheinen gar nicht mehr so widerwärtig›. Kritiker dankten Gott, daß der Autor mit ‹Ignoranz und

Anmaßung› begonnen habe. Hätte er gleich die revidierten Fassungen herausgebracht, ‹dann wäre er gefährlicher gewesen›.[22]

In einem in Bewegung geratenen chartistischen Zeitalter, in dem die Wissenschaft eine moralische Dimension hatte, konnte das Werk in den falschen Händen gefährlich sein. Aus diesem Grund bekämpften die Kleriker, Nutznießer des alten, patriarchalischen Systems, das Werk denn auch frontal. Einige der Reaktionen waren etwas ausgefallen. So äußerte Hooker gegenüber Darwin amüsiert: ‹Irgendein Pfarrer aus Liverpool hat nach der Lektüre von *Vestiges* alle Geologen um Beweise für das Gegenteil gebeten und ziemlich kaltblütig alle Antworten abgedruckt.› Aber das war noch nicht das Bezeichnendste. Alle Geologen mit einer Ausnahme ‹verwiesen besagte Person auf ihre eigenen Werke›. Das zeigte, wie weit verbreitet antievolutionäre Einstellungen unter den wohlhabenden Spezialisten waren. Die anglikanischen Professoren waren davon überzeugt, daß Gott aus der Höhe die natürlichen und gesellschaftlichen Hierarchien aktiv aufrechterhalte. Wenn man diese alles beherrschende Vorsehung beseitigte, diese übernatürliche Sanktion des Status quo leugne und eine gleichmacherische Evolution einführe, dann werde die Zivilisation zusammenbrechen. Und, noch fataler: die Privilegien der Kirche. Reverend Adam Sedgwick, ein aufrechter Nordengländer, der die Dinge beim Namen zu nennen pflegte, sagte voraus, daß eine solche Überzeugung ‹Ruin und Verwirrung› über das Land bringen werde.[23] Von den verdrossenen arbeitenden Schichten aufgegriffen, ‹wird sie die gesamte Moral und die gesellschaftliche Ordnung unterminieren› und ‹Zwietracht im Gefolge› haben.

Die verdrossenen Schichten waren anderer Ansicht. Sedgwick erklärte vor der British Association, neue Arten träten ‹nicht durch die Transmutation der zuvor existierenden› auf, ‹sondern durch das wiederholte Wirksamwerden der Schöpferkraft›. Ob er ‹Gottes Reporter› sei, fragte ihn ein atheistischer Zwischenrufer herausfordernd. Woher *wisse* er das? Wo seien seine Beweise? Die Sudelblätter schäumten vor Wut. Erzürnte Handwerker, die für einen säkularen Staat kämpften, ignorierten die göttliche Tünche von *Vestiges* und gaben ihrer Überzeugung Ausdruck, daß die darin vertretene Auffassung ‹den Übergangszustand repräsentiert, den die religiöse Welt in Kürze erreichen wird, bevor die Menschheit zum Atheismus übergeht›.[24]

Auch Darwin fand, daß Sedgwicks apodiktische Besprechung von *Vestiges* nach dem ‹Dogmatismus der Kanzel› rieche, und er wußte, daß sie ‹bei nichtwissenschaftlichen Lesern alles andere als populär› war. Radikale Quäker und Unitarier erhoben zwar ebenfalls Einwände gegen das Buch. Aber sie betrachteten die saturierte, von feudalen Pfründen finanzierte anglikanische Kirche mit Verachtung und verurteilten die korrupten Privilegien, die das Establishment genoß. Sie bevorzugten emanzipierendere Formen von Wissen. Vielen gefiel *Vestiges;* es möge gravierende Mängel haben, aber es sei dennoch ‹ein sehr schönes und sehr interessantes Buch›, erklärte der mit Darwin befreundete Physiologe William Carpenter und half Chambers, die Mängel auszumerzen. Manche freuten sich, daß die ‹bigotten Heiligen› daran zu würgen hatten; andere fanden die Vorstellung von einer durch Naturgesetz entstandenen Schöpfung einfach erhebender. Unitarier wie Carpenter bezweifelten zwar, daß ‹der Urgroßvater unseres gemeinsamen Vorfahren ein Schimpanse oder ein Orang-Utan war›, aber bezüglich der Herrschaft von Gesetzen ließ Carpenter nicht mit sich handeln; Gott mit seiner ‹vollkommenen Kenntnis der Zukunft› habe bei der Erschaffung der Welt ein Gesetz in Kraft treten lassen, und das Universum habe sich seither in stetiger Entwicklung befunden.[25]

Radikale Quäker und baptistische Ärzte argumentierten, die Natur müsse naturalisiert – ihres religiösen Überbaues entkleidet – werden. Die Evolution erschien vielen von ihnen als eine bessere Vorgehensweise für Gott. Der Allmächtige habe bei der Erschaffung der Welt moralische und physikalische Gesetze erlassen und sie durch die Natur und die Bibel allen bekanntgemacht. Keine Priesterhierarchie, keine Staatskirche sei notwendig. Ebenso wie Thomas Paine zogen sie über die ‹illegitime Verbindung› der Kirche mit dem Staat her – jemand sprach von ‹Hurerei› mit der aristokratischen Regierung – und versuchten sie aus dieser ‹verbotenen Umarmung› zu reißen. Sedgwick, dieser sexuellen Rhetorik durchaus gewachsen, gab mit gleicher Münze heraus. In *Vestiges,* grollte er, seien Evolution und spontane Entstehung eine ‹illegitime Ehe› eingegangen und hätten ein gräßliches Ungeheuer gezeugt; man täte der Menschheit einen Gefallen, wenn man ‹den Kopf dieser schmutzigen Mißgeburt zerschmettert und ihrem Herumkriechen ein Ende bereitet›.[26]

Diese Rezension war Sedgwicks allererste, und das merkte man. ‹Ungemilderte Verachtung, Hohn und Spott sind die Waffen, die es hier anzuwenden gilt›, hieß es da schneidend, doch die Holzhammermethode erwies sich teilweise als kontraproduktiv. Darwin las den Wutausbruch mit ‹Furcht und Zittern›. Das war Sedgwick, der Proktor zu Cambridge, der einst in The Mount übernachtet und Darwin auf eine geologische Exkursion nach Wales mitgenommen hatte. Das ganze leidige Drumherum machte es unmöglich, *Vestiges* leidenschaftslos zu betrachten. Mit seinem Theaterdonner schadete Sedgwick nur seinem Anliegen. Als ihm ‹Mr. Vestiges› in der maßvollen Schrift *Explanations: A Sequel to the ‹Vestiges›* (einem weiteren Bestseller) antwortete, dachte Darwin, sein ‹Geist›, wenn auch nicht seine ‹Fakten sollten Sedgwick beschämen›. Alles in allem hatte er gemischte Gefühle. Auf der einen Seite kritisierte er *Vestiges,* weil der Band das Wasser trübte, auf der anderen begrüßte er ihn, weil er die Giftpfeile auf sich zog; stahl er ihm einerseits die Schau, so gewöhnte er doch die Leute an das Thema der Entwicklung der Natur. Eines lernte Darwin daraus, nämlich, es sich zu versagen, bestimmte Genealogien – von Schweinen oder Pferden oder Menschen – anzuführen: Sie boten eine Zielscheibe wie ein Scheunentor.[27]

Die Anonymität des Autors steigerte natürlich das erregende Prickeln. Wilde Gerüchte machten die Runde. Sedgwick schrieb es anfänglich dem schwachen Geist einer Frau zu; er vermutete, daß es von der Tochter des verruchten Byron, Ada Lovelace, stamme. Aber die Finger zeigten in alle Richtungen, und da Darwins Neigungen zumindest einigen bekannt waren, wiesen manche auch auf ihn. ‹Hast Du dieses seltsame, unphilosophische, aber prächtig geschriebene Buch *Vestiges* gelesen?› fragte er Fox. ‹Es wird in letzter Zeit mehr darüber geredet als über jedes andere Werk, und manche haben es mir zugeschrieben – worüber ich sehr geschmeichelt und auch das Gegenteil sein sollte.› Londoner Geologen hatten Chambers rasch als den Autor identifiziert; Briefe flogen hin und her, in denen die Irrtümer in *Vestiges* mit jenen in Chambers' anderen Werken verglichen wurden. Zwei Jahre später war für Darwin der Fall endgültig klar.[28] Auf einer Fahrt nach London besuchte er Chambers eines Tages für ein Plauderstündchen, um mit ihm über den Glen Roy zu sprechen, über den Chambers arbeitete. Und siehe da, kurz danach erhielt er per Post ein Belegexemplar der sechsten Auflage von *Vestiges,* was ihn davon überzeugte, daß Chambers der Verfasser war.

Ein künftiger Schwiegersohn fragte Chambers einmal, warum er sich niemals zu seinem ‹größten Werk› bekannt habe. Chambers ‹zeigte auf sein Haus, in dem er elf Kinder hatte, und fügte dann bedächtig hinzu: «Ich habe elf Gründe.›» 1845 hatte Darwin drei eigene Gründe, und ein weiterer war unterwegs. Er hatte auch öffentliche Anerkennung zu verlieren. Das *Journal of Researches* hatte ihn weithin bekannt gemacht. Es hatte ihm ein Entree für die internationale Welt der Wissenschaft und einen guten Ruf unter Reisenden verschafft. Sein Erfolg war unbezweifelbar. Ständig wurden neue Tiere und Pflanzen nach ihm benannt, vom Riesenfaultier *Mylodon Darwinii* bis zu dem kleinwinzigen *Asteromphalus Darwinii*. Weltreisende konnten in den Gewässern um die Galápagosinseln nach dem *Cossyphus Darwinii* fischen oder die Schalen der Kammuschel *Pecten Darwinianus* von patagonischen Felsen lösen.[29] Auch in der Londoner Gelehrtenwelt genoß Darwin hohes Ansehen. 1844 war er Vizepräsident der Geologischen Gesellschaft geworden, und er wurde ständig von aufstrebenden Geologen angesprochen, die ihre Artikel gedruckt sehen wollten. Ein unbedachtes Wort, und all dies konnte in Gefahr sein.

Dann war da der Umgang, den er pflegte und der sein Dilemma verschlimmerte. Seine geistlichen Freunde waren ebenso wie Sedgwick darauf bedacht, die Wissenschaft auf ihrem alten Kurs zu halten. Darwin konnte diese konservative moralische Einstellung nachvollziehen – er wußte, woran sie Anstoß nahmen. Daher auch seine selbstkritischen Bemerkungen über die ‹Sünde der Spekulation›. Es war eine Sünde, die von vielen verurteilt wurde: Hooker kritisierte Naturwissenschaftler, welche die Spekulation als den leichten Weg wählten, und sein Tadel schmerzte.[30] Obwohl Darwin also darauf brannte, Fox und Jenyns in sein Geheimnis einzuweihen, hielt er sich zurück. Er ging taktvoll vor.

In dem Monat, in dem *Vestiges* herauskam, befragte er Jenyns über die Sterblichkeitsrate bei den Singvögeln, die malthusischen ‹Hemmfaktoren›, die Populationen daran hinderten zu explodieren. Er hatte sich an den Richtigen gewandt. Jenyns war der Inbegriff des Naturforschers und Klerikers, ein altmodischer Faktensammler. Aber Darwin unterstützte ihn immer darin. Jenyns’ ‹unbedeutende Fakten› – sei es über Vogelreviere, sei es über Schnabelgrößen – boten ihm Gucklöcher in die innerste Wirkweise der Natur. Darwin machte es riesiges Vergnügen, in solchen Kleinigkeiten zu wühlen, immer auf der Suche nach Fingerzeigen, nach dem Ausgefallenen, dem Unbemerkten, dem Diskrepanten – so wurde er allmählich zu ‹einem Millionär an kuriosen und merkwürdigen Bagatellfakten›. Jenyns’ Nebensächlichkeiten, die bei Schreibtischtaxonomen keine Beachtung fanden, bildeten die Materie einer neuen Wissenschaft. Und darum, ließ Darwin durchblicken, gehe es ihm – um Studien, die Jenyns’ ‹Bagatellen› aufklären würden.

Er ging behutsam an das brisante Thema heran. Jenyns’ Beobachtungen über Vogelsterblichkeit waren ein Teil einer ‹großen Fundgrube von Fakten›, aus denen er moralisch unanfechtbare Schlußfolgerungen ziehen konnte. Die Lauterkeit seiner Absichten war der Schlüssel.

‹Die allgemeine Schlußfolgerung, zu der ich allmählich und von einer genau entgegengesetzten Überzeugung ausgehend getrieben wurde, ist die, daß die Arten mutationsfähig sind und daß verwandte Spezies von gemeinsamen Vorfahren abstammen. Ich weiß, wie angreifbar ich mich durch eine solche Schlußfolgerung mache, aber zumindest bin ich auf ehrliche und gewissenhafte Weise dazu gelangt.›

Jenyns fand die malthusischen ‹Wachstumsbremsen› durchaus erklärlich. Die überlebenden Jungen wurden aus dem elterlichen Revier auf Territorien abgedrängt, wo die Sterberate hoch war. Er betrachtete diesen Prozeß als ein statisches System der Begrenzung und des Ausgleichs, nicht der Konkurrenz und des Fortschritts. Wie jeder Pfarrer, der vom schöpferischen Gleichgewicht der Natur überzeugt war, verurteilte er das Gerede über die Selbstentwicklung des Lebens. Er durchschaute all die vorsichtigen Äußerungen Darwins und beschuldigte ihn, zu implizieren, daß seine ‹Schlußfolgerungen unausweichlich seien›.[31]

Darwin schreckte zurück. ‹In meinen wildesten Tagträumen erwarte ich niemals mehr, als zeigen zu können, daß die Frage der Unveränderlichkeit der Arten zwei Seiten hat, nämlich ob die Arten *direkt* oder durch Vermittlung von Gesetzen erschaffen werden (wie es für das Leben und Sterben einzelner gilt).› Damit polarisierte Darwin das Thema: entweder Wunderglaube oder Naturgesetze, die zumindest er mit der Mutation organischer Formen gleichsetzte (obwohl viele andere das nicht taten). Er wiederholte, daß ihm die Resultate aufgezwungen worden seien und daß er sich bewußt sei, geheiligten Boden zu betreten; das müsse alles ‹nach absurder Anmaßung aussehen›, gab er zu. ‹Es gehört Kühnheit dazu, mich in Gefahr zu bringen, für einen kompletten Narren und noch dazu einen ganz vorsätzlich verfahrenden gehalten zu werden.›[32] Seine Motive seien untadelig. Sein Bild als ein objektiver, neutraler ‹Wissenschaftler› – eine Neuprägung, die noch etwas fremdartig wirkte – sei im Entstehen. Wenn ‹das Gebäude zusammenstürzt›, dann sei die Natur daran schuld, nicht er. Wenn diese spirituelle Verweltlichung, die Säkularisierung der Natur, jemandem nicht passe, dann sei die Natur dafür verantwortlich. Darwin bot Jenyns seinen soeben kopierten Essay, der seine Theorie ausführlich erkläre, zum Lesen an. Das Angebot wurde nie angenommen.

Er gab gegenüber seinen Klerikerfreunden zwar nicht auf, aber mit den jüngeren hauptberuflichen Naturwissenschaftlern konnte er wenigstens den Dialog in Gang halten. Hooker war überaus hilfsbereit; er überschüttete Darwin mit Büchern und stöberte auch wenig Bekanntes auf. Darwin übermittelte ihm seine Bestellungen.

‹Wenn Sie mir raten, Kingdons Übersetzung von de Candolles *Organographie végétale* nicht zu kaufen, heißt das, daß Sie sie mir *irgendwann* leihen könnten? Ich werde Jussieu bestellen. Ich hoffe, Sie vergessen nicht die französische Broschüre über Variabilität, und ich möchte den Artikel über den Eisberg in dem Bostoner Journal lesen. Couthouys Aufsatz über Korallenriffe habe ich bereits.›

Hooker versorgte ihn mit Informationen über Pflanzendistribution; er wollte nichts für sich, sondern war ‹zufrieden, Ihnen als Faktensammler zu dienen›. Darwin dachte, ‹eine kleine Schmeichelei› könne nicht schaden. ‹Sie können sagen, was Sie wollen›, schrieb er ihm, ‹ich bin sicher, niemand könnte besseren Gebrauch von den Erkenntnissen machen als Sie selbst.› Aber das hielt ihn nicht davon ab, seinen entgegenkommenden Freund weiterhin mit Fragen zu bombardieren und ‹Wissen aus ihm herauszupumpen›. Hookers Unterstützung, behauptete er, sei mehr, ‹als ich von jedem anderen erhalten habe, sie ist in meinen Augen unschätzbar›.[33]

Darwin verließ sich mehr und mehr auf Hookers Hilfe und lud ihn mit solcher Beharrlichkeit nach Down ein, daß es fast schon an Belästigung grenzte. Schließlich nahm sich Hooker vor, ‹hinunterzufahren und mir Ihr Habitat anzuschauen›. Bei seinem ersten Besuch über das Wochenende des 7. Dezember fragte ihn Darwin gnadenlos über Inselfloren aus – er sprach selbst von ‹ausquetschen› –, und das wurde zu einem regulären Merkmal ihrer Zusammenkünfte. Nach dem Frühstück verschwand er mit Hooker für zwanzig Minuten in seinem Arbeitszimmer, wo er eine Liste mit Fragen hervorholte. Manche beantwortete Hooker auf der Stelle, einige bedurften der Überlegung und andere ausgedehnter Nachforschungen in Kew Gardens. Die Antworten trafen auf Zetteln ein, die Darwin in Taschen ablegte, welche in Reichweite seines Lehnstuhls an der Wand hingen und von denen jede einem speziellen Thema gewidmet war.[34] Von da an setzte er, der sich in seinem eigenen Revier am sichersten fühlte, seinem jungen Assistenten mit Bitten zu, ihn zu besuchen, während er Hookers Gegeneinladungen aus gesundheitlichen Gründen ausschlug.

Die zwanghafte Ausfragerei setzte sich in Briefen fort. Der persönlich neutrale Hooker hatte sich inzwischen schon so an das Reden über Evolution gewöhnt, daß er sich automatisch über die Versuche in *Vestiges,* von Lamarck und anderen lustig machte, ein rätselhaftes Faktum zu erklären – daß nämlich dieselben Pflanzen in Tasmanien und auf der anderen Seite des Erdballs in Feuerland auftauchten. Aber genau solche Anomalien hatte Darwin zu erklären; er weigerte sich, sie zu vertuschen. Wenn er die Elite überzeugen wollte, dann würde er es mit *diesen* Begründungen schaffen, nicht durch sündige Spekulation oder reißerischen Journalismus. Alles, was es über Distribution und Variabilität zu wissen gab, wurde unerbittlich aufgestöbert. Er ging Berichten nach, feuerte Briefe ab, scheuchte tausend Hasen auf und betete ständig sein Credo her: ‹Jede Variation muß eine Ursache haben.›

Aber welche? Kam sie von außen, aus der Umwelt? Er war sich nicht mehr so sicher und begann einer inneren Ursache der Veränderung zuzuneigen. Er benötigte mehr Fallstudien. Er spürte das Ungewöhnliche auf und trug ein Sammelsurium an Fakten zusammen, bis es zu einer Art von Kleptomanie wurde. Hooker sagte, Darwin habe die Fähigkeit besessen, ‹noch aus den müßigsten Beobachtungen seiner Vorläufer etwas herauszuholen›, und das stimmte.[35] Ob es sich um die bemerkenswerte Eibe des Earl of Enniskillen handelte, um Dorking-Geflügel auf dem Bauernhof, die Schwänze von Galápagosschlangen oder die unterschiedlichsten Pflanzen, jeder Variation wurde gewissenhaft nachgegangen.

Auch andere Naturforscher wurden in Anspruch genommen, insbesondere solche, die zu Forschungsreisen aufbrachen. Nachdem er in der Verteilung von Tieren und Pflanzen den ‹Schlüssel zu den Schöpfungsgesetzen› erblickte, benötigte Darwin präzise geographische Informationen. Die Biogeographie lag den Briten sehr am Herzen; deshalb war die Naturwissenschaft Darwins ein sehr britisches Anliegen. Sie zeugte von den seefahrerischen Ambitionen des Landes zu einer Zeit, als die Königliche Marine damit beschäftigt war, die ganze Welt zu kartographieren. Jedes Jahr segelte eine neue Schar junger Hilfschirurgen auf den Vermessungsschiffen Ihrer

Majestät mit; sie betätigten sich nebenbei als Naturforscher, füllten Tagebücher mit ihren Erfahrungen und wurden auf diese Weise zu ‹alten Seebären›, wie so viele des Kreises um Hooker und Darwin. Captain Beaufort von der Admiralität forderte Darwin tatsächlich auf, ihm eine Liste all der Fakten zu übergeben, die er irgendwo in der Welt nachgeprüft haben wollte; er werde dafür sorgen – früher oder später werde eine Brigg dort vorbeikommen.[36] In diesem Jahr, 1845, brach der junge Harry Goodsir, der über Krustentiere arbeitete, mit Darwins Wunschliste im Gepäck mit Captain Franklin in Hookers alten Schiffen *Erebus* und *Terror* auf, um nach einer kanadischen Nordwestpassage zum Pazifik zu suchen.

Innerhalb von sechs kurzen Monaten war Hooker unentbehrlich geworden. Er machte sich Sorgen, daß sich Darwin zu eng an ihn anschließe, daß seine Erwartungen zu hoch und seine Empfindungen ‹zu schmeichelhaft› seien. Der Absturz erfolgte im Februar 1845, als Hooker eingeladen wurde, den alten Botanikprofessor Graham in Edinburgh zu vertreten, mit dem es ‹allmählich zu Ende ging› (er war seit Darwins Zeiten dort gewesen). Das war ein Schlag; Hookers Karriere mochte es förderlich sein, aber Darwin konnte es nur ‹aus tiefstem Herzen bedauern›. ‹Eine Trennung von so vielen hundert Meilen hat etwas so Erschreckendes [...] Du wirst kaum glauben, wie tief ich Deine gegenwärtigen Aussichten für *mich selbst* bedaure – ich hatte mich darauf gefreut, daß wir im Lauf unseres Lebens Gelegenheit haben würden, einander oft zu sehen. Das ist eine große Enttäuschung.› Er steigerte sich in einen solchen Zustand hinein, daß er sogar davon sprach, seinen Freund diesen Sommer in Schottland zu besuchen. Darwin ‹erstarrte in Ehrfurcht› beim Gedanken an eine Dozentur, aber auch Hooker meinte, daß sein Herz dieser Belastung vielleicht nicht gewachsen sei. Darwins väterlicher Rat lautete, gut auf sich achtzugeben und ‹Spaziergänge zu machen wie ein braver Junge›. ‹Ich fürchte die Vorstellung, daß Du zusammenbrechen könntest.›[37]

Im vergangenen Herbst hatte ein langes ‹Finanzgespräch› mit seinem Vater Darwin zu der Überzeugung gebracht, daß er in Grund und Boden investieren sollte. Sir John Lubbock, der größte Grundbesitzer von Down, stimmte ihm zu, daß dies ein kluger Kauf wäre, da er eine Absicherung gegen einen Börsenkrach darstelle. Die Ländereien um das Dorf seien ‹absurd teuer›, erfuhr er von Sir John; deshalb folgte Charles dem Beispiel seines Vaters und seiner Schwester Susan, und er plante, und sein Erbteil in das fruchtbare Ackerland von Lincolnshire unterzupflügen. ‹Was für eine großartige Sache wird es sein›, schrieb er Susan vorwegnehmend, ‹wenn wir Arm in Arm über unser Land spazieren und unsere Pächter überraschen.›

Lincolnshire war eine Grafschaft mit wenigen Gutsherren, laxen Pfarrern und vielen abwesenden Grundeigentümern. (Der künftige Bischof von Oxford, Samuel Wilberforce, gab den ortsansässigen Gutsbesitzern den Rat, die Erziehung der Landbewohner selbst in die Hand zu nehmen, damit sie sich keine ‹oberflächlichen naturwissenschaftlichen Kenntnisse› aneigneten und nicht ihre ihnen von Gott auferlegten Pflichten vergäßen.) Darwins eigener Makler trieb in der Nähe des Dorfes Beesby, einige Meilen von der Küste entfernt, ein Gut von 324 Acre für ihn auf. Es wies Nebengebäude und ein bescheidenes Bauernhaus auf, in dem ein ‹fleißiger, guter Pächter› wohnte. Der dem Pfründeninhaber zustehende jährliche Zehnt betrug etwa 70 Pfund, die Gemeindegebühren waren ‹sehr mäßig›; die Kirche war soeben renoviert worden und ‹das geliehene Geld bereits abbezahlt›. Die Belastungen würden somit minimal sein, und das Gut versprach eine bessere Rendite als Regierungsanleihen: ‹ständige Pachteinnahmen von 3¼ Prozent, frei von Abzügen› auf eine Investition von 12500 Pfund.

Im März 1845 griff Charles zu. Oder vielmehr, sein Vater tat es und gab den Besitz an ihn weiter, denn in solchen Dingen ergriff Dr. Darwin die Initiative. Das Gut wäre eine solide Investition gewesen und hätte etwa vierhundert Pfund im Jahr eingebracht – wenn es nicht zu einem nationalen Notstand gekommen wäre. Doch der war noch Monate entfernt und unvorhersehbar; für den Augenblick frohlockte Charles gegenüber Fox: ‹Ich bin zu einem Lincolnshirer Gutsherrn geworden!› Er dachte an die Zukunft. Die Familie wurde größer. Emma war schwanger, sie fühlte sich ‹so schlecht wie immer›, und am 9. Juli brachte sie einen kleinen Jungen zur Welt. In Erinnerung an die ‹angenehmen Assoziationen› mit Henslows Sohn George gab ihm Darwin den gleichen Namen. Vielleicht, meinte er versonnen, werde er sich ‹als Naturforscher erweisen› wie sein Vater.[38]

Er selbst arbeitete inzwischen verbissen. Er legte *South America* beiseite, um sein *Journal of Researches* zu überarbeiten, nachdem John Murray eine billigere Ausgabe für seine Kolonialedition vorgeschlagen hatte. Das Angebot war willkommen – Darwin hatte von seinem alten Verleger ‹niemals einen Pfennig erhalten›, obwohl 1400 Exemplare abgesetzt worden waren.[39] Murray wußte, wie man einen Autor behandelt; er gab Darwin hundert Pfund für das Urheberrecht und erhöhte die Summe auf Ersuchen um weitere fünfzig Pfund.

Den ganzen Sommer über revidierte Darwin das Buch und erweiterte es um die neuesten Erkenntnisse über die *Beagle*-Ausbeute. Sein Besuch auf den Galápagosinseln lag jetzt zehn Jahre zurück, aber seine Interpretation der Inseln war immer noch nicht abgeschlossen. Inzwischen hatte er reichlich Zeit gehabt, die Fauna im Lichte von John Goulds Arbeit über die Vögel und seiner eigenen Theorie umzudeuten. ‹Der Archipel ist eine kleine, in sich geschlossene Welt oder vielmehr ein Satellit Amerikas, von wo er ein paar versprengte Kolonisten abbekommen hat›, erklärte er. Er sei ein neues, mit Lava übersätes Eden ‹urtümlicher Geschöpfe›. Hier ‹scheinen wir diesem großen Faktum irgendwie näher zu kommen, diesem Geheimnis aller Geheimnisse: dem ersten Auftreten neuer Lebewesen auf dieser Erde›.

Aber Finken spielten immer noch eine untergeordnete Rolle in seiner Evolutionsbeweisführung. Er gab inzwischen zu, daß es sich um verschiedene Varianten einer Art handelte, und führte die Vielfalt ihrer Schnäbel vor. ‹Angesichts dieses Formenreichtums bei einer kleinen, eng verwandten Gruppe von Vögeln›, deutete er an, ‹könnte man wirklich auf die Idee kommen, daß nach einer ursprünglichen Knappheit an Vögeln eine Spezies dieses Archipels hergenommen und zu verschiedenen Zwecken modifiziert wurde.› Das war ein deutlicher Fingerzeig; weitergehende Äußerungen über die Finkenevolution sollte er nie machen. Er nagelte jetzt auch die Belege für die verschiedenen Inselschildkröten fest. Oder vielmehr, er grub sie aus einem älteren Buch aus. Captain Porter hatte in seinem Bericht über seine Reise von 1815 mit dem US-amerikanischen Schiff *Essex* Schildkröten mit sattelförmiger Rückenzeichnung von den Galápagosinseln Floreana (Charles) und Española (Hood) beschrieben und ‹rundlichere, schwärzere› und besser schmeckende von der Insel Santiago (James) erwähnt. Es gab noch weitere Bestätigungen. Hooker, der auf den Fahnenabzügen der ersten Ausgabe geschlafen hatte, fungierte jetzt als botanischer Berater für die zweite. Er bekräftigte, daß auch die blühenden Pflanzen überwiegend ‹einheimische Produkte› seien. Warum wohl, so fragte Darwin scheinheilig, als er das Galápagoskapitel neu schrieb, all diese ‹neuen Vögel, neuen Reptilien, neuen Muscheln, neuen Insekten, neuen Pflanzen›? Warum wurden auf diesen winzigen Inseln, die erst vor so kurzer Zeit aus dem Meer aufgetaucht waren, so viele Lebewesen etwas anders erschaffen als ihre südamerikanischen Pendants?[40] Das war Rhetorik; er hatte bereits die Antwort.

Er ergriff die Gelegenheit, im Zuge der Überarbeitung eine andere Schuld zurückzuzahlen. Die Bände *Coral Reefs* und *Volcanic Islands* waren beide ‹zur Hälfte aus Lyells Gehirn gekommen›. Alle zum Schweigen verpflichtend, widmete Darwin die neue Ausgabe des *Journal of Researches* Lyell zum Zeichen dafür, ‹wieviel ich Ihnen geologisch verdanke›. Aber das Kompliment enthielt einen gehässigen Stachel.

Lyell kam Anfang Juni in Begleitung seiner Gattin zu Besuch. (‹Du solltest eine Frau haben›, riet Darwin Hooker, ‹die Dich davon abhält, zuviel zu arbeiten, wie es Mrs. Lyell gebieterisch gegenüber Lyell tut.›) Seine *Travels in North America* kamen soeben heraus, und er plante eine neue Reise in die Vereinigten Staaten. Vielleicht brachte die Erwähnung Amerikas das Gespräch auf die Sklaverei. Als Darwin einen Blick in die *Travels* warf, war er jedenfalls entsetzt. Im Gegensatz zu Harriet Martineau, welche die Abolitionisten als ‹Märtyrer› unterstützt hatte, sah Lyell diese nichts Gutes tun. Darwin mochte seine geologische Welt Lyell verdanken, aber in dieser Frage wich er bestürzt zurück. Nach einer Nacht im August, in der er vor auf-

Mord

gestauter Wut nicht schlafen konnte, ließ ihn dieses ‹verhaßte, tödliche Thema› explodieren. Wie konnte Lyell ‹Greuelgeschichten› von Sklavenkindern erzählen, die man ihren Eltern weggenommen hatte, und dann ‹von seiner Betrübnis sprechen, daß es die Weißen nicht zu größerem Wohlstand gebracht haben›?

Darwin destillierte seine Gefühle und schloß sein *Journal of Researches* mit einer leidenschaftlichen Anklage gegen die Sklaverei, bevor er die letzten Seiten aus der Hand gab.

‹Ich danke Gott, daß ich nie wieder ein Sklavenland besuchen werde. Wenn ich einen fernen Schrei höre, dann ruft mir das bis zum heutigen Tag mit schmerzhafter Schärfe meine Gefühle in Erinnerung, als ich bei Pernambuco [Brasilien] an einem Haus vorüberging und das erbarmungswürdigste Stöhnen hörte und nicht ahnen konnte, daß irgendein armer Sklave mißhandelt wurde [...] In der Nähe von Rio de Janeiro wohnte ich gegenüber einer alten Dame, die Schrauben besaß, mit denen sie ihren Sklavinnen die Finger zerquetschte. Ich habe in einem Haus gewohnt, in dem das Dienstmädchen, eine junge Mulattin, täglich und stündlich in einem Maße beschimpft, geschlagen und drangsaliert wurde, daß es das niedrigste Tier nicht ertragen hätte. Ich habe erlebt, daß ein kleiner sechs- oder siebenjähriger Junge mit einer Pferdepeitsche dreimal auf den nackten Kopf geschlagen wurde (bevor ich eingreifen konnte), weil er mir ein nicht ganz sauberes Glas Wasser gereicht hatte.›

Sein Katalog ‹herzzerreißender Greueltaten› setzte sich fort, Taten, ‹begangen und beschönigt von Menschen, die behaupten, ihre Nächsten zu lieben wie sich selbst, die an Gott glauben und beten, daß sein Wille auf Erden geschehe›. ‹Man kocht vor Wut bei der Vorstellung›, erklärte er empört. Er verfluchte all jene, die von einem ‹tolerierbaren Übel› sprächen, weil sie nur die wohlgenährten Sklaven der ‹Oberschichten› zu Gesicht bekämen.[41] Er behauptete zwar, diese in letzter Minute angefügten Ergänzungen seien keine Antwort an Lyell, bloß ein ‹Gefühlsausbruch›, aber das tönte hohl.

Murray war begeistert von der neuen Ausgabe und hatte Erfolg damit. Er fuhr fort, seinen neuen Autor zu umwerben, und nahm ihn mit zwölf Freiexemplaren für sich ein. Eines ging an Lyell, der im September nach Amerika aufbrach, ein anderes an Hooker in Edinburgh. Hooker stand inzwischen für den Botaniklehrstuhl zur Wahl, nachdem Graham gestorben war, und fand das Werben um Stimmen ‹widerwärtig›. Darwin schrieb ihm wohl oder übel einen Empfehlungsbrief; er fragte sich, wer ihm fortan den Unterschied zwischen ‹einem Gänseblümchen und einem Löwenzahn› zeigen werde.[42] Er war erleichtert, als Hooker den Posten nicht bekam.

Hookers Briefe waren weiterhin voll von Leseempfehlungen. Hewett Watson war der Autor, den er besonders favorisierte. Der in Edinburgh ausgebildete Phrenologe, Grahams Goldmedaillenempfänger von 1831, zählte für Hooker ‹zur Spitze der englischen Botaniker›, nicht zuletzt wegen seiner unvergleichlichen Kenntnis der Pflanzenverteilung. 1845 war Watson noch immer mit der Veröffentlichung der Ergebnisse seiner drei Jahre zurückliegenden Azorenreise beschäftigt. Umstrittener war eine von *Vestiges* ausgelöste Reihe von Aufsätzen über ‹progressive Entwicklung›. Hooker behauptete, Watson habe eine ‹philosophische› Einstellung, womit er meinte, daß er zu der seltenen Spezies des Pflanzengeographen mit Interesse an Statistiken gehöre. Die ‹Demographie› der Arten war seine Stärke; er behandelte Pflanzen wie ein staatlicher Statistikbeamter, der eine Volkszählung durchführt, das heißt, er bemühte sich, die Populationstrends von Pflanzen zu verstehen. Als Radikaler sympathisierte er mit den großen demographischen Erhebungen der viktorianischen Ära. Er war aber nicht nur ein Radikaler, sondern auch ein Atheist, ein empfindlicher Mann und darüber hinaus ein Evolutionist – kurz, ein ‹Renegat›, wie Hooker schrieb, womit er Darwin ungeheuer neugierig machte.

Was war dann Darwin in seinen Augen? ‹Du wirst künftig noch zehnmal mehr entsetzt über mich sein›, antwortete er ihm; seine eigenen abtrünnigen ‹Auffassungen von der Abstammung› seien genauso ketzerisch. Hooker war nicht beeindruckt; je mehr er sich mit Inselfloren beschäftigte, desto weniger glaubte er an Mutation. Sie mochte einen ‹aktiven Einfluß› haben, jedoch nur im Sinne einer ‹Störung›, welche die Arten leicht ins Wanken brachte. Aber da hatte er noch keine Ahnung von Darwins ‹fabelhaftem› Mechanismus zur Verstärkung dieser Schwankungen: der natürlichen Auslese. Erst zwei Monate später sollte ihm Darwin endlich seine sauber kopierte ‹grobe Skizze zu diesem Thema› mit der Bitte um Kommentare übermitteln. Selbst dann hielt er es noch für eine ‹zu unverschämte Bitte›.[43] Vielleicht war es das.

Immer wieder lud Darwin Hooker nach Down ein. Im Dezember, ein Jahr nach seinem ersten Besuch, traf er schließlich mit einer Riege von vielversprechenden Naturwissenschaftlern ein. Es war eine vielseitige Gruppe: Hooker war für die Botanik zuständig, Waterhouse für die Zoologie; Edward Forbes erstaunte alle mit seiner Biogeographie, und der sympathische Hugh Falconer – der gerade im Britischen Museum an indischen Fossilien arbeitete – sprach für die Paläontologie. Darwin genoß diese Art von Zusammenkunft auf eigenem Boden, bei der er Gelegenheit hatte, die jungen Leute ‹auszuquetschen›. ‹Ich werde die vier aussichtsreichsten Naturwissenschaftler in England um meinen Tisch versammelt haben›, äußerte er vergnügt.[44]

Für Forbes war es der erste Besuch. Unbeschwert und sympathisch, war er sechs Jahre jünger als Darwin und ein weiteres Produkt von Edinburgh – er hatte sogar in Darwins früherem Quartier bei Mrs. Mackay gewohnt.[45] Er hatte an einer Expedition ins Mittelmeer teilgenommen, wo er mit dem

Schleppnetz Tiefseebewohner heraufgeholt hatte; nach dem Bankrott seines Vaters war er nach London zurückgekehrt, wo er im Amt für Geologische Aufnahme arbeitete. Er konnte atemberaubend spekulativ sein, und Darwin wollte alles über seinen verlorenen Kontinent hören – einen versunkenen Superkontinent, der sich angeblich von Irland nach Portugal und noch über die Azoren hinaus in den Atlantik erstreckt hatte.

Forbes hatte ihn sich ausgedacht, um die Verteilung untereinander verwandter Pflanzen zu erklären. Auch der flatterhafte Hooker schien zu Darwins Kummer mit Forbes' Thesen zu sympathisieren. In Wirklichkeit schwankte er hin und her, ‹so instabil wie Wasser›, aber im Augenblick bezeichnete er Darwins Mittel der Pflanzenverbreitung – Transport über das Meer, Wind und so weiter – als ‹ausgereizt›. Hooker war zwar damit einverstanden, daß jede Spezies von einem ‹Entstehungszentrum› aus abgewandert und nicht in vielen Zentren entstanden sei. Aber wie breiteten sich Tiere und Pflanzen, Sämlinge und Eier aus und kolonisierten schließlich Inseln? Hatte sich fester Boden – von kontinentaler Ausdehnung – einst bis zu den späteren Inseln hin erstreckt, wie Forbes meinte? Falls ja, was war aus diesem Land geworden? Die Vorstellung von einem versunkenen Atlantis bestürzte Darwin. Es war ein unglaublich ‹kühner Schritt› anzunehmen, daß ‹in der Epoche *der vorhandenen Arten* eine so große Landmasse in den Tiefen des *Ozeans* versunken wäre›. Er war sprachlos. Die Entstehung von Inseln, das Verschwinden von Meeren und gestrandete Arten waren zwar Bestandteile von Darwins Entwicklungslehre, aber er hatte sich einen viel langsameren Prozeß vorgestellt. Versinkende Superkontinente innerhalb der Lebensspanne einer Spezies, das war gewagt bis tollkühn, da doch eine Verbreitung durch Meeresströmungen und Vögel genügte. Forbes werde, so bemerkte Darwin, mit dieser wilden Spekulation ‹seinem Ruf schaden›.[46] Jetzt, da er in Down war, konnte sich Darwin unmittelbar mit dieser Frage auseinandersetzen.

Das Wochenende verlief höchst anregend, mit ‹leidenschaftlichen Diskussionen› über alle heißen Themen. Falconer und Darwin versuchten anscheinend, das Vorhandensein des Superkontinents in Frage zu stellen, während der verbindliche Forbes ihre Argumente zu widerlegen versuchte. Die Frage der Arten wurde wahrscheinlich umgangen; alle Gäste, nicht zuletzt Forbes, waren Antievolutionisten. Forbes wollte nicht wahrhaben, daß die Reihe der Fossilien die ‹*wirkliche oder körperliche Verwandlung*› eines Tieres in ein anderes beweise.[47] Fische, Reptilien und Affen könnten sich nicht wandeln; sie hätten keine Fähigkeit zur Selbstentwicklung. Er war ein extremer Idealist; die Arten seien fleischgewordene Ideen Gottes, und nur im Geist Gottes könne sich eine echte Verwandlung ereignen.

Wie viele materialistisch eingestellte Unitarier haßte Darwin diesen jenseitigen Platonismus, nach dem sich Arten nur im Geist des Schöpfers wandeln und Gattungen ‹von Gott geborene Gedanken sind, die sich in lebendigen Formen manifestieren›. Das blockierte alle Versuche, einen physikalischen Mechanismus zu finden. Auch den anderen konnte Darwin nichts Positiveres entlocken. Hooker ‹enthielt sich aller Spekulationen über die Entstehung der Arten›. Er unterstützte rückhaltlos ‹die alte Annahme, daß jede Spezies einen Ursprung habe und nicht mutationsfähig sei›, und er blieb dabei. Darwin war etwas irritiert von Hookers sturem Festhalten an dieser zweifelhaften Auffassung und fragte sich, ‹ob wir eines Tages öffentliche Gegner sein werden›.[48] Der Mangel an Bundesgenossen begann ihn zu frustrieren.

Dabei war er keineswegs undankbar für Hookers Hilfe. Ganz im Gegenteil. Immer wieder erklärte er, daß er mehr von ihm erfahren habe ‹als von jedem anderen Menschen›. Als Folge davon erwog er im neuen Jahr, 1846, sogar den ‹kühnen Schritt›, bei seinem Freund in Kew zu wohnen – kühn deshalb, weil er ‹*buchstäblich* seit fünf Jahren nicht mehr anderswo geschlafen› habe ‹als im eigenen Haus oder in dem *naher* Verwandter›. (Was er Fox gestand, ging noch weiter: daß er seit seiner Hochzeit nicht mehr außerhalb eines ‹sicheren› Hauses geschlafen habe.) Es war ein Zeichen seiner wachsenden Abhängigkeit von Hooker, auch wenn er schließlich nicht hinfuhr.

Statt dessen setzte er weiterhin seinen Freund unter Druck. Er war hoch erfreut, im Februar von Hookers Ernennung zum Botaniker des Amtes für Geologische Aufnahme zu hören, wo er mit Forbes und der ‹losen Meute› zusammenarbeiten sollte, die sich loyal um den Direktor Henry de la Beche scharte. Das bedeutete, daß er in Charing Cross, zwei Stunden von Down entfernt, arbeiten würde. Wann würde er also herunterkommen, fragte Darwin, um den Kreidekalkstein von Kent zu inspizieren? Ein Pferd und ein Bett erwarteten ihn. Und da die Tagung der British Association vor der Tür stand, wollte er wissen, ‹warum Du nicht anschließend herkommen und hier arbeiten kannst›.[49] Diese Lockrufe und seine Weigerungen, Hookers Besuch zu erwidern, zeigten, daß er weniger ein Einsiedler war als vielmehr ein Mann, der seine Lage im Griff haben wollte; er mußte sich mit seinen Problemen zu Hause oder in vertrauter Umgebung auseinandersetzen.

In Gemeindeangelegenheiten war Darwin immer noch Henslows Schüler. So lernte er zum Beispiel, sich um die Gemeindemitglieder zu kümmern. Er sah Henslow für seine Landarbeiter von Suffolk ‹Wunder wirken›; er organisierte Gartenbauausstellungen, Vorträge für die Bauern, Feuerwerke auf der Pfarrwiese und gründete einen Sparverein, einen Wohltätigkeitsverein, eine Bibliothek und eine Schule. ‹Wie Du all die Provinzler in Erstaunen versetzt›, schwärmte Darwin. Und sich obendrein vorzustellen, daß nichts davon ‹den Neid all der guten, verschlafenen Pfarrer in der Umgebung erweckt› hatte![50]

Den meisten Geistlichen fehlte Henslows Unternehmungsgeist und Takt. Der junge ‹Mr. Willott› – die Darwins vermieden stets das ‹Reverend›– besaß zwar das Vertrauen Darwins, der denn auch fünf Pfund für die Renovierung der Pfarrkirche spendete. Aber Willott war ein schwacher Mann, dem es schwerfiel, mit Dorfstreitigkeiten umzugehen. Eines Tages kam er ratsuchend nach Down House, doch sein Begleiter, der Pfarrer von Hayes, fiel ihm sogleich ins Wort. Er schwafelte ‹großen Unsinn›, daß der Dorfschullehrer religiös ‹unzuverlässig› sei, und erklärte dann, um sich blickend, mit furchteinflößender Stimme, ‹und wir wissen alle, wie das enden wird›. Mit Sittenverfall, natürlich; aber Darwin erhob Einwände gegen seine Behauptung, daß ‹eine unzuverlässige Religion schlimmer ist als gar keine›.[51]

Reverend Willott starb im März 1846 unerwartet und hinterließ seine zwei Innovationen, eine Sonntagsschule und einen Wohltätigkeitsverein, der Kohle und Kleider an Bedürftige verteilte, einem weiteren unerfahrenen Vikar, dem Reverend John Innes aus dem benachbarten Farnborough. Innes, ein Produkt der anglikanischen Hochburg Oxford in deren Blütezeit, war in Hookers Alter; jetzt konnte Darwin dank seines eigenen ‹lieben Mentors› Henslow Innes helfen, den Provinzlern Bildung zu vermitteln und sie gegen den Mangel an Heizkohle und Kleidung abzusichern.[52]

Auch für ihn als fortschrittlichen Lincolnshirer Gutsherrn gab es einige Dinge auszuprobieren. Das Gut bei Beesby bot ihm ebenso wie Down neue Möglichkeiten, seinen sozialen Wert zu beweisen. Im vorigen September, als er seinen Vater besuchte, hatte er das Anwesen inspiziert und einem Baumeister den Auftrag gegeben, die alten Gebäude abzureißen und ein neues Gehöft zu errichten. Dies kostete den Vater zwar weitere tausend Pfund, aber die Modernisierung, darauf hatte der Makler bestanden, war notwendig, um ‹einen rechtschaffenen Pächter› zu halten. Als Darwin hörte, daß Henslow seinen Gemeindemitgliedern zu helfen versuchte, indem er ihnen kleine Grundstücke verpachtete, tat er dasselbe. Die Fähigkeit zur Selbstversorgung mußte gefördert werden, in Lincolnshire genauso wie in Feuerland, wo er mitgeholfen hatte, für die Wilden Gärten anzulegen. (Dadurch würden sich auch seine Spendenbeträge zugunsten der Armen verringern.) Während der Gutsbau neu errichtet wurde, gab Darwin dem Makler den Auftrag, jedem Landarbeiter auf seinem Grund und Boden eine Parzelle zur Bearbeitung zuzuweisen. Außerdem fing er an, die Schule von Beesby mit Jahresbeiträgen von zehn Pfund aus seinen Pachteinnahmen zu unterstützen.[53]

Inzwischen wurde jedoch etwas mehr benötigt als Schrebergärten. 1845 war die Kartoffelernte des Landes einer virulenten Pilzkrankheit zum Opfer gefallen. Es war die erste von vielen Mißernten, und da die Armen hauptsächlich von Brot und Kartoffeln lebten, waren Hungersnöte und Verwüstung die Folge. Irland war am schlimmsten betroffen; hier sollten im Verlauf der nächsten fünf Jahre in der größten Naturkatastrophe des 19. Jahrhunderts 700 000 Menschen sterben und eine Million auswandern. Zunächst vor der Epidemie bewahrt, betrachtete Darwin sie ebenso wie Henslow, ein Experte für Pflanzenkrankheiten, als ein ‹schmerzhaft interessantes Thema›.[54] Ein fesselndes Problem, so erschien es jedenfalls einem Gutsherrn und Naturforscher, der eine Weile ohne Kartoffeln auskommen konnte. Aber die Armen der Gemeinde hungerten.

Not und Tod krochen näher an Down House heran. Darwins eigene Arbeiter, die nur für einige Wochen Kartoffelvorräte eingelagert hatten – und die waren bereits befallen –, waren alarmiert. Die Lage verschlimmerte sich noch durch den Mehlpreis, der durch den Kornimportzoll in die Höhe getrieben wurde. Darwins Faktotum Vinson mußte von seinem Wochenlohn von zwölf Shilling über einen Shilling mehr für Mehl aufwenden. ‹Das wäre fast so schlimm›, berechnete Darwin, als wenn ‹wir 50 oder 100 Pfund mehr für unser Brot zahlen müßten. Wie bald würden in diesem Fall diese infamen Korngesetze abgeschafft werden!› Sein Gutsherrnvermögen bewahrte ihn vor dem Schlimmsten. Nachdem er den Gürtel enger geschnallt hatte, schaffte er es, von tausend Pfund im Jahr zu leben, und die Einsparung gab der Familie das Gefühl, ‹so reich wie Juden› zu sein. Aber Darwin blieb besorgt, als die Landwirtschaft zusammenbrach, und versuchte seinen Part zu spielen. Er stimmte Henslow darin zu, daß ‹die gehobenen Stände keine Kartoffeln kaufen sollten›, und Emma gab wahrscheinlich der Köchin entsprechende Anweisung. Sie fing sogar an, an der Haustür Penny-Brotmarken auszugeben, die beim Dorfbäcker eingelöst werden konnten. Charles ging das Problem mit dem Bewußtsein des Naturwissenschaftlers an und offerierte sein Kartoffelsaatgut aus Chile zur Auffüllung der befallenen Bestände, mußte aber feststellen, daß auch dieses infiziert war.[55]

Die Katastrophe bestätigte ihn in seinen Freihandelsprinzipien. Der Protektionismus mußte abgeschafft werden, was auch immer Disraeli und stockkonservative Bauern meinten. Die Zölle auf dem importierten Korn, welche die Brotpreise hoch hielten, waren schändlich. Als ein für freien Handel eintretender Malthusianer haßte er auch das Erstgeburtsrecht, das heißt, die Vererbung von Landgütern an den ältesten Sohn. Dies müsse, so Darwin, beseitigt werden, ‹um die Unterschiede im Landbesitz zu verringern und mehr kleine Grundbesitzer aufkommen zu lassen›. Auf diese Weise würde mehr Konkurrenz entstehen, und die klügsten, tüchtigsten, ‹tauglichsten› Söhne würden sich durchsetzen. Auch die Stempelgebühr müsse abgeschafft werden. Sie sei ‹haarsträubend ungerecht›, da sie es ‹dem armen Mann so schwer macht, seinen Viertel-Acre zu kaufen, daß man vor Empörung kocht›.[56] Darwin blieb ein Verfechter des konkurrenzorientierten Freihandels, in der Wissenschaft und anderswo.

Mord

Kein Vermögen konnte ihn allerdings vor den menschlichen Kosten der Tragödie abschirmen. Während des außergewöhnlich stürmischen Juni – Emma weilte mit Willy und Annie bei ihren Tanten in Tenby – wurden weitere Umbauten am Haus durchgeführt. Endlich würde es auch einen Unterrichtsraum und zwei weitere Schlafzimmer im Obergeschoß geben. Und ein neuer Hintereingang sollte dazu beitragen, daß nicht mehr so viele Leute durch die Küche liefen; schließlich schien es ‹egoistisch, das Haus so luxuriös für uns selbst zu machen und nicht komfortabel für unsere Dienstboten›. Charles, der an Übelkeit litt und Opiumpillen nahm, wurde Zeuge der häuslichen Dramen, während Wände abgetragen wurden und sich die Arbeiter in die Haare gerieten. John Lewis, der Baumeister von Down, hatte das Gezänk schließlich satt und gab allen den Laufpaß. Vom Hunger zermürbt und ohne Aussicht auf Lohn, brach einer der Arbeiter in den halbrenovierten Räumen zusammen. Schockiert von dem Vorfall, lieferte Charles Emma einen detaillierten Bericht: ‹Seine Frau hat mit einem Säugling einen weiten Weg zurückgelegt und ist sehr krank – der arme Mann weinte vor Unglück.› Es war zuviel für seinen emotionalen Haushalt, und die Darwins ‹überredeten Lewis, ihn wieder einzustellen›.[57]

In diesem Monat wurde endlich das Parlament aktiv. Die Hungersnot hatte die Forderung nach Abschaffung der Korngesetze verstärkt. Nach dem Desaster in Irland ließ sich der Tory-Premier Sir Robert Peel zum Freihandel bekehren, und der Kornzoll wurde drastisch gekürzt. Ironischerweise traf das Darwin am Geldbeutel, denn als die Kornpreise fielen, sanken auch die landwirtschaftlichen Einnahmen und entsprechend der Zins, den sein Pächter in Beesby zahlen konnte. Er stimmte einer fünfzehnprozentigen Zinssenkung zu, wenn er auch gegenüber seinem Makler grummelte, daß dies ‹außergewöhnlich viel› erscheine. Um wieviel denn die ‹Großgrundbesitzer› im Landkreis – Lord Yarborough und der Abgeordnete Robert Christopher – ihren Pachtzins herabgesetzt hätten? wollte er wissen. Sogleich wurde ihm bewußt, daß er sich mit konservativen Schutzzöllnern verglich, und er meinte einschränkend: ‹Obwohl ich im Prinzip für den Freihandel eintrete, bin ich natürlich nicht bereit, eine größere Zinssenkung zu gewähren, als nötig ist, um einen guten Pächter zu behalten.› Er fand sich mit den fünfzehn Prozent ab. Während kompromißlose Torys und notleidende Bauern zum alten Protektionismus zurückkehren wollten, sah er ‹nicht die geringste Ursache zu verzweifeln›. Er machte seinem Pächter Mut und riet ihm, ‹auf bessere Zeiten zu hoffen›.[58]

Er litt jetzt wieder an Erbrechen; sein altes Leiden war so virulent wie je. Sein Magen war seit seiner Übersiedlung nach Down keine einzige Nacht wirklich in Ordnung gewesen und hatte ihm täglich nur ein paar Stunden Arbeit gestattet. Freunde hielten ihn für einen Hypochonder, weil er sein Befinden ständig als Ausrede benutzte. Ihm graute davor, irgendwo hinzufahren, insbesondere in das ‹entsetzliche› London, dieses ‹alte Babylon›, dessen erstickender Smog geradewegs aus dem ‹unterirdischen Königreich Seiner Infernalischen Majestät› hochstieg. Nach Reisen fühlte er sich ‹geschafft und zu nichts nütze›. Im vorigen Jahr hatte er die Tagung der British Association in Cambridge gemieden, weil er sich ‹mehr Verdruß als Vergnügen davon versprach›. Wenn er seinen Vater besuchte, blieb er so weit wie möglich unsichtbar, wenn das Haus voll war.

Aber er war kein Drückeberger. Seine Krankheit war real und quälend, obwohl niemand wußte, wodurch sie verursacht wurde. Er experimentierte mit den verschiedensten Heilmitteln. Sein Vater setzte ihn auf eine zuckerlose Diät, und er versuchte es mit dem bitteren Indian Ale (Maisbier). Einen Monat lang verzichtete er sogar auf den Schnupftabak, worauf ihm der wenig mitfühlende Hooker den Rat gab, doch ‹gleich ganz damit aufzuhören›. Er versuchte es sogar mit Quacksalberei. Zwar lachte er über die Gimpel, die auf den Mesmerismus hereinfielen, und über Harriet Martineau, weil sie junge Mädchen mesmerisierte, was ihn von ‹krankhaftem Hang zum Betrug bei gestörten Frauen› reden ließ. Dennoch galvanisierte er sein eigenes Inneres täglich eine Stunde mit Anodenbatterien, was, wie er wußte, genauso ‹eine Quacksalberei› war. Solche Modetorheiten wie Mesmerismus und Galvanisation, die das Land ergriffen, waren nach Carlyles Ansicht ‹Teufelsgesetze›, ebenso anrüchig wie diejenigen, die Menschen zu Abkömmlingen von Affen erklärten.[59] Sie entströmten alle demselben Sumpf überspannter Extremisten. Darwin probierte sie aus, aber er hatte nur geringes Vertrauen zu alternativer Medizin und bezweifelte, daß er je geheilt werden würde.

Der mit sich selbst beschäftigte Darwin, von manchen als Egozentriker eingestuft, forderte ständige Aufmerksamkeit. In diesem bewegten Frühjahr, da hungernde Nachbarn und hämmernde Zimmerleute ihm zusetzten, schlummerte Emmas greise Mutter friedlich hinüber. Der Wedgwood-Haushalt sollte aufgelöst und Maer verkauft werden. Elizabeth würde sich eine neue, eigene Bleibe suchen. Vierzig Jahre Familienleben, ihr goldenes Zeitalter, waren zu Ende. Emma ging nie wieder in das Haus ihrer Kindheit zurück; sie blieb in Down, um Charles zu verhätscheln und zu beschützen. Als sie sich im Juni mit den Kindern endlich losriß und ihre Lieblingstante Jessy besuchte (etwas ‹höchst Ungewöhnliches› für sie), fühlte sich Charles verlassen. Er sehnte sich nach ihrer Rückkehr, drängte sie, den Besuch abzukürzen, klagte Tag für Tag über Übelkeit. Dann aber, als er eines Nachmittags allein im Gartenhaus saß und ein Gewitter beobachtete, kam er etwas zur Besinnung, und es wurde ihm bewußt, wie gut er es eigentlich hatte. ‹Ich bin ein undankbarer alter Hund, daß ich heule. Ich habe … darüber nachgedacht, was für ein glücklicher Mann ich doch bin, materiell so gut gestellt, mit so lieben kleinen Kindern und … zu alledem mit einer solchen

Mord

Frau.› Einer selbstlosen Frau; Elizabeth sagte, sie habe niemals eine Klage über Emmas Lippen kommen gehört. Mehr und mehr empfand Charles, daß ‹ich sagen kann und auf meinem Sterbebett sagen werde: Sei mir gesegnet, liebe Frau›.⁶⁰

Down war mehr denn je ein Refugium. Seine Ländlichkeit war unschätzbar. Hooker wunderte sich, warum er ‹einen so abgelegenen Teil des Landes› gewählt habe, aber Darwin hatte das mit Absicht getan. Down bot ihm eine Zuflucht, und es wurde ständig noch sicherer gemacht. Anfang 1846 pachtete er von Lubbock einen eineinhalb Acre großen Streifen Landes an der Rückseite des Hauses, den er einzäunte und mit Sträuchern und Bäumen bepflanzte, um das Haus noch besser abzuschirmen. Auf diesem Grundstück legte er seinen Denkpfad an, den ‹Sandweg›, den er mit Pflanzen säumte und auf dem er fortan seinen mittäglichen Verdauungsspaziergang abhalten sollte. Er war immer noch ein Gewohnheitstier. Das Leben funktionierte jetzt wie ein ‹Uhrwerk›, eine täglich sich wiederholende Routine: Frühstück – Arbeit – Post – Arbeit – Spaziergang – Mittagessen – Briefe – Schläfchen – Arbeit – Ruhepause – Tee und Abendbrot – Bücher – Bett. Ihm gefiel diese Gleichförmigkeit, und der Lebensrhythmus von Down ermöglichte sie. Auch Emma mochte die Einsamkeit und ertrug das langweilige Leben mit ihrem ‹armen, alten, kränklichen, sich beklagenden Mann› mit großer Geduld.⁶¹

Das ganze Jahr über war er damit beschäftigt, *South America* abzuschließen. Der Zuschuß des Finanzministeriums war inzwischen aufgebraucht, so daß das Buch von ihm und seinem Verleger subventioniert werden mußte. Beide machten Geld locker, auch wenn kein großer Gewinn zu erwarten war. Im August lagen zwei Drittel im Druck vor, und Darwin rechnete damit, bald wieder ‹ein relativ freier Mann zu sein›.⁶² Im September schrieb er schließlich das Vorwort und überwand sich dann, mit Emma zur Tagung der British Association nach Southampton zu fahren.

Wie üblich fand er die Sitzungen langweilig, was in diesem Fall verständlich war, wurde doch die Tagesordnung beherrscht von Owens fürchterlich trockener Abhandlung, einem Vergleich der homologen Knochen bei Fischen, Reptilien und Säugetieren. Owen war die anatomische ‹Koryphäe›, zu der Hooker ehrfürchtig aufblickte, und auch Darwin gestand, in diesen technischen Fragen ein ‹Ignorant› zu sein. Was ihn interessierte, war das ausgefallene Detail. Später beschrieb Owen einige neue fossile Säugetiere, darunter lamagroße Toxodonten, die auf Darwins Anregung von dem ehemaligen Captain der *Beagle* Sulivan an das College of Surgeons geschickt worden waren. Darwin war nur einer von vielen Delegierten, wenn auch ein führender Geologe und Gentleman, wurde aber kaum mit Owen auf eine Stufe gestellt. Er hatte sich nie viel aus Konferenzen gemacht, aber es war

383

eine Chance, Freunde zu treffen und den vielversprechenden Nachwuchs kennenzulernen. Er fand, Jenyns sei schmal geworden, und verfluchte es, den ‹Renegaten› Hewett Watson verpaßt zu haben, der persönlich aufgetreten war, um Forbes des Plagiats zu beschuldigen. Am besten von allem waren die geselligen Fahrten, die bei diesem Anlaß unternommen wurden. So machte Darwin mit einer Gruppe, der auch der Dekan von Armagh angehörte, einen Sonntagsausflug zur Kathedrale von Winchester und hatte das Gefühl, ‹keinen Tag meines Lebens mehr genossen zu haben›.[63]

Im folgenden Monat kam Sulivan mit seiner Familie zu Besuch nach Down House. ‹Ein wirklich prächtiger Bursche›, schwärmte Darwin und versuchte Hooker zu verlocken, an ihrer ‹Naturforscherrunde› teilzunehmen. Sie schwatzten über alte Zeiten, über die Falklandinseln, Fossilien und FitzRoy. Sulivan hatte in Südamerika erstklassige Arbeit geleistet und war mit sechs Kisten voll Fossilien aus Patagonien zurückgekehrt. Zufällig traf während seines Aufenthalts in Down ein Brief von FitzRoy ein. Auch er war wieder zu Hause; er war als Gouverneur von Neuseeland abberufen worden. Sulivan führte FitzRoys Sturz auf seine ‹alte aristokratische› Überheblichkeit zurück. Es war ‹dieselbe Geschichte wie damals auf der *Beagle*, der Jähzorn, mit dem er jedermann vor den Kopf stieß sowie die überstürztesten und verrücktesten Dinge tat›. Einmal habe er ‹dermaßen die Beherrschung verloren, daß sogar die Mitglieder einer *Abordnung* die Hüte nahmen und während seines Angriffs auf sie sein Zimmer verließen, während er tobend zurückblieb›. Tatsächlich ‹führte er sich wieder genauso auf wie als Kapitän eines Schiffes›.[64]

Darwin besorgte sich FitzRoys Adresse von der Admiralität und antwortete ihm kurz. Aber schon während er ihm schrieb, war ihm bewußt, daß eine Ära zu Ende gegangen war. Die *Beagle*-Arbeit war so gut wie abgeschlossen. Nichts war vergeudet worden, nicht einmal der Staub von den Decks oder die an Wurzeln haftende Erde – die hatte man zu dem Naturforscher Christian Ehrenberg in Berlin geschickt, der nach Mikroorganismen fahndete. Darwin war dabei, sein letztes Buch über die Reise zu beenden; es handelte von den Pampas und der Auffaltung der Landmassen und würde, wie er FitzRoy schrieb, ‹geologisch und langweilig› werden. Er war auch nicht optimistisch in bezug auf den Absatz. Man brauche sich nur *Volcanic Islands* anzuschauen, klagte er gegenüber Lyell. ‹Es hat mich 18 *Monate* gekostet!!!› stöhnte er, doch nur wenige hätten das Buch gekauft. Diese Erfahrung gab ihm das Gefühl, daß die Geologen in Wirklichkeit die Bücher ihrer Kollegen nicht lasen und daß der einzige Grund, eines zu schreiben, darin bestehe, ‹Ernsthaftigkeit zu beweisen›. Darwin hatte dies für seinen Teil überzeugend getan. Er war jetzt ein voll anerkannter Geologe, nicht mehr der neben dem Captain herlaufende Grünschnabel. Es gebe auch noch andere Veränderungen, schrieb er FitzRoy. ‹Ich bin ein anderer

Mord

Mensch in bezug auf Kraft und Energie gegenüber früheren Zeiten, als ich an Bord der *Beagle* Ihr «Fliegenfänger» war.›

Am 1. Oktober schickte er die letzten Druckfahnen von *South America* zurück. Seine Arbeit war getan. Doch die Buchbinderei spielte ihm noch einen letzten ‹*dummen* Streich›: Sie fügte die einzige Farbtafel mit geologischen Schnitten verkehrt herum ein, so daß diese aus der gesamten Auflage herausgetrennt und neu eingeklebt werden mußte.[65] Aber das war schließlich Autorenlos.

22

Mißgebildete kleine Ungeheuer

Von der Ausbeute der *Beagle* war nur noch eine einzige Spezies von Rankenfußkrebsen zur Beschreibung übrig. ‹Du kannst Dir nicht vorstellen, wie froh ich bin, fertig zu sein›, schrieb er Henslow am 5. Oktober 1846. Zehn Jahre waren darüber verstrichen; Henslows Voraussage hatte nicht so weit daneben gelegen. ‹Deine Worte, die mir absurd erschienen waren, haben sich bewahrheitet, daß es die doppelte Anzahl von Jahren dauern würde, das alles zu beschreiben, wie die, es zu sammeln und zu beobachten.›

Die Rankenfüßer riefen. Er rechnete mit einer kurzen Monographie. Das würde nicht lange dauern; im Haus herrschte jetzt Ruhe, der Umbau war abgeschlossen, sein Arbeitszimmer frisch ausgemalt. Und er hatte schließlich nur eine Spezies zu beschreiben, selbst wenn sie bizarr war; mit ‹einigen Monaten› rechnete er optimistisch, höchstens ‹einem Jahr›. Dann würde er endlich anfangen, ‹die angesammelten Notizen über die Arten zu sichten›. Ihre Verarbeitung ‹wird mich fünf Jahre kosten, und nach ihrer Veröffentlichung werde ich aller Wahrscheinlichkeit nach in der Meinung aller vernünftigen Naturwissenschaftler bodenlos tief gesunken sein. Das sind also die Aussichten für die Zukunft›.[1]

Dieser Rankenfußkrebs war das ‹mißgebildete kleine Ungeheuer›, das er 1835 an der südchilenischen Küste gefunden hatte. Hooker erfuhr, daß er ‹ganz neu und merkwürdig› sei, und wurde neugierig. Jedenfalls handelte es sich um eine Abweichung von der Norm: Es war der kleinste Rankenfüßer der Welt; er lebte als Parasit auf der Molluske *Concholepas*, nachdem er sich durch deren Muschelschale gebohrt hatte. Darwin hatte keine Ahnung, wie er dieses einzigartige Lebewesen klassifizieren sollte. Selbst die Namengebung bereitete ihm Schwierigkeiten, da er Latein verabscheute. ‹Wie ich einen Namen dafür erfinden soll, ist mir ein Rätsel›, seufzte er, die Aufgabe an Hooker abschiebend. Nach einem Blick durch das Mikroskop lag die Antwort näher, und sie entschieden sich für *Arthrobalanus* (‹gegliederter Balanus›); *Balanus* ist ein an Meeresküsten häufiger Rankenfüßer mit kegelförmigem Mantel), obwohl Darwin nicht ganz glücklich damit war.

Er begann ‹Mr. Arthrobalanus› zu sezieren, und Hooker half ihm trotz seiner Arbeitslast in Kew Gardens (er war immer noch damit beschäftigt, die Galápagospflanzen zu beschreiben). Darwins Mikroskop ließ zu wünschen übrig; deshalb setzte sich Hooker mit einem guten Optiker in Verbindung, und eine neue Linse für drei Shilling und sechs Pence wirkte Wunder. Darwin vervollkommnete seine Technik. Um die Anstrengung langen Sezierens zu vermindern, legte er sich Holzböcke unter die Handgelenke. Hooker fütterte seinen Freund nicht nur mit technischen Ratschlägen; in Down trafen auch Gläser mit selbstgemachten Gewürzmischungen ein. ‹Die Stachelschweinstacheln besser als die Glasröhre; die Chutneysoße fabelhaft›, antwortete Darwin nach Erhalt eines solchen Päckchens. Hookers Bereitschaft, alles liegen- und stehenzulassen und Darwin zu helfen, ließ diesen schwärmen: ‹Du bist wirklich der liebenswürdigste Mensch, den ich je kennengelernt habe.› Sie kamen sich noch näher. Seit Hookers Rückkehr waren erst drei Jahre vergangen, aber Darwin hatte das Gefühl, als seien sie schon seit ‹fünfzig Jahren› befreundet.[2]

Interessenten wurden mit Berichten über die erzielten Fortschritte versorgt. So schrieb Darwin an FitzRoy, er habe zwei Wochen ‹mit dem Sezieren eines Tierchens aus Chile von der Größe eines Stecknadelkopfes zugebracht, und ich könnte noch einen weiteren Monat darauf verwenden und täglich noch schönere Strukturen entdecken›. Nach so vielen Jahren, die er großen geologischen Projekten gewidmet hatte – Korallenriffen, den ‹Parallelstraßen›, Vulkanen, Eisbergen –, genoß er den Gedanken, seine ‹Augen und Finger› wieder für anatomische Filigranarbeit zu gebrauchen.

Arthrobalanus war freilich kurios, aber nur ein Vergleich mit normalen Arten konnte zeigen, in welchem Maße. Deshalb begann sich Darwin andere Rankenfüßer auszuleihen. Er schickte Owen seine Notizen und ersuchte ihn, ihm vergleichbare Exemplare aus dem College of Surgeons zu überlassen. Nicht nur andere Arten; er begann auch andere Wachstumsstadien zu untersuchen, insbesondere die Larven der Rankenfüßer. Was als ein Rinnsal von Proben begann, schwoll bald zu einem Sturzbach an. Conchologen, Muschelkundler, die sich auf jede vorstellbare Art von Meeresweichtieren spezialisiert hatten, von exotischen See- oder Schneckenmuscheln bis zu langweiligen Rankenfüßern, boten an, ihm ihre ganzen Sammlungen zu leihen. Viele Forschungsreisende handelten kommerziell mit Muscheln. Diese waren um die Jahrhundertmitte ein großes Geschäft. Die bizarren und ungewöhnlichen erzielten bei Auktionen hohe Preise, da die Oberschicht und die Sammler einander überboten, um ihre prächtigen naturkundlichen Kabinette zu vervollständigen. Selbst die breite Masse begann sich jetzt für Muscheln zu interessieren, da sie mit den neuen Zügen schnell an die Küsten gelangte.[3] Die Folge war, daß sich die Anbieter bemühten, ihr Sortiment von Experten klassifizieren zu lassen, um dessen Wert zu steigern. Darwin wurde immer tiefer in die Sache hineingezogen; das ganze Unternehmen drohte ihm über den Kopf zu wachsen.

So begann er sich anderen Gruppen von Rankenfüßern zuzuwenden. Das tat er nicht einmal ungern, denn eine umfassende Studie würde seinem Renommee nur zugute kommen. Der Ruf nach einem aktualisierten Nachschlagewerk über Rankenfüßer wurde immer lauter; Louis Agassiz, der neue Professor für Naturgeschichte in Harvard, erklärte dies 1847 vor der British Association zu einem ‹dringenden Desideratum›. Wie die Dinge standen, war das ganze Fachgebiet in einem ‹chaotischen Zustand›. Bis vor kurzem waren die Rankenfüßer völlig verkannt worden; soeben hatte man sie mit allem Drum und Dran von einer Abteilung des Tierreichs in eine andere transferiert. Ursprünglich hatte man die Rankenfüßer, da mit einer Schale bedeckt, für Mollusken oder Weichtiere, Verwandte zweischaliger Muscheln und Schnecken, gehalten. Aber 1830 hatte ein Armeechirurg, John Thompson, ihre ‹Tarnung› durchschaut, indem er nicht die fortbewegungsunfähigen erwachsenen Tiere, sondern ihre frei schwimmenden Larven studierte.[4] Es stellte sich heraus, daß sie Krebs- oder Krustentiere waren, verwandt mit Flußkrebsen, Langusten und Krabben. Das war eine erstaunliche Erkenntnis. Niemand hatte sich vorgestellt, daß der an seinen Meeresfelsen zementierte Rankenfüßer ein Vetter der Krabben war, die neben ihm herumhuschten, oder daß diese federartigen Fädchen, die das Wasser in den Körper strudelten, modifizierte Füße waren. Ein Rankenfüßer gleicht einer auf dem Rücken liegenden, mit ihren Beinchen im Wasser rudernden Garnele. Die Umsiedlung der Rankenfüßer zu den Krabben und Garnelen machte eine völlige Neubewertung ihrer Anatomie nötig. Das Forschungsgebiet war in Bewegung geraten.

Es gab noch einen anderen, ihm näher liegenden Grund, warum Darwin sich sehr gern auf eine größere Untersuchung einließ. Hooker, der mit dem Buch des französischen Botanikers Frédéric Gérard *On Species* sehr unzufrieden war, bemerkte zu Darwin, niemand habe das Recht, ‹die Frage der Arten zu untersuchen, der nicht viele davon eingehend beschrieben hat›. Das saß. Darwin nahm es persönlich, als einen Angriff auf sein Recht, sich über die Entstehung der Arten zu äußern. Was schadete es, entgegnete er, wenn er nicht seinen ‹gebührenden Anteil an Arten› beschrieben habe? ‹Es ändert nicht das geringste an meiner seit langem selbst eingestandenen Anmaßung, Fakten zu sammeln und über das Thema der Variabilität zu spekulieren.› Die Arbeit habe ihm zumindest ‹neun Jahre lang das größte Vergnügen› bereitet. Das war eine schwache Verteidigung; Darwin hatte nicht mit dieser Art von Kritik gerechnet. In Wirklichkeit hatte Hooker gar nicht an Darwin gedacht, und es war ihm peinlich, als er das Mißverständnis bemerkte. Aber insgeheim war er doch davon überzeugt, daß Darwin ‹eine zu starke Neigung zu theoretischen Überlegungen in bezug auf die Arten› habe. Wenn irgend etwas seine Spekulationslust dämpfen könne, meinte Hooker, dann wäre das eine erschöpfende Untersuchung einer Gruppe.

Das festigte nur noch Darwins Entschlossenheit. Wenn sich nur Museumskuratoren, die mit Hunderten von Präparaten umgingen und dicke Monographien produzierten, über die großen Fragen äußern durften, dann würde er sich dieses Recht verdienen. Mit den Rankenfüßern würde er seinen Befähigungsnachweis erbringen. Und ebenso wie Gérard würde er nach Variationen Ausschau halten.[5] Eine gründliche Untersuchung aller Rankenfüßer-Varianten konnte ihm bei der Erörterung der natürlichen Auslese eine beherrschende Stellung verschaffen.

Die Rankenfußkrebse waren also für seine Arbeit an der Evolutionslehre nicht völlig irrelevant. Je weiter er damit vorankam, desto erstaunlichere Beweise für seine Notizbuchspekulationen fand er sogar.

Als er tiefer in das Gebiet eindrang, stieß er jedoch mit seiner Ausrüstung an Grenzen. Seine einfache Linse konnte die Details seiner stecknadelkopfgroßen Sektionen nicht auflösen. Er hörte auf den Rat von Carpenter, einem versierten Mikroskopierer, und ließ sich ein gutes zusammengesetztes Mikroskop kommen. Selbst danach fand er die Arbeit ermüdend und anstrengend für Handgelenke und Augen. ‹Ich sitze jetzt fast drei Monate daran›, klagte er Hooker, ‹und habe erst drei Gattungen geschafft!!!›[6] Vier Monate später hatte er erst zwei weitere fertig. Es dauerte wirklich ewig, und er fragte sich, ob es das wert sei.

Ende 1847 setzten ihn die Muschelkundler zunehmend unter Druck. Der extravaganteste unter ihnen, Hugh Cuming, bestärkte ihn in seiner Absicht, die gesamte Gruppe der Rankenfüßer zu studieren. Der nach einem Herzanfall teilweise gelähmte Cuming war nicht mehr aktiv; aber von 1827 bis Anfang der 1840er Jahre war er eine Art conchologischer Freibeuter gewesen. Sagenhaft reich, hatte er sich einen Schoner, die *Discoverer,* gebaut, den er für den Transport aller Naturschätze der Welt ausrüstete. Er hatte die sieben Meere durchstreift und Perlen, exotische Vögel, tropische Pflanzen und die schönsten Muscheln von den Inseln entführt. Manchmal nahm er die letzten ihrer Art mit; mindestens eine Spezies galt nach seiner Durchreise als ausgestorben. Aus Polynesien, Südamerika und den Philippinen hatte er Zehntausende von Muscheln abgeschleppt. Mit dieser Beute trieb er Handel, und man kann sich vorstellen, ‹welche Hochkonjunktur in der Conchologie einsetzte, als Cumings Mollusken den Auktionssaal erreichten›.[7] Cuming war ein durchtriebener Geschäftsmann. Sein Gewinnstreben empfanden viele als schlichte ‹Niedertracht›, und zumindest Hooker hatte eine geringe Meinung von ihm. Darwin indessen hatte ihn immer für anständig gehalten. Er kannte Cuming seit 1845 und hatte dessen Galápagosmuscheln untersucht (natürlich eine so vollständige Reihe, daß Cuming ihm geraten hatte, alle existierenden Bücher über das Thema zu ignorieren). Der jetzt zur Ruhe gezwungene Cuming stellte seine ‹gesamte großartige Kollektion›, eine Fundgrube von Rankenfüßern, zu Darwins Verfügung und drängte ihn weiterzumachen.

Akademischere Systematiker, insbesondere John Edward Gray vom Britischen Museum, fanden ebenfalls, daß eine Monographie nötig sei, und Gray warf seine öffentliche Sammlung in die Waagschale. Damit war Darwin endgültig gewonnen. Er richtete eine förmliche – und höchst ungewöhnliche – Bitte an die Kuratoren des Britischen Museums. Von Spezialisten wurde erwartet, daß sie im Museum arbeiteten, aber er ersuchte darum, ihm die Rankenfüßer ins Haus zu schicken. Er war nicht bereit, nach Bloomsbury zu fahren; er wollte sie in Down haben, und zwar schubweise, denn es dauerte mindestens zwei Tage, jedes einzelne Exemplar ‹einzuweichen›, zu säubern, zu sezieren und zu beschreiben. Um ihnen die Pille zu versüßen, versprach er den Kuratoren, ihnen nach Abschluß der Arbeit seine eigenen präparierten Exemplare zu schicken, und sie willigten ein.

Er forderte Proben aus den entferntesten Winkeln an. Selbst Sir James Ross, Hookers alter Captain, der aufbrach, um nach der verschollenen Franklin-Expedition zu suchen, wurde beschworen, auf seiner traurigen Fahrt arktische Rankenfüßer zu sammeln. (Die *Erebus* und die *Terror* waren in das kanadische Packeis geraten und mit Mann und Maus gesunken.) Da das britische Weltreich weiterhin expandierte – die Suche nach der Nordwestpassage erinnerte daran, wie dringend Großbritannien diese Route zum Pazifik brauchte –, hielt der Zustrom neuer Tierarten in die Metropole des Imperiums unvermindert an; die Natur der gesamten Welt lag John Bull zu Füßen. Darwin, der durch die Zoologische und die Geologische Gesellschaft gute Verbindungen hatte und über die nötige Zeit verfügte, war genau der richtige Mann, um die definitive Untersuchung durchzuführen, die darin bestand, jede Spezies einer Unterklasse zu benennen und zu beschreiben.

Selbst dies hatte seine imperialen Konsequenzen. Benennung ist Aneignung, hatte der alte Insektenspezialist William Kirby gesagt. Die Wissenschaft sei eine Art von metaphorischer Vereinnahmung; wenn ein Tier ‹benannt und beschrieben wird, dann wird es ... für immer zum Besitz, und der Wert jedes einzelnen Exemplars davon steigt, auch kommerziell gesehen›. Daher die Ruhmsucht, mit der sich die Beschreiber beeilten, im Druck zu erscheinen. Hier zog Darwin die Grenze. Wo die wissenschaftliche ‹Unvoreingenommenheit› bleibe, fragte er Hugh Strickland, den er über neue Kriterien für die Namengebung bei Tieren befragte. Darwin hielt es für schiere Eitelkeit, daß ein Naturforscher seinen Namen an jede Spezies anhing, die er beschrieb, als sei sie sein persönlicher Besitz. Diese Praxis führte zu allzu vielen übereilten ‹Taufen› im Rennen um die Priorität.[8] Darwins eigene Untersuchung sollte in einem würdigeren Tempo stattfinden.

Um Anspruch auf Vollständigkeit erheben zu können, würde eine Monographie auch fossile Rankenfüßer einschließen müssen. Darwin hatte ursprünglich eine Sammlung der Bristol Institution abgelehnt. Jetzt schrieb er dorthin und nahm an; außerdem unterrichtete er die Geologische Gesellschaft über seinen Bedarf. Es war eine verbissene Plackerei. Die neuzeitlichen Arten mußten seziert und die Fossilien exartikuliert beziehungsweise inzidiert werden. Er wurde mit so vielen Arten überschwemmt, daß ihn die Arbeit zu erschöpfen begann und ihm der Geruch von Spiritus Übelkeit erregte. ‹Ich hoffe zum Himmel, daß ich recht habe, so viel Zeit auf einen Gegenstand zu verwenden›, seufzte er gegenüber Hooker.[9]

Von dem Tag im Jahr 1844 an, als ihm Darwin sein Innerstes offenbarte, hatte Hooker eine zunehmend wichtigere Rolle gespielt. Er war Charles' Beichtvater, sein Mitwisser, sein Resonanzboden für das ‹kriminelle› Thema der Arten und eine endlose Quelle geographischen Wissens. Ihre Freundschaft blühte auf. Darwin genoß Hookers Wochenendbesuche und noch mehr seine längeren Arbeitsaufenthalte.

Inzwischen blieb Hooker ‹jeweils eine ganze Woche› in Down. Er brachte seine Arbeit mit, die er auf dem Tisch im Eßzimmer ausbreitete, und Emma machte es ihm gemütlich. Wenn sie etwas aus ihrem Vorratsschrank holte, ‹legte sie mir im Hinausgehen mit einem liebenswürdigen Lächeln eine Birne oder eine andere Leckerei auf den Tisch. Am Abend spielte sie immer mit mir Klavier und bat mich manchmal, zu ihrer Begleitung von irgendwelchen einfachen Liedern zu pfeifen!›.[10] Er wurde sichtlich zu einem Mitglied der Familie.

Hooker verbrachte die dritte Januarwoche 1847 in Down, wo er Texte und Fossilien aufarbeitete sowie seine Darstellung der Kohlepflanzen und ihrer lebenden Verwandten für das Amt für Geologische Aufnahme abschloß. Das Thema lieferte den beiden Männern reichlich Stoff für Auseinandersetzungen während ihrer eiligen Spaziergänge durch die Umgebung. Aber der Verfall von Darwins Gesundheit war unübersehbar. Selbst Hooker auszuquetschen, strengte ihn jetzt an; ihre halbstündigen Gespräche zwangen Darwin, danach ‹eine völlige Ruhepause› einzuschalten, ‹denn sie erschöpften ihn immer und riefen oft ein summendes Geräusch im Kopf hervor, manchmal auch das, was er als «Sterne in den Augen» bezeichnete, wobei letzteres allzuoft das Auftreten eines fürchterlichen Ekzems am Kopf ankündigte, das ihn fast bis zur Unkenntlichkeit entstellte›.[11]

Diesmal ging Hooker – endlich – mit einer Abschrift des Evolutionsessays weg. Darwin hatte ihm im Lauf der letzten vierzehn Monate wahrlich genügend Andeutungen gemacht. Jetzt war der Augenblick gekommen.

Hookers Reaktion würde die erste Expertenmeinung sein. Darwin war bang zumute; er würde endlich imstande sein, mit seinem Freund darüber zu reden, dessen Ansichten hervorzulocken. Das heißt, falls er es schaffte, in die Stadt zu fahren. Einen Termin nach dem anderen setzte er fest, doch jedesmal sagte er wieder ab, krank, geschwächt und wütend. Schließlich kritzelte Hooker ein Blatt mit Anmerkungen im Telegrammstil voll und schickte es nach Down.

Und was hielt er von diesem 231 Seiten starken Manuskript? Londons Freigeister stimmten alle darin überein, daß irgendein Naturgesetz das Auftreten neuer Arten von fossilen Tieren in den Gesteinsschichten erkläre. Aber um welches Gesetz es sich handelte, wußten die wenigsten. Manche, wie der ‹Renegat› Watson oder Darwins alter Mentor, der verfemte Robert Grant, waren radikale Evolutionisten. Andere bekannten ihre Unwissenheit und sprachen einfach aus Konvention weiterhin von ‹Schöpfung›. Oder, so Hooker, aus Mangel an Alternativen. Hooker räumte zwar seit langem ein, daß es ein ‹vertretbares und ergiebiges Thema› sei, aber da er selber ‹keine feste Meinung› dazu habe, beharre er ‹auf Unveränderlichkeit, bis ich Ursache habe, einen festen Standpunkt einzunehmen›. Darwin gab ihm jetzt Ursache, und er war gespannt, an welchen Mast Hooker seine Fahne heften würde. Hooker hielt sich bedeckt. Immerhin behauptete er, Darwins Tirade gegen die fortwährende Schöpfung neuen Lebens sei ‹unangebracht›.

‹Alle Anspielungen auf eine überwachende Vorsehung unnötig. Wenn Schöpfer imstande, erste [Organismen] zu erschaffen, dann auch imstande, sie weiterhin zu dirigieren, und [es ist] müßig, darüber zu streiten, ob er es tut oder nicht.›

Das einzige, was ihn interessierte, war der Mechanismus der ‹Schöpfung›. Er verkannte Darwins Absicht. Wenn Darwin wirklich das Vorhandensein schöpferischer Vorsehung zeigen wolle, dann solle er auf den Grund zur ‹Beibehaltung *nutzloser* Organe› hinweisen, die bei späteren Arten vielleicht in etwas Nützliches verwandelt werden würden.[12] *Das* würde Gottes Absichten veranschaulichen, würde den Planungsaspekt der Natur demonstrieren. Es würde auch Darwins Strategie zur Gänze vereiteln.

Endlich erhielt Darwin ein Echo. Ein gelassenes Echo, ohne den Theaterdonner von Sedgwick, nicht einen gnadenlosen Verriß, wie er den unseligen *Vestiges* zuteil geworden war. Aber Darwin hatte es nicht mit einem unreformierten anglikanischen Kleriker zu tun. Hooker wurde seinen Erwartungen gerecht, indem er ihm die ‹höchst anregende›, geographisch präzise Kritik lieferte, die er brauchte. Und noch mehr: Hooker machte auf der Abschrift Anmerkungen, bevor er sie zurückgab. So fand er die Argumente gegen mehrere Entstehungszentren derselben Spezies ‹sehr gut›. ‹Ganz anständig›, notierte er neben der Zusammenfassung über künstliche Selektion, welche die Auffächerung einer Spezies in ‹unzählige Rassen› zur Folge habe.

Doch die Art und Weise, wie die domestizierten Rassen von einer oder mehreren wilden Arten abstammten, sei ‹keineswegs klar›.[13]

Darwin hatte den jungen Hooker genau dafür herangezogen: für eine Reihe detaillierter Erörterungen über die Methode der Natur, Arten hervorzubringen. Auch wenn er von Darwins Grundkonzept nicht beeindruckt war – viel später gab er mit nachträglicher Einsicht zu, ‹seine volle Bedeutung nicht erfaßt› zu haben –, versorgte er Darwin doch mit einer Fülle geographischer Einzelheiten.[14]

Hookers nächster Zug kam völlig unerwartet. Am selben Tag, an dem er den Essay mitnahm, ließ er eine Bombe platzen: Er plane eine weitere Reise, teilte er mit. Nach seiner ‹botanischen Exkursion in die Antarktis› 1839–1843 hatte er sich immer gewünscht, die Tropen zu sehen. Aber niemand hatte damit gerechnet, daß er so bald wieder auf Reisen gehen würde, und selbst er befürchtete, vielleicht ‹wie ein Wasserglas› zu zerspringen, wenn er vom Polareis zu den Palmenstränden hüpfe. Er war erst seit vier Jahren wieder zu Hause. Darwin wollte kaum seinen Ohren trauen. Er hatte Hooker mittlerweile gut kennengelernt; er war ihm ans Herz gewachsen, und er schätzte seine Zuverlässigkeit. Plötzlich fiel ein Schatten auf alle Gespräche über den Essay. Das verwirrte Darwin und trübte ihre Beziehung. Er war zutiefst enttäuscht und stöhnte, als er die Nachricht hörte. Ohne Hookers Hilfe würde er ‹verloren› sein. Immer wieder versuchte er in die Stadt zu fahren, um Hooker wegen des Essays zu drängen, bangte er doch, daß der Freund es ‹ganz vergessen› werde und womöglich England plötzlich verlassen könnte. Aber Darwin litt jetzt ständig an Erbrechen. Im März und im April war er wochenlang fast pausenlos krank, gequält von ‹Furunkeln und Geschwülsten›, und er unterzeichnete seine entschuldigenden Briefchen mit: ‹Immer Dein ziemlich elender C. Darwin.›[15]

Ihr erstes Zerwürfnis, im Mai, verschlimmerte nur noch die Situation. Angesichts der ideologischen Fragen, um die es ging – Morde, Geständnisse, Schöpfungen –, ist es eine Ironie, daß sich der Zwist an Kohle entzündete. Seit Monaten waren sie verschiedener Meinung über die Entstehung von Kohle gewesen, die Hooker für sein Amt analysierte. (Da Großbritannien die ‹Werkstätte der Welt› war und die Hälfte der gesamten Kohlenförderung der Welt erbrachte, um seine wachsenden Industrien mit Energie zu versorgen, bemühte sich das staatlich finanzierte Amt für Geologische Aufnahme besonders um die kartographische Erfassung der Kohlenvorkommen.) Darwin stellte sich vor, daß die urzeitlichen Kohlepflanzen wie Mangroven in warmen, seichten Meeren gewachsen seien. Er zog Hooker damit auf, daß Kohle eine Art ‹unterseeischer Torf› sei, und wettete mit ihm ‹5 zu 1, daß dies in 20 Jahren allgemein anerkannt sein wird›. ‹Mach Dich nur lustig›, tönte er, die Stimmung verkennend, und frotzelte ihn mit seiner Mangroventheorie. Hooker wurde wütend. Darwin sei ‹verrückt›, sich die

Farne der Kohlenflöze als unterseeisch vorzustellen; diese seien eindeutig terrestrischen Ursprungs. Über Arten könne er so wild spekulieren, wie er wolle, aber in bezug auf fossile Pflanzen sei er, Hooker, der Experte. Darwin war wie vor den Kopf geschlagen von dem ‹rabiaten Angriff›. Hookers Empfindlichkeit hatte sich gezeigt. Er war schnell beleidigt, allerdings auch schnell wieder zur Versöhnung bereit. Dabei traf es Darwin durchaus nicht unverdient. Einige Tage später trug er seine riskante Wette dem Paläontologen Hugh Falconer an, dem Spezialisten für indische Fossilien, und der fand, ‹ein so haarsträubender Mumpitz sollte [ihm] ausgetrieben werden›. Aber es vermittelte Darwin eine Ahnung von Hookers dunklerer Seite. Es gebe keinen ‹liebenswerteren› und keinen ‹hitzköpfigeren› Menschen, sagte er später, auch wenn ‹die Wolken fast sofort wieder vorüberziehen›.[16]

Eine weitere seiner Lieblingstheorien geriet um diese Zeit unter schweren Beschuß: die von den prähistorischen Meeresstränden, die das Glen-Roy-Tal gesäumt hätten. Louis Agassiz hatte inzwischen fast jeden davon überzeugt, daß ein Gletscher das Tal abgeriegelt und einen Schmelzwassersee erzeugt hatte. Nun schaffte der schottische Geologe David Milne neue Belege herbei. Er war in der Überzeugung, daß Darwin recht hatte, zum Glen Roy gegangen und als Skeptiker zurückgekehrt; dies seien alte Seeufer, meinte er. Aber Darwin hielt an seiner Meeresküstentheorie fest, und zwar aufgrund seiner fixen Idee von sich auf und ab bewegenden Landmassen. Trockene Meeresstrände an Berghängen zeugten von einem emporgestiegenen Land. Wenn dieser Beweis aufsteigender und absinkender Kontinente verlorenging, dann geriet sein ganzes geologisches Gebäude in Gefahr – einschließlich des von ihm angenommenen Mechanismus der Inselentstehung, wonach Kontinente absinken mußten, damit isolierte Inseln entstanden und Arten abgeschnitten wurden, die dann anfingen, sich unterschiedlich anzupassen. ‹Mr. Milne wird mich für so störrisch wie einen Esel halten, wenn ich sage, daß mir seine Glen-Roy-Theorie unmöglicher erscheint, als mit Worten auszudrücken ist.› Insgeheim reagierte er empfindlich auf die Kritik. Agassiz' Gletscherseehypothese brachte ihn gefährlich ins Wanken. Besorgt verschickte er eine Reihe von Briefen, in denen er seine Sicht untermauerte. ‹In den letzten Tagen ist es mir äußerst schlecht gegangen›, grollte er gegenüber Hooker, ‹da ich zuviel über den Gley Roy nachdenken und schreiben mußte (ein dreister Hundesohn – Mr. Milne – hat nämlich meine Theorie angegriffen), was mir schwerstens auf den Magen schlug.›[17]

Sein Zustand verschlimmerte sich. Jede Fahrt bedeutete *stomacho volente* und wurde regelmäßig verschoben. Doch die Krankheit hatte ihre Tröstungen. Sie bot psychologische Sicherheit, erlaubte ihm, Besuche abzusagen, sich dem Dienst als Schöffe zu entziehen und Einladungen zum Abendessen abzulehnen. Ebenso Dining Clubs; im April schlug er eine Nominierung für den elitären Philosophischen Club der Royal Society aus. Nicht daß die Veranstaltungen der Society ganz ohne Reiz gewesen wären. Lord North-amptons Soireen, auf denen die Literaten tanzten und sich die Elite der Geologen in Szene setzte, stellten schon eine gewisse Versuchung dar. Hier warf sich Roderick Murchison in die Brust, wenn er die militärische Präzision seiner der Erforschung des Silurs gewidmeten Kampagnen schilderte, hier renommierte der eingebildete Owen mit seinen Moas und Megatherien, und William Broderip, der die Muscheln von der *Beagle*-Reise klassifiziert hatte, zeigte den Damen gern seinen Schwamm, der die Größe von Kardinal Wolseys Hut hatte.[18] Auf diesen eleganten Empfängen konnten reiche Gönner ihre jungen Protegés treffen. Hooker bot Darwin sogar an, ihn hinzubegleiten, wie man es mit einem Kranken getan hätte, holte sich aber eine Absage; er sei zu ‹magenleidend›, beschied ihn Darwin. Die undiagnostizierte Krankheit und die Geschwülste waren seine Ausflucht. Und dennoch, so nützlich sie als Ausrede sein mochten, sie waren deshalb nicht weniger wirklich, nicht weniger kräftezehrend. Er behandelte sich mit Wismut oder Opium und verkroch sich noch tiefer in das Schneckenhaus der Familie, schwelgte in Emmas Fürsorge und weigerte sich zu glauben, sein Schützling werde tatsächlich wegfahren.

Hooker hatte seine *Flora Antarctica* und die Darstellung der Kohlepflanzen für das Amt für Geologische Aufnahme abgeschlossen. Er hatte sich einen Namen gemacht; selbst Darwin hatte gehört, wie der Leiter des Amtes, de la Beche, Hookers ‹Kohleprojekt› mit Lob überhäufte.[19] Aufgrund seiner umfangreichen Veröffentlichungen wurde er im April 1847 zum Mitglied der Royal Society gewählt. Im Juni wurde er dreißig und hätte eigentlich daran denken sollen, sich niederzulassen, um so mehr, als seine Beziehung zu Henslows ältester Tochter, Frances, während der Oxforder Tagung der British Association im folgenden Monat für alle offenkundig wurde.

Darwin plante, mit seinem Evolutionsessay in Oxford teilzunehmen; er war entschlossen, Hookers Reaktion näher zu erkunden, auch wenn er Emma, die wieder kurz vor der Entbindung stand, allein zu Hause zurücklassen mußte. Es war das größtmögliche Opfer, nicht so sehr Emmas wegen, sondern weil er seit fünf Jahren nicht mehr in einer fremden Wohnung übernachtet hatte. Er brach seine eigene feierliche Regel. Obwohl er sich furchtbar fühlte, bat er dennoch darum, bei Hookers Verwandten logieren zu dürfen, wobei er sich allerdings Räumlichkeiten ausbedang, die Ruhe und Ungestörtheit garantierten. Nur ein ‹sicherer, einsamer Hafen› komme in Frage, sagte er, wobei er sich durchaus bewußt war, was für ein ‹lächerliches Theater› er um seine ‹kostbare Person› veranstaltete. Nach einigem Hin und Her quartierte er sich bei Hookers Onkel ein, dem Vizerektor von Magdalen Hall, aber auch das nur nach Zusicherungen, daß ‹ich über meine Mahlzeiten allein verfügen darf und einen Raum habe, in den ich mich zurückziehen kann›.[20] Und das tat er auch: Er speiste zu Hause und lehnte

Abendeinladungen ab, selbst von Captain Ross, der sich doch bereits qualifiziert hatte, indem er ihm seine antarktischen Rankenfüßer überließ.

Darwin besuchte die Veranstaltungen der Geologieabteilung. Hier wurde ihm schmerzhaft vorgeführt, wie verhaßt den versammelten Gentlemen
evolutionäre Spekulationen waren. Im Augenblick hatten sie jedoch eine
leichtere Beute im Visier. Robert Chambers war aus Edinburgh angereist,
um einen Vortrag über prähistorische Küstenverläufe zu halten. Dies war
Darwins Thema; Darwin muß also Zeuge gewesen sein, wie Chambers von
seinen Freunden niedergemacht wurde. Laut einem Beobachter trieb
Chambers ‹seine Überlegungen in einem unvertretbaren Maß auf die Spitze und wurde deshalb von Buckland, de la Beche, Sedgwick, Murchison und
Lyell hart angegangen. Letzterer sagte mir nachher, er habe das absichtlich
getan, damit Chambers begreife, daß Argumentationen im Stil des Autors
von *Vestiges* unter Wissenschaftlern nicht toleriert werden›.[21]

Und nicht nur unter Wissenschaftlern. Am Sonntag hielt Samuel Wilberforce, der neue Bischof von Oxford, in der St. Mary's Church eine
warnende Predigt über den falschen Umgang mit Wissenschaft. Es war ein
höchst zielsicher geführter Schlag gegen die ‹Halbgebildeten›, die der ‹gefährlichen Versuchung› zur Spekulation erlägen. Mit anderen Worten: gegen Chambers mit seinen Salonvorstellungen von Entwicklung. Die Gelehrten waren hingerissen. Die Kirche ‹war bis zum Ersticken vollgepfropft›
mit Geologen, Astronomen und Zoologen, die alle das Gefühl hatten, Wilberforce habe ins Schwarze getroffen. Die Wissenschaft obliege stillen,
zurückgezogenen, ehrbaren Denkern, erklärte Wilberforce. Die Demagogen suchten nach einem sich selbst in Gang haltenden Universum, das sie in
einem ‹spöttischen Geist des Unglaubens› preisen könnten. Diese irregeleiteten Seelen verstünden weder ‹die Handlungsweisen des Schöpfers› noch
die ernsten Pflichten eines Gentleman. Dieser Hinweis auf die Demut vor
den Fakten war ein weiterer Schlag ins Gesicht für den in seiner Kirchenbank vor Wut schnaubenden Chambers, der die Äußerungen des Bischofs
als Versuch wertete, fortschrittliche Ansichten zu unterdrücken. Der Geologe Andrew Ramsay vermutete, Chambers müsse ‹mit dem Gefühl eines
Märtyrers› nach Hause gegangen sein.[22]

Darwin ließ sich das alles entgehen. Der Sonntag war wahrscheinlich der
‹himmlische Tag›, den er in Gesellschaft Henslows mit der Besichtigung von
dessen großartigem Haus samt Grundbesitz in Dropmore verbrachte. Doch
während der übrigen Woche war er, den Essay unter dem Arm, in Oxford,
lief hinter Hooker her, um dessen Meinung zu erfahren, und erlebte mit, wie
seine Kollegen mit Chambers abrechneten. Die Situation wies eine gewisse
Ironie auf, kam jedoch nicht überraschend. Die British Association war eine
Koalition aus Klerus und Großbürgertum, und ihre geologische Sektion lieferte das Fundament der etablierten Ordnung. Es ging nicht darum, einen

Außenseiter abzuqualifizieren. Lyell selbst konnte den Erzbischof von Canterbury zu Diners der Geologischen Gesellschaft einladen. Was sie verurteilten, war schlampige Wissenschaft mit schlimmen Folgen, wofür ein Zeitschriftenverleger verantwortlich zeichnete. Die Schlamperei gestattete es auch Darwin, in Lyells Gegenwart über *Vestiges* herzuziehen, um sich davon zu distanzieren. Er wetterte dann über die ‹geistige Armut› des Verfassers und tat das Buch als eine ‹literarische Kuriosität› ab.[23]

Trotz alledem trieb er jetzt hier verstohlen Werbung für einen Essay, der die schönfärberische Auffassung vieler Großbürger von der Natur erschüttern mußte. Darwin erreichte sein Ziel gleich am Anfang. Er traf sich mit Hooker und zog ihn mit sich in die New College Chapel, wo sie den Orgelklängen lauschten und die himmlische Musik Darwin wie in Cambridge-Zeiten ‹einen Schauer den Rücken hinauf und hinunter jagte›.[24] Punkt für Punkt ging er mit Hooker die Schlüsselpassagen des Essays durch. Er vernahm jetzt aus erster Hand Hookers Einwand gegen die natürliche Kolonisierung von Inseln, gegen die Verbreitung von Samen und Pflanzen durch Wind und Wellen. Hooker hielt seine identischen Gebirgspflanzen in Tasmanien und Feuerland, an entgegengesetzten Enden des Erdballs, dagegen. Wie konnte man diese erstaunliche Verteilung durch Auswanderung erklären? Darwin beschloß, der Frage nachzugehen; im Augenblick aber befürchtete er nur, Hookers Einwand werde Forbes' Nonsens von dem versunkenen Superkontinent untermauern.

Mehr als ein Knoten wurde bei dieser Tagung geknüpft. Hooker rückte mit der Neuigkeit heraus, daß er ein Schwiegersohn Henslows werden würde; er und Frances hatten sich verlobt. Dies band ihn noch enger an Darwin, der das Gefühl hatte, ein vertrauenswürdiger wissenschaftlicher Kreis schließe sich um ihn. Allen fiel auf, wie glücklich Hooker in diesen Wochen war. Doch nicht einmal Frances konnte seine Wanderlust stillen. Darwin wußte nicht, ‹ob er froh oder traurig sein sollte›, wenn er die Verlobung gegen Hookers Entschlossenheit zur Reise in die Waagschale warf, froh ‹um Deinetwillen› oder traurig ‹um meinetwillen›.[25]

Hooker war unentschlossen, weil ihm die Regierung keinen Posten in Kew unter seinem Vater gegeben hatte, und er war es leid, sich um Protektion durch den Adel zu bemühen. (Kew war nach wie vor ein Promenadepark für Aristokraten und ihre Damen.) Sir William wollte, daß er geduldig auf seine Chance warte, vielleicht sein Tagebuch der Ross-Expedition herausgebe – tatsächlich bot ihnen John Murray sogar an, es zusammen mit Darwins *Journal of Researches* zu veröffentlichen. Aber Hooker lehnte ab. Es juckte ihn, wieder auf Reisen zu gehen. Jede Reise wäre ihm recht, ließ er Captain Ross verzweifelt wissen. Er bewarb sich für eine Expedition der Admiralität nach Borneo und für eine Reise der East India Company nach Goa. Doch jedesmal erwies sich sein Geldmangel als Hindernis. ‹Ich wünschte, ich hätte ein Privatvermögen›, klagte er, wußte er doch, was Darwin seinen Platz am Kapitänstisch verschafft hatte. Inzwischen war er ‹zu jedem Opfer bereit, um in die Tropen zu gelangen›.[26] Bevor er wußte, wie ihm geschah, gehörte er einer Reisegesellschaft an, die einen Treck durch das Sikkimtal und Tibet plante, das exotische Land der ‹Lamaverehrung› und der erhabenen Gipfel, von dem er als Junge geträumt hatte. Genauso überstürzt erhielt er vom Finanzministerium die nötigen Mittel, um für Kew Himalajapflanzen zu sammeln. Es kam alles so plötzlich, daß es ihn umwarf. Die Bedürfnisse in Down waren jetzt vergessen.

Wie seine Verlobte das alles aufnahm, wissen wir nicht. Darwin war deprimiert, obwohl Emma im Juli ohne Komplikationen eine Tochter, Elizabeth, gebar. Im Lauf des Sommers und des Herbstes versuchte er wiederholt mit grimmiger Entschlossenheit, seinen eigenen Zwanzig-Meilen-Treck nach Kew zu schaffen – ‹Ich *muß* den Rest meines Spezies-Entwurfs besprechen› –, doch nach jedem Anlauf endete er bäuchlings auf einem Sofa, mit ‹erneut böse entzündeten› Furunkeln oder unerträglicher Übelkeit. So sah er Hooker nur noch ein einziges Mal, am 20. August, als er schließlich stark genug war, die Kutschfahrt nach Kew durchzustehen. Er wünschte Hooker alles Gute. Seine Worte waren rührend, aber sein Bedauern war nicht zu verbergen. ‹Es wird eine grandiose Land- und Seereise, aber ich wünschte, sie wäre vorüber; ich werde dich selbstsüchtig und immer in schrecklichem Maße vermissen.› Sein einziger Trost sei, daß Frances, dieser ‹schöne Magnet›, ihn zurückbringen werde.[27]

Damit fuhr Charles nach Shrewsbury, wo der Zustand seines Vaters Anlaß zur Sorge gab. Hier wand er sich tagelang ‹stöhnend und klagend› auf einem Sofa, von aufbrechenden Furunkeln gequält und in Bulwer-Lyttons von Tragik und Untergang umwehtes Epos *Die letzten Tage von Pompeji* vertieft. Hooker versuchte Anfang November nach Down zu kommen. Dieser Versuch erschien Darwin ‹als der größte Beweis von Freundschaft, den ich je von einem Sterblichen erhielt›, eine Übertreibung, die einiges über seinen Gemütszustand verrät.[28] Wenige Tage später war Hooker an Bord des Schiffes, der *Seadon*, wo er eine Suite mit Lord Dalhousie teilte, der als neuer Generalgouverneur auf dem Weg nach Indien war. Darwin erhielt keine Gelegenheit mehr, ihn zum Abschied zu umarmen.

23

Al diabolo

Charles war jetzt ganz auf sich gestellt. Doch er war nicht einsam – dafür sorgte das Getrappel kleiner Füße im Korridor vor seinem Arbeitszimmer. Die siebenjährige Annie kam oft mit erhitzten Wangen auf einen Sprung zu ihm herein. Häufig brachte sie ihm eine Prise Schnupftabak aus der Dose mit, die ins Obergeschoß verbannt worden war, damit er leichter von seinem Laster loskam. Er hatte Annie um so lieber dafür. Und Emma erwartete wieder ein Kind, ihr siebentes. Da in London eine Grippeepidemie wütete, hatte Charles, immer auf der Hut vor Krankheiten, einen weiteren Grund, die Stadt zu meiden, und fuhr außer zu den obligatorischen Zusammenkünften der Geologischen Gesellschaft selten hin. Außerdem hatte er mit Emma, den Rangen und seinen Rankenfüßern sowie dem umgänglichen neuen Vikar der Gemeinde, Reverend John Innes, der schnell zum Freund wurde, in Down soviel Gesellschaft, wie er sich wünschte. Aber er vermißte Hooker. Sie hatten einander seit August nicht mehr gesehen, und er würde Jahre auf seine Rückkehr warten müssen – vorausgesetzt, daß Hooker seine gefährliche Himalajaexpedition überlebte. Charles würde seine Gefühle hinsichtlich der Entstehung der Arten bis dahin für sich behalten müssen.

Im übrigen konnte er die Frage der Arten vorderhand gar nicht mehr aufgreifen, da die Rankenfüßer lawinenartig über ihn hereinbrachen. Er hatte damit gerechnet, um diese Zeit fertig zu sein und sich wieder mit der natürlichen Auslese befassen zu können. Statt dessen wappnete er sich für weitere zwei Jahre Seziertätigkeit in übelriechendem Milieu. Jede Analyse dauerte länger als geplant und ließ ihm wenig Zeit für anderes. Aber manche Rufe hatten einen gebieterischen Klang, dem man sich nicht entziehen konnte. Im Februar 1848 setzte sich der Präsident der Royal Society, Sir John Herschel, mit ihm in Verbindung. Im Auftrag des Chefs der britischen Admiralität lud er Darwin ein, sich einer Elitegruppe anzuschließen, die Richtlinien für die wissenschaftliche Feldforschung von Marineoffizieren aufstellen sollte. Wenn Sir John mit einem Finger winkte, waren die Wissenschaftler zur Stelle. Er möge ihn nur noch eine Sektion abschließen lassen, antwortete Darwin; das werde etwa eine Woche dauern, dann sei er gern dazu bereit. Gegenüber Richard Owen äußerte er: ‹Wenn Männer wie Herschel und Sie ihre Zeit für diese Aufgabe zur Verfügung stellen, dann könnte ich natürlich nicht ablehnen.›[1]

Im Handbuch der Admiralität erklärte Darwin, jeder Gentleman könne im Ausland geologische Studien betreiben. Es erfordere geringe Vorbereitung und ein Minimum an Apparaten, ja eigentlich nur die Art von Wißbegier und systematischem Vorgehen, die man von den Offizieren eines Kriegsschiffes erwarten könne. An Bord eines Schiffes seien sie ideal plaziert, um jene langsam wirkenden, ‹immer noch aktiven Ursachen› zu beobachten, welche die geologische Vergangenheit prägten: Ablagerung von Sedimenten, Erosion von Steilküsten, Eisberge, Korallenriffe – genau die Dinge, für die sich auch Darwin selbst interessierte. Sie sollten den Staub sammeln, der sich auf Deck ablagerte, und sich an Land auf Fossilien, Vulkane und Kohlenproben konzentrieren. Sein Beitrag kostete ihn zu seinem Entsetzen fünf Arbeitswochen, doch der Einsatz lohnte sich, konnte er doch auf diesem Weg künftige Marineoffiziere zu guten Lyellianern ausbilden – mehr noch: zu guten Darwinisten.

Zu Hause mehrten sich die Spannungen, während er mit den Rankenfüßern beschäftigt war. Er machte sich Sorgen um die Familie und seinen ewig kranken Magen. Der Zustand seines einundachtzigjährigen Vaters war ernst; Charles war entsetzt, wie sehr er sich ‹in den letzten sechs Monaten körperlich verändert hat›. Und Emmas Zustand war immer ungewiß. Dies waren Fragen von Leben und Tod, und der Gedanke daran stellte einen grimmigen Kontrapunkt zu den stinkenden Kadavern dar, die er zerlegte. Nach außen hin schien alles in Ordnung am Wochenende des 12. Februar, als die Lyells und Owen zusammen mit den Reformern im Amt für Geologische Aufnahme, Edward Forbes und Andrew Ramsay, in Down zu Besuch waren, um Darwins neununddreißigsten Geburtstag zu feiern. Ramsay hatte sich nie wohler gefühlt. Darwin erschien ihm als ein ‹beneidenswerter Mann› mit ‹einem angenehmen Zuhause, einer lieben Frau, einer netten Familie, von weder zu hohem noch zu niedrigem Stand, mit einem guten mittleren Vermögen und Verfügungsgewalt über seine Zeit›.[2] Von der inneren Verfassung seines Gastgebers ahnte er wenig. Aber Darwin ließ sich auch wenig anmerken; er bat nur am Sonntag um Dispens von einem Verdauungsspaziergang um das Lubbocksche Gut.

Darwin führte ein privilegiertes Leben, wie Ramsay erkannte, und das war in den dunklen Tagen von 1848 erheblich gefährdet. An diesem Wochenende drohte der Aufruhr, der über Italien hinwegfegte, auf die nähere Nachbarschaft überzugreifen. Frankreich ‹schlief auf einem Vulkan›, wie es

Alexis de Tocqueville formulierte. Schon am 22. Februar versperrten in Paris Barrikaden die Straßen; Demonstranten wurden erschossen, die Truppen meuterten, und eine Interimsregierung unter dem gemäßigten Reformer Adolphe Thiers versuchte zu retten, was zu retten war. Der französische König dankte am 24. Februar ab und ging nach England ins Exil. In London schwirrten die Gerüchte. Auf dem Fest des Tory-Führers Sir Robert Peel am Samstag, dem 26. Februar, erhielten Darwins Kollegen Lyell, Owen, Buckland und de la Beche eine drastische Schilderung des Pariser Aufstands aus dem Munde des preußischen Botschafters, der sich auf den Bericht eines Mitglieds seines Stabes stützte, dem es gelungen war, durch die Front der Aufständischen zu entkommen. Sie hörten von den ‹30000 Kommunisten in Paris, die für Gemeineigentum und gegen die Ehe sind und vor denen sich all jene fürchten müssen, die etwas zu verlieren haben›.[3] Nachdem sich die Damen zurückgezogen hatten, gab es aufgeregte Debatten über die Revolution und daß mit ein paar vernünftigen Reformen der Thron hätte gerettet werden können. Peel bemerkte zu Lyell, er befürchte eine Finanzkrise in Großbritannien, da die Maßnahmen der neuen republikanischen Regierung, die am nächsten Tag proklamiert werden sollten, den Kapitalisten auf beiden Seiten des Ärmelkanals einen gehörigen Schrecken einjagen würden.

Peels Gäste waren die Patrizier und die Kleriker, mit denen Darwin in der Geologischen Gesellschaft und dem Athenaeum Club ständig Verbindung hatte. Einige von ihnen hatten zwei Wochen zuvor in Down seine Gastfreundschaft genossen. Allen lag daran, stabilisierende Reformen ins Werk gesetzt zu sehen und die radikalen Massen in Schach zu halten, die jetzt im eigenen Land das allgemeine Wahlrecht forderten. Darwins Freunde fürchteten sich. Lyell hatte sich schon seit langem über die ‹Pöbelherrschaft› beklagt. Der Bankierssohn Forbes sollte in Kürze selber seinen Schlagstock gegen Aufständische schwingen. Und Owens Artilleriekompanie war während der Arbeiterdemonstrationen eingesetzt worden.[4]

Nach dem ersten Blutvergießen in Paris, als das Volk die Stadt eroberte, meinte Emmas Tante mit einem Seufzer der Erleichterung, bei der Revolution scheine es sich ‹mehr um eine soziale als um eine politische› zu handeln. Sie fragte sich immer noch, ob die neuen Anführer ‹imstande sein› würden, ‹ihre Versprechungen gegenüber den arbeitenden Klassen zu erfüllen›, und fürchtete ‹die Rache des Monsters, das sie losgekettet haben›, wenn ihnen das nicht gelänge. Aber während die französischen Arbeiter Zugeständnisse errungen hatten, waren die britischen Gewerkschaften frustriert über die Halsstarrigkeit der Regierung. Es gab nichts wie das französische ‹Recht auf Arbeit›, und die Arbeitslosigkeit blieb während der 1840er Jahre hoch. Schlimmer noch: Es wurde keine Erweiterung des Wahlrechts in Aussicht gestellt. Das britische Monster begann auf seine eigene Rache zu sinnen. Im radikalen London sang man die ‹Marseillaise› und pries die Pariser Revolutionäre. Die Erhebung jenseits des Ärmelkanals verlieh den Chartisten-Führern neuen Schwung und spornte sie an, eine riesige Demonstration zu planen. Unter den Reichen verbreitete sich Panik. Da am 10. April 150 000 Chartisten von überall her zum Kensington Park strömen sollten, entfaltete sich in der Hauptstadt eine fieberhafte Aktivität. Niemand wußte, was geschehen würde, wenn die Chartisten den Versuch unternähmen, mit ihrer Petition, in der das Wahlrecht gefordert wurde, zum Parlament vorzudringen. Die Königin verließ um ihrer eigenen Sicherheit willen das Schloß, und man schmiedete Pläne, ‹den Aufstand gewaltsam niederzuschlagen›. Binnen weniger Wochen wurden 85 000 Freiwillige, überwiegend Besitzbürger sowie deren Bedienstete und Hausangestellte, zur Verstärkung der Polizei vereidigt und 7000 Soldaten mobilisiert. Die Bank von England, Downing Street, das Außenministerium und alle öffentlichen Gebäude wurden mit Sandsäcken geschützt und die dort tätigen Beamten ebenfalls als Mitglieder der Bürgerwehr vereidigt. An die Beschützer der Hauptpost wurden Handgranaten ausgegeben; im Britischen Museum verfügten einige über Musketen.[5] Man tat alles, um zu verhindern, daß die Demonstranten Gebäude besetzten, wie sie es in Paris getan hatten.

Furcht und Zittern herrschten auch unter Darwins Kollegen, die in den wissenschaftlichen Institutionen Wache hielten. In Charing Cross patrouillierte der als Hilfspolizist vereidigte Ramsay mit Forbes vor dem Amt für Geologische Aufnahme, den Schlagstock zur Verteidigung seiner Trilobiten geschultert. Direktor de la Beche schaffte einen Armvoll Entermesser herbei und bereitete sich auf eine Belagerung vor. Owen schob am College of Surgeons Wache. Groß und stämmig, war er für die Meuterer bereit, und später zog er zu Peels Haus los, um sich zu vergewissern, daß der Tory-Führer in Sicherheit sei. Reverend Buckland, der Dekan der Westminster Abbey, wartete, mit einer Brechstange bewaffnet, in der Abtei. Darwin mochte ihn für einen erheiternden ‹Narren› gehalten haben, weil er bei seinen geologischen Vorträgen wie ein Flugsaurier mit den Armen ruderte. Aber jetzt war Schluß mit dem Allotria; Buckland drohte, alle Randalierer niederzuknüppeln, die durch Poet's Corner eindrängen. Sein Protegé William Broderip (Darwins Muschel-Identifizierer) saß im Polizeigericht des Bezirks Themse, wo er Friedensrichter war, über Chartisten zu Gericht.[6]

Die hektischen Vorbereitungen versetzten alle in Angst und Nervosität, nicht zuletzt Darwin. Selbst seine Lektüre nahm einen neuen Aspekt an. Im März, als sich die Furcht vor der Chartisten-Demonstration zur Hysterie steigerte, las er Thiers' *Geschichte der Französischen Revolution,* schleuderte das Werk aber als ‹langweilig und schlecht› weg. Später nahm er Mary Wollstonecrafts aufwieglerische Schrift *Vindication of the Rights of Women* und die *Memoirs* der Wollstonecraft von dem Freigeist William Godwin zur Hand. De Tocquevilles *Democracy in America* gefiel ihm jedoch weitaus besser. Während dieser unruhigen Zeiten verschlimmerte sich seine Übelkeit, was ihn von der Teilnahme an der Ratssitzung der Geologischen Gesellschaft im März abhielt.[7] London war ohnehin schon in Kampfbereitschaft. Die Forderungen der Agitatoren – nach Grundsteuer, Vermögenssteuer, Erbschaftssteuer – hätten ihn hart getroffen, lebte er doch als Mitglied der verachteten Oberschicht und als reicher Müßiggänger, wie die Extremisten gesagt hätten, auf Kosten der geschundenen Armen. Sein Vater war krank, er hatte eine wachsende Familie zu ernähren, und falls die Ereignisse eine ungünstige Wendung nähmen, könnte er seine Investitionen in den Wind schreiben.

Zu allem Überfluß war er ein heimlicher Evolutionist. Dies war das eigentliche Problem. Seine anglikanischen Freunde warfen sich den Aufrührern entgegen, von denen manche die Transmutation und andere gottlose Wissenschaften im Schilde führten. Owen und Forbes standen an der Front und schützten seine Privilegien. Aber würden sie ihn nicht als Feind in den eigenen Reihen verurteilen, wenn sie sein Geheimnis entdeckten? Als er zehn Jahre zuvor ausrief: ‹Das Gebäude stürzt zusammen!›, hatte ihm nicht diese Art von Aufstand vorgeschwebt. Außerdem war er damals ein Grünschnabel gewesen, der sich heimlichen Spekulationen hingab. Jetzt war er ein Gutsherr, ein Familienvater, ein Mitglied der geologischen Elite. Trotz des mittelständischen, malthusischen Kerns seiner Theorie und deren kapitalistischen Wurzeln konnte er von den eingefleischten Torys immer noch als Verräter gebrandmarkt werden.

In Down verkrochen, während die Welt rings um ihn in Stücke zu gehen drohte, setzte Darwin seine ermüdende Seziertätigkeit fort. ‹Hartnäckigkeit führt zum Ziel›, davon war er überzeugt. Ende März, während sich seine schöpfungsgläubigen Kollegen für den Ansturm der Radikalen wappneten, gelang ihm ein entscheidender Durchbruch. Viele seiner Präparate schienen von winzigen Parasiten befallen zu sein. Er hatte diese immer entfernt und weggeworfen, doch jetzt nahm er sie näher unter die Lupe. Rankenfüßer waren für gewöhnlich Hermaphroditen (jedes Tier hatte sowohl männliche als auch weibliche Geschlechtsorgane), aber unter Cumings philippinischen Arten befand sich eine Ausnahme. Sie war unbeschrieben, und Darwin taufte sie *Ibla cumingii*. Sie wies nicht nur getrennte Geschlechter auf, sondern Männchen und Weibchen waren so verschieden, daß sie fast nicht verwandt erschienen.

Henslow war der erste, der die Nachricht hörte.

‹Das Weibchen hat das übliche Aussehen, während das Männchen in keinem Körperteil dem Weibchen gleicht und mikroskopisch klein ist. Doch jetzt kommt das Merkwürdige: Das Männchen oder manchmal auch zwei Männchen werden in dem Augenblick, da sie ihre Existenz als fortbewe-

gungsfähige Larven beenden, zu Parasiten in der Mantelhöhle des Weibchens, und so am Fleisch ihrer Gattinnen festklebend und halb darin eingebettet, verbringen sie ihr ganzes Leben und können sich nie wieder bewegen.›
Hier war ein Fortpflanzungsmechanismus fast ohnegleichen in der Tierwelt. Und wie hatte ihn Darwin entdeckt? Er bemerkte gegenüber Henslow, er verfüge über ein ‹Gespür für die Wahrheit›, wie es ein ‹Gespür für Vortrefflichkeit› gebe; und dieses habe ihm geholfen.[8]

Das erschien wie eine verkappte Herausforderung. Welche Vortrefflichkeit konnte ein anglikanischer Schöpfungsgläubiger wohl in parasitärer Polyandrie unter Rankenfüßern entdecken? Wenn das stimmte, dann war wenig daran, wofür man Gott preisen konnte. Die Natur konnte sich kaum weiter vom ‹edelsten Sprößling der Zeit›, dem Menschen, entfernt haben. Ein beherrschendes Weibchen, das duldete, daß sich ihr eine Traube abhängiger, degenerierter Männchen an die Rockzipfel hängte! ‹Ist es nicht merkwürdig›, meinte Darwin herausfordernd zu seinem alten Freund, ‹daß die Natur diese eine Gattung getrenntgeschlechtlich gemacht und gleichzeitig die Paarpartner an der Außenseite der Weibchen festgeklebt hat?› Später rieb er Lyell einen ähnlichen Befund unter die Nase: ein *Ibla*-Weibchen mit einer Tasche in jedem Glied seines Mantels, ‹in der es sich einen kleinen Ehemann hält›. Diese winzigen Männchen führten offenbar ein ‹Schmarotzerleben› am Körper ihrer knapp eineinhalb Zentimeter langen Weibchen. Die Männchen hatten nur etwa ein Zehntel von deren Größe und blieben fast embryonal. Die meisten der Thoraxsegmente ihres ‹plattgedrückten, lilafarbenen, wurmähnlichen› Körpers seien nur noch rudimentär und faktisch nutzlos. ‹Die Einfälle und Wunder der Natur›, spottete Darwin, ‹sind wahrhaft grenzenlos.›[9]

All dies stachelte sein nachlassendes Interesse erneut an; er gab bekannt, er habe ‹den interessantesten Rankenfüßer der Welt› gefunden. Und die Überraschungen dauerten an. Bei einer zweiten Spezies von *Ibla*, diesmal einem Zwitter, entdeckte er ebenfalls parasitäre Männchen, ‹Extramännchen›, wie er diese Zwitterbegleiter nannte. Es waren winzige, larvenähnliche Säckchen, etwa einen Zehntelmillimeter lang. Das war noch unerwarteter: ein *Zwitter,* dessen männliche Organe sich zurückbildeten, begleitet von einem embryonalen Zwergmännchen, das in allen Dingen außer seinen Geschlechtsorganen rudimentär war. Plötzlich kamen Darwin all diese Parasiten, die er weggeworfen hatte, verdächtig vor. Er sah genauer hin. Manche, so stellte sich heraus, waren tatsächlich nichtverwandte Parasiten. Aber eine ähnliche Gattung, *Scalpellum,* wies noch winzigere Männchen auf.

Er identifizierte im folgenden sechs Arten von *Scalpellum,* die alle unterschiedliche Grade geschlechtlicher Differenzierung zeigten. Dies stellte eine glänzende Rechtfertigung seiner früheren Evolutionshypothesen dar. In einem Notizbuch von 1838 hatte er über die Art und Weise spekuliert, ‹wie

sich die Geschlechter bei einigen der niedrigsten Stämme trennen›: Aus Ur-
zwittern hatten sich die Mollusken oder Weichtiere entwickelt, bei denen
Männchen und Weibchen noch ‹verkümmerte Reste› der Geschlechtsorgane des Partners übrigbehielten.[10] Aber er benötigte eine vollständigere Reihe, um diese Auseinanderentwicklung der Geschlechter zu illustrieren. Jetzt
hatte er sie. An den Rankenfüßern konnte man den Ablauf der Ereignisse
studieren: von richtigen Zwittern über solche mit atrophierten männlichen
Organen und winzigen ‹Zusatzmännchen› zu Weibchen, die ihre männlichen Organe völlig zurückgebildet und sich ‹einfache› männliche Begleiter
zugelegt hatten.

In einer Stimmung wachsender Neugier beantwortete Darwin Hookers
willkommenen ersten Brief aus Indien. Er berichtete Hooker von seinen
Ibla-Männchen, ‹um meine Speziestheorie ins rechte Licht zu rücken, denn
die nächste und auf engste verbundene Gattung dieser Parasiten besteht, wie
ich jetzt zeigen kann, aus zusätzlichen Männchen›, die auf Zwittern lebten,
deren eigene männliche Organe winzig klein waren.

‹Ich wäre nie darauf gekommen, hätte mich meine Artentheorie nicht davon überzeugt, daß eine hermaphroditische Spezies in unmerklich kleinen
Schritten in eine zweigeschlechtliche Spezies übergeht. Und hier haben wir
es, denn die männlichen Organe des Zwitters beginnen zu versagen, und
unabhängige Männchen sind bereits entstanden. Ich kann jedoch kaum erklären, was ich meine, und Du wirst vielleicht meine Rankenfüßer- und
Speziestheorie miteinander *al diabolo* wünschen. Aber Du kannst sagen, was
Du willst, meine Speziestheorie ist das Evangelium.›[11]

Hooker ließ sich von diesem Ausbruch nicht provozieren. Er wünschte
Darwin auch nicht zum Teufel, sondern fand die Entdeckungen schlicht
sensationell. Darwin überzeugte auch ihn vom Wert seiner, Darwins, taxonomischen Arbeit. Sie konnten jetzt beide erkennen, was nötig war: Geschlecht und Ahnenreihe nahmen den ersten Rang auf der geheimen Prioritätenliste ein, die Darwin aufstellte, als die Arbeit Fortschritte machte. Ein
neues ‹Evangelium› war im Entstehen.

Darwins Faszination hielt an. Seine Zwergmännchen seien ‹wirklich
wunderbar›. Sie seien ‹in einem Maße rudimentär, das meines Erachtens in
der gesamten Tierwelt ziemlich beispiellos ist›. Atemlos berichtete er Hooker das Neueste: ‹Sie haben weder Mund noch Magen›, und die Larve ‹setzt
sich am Zwitter fest und entwickelt sich zu einem großen Hodensack›. Sie
wüchsen als ‹bloße Spermiensäcke› heran. Auch bestehe nicht notwendigerweise eine Eins-zu-eins-Beziehung; auf manchen Zwittern fand er bis zu
zehn Zusatzmännchen verankert. Diese winzigen, mundlosen Anhängsel
nahmen niemals Nahrung zu sich, sondern starben schnell ab und wurden
von anderen ersetzt. Es fand also ein rascher Wechsel der Paarpartner statt.
Hooker, den das alles nicht erschütterte, antwortete aus Darjeeling, zehn

Partner seien nichts Besonderes. ‹Die Extramännchen der Rankenfüßer sind wirklich toll›, räumte er ein, ‹obwohl ich zugeben muß, daß die überzähligen Männer in den Familien der Bhotia›, des ‹ungehobelten› Himalajastammes, aus dem er seine Kulis bezog und in dem ‹eine Frau von Rechts wegen 10 Ehemänner haben darf ... meine Aufmerksamkeit in letzter Zeit etwas abgelenkt haben›.[12] Die Darwinsche Tendenz hatte auch ihn erfaßt. Primitiven aller Art fehlten die Vorzüge, die den Gentlemen der höchsten viktorianischen Klasse angeboren waren.

Während Darwin über die Mysterien der Rankenfüßer staunte, ging die Chartisten-Demonstration am 10. April friedlich über die Bühne. Im Mai, während er Hooker über die Rankenfüßer unterrichtete und darauf gefaßt war, für seine Bemühungen *al diabolo* gewünscht zu werden, griff er plötzlich noch einmal das angejahrte Thema der Kohle auf, jene Frage, bei der sie sich am heftigsten widersprachen. Hooker hatte in Indien nach Belegen für die Entstehung der Kohle gesucht, in der Hoffnung, das Problem ein für allemal zu lösen. Darwin antwortete, er werde ‹niemals auf dem Kirchhof von Down in Frieden ruhen›, wenn es nicht gelöst sei, ‹bevor ich sterbe›. Das klang leicht dahingesagt, doch die Sterblichkeit bildete jetzt eine elegische Unterströmung in Darwins Denken. ‹Apropos Tod›, fuhr er fort, ‹mein vermaledeiter Magen ... hat sich eher verschlechtert.› Seine Krankheit verschlimmerte sich alarmierend, während er seinen Vater dahinsiechen sah.

Der korpulente Dr. Darwin atmete jetzt nur noch mit Schwierigkeiten und litt an einer Art von ‹Sterbeempfindung›. Charles fuhr eine Woche später schweren Herzens nach Shrewsbury, das Schlimmste befürchtend. Die erneut schwangere Emma blieb zu Hause, aber sie erhielt tägliche Zustandsberichte über Charles wie auch seinen Vater. Dessen Prognose hinsichtlich seiner eigenen Verfassung war gut und schlecht: Er werde noch eine kleine Weile leben, meinte er, aber dann plötzlich sterben. Charles litt während seiner allerersten Tage in The Mount nur an leichter Übelkeit. Er schöpfte Trost aus Emmas Briefen und bat sie, ihm alles zu schreiben, ‹was ich hören möchte›. Sie schickte ihm Zeitungen, doch war nur der ‹abscheuliche› *Globe* mit seinen giftigen Berichten über das Parlament in der Frankfurter Paulskirche und die französische Nationalversammlung nach seinem Geschmack. Seine Gesundheit verschlechterte sich allmählich, und wenige Tage später konnte er seinen ‹Magen keine fünf Minuten vergessen›. Die Verhätschelung ging weiter; der jammernde Charles erhielt seine Streicheleinheiten jetzt aus der Entfernung.[13]

Vater Darwin hatte zunehmend Mühe, zu sprechen und zu gehen; seine Konstitution verschlechterte sich zusehends, wie Charles erkennen mußte. Zwei Wochen vergingen auf diese Weise, zwei angstvolle Wochen. Während Charles Nachtwache hielt, begann auch er unter der Belastung zusammenzubrechen. Er hatte Anfälle von Schüttelfrost und Erbrechen, nach denen er sich matt und ausgepumpt fühlte. ‹Mein Anfall kam sehr plötzlich›, schrieb er nach Hause; ‹er begann mit feurigen Speichen und dunklen Wolken vor den Augen; dann heftiges Frösteln und ziemlich schlimme Übelkeit.› In seiner elenden Verfassung sehnte er sich danach, zu Hause zu sein. Die ‹Geräusche der Stadt, das Geschwätz des Personals und der Mangel an Privatleben› waren für ihn Grund genug, sich nach seinem ländlichen Refugium zu sehnen. ›Ich habe Dich so vermißt›, klagte er Emma und fügte hinzu: ‹Ohne Dich fühle ich mich völlig verlassen, wenn es mir schlechtgeht.› Fern von ihr fehlte ihm – selbst an seinem Geburtsort – das Gefühl der Sicherheit; er vermißte die fürsorglichen Hände. Wäre er doch nur wieder das Zentrum der Aufmerksamkeit! ‹O Mammy, ich sehne mich so danach, bei Dir und unter Deinem Schutz zu sein, denn dann fühle ich mich sicher.›

Er blieb noch, um am 30. Mai den zweiundachtzigsten Geburtstag seines Vaters zu feiern. Dann kehrte er mit einiger Erleichterung in Emmas Obhut zurück. Das Leben in Down ging wieder seinen Gang. Allerdings war Charles nun nicht mehr mit dem Herzen bei den Rankenfüßern. Es kann für ihn auch nicht angenehm gewesen sein, winzige Kadaver auszuweiden, während es ihn ständig würgte. Die im siebten Monat schwangere Emma vor Augen, begann er sich nun über seine wissenschaftliche Fruchtbarkeit Sorgen zu machen. ‹Niemals wird ein kreißender Berg eine solche Maus geboren haben wie mein Buch [...] Es ist lächerlich, wieviel Zeit mich jede Spezies kostet.› Emmas Zeit rückte näher. Der für den geringsten Schmerz äußerst empfindliche Charles plante, bei der Entbindung das neue Narkosemittel Chloroform anwenden zu lassen. Seit seinen Übelkeit erregenden chirurgischen Erfahrungen als Halbwüchsiger hatte er den Anblick von Leiden gehaßt. Chloroform war ein Geschenk des Himmels, und er hörte nie auf, es zu preisen. Kaum hatte sich der Edinburgher Professor James Simpson 1847 damit in eine vorübergehende Ohnmacht versetzt – in genau dem Krankenhaus, aus dem Charles einundzwanzig Jahre zuvor in solchem Entsetzen geflohen war –, probierte Darwin es bereits selber aus. Er verarztete den Reverend Innes, indem er ihm riet, einen Tropfen davon gegen Zahnschmerzen auf sein Zahnfleisch zu tun, und ließ sich von einem Londoner Arzt über die Anwendung von Chloroform bei Entbindungen beraten.[14] Sein dritter Sohn, Francis, wurde am 16. August vermutlich schmerzlos geboren.

Während des ganzen Sommers bekam Darwin fast niemanden zu sehen. Sein Zustand verschlechterte sich beinahe täglich. Während er mit seiner Arbeit nur stockend vorankam, immer wieder von Brechreiz geschüttelt, sah er seine Freunde von Erfolg zu Erfolg eilen: Lyell wurde im September von Königin Victoria in Balmoral, ihrem neuen schottischen Schloß, in den Adelsstand erhoben. Hooker machte im Himalaja reiche Beute und entdeckte neue Rosen, Magnolien und Rhododendren. Er war verlobt, und

Forbes war jetzt verheiratet. Also ‹keines der alten *Junggesellen-Feste* mehr›, scherzte Darwin.[15] Er blieb in Down, ein Gefangener seines Magens, und nahm nur an den obligatorischen Ratssitzungen der Geologischen Gesellschaft teil, obwohl sie ihn ermüdeten. Immer häufiger lehnte er Einladungen zum Abendessen ab. In seinem selbstverordneten Exil in Down festsitzend, lebte er aus zweiter Hand durch Bücher, die er nach Fakten durchforstete und mit denen er in exotische Gefilde entfloh. Jetzt, da er sich dem Tod nahe fühlte, wandte er sich wieder religiöser Literatur zu.

Charles und Emma lasen fast täglich zusammen. Romane, Reiseberichte, Geschichtsdarstellungen, Biographien – der Konsum war enorm. Viele Bücher kamen per Post aus der Londoner Stadtbibliothek; manche wurden von Erasmus geliehen. Als Charles, um seinen Vater fürchtend, kopfüber in Depressionen stürzte, muß Emma seine Lektüre beeinflußt haben. Sie schöpfte Hoffnung aus zwei dicken Bänden kalter Gelehrsamkeit, *The Evidences of the Genuineness of the Gospels* von Andrews Norton, dem verstorbenen Harvard-Professor für Heilsgeschichte. Norton, der von Thomas Carlyle als ‹Papst der Unitarier› apostrophiert wurde, beharrte darauf, daß die Evangelien echt, unverfälscht und ‹ihren wahren Verfassern zugeschrieben› seien.[16] Falls Emma Charles Gründe geben wollte, an Jesu Versprechen des ewigen Lebens zu glauben, hatte sie sie gefunden.

Doch mit dem Einsetzen von ‹Verschwommenheit im Kopf, Depression, Zittern und vielen schlimmen Anfällen von Brechreiz› fiel er in die Andersgläubigkeit zurück. Er vertiefte sich in das Leben John Sterlings, eines jungen Geistlichen, der einer chronischen Krankheit erlegen war. Vielleicht sah er darin eine Spiegelung seiner selbst: Cambridge, Vikariat im ländlichen Sussex, Krankheit, Zweifel, Desillusionierung. Sterling hatte im selben Carlyle-Kreis in London verkehrt und wie Darwin in dieser Periode seine ‹größte moralische und geistige Energie› entfaltet. Um 1840 war Sterling so hoffnungsvoll gewesen, wie Darwin es je sein würde, seinen ‹Glauben an die Möglichkeit tiefer und systematischer Erkenntnis auf die Gesetze und Grundprinzipien unserer Existenz› begründen zu können. Auch Darwins tiefere Befürchtungen spiegelten sich in Sterlings Leben. Sterling sah seine Frau im Kindbett sterben und starb im September 1844 selbst verfrüht, nachdem er seinen Freunden versichert hatte: ‹Wir werden uns wiedersehen [...] Das Christentum ist ein großer Trost und Segen für mich, obwohl ich völlig außerstande bin, alle seine ursprünglichen Dokumente zu glauben.›

Der selbst schwerkranke Darwin war von diesem Lebensbericht eines abgefallenen Geistlichen gefesselt und übte nur an Sterlings anhaltender emotionaler Bindung an das Christentum Kritik. ‹Ich spüre einfach, daß ich nicht im selben Geist glauben *kann* ... in dem Damen an alles und jedes glauben›, gestand er seinem Vetter Fox.[17] Vielleicht konnte er überhaupt nicht mehr glauben.

Al diabolo

Den Tod seines Vaters fürchtend, verfolgte er die religiösen Lebenswege anderer. Auch Coleridge las er in diesem Sommer. Emmas Vater hatte große Stücke auf Coleridge gehalten. Nachdem er sein Studium in Cambridge abgebrochen und kurz mit religiösem und politischem Radikalismus geliebäugelt hatte, waren die Wedgwoods seine literarischen Förderer geworden. Er kehrte dann zu einer Art von anglikanischem Konservativismus zurück und dokumentierte seinen Weg in *The Friend* und *Aids to Reflection,* die Darwin las. Das Christentum war für Coleridge keine zu beweisende Theorie, sondern ‹eine Lebensweise und ein lebendiger Prozeß›. Das erforderte einen Glaubenssprung, den Darwin nicht nachvollziehen konnte. Für Coleridge war die Religiosität der Seele angeboren und hatte nichts mit ererbtem Instinkt zu tun; doch Darwins ketzerische Notizbücher widersprachen dem. Coleridge hatte unrecht.

Und was war mit den Ungläubigen? Darwin dachte an seinen sterbenden Vater, auch an sich selbst. Coleridge schrieb den Mangel an Gefühl für das Christentum einem ‹versklavten Willen› zu. Man solle diese ‹Kinder des Teufels› die Strafe Gottes erleiden lassen, riet er. ‹Wird irgendeiner von euch›, fragte er die Zweifler, ‹von dieser verbreiteten Krankheit geheilt werden, der Furcht vor dem Tod?›[18] Er antwortete mit einer Paraphrase aus dem von Emma bevorzugten Johannes-Evangelium.

Darwin blieb ungerührt, selbst als er seinen Vater verfallen sah. Coleridge' Bücher enthielten für ihn keine Heilung. Er hatte sein Christentum zu gut von Leuten wie Paley und Norton gelernt – ein Christentum, das auf Beweisen fußte –, um sich vorstellen zu können, daß dessen Lehren auf der Basis vager Emotionen lange überleben würden. Coleridges Unterscheidung zwischen Leib und Seele, Verstand und Instinkt hatte er längst aufgegeben. Trotz all seiner Proteste klang Coleridge am Ende doch wie ein Evangelist. Sein religiöser Impetus verdankte seine Schubkraft immer noch dem Höllenfeuer. Dem Vater, dem Bruder Erasmus, vielleicht ihm selbst, so mußte Charles befürchten, drohte ewiges Schmoren. Das war eine monströse Lehre.

Der Vater war dem Tod nahe. Charles fuhr am 10. Oktober nach Shrewsbury. Selbst krank, blieb er zwei Wochen. Als er sich beim Abschied umwandte, sah er seinen Vater ‹gelassen und heiter›, eine Erinnerung, die ihn stets froh machte. Am Montag, dem 13. November, während Emma auf Verwandtenbesuch war, hörte Charles von Catherine, daß es mit dem Vater rasch zu Ende gehe. Nach einigen schlechten Nächten schien er keine Schmerzen mehr zu haben; das Leiden habe aufgehört, schrieb sie, und sein Gesicht sehe nicht mehr ‹so beklommen› aus, obwohl er kaum sprechen könne und nach Atem ringe. Er habe sich jetzt mit dem Tod abgefunden. Ihn riesig und unbeweglich dort im Gewächshaus sitzen zu sehen, sei ‹einer der schönsten und herzergreifendsten Anblicke, die man sich vorstellen kann›. Am nächsten Tag traf die unvermeidliche Nachricht ein. Der Vater war um 8.30 Uhr, in seinen Stuhl gebettet, gestorben, und Susan war ‹die ganze Zeit in seiner Nähe› gewesen.[19] Nach so vielem Leiden war es ein friedliches Ende.

Die fünfjährige Henrietta, Etty genannt, noch zu jung, um den Tod zu begreifen, war ‹von Scheu ergriffen› angesichts der Wirkung, welche die Todesnachricht auf ihren Vater hatte, und weinte ‹bitterlich aus Mitgefühl›. Charles war niedergeschmettert, und Emma eilte nach Hause. Ihr ‹Mitgefühl und ihre Zuwendung› waren unschätzbar. Er war jetzt in einem so elenden Zustand, daß er am folgenden Samstag nicht einmal am Begräbnis teilnehmen konnte. Zwar fuhr er nach Shrewsbury, besorgt, Emmas Geduld mit seinem Klagen erschöpft zu haben. Aber er traf erst ein, nachdem die Beisetzungsfeier schon begonnen hatte, und blieb in The Mount bei seiner Schwester Marianne, die so aufgewühlt war, daß auch sie nicht teilnehmen konnte. Es sei zwar ‹nur eine Zeremonie›, räumte er ein; dennoch tat es ihm leid, sie versäumt zu haben. Er war auch nicht wohlauf genug, um ein paar Wochen später als Testamentsvollstrecker zu fungieren.[20] Für den Rest des Jahres und einen Teil des nächsten verkroch er sich vor der Welt in Down.

Er fühlte sich außerstande, irgend jemanden zu sehen, außer vielleicht Sir John Lubbocks halbwüchsigen Sohn John. Daß der Junge so fasziniert von seinem Mikroskop war, rettete Darwin aus der totalen Verzweiflung. Er flüchtete mit ihm in eine unvorstellbare mikroskopische Welt, die von Leben wimmelte, und wurde gewissermaßen Johns wissenschaftlicher Vater; er beschaffte ihm auch ein identisches Instrument.[21] So führte er die Praxis Dr. Darwins fort, indem er John die kluge Anleitung zuteil werden ließ, die er selbst von seinem Vater empfangen hatte.

Neun Monate nagender Befürchtungen und zwanghafter Arbeit hatten ihren Tribut gefordert und Charles in eine chronische Depression gestürzt. Wellen von Schwindel und Verzagtheit erfaßten ihn. Den ganzen Winter hindurch erlitt er Woche um Woche fürchterliche Brechanfälle. Seine Hände zitterten, und er war ‹jeden dritten Tag außerstande, irgend etwas zu tun›. Beunruhigende neue Symptome traten auf: Zuckungen, das Gefühl, einer Ohnmacht nahe zu sein, und schwarze Punkte vor den Augen. Zum erstenmal kam er zu der Überzeugung, daß er selbst im Begriff sei, ‹den Weg allen Fleisches zu gehen›. Als seine tiefbetrübten unverheirateten Schwestern Susan und Catherine zu Besuch kamen, ging er ihnen aus dem Weg und sprach nie mit ihnen über ihren gemeinsamen Verlust. Er brachte es nicht über sich, ihnen seine lähmende Furcht mitzuteilen: daß es ihn als nächsten treffen werde.

Emma allein war noch übrig, um ihm Mut zu machen. Seit dem tragischen Tod ihrer Schwester Fanny im Alter von sechsundzwanzig Jahren hatte sie tiefe Tröstung in der Heiligen Schrift gefunden. Sie schöpfte jetzt aus ihrer inneren Kraftquelle und band Charles mit Fäden der Liebe an sich, erfüllte seine täglichen Bedürfnisse und betete für ihn. In der Frage des ewigen Lebens waren sie freilich nicht einer Meinung – das Johannes-Evangelium stand immer noch zwischen ihnen. Tatsächlich hegte Charles weitaus mehr religiöse Zweifel, als Emma bewußt war. Aber sie konnte in dieser belastenden Zeit christliches Zeugnis ablegen und ihm helfen, zur Ruhe zu kommen.

Drei elende Monate nach dem Tod des Vaters, im Februar 1849, vertiefte sich Charles voll Selbstmitleid in Harriet Martineaus neues Buch. Er und Erasmus hatten inzwischen mit der unkritischen Einstellung der Schriftstellerin in Wissenschaftsdingen die Geduld verloren. Der Mesmerismus-‹Fimmel› der Martineau hatte Darwin veranlaßt, über die Leichtgläubigkeit der Damen zu spotten. Diese Scharte wetzte sie jetzt wieder aus. Ihr *Eastern Life, Present and Past* enthielt einen unheiligen Führer durchs Heilige Land – so unheilig, daß John Murray sich weigerte, das Buch herauszubringen, da er dessen ‹ungläubige Tendenz› beanstandete.[22] So weit war die Martineau von der Art und Weise abgewichen, wie Damen üblicherweise glaubten.

Ihr Reisebericht war eine kaum verhüllte kritische Geschichte der Religion und mehr nach Darwins Geschmack. Das Leitmotiv war der Tod; in dem Text wimmelte es von Gräbern. Die ‹schwarzen Schatten des Vergessens› folgten ihr von Ägypten durch die Sinaiwüste nach Palästina. Dort besuchte sie zu Ostern das Grab des Lazarus, das Tote Meer, die Prophetengräber auf dem Ölberg, den Friedhof auf dem Blutacker, wo sich Judas Ischariot erhängte, und das Tal des Gihon, ‹wo der Wurm nicht starb und das Feuer nicht erlosch›. All dies wurde mit dem österlichen ‹Puppentheater› in der Heiliggrabkirche kontrastiert. Darwin war gefesselt von der Botschaft der Martineau, daß christliche Überzeugungen in bezug auf Lohn und Strafe auf heidnischem Aberglauben basierten. Und wie wenig die Welt sich seither weiterbewegt hatte! Die Martineau staunte über die unversehrte Gruft eines reichen Ägypters, ausgemalt mit Szenen seiner Familie, seiner Taten, seines erwarteten Lebens im Jenseits. ‹Wie sehr glichen sein Leben und sein Tod dem unseren!› schrieb sie. ‹Wenn man ihn mit einem pensionierten Marineoffizier unserer Zeit vergleicht, der zum Landadligen gemacht wird, stellt man fest, daß die Übereinstimmung zwischen ihnen weitaus größer ist als die Unterschiede!›[23]

Aber manche Landadlige waren doch schon weiter. Darwin hatte mit Aberglauben nichts im Sinn, und ihm gefiel der Exkurs der Martineau. Dennoch erfüllten ihn Gedanken an den Tod immer noch mit Schaudern, und sein in einer Woche bevorstehender vierzigster Geburtstag verhieß keinen Lichtblick. Nachdem er die Gesellschaft so lange gescheut hatte, konnte er jetzt kaum noch Briefe beantworten oder irgend etwas tun, was Anstrengung erforderte. ‹Pausenloses Erbrechen›, teilte er Owen als Erklärung dafür mit, warum es mit den Rankenfüßern so lange dauerte. ‹Ich habe in den letzten 4 oder 5 Monaten›, fügte er hinzu, ‹mindestens vier Fünftel meiner Zeit verloren.› Es lag auf der Hand, daß es so nicht weitergehen konnte.[24] Es mußte etwas geschehen.

24

Mein Wasserdoktor

Freunde machten sich Sorgen um Charles. Sein alter *Beagle*-Gefährte Captain Sulivan, für drei Jahre beurlaubt und im Begriff, mit seiner Familie auf die Falklandinseln zu fahren, hatte vorbeigeschaut, um sich zu verabschieden, und ihn in einem erbärmlichen Zustand vorgefunden: schwach und kaum noch gehfähig. Er empfahl dem ‹Philosophen›, Dr. James Gullys Wasserheilanstalt auszuprobieren, die anderen geholfen habe.

Charles spielte mit dem Gedanken. Fox hatte positive Berichte über Gullys vornehmes hydropathisches Sanatorium in den schönen Malvernhügeln gehört. Es war seit sieben Jahren in Betrieb und bereits der renommierteste Badeort für die gichtgeplagten Reichen. In den Sommermonaten nahm der charmante, belesene Gully hundert oder mehr an Verdauungsstörungen leidende Patienten auf. Literaten zahlten ebenso wie Salonlöwen ihre zwei Guineen pro Woche für das Tonikum. Tennyson hatte es probiert; Carlyle, Macauly und Dickens sollten folgen. Charles war sich im klaren darüber, daß Gully ein Vermögen machte, was ihm nicht gerade Vertrauen einflößte. Er war auch skeptisch in bezug auf die Behandlung als solche und neigte dazu, sie als die übliche Quacksalberei abzutun. Sein Londoner Berater, Dr. Henry Holland, war ebensowenig bereit, sich dafür zu verbürgen. Tatsächlich stellte Darwins Fall für Holland ein Rätsel dar. Er hatte nie derartiges gesehen und diagnostizierte sein Leiden als eine Art von ‹unterdrückter Gicht›.[1] Im Gegensatz zur Gicht seines Vaters wirke sich die von Charles innerlich, auf den Magen aus. Sie wurde nach Hollands Meinung von Giften im Blut verursacht, die eine erbliche Veranlagung aktivierten. Aber es gab nichts, was er dagegen tun konnte.

Wenn sein Zustand die Spezialisten vor Rätsel stellte, dann hatte man nichts zu verlieren, wie sein Vater vor seinem Tod gesagt hatte. Charles las Gullys Buch *The Water Cure in Chronic Disease,* um sich selbst ein Bild von Gullys Heilverfahren zu machen. Kaltwassergüsse über den Körper dienten zur Anregung des Kreislaufs und sollten die Blutzufuhr von den entzündeten Magennerven wegziehen. Gully wies jedoch darauf hin, daß die Heilung der Dyspepsie lange Zeit erfordere, und empfahl einen zweimonatigen Aufenthalt, ohne Wunder zu garantieren. Emma fand, Gully höre sich wie ein vernünftiger Mensch an. Mit einigem Bangen beschloß Charles, den Sprung zu wagen. Erst die Erfahrung werde zeigen, ‹ob an Gully und der Wasserkur etwas dran ist›, schloß er, so experimentierfreudig wie je. ‹Das wird eine bedauerliche Verzögerung meiner Rankenfüßerarbeit bewirken, aber wenn ich halbwegs gesund wäre, könnte ich in 6 Monaten mehr schaffen als jetzt in zwei Jahren.›[2] Er ahnte nicht, wie lange die Verzögerung dauern sollte.

Der ganze Haushalt würde übersiedeln müssen. Emma wurde bei der Vorstellung bang, sechs Kinder ‹mit Sack und Pack› nach Great Malvern zu verpflanzen. ‹Es ist ein großer Umstand ... aber wir glauben, daß Dr. Gullys Behandlung in weniger als 6 Wochen oder 2 Monaten nicht anschlagen würde, und das wäre zu lange, um die Kinder allein bei ihren Tanten zu lassen.› Der ganze Clan brach am 8. März 1849 in das neblige Worcestershire auf, die älteren Kinder in der Obhut ihrer neuen Gouvernante, Miss Thorley, die Dienstboten, Charles und Emma separat mit dem knapp sieben Monate alten Francis. Die Hundertfünfzig-Meilen-Reise nahm zwei Tage in Anspruch, und Francis schrie auf der ganzen Fahrt. Great Malvern lag in einem unentwickelten Niemandsland, das von Eisenbahngesellschaften umkämpft war, die miteinander konkurrierten, um ihre Bahnlinien nach Südwales auszudehnen. In London nahmen die Darwins die Cheltenham and Great Western Line nach Gloucester, von wo sie mit einer Sonderkutsche eine nervenzermürbende, dreistündige Fahrt über Landstraßen in den Kurort antraten. Als sie eintrafen, war die gesamte Familie erholungsreif. Das Städtchen hatte mehrere tausend Einwohner, aber seine weißen Steinhäuser, die sich an den Steilhang am Fuß des Worcestershire Beacon schmiegten, machten einen sauberen und wohlhabenden Eindruck, und es herrschte eine Atmosphäre ‹friedlicher Abgeschiedenheit›.[3] Die Darwins mieteten ein Haus, The Lodge, einige hundert Meter außerhalb an der Worcester Road gelegen. Dort konnten die Kinder auf den bewaldeten Hängen des North Hill herumtollen. Und Charles konnte seine gewohnte Zurückgezogenheit wahren und doch mit Dr. Gully in Verbindung bleiben. Seine Stimmung begann sich zu heben.

Darwin und Dr. Gully waren ein interessantes Gespann. Sie waren fast gleichaltrig. Beide hatten sich 1825 in Edinburgh immatrikuliert. Gully war jedoch später nach Paris gegangen und hatte 1829 dort sein Studium abgeschlossen. Wie so viele radikale Mediziner, die um diese Zeit von Edinburgh kamen, hatte er sich der alternativen Wissenschaft verschrieben und hegte selber evolutionäre Sympathien. Er besaß den Glauben eines Radikalen an unorthodoxe Praktiken wie Homöopathie, Hydropathie und Mesmerismus, den Darwin in keinem dieser Punkte teilte. Darwin überwand niemals sein

Mißtrauen gegenüber der Homöopathie, und auch über den Rest hatte er nicht viel Gutes zu sagen. Es sei eine ‹bedauerliche Schwäche› von Gullys Charakter, daß ‹er an alles glaubt›.[4] Trotz alledem war Gully vorsichtig in seinen Diagnosen. Außerdem war er fürsorglich, und Darwin, dem der Tod seines Vaters nachging und dessen Nerven zerrüttet waren, schätzte dies mehr als alles andere.

So begann er die Kaltwasserkur. Er schickte seiner Schwester Susan einen Guß-für-Guß-Bericht über die Anwendungen.

‹¼ vor 7 stehe ich auf und werde 2 oder 3 Minuten lang mit einem derben Handtuch in kaltem Wasser abgerieben, was mich nach den ersten Tagen rot wie einen Hummer machte und noch macht. Ich habe einen Wäscher, einen sehr netten Menschen, der mich hinten schrubbt, während ich vorne schrubbe. Dann trinke ich ein Glas Wasser, kleide mich so rasch wie möglich an und gehe 20 Minuten lang [...] Dabei trage ich eine Kompresse aus einem breiten, zusammengefalteten nassen Leintuch, abgedeckt durch gummierten Stoff, das alle 2 Stunden «erneuert», d. h. in kaltes Wasser getaucht wird und das ich den ganzen Tag trage.›

Verboten waren Zucker, Salz, Speck und Anregungsmittel, so gut wie ‹alles Gute›; allerdings gestattete man Darwin entgegen der Regel gelegentlich eine Prise Schnupftabak. Gully verordnete ihm homöopathische Arzneien, die er ‹ohne ein Atom von Glauben› einnahm. Die Familie fand Gully sympathisch, und Darwin entdeckte an ihm Ähnlichkeiten mit seinem Vater: autoritär, aber gütig. Er fühlte sich dem Arzt sehr bald verbunden und sprach später von ihm sogar als ‹meinem geliebten Dr. Gully›. ‹Er ist sehr liebenswürdig und aufmerksam›, notierte er gleich am Anfang, und obwohl ihm ‹mein Fall rätselhaft erscheint›, sprach Darwin gut auf die Behandlung an.[5]

Das galt auch für die übrigen Patienten. Gelähmte, paralytische Herren der Gesellschaft, leidende Damen und abgezehrte Kinder waren im ganzen Städtchen zu sehen. Sie hatten große Mühen und Kosten auf sich genommen, um hier Heilung zu suchen, und die meisten glaubten sie auch zu finden. ‹In Malvern geht es immer lustig zu›, meinte ein Zeitgenosse. ‹Die Patienten ... neigen allgemein zur Trunkenheit – sicherlich sind sie vom Wasser beschwipst.› Das hatte eine günstige Wirkung auf ihre Familien, die Darwins nicht ausgenommen. Ihr Aufenthalt im Zeichen der Frühjahrsblüte entwickelte sich zu wunderbaren Ferien. Er blieb ihnen immer als glückliche Zeit in Erinnerung. Charles ging mit dem vierjährigen Georgy in einen Spielzeugladen und kaufte ihm ein Musikinstrument. Emma kaufte Geschenke ein und wanderte mit Annie und Willy auf den Berg hinauf. Annie, mit großem italienischem Strohhut und schwarzem Strickjäckchen, nahm Tanzstunden und lernte die Quadrille. Francis wurde in der Prioratskirche getauft. Die festliche Atmosphäre gab Charles weiteren Auftrieb. Er begann sich zu beruhigen und eine müßige Zufriedenheit zu empfinden. Im Gedenken an die ‹alten Zeiten› ging er auf Käferjagd und wärmte gegenüber Henslow Erinnerungen an ihre botanischen Moorlandexkursionen auf. Er kaufte sogar ein Pferd und durchlebte erneut die ‹zauberhaften Tage› von einst.[6] Seine Übelkeit legte sich, das Zittern verschwand, seine Kraft kehrte zurück, und er nahm zu. Bald erwartete Emma wieder ein Kind.

Charles' Magenbeschwerden wurden als eine Nervensache diagnostiziert, Folge übermäßiger geistiger Anstrengung, und die davon herrührende schlechte Zirkulation wurde durch Kompressen behoben. Dem in Indien schwitzenden Hooker berichtete Charles: ‹Ich werde von Spirituslampen aufgeheizt, bis mir der Schweiß in *Strömen* herunterrinnt. Dann werde ich plötzlich rabiat mit Handtüchern abgeschrubbt, die von kaltem Wasser triefen; ich nehme zwei kalte Fußbäder und trage den ganzen Tag eine feuchte Kompresse auf dem Bauch.› Mitte April war er seit einem Monat frei von Übelkeit und wanderte sieben Meilen am Tag. Anfang Mai glaubte Gully, daß eine vollständige Genesung möglich sei. Da Charles sich nunmehr so gut fühlte, mußte er zugeben, daß die Wasserkur doch keine Quacksalberei war. Was auch immer die Anwendungen sonst bewirkten, sie hinderten ihn jedenfalls an der Arbeit und lenkten seinen überlasteten Geist von Ängsten bezüglich Verfolgung und Tod ab. Das war nicht zu verachten, ob Quacksalberei oder nicht, auch wenn sich die Monate erzwungenen Nichtstuns in anderer Weise bemerkbar machten. Bald klagte er, sein Geist stagniere.[7] Down und seine ‹geliebten Rankenfüßer› winkten; er hatte es eilig, nach Hause zu kommen.

Der ganze Troß war schließlich am 30. Juni wieder zu Hause. Charles war länger weggewesen, als er beabsichtigt hatte – und länger, als er je wieder von Down fort sein sollte. ‹Wir blieben 16 statt 6 Wochen›, schrieb er Fox. Aber es hatte sich gelohnt; die Übelkeit war verschwunden, sein Kopf war klar, seine Hände ruhig – er war bereit, wieder nach den Seziernadeln zu greifen.

Seine Kur setzte er zu Hause fort, ‹wenn auch in etwas gemäßigterer Weise, um keine Krise herbeizuführen›. Im Garten, in der Nähe seines phantastischen, fast hundert Meter tiefen Brunnens, ließ er vom Dorfzimmermann eine kleine, kirchenförmige Hütte bauen, die eine Badewanne mit einer Plattform darin enthielt; darüber war ein riesiger Behälter mit einem Fassungsvermögen von fast dreitausend Litern Wasser angebracht. Der Sohn des Zimmermanns, John Lewis, erinnerte sich: ‹Ich mußte ihn täglich vollpumpen [...] Mr. Darwin kam heraus, zog sich in seiner kleinen Umkleidekabine aus, stellte sich auf die Plattform und ... zog an der Schnur, und das ganze Wasser ergoß sich durch ein fünf Zentimeter starkes Rohr auf ihn. Eine Dusche nannten sie es.›

Der fünfzehnjährige Lewis half Darwin auch bei seiner zweiten Anwendung, der morgendlichen Sauna. ‹Er stand für gewöhnlich ... um sieben auf, und ich mußte die große Wanne auf dem Rasen vor dem Arbeitszimmer vorbereiten [...]. Dann kam Mr. Darwin [in seine Hütte] herunter und saß dort im Schein einer Spirituslampe, rundherum in Decken eingewickelt, in einem Sessel, bis es Schweißtropfen regnete, wenn er den Kopf schüttelte [...]. Ich habe ihn ... Parslow zurufen hören: «Ich werde geschmolzen sein, wenn du dich nicht beeilst!» Dann stieg er im Freien in das eiskalte Bad.›

Parslow, der Butler, diente ihm als Bademeister und schrubbte Darwin, bis er rot und wund war. Er betrachtete sich bereits als ‹absolut geheilt›, aber es war besser, auf Nummer Sicher zu gehen; deshalb begann er ein Gesundheitstagebuch, um sich über seine täglichen Fortschritte Rechenschaft zu geben. Die Wasserheilkunde sei mit Sicherheit ‹eine großartige Entdeckung›. Hätte er sie doch nur ‹fünf oder sechs Jahre› früher probiert![8]

Sobald er sich wieder häuslich eingerichtet hatte, erhielten erneut die Rankenfüßer Vorrang. Er verschickte weiterhin Bitten um Exemplare. Selbst von Great Malvern aus hatte er an Syms Covington, sein altes *Beagle*-Faktotum, nach Neusüdwales geschrieben und ihn gebeten, in der Kolonie für ihn zu sammeln, was Covington auch sachkundig tat. Aber die Exemplare alle zu verarbeiten war zeitraubend, solange er ein ‹Sklave der Behandlung› blieb. Gully gestattete ihm höchstens zwei oder drei Stunden intellektueller Arbeit täglich, und auch dann nur mit einem Minimum an ‹geistiger Aufregung›. Er verstand seinen Patienten gut.

Dennoch waren manche Vorhaben dringlich, etwa im Zusammenhang mit der September-Tagung der British Association in Birmingham. Dieser Veranstaltung konnte er kaum ausweichen, nachdem er zu einem der Vizepräsidenten gewählt worden war; außerdem wollte er eine Abhandlung von Albany Hancock über löcherbohrende Rankenfüßer kommentieren. Emma begleitete ihn, um ein Auge auf ihn zu haben. Doch die Zusammenkunft war nicht ‹brillant›. Darwin wurde ‹der ganzen Salbaderei› müde, und ‹Sir H. de la Beches scharfe, laute Stimme und seine hohldröhnenden Reden› irritierten ihn. Die ganze Stadt war ‹so groß und abstoßend›, und zu allem Überfluß kehrte mit der Aufregung sein Brechreiz zurück. Verzweifelt machte er einen Abstecher zu Dr. Gully nach Great Malvern. Dann kehrte er nach Hause zurück, wo er einen Tag im Bett verbrachte und sich sterbenselend fühlte. Offenkundig wirkte die Behandlung nur so lange, wie er das ‹Leben eines Einsiedlers› führte. Zwei Wochen später hatte sich sein Magen immer noch nicht erholt. Darwin hatte seine Lektion gelernt: Obwohl er einige Wochen später in den Vorstand der Royal Society aufgenommen wurde, erschien er im folgenden Jahr nur zu einer einzigen Sitzung.[9] Ein so häufiges Fehlen wurde von den jungen Reformern der Society nicht verziehen, und man wählte ihn kein zweites Mal.

Unterdessen blieb Darwin von ‹Mr. Arthrobalanus› fasziniert. Dieses ‹unförmige kleine Monster› hatte ihn ursprünglich zu seinen strapaziösen Sektionen animiert und hielt selbst nach drei Jahren noch Überraschungen für ihn bereit. ‹Mr.› war genaugenommen eine Fehlbezeichnung, denn seine Exemplare erwiesen sich als Weibchen, auf deren Mantel winzige Männchen festsaßen – wie bei *Ibla* und *Scalpellum*. Hier war die Reduktion genauso drastisch: Das Männchen war ‹ein bloßer, von ein paar Muskeln ausgekleideter Sack, der ein Auge, Fühler und ein gigantisches Sexualorgan einschloß›. Das Glied kam zuerst, so schien es Darwin, und das Männchen folgte. ‹Mr. Arthrobalanus› war kaum mehr als ein rudimentärer Kopf auf einem ‹riesigen, zusammengerollten Penis› – ohne eine Spur der übrigen vierzehn Segmente eines normalen Rankenfüßerkörpers.[10]

Sobald er sich über diese Segmentierung klargeworden war, wußte Darwin, wie die Rankenfüßer von ihren krabbenähnlichen Verwandten abgezweigt waren. Mit anderen vergleichenden Anatomen der 1840er Jahre stimmte er darin überein, daß alle Tiere nach einigen wenigen Grundmustern konstruiert waren. Dies waren die ‹Archetypen› des Lebens. Durch das Studium dieser Baupläne konnten die Zoologen Homologien unter verschiedenen Lebewesen herausarbeiten. Bei Säugetieren, Vögeln und Fischen waren zum Beispiel Arme, Flügel und Flossen homolog, d.h. aus den gleichen Teilen des Bauplans abgeleitet. Auch Richard Owen vertrat diese Auffassung. Darwin selbst hatte sich seit seinem Studium in Edinburgh bei Grant mit Homologien befaßt, aber er interpretierte sie ganz anders als Owen.

Obwohl Darwin Owens Arbeit lobte und ihn bescheiden wissen ließ, daß auch er ‹in sehr *kleinem* Umfang› Homologien festgestellt habe, ließ er seine eigene Deutung niemals durchblicken. So vermerkte er in Owens neuem Buch *On the Nature of Limbs* am Rand:

‹Ich betrachte Owens Archetypen als mehr denn ideal, als eine reale Repräsentation, sofern die vollendetste Geschicklichkeit und die höchste Verallgemeinerung die Elternform der Wirbeltiere repräsentieren kann. Ich stimme ihm darin zu, daß es einen erschaffenen Archetypus gibt, den Vorfahren seiner Klasse.›

Darwin glaubte genau wie Owen an einen Schöpfer. Aber Owen war ein Coleridgescher Idealist; sein ‹Archetypus› existierte nur im Geist Gottes. Darwin war dagegen Erbe einer rivalisierenden unitarischen Tradition, die sich auf materielle Abläufe berief. Er dachte an reale, historische Eltern.[11] Homologien deuteten für ihn auf Blutsverwandtschaft, und er benutzte sie, um herauszuarbeiten, daß die Rankenfüßer faktisch mit Krabben und Krebsen verwandt waren.

In Paris hatte Henri Milne-Edwards gezeigt, daß das archetypische Krustentier aus einundzwanzig Segmenten bestand. Dieses primitive, garnelenähnliche Geschöpf, so glaubte Darwin, gebe uns eine Vorstellung von den gemeinsamen Vorfahren der verschiedenen Krabben, Krebse und Rankenfüßer. Gestützt auf Milne-Edwards' Modell, konnte Darwin demonstrieren, wie sie sich auseinanderentwickelt hatten. Er folgerte, daß alles bei Rankenfüßern äußerlich Sichtbare den ersten drei Segmenten eines Krabbenkopfes entspreche, aber ‹wunderbar modifiziert und so vergrößert, daß der ganze restliche Körper hineinpaßt›.¹² Vierzehn Körpersegmente – die letzten vier waren völlig verschwunden – waren jetzt in dieser Hülle verpackt, und nur die federartigen Füße des Tieres schauten gelegentlich heraus, um Nahrung aus dem Wasser zu sieben. Bei den Zwergmännchen waren sogar diese Körpersegmente auf ein Rudiment reduziert.

Darwin war ganz aus dem Häuschen darüber, diese Beziehung aufgedeckt zu haben. Sie half ihm auch, den Lebenszyklus der Rankenfüßer zu bestimmen. Ihre Metamorphose, so eröffnete er Louis Agassiz, sei, milde ausgedrückt, merkwürdig. Bei der freischwimmenden Larve werde ein Teil des Fortpflanzungsapparats, der Eileiter, ‹zu einer Drüse modifiziert, die einen Klebstoff absondert›. Noch seltsamer: Diese Drüsenkanäle öffneten sich ausgerechnet an der Spitze der Fühler. Die Larve scheide also aus dem Kopf ein Bindemittel aus, klebe sich damit an den Felsen und beginne ihre seßhafte Lebensweise als Erwachsene somit auf dem Kopf stehend. Das alles klinge ‹äußerst unwahrscheinlich›, räumte Darwin ohne Umschweife ein, doch Rankenfüßer seien nun einmal unwahrscheinliche Tiere.¹³ Vom Eileiter der Krabbe zur Klebstoffdrüse: Dies war noch weitaus überraschender als Füße, die zu Fangnetzen wurden. Das lieferte Darwin den dramatischsten Beleg für die Art und Weise, wie ein Organ seine Funktion wechseln kann, wenn sich ein Tier neue Umweltbedingungen zunutze macht.

Durch sein *Journal of Researches* war Darwin international bekannt geworden. Jetzt schlug er aus seinem Namen Gewinn. Er verschickte Briefe in alle Welt. Die Reaktion aus Amerika war sehr ermutigend. Agassiz sandte ihm eine Kiste voll Rankenfüßer, und sein Mitautor, Dr. Augustus Gould, der eigentliche Experte, der gegenwärtig die von der United States Exploring Expedition gesammelten Muscheln beschrieb, schickte eine weitere. Als Dank erhielten beide die neuesten Nachrichten über Extramännchen und Klebstoffdrüsen. Im Herbst trafen auch bedeutende europäische Sammlungen in Down ein. Milne-Edwards sorgte dafür, daß Darwin Exemplare aus dem Pariser Musée d'Histoire naturelle bekam, und der Physiologe Johannes Müller schickte einige aus Berlin. Sir James Ross' polare Abarten hatte er bereits. Andere trafen vom Kontinent ein. In einem Fall auch nicht: Eine Sendung von Professor Johann Forchhammer von der Universität Kopenhagen kam auf der Fahrt über den Ärmelkanal abhanden. Darwins Mut begann zu sinken, denn die ‹gräßlich langweilige Arbeit› des Zusammenstellens der Beschreibungen drückte ihn nieder. Das bekam auch Hooker zu spüren. Nachdem er einen Brief nach dem anderen, vollgestopft mit letzten

Rankenfüßer-Meldungen, erduldet hatte, wurde er allmählich mürbe. Wenn er es sich recht überlege, schrieb er, ziehe er es letzten Endes doch vor, Darwins evolutionäre Spekulationen zu hören. Die Ironie entging Darwin keineswegs. Das tue ihm ‹wirklich furchtbar leid›, gab er zurück, denn es sei ja ‹Deine entschiedene Ermutigung meiner wenig reizvollen Rankenfüßerarbeit› gewesen, die ihn veranlaßt habe, ‹meinen Spezies-Aufsatz zu verschieben›.[14]

Die Bewährungsprobe für seine wiedererlangte Ausdauer kam mit dem nahenden Winter. Alle seine Krankheitssymptome waren verschwunden, die Muskelkrämpfe, die Schwindelanfälle, die Punkte vor den Augen, auch das Erbrechen. Nach kurzen Fieberanfällen Ettys und Willys im Sommer ‹florierte› tatsächlich die ganze Familie. Doch Charles mußte sich weiterhin der Wassertortur unterziehen. ‹Sauna 5mal wöchentlich, danach 5 Minuten seichtes Bad; täglich 5 Minuten Dusche und tropfnasses Leintuch›, lautete die Zauberformel. Mit Einsetzen des Winters wurde das Wasser kälter. ‹Bei Temperaturen unter 5 Grad Celsius 5 Minuten im Wasser zu bleiben, das ist harte Arbeit.› Aber es war wunderbar stärkend und hatte noch andere Vorzüge: Es bot ihm eine Ausrede, und nicht nur, um die Arbeit zu reduzieren. Er hatte bereits ‹jede Lektüre außer den Zeitungen› aufgegeben. Jetzt konnte er sich auf eine medizinische Autorität berufen, um persönliche Kontakte zu meiden. ‹Ich bin noch nie so von allen befreundeten Wissenschaftlern abgeschnitten gewesen›, tröstete er Hooker in seinem Bergbiwak.[15]

Abgeschnitten war nicht das richtige Wort. Doch zumindest hatte Darwin seine Freiheit. Hooker war zu diesem Zeitpunkt ein Gefangener. Als Darwin eines Tages ‹müßig in der Zeitung blätterte›, las er zu seinem Entsetzen, sein Freund sei gekidnappt worden. Am 7. November waren Hooker und der Regierungsbeauftragte in Sikkim bei der Rückkehr aus Tibet auf einem Himalajapaß von einem örtlichen antibritischen Stammesfürsten verhaftet worden. Das war eine verbreitete Taktik, um Beschwerden Nachdruck zu verleihen und Zugeständnisse zu erpressen, und Hooker wurde denn auch nicht schlecht behandelt. Darwin, der Hookers Prioritäten kannte, fürchtete dennoch, ‹daß seine Sammlung vor die Hunde gehen› werde. Komischerweise war das Gegenteil der Fall: Man gestattete Hooker auf seinem Zwangsmarsch nach Süden sogar, Rhododendronsamen zu sammeln. Die Gruppe wurde sechs Wochen lang gefangengehalten und erst nach Drohungen von Lord Dalhousie, der ein Regiment nach Darjeeling verlegt hatte, kurz vor Weihnachten freigelassen. Um dieses Banditentum zu stoppen und den Radschas, wie Hooker es ausdrückte, zu zeigen, ‹daß sie mit einem britischen Staatsbürger nicht Katz und Maus spielen konnten›, wurde das südliche Sikkim prompt für die Krone annektiert, wobei Hooker die Expeditionstruppen beriet. Künftig würde das Botanisieren im Himalaja eine weniger gefährliche Angelegenheit sein. Für Darwins Geschmack war dieses Abenteuer allzu brenzlig. Er fürchtete, seinen Vertrauten zu verlieren. ‹Der Himmel gebe, daß der arme Joseph Hooker davonkommt›, betete Lyell, nachdem er gehört hatte, daß vier von Hookers Kollegen auf der Reise gestorben waren. Darwin hätte dem wohl ein ‹Amen› hinzugefügt. Er hoffte, daß dieses Schurkenstück wenigstens ein Gutes zur Folge haben werde, schrieb er, nämlich, daß ‹Sir William und Lady Hooker darauf bestehen, daß Du nach Hause kommst›.[16]

Hookers Schicksal war aber nicht Darwins einzige Sorge. Im Herbst 1849 nahmen die Anlässe zur Beunruhigung bedrohlich zu. Im November erkrankten nacheinander Annie, Etty und die zweijährige Elizabeth, genannt Lizzy, an Scharlach. Forchhammers Fossilien waren immer noch nicht aufgetaucht, und Darwins Ungeduld wuchs. Schließlich trafen sie ein, jedoch erst nach Wochen angespannten Wartens. Er war auch erpicht darauf, einige seltene fossile Rankenfüßer von Robert Fitch zu bekommen, einem Apotheker und Amateurgeologen aus Norwich. Doch als Fitch’ Sendung zu Beginn des neuen Jahres eintraf, war eines seiner Präparate in dreizehn Teile zerbrochen. Beunruhigt, daß das Mißgeschick ihm zur Last gelegt werden und ihn Fitch’ Kooperationsbereitschaft kosten könnte, klebte Darwin es sorgfältig wieder zusammen. Während er sich über die Fossilien und die fiebernden Kinder Sorgen machte, wurde seine Theorie der Korallenriffe in den Vereinigten Staaten einer kritischen Prüfung unterzogen, und zwar von einem Geologen, ‹einem genauso verd… Besserwisser wie Macaulay›. Darwin gewann seine Fassung wieder, als er entdeckte, daß James Dwight Dana in Yale nur geringfügig von ihm abwich. Aber für jemanden, der von sich sagte, daß ihm ‹seine Theorien ebenso ans Herz gewachsen sind wie seine Kinder›, war die Lektüre von Danas *Geology* eine emotionale Belastungsprobe. Sie verursachte ihm Schweißausbrüche, wie sie ihn immer dann überkamen, wenn er meinte, sein Werk erfahre Zurücksetzung.

Zu allem Überfluß stand Emma kurz vor der Entbindung – ihrer achten. Am 15. Januar war Charles gerade mit der Reparatur von Fitch’ Fossil beschäftigt, als bei Emma die Wehen einsetzten. Er schickte nach dem Arzt, der jedoch auf sich warten ließ; inzwischen ‹traten ihre Schmerzen in so rascher Folge auf und waren so stark›, schrieb er, Fox, ‹daß ich ihren Bitten um Chloroform nicht widerstehen konnte›. Er mußte es ihr selbst verabreichen, was eine ‹nervenaufreibende Sache› war, ‹da ich aus erster Hand nichts darüber und über Geburtshilfe wußte›. Er legte Emma einen getränkten Lappen über die Nase, und die Wirkung trat augenblicklich ein. Da er keine genaue Kenntnis des Verfahrens hatte, hielt er Emma gefährlich lange – eineinhalb Stunden – bewußtlos. Als der Arzt eintraf, blieben ihm gerade noch zehn Minuten Zeit für die Entbindung. Emma erwachte, ohne etwas von der Tortur mitbekommen zu haben; sie erfuhr lediglich, daß es ein Junge war. Sie nannten ihn Leonard nach Henslows Erstgeborenem und Reverend Jenyns. Chloroform sei ‹die großartigste und segensreichste aller Entdeckungen›, versicherte Darwin Henslow.[17] Es hatte Emma genauso geholfen, wie die Wasserkur ihm half. Zusammen hatten sie dank der medizinischen Wissenschaft die schlimmsten Gefahren des Winters fast schmerzlos überstanden. Darwin fühlte sich jetzt besser als seit Monaten.

Einige Tage nach Leonards Geburt machte er sich an die Beschreibung der Fossilien. Die ihm vorliegenden fossilen Rankenfüßer bestanden häufig aus nichts weiter als der leeren Hülse, die bald nach dem Tod des Tieres auseinandergebrochen war. Aber einige – sehr wenige – versprachen etwas mehr. Fitch hatte seine ‹konkurrenzlose Sammlung› im Lauf von zwanzig Jahren aufgebaut, und in dieser ganzen Zeit hatte er nur zwei gefunden, die noch ganz und nicht vor ihrer Fossilisierung in Stücke gebrochen waren. Darwin jubelte jetzt beim Anblick von Fitch' seltenem Fossil *Pollicipes* aus dem Kreidekalk von Norfolk, dessen Mantel noch vollständig war, was hoffen ließ, daß innen noch ein Abdruck des Tieres vorhanden sein könnte. Hingerissen schwärmte er, Fitch besitze ‹*bei weitem* die besten Exemplare›, die er je ‹aus einem Sekundärgestein› gesehen habe.[18]

Er entfernte auch von einem der intakten Fossilien von James Bowerbank das Oberflächenventil, um das Innere freizulegen, was es ‹*hundertmal* aufschlußreicher› machte. Bowerbank war von Beruf Schnapsfabrikant, seiner Berufung nach Schwammexperte. Er besaß eine Brennerei, Bowerbank & Co., widmete jedoch einen Großteil seiner Zeit der Naturgeschichte, und sein *Fossil Fruits of the London Clay* war ein Standardwerk. Er besaß eine ausgezeichnete Sammlung von Rankenfüßern, die nunmehr in Darwins Händen war. Wichtiger noch: Er leitete eine neue spezialisierte Vereinigung, die Paläontographische Gesellschaft, die es sich zur Aufgabe setzte, Monographien über britische Fossilien zu veröffentlichen. Im Februar gewann Bowerbank Darwin für die Mitarbeit, und die Gesellschaft übernahm die Kosten für die Tafeln, die sein Illustrator, James de Carle Sowerby, gravieren sollte. Der immer kostenbewußte Darwin war dankbar dafür, daß ihm die Ausgabe erspart blieb. (Er beschäftigte bereits Sowerbys Bruder George, der seine Sektionen zeichnete und seine Beschreibungen ins Lateinische übersetzte.)

Mit zwei Verlagen an der Hand – die Ray Society hatte sich von Anfang an bereit erklärt, seine Monographie über die lebenden Arten zu veröffentlichen –, hatte er trotzdem noch ein Stück Weges vor sich. Kisten mit Fossilien trafen Woche für Woche ein, und er öffnete sie jedesmal mit Bangen. Zwei weitere Exemplare, berichtete er Fitch mit ‹Kummer und Scham›, seien ‹etwas angebrochen, können jedoch *tadellos* repariert werden; ein drittes ist stärker beschädigt›. Dann begann die harte Arbeit, jede Spezies bis in die winzigsten Einzelheiten zu beschreiben. Es wurde ihm zur Gewohnheit: fünf Minuten spartanisches Eintauchen in eiskaltes Wasser, später zwei Stunden Rankenfüßer. Aber die vom Arzt verordnete Beschränkung auf zwei Stunden bedeutete, daß sich die Arbeit hinzog. Fitch wurde allmählich ungeduldig. In einem Brief nach dem anderen wand sich Darwin und entschuldigte sich für sein Schneckentempo. ‹Ich *kann nicht* schneller arbeiten›, meinte er schließlich aufbrausend, und er versprach, ihm seine Fossilien so bald wie nur irgend möglich zurückzugeben.[19]

Vier Jahre Rankenfüßer – es erschien ihm bereits wie eine Ewigkeit. An manchen Tagen kostete es ihn Überwindung, weiterzumachen und sich Spezies um Spezies durch die Unterklasse hindurchzuarbeiten. ‹Ich ächze unter meiner Aufgabe›, seufzte er gegenüber Lyell. ‹Der Himmel allein weiß›, wann er fertig werden würde. Die Arbeit nahm einfach kein Ende. Er hatte das Jahr mit vierzig oder fünfzig Fossilien begonnen; jetzt warteten zweihundert auf die Bearbeitung. Down House nahm mehr und mehr das Aussehen eines Museums an. Mit einigem Entsetzen dämmerte Darwin, daß es mit einer einbändigen Monographie nicht mehr getan sein würde. Beide Werke, über die fossilen und die lebenden Rankenfüßer, würden je zwei Bände beanspruchen. Das erste, das sofort veröffentlicht werden sollte, würde sich auf die gestielten Rankenfüßer konzentrieren, die sich mit einem lederigen Stamm an Treibholz oder Schiffsrümpfe hefteten. Diese Formen waren, geologisch betrachtet, die ältesten; die frühesten, die man kannte, *Pollicipes,* bewohnten im Jura und in der Kreidezeit die Meere, Zeitgenossen der Dinosaurier.[20] Im Juni 1850 hatte Darwin seine Beschreibungen für den Band beinahe fertig; James Sowerby allerdings ließ sich mit den Gravuren Zeit.

In diesem Monat ging Charles wieder nach Great Malvern. Während Emma ihre Zeit zwischen ihm und dem Baby aufteilte, drohten die Rankenfüßer ihn zu zermürben. Er war wieder soweit, daß er ganze Arbeitstage verlor, über ‹Erregungszustände und Abgespanntheit› klagte und Fahrten nach London absagte. Der Wechsel zwischen seinen Anwendungen – Sauna und kalte Dusche – hatte sich als vorteilhaft erwiesen, und er mußte sich jetzt nicht ein einziges Mal übergeben. Sein Gewicht war auf sechsundsiebzig Kilogramm angestiegen. Aber irgend etwas war immer noch nicht in Ordnung. Eine Woche zusammen mit Emma, aufgemuntert durch Dr. Gullys Optimismus, würde die Dinge ins Lot bringen. ‹Mein Wasserdoktor macht mir weiterhin Hoffnung›, bemerkte er freudig, und in Great Malvern versicherten ihm alle, er sehe ‹blühend und schön› aus.[21] Die Auffrischungswoche in dem Kurort gab ihm auch Zeit, nachzudenken, einen Schritt zurückzutreten und seine taxonomische Odyssee zu bewerten. Was war seine wichtigste Schlußfolgerung nach der Analyse so vieler Exemplare? Hooker, seinen Häschern inzwischen wohlbehalten entronnen, fragte ihn das. Die Antwort, die Darwin ihm gab, während er sich nasse Handtücher auf den Leib klatschte, lautete, Rankenfüßer seien endlos variabel.

Hooker war um diese Zeit dabei, Darwins Ideen im Himalaja zu überprüfen. Angeleitet von Darwins geologischen Büchern, hielt er Ausschau nach Terrassen und ‹Parallelstraßen›; und da er wußte, wie fasziniert Darwin von domestizierten Rassen war, schickte er ihm eine Flut von Einzelheiten über Hunde, Elefanten und Rinder. Darwin revanchierte sich mit einer Reihe neuer Marschbefehle: Er solle Seidenraupen nach Hause bringen und nicht vergessen, einen einheimischen Bienenstock mitzunehmen. Da waren jedoch auch noch subtilere Einflüsse. Hooker gab jetzt zu, daß Darwins evolutionäre Ideen ‹von mir Besitz ergriffen haben, ohne mich jedoch zu bekehren›. Das indische Belegmaterial war in der Tat nicht ermutigend. Bei seiner Reise aus den Tropen über die gemäßigte Zone der Vorgebirge bis in die beschneiten Höhen des Himalaja hielt Hooker Ausschau nach einer abgestuften Sequenz von Floren.[22] Doch der Erfolg blieb aus; deshalb fragte er Darwin, ob ihn die Rankenfüßer veranlaßt hätten, seine Theorien zu modifizieren. Er hatte erwartet, daß sie ihn vorsichtiger machen würden.

Weit gefehlt. Statt seine Theorie zu untergraben, hatten sie Darwin bestätigt, daß die Variabilität allgegenwärtig war. Zehn Jahre früher hatte er die Variation für die Ausnahme in der Natur gehalten; aber die Rankenfüßer hatten das geändert. Die breitgefächerten Rankenfüßerarten seien ‹*immens* variabel›. Jeder Teil ‹jeder Spezies› sei Veränderungen unterworfen; je näher er hinschaue, desto mehr erscheine ihm die Stabilität als eine Illusion. Während viele Kuratoren der Ansicht waren, daß Varietäten Naturprodukte seien, ging er weiter und betrachtete sie als beginnende Spezies. Doch sosehr er sich durch all diese Varianten in einer Hinsicht bestätigt fühlte, machten sie andererseits seine Versuche zur Farce, jede Spezies präzise zu definieren. Wo endeten die Varietäten, und wo begannen neue Spezies? Die halbe Zeit fand er es unmöglich, das zu entscheiden. Diese ‹elende Variabilität› sei ein fragwürdiger Vorzug, schrieb er Hooker. ‹Als Spekulierender finde ich sie erfreulich, aber als Systematiker ist sie mir verhaßt›.[23]

Tatsächlich schwankte er hin und her. So oft hatte er Exemplare als separate Arten beschrieben, es sich dann anders überlegt und sie zu Varianten einer Spezies gemacht, sich erneut besonnen, seinen Text zerrissen und wieder von vorn begonnen. Und jedesmal ‹habe ich mit den Zähnen geknirscht, die Spezies verflucht und mich gefragt, welche Sünde ich begangen habe, um so bestraft zu werden›.[24] Da die Spezies von heute die Varietäten von gestern waren, durchschlug er den gordischen Knoten schließlich, indem er die Varianten anerkannten Arten zuschlug. All dies spielte keine Rolle. Es gab keine absoluten, unveränderlichen Formen; daher war eine präzise Klassifizierung in jedem Fall unmöglich.

Dennoch wahrte er Diskretion. Jahre zuvor hatte er gegenüber Waterhouse über Klassifizierung doziert und ihm erklärt, es handle sich um ‹einen logischen Vorgang› oder vielmehr einen genealogischen. ‹Es geht darum, Organismen entsprechend ihrer faktischen *Verwandtschaft*, d. h. ihrer Blutsverwandtschaft oder ihrer Abstammung von gemeinsamen Vorfahren zu gruppieren.› Aber das war leichter zu predigen als zu praktizieren, und außerdem hatten ihn die *Vestiges* davor gewarnt, ein baumähnliches Schema zu präsentieren. Im Zweifelsfall würde er in der Monographie die Gattungen jeder Rankenfüßerfamilie in der herkömmlichen Weise anführen. Er würde zwar die Frage von Verwandtschaften im Text anschneiden, aber keinen Versuch unternehmen, einen genealogischen Baum zu zeichnen.[25] Das hätte ihn verraten.

Der zweite Aufenthalt in Great Malvern hatte Charles aufgemuntert. Er gab zu, eine gewisse Schwäche für seine Wasseranwendungen entwickelt zu haben, ‹außer dem An- und Auskleiden›. Sein Magen war dennoch ‹niemals 24 Stunden lang in Ordnung›, und er kehrte in einer Stimmung geduldiger Resignation in sein Gartenhäuschen zum ‹Duschen usw. usf.› zurück. ‹Ich habe alle Hoffnung aufgegeben, je wieder ein kräftiger Mann zu sein›, schrieb er eher verzagt an Covington und bedankte sich für dessen reiche Ausbeute an Spirituspräparaten. Doch zumindest war jetzt der Sensenmann in Schach gehalten. Die ‹wundersame Wasserkur› erschien auf jeden Fall als billig. Selbst partielle Gesundheit ‹ist, verglichen mit meinem Zustand vor zwei Jahren, von unschätzbarem Wert›.[26]

25

Unser bitterer und grausamer Verlust

Nach Darwins Rückkehr aus Great Malvern legte sich erneut ein kalter Schatten über den Haushalt. Lähmendes Entsetzen befiel ihn, als er Verdacht schöpfte, daß sein Leiden ein erblicher Defekt sein könnte. Er glaubte jetzt, Anzeichen davon bei seinen Kindern zu entdecken.

Ende Juni 1850, als er dasaß und an seinen Fossilien herumschabte, kam eine Schar von Wedgwood-Neffen und -Nichten zu Besuch – die sieben Kinder von Charles und Emma hatten jetzt vierzehn Cousins und Cousinen mütterlicherseits im Alter unter zwölf. Sie tollten zusammen herum und genossen einen Ausflug in den Knole-Park im benachbarten Sevenoaks. Aber Annie, die älteste Tochter der Darwins, klagte über Übelkeit. Sie war nicht bloß eine aufgeweckte Neunjährige, die Aufmerksamkeit erregen wollte. Nach der Abreise der anderen fühlte sie sich endlose Wochen lang elend. Ihre Unterrichtsstunden wurden zu einer Strapaze, sowohl für sie als auch für die Gouvernante, Miss Thorley. Annie brach manchmal ohne erkennbaren Grund in Tränen aus und wachte nachts oft jämmerlich weinend auf. Charles begann zu fürchten, daß das Problem erneut die ‹leidige Verdauung› sei.[1] Offenkundig war mit dem Kind etwas nicht in Ordnung.

In den letzten zwei Jahren hatte Annie sein Herz in einer besonderen Weise gewonnen. Sein Vater hatte eine Lieblingstochter gehabt, Susan, die ihn bis zum Ende mit Aufmerksamkeit überhäufte. Charles, der befürchtete, ebenfalls bald zu sterben, hatte aus dem gleichen Grund eine besondere Bindung an seine Älteste entwickelt. Außerdem erinnerte ihn Annie an Emma. Groß für ihr Alter, mit langem braunem Haar und graublauen Augen, hatte sie ein sonniges, liebevolles Naturell. Sie genoß es, seine Kleider zurechtzuzupfen, sein Haar zu kämmen und ‹schönzumachen›, bevor sie mit ihm auf dem Sandweg spazierenging. Sie liebte es, geküßt zu werden, und bewies eine wunderbare Sensibilität für die Gefühle anderer, was sie zum Liebling ihres Vaters machte. In Great Malvern hatte sie im Jahr zuvor Miss Thorley eine kleine Einführung in die Martern der Wasserkur gegeben.

‹Und sie macht den Papa so wütend›, fügte sie schmollend hinzu, worauf der anwesende Papa zugeben mußte, daß ihn die Kur gelegentlich verdroß.[2]

Jetzt hatte sich all das verändert. Annies frohes Wesen schien geknickt. Sie pflückte zwar Heidelbeeren in Leith Hill bei Dorking mit den Töchtern von Josiah und Caroline Wedgwood, aber diese wenigen erfreulichen Tage im August vermochten sie nicht wiederherzustellen. Im Oktober nahm Miss Thorley sie zusammen mit den anderen Kindern an die Küste mit, nach Ramsgate. Charles und Emma folgten ihnen gegen Ende für kurze Zeit, aber Annie begann so zu fiebern und unter Kopfschmerzen zu leiden, daß Emma mit ihr zurückbleiben mußte, als die anderen abreisten. Im November und nochmals im Dezember fuhr Emma mit ihr nach London zu Dr. Holland, der glaubte, Charles' Magenbeschwerden seien erblich. Er konnte wenig für das Kind tun, das sich immer mehr an seine Eltern klammerte. Annies Nächte verschlimmerten sich; sie weinte und klagte und konnte es nicht mehr ertragen, von daheim wegzufahren.[3] Dr. Holland war Charles' letzte Anlaufstelle vor Beginn seiner Wasserkur gewesen. Wenn Annies Zustand anhielte, würde er auch sie nach Great Malvern bringen.

Inzwischen war Emma erneut schwanger. Charles ‹schuftete wie ein Sklave›; mechanisch beschrieb er weiterhin Rankenfüßer, da ihm ‹der Mut fehlte, eine wirklich interessante Arbeit in Angriff zu nehmen›. Sein Zustand blieb so gut, wie man unter den Umständen erwarten konnte, obwohl ihm Annie große Sorgen machte. Sobald Emma ihren üblichen morgendlichen Brechreiz überwunden hatte, genoß sie die Intimität eines gemeinsamen Besuchs mit ihm bei ihren Schwestern in Hartfield in East Sussex.[4] Zu Hause lief ihr gemeinsames Leben weiterhin mit der Präzision eines Uhrwerks, geölt von ihrem loyalen Hauspersonal. Wenn Charles nicht über seine fragilen Krustentiere gebeugt im Arbeitszimmer eingeschlossen war, hatten er und Emma reichlich Zeit zu lesen. Er nahm immer wieder religiöse Bücher zur Hand. Seine Gesundheit hatte sich seit seiner letzten derartigen Lektüre dramatisch verbessert; seine Todesangst war gewichen. Doch nichts auch nur entfernt Orthodoxes fand seine Billigung. Er hatte begonnen, über das Christentum hinauszublicken.

Er wandte sich Francis Newman zu, dem Lateinprofessor am University College. Unter Unitariern und Freidenkern war er der Mann der Stunde, ein Evolutionist – im Gefolge von *Vestiges* –, der für eine neue nachchristliche Synthese eintrat. Charles hatte bereits Newmans Schrift *The Soul* gelesen. Deren spätere Kapitel seien ‹so schockierend wie ein Brausebad›, klagte eine fromme Tante Emmas; aber Charles muß sie als so erfrischend empfunden haben wie seine tägliche kalte Dusche. In seinem Buch gab Newman den Versuch auf, die menschliche Unsterblichkeit aus der Bibel abzuleiten. Eine solche Beweisführung sei ‹für die breite Masse der Menschheit› nicht nachvollziehbar, deren Seelenheil angeblich davon abhing. Und er verwarf ‹die gräßliche Lehre von der ewigen Hölle›. Wirkliche Gewißheit eines gesegneten Jenseits, so Newman, erlangten wir nur durch ‹volle Übereinstimmung unseres Geistes mit dem Geist Gottes›.

So empfand es auch Emma, aber Newmans intuitive Spiritualität war Charles unbehaglich. Als er nach seiner Rückkehr von Leith Hill Newmans *History of the Hebrew Monarchy* aufschlug, wurde seine Skepsis bestätigt. Trotz all seiner Kritik an der Geschichte des Alten Testaments auf der Grundlage fortschrittlicher deutscher Gelehrsamkeit belasse das Buch ‹die Beziehung zwischen göttlichem und menschlichem Geist ... so, wie sie immer war›. Aber wie konnte das sein? Wie konnte der Glaube ‹an die Heiligkeit Gottes› inmitten des Todes, der Hungersnöte und der Kriege semitischer Stämme entstanden sein? Nein, betonte Charles, der religiöse Instinkt habe sich mit der Gesellschaft entwickelt. Der primitive jüdische Gott, dessen Greueltaten ‹in der Christenheit Höllenfeuer entfacht› hätten, könne nichts anderes als ein barbarischer Tyrann sein.

Newman festigte noch Charles' Zweifel. Mit der Wiedererrichtung der katholischen Diözesen 1850 in England sahen viele die religiöse Barbarei zurückkehren. Es war ein geeigneter Moment für Charles, sich mit Newmans Hilfe darüber klarzuwerden, was er eigentlich glaubte. In der Abgeschiedenheit von Down konnte er sich, zumindest sich selbst gegenüber, den religiösen Impetus seiner alten Spekulationen über Moral und das Jenseits in seinem Notizbuch eingestehen. Sicher quälte ihn zwei Jahre nach dem Tod seines Vaters keine Angst mehr, wenn er das Schicksal der Ungläubigen bedachte. Seine Lektüre und die Wasserkur hatten ihn beruhigt, und Newmans freigeistiges Beispiel trug dazu bei, sein Gefühl von Sicherheit wiederherzustellen.[5]

Annie war jedoch immer noch nicht außer Gefahr. Weihnachten kam und ging ohne nennenswerte Besserung ihrer diffusen Magenbeschwerden. Charles, den die Nachricht aufmunterte, daß Hooker auf dem Heimweg war, hatte genug Selbstvertrauen, um mit Arzneien zu experimentieren. Im neuen Jahr, 1851, fing er an, sich und vielleicht auch Annie die Magengegend mit einer Salbe aus Brechweinstein einzureiben. Im März war Annie genügend wohlauf, um draußen zu spielen und zum erstenmal auf einem Pferd zu reiten. Charles begann inzwischen die geliehenen Rankenfüßer zurückzugeben. Er schickte Fitch endlich die seinen zurück und kümmerte sich um den Druck seines ersten Fossilienbandes. Kurz nach Annies zehntem Geburtstag schlug die Grippe zu und warf Charles und Annie aufs Krankenlager. Annie blieb schwach und elend neben Emma im Bett. Charles lag mit Kissen im Rücken auf seinem Sofa, behandelte sich mit Stärkungsmitteln und las Newmans eindrucksvolle, quälende, spirituelle Autobiographie *Phases of Faith*.[6]

Da waren wiederum Anklänge an seinen eigenen Werdegang. Auch Newman war für den geistlichen Stand ausersehen gewesen, bis ihn Bedenken hinsichtlich der Neununddreißig Artikel quälten und er die Hölle verwarf; es folgte eine Phase des Unitarismus (im Bewußtsein, daß dieser ‹niemals auch nur für eine halbe Stunde Ruhe bieten konnte›), und schließlich gelangte er an die Ränder des freien Glaubens. Der kraftvolle, emotionale Ton des Buches beeindruckte Charles in diesem Augenblick. Wenn ein Mensch unendliche Strafe verdiene, weil er den Unendlichen gekränkt habe, so Newman, ‹dann ist die Verstimmung eines Kindes ein solches grenzenloses Übel!› Charles betrachtete die arme Annie.

Seine Einstellung zur Religion hatte sich weiterentwickelt, und ebenso wie Newman war auch ihm die Bibel in den Händen zerfallen: das Alte Testament mit seiner Schöpfungslegende und seinen moralischen Ungeheuerlichkeiten ebenso wie das mit Widersprüchen und Mythen gespickte Neue Testament. Das Johannes-Evangelium, Newmans ‹unerschütterliches Bollwerk des Christentums›, brach mit den Indizien dafür zusammen, daß Jesus die ihm dort zugeschriebenen Worte vielleicht niemals ausgesprochen hatte, und der schlichte jüdische Rabbi ‹verschmolz mit der Dunkelheit› und verschwand aus Newmans Glauben, wie er dem von Charles verlorengegangen war. ‹Ich verspürte keine geistige Erschütterung, keine Leere der Seele, keine Veränderung der inneren Haltung›, erinnerte sich Newman.[7] Der Übergang zu einer rein theistischen Religion, die christliche Tugend mit der Strenge moderner Wissenschaft verknüpfte, war so beruhigend wie vollständig für ihn gewesen.

Charles beendete die Lektüre von *Phases of Faith* und klappte das Buch zu. Es sei ‹ausgezeichnet›, notierte er in seinem Büchlein – die geeignete Lektüre für einen Sonntag, während Emma in der Kirche war. Es war die Geschichte eines Großbürgers mit dem Mut, eine Frage bis zur letzten Konsequenz zu verfolgen. Emotionale Bindung an das Christentum reichte nicht aus; der Glaube mußte vereinbar sein mit dem Verstand, der Moral und den historischen Fakten. Man fand keine Zuflucht beim Unitarismus, diesem ‹Federbett zum Auffangen eines strauchelnden Christen›, wie Charles' Großvater Erasmus es ausgedrückt hatte. Das Christentum mußte ein für allemal verworfen werden. Die moralische Logik, die ewige Strafe verurteilte, konnte nicht das Neue Testament gutheißen, das diese monströse Lehre verkündete. Die Evolution – das ‹neue Evangelium› – erklärte den Geist, die Moral und die religiösen Überzeugungen als Bestandteile der sozialen Entwicklung der menschlichen Spezies.

Auf dem Rücken liegend und sich von der Grippe erholend, hatte Charles mehrere Tage Zeit, sich diese Gedanken durch den Sinn gehen zu lassen. Aber während er sich allmählich kräftiger fühlte, blieb Annie niedergeschlagen. Nichts, was Emma unternahm, schien ihr zu helfen. Des-

429

halb beschlossen sie, Annie zu Dr. Gully zu bringen. Am Montag, dem 24. März, saß Annie weinend neben Emma auf dem Sofa. Ihre Koffer waren gepackt, die Kutsche stand bereit, und es war Zeit zum Aufbruch. Etty fuhr mit, um ihr zusammen mit Brodie, dem Kindermädchen, Gesellschaft zu leisten. Aber Annie klammerte sich schluchzend an ihre Mutter. Es würde so einsam sein in Great Malvern ohne sie – einen ganzen Monat weg von daheim.[8] Mama würde bald ein Baby bekommen, ja, und Papa würde sie in guten Händen lassen. Aber als Charles Annie in die Kutsche setzte, die sie zur Bahnstation von Sydenham bringen sollte, da war es ihm, als ginge sie für immer fort.

Als die Great-Western-Kutsche durch das Severntal und hinein in das Hügelland von Malvern klapperte, konnte sich Charles erleichtert fühlen. Annie, die geborgen zwischen ihm und Etty saß, würde bald in der sicheren Obhut seines bewährten Arztes sein, des Mannes, der ihm das Leben so gut wie gerettet hatte. Der Frühling sprenkelte Felder und Hecken mit Farbe und erinnerte Charles an seine erste Fahrt nach Great Malvern, die erst zwei Jahre zurücklag. Wie gefährdet die menschliche Existenz jetzt wieder erschien!

Wohlbehalten in Great Malvern angekommen, brachte Charles seine Schützlinge bei Eliza Partington in Montreal House unter, mit Blick über das Dorf und das Worcestertal. Sobald es Annie besser ging, könnten sie und Etty zusammen auf dem Berghang spielen, wo Emma immer mit ihnen gewandert war. Nachdem er Annie untersucht hatte, empfahl Dr. Gully, sie zu einer Hellseherin zu bringen. Charles war äußerst skeptisch, erklärte sich jedoch zu der Ausgabe bereit. Schließlich war ihm auch die Hydrotherapie ursprünglich als Quacksalberei erschienen; und auch als Gullys eigene Tochter einmal schwer krank gewesen war, hatte der Arzt eine Seherin hinzugezogen, um sich über ihren inneren Zustand aufklären zu lassen – und irgendwie war das Mädchen danach gesund geworden. Aber Charles stellte Annies Hellseherin zuerst auf die Probe. Er bot ihr eine in einem Kuvert verschlossene Banknote an, falls sie ihm deren Nummer sagen könne. Die Frau lehnte den Vorschlag als unter ihrer professionellen Würde ab; so etwas würde allenfalls ‹ihr Dienstmädchen zu Hause› tun. Dann wandte sie sich Annie zu, fixierte sie lange und durchdringend und beschrieb in schaurigen Einzelheiten die Scheußlichkeiten, die sie in Annies Eingeweiden erblickte. Charles nahm an, daß sie sich dabei von ‹irgendwelchen unbewußten Hinweisen› Gullys leiten lasse.[9]

Dennoch bestand kein Zweifel daran, daß Annies Magen die Wurzel des Problems war und daß Gully ihn kurieren würde, falls das überhaupt jemand konnte. Charles blieb, bis er sah, daß alles in Ordnung war. Am Freitag, dem 28. März, küßte er die Mädchen zum Abschied für einen Monat, versprach ihnen, daß Miss Thorley bald kommen werde, und machte sich auf den Weg nach London. Am nächsten Morgen stattete er Lyell in der Harley Street einen Besuch ab. Er hatte gehört, daß Hooker wieder in der Stadt sei. Am Sonntag dinierten die Brüder Darwin in feudaler Pracht bei Hensleigh und Fanny Wedgwood mit Blick auf den Regent's Park. Es wurde ein improvisiertes Wiedersehenstreffen, zu dem sich auch Carlyle, Emmas siebzigjährige unverheiratete Tante Fanny Allen und ein befreundeter Geistlicher einfanden. Nur Harriet Martineau fehlte aus dem alten Kreis. Aber das war ohnehin besser so, denn Tante Fanny hätte sie zum Dinner gebraten. Die Korrespondenz der Martineau mit einem geschwätzigen Menschen namens Henry Atkinson, der sich als Wissenschaftler bezeichnete, war soeben erschienen. Und diese *Letters on the Laws of Man's Nature and Development* empörten bereits die Londoner Bildungsbürger. Die Martineau gerierte sich jetzt als mesmeristische, evolutionistische Atheistin. Tante Fanny erbleichte über die Kühnheit ‹dieser beiden Verbrecher› mit ihrem ‹miserablen› Buch. Charles' Neugier war geweckt. Er lieh es sich umgehend von Erasmus.[10]

Als er am Montag nach Down zurückgekehrt war, schien es wieder aufwärtszugehen, und auch seine Gesundheit hatte sich stabilisiert. Annie genoß die beste ärztliche Betreuung, die er ihr verschaffen konnte. Die kostbaren Rankenfüßer-Sammlungen wurden unbeschädigt ihren geduldigen Eigentümern zurückgegeben. Und als erste Frucht seiner fünfjährigen Arbeit traf der erste Band seiner Monographie über fossile Rankenfüßer, gedruckt von der Paläontographischen Gesellschaft, mit der Post ein. Noch erfreulicher war, daß Hooker tatsächlich sicher und wohlbehalten zurückgekehrt war, mit Unmengen von Präparaten im Gepäck und voll Fakten über indische Arten.[11] Natürlich würde er bald heiraten; Fanny Henslow nahm jetzt die erste Stelle in seinem Leben ein. Trotzdem war es eine Erleichterung zu wissen, daß er zu Hause in Kew war und jederzeit nach Down zu Besuch kommen konnte. Charles machte es sich gemütlich und rechnete damit, die nächsten Wochen zu Hause zu verbringen.

Es sollte anders kommen. Am Dienstag, dem 15. April, traf abends eine dringende Nachricht ein: Annie hatte einen ernsten Rückfall erlitten. Sie fieberte und litt an Erbrechen. Brodie war außer sich. Miss Thorley war besorgt. Man benötigte jemanden von zu Hause, und Dr. Gully rief nach Charles. Die Nachricht versetzte Down House in Aufruhr. Emma, jetzt im achten Monat, wagte nicht an eine Reise zu denken, und Charles wollte davon ohnehin nichts hören. Sie bereitete sich auf das Schlimmste vor und bot allen emotionale Unterstützung. Sie bat ihre Schwägerin Fanny Wedgwood, Charles in Great Malvern beizustehen. Aber was sollte mit Fannys sechs Kindern geschehen, was mit Etty? Sie veranlaßte, daß Vetter Josiah und Caroline sie alle in Leith Hill aufnahmen. Und das Baby? Eine verfrühte

Niederkunft war unwahrscheinlich, aber Emma fühlte sich jetzt schon überwältigt. Zur Sicherheit sollte Tante Fanny von London herunterkommen und Schwester Elizabeth mit dem ‹ersten guten Dampfschiff› von Jersey anreisen; außerdem mußte Chloroform besorgt werden.[12]

Charles packte seine Siebensachen zusammen, dazu einige Bücher zur Ablenkung. Voll schmerzlicher Gedanken brach er am nächsten Tag auf. Schon einmal war er diesen Weg zum Severntal dahingejagt und zu einem Begräbnis zu spät gekommen. Danach war er in die Hügel von Malvern geflohen, getrieben von der Angst, selbst sterben zu müssen. Diese Hügel, deren Gestein mit ausgestorbenen Muscheln und Krebsen gespickt war, rückten jetzt wieder bedrohlich näher, während die Kutsche über die Landstraße dahinrumpelte. Am Gründonnerstag traf er ein.

Montreal House war in Aufruhr. Annie schien es ein bißchen besserzugehen, aber Brodie und Miss Thorley rangen die Hände. Dr. Gully hatte bei achtundachtzig Patienten wenig Zeit für Annie übrig. Etty mußte ständig bei Laune gehalten werden, damit sie sich nicht um ihre Schwester grämte. Alle waren angespannt und erschöpft. Bei allen die Hoffnung wachzuhalten bedeutete, daß niemand wirklich wußte, was vorging. Charles trat in den Wirbel um Annies Krankenlager ein. Es war eine Situation, in der seine mangelhaften medizinischen Kenntnisse, seine Fähigkeit, in die Fußstapfen seines Vaters zu treten, einem äußersten Härtetest unterworfen werden sollten. Als er Annie zum erstenmal erblickte, brach er völlig zusammen und warf sich gepeinigt und verzweifelt auf ein Sofa. Das spitze Gesichtchen und der abgezehrte Körper, der Geruch von Kampfer und Ammoniak – er hatte das alles schon einmal erlebt.[13] In Edinburgh war er in Panik vor dem Anblick eines gequälten Kindes geflohen. Diesmal war es sein eigenes Kind. Er mußte sich zusammennehmen, allen Mut machen, als Krankenpfleger und Stellvertreter des Arztes dienen. Emma, die kurz vor der Entbindung stand, mußte auf dem laufenden gehalten werden, aber mit ruhiger Umsicht; schließlich stand mehr als ein Leben auf dem Spiel. Sosehr sich Charles wie in Shrewsbury am Krankenbett seines Vaters nach ihrer schützenden Gegenwart sehnte, er mußte ihre Hoffnungen stützen. Sie würde das Nötigste über ihr armes Kind erfahren, aber niemals, wie sehr er litt.

An diesem Abend verschärfte sich die Krise. Von Wunschdenken getrieben, hatte sich Charles durch Gullys anfänglichen Optimismus täuschen lassen. Jetzt war er aufs äußerste niedergeschlagen. Annies Puls wurde unregelmäßig, und sie versank in eine leichte Bewußtlosigkeit. Gully eilte an ihre Seite und achtete besorgt auf Anzeichen von Unruhe und Frösteln, die dem Tod vorausgehen. Er dachte, es werde vielleicht vor dem Morgengrauen zu Ende gehen, und erklärte sich bereit, die ganze Nacht zu bleiben. Um 6 Uhr übergab sich Annie, was zeigte, daß sie noch Kraft hatte. Charles war in einem elenden Zustand. Die Tränen hinunterschluckend, die ihm noch

1. Darwins Großvater, Dr. Erasmus Darwin aus Lichtfield, Arzt, Botaniker und erotischer Dichter.

2. Dr. Robert Darwin, Charles' Vater: „Der imposanteste und vorurteils-
freieste Mann ... den ich je sah."

3. *(Gegenseite, oben)* The Mount, wo Charles aufwuchs, erbaut von Robert
Darwin nach seiner Heirat 1796.

4. *(Gegenseite, unten)* Die Kinder des Gutsherrn: Charles und seine Schwester Catherine, die Jüngsten der Familie.

5. Seine erste Schule, geleitet von Mr. Case, dem Geistlichen der Unitarierkirche in Shrewsbury. Von den Fenstern des Klassenzimmers aus blickte man auf einen Friedhof. Im August 1817, einen Monat nach dem Tod seiner Mutter, war das Begräbnis eines Dragoners eine traumatische Erfahrung für Charles.

6. *(Gegenseite, oben)* Die Schule von Shrewsbury, geleitet von Hochwürden Samuel Butler. Darwin besuchte sie bis zum Alter von sechzehn als Externer.

7. *(Gegenseite, unten)* Die Universität von Edinburgh, wo Darwin ein Medizinstudium begann, das er nach kurzer Zeit abbrach.

8. Straßenszene in Edinburgh. Ganz links eine typische Pension.

9. *(Gegenseite)* Protokoll der Plinian Society vom 27. März 1827, das Darwins kurzes Referat vor der zensurierten Debatte über die materielle Grundlage des Geistes erwähnt. Die Transkription lautet:

> Mr. Darwin tug der Gesellschaft zwei Entdeckungen vor, die er gemacht hatte –
> 1. Daß die Eier der Flustra [eines Moostierchens, bestehend aus hydra-artigen Polypen mit Fangarmen] Fortbewegungsorgane besitzen.
> 2. Daß der kleine schwarze, kugelförmige Körper, der bisher irrtümli-cherweise für den jungen Fucus Lorius [eine Meeresalge] gehalten wurde, in Wirklichkeit das Ei der Pontobdella muricata ist [ein Blut-egel, der Rochen befällt].
> Auf Ersuchen der Gesellschaft versprach er, die Fakten schriftlich festzu-halten und sie der Gesellschaft zusammen mit Exemplaren am nächsten Abend vorzulegen.
> Dr. Grant berichtete Einzelheiten über die Naturgeschichte der Flustra.
> ~~Mr. Browne verlas dann sein Referat über die Struktur von Organismen und deren Zusammenhang mit Leben und Geist – wobei er die folgen-den Thesen vertrat.~~

(Es folgen vier Thesen, die in der ketzerischen Schlußfolgerung gipfeln):
> ~~5. Daß der Geist, soweit die individuellen Empfindungen und das Bewußtsein betroffen sind, eine materielle Grundlage hat.~~
> ~~Es folgte eine Diskussion zwischen den Herren Bins, Greg, Dr. Grant, Ainsworth und Browne~~ – wonach sich die Gesellschaft vertagte.

Mr. Darwin communicated to the Society two discoveries which he had made —

1. That the ova of the Flustra possess organs of motion.
2. That the small black globular body hitherto mistaken for the young Fucus Lorius, is in reality the ovum of the Pontobdella muricata.

At the request of the Society he promised to draw up an account of the facts and to lay ~~them~~ it, together with specimens, before the Society next evening.

Dr. Grant detailed a number of facts regarding the Natural History of the Flustra.

~~He then went the~~ ....
....
....

~~I. That all matter is organized~~

~~II. That it is the gradually increased perfection in the arrangement of the parts constituting organization,~~

~~which in the case of the animation perceptible in the various objects of nature + not perceptible otherwise.~~

~~III. That life is the abstract of the condition inherent in these modes of .... matter.~~

~~IV. That mind is to be considered .... for life, being rather one of the functions or combinations of position by the arrangement of which life .... to exertion .... and in which~~

~~And V. That mind as far as our individual exertions .... is not ......~~

~~A discussion ensued between Mr. Browne, Esq., Mr. Grant, ... and Mr. B......~~ — After which the Society adjourned.

The members present were. Messrs:

10. Der beste Begleiter für Streifzüge: Darwins Edinburgher Mentor, der radikale Lamarckist Robert E. Grant.

11. Christ's College, Cambridge: Die Aussicht vom Haus Bacons, des Inhabers des Tabakladens, wo Darwin sein erstes Logis hatte.

12. *(Nebenbild)* Darwins Vetter 2. Grades, der ihn in Cambridge für das Käfersammeln begeisterte, Hochwürden William Darwin Fox.

13. *(links)* Im Obergeschoß Darwins Zimmer im Christ's College.

14. *(unten)* Der Mühlenbach, flußabwärts mit Blick auf die Colleges gesehen. Darwin heuerte einen Sammler an, der die Böden der Kähne nach Insekten absuchte.

15. „Go it Charlie!"
Albert Ways Skizze von Darwin
beim Käfersammeln.

16. Tor zum Stadtgefängnis von Cambridge, rechts das Spinning House, wo Straßendirnen festgesetzt wurden. Darwin wohnte ein Stück weiter in der gleichen Straße.

17. *(Nebenbild)* Der Schrecken loser Frauenzimmer: Der Chef der Sittenpolizei, der Geologe Hochwürden Adam Sedgwick.

18. Hochwürden Robert Taylor, der „Kaplan des Teufels". Im Mai 1829 forderte er seine alten Cambridge-Lehrer öffentlich zu einer Debatte über den Wahrheitsgehalt der christlichen Lehre heraus.

PEMBROKE LODGE, 23. Mai 1829.

Hiermit wird mitgeteilt, daß die Pensions-Lizenz von WILLIAM HADDON SMITH von Rose Crescent 7 in der Gemeinde von St. Michael widerrufen wurde und daß die Tutoren der verschiedenen Colleges davon zu benachrichtigen sind.

G. AINSLIE, *Vizekanzler.*
H. KIRBY, *Erster Proktor.*
J. POWER, *Zweiter Proktor.*

19. Die Warnung an die Studenten, sich von der Pension von Smith fernzuhalten, wo Taylor wohnte.

20. In der Rotunda, dem Treffpunkt der Straßenradikalen 1830–1831. Taylor hielt hier seine Reden bis zu seiner aufsehenerregenden Gefangennahme im Sommer, bevor Darwin seine Reise auf der *Beagle* antrat.

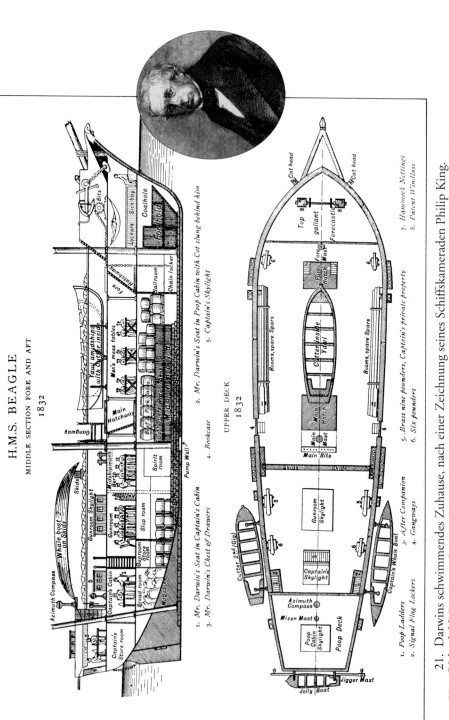

H.M.S. BEAGLE

MIDDLE SECTION FORE AND AFT

1832

1. *Mr. Darwin's Seat in Captain's Cabin*
2. *Mr. Darwin's Seat in Poop Cabin with Cat slung behind him*
3. *Mr. Darwin's Chest of Drawers*
4. *Bookcase*
5. *Captain's Skylight*

UPPER DECK

1832

1. *Poop Ladders*
2. *Signal Flag Lockers*
3. *After Companion*
4. *Gangways*
5. *Brass nine pounders, Captain's private property*
6. *Six pounders*
7. *Hammock Nettings*
8. *Patent Windlass*

21. Darwins schwimmendes Zuhause, nach einer Zeichnung seines Schiffskameraden Philip King.
22. (*Nebenbild*) Der Botaniker Hochwürden John Stevens Henslow. Er verzichtete auf die Reise mit der *Beagle* und schlug Darwin vor

23. Moritz Rugendas' Kupferstich „Der brasilianische Urwald" weckte bei Darwin den Wunsch, die Tropen zu besuchen. Den wirklichen Regenwald fand er noch prächtiger.

24. „Elende nackte Feuerländer, im Wachstum zurückgeblieben ... die rote Haut schmutzig und fettig ... das Haar strubbelig ... die Gestikulation wild und würdelos": kein Vergleich mit den Tischmanieren im Christ's College.

25. Die wahllos zuschlagenden Kräfte der Natur: die Kathedrale von Conceptión nach dem Erdbeben von 1835, „der eindrucksvollste Schutthaufen", den Darwin je gesehen hatte.

26. Der Zoologische Garten in Regent's Park. Nach der Rückkehr von seiner Seereise verbrachte Darwin endlose Stunden mit der Beobachtung der Tiere.

27. Der Anblick von Jenny, dem ersten Orang-Utan, der zur Schau gestellt wurde, veranlaßte Darwin 1838 zu zahllosen Notizen: „Der Mensch sollte sich den Orang anschauen ... seine Intelligenz erkennen ... und er soll sich den Wilden ansehen, der seine Eltern brät, nackt, ungebildet, keine Fortschritte machend ... und dann soll er es wagen, sich seiner stolzen Überlegenheit zu rühmen."

28. Emma Wedgwood 1839, zur Zeit ihrer Eheschließung mit Charles.

29. *(Gegenseite, oben)* Charles' und Emmas erstes Zuhause, „Macaw Cottage" in der Upper Gower Street 12. Hier vollendete Darwin 1839 den Entwurf seiner Evolutionstheorie.

30. *(Gegenseite, unten)* Truppen marschieren 1842 durch eine feindselige Menschenmenge zum Bahnhof Euston, um nach Manchester zu fahren, wo sie im August einen Aufstand niederschlugen. Drei Tage lang passierten die Bataillone Straßen in der Nähe von Darwins Haus.

31. Charles und sein ältester Sohn William auf einer Daguerreotypie von 1842: Das einzige bekannte Photo von Darwin mit einem Mitglied seiner Familie.

32. *(unten)* Down House, wie Charles und Emma es erstmals erblickten.

33. *(oben)* Darwins altes Arbeitszimmer: rechts seine Ablage, links ein durch einen Vorhang abgeteilter Abort. Die mit Bücherregalen bedeckte hintere Wand ist in dem Spiegel über dem Kamin zu sehen.

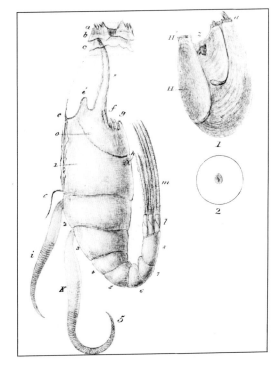

34. Hier sezierte Darwin den kleinsten Rankenfußkrebs der Welt, „Mr. Arthorbalanus" (im Kreis die tatsächliche Größe).

35. Auf der Konferenz der Britischen Vereinigung zur Förderung der Wissenschaft 1847 in der Universität Oxford zerpflückten die (hier abgebildeten) Geologen den Verfasser des evolutionären Buches *Vestiges*, Robert Chambers. Darwin war anwesend, aber niemand wußte, daß er seinen eigenen evolutionären Essay bei sich trug.

36. *(Gegenseite, oben)* Darwin mit vierzig.

37. *(Gegenseite, unten)* Great Malvern, beherrscht von Dr. Gullys Wasser-kur-Hotel und der Prioreikirche. 1851 wohnten Charles und Annie in Montreal House, dem größeren Gebäude auf dem Hang in Höhe des Kirchturms.

38. *(oben)* Das Photo, das Charles sein Leben lang beweinte, seine geliebte Annie (geb. 1841) zur Zeit ihrer ersten Fahrt nach Malvern. Ihr tragischer Tod zu Ostern 1851 zerstörte die letzten Überreste von Darwins Christentum.

39. Unter einer Libanonzeder im Friedhof der Priorei steht immer noch Annies Grabstein. Darwin war zu mitgenommen, um an dem Begräbnis teilzunehmen, und mied Malvern in den nächsten zwölf Jahren.

40. Königin Viktoria 1854 bei der Wiedereröffnung des Kristallpalastes. Als Clara Novello, begleitet von einem gewaltigen Chor, „God Save the Queen" sang, brach Emma in Tränen aus.

41. *(Nebenbild)* Herbert Spencer, ein Eisenbahninspektor, der zum evolutionären Ideologen wurde.

42. *(oben)* The George Inn, die
Gastwirtschaft und der Kauf-
laden von Down, wo Charles und
Emma bei ihrem ersten Besuch
1842 wohnten. Die Down Friendly
Society, deren Schatzmeister
Darwin war, hielt von 1850 bis
1882 ihre Zusammenkünfte
in dem Pub ab.

43. Charles' freigeistiger älterer
Bruder Erasmus nach einem
Jahrzehnt des „literarischen Müßig-
gangs" und des Opiumessens.

44. *(oben links)* Der belesene und wohlerzogene William (geb. 1839), vor Eintritt in die Rugby School.   45. *(oben rechts)* Henrietta (geb. 1843), im gleichen Kleid wie Annie.   46. *(unten links)* George (geb. 1845), der als Schüler gern Soldat spielte. Darwin hoffte, er würde Naturforscher werden. 47. *(unten rechts)* Francis (geb. 1848), von seinem Bruder, dem „Leutnant", als „Soldat" herumkommandiert; später Assistent seines Vaters.

48. Die *Royal Society.* Darwin erhielt 1853 ihre Königliche Medaille.

49. Edward Forbes, der Mann, der untergegangene Superkontinente her-
aufbeschwor, um die Verteilung der Arten zu erklären.

50. Hochwürden John Brodie Innes, Tory und Vertreter der Staatskirche, Darwins Vikar und Vertrauter: „Einer jener seltenen Sterblichen, mit dem man Meinungsverschiedenheiten haben kann, ohne eine Spur von Animosität zu empfinden."

51. Darwin 1854, endlich mit den Rankenfüßern fertig. Man merkte ihm die Strapazen allmählich an.

52. Sein Resonanzboden, der Botaniker Joseph Hooker, zur gleichen Zeit
photographiert.

53. Ausgefallene Taubenzüchtungen. Oben (von links nach rechts): Kahl-
köpfe, Kropftauben, Jakobiner (mit Halskrause), Magpie und Swallow.
Unten: zwei Pfauentauben mit einer Brieftaube dazwischen, Brunswick,
Schleiertaube und Möwchen. Darwin hielt sie alle und fand die „Vielfalt der
Rassen erstaunlich".

54. Die jährliche Taubenausstellung der Oberschicht, 1853 in der Frei-
maurertaverne. Darwin besuchte alle Züchtervereine, ob hoch oder niedrig.

55. Emma im Alter von etwa fünfzig, nach der Geburt ihres zehnten Kindes.

56. *(unten links)* Henrietta als bereits kränkliche Halbwüchsige. Überwältigt von Annies Tod, lebte sie in morbider Furcht vor Krankheit.   57. *(unten rechts)* Die jüngste Tochter, die stille, nervöse und abhängige Elizabeth (geb. 1847).

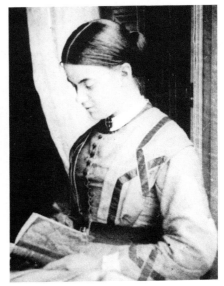

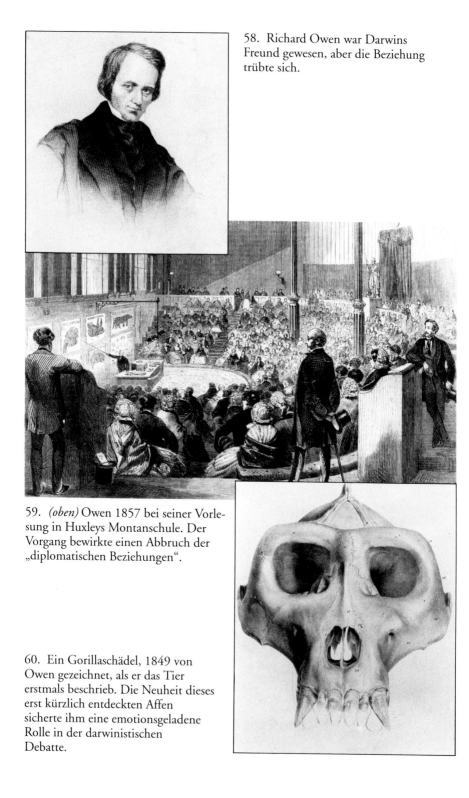

58. Richard Owen war Darwins Freund gewesen, aber die Beziehung trübte sich.

59. *(oben)* Owen 1857 bei seiner Vorlesung in Huxleys Montanschule. Der Vorgang bewirkte einen Abbruch der „diplomatischen Beziehungen".

60. Ein Gorillaschädel, 1849 von Owen gezeichnet, als er das Tier erstmals beschrieb. Die Neuheit dieses erst kürzlich entdeckten Affen sicherte ihm eine emotionsgeladene Rolle in der darwinistischen Debatte.

61. Alfred Russell Wallace, der junge
Tiersammler vom Malyiischen Archipel.
Sein Brief veranlaßte Darwin, mit der
Niederschrift der *Entstehung der Arten*
zu beginnen.

62. *(unten)* Das hydrotherapeutische
Hotel von Ilkley Wells am Rande
des Moors von Nord-Yorkshire, wo
Darwin „in einer Hölle lebte",
als er Vorausexemplare der *Entstehung*
verschickte.

63. T. H. Huxley bei einem Vortrag über den Gorilla. Er stellte die Evolution in den Dienst seiner profanen Interessen.

64. *(Nebenbild)* Irländer als Affen verunglimpft: „Mr. G. O'rilla" als wütender nationalistischer Redakteur. *Punch* fragt: „Sollte er nicht sofort ausgerottet werden?"

65. Disraeli als Engel, nachdem der Tory-Kanzler 1864 vor der Oxforder
Diocesan Society die Partei von Bischof Wilberforce ergriffen hatte.

66. Rückansicht von Down House in den 1860ern. (Die früheste bekannte Photographie).

67. Die Familie zu Hause, etwa 1863: von links nach rechts Leonard, Henrietta, Horace, Emma, Elizabeth, Francis und ein Besucher.

68. Der hagere Paterfamilias in den 1860ern, als er über die *Abstammung des Menschen* nachdachte.

69. *(unten)* Das Personal von Down House Ende der 1870er Jahre: zu sehen sind der Butler Jackson und seine Frau, der Kutscher John, der Hausdiener Fred, der Untergärtner Tommy Price, die Köchin Mrs. Evans, die Haushälterin Jane mit ihrer Helferin Harriet und das Kinderfräulein Mary Anne. Der Junge auf dem Pony könnte Charles' Enkel Bernard sein, der in Down lebte.

70. Der Sandweg, vierzig Jahre nach seiner Bepflanzung durch Darwin.

71. Darwin, in seiner Jugend ein ausgezeichneter Reiter, posiert Ende der 1870er Jahre auf dem alten Tommy. Er fand, daß er wie der Briefträger aussehe; üblicherweise mit Post überschwemmt, schrieb er auf das Photo: „Hurra – heute keine Briefe!"

72. Die Darwin-Kinder 1869 mit ihren Eltern in der Sommerfrische in Barmouth. Von links nach rechts: Henrietta, Francis, Leonard (stehend), Horace und Elizabeth.

A LOGICAL REFUTATION OF MR. DARWIN'S THEORY.

Jack (who has been reading passages from the "Descent of Man" to the Wife whom he adores, but loves to tease). "So you see, Mary, Baby is Descended from a Hairy Quadruped, with Pointed Ears and a Tail. We all are!"

Mary. "Speak for yourself, Jack! I'm not Descended from Anything of the Kind, I beg to say; and Baby takes after me. So, there!"

IN THE HANDS OF THE SANSCULOTTES.

Fain we would turn our eyes; spare easy blame;
 Nor take her plight for text wise saws to spin.
Has she passed through the famine, and the flame,
By her endurance half redeemed her name
 From its foul taint of wantonness and sin,
To sink to this extremity of shame!

If willing captive of this ruffian-swarm,
 How fallen—fair, frail Paris—from the pride
With which the harlot-houri plied her charm
Of beauty, weird and witch-like, and the harm
 Of those Circean spells that none defied,
But her sweet smile was potent to disarm.

Or if unwilling victim, blacker still
 Her infamy, and deeper yet her fall,
Whose nerveless arm and palsy-stricken will,
For fear of less enduring greater ill,
 Leave her of shameful fear the shameless thrall,
And, changeful in all else, a coward still.

Beneath the canopy of lurid smoke,
 Brooding above the blood that stains her stones,
Pale phantoms of old terror, new awoke,
The Furies of red Ninety-three invoke,
 All but the fiery hearts and trumpet tones
Of the wild zealots that the invader broke.

Out of the gathering woes—wherewith close bound,
 Like the scathed scorpion in its ring of fire,
Mad tail on helpless head writhes rancorous round,

Slaying and slain with suicidal wound,—
 Comes "Vive la République!" from those whose ire
Lays the Republic death-struck on the ground.

Till none can say if other hope remain,
 Than to seek shameful safety from the foe!
So dyeing deeper her disgrace's stain,
And turning all men's pity to disdain,
 Making us own her due in her worst woe,
And bidding those that smote her smite again.

WELL SAID, SIRE!

"I am impelled above all things to give expression to my humble thanks for the Historic Successes which have blessed the armies of Germany."
 Emperor to the Reichstag, March 21.

A brace of approximate words well expresses
 The difference 'twixt Gallic idea and Teutonic:
The German aspires to Historic successes,
 The Frenchman's are nothing unless Histrionic.

A Case for the Police.

Last Thursday night, as the family were retiring to rest about half-past ten o'clock, great consternation was caused in the household of two highly-respected maiden ladies residing in a genteel villa on the banks of the Thames, not five minutes walk from a railway station and omnibuses both to the City and West End, within a convenient distance of two packs of hounds, and in the centre of a good shooting country, by the alarming discovery of a thief in the—

A Great "Mess."—Our Army.

73. *(oben und Gegenseite) Punchs* politischer Hieb auf die *Abstammung des Menschen.* Der bärtige Jack neckt Mary bezüglich ihrer Vorfahren (links);

NATIONAL (BLACK) GUARDS.

Paris. "MURDER! THIEVES! HELP!!"

die Vergewaltigung von Paris 1871 während der Kommune durch struppige Lumpen mit spitzen Ohren (rechts) veranschaulicht, wohin dieser evolutionäre Nonsens führen muß.

74. *(oben)* Ernst Haeckel (links)
1867, der überschwengliche
junge Biologe und führende Vorkämpfer des Darwinismus in
Deutschland, der Gott als „gasförmiges Wirbeltier" bezeichnete.

75. Papst Darwin, Skizze in einem
Brief Huxleys aus dem Jahr 1868. Er
ersuchte um eine Audienz für einen
deutschen Naturwissenschaftler, der
„im Allerheiligsten von Mr. Darwin
seine Ergebenheit bezeugen" wolle.

THAT TROUBLES OUR MONKEY AGAIN.

Female descendant of Marine Ascidian.—"REALLY, MR. DARWIN, SAY WHAT YOU LIKE ABOUT MAN; BUT I WISH YOU WOULD LEAVE MY EMOTIONS ALONE!"

76. Darwin mit dem Finger am Puls der Weiblichkeit. In *Der Ausdruck der Gemütsbewegungen bei den Menschen und Tieren* schrieb er: „Ein hübsches Mädchen errötet, wenn ein junger Mann sie eindringlich anschaut", weil sie sofort an die „äußeren und sichtbaren Teile" ihres Körpers denke, und das verändere ihre „kapillare Zirkulation".

77. Onkel Ras kurz vor seinem Tod mit Darwins Söhnen: von links nach rechts Horace, Leonard, Francis und William.

78. Der neue Salon, der 1858 an das Down House angebaut wurde. Gegen Ende seines Lebens kam Darwin bisweilen in den Salon, um zu schauen, ob diese Uhr schneller gehe als die in seinem Arbeitszimmer.

79. Darwins neues Arbeitszimmer nach 1881, wo Hut und Cape bereitliegen. Darwin schrieb hier sein letztes Buch über Regenwürmer unter Porträts von Joseph Hooker, Charles Lyell und Josiah Wedgwood I.

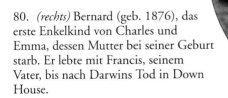

80. *(rechts)* Bernard (geb. 1876), das erste Enkelkind von Charles und Emma, dessen Mutter bei seiner Geburt starb. Er lebte mit Francis, seinem Vater, bis nach Darwins Tod in Down House.

81. Darwin um 1874, photographiert von seinem Sohn Leonard.

82. Charles Lyell kurz vor seinem Tod 1875, ein erblindeter Witwer, besessen von dem Problem eines Lebens nach dem Tod. Darwin gab zu, daß
ihn in ähnlicher Situation dieselben Ängste „mitten in der Nacht mit
schmerzhafter Gewalt" überfallen würden.

83. Cambridge-Studenten, die eine Affenmarionette von der Galerie baumeln ließen, als Darwin 1877 sein Ehrendoktorat erhielt, verhalfen dem *Punch*-Karikaturisten zu seiner Idee über das „fehlende Bindeglied" zwischen Menschen und Affen.

84. Darwin um 1880 auf der Veranda von Down House, zu seinem täglichen Gesundheitsspaziergang auf dem Sandweg angekleidet.

85. George Romanes, der unter Darwins Einfluß das Christentum aufgab und dessen Erforschung der mentalen Evolution fortsetzte.

86. John Lubbock, Darwins Nachbar und Kindheits-Protegé, in seinem
Arbeitszimmer in High Elms bei Downe. Als liberaler Parlamentsabgeord-
neter und Universalgelehrter setzte er sich für Darwins Begräbnis in der
Westminster-Abbey ein.

87. Darwins Verewigung unter den Helden der Nation: Die Beerdigungs-
szene in der Abtei, an der die führenden Persönlichkeiten der Wissenschaft,
des Staates und der Kirche teilnahmen.

88. Eintrittskarte für die besseren Sitze beim Begräbnis.

FUNERAL OF MR. DARWIN.

WESTMINSTER ABBEY,

Wednesday, April 26th, 1882.
AT 12 O'OLOCK PRECISELY.

𝔄𝔡𝔪𝔦𝔱 𝔱𝔥𝔢 𝔅𝔢𝔞𝔯𝔢𝔯 at Eleven o'clock to the
CHOIR (Entrance by West Cloister Door, Dean's
Yard)

G. G. BRADLEY, D.D.
Dean.

N.B.—No Person will be admitted except in mourning.

89. Darwin als die weltliche „Sonne des 19. Jahrhunderts", die Aufklärung verbreitet, indem sie die Welt von Bischöfen, der Bibel und pfäffischen Lemuren befreit.

90. Huxley (rechts), wie er 1885 dem Prinzen von Wales im Naturgeschichtlichen Museum in South Kensington die Statue Darwins präsentiert.

91. Eine gütige Darwin-Ikone nach einem Photo aus den frühen 1870ern – das abgeklärte und unproblematische Bild, das die Familie an die Stelle des beklommenen „Kaplan des Teufels" setzen wollte.

blieben, schilderte er Emma den stündlichen ‹Kampf zwischen Leben und Tod›. ‹Ach, mein Liebes, es ist wirklich sehr bitter›, schrieb er und fügte dann besorgt hinzu: ‹Gott erhalte und schütze Dich.› Den ganzen Tag über war Annie außerstande, den Brandy und die Schleimsuppe bei sich zu behalten, die sie ihr gaben. Einmal alarmierte sie sie, indem sie den ‹hellgrünen› Inhalt ihrer Gallenblase erbrach. Am frühen Abend war das Kind zwar ‹furchtbar erschöpft›, aber Gully konstatierte keine Verschlechterung. ‹Er hat noch Hoffnungen – *unbezweifelbar hat er Hoffnungen*›, frohlockte Charles gegenüber Emma, als am Karfreitag die Sonne unterging. ‹Ach, meine Liebe, sei dankbar.›[14]

Während Emma am nächsten Morgen angsterfüllt zwischen den Zeilen von Charles' Brief zu lesen und jeden möglichen Trost daraus zu schöpfen versuchte, traf Fanny in Great Malvern ein, um Etty zu ihren Cousinen zu bringen. Die Schwestern küßten sich zum Abschied. Annie hatte sich über Nacht gefangen – ‹Sie ist über den Berg›, meinte Gully –, und Charles wagte es, sich ‹meine Annie von einst mit ihrem liebevollen, strahlenden Gesicht› vorzustellen. Er teilte Emma die gute Nachricht telegraphisch mit. Die Botschaft traf am Nachmittag ein, während Emma draußen war und in Annies Blumenbeet nach einer Blüte Ausschau hielt. ‹Welches Glück! Wie ich Gott danke!› antwortete sie eilig. Sie könne nun ‹auf seinen nächsten Bericht sehr gut bis Montag warten›.

Noch während sie schrieb, besserte sich Annies Zustand. Charles und Fanny hatten sie den ganzen Tag hoffnungsvoll beobachtet. Ihr Fieber war verschwunden, und ihr Puls beschleunigte sich; auch die Nahrung behielt sie im Magen. Sie lag friedlich da und schien sich stündlich wohler zu fühlen. Fanny schrieb Emma, Charles wirke ‹von Traurigkeit übermannt und erschüttert›, aber nicht krank. Er riß sich nur schwer von seinem Kind los, machte an diesem Tag aber doch allein einen Spaziergang durch die Hügel, da er sich auf Fannys Fürsorge verlassen konnte. Der Wind, die Aussicht, die Frische überall gaben ihm das Gefühl, daß das Leben neu erstanden sei. Morgen würde Emma Gott in der Kirche danken. Nach seiner Rückkehr kam Dr. Gully. Annie hatte ein bißchen erbrochen, ‹aber die Zunge hat sich entschieden gebessert›, verkündete er, ‹ein höchst wichtiger Punkt›.[15]

Die ganze Nacht wachten Fanny und Charles an ihrem Lager. ‹Die arme, liebe, aufopfernde Miss Thorley› konnte zum erstenmal durchschlafen. Annie erbrach ein zweites Mal geringfügig und nahm weniger von dem Haferschleim. Als Brodie ihr Gesicht und Hände mit einem Schwamm abwusch, umarmte Annie das Kindermädchen und küßte sie. Dann schlief sie friedlich ein. In den frühen Morgenstunden saß Charles im Kerzenschein da und schüttete Emma sein Herz aus. ‹Während ich Dir schreibe, kann ich ruhig weinen›, gestand er ihr. ‹Sonst erhebe und setze ich mich ständig; ich *kann nicht* stillsitzen.› Frühmorgens erschien Dr. Gully. Annie habe zwar wieder einen Mundvoll erbrochen, berichtete er, fügte aber rasch hinzu, ihr Zustand habe sich keineswegs verschlechtert. Wenn sie nur noch zwei Tage durchhalten könne, bestehe jede Chance auf Genesung. Doch als die Glocken der Prioratskirche an diesem Ostersonntag ertönten, begann sich Annie erneut zu erbrechen. Ihre Blase war jetzt gelähmt, und es mußte ein Katheter benutzt werden, obwohl sie sich verzweifelt dagegen wehrte. Danach nahm sie erschöpft ein wenig Brandy und Wasser zu sich. ‹Ich danke euch sehr›, hauchte sie. Gully untersuchte sie und berichtete, ihr Puls sei ‹eher besser, sicherlich nicht schlechter›. Am Abend bezeichnete er ihre Verfassung als ‹entschieden gebessert›. Charles wußte nicht mehr, was er denken sollte. ‹Diese Wechselbäder von Hoffnungslosigkeit und Hoffnung machen mich in der Seele krank›, stöhnte er gegenüber Emma.

Der Ostermontag brachte wenig Erleichterung. Frühmorgens traten Annies Blase und Darm spontan in Aktion – ‹Pudding machen› nannte sie das. Charles, der dies für ein sehr gutes Zeichen hielt, war ‹närrisch vor Freude› und stellte sie sich fröhlich durch den Garten von Down tollend vor. Er sagte zu ihr, er glaube, es werde jetzt mit ihr aufwärtsgehen. ‹Danke›, antwortete sie sanft. Aber als Gully um 8 Uhr kam, machte er Darwins Hoffnungen zunichte. Der Durchfall sei bedenklich, erklärte er; auch werde Annies Puls schwächer. Dann traf die Post ein, und Charles verlor plötzlich die Fassung. Als er las, daß Emma in Annies Garten nach einer Blüte gesucht habe, brach er in Tränen aus. ‹Wenn Du sie nur jetzt sehen könntest – der Inbegriff von Sanftmut, Geduld und Dankbarkeit –, dankbar, bis es einem wirklich weh tut, sie zu hören – die arme, liebe kleine Seele.› Am Nachmittag wurde Annie schwächer; sie stammelte unzusammenhängende Worte und schlief dann ein. Als sie aufwachte, rief sie: ‹Wo ist die arme Etty?› Später, beim Abendessen, dankte sie Fanny für einen Löffelvoll Tee und rief mit kräftiger Stimme aus: ‹Das ist wunderbar gut.› Noch ein Tag in dieser Weise, meinte der Arzt, und mit Annie werde es aufwärtsgehen. Charles versicherte Emma, ‹sie hält sich sehr wacker›.

In Down blieb Emma nichts anderes zu tun übrig, als das Leben in ihr zu retten. Sie hing an jedem Wort der telegraphischen Botschaften und betete. Um die Postzeit am Montag morgen war sie in verzweifelter Stimmung. Sie riß die Berichte von Charles und Fanny auf, wußte aber kaum, was sie davon halten sollte. Annies Auf und Ab schien nirgends hinzuführen. Emma versuchte Hoffnung zu schöpfen und versicherte Charles, sie sei wohlauf. ‹Ich habe alle Vorsorge für den Fall getroffen, daß es bei mir vorzeitig losgeht, aber ich rechne nicht im mindesten damit.› Am Dienstag kamen bessere Nachrichten. Jetzt entdeckte sie in Charles' Briefen Anzeichen ‹zunehmender Besserung› und wurde hoffnungsvoller. Kurz vor der Postzeit am Mittwoch morgen ließ sie sich gehen und schwelgte in ‹dem Vergnügen, mir vorzustellen, daß ich etwas für sie tun kann›. Sie schickte Charles einige einfache Rezepte für Annie, ‹wenn sie ein bißchen Nahrung zu sich nehmen kann›. Aber dann traf ein Brief von Fanny ein, der Emma in Verzweiflung stürzte. ‹Ach, meine Liebe, wie sollen wir damit fertig werden?› fügte sie ihren Rezepten hinzu. ‹Es ist sehr bitter.›[16]

Wie Gully vorhergesagt hatte, trat am Dienstag die Krise ein. Aber Annies Zustand besserte sich nicht. Heftiger Durchfall setzte ein, und mit jedem Schub schwanden ihre Kräfte. Charles sei ermüdet, teilte Fanny Emma mit, um ihr die furchtbare Wahrheit zu ersparen. Während sich Annie hilflos in ihrem Bett wand, machte Charles sein eigener Magen zu schaffen; von Krämpfen und Brechreiz geschüttelt, rannte er ein ums andere Mal aus dem Zimmer. Der Anfall dauerte den ganzen Tag. Am Abend lagen Vater und Tochter entkräftet darnieder. Charles konnte sich nicht mehr aufraffen, eine einzige Zeile an Emma zu schreiben. Mit Annie ging es bergab. Selbst Dr. Gully gab das zu.[17]

Während Emma, aller Hoffnungen beraubt, über die Nachricht weinte, näherte sich der Kampf in Great Malvern dem Ende. Annies Kräfte schwanden unaufhaltsam; nur ab und zu kam sie im Lauf der Nacht wieder zu Bewußtsein. Zweimal unternahm sie inmitten ihrer Wanderungen klägliche Versuche zu singen. Der Südwind blies Sturmwolken über die Hügel, und es war ungewöhnlich warm für die Jahreszeit. Am Mittwoch, dem 23. April, lag sie morgens friedlich da; ihr Atem ging sanft und leise, ihr abgezehrter Körper bildete einen kantigen Umriß unter dem Leintuch. Der Wind spielte an einem geöffneten Fenster mit den Vorhängen. Charles saß regungslos und abgespannt da, still wartend und weinend. Er starrte am Bett vorbei hinaus in die endlose graue Weite unter dem Leuchtturm Worcestershire. Seine Gedanken waren schmerzgequält und zerrissen wie die Tennysons in Emmas Lieblingsgedicht *In Memoriam*.

> Gott und Natur – sind sie im Streit,
> Daß die Natur so üble Träume schafft?
> So sorgsam auf die Art bedacht sie scheint,
> So sorglos geht sie mit dem Einzelwesen um.

Annies Atmung wurde flacher. Fanny kam mit Brodie und Miss Thorley herein. Der Wind frischte auf. Charles und Fanny rückten näher ans Bett heran. Annie lag ruhig da; sie war bewußtlos. Es war genau 12 Uhr mittags. Hoch über ihnen begann es zu donnern, gewaltige Schläge, die Totenglocke der Natur. Sie beugten sich über sie und hörten den Atem stocken. Annie war tot.[18]

Brodie verlor die Fassung. Miss Thorley hatte einen Anfall und brach zusammen. Fanny, selbst tief betroffen, eilte beiden zu Hilfe, während Charles das eingesunkene Gesichtchen ein letztes Mal küßte und sein Gesicht am Fenster verbarg. Es regnete jetzt in Strömen. Die durchnäßte Landschaft, ein Friedhof erloschenen Lebens, schien über seine bitteren Tränen zu spotten.

> ‹So sorgsam auf die Art bedacht?
> Nein – denn sie ruft von Klippen steil
> Und Felsen schroff: ‹Mich kümmert nichts,
> Schon tausend Arten starben, mag alles denn vergehn.›

Das war das Ende des Weges, die Kreuzigung seiner Hoffnungen. Er konnte nicht glauben, wie Emma glaubte – und ebensowenig, *was* sie glaubte. Da war kein Strohhalm, an den er sich klammern konnte, keine versprochene Auferstehung. Der christliche Glaube war nutzlos.

Nachdem er sich in sein Zimmer geschleppt hatte, lag er stundenlang mit revoltierendem Magen gemartert im Bett. Vorübergehend unterbrach er seinen Tränenstrom, um mit Dr. Gully zu sprechen, der als Todesursache ein ‹Gallenfieber mit Typhuscharakter› angab. Aber als er an Emma schrieb, überkam es ihn erneut. ‹Annie ist ohne einen Seufzer in ihren letzten Schlaf hinübergeschlummert.› Welch ein Schmerz, an ihr ‹offenes, liebevolles Wesen› zu denken. Es sei unmöglich, sich ‹das liebe Kind je unartig vorzustellen›. ‹Gott segne sie›, schluchzte er am Ende. ‹Wir müssen einander immer mehr sein, meine liebe Frau.› Gegen 18 Uhr ging Fanny hinein und fand Charles immer noch bitterlich weinend vor. Es bewahre ihn vor Übelkeit, sagte er. Aber etwas anderes quälte ihn jetzt. Er sehnte sich danach, bei Emma zu sein. Doch wie konnte er gehen, solange sein geliebtes Kind nicht begraben war? Die Zeremonie, der Anblick des Grabes würden ihn völlig zerbrechen. Fanny drängte ihn zu fahren, die erste Kutsche am Morgen zu nehmen.[19] Sie werde sich um das Begräbnis kümmern.

Das war es, was Charles hören wollte. Noch krank, stand er am Donnerstag früh auf und hinterließ schriftliche Anweisungen: Brodie sollte die Wäsche holen, Miss Thorley die Bücher mitbringen, Fanny ein Werk der atheistischen ‹Miss Martineau› Erasmus zurückgeben. ‹Und nochmals, meine liebste Fanny, Gott segne Dich, und ich danke Dir.› Dann kehrte er Great Malvern mit all seinen Erinnerungen den Rücken, wobei er noch einmal Annies geliebtes, entstelltes Gesicht vor sich sah, und floh. Fast ohne Unterbrechung fuhr er auf kürzestem Weg nach Down, wo er am frühen Abend eintraf.[20]

Als am Mittwoch kein Wort gekommen war, wußte Emma, daß der Kampf ausgestanden war, und fühlte sich, ‹als wäre das alles vor langer Zeit geschehen›. Sie nahm den Schlag ‹ruhig und gefaßt hin, ohne Heftigkeit weinend›. Ihre ‹einzige Hoffnung auf Trost› war, Charles wieder dazuhaben, aber ihre Kraft zu hoffen schien geschwunden. Sie wußte, daß er krank sein würde, vielleicht schwer krank. Zu ihrem Entsetzen begann sie das Un-

denkbare zu denken – daß auch er sterben könnte. Aber dies seien unange-
brachte Befürchtungen, schalt sie sich; und als er unerwartet auf der Schwelle stand, kehrte etwas Licht zurück. Sie klammerten sich aneinander und
weinten.[21]

Am nächsten Morgen um 9 Uhr wurde Annie auf dem Prioratsfriedhof
beigesetzt. Fanny hatte die letzte Ruhestätte selbst gewählt, sie lag unter
einer Libanonzeder, nicht weit von dem großartigen nördlichen Querschiff-
Fenster, auf dem die Freuden Mariens dargestellt sind. Der Pfarrer hielt die
Totenfeier; Fanny wurde beim Begräbnis von Hensleigh begleitet, der ihr
half, Brodie und Miss Thorley zu stützen. ‹Nie ist ein Kind mit größerer
Trauer in die Erde gebettet worden als Eure liebe und glückliche Annie›, versicherte Fanny Charles und Emma. Und Dr. Gully sei danach gekommen
und habe sich liebenswürdig nach dem Befinden der beiden erkundigt.[22]

Als die Familie wiedervereint war, wurden sich die größeren Kinder der
Schwere ihres Verlustes bewußt. Der elfjährige Willy war seit Tagen tief betrübt gewesen. Die siebenjährige Etty hatte als letzte Spielkameradin, die
ihre Schwester sah, eine besondere Last zu tragen. Sie hatte die traurige
Nachricht schon in Leith Hill erfahren, aber als sie bei ihrer Rückkehr hörte, daß Annie noch zwei Tage vor dem Ende nach ihr gerufen habe,
schluchzte sie, als breche ihr das Herz. Die ganze Erfahrung hatte einen prä-
genden Einfluß auf das Leben des Kindes, ganz ähnlich, wie Emma selbst
vom Tod ihrer älteren Schwester betroffen gewesen war. Nicht lange danach
begann Etty sich Sorgen zu machen, ob sie Annie je wiedersehen werde.
‹Aber Mama›, rief sie einmal aus, während Miss Thorley am Klavier sang,
‹wo kommen die Frauen hin, wenn doch alle Engel Männer sind?› Emma,
die merkte, wie verstört sie war, fragte sie, ob sie viel an Annie gedacht habe.
Etty brach in einen Tränenstrom aus. Sie wußte, daß Annie den Ruf eines
‹braven› Kindes hatte, das nie bestraft zu werden brauchte; jetzt wollte sie
ebenso brav sein wie sie. Emma fragte sich, warum sie so bekümmert sei.
Etty gab ihr eines Abends vor dem Schlafengehen die Antwort: ‹Ich habe
Angst, in die Hölle zu kommen.› Emma versicherte ihr, daß ‹Annie bestimmt im Himmel› sei. Am nächsten Abend fragte Etty: ‹Glaubst du, daß
du mit mir in den Himmel kommst?› Emma seufzte. ‹Ja›, erwiderte sie, ‹ich
hoffe es, und dann werden wir Annie bei uns haben.›[23]

In Wahrheit waren sowohl Emma als auch Charles zutiefst getroffen. Es
war leichter, einem Kind religiösen Trost zuzusprechen, als ihn für sich selbst
in Anspruch zu nehmen. ‹Die arme Emma ist gesund und körperlich stabil›,
schrieb Charles an Erasmus in London und bat ihn, Todesanzeigen in die
Times und ‹ein oder zwei andere Zeitungen mit größter Verbreitung› ein-
zurücken. Aber, fügte er hinzu, sie ‹empfindet bitteren Schmerz, und Gott
weiß, daß wir nirgends einen Schimmer des Trostes erblicken können›. Für

Emma verheilte die Wunde nie. Sie hoffte zwar, ‹ein Gefühl der Ergebung in den Willen des Himmels zu erreichen›, aber es ist zweifelhaft, ob es ihr je gelang.²⁴ Die kleinen Andenken, die sie aufbewahrte und all die Jahre hindurch in Ehren hielt – die kindlichen Briefe, die halbvollendete Wollstickerei, die Haarlocken –, waren eine ständige Erinnerung an ihre liebste Tochter, die ihr zu Ostern entrissen worden war.

Charles' Reaktion war entschiedener. Er hatte die Hauptlast ihres ‹bitteren und grausamen Verlustes› getragen, wie er Fox am 29. April schrieb. Er hatte hilflos zugesehen, während ein ‹tückisches und schreckliches Fieber› seinen Tribut forderte. Er hatte bei dieser furchtbaren Passionsszene droben auf dem Hügel über Great Malvern dabeigestanden und Annie ‹so friedlich wie einen kleinen Engel› verlöschen gesehen. Für ihn bezeichnete der Tod eine Ausweglosigkeit und einen neuen Anfang. Er setzte dreijährigem Nachdenken über die christliche Bedeutung der Sterblichkeit ein Ende; er eröffnete eine neue Sicht der tragischen Willkür der Natur. Am Tag, nachdem er Fox geschrieben hatte, genau eine Woche nach Annies Weggang, schlug er in einem kurzen Nachruf auf das Kind, geschrieben ausschließlich für sich und Emma ‹in späteren Jahren, falls wir am Leben bleiben›, einen neuen Ton an. Frei von jeder Spur der Bitterkeit, war es das Schönste – und sicher das Gefühlvollste –, was er je zu Papier bringen sollte.

Er schilderte Annie als ein Beispiel all des Höchsten und Besten in der menschlichen Natur. Körperlich, geistig und moralisch sei sie nahezu vollkommen gewesen: ihre Bewegungen ‹geschmeidig und voll Leben und Schwung›, ihr Geist ‹rein und durchsichtig›, ihr Wesen ‹großzügig, freigebig und ohne Mißtrauen ... frei von Neid und Eifersucht, ausgeglichen und niemals heftig›. Er wiederholte, daß ‹sie kaum je zu tadeln war und niemals in irgendeiner Weise bestraft wurde›. ‹Ein einziger Blick, nicht des Mißfallens (denn ich danke Gott, kaum je einen solchen auf sie geworfen zu haben), sondern nur fehlender Sympathie, veränderte für Minuten ihren ganzen Gesichtsausdruck.› Diese feine Sensibilität habe bewirkt, daß sie ‹bitterlich weinte ... wenn sie sich auch nur für ganz kurze Zeit von Emma trennte› und als kleines Kind einmal ausgerufen habe: ‹Ach Mama, was sollen wir tun, wenn du stirbst?› Die Vollkommenheit von Annies Charakter habe sich in ihrem zärtlichen Verhalten gezeigt. Von frühester Kindheit an habe sie ihre Eltern zu deren Entzücken liebkost. ‹Und sie ließ sich so gern küssen. Tatsächlich strahlte ihr ganzes Wesen Zuneigung und Liebenswürdigkeit aus, und all ihre Gewohnheiten waren von ihrer liebevollen Veranlagung beeinflußt.› Charles erinnerte sich vor allem an Annies Gesicht, ihre Tränen und Küsse, ihre ‹leuchtenden Augen, ihr Lächeln›, ihre ‹süßen Lippen›. Immer wieder rief er sich die unschuldigen Züge in Erinnerung und verglich sie mit der zwei Jahre zuvor gemachten Daguerrotypie. ‹Ach, könnte sie jetzt wissen, wie innig, wie zärtlich wir ihr liebes, frohes Gesicht immer noch und für alle Zeit lieben›, schloß er. ‹Sie sei gesegnet.›[25]

Annie hatte es nicht verdient zu sterben, sie hatte nicht einmal verdient, bestraft zu werden – nicht in dieser Welt, geschweige denn in der nächsten. ‹Geboren für ein Leben voll Glück›, wie Charles es ausdrückte, war sie von einer Krankheit heimgesucht worden, und die Natur hatte sie erbarmungslos ausgelöscht. Der Kampf war ‹bitter und grausam›, ohne Aussicht auf ausgleichende Gerechtigkeit. Doch entgegen aller Wahrscheinlichkeit sehnte er sich danach, daß Annie irgendwo fortexistierte. Ihr Gesicht, ihre liebevollen Küsse und ihre Tränen beim Abschied von Emma ließen ihn nicht los. Irgendwann würde auch er sich von Emma trennen müssen.

Am selben Tag setzten bei Emma die Wehen ein. Die Geburt eines Kindes, selbst mit Hilfe von Chloroform, war eine riskante Angelegenheit, speziell für eine Mutter, die zwei Tage vor ihrem dreiundvierzigsten Geburtstag stand. Es war ein falscher Alarm. Emma, die so viel gelitten hatte, mußte noch zwei Wochen warten. Sie freute sich so auf dieses Ereignis. Als Horace am 13. Mai gesund zur Welt kam, merkte sie jedoch, daß ihr Schmerz nicht geringer wurde. Zwar hatte ein neues Leben in Down House Einzug gehalten, doch sie vermißte ein Paar helfende Hände. Und das Baby würde ihr letztes sein müssen.

Annies grausamer Tod zerstörte den letzten Rest von Darwins Glauben an ein moralisches, gerechtes Universum. Später sollte er sagen, diese Periode habe die Totenglocke für sein Christentum geläutet, selbst wenn dies ein sich lange hinziehender Erosionsprozeß gewesen sei. Er durfte sich jetzt auch zu Hause freier zu seinen Überzeugungen bekennen. Bei neun schwierigen und gefährlichen Schwangerschaften hatte Emma die Geborgenheit des Bewußtseins benötigt, daß sie einander für immer gehören würden.[26] Nun, da keine Kinder mehr zu erwarten waren, schwand die Gefahr der Trennung. Sie würden sicherlich noch viele Jahre zusammensein. Darwin bezog jetzt seine Position als Ungläubiger.

1851–1860

26

Ein Gentleman mit Kapital

Die Sommersonne von 1851 schien ermutigend auf das England Victorias und verhieß der reichsten Macht der Welt Frieden und Fortschritt. In Australien war Gold gefunden worden, Livingstone hatte soeben den Sambesi erreicht, und durch den Ärmelkanal wurde die erste erfolgreiche Kabelverbindung gelegt. Eine neue Ära dämmerte herauf, die imperialen Glanz versprach, und auch im näheren Umkreis standen die Zeichen nicht weniger günstig. Freihandel und Laissez-faire hatten den wenigen noch nie dagewesenen Wohlstand und allen übrigen steigende Erwartungen gebracht. Die alten politischen Bindungen bröckelten; aus den früheren Whigs war eine neue ‹liberale Partei› hervorgegangen. Die Stürme, welche die Hälfte der europäischen Regierungen weggefegt hatten, waren harmlos über die Britischen Inseln hinweggebraust, und die letzten verbliebenen Befürchtungen vor inneren Konflikten verflüchtigten sich jetzt wie Morgentau. ‹Daß es in England eine Revolution geben könnte›, war ‹so wahrscheinlich, wie daß der Mond vom Himmel fällt›.[1]

Die Weltausstellung, das war Großbritannien, das sich in seinem Erfolg sonnte. Es war die erste internationale Kunst- und Industriemesse, und sie fand im Londoner Hyde Park statt. Sie wurde am 1. Mai eröffnet und war in einem riesigen neuen Gebäude aus Glas und Eisen, dem Kristallpalast, untergebracht. Kraftvoll, aber spröde, geräumig, aber leicht brennbar (der Bau brannte 1936 ab), war Joseph Paxtons Meisterwerk das architektonische Symbol der wirtschaftlichen Überlegenheit Englands. Sein gewaltiges Mittel- und Querschiff lösten ehrfürchtiges Staunen aus. Drinnen waren wie in einem riesigen Treibhaus die ersten Früchte der florierenden freien Marktwirtschaft zu sehen, die riesigen Maschinen und Myriaden von Industriegütern, die dem heimischen Boden abgerungen worden waren. Hier waren die industriellen Träume der Lunar Society – von Boulton und Wedgwood, Priestley und Erasmus Darwin – im Überfluß Wirklichkeit geworden. Die Hälfte aller Ausstellungsstücke stammte aus britischen Fabriken.

Albert, der Prinzgemahl, präsentierte sie seiner Königin am Eröffnungstag als einen Tribut, das Ergebnis gesellschaftlicher Harmonie, ‹unterstützt durch die moderne Wissenschaft›.[2]

Victorias Nation strömte geschlossen zu dem blendenden Schauspiel. Drei Wochen nach der Eröffnung wurde der Eintrittspreis an Wochentagen auf einen Shilling gesenkt. Die Eisenbahn räumte Sonderrabatte ein, und Tagesfahrten zur Ausstellung waren der große Schlager. Mehr Menschen unternahmen 1851 ihre erste Bahnfahrt, als je zuvor mit dem Zug gefahren waren. Grund- und Aktienbesitzer, Geschäftsleute und die Massen trafen jetzt auf demselben Grund und Boden zusammen. Sie alle schienen ‹von einem unsichtbaren Einfluß beherrscht und überwältigt [...] Kein lautes Geräusch war zu vernehmen, keine ungehörige Bewegung zu sehen; der Menschenstrom fließt ruhig dahin›.[3] Neue Schicklichkeit und Zivilisiertheit entsprangen einer auf Wissenschaft basierenden Industrie.

Während religiöse Auguren Gott für die Ausstellung priesen, bezogen die literarischen Freigeister andere Inspirationen daraus. Viele waren von der banaleren Notwendigkeit eines Arbeitsplatzes nach London gelockt worden. Das waren Dichter und Professoren, Ärzte und Rechtsanwälte, Schriftsteller und Naturforscher, Journalisten und Politiker. Manche von ihnen besaßen eigenes Vermögen, aber viele mußten um ihre Existenz kämpfen. Die meisten waren in den Dreißigern oder den frühen Vierzigern und strebten nach oben. Alle glaubten, das neue Zeitalter des Kristallpalastes erfordere liberale, fortschrittliche Reformen, die Interpreten der Natur hätten einen berechtigten Anspruch auf das Sozialprestige und den materiellen Segen, deren sich das anglikanische Establishment erfreute. Sie bildeten eine unbehagliche Koalition, deren Überzeugungen die ganze Palette von Positivismus, Republikanismus, Säkularismus, Materialismus sowie die extremeren ‹Ismen› des Unglaubens einschloß. Diese intellektuelle Elite begann die Natur zu einem wettbewerbsbezogenen Marktplatz umzudeuten. Ihre Mitglieder waren die neue Klientel für die Evolution, fühlten sich dem Fortschritt, der Technologie und der Naturalisierung der Moral und des Menschen verpflichtet. Als die Wortführer des Wandels machten sie die Welt sicher für Darwin.

Der Brennpunkt ihrer Allianz war das Haus John Chapmans am Strand 142. Chapman war seiner Ausbildung nach Mediziner – er war einst Dr. Gullys Homöopath gewesen –, fühlte sich aber zum Verleger berufen. Noch keine dreißig, hatte er eine eindrucksvolle Liste der neuesten subversiven Literatur vorzuweisen, darunter Titel von Newman, den Briefwechsel Atkinson-Martineau sowie draufgängerische Erstlinge von Darwins Edinburgher Kommilitonen William Greg, der sich vom Mühlenbetrieb zurückgezogen hatte, und einem jungen Journalisten namens Herbert Spencer. Der Katalog wurde von der blitzgescheiten, aber unbekannten Mary Ann Evans – mit dem späteren Pseudonym George Eliot – zusammengestellt, die mit Chapman und seiner Frau eine prekäre Menage bildete. Chapman hatte die dahinsiechende *Westminster Review* erworben und baute sie zu einem Forum für seine Autoren aus. Sie kamen in diesem Sommer zu seinen Freitags-Soireen, begierig, das neue Flaggschiff der Freidenkerei und der Reform zu unterstützen. Auch andere Dissidenten stießen zu ihnen, ‹die Avantgarde der Welt›, wie die Evans sie nannte. Zu ihnen zählten der Philosoph John Stuart Mill, der unitarische Physiologe William Carpenter, Verfasser von *Vestiges,* Robert Chambers sowie der inzwischen etwas abgeklärtere Atheist Holyoake, der gerade im Begriff war, den ‹Säkularismus› als eine gemäßigte Bewegung zu lancieren.[4] Bald sollte sich auch ein zorniger junger Schiffschirurg namens Thomas Henry Huxley zu ihnen gesellen.

Während der warmen Sommerwochen tüftelte die Evans an einer Werbeschrift für das neue Journal. Chapman wünschte sich ein Manifest, das den gemeinsamen Überzeugungen seines Kreises Ausdruck verlieh – dem Glauben an Fortschritt, an die Überwindung gesellschaftlicher Mißstände und an die Belohnung von Talent. Der vierseitige Prospekt wurde Ende August an die Intelligenzija verschickt. Dies war ein entscheidender Augenblick. Zum erstenmal wurde der progressiven Evolutionslehre die kollektive Unterstützung des Mittelstandes zuteil. Wofür Arbeiteragitatoren Gefängnis riskiert hatten, das wurde jetzt zum ‹Grundprinzip› einer der führenden literarischen Zeitschriften der Nation. Chapman und die Evans bezeichneten es als das ‹Gesetz des Fortschritts›. Die Herausgeber erklärten: ‹Die Institutionen des Menschen sind nicht weniger als die Produkte der Natur in dem Maße stark und dauerhaft, als sie die Ergebnisse allmählicher Entwicklung darstellen.›[5]

Aber welche Art von ‹Entwicklung› schwebte den Herausgebern der *Westminster Review* vor? Darüber bestand keine Einmütigkeit außer der Überzeugung, daß die Evolution in einem völlig natürlichen, ununterbrochenen Prozeß bestehe. *Vestiges* stand in Einklang mit dieser Auffassung, und Newman und Carpenter hatten sich mit aller Kraft für das Buch eingesetzt. Aber es war trotzdem die Arbeit eines Laien, dazu voller Mängel. Im Chapman-Kreis war inzwischen niemand mehr damit zufrieden, am allerwenigsten Chambers selbst, der an einer gründlichen Revision für die zehnte Auflage arbeitete. Ein fundierter, differenzierter und wissenschaftlich tragfähiger Evolutionsbegriff wurde dringend benötigt, und die Dissidenten waren auf der Suche danach. Chapman fragte Richard Owen, jedoch ohne Erfolg. Owens Vorstellung von Entwicklung war ein platonisches Ideal, etwas, was im Geist Gottes existierte. Das ‹Gesetz› der Evolution würde das menschliche Leben doch etwas materieller erklären müssen. Alles, wofür der Kristallpalast stand – industrielle Leistung, englische Vorherrschaft, vor allem aber Fortschritt –, mußte darin seinen Niederschlag finden.[6] Nur einer von Chapmans Freunden packte den Stier bei den Hörnern.

Herbert Spencer hatte in den Büroräumen des *Economist,* wo er arbeitete, eine billige Unterkunft gefunden. Das war gegenüber von Chapmans Haus, inmitten des ‹ewigen Geratters› am Strand. Im Lauf des Sommers zog ihn die Evans für ihren Prospekt zu Rate. Spencer stammte aus Derby, aus einer Methodisten- und Unitarierfamilie; sein Buch *Social Statics,* das Chapman im Vorjahr herausgebracht hatte, war ein Versuch, das moralische Universum der Dissenters zu einem positiven, natürlichen Prozeß umzudeuten. Spencer war seit langem von der Evolution überzeugt; er betrachtete sie als eine Akkumulation von Veränderungen, die von jedem Individuum angenommen und weitergegeben würden. Der Fortschritt sei eine Notwendigkeit. Er sei ein ‹der gesamten organischen Schöpfung zugrunde liegendes Gesetz›, und die Zivilisation sei ‹ein Bestandteil der Natur, vergleichbar mit der Entwicklung des Embryos oder der Entfaltung einer Blume›. Er sei eine Garantie dafür, daß das Böse schließlich verschwinden und der Mensch ‹vollkommen werden› würde.[7]

Im Weltausstellungs-Sommer wurde Spencer klar, daß Fortschritt noch mehr bedeutete. George Lewis, ein anderes Mitglied von Chapmans Kreis, machte ihn mit dem Konzept des französischen Zoologen Henri Milne-Edwards von der ‹physiologischen Arbeitsteilung› bekannt. Und Carpenter überzeugte ihn davon, daß die Evolution ein ständiger Wandel vom ‹Allgemeinen› zum ‹Besonderen› sei; sie schleife Organismen für ihre Umwelten zurecht und passe jeden an seine Aufgabe an, wie es in Milne-Edwards' industrieller Analogie der Fall war. Spencer glaubte jetzt, daß das, was für die Tiere zutraf, auch für die Gesellschaft gelte: Der Fortschritt trete durch Spezialisierung ein. War es nicht Prinz Albert gewesen, der gesagt hatte, das ‹großartige Prinzip der Arbeitsteilung› sei ‹die Triebkraft der Zivilisation›, und die Weltausstellung vermittle ein ‹lebendiges Bild des Entwicklungsstadiums, das die gesamte Menschheit erreicht hat›?[8]

Ein großer Stolperstein war jedoch noch zu überwinden, der dem Glauben an die menschliche Vervollkommnungsfähigkeit seit einem halben Jahrhundert im Weg gelegen hatte. Es gab immer zu viele Münder zu stopfen, und nie war genug Nahrung für alle da; ein harter Existenzkampf war somit unvermeidlich. Dies war das ‹Bevölkerungsprinzip› von Malthus, das den meisten Liberalen als unantastbar galt. Die einzige Hoffnung der Menschheit lag in sexueller Enthaltsamkeit, bis jedes Paar die Mittel besaß, um Kinder aufzuziehen. Aber diese ‹moralische Zurückhaltung›, wie es Reverend Malthus nannte, war von der breiten Masse der Menschheit niemals praktiziert worden.[9] Wenn die bisherigen Erfahrungen irgendeinen Wert hatten, dann sah es für Spencers visionären Glauben düster aus.

Tatsächlich waren die Autoren der *Westminster Review* in bezug auf Malthus tief gespalten. Für Leute wie Holyoake mit Sympathien für die arbeitende Klasse war Malthus' Prinzip eine bösartige Erfindung. Es war die

Ideologie des Arbeitshauses, die den Armen die Schuld an ihrer Not gab und die Reichen segnete. Aber für all jene, welche die Partei der Baumwollbarone und ihrer Apologeten ergriffen – wie Greg und die Martineau –, war das Malthussche Prinzip ein begrüßenswertes Naturgesetz, das die Menschen zur Verantwortung und zur Arbeit an sich selbst erzog. Chapman war über diese Uneinigkeit so besorgt, daß er Spencer gleich nach dem Kauf der *Westminster Review* aufforderte, in der ersten Nummer über die Bevölkerungsfrage zu schreiben.

Spencers ‹Bevölkerungstheorie, abgeleitet vom allgemeinen Gesetz der tierischen Fruchtbarkeit›, erschien dann in der zweiten *Westminster*-Nummer. Sie bot jedem etwas, doch der Löwenanteil war für die Wohlhabenden. Nach seiner Ansicht war das schmerzhafte Malthussche Prinzip sowohl richtig als auch selbstregulierend. Populationen, die sich über ihre Mittel hinaus vermehrten, gingen ‹den Weg der Auslöschung›; sie starben in Massen, wie es ‹uns kürzlich in Irland vorgeführt worden ist›. Die Übrigbleibenden seien ‹die Erwählten ihrer Generation›. Da sie moralische Zurückhaltung und Voraussicht hätten walten lassen, vererbten sie ihre ‹Fähigkeit zur Selbsterhaltung› weiter. Der Fortschritt sei gesichert, und früher oder später würden menschliche Ansprüche und Bedürfnisse vollkommen ausgeglichen sein: Es werde nicht mehr Münder zu stopfen geben, als Nahrung vorhanden sei.[10]

Die Familie Darwin wartete zwei Monate, bevor sie die Ausstellung besuchte. Charles wollte seinen Band über die gestielten Rankenfüßer abschließen und das Manuskript dem Verleger persönlich überbringen. Emma benötigte auch genügend Zeit, um sich von Horace' Geburt zu erholen. Schließlich trafen alle Darwins Mitte der Woche, am 30. Juli, in Erasmus' Stadthaus in der Park Street im vornehmen Stadtteil Mayfair ein. Der Kristallpalast war zum Glück nur eine kurze Droschkenfahrt entfernt. Es bedurfte mehrerer Besuche, um all das Gebotene aufnehmen zu können. Die achtjährige Etty und der sechsjährige Georgy langweilten sich bald; Onkel Erasmus traktierte sie mit Süßigkeiten, und danach blieben sie zu Hause. Aber Charles und Emma hatten so etwas noch nie gesehen. Nur die Natur selbst – ein Erdbeben, ein Regenwald, ein feuerländischer Wilder – konnte größeres Staunen auslösen. Riesige rotierende Pumpen und Pressen, laut klappernde Webstühle, mächtige Heizkessel und pfeifende Dampfmaschinen, verglaste, mit Samt ausgeschlagene Schaukästen, in denen Kostbarkeiten aus Gold und Silber zu sehen waren, strengbewachte Vitrinen, die das Lösegeld einer Königin in Juwelen enthielten – all dies kam aus anderen Welten. Aber Charles ermüdete leicht. Es war heiß, das große Glashaus war zum Bersten voll, und er kehrte mit Kopfschmerzen zurück. Dann revoltierte sein Magen und ließ ihm tagelang keine Ruhe.[11]

Er vermißte Hooker. Hooker gehörte ebenso wie Lyell der ‹Jury› an, dem wissenschaftlichen Beirat, der Berichte über die Ausstellungsstücke verfassen sollte. Er hatte die Aufgabe nicht nur wegen der Ehre, sondern auch um der hundert Pfund Honorar willen übernommen. Als Charles eintraf, war er mit seiner jungen Frau schon in Paris, wo er sich zusammen mit den anderen Juroren auf Kosten Louis Napoleons fürstlich bewirten ließ. In London ließ Charles sein einziges Exemplar des umfangreichen Manuskripts über die Rankenfüßer von einem Dienstboten an die Ray Society überbringen. Es stellte die Arbeit von fünf Jahren dar, und er war ‹nicht gewillt, es der zweifelhaften Verläßlichkeit eines öffentlichen Beförderungsmittels anzuvertrauen›. Auch mußte er sich erst vergewissern, daß andere es mit derselben Sorgfalt behandelten, ehe er nach Down zurückkehrte, das seit neuestem Downe hieß. (So sollte eine Verwechslung mit der irischen Grafschaft Down verhindert werden; Down House behielt jedoch die alte Schreibung bei.) Man möge das Manuskript durch einen ‹vertrauenswürdigen Boten› in die Druckerei schicken, ermahnte er die Society, und sich den Empfang sofort bestätigen lassen. ‹Verzeihen Sie meine lächerliche Pedanterie›, fügte er verständlicherweise besorgt hinzu.[12]

In Downe ging das Leben weiter, und ein Tag glich dem nächsten. Ein frühes Frühstück, dann Rankenfüßer bis zum Eintreffen der Post; anschließend weitere Rankenfüßer, ein rascher Spaziergang und Mittagessen; der Nachmittag zur Erholung mit Lektüre, Korrespondenz und einem Mittagsschläfchen; dann ein weiterer Schwung Rankenfüßer bis zum Abendbrot, gefolgt von Backgammon; schließlich Bettruhe. Die Nächte waren für Charles ‹immer schlecht›. Er konnte sich nie den Kopf frei machen. Gedanken oder Eindrücke verfolgten ihn: eine mißlungene Sektion, eine gesellschaftliche Indiskretion, ein unerfreulicher Brief. Auch als er schon wieder zu Hause und in Sicherheit war, beeinträchtigten die Nachwirkungen des Ausstellungsbesuchs immer noch sein Wohlbefinden.[13] Die Zukunft machte ihm ebenfalls Sorgen. Ein Gentleman mußte vorausplanen. Kluge Weitsicht hatte Charles die Sicherheit eingetragen, nach der er sich sehnte, einschließlich eines bescheidenen Vermögens. Aber die Aufgabe, sieben kleine Münder zu stopfen, lud ihm mehr Verantwortung denn je auf. Die Familie war jetzt vollzählig – ‹drück mir nur Dein Beileid aus›, falls ein weiteres Kind komme, schrieb er Fox. Er mußte auf lange Sicht planen.

Das Problem der Mädchen würde sich mit Hilfe geeigneter Gouvernanten und Emmas Beispiel von selbst lösen. Den Jungen galt die Hauptsorge – es waren ja inzwischen fünf. Sie benötigten solide, ordentliche Berufe, um weiterhin in der Weise leben zu können, wie sie es gewohnt waren. Charles machte einiges Aufheben von diesem ‹Schreckgespenst›. In den Händen der Söhne lag künftig das Familienvermögen – wenn es denn überhaupt ein Vermögen weiterzugeben gab.[14]

Geld war der Schlüssel zu allem. Auf dem Papier entwickelte sich die finanzielle Situation von Charles und Emma sehr günstig. Ihr gemeinsames jährliches Einkommen hatte soeben 3000 Pfund überschritten, so daß sie zu den obersten paar Prozent der Rentiers des Landes zählten. Das verdankten sie einer klugen Anlage ihres ererbten Kapitals. Neben dem Gutshof bei Beesby in Lincolnshire, dessen Wert jetzt auf etwa 14000 Pfund geschätzt wurde, hatte Charles beim Tod seines Vaters Vermögenswerte in Höhe von etwa 40000 Pfund geerbt. Der Vater hinterließ ihm ein weiteres Landgut in Lincolnshire, in Sutterton Fen, eine Hypothek von 13000 Pfund beim Earl of Powis und genügend andere Mittel, um ihm erhebliche Investitionen in die britische und die amerikanische Industrie zu ermöglichen. Auch Emma war im Testament ihres Vaters reichlich bedacht worden. Ihr Vermögen wurde treuhänderisch von Bruder Josiah und Erasmus Darwin verwaltet, eine damals übliche Vorsichtsmaßnahme, um eine Frau vor den Gläubigern ihres Mannes zu schützen. Dieses Wedgwood-Vermögen belief sich auf über 25000 Pfund, einschließlich einer Beteiligung an dem Familienunternehmen, Kanal- und Eisenbahnaktien und einer großen Hypothek beim Sohn eines Gutsbesitzers in Shropshire.[15] Alles in allem besaßen sie und Charles Vermögenswerte von über 80000 Pfund.

Ein großer und wachsender Anteil bestand aus Wertpapieren, überwiegend Eisenbahnaktien. Charles finanzierte das neue Zeitalter der Züge und der Dampfmaschinen mit. Großbritannien verfügte 1851 über ein Schienennetz von knapp 11000 Kilometer Länge, das Siebenfache des gesamten Gleisnetzes der fünf westeuropäischen Länder. Diese Errungenschaft war, ebenso wie seinerzeit die Errichtung der Pyramiden oder der Chinesischen Mauer, teuer erkauft worden. Der Eisenbahnboom hatte eine Goldgräberstimmung ausgelöst, die durch verrückte Spekulationen angeheizt und vom Wirtschaftsliberalismus toleriert wurde. Vermögen wurden über Nacht gemacht und verloren – und ein Menschenleben galt nicht viel dabei. Die Experten konnten jetzt zwar in Schnellzügen im 100-Kilometer-Tempo zu Tagungen der British Association fahren, aber der Blutzoll war gewaltig, da lauter unkontrollierte Privatunternehmen miteinander wetteiferten, schneller dorthin zu gelangen. Zugunglücke wurden so alltäglich, daß die Zeitungen nur noch über die größten Katastrophen berichteten. Manchmal war Fahrlässigkeit die Ursache. Charles' Freund Hugh Strickland wurde 1853 auf dem Heimweg von der Tagung der British Association in der Nähe der Retford Station in Hull getötet.[16] Mit der geologischen Erforschung der Eisenbahntrasse beschäftigt, hatte Strickland einen Kohlenzug an sich vorüberfahren lassen, als ihn ein aus der Gegenrichtung kommender Schnellzug erfaßte.

Charles selbst war zu vorsichtig, um mit der Eisenbahn hohe Spekulationsgewinne zu erzielen. Er und Emma hatten ihre Erbschaften gemacht, als der Boom schon abflaute, aber er ließ sich immer noch Zeit, kaufte, als die Konjunktur vorbei war, und bevorzugte mündelsichere Anleihen. Nach der Panik im Frühjahr 1847, als die Zinsen zu steigen begannen, fing er an, Tausende von Pfund in die Leeds-and-Bradford-Eisenbahn zu schaufeln. Einige Jahre später stieß er London-and-North-Western-Anteile zu spät ab und verlor etwa 800 Pfund, aber 1854 steckte er 20000 Pfund in die Great-Northern-Eisenbahn und lebte jahrelang von den Erträgen. Er war zu einem gewitzten Finanzier geworden. ‹Die gegenwärtig niedrigen Preise von garantierten Eisenbahnaktien›, gab er seinem Lincolnshirer Immobilienmakler zu bedenken, der nach einem weiteren Landgut für ihn suchte, ‹haben mich zu der Überzeugung gebracht, daß ich besser daran täte, in solche Anteile zu investieren; denn angenommen, ich könnte fast 5 Prozent bekommen, dann könnte der zusätzliche Zins gegenüber den Einnahmen aus Grund und Boden für den Rest meines Lebens (da ich nicht mein ganzes Einkommen verbrauche) zusammen mit den Zinseszinsen einen Abschreibungsfonds als Kompensation für etwaige Rückgänge des Goldpreises bilden.›

In diesem Jahr stieg sein Einkommen auf insgesamt 4600 Pfund, wovon die Hälfte reinvestiert wurde.[17]

Doch Charles hatte sich dieses finanzielle Wissen nicht leicht erworben. Jahrelang hatte er die Wirtschaftsseiten gelesen, die Märkte beobachtet und auf den Rat von Fachleuten gehört. Oft hatte er es auch mit der Angst zu tun bekommen. Auf dem Papier hatten er und Emma zwar für den Rest ihres Lebens ausgesorgt, aber in der Praxis konnte ihre Zukunft – und die der Jungen – auf einen Schlag in Frage gestellt sein. Der Großteil ihres Einkommens war anfällig für Fluktuationen des Aktienmarktes. Wenn die Kurse fielen, machten die Unternehmen – namentlich die Eisenbahnen – Bankrott und rissen ihre Investoren mit sich in den Abgrund. Eine Panik konnte zur nächsten führen, und dann platzte die Seifenblase des Eisenbahnbooms. Charles fing an, Grundbesitz für eine sichere Sache zu halten. ‹Angesichts meiner *großen* und wachsenden Familie›, erklärte er seinem Makler, als er ihn bat, nach einem Besitz im Wert von 5000 Pfund zu suchen, ‹muß ich mein Bestes tun, um sichere und kluge Investitionen zu tätigen.›[18]

Die Darwins waren nicht die einzige große Familie in Downe, die Sicherheit benötigte. Die Dörfler mit ihrer wachsenden Kinderschar waren den ‹hohen Herrschaften› zahlenmäßig bei weitem überlegen, und Charles, das Beispiel seines Mentors Henslow vor Augen, versuchte sie ebenfalls an der Wirtschaft zu beteiligen. Er war jetzt Schatzmeister des örtlichen Wohltätigkeitsvereins, ein Amt, um dessen Übernahme ihn Reverend Innes gebeten hatte. Der liebenswürdige Vikar war regelmäßiger Gast in Down House, und eines Tages, als sie zusammen eine Prise schnupften, hatte Charles vorgeschlagen, einen Sparverein zu gründen. Das würde ‹unseren Klutentrampern› beibringen, mit ihrem Geld hauszuhalten, und sie ermuntern, Vorsorge gegen Krankheit, Alter und Tod zu treffen. Ein kleiner monatlicher Beitrag würde ihnen ein paar Shilling wöchentlich als Unterhalt und fünf Pfund für ihr Begräbnis eintragen. Innes hieß den Plan willkommen, und 1850 wurde dann die Downe Friendly Society mit ihrem ‹Clubzimmer› im George and Dragon Inn, gegenüber der Pfarrkirche, gegründet. Henslow half beim Aufstellen der Vereinsregeln: eine Buße von zwei Shilling sechs Pence für Fluchen im Vereinszimmer, fünf Shilling für Betrunkenheit oder Rauferei, Ausschluß aus dem Verein wegen Trinkens, Spielens oder Arbeitens, während man Unterstützung bezog. Darwin wurde Schirmherr und Schatzmeister und investierte die Pennys der Männer in der Bank von England.[19] Seine patriarchalische Verantwortung erstreckte sich jetzt weit über die eigene Familie hinaus.

Er führte gewissenhaft Buch. Das war seine eigene Versicherung gegen öffentliche Ungnade und private Armut in unsicheren Zeiten. Tatsächlich gab es in den frühen 1850er Jahren unheilvolle Anzeichen. Ein weiteres ‹Schreckgespenst› verfolgte ihn: Gold. Es bewirkte massive Wanderungsbewegungen. 1849 wurde das funkelnde Zeug in Kalifornien entdeckt; zwei Jahre später war Australien an der Reihe. Massen eilten dorthin, um ihr Glück zu machen – allein 1852 wurden über 80 000 Menschen von England nach Australien gelockt –, und die Befürchtung ging um, das Kapital werde folgen. Jetzt, da der Goldpreis anzog, würden massenhaft Aktien abgestoßen werden. Sobald der Markt ins Rutschen käme, würde es zu spät sein. Charles' und Emmas Aktienbesitz wäre wertlos, die Familie ruiniert. Die Söhne würden auswandern müssen, und mit ihnen würde auch er selbst ‹sicher emigrieren›. Denn ohne eine komfortable Erbschaft waren ihre Aussichten in England gleich Null. Sie konnten alle ‹jahrelang in irgendeinem Beruf schuften, ohne auf einen grünen Zweig zu kommen›.

‹Obwohl ich ein reicher Mann bin›, schrieb er seinem alten Schiffsdiener Covington, der sich schon vor langer Zeit bei den Antipoden angesiedelt hatte, ‹wünsche ich mir, wenn ich an die Zukunft denke, sehr oft brennend, daß ich mich in einer unserer Kolonien niedergelassen hätte [...] Teile mir mit, wie weit es Deiner Meinung nach ein Gentleman mit Kapital in Neusüdwales bringen könnte [...] Wieviel Zinsen bekommt man bei einer sicheren Investition für sein Geld? Wie teuer sind Lebensmittel? [...] Wieviel Grund und Boden besitzt Du?› Was Charles ‹am anziehendsten› fand, waren ‹die mittleren Staaten von Nordamerika›. Auch das Empire erschien ihm vielversprechend; bestimmt fände sich dort ein Schlupfloch, falls es mit der Wirtschaft bergab ginge. ‹Die Engländer sind zweifellos eine edle Rasse›, fügte er hinzu, ‹und es ist großartig, daß wir Australien und Neuseeland in unseren sicheren Besitz gebracht haben.› Covingtons Antwort machte ihm Mut, und bald korrespondierten sie wieder regelmäßig. Charles wollte Näheres über das Gold hören. Er war erstaunt zu erfahren, daß ‹alle wichtigen und neuen Verfahren› zur Ausbeutung der Minen von amerikanischen Einwanderern ‹geplant und ins Werk gesetzt› würden. Die Kolonie sei dabei, ‹entschieden republikanisch› zu werden, schrieb Covington. Dies erschien Charles als Verknüpfung der Vorzüge beider Welten, und bald las er jedes Buch über Australien, das er in die Hände bekam.[20]

Es gab noch einen weiteren Grund, auszuwandern. Am 2. Dezember 1851 kam Louis Napoleon durch einen Staatsstreich an die Macht. Das Gespenst eines neuen napoleonischen Reiches versetzte die patriotischen Briten in Aufruhr. ‹Der Sturz Frankreichs scheint vom Himmel vorherbestimmt›, sinnierte Emmas Tante Jessy. ‹Jetzt halte ich alles für möglich, sogar eine Invasion.› Beim Abendessen in Downe erschreckte Captain Sulivan alle mit seinem Szenarium einer Landung französischer Truppen und der Besetzung der Grafschaften um London. Das löste bei Charles wiederholt den Alptraum aus, die französische Armee werde in einer Zangenbewegung über ‹die Straßen von Westerham und Sevenoaks› vordringen und Downe einkesseln. Daß das Dorf von Napoleon – der ‹Bestie›, wie Jessy ihn aufgrund persönlicher Bekanntschaft nannte – abgeschnitten werden könnte, war keine totale Paranoia. Charles' Freunde waren genauso erregt. Der antikatholische Lyell verfluchte den Diktator ‹samt seinen Prätorianergarden und seinen Jesuiten›. Die Gefahr war groß genug, um England zur Reinigung ‹alter, rostiger Kanonen› zu veranlassen, während Prinz Albert seinen Bruder um ‹ein preußisches Zündnadelgewehr› bat. Im neuen Jahr wurde sogar die Regierung gestürzt, nachdem Lord Palmerston eine Debatte darüber erzwungen hatte, ob erneut eine örtliche oder eine nationale Miliz eingeführt werden sollte.[21]

Nun, die Franzosen unternahmen keine Invasion, und die Darwins in Downe blieben ungefährdet. Das Familienvermögen stieg sprunghaft an, während sich die Söhne auf seine Übernahme vorbereiteten. Die Schulbildung der Jungen sorgte mehr als alles übrige dafür, daß Darwin an Ort und Stelle blieb, und seine Klagen über ‹Schreckgespenster› wurden bald zu einem Ritual. ‹Ach, die Berufe, ach, das Gold, ach, die Franzosen›, stammelte er gegenüber Fox. Im Grunde gab es nur eine einzige quälende Ungewißheit.[22] ‹Das schlimmste meiner Schreckgespenster›, klagte er, ‹ist erbliche Schwäche.›

Der zwölfjährige Willy, das künftige Oberhaupt der Familie, war ‹für sein Alter zurückgeblieben›. Darwin zermarterte sich das Gehirn über die Ausbildung des Jungen. Er dachte an die Bruce Castle School in Tottenham, nördlich von London. Gegründet von Rowland Hill, dem Erneuerer des englischen Postwesens, verstärkte sie die Klassenunterschiede, legte Wert auf strikte Disziplin und gab modernen Sprachen und Naturwissenschaften Raum. Dies mochte Willy guttun, der mit seiner Leidenschaft für das Sammeln von Schmetterlingen bereits das ‹Vererbungsprinzip› erkennen ließ.

Charles stattete der Schule einen Besuch ab. Sie machte einen guten Eindruck und war ‹mit etwa 80 Pfund jährlich, *alles inklusive,* billig›. Aber es schien ein ‹furchtbares Experiment›, das er da mit seinem ältesten Sohn vorhatte. Charles zahlte dem Pfarrer von Mitcham in Surrey, Henry Wharton, bereits 75 Pfund im Trimester, damit er Willy in nichts anderem drille ‹als lateinischer Grammatik›. Das schaffte Willy problemlos. Wenn ein Junge, der Latein packt, alles packen kann, wie Charles glaubte, warum dann den Unterricht abbrechen? In Bruce Castle gab es ‹so viel Neues› – wer konnte das Ergebnis voraussagen?

Es war besser, sicherzugehen und dem Beispiel des angesehenen Nachbarn Sir John Lubbock zu folgen. Der hatte seinen Ältesten nach Eton, auf eine der ‹großen Schulen›, geschickt, und schon konnte man den Siebzehnjährigen jeden Morgen mit seinem Vater von High Elms losfahren sehen, um den Zug in die Stadt zu nehmen, wo sie Partner im Bankgeschäft waren. Man konnte sich für einen Erstgeborenen schlimmere Schicksale vorstellen. Außerdem entwickelte sich der junge John zu einem ausgezeichneten Naturforscher. Charles half ihm beim Sezieren und empfand ihn als ‹auffallend liebenswürdigen, sympathischen jungen Mann›. Nein, eine der bewährten Privatschulen mußte es sein. Die Entscheidung fiel Charles ungemein schwer. Er haßte die ‹althergebrachte, stupide klassische Bildung›, an die er sich von Shrewsbury her nur zu gut erinnerte.[23] So groß war seine Aversion, daß er im zweiten Band seiner Monographie für die Ray Society, über die Rankenfüßer-Untergruppe der Seepocken, auf die leidigen lateinischen Beschreibungen verzichtete. Aber es war besser, keine Experimente zu machen: Willy würde seinen Wedgwood-Onkeln nach Rugby folgen. Mit 120 Pfund pro Jahr, alles inklusive, kam es erheblich billiger als sein Privatlehrer. Willy hielt im Februar 1852 dort Einzug.

Er paßte vorzüglich dorthin. Bei Reverend Wharton hatte er gelernt, die Unbeholfenheit des Halbwüchsigen zu überwinden, sein ‹ernstes und muffiges Auftreten› abzulegen und sich zu bemühen, ‹*jedermann* zu gefallen›, dem er begegnete. Charles bedauerte niemals, ihn in die vornehme alte Schule geschickt zu haben. Rugby blieb durch und durch anglikanisch: Sowohl der Vorgänger als auch der Nachfolger des Direktors wurden Erzbischof von Canterbury. Aber die eine Generation zuvor von Thomas Arnold durchgeführten Reformen hatten sich bezahlt gemacht, und die Schule zog jetzt künftige Bankiers, Industrielle und Politiker heran – eine Oligarchie für das Weltreich. Charakterbildung, Entwicklung moralischer Standfestigkeit und Schärfung des Pflichtgefühls wurden durch den Lehrplan angestrebt, und Charles begrüßte diese Ziele aus ganzem Herzen. Wenn es nach ihm gegangen wäre, hätte Rugby eher noch mehr für die Charakterentwicklung tun können. Er war davon überzeugt, daß das Risiko, einen Jungen ‹den Versuchungen der Welt› auszusetzen, geringer sei, sobald er ‹die leichtere Feuerprobe einer großen Schule durchgestanden› habe. Das einzige, was Charles bedauerte, war, Willy in so jungen Jahren ‹dem Schoß der Familie zu entreißen›. Er vermißte seinen Sohn. Und es dauerte nicht lange, bis er merkte, daß Willys ‹ständige Konzentration auf die Klassiker› eine ‹verengende Wirkung› auf seinen Verstand hatte und ‹sein Interesse an allem dämpft, bei dem Logik und Beobachtung eine Rolle spielen›. Er schwor sich, seine anderen Söhne in eine ‹kleinere Schule mit reichhaltigerem Studienangebot› und nicht so weit weg von zu Hause zu schicken.[24]

Willy kam über den Sommer nach Hause, was alle sehr genossen. Die Hauptattraktion war der schlaksige Onkel Erasmus, der wochenlang blieb. Die Kinder hatten ihn nie länger als ein paar Tage hintereinander gesehen, wenn sie in London zu Besuch waren. Jetzt hatten sie ihn ganz für sich, um ihn in ihre Gartenverstecke zu schleifen oder auf ihn einzutrommeln, bis er sich ihrem Willen fügte. Eine solche Aufregung war Erasmus überhaupt nicht gewohnt. Der Siebenundvierzigjährige war ein eingefleischter Junggeselle und lebte, abgesehen von Dienstboten, allein. Er machte einen trägen und melancholischen Eindruck, als hätte er sich mit irgendeinem unaussprechlichen Schicksal abgefunden. Aber er glänzte auf Dinnergesellschaften, wo er mit seinem spielerischen Witz alle unterhielt, und er entzückte seine Nichten und Neffen. Er liebte sie sehr – besonders die sechs Kinder von Hensleigh und Fanny Wedgwood –, wie es nur ein Mann konnte, der sich nach einer eigenen Familie sehnte. Und die Kinder vergötterten ihn. Wenn er mit ihnen herumtollte, entkam er seiner Weltverdrossenheit. Er ließ sich auf alle viere nieder und wurde zu ihrem Spielkameraden.[25] Für die kleinen Darwins war es ein unvergeßlicher Spaß.

Drei von ihnen hatten in diesen Monaten Geburtstag – Georgy und Lizzy an aufeinanderfolgenden Tagen im Juli –, was entsprechend gefeiert wurde. Aber keine Schulkameraden feierten mit, keine Freunde aus dem Dorf kamen vorbei. Die Kinder führten ein abgeschiedenes Leben, das nur durch Onkel Erasmus und das Hauspersonal aufgelockert wurde. Charles nahm zwar täglich mindestens eines von ihnen auf seinen Spaziergang über den Sandweg mit, aber endlose Stunden lang sonderte er sich mit seinen Rankenfüßern ab. Die Kinder begannen das Arbeitszimmer als einen ‹geheiligten Ort› zu betrachten, der nicht ‹ohne einen wirklich dringenden Grund› betreten werden durfte. Eines von ihnen griff schließlich zur Bestechung – Emmas Trick, um sich ihre Kooperation zu sichern –, indem es dem Vater einen Sixpence anbot, falls er herauskomme und mit ihnen spiele.[26] Natürlich konnte Charles nicht widerstehen. Doch bald langweilten sich die Kinder, nachdem Onkel Erasmus weg war; sie mußten ihren üblichen Erfindungsreichtum erst wieder entdecken.

Horace warf im Spielzimmer unter der Aufsicht des neuen Kindermädchens mit Sachen um sich – Brodie erholte sich nach Annies Tod nicht mehr –, und der jetzt zweijährige Lenny torkelte bedrohlich und spielte sich nach Kräften auf. Die älteren Jungen hielten zusammen. Willy übernahm die Führung, wenn seine Nase nicht in einem Buch steckte. Georgy und der vierjährige Franky hatten Mühe, mit ihm Schritt zu halten. Sie sprangen von den Treppengeländern des obersten Stockwerks und schwangen sich waghalsig auf einem von der Decke hängenden Trapez mit viel ‹Krach, Gepolter und Geschrei› über den Treppenschacht. Im Garten war zwischen den beiden Eiben eine Schaukel befestigt, die für die Mädchen gedacht war. Stelzen gab es in zwei Größen, kurze, ‹mit denen sogar Mädchen gehen konnten›, und das Paar, das die Jungen so groß machte wie Onkel Erasmus. Diese waren zur Benutzung im Freien vorgesehen, um das bucklige Gelände zu erklimmen wie Papas Freund Mr. Hooker den Himalaja.[27]

Etty und Lizzy hielten sich für gewöhnlich in der Nähe des Hauses auf. Sie waren vier Jahre auseinander, und Emma tat wenig, um die Kluft zu überbrücken. Sie mußte sich um Charles kümmern und in Abständen die Kleinsten versorgen; deshalb schlossen sich die Mädchen abwechselnd der Köchin, der Gouvernante oder dem Kindermädchen an, und Etty half der Mutter, wenn sie es ihr erlaubte. Manchmal trabten die beiden zur Großtante Sarah Wedgwood ins Dorf hinüber. Deren riesiges Haus, Petleys genannt, lag jenseits des Teiches, nur ein paar hundert Meter quer über die Felder. Tante Sarah war 1847 hergekommen, eine alte Jungfer in den Siebzigern, die hier auf den Tod wartete. Begegnungen mit ihr waren ‹ziemlich gräßliche, aber seltene Ereignisse›. Doch die eigentliche Attraktion waren ihre Dienstboten. Wenn die Kinder an der Hintertür läuteten, wurden sie immer freudig begrüßt. Martha Hemmings brachte ihnen Gassenhauer bei, und Mrs. Morrey verwöhnte sie mit leckerem Gewürzkuchen. Die Mädchen durften im Garten herumspazieren, wo die Blumen einen ‹geheimnisvollen Reiz› hatten, und im Herbst die Pflaumen pflücken.[28]

All dies entschädigte die Mädchen freilich nicht für die mangelnde Anregung zu Hause. Angesichts von stets beschäftigten Erwachsenen auf der einen und Babys auf der anderen Seite sowie einer Rotte von Brüdern dazwischen waren sie auf sich selbst gestellt – und allzu häufig getrennt. Seltene Besuche bei Josiah und Caroline in Leith Hill in Surrey, wo es drei Cousinen gab, brachten etwas Abwechslung. Im September fuhr die Familie für eine Woche dorthin. Etty erneuerte alte Freundschaften, aber Lizzy, die Jüngste, benahm sich wie eine Fremde. Jetzt, im Alter von fünf, machte sich ihre Isolierung bemerkbar. Es verschlug ihr leicht die Sprache, oder sie benutzte Worte in der kuriosesten Weise, und sie schien zunehmend mit sich selbst beschäftigt. Wenn sie sich auf etwas konzentrierte, hatte Lizzy anfangs ‹die Däumchen gedreht, wie es Charles früher tat›, aber inzwischen hatte sie die Gewohnheit angenommen, ‹eine Stunde lang mit sich selbst zu sprechen›. Und ‹sie mag es nicht, wenn man sie dabei unterbricht›, stellte ihre besorgte Mutter fest. Das Äffchen ‹zittert und ... schneidet seltsame Grimassen›, bemerkte Charles. ‹Arme, liebe Kleine.›[29]

Was die Familie jede Woche noch gemeinsam unternahm, war der Kirchgang. Lizzy, Lenny und Horace waren in der Pfarrkirche getauft worden; Emma empfing dort regelmäßig das Abendmahl. Am Sonntag zogen die Jungen ihre besten Jacken an, Etty und Lizzy ihre Kleidchen, und sie marschierten alle die Luxted Road hinunter, vorbei an Tante Sarahs Haus. Charles ging manchmal mit, aber inzwischen verließ er sie für gewöhnlich am Kirchhofstor und machte sich auf einen längeren Spaziergang. Reverend Innes verstand ihn vollkommen. Er war dankbar für Mr. Darwins Unterstützung in Pfarreiangelegenheiten, aber in der Kirche rechnete er nur mit Mrs. Darwin und den Kindern. Emma dirigierte ihre Brut in die große Familienbank vorne, gleich unter der Kanzel. Deren Auskleidung, die geweißten Wände, die Orgel, die jetzt besser denn je klang, all dies ging auch auf Charles' Großzügigkeit zurück. Wenn das Glaubensbekenntnis gesprochen wurde, blieb Emma jedoch ihrem Erbe treu. Während die Gemeinde sich dem Altar zuwandte, blickte sie nach vorn – sie wollte mit der Dreieinigkeitslehre nichts zu tun haben.

Draußen dann war die einzige sichere Gelegenheit, jede Woche neue Gesichter zu sehen. Die Kinder gafften, gesellten sich aber nur selten zu ihresgleichen. Da waren Knechte in Arbeitskitteln – manche noch vom Samstagabend mitgenommen – mit ihren Frauen und Säuglingen im Arm, die Kinder sauber geschrubbt, Ladeninhaber und Handwerker mit ihren Familien, die freundlichen Klatsch austauschten, und der respekteinflößende Sir John Lubbock, High Sheriff von Kent, dem seine acht Söhne aus der Kirche folgten.[30] Die Darwins wahrten Abstand, auch an den Sonntagen.

Für einen exmethodistischen Aufsteiger wie Spencer repräsentierten große, wohlgenährte Familien wie die Darwins die Speerspitze des Fortschritts – ‹die Auserwählten ihrer Generation›. Das sagte seine Theorie voraus, eine Theorie der menschlichen Aufwärtsentwicklung, die sich Darwins eigener annäherte. Ideen über Fortschritt, Bevölkerungsentwicklung und Evolution fanden unter den literarischen Freigeistern Londons wachsende Zustimmung. Ein gesellschaftliches Netzwerk war im Entstehen, das Darwin eines Tages gute Dienste leisten sollte.

Auf der Suche nach Beweisen für die Evolution nahm Spencer an Owens Vorlesungen am College of Surgeons teil. Doch Owen verabscheute die Transmutation, und zwar um so vehementer, als ihn ‹Reptilien› der Staatskirche selbst des Pantheismus und der Verbreitung ungläubiger Lehren bezichtigt hatten, was er eisern bestritt. Spencer versuchte es nochmals bei Owen mit seiner neuen Theorie der menschlichen Population. Genauer: Chapman tat es für ihn. Würde der große vergleichende Anatom sein Gewicht für die Sache der Dissenters in die Waagschale werfen? Er habe Spencers Artikel in der *Westminster Review* zwar gelesen, teilte Owen Chapman mit; er wolle sich jedoch nicht über dessen Verdienste äußern. Spencer tröstete sich mit Owens ‹bekannter Vorsicht in bezug auf neue Ansichten› und sah sich anderwärts nach Unterstützung um.[31]

Exemplare von Spencers Artikel wurden an ‹führende Männer› verschickt, die höflich dafür dankten. Eines ging an einen klugen, dunkeläugigen jungen Naturwissenschaftler, der sich soeben mit einer Reihe spezieller Untersuchungen über Seescheiden einen Namen machte. Es war Thomas Huxley. Der äußerst ehrgeizige Siebenundzwanzigjährige war gerade rechtzeitig zur Weltausstellung von einer vierjährigen Expedition mit dem Vermessungsschiff *Rattlesnake* zurückgekehrt. Zornig, vom Pech verfolgt und mittellos, hatte er sich, vergebens nach einer Aufgabe suchend, mühsam über Wasser gehalten. Universitäten lehnten ihn ab; die Admiralität weigerte sich, einen Bericht über seine Forschungsreise zu finanzieren, und die Royal Society war ebensowenig dazu bereit. Er war im Begriff, Owen erneut um ein Empfehlungsschreiben zu bitten, das er diesmal an den Außenminister persönlich schicken wollte.

Huxley war erbittert: In der Naturwissenschaft beanspruchte England alle Anerkennung, ohne für die Kosten aufzukommen. Man mußte finanziell unabhängig sein, um einen Beruf daraus machen zu können. Er selbst indessen war als neugewähltes Mitglied der Royal Society gezwungen, in dem schäbigen St. John's Wood zu wohnen. Er konnte sich nicht einmal eine anständige Unterkunft leisten, geschweige denn seine Verlobte aus Australien kommen lassen, wo er sich vor drei Jahren von ihr verabschiedet hatte. Das ganze malthusische Gerede über ‹moralische Zurückhaltung› war lächerlich; es machte ihn ‹wild›. Monatelange Vortragsreisen und andere schlechtbezahlte Tätigkeiten trieben ihn zur Verzweiflung. Wie sehr hatte er ein Jahr zuvor in der British Association Hooker beneidet, der dazu bestimmt war, seinem Vater als Direktor in Kew nachzufolgen, und mit Professor Henslows Tochter verlobt war, die an seiner Seite saß! Huxleys Mutter war soeben gestorben und hatte den Vater als ein hilfsbedürftiges geistiges Wrack zurückgelassen.[32] Als Spencers Artikel im September eintraf, war Huxley einem Zusammenbruch nahe.

Irgendein Funke sprang auf ihn über. Vielleicht war es Spencers optimistische Theorie, vielleicht sein kluger Begleitbrief. Huxley stattete ihm sofort einen Besuch ab, und sie wurden rasch Freunde. Der fünf Jahre ältere Spencer war ebenso wie er Sohn eines Lehrers und hatte bereits den Erfolg gekostet. Zumindest vermochte er dank seiner Feder angemessen zu leben. Beide waren sie Junggesellen mit Frauenproblemen; jene Spencers waren allerdings ganz anders geartet: Er konnte nicht von Mary Ann Evans loskommen, die ihn heiß liebte. Huxley und Spencer verbrachten Nachmittage im Zoo, Abende in Covent Garden, und Spencer bezog sogar in St. John's Wood Quartier, damit sie sich leichter treffen konnten. Sie wurden auch geistige Partner. Huxley war ein Freigeist wie die Mitglieder des *Westminster*-Kreises, doch seine Einstellung zur Naturgeschichte beruhte auf eigenen Vorstellungen. Er wollte nichts von Owens ätherischem ‹Archetypus› wissen, jenem mythischen Ideal des Bauplans von Wirbeltieren, noch viel weniger freilich von Evolution. Den Verfasser von *Vestiges* tat er als Spinner ab, und Spencer, der Evolutionist, den er am besten kannte, hatte in seinen Augen den Rat eines Fachmanns nötig. Das sei fragwürdige Wissenschaft, warnte er Spencer, und schade außerdem der Karriere. Es gebe keine unaufhaltsame Höherentwicklung in der Natur. Wer mit einer ‹*Kette* von Lebewesen› spiele, schlage sich damit selbst in Fesseln. Spencer, der mit ihm von George Lewes' Haus in Kensington zurückfuhr, am Kristallpalast vorüber, erwiderte, er akzeptiere diese Metapher ebensowenig wie Huxley. Das ‹wahre Symbol› sei ein Baum.[33]

27

Häßliche Tatsachen

Darwins Gesundheit hielt durch – mit knapper Not. Er führte immer noch laufend Buch darüber. Jeden Tag kritzelte er morgens und abends kryptische Kürzel in ein großformatiges Tagebuch. Dank winziger Schrift kam er mit einer eng beschriebenen Seite einen guten Monat aus. Er hatte Codewörter für die Anwendungen der Wasserkur, spezielle Begriffe für sein Befinden, und dazwischen ließ er Platz für die unerfreulichen Symptome. Es war eine zwanghafte Beschäftigung. ‹*Sehr* gut›, das ‹sehr› doppelt unterstrichen, bedeutete, daß er imstande war, drei Stunden an den Rankenfüßern dranzubleiben. ‹Mies› besagte, daß ihn irgendwelche Schmerzen plagten oder ihm der Magen zu schaffen machte. Gegen Ende 1852 nahm die Anzahl der gesunden, doppelt unterstrichenen Tage zu. Am Ende jeden Monats zählte er sie zusammen und erhielt so einen ungefähren Index seines Wohlbefindens. Mehr als ein Jahr hatte dieser Index zwischen dreizehn und neunzehn gependelt – die halbe Zeit war Darwin nicht in Form gewesen –, aber im Dezember 1852 verzeichnete er vierundzwanzig *sehr* gute Tage, sein zweitbester Monat. Die Nächte waren immer noch schlecht; ‹schlaflos› war sein Wort dafür.[1] Doch die Tage waren erfreulich produktiv geworden. Er fühlte sich glänzend, und so beschloß er, ein Risiko einzugehen.

Er stellte die Wasserkur ein. Das tägliche Ritual war bis zu Annies Tod äußerst gewissenhaft eingehalten worden. Die morgendlichen kalten Güsse in der Gartenhütte waren seine Rettung gewesen, und selbst fern von zu Hause hatte er den Tag unter einer kalten Dusche oder in ein triefendes Leintuch gewickelt begonnen. Aber das Trauma seiner letzten Fahrt nach Great Malvern hatte auf alles, was mit dem Ritual zusammenhing, abgefärbt, bis hin zu der täglichen Prise, die ihm Gully zugestand und die ihm Annie zu bringen pflegte. Und Gully selbst war nicht länger sein Schutzpatron, da er das Mädchen nicht hatte retten können. Mit nachlassendem Glauben stieg Darwin zwar immer noch gelegentlich in die Wanne.

Er experimentierte jetzt mit anderen Mitteln einschließlich ‹elektrischer Ketten›, bestehend aus Messing- und Zinkdrähten. Die schlang er sich um Hals und Hüften und benetzte sich dann die Haut mit Essig. Sie bewirkten nichts außer einem Kribbeln und hinterließen unschöne Male. Schließlich befand er, daß sein Gesundheitsindex mehr oder weniger wasserresistent sei, und drehte Ende November den Hahn ab. Die Hydrotherapie half ihm nur, sich zu entspannen; wenn er wirklich aufgeregt war, versagte auch sie.

Und was ihn wirklich aufregte, war immer noch London. Eine Tagesfahrt in die Stadt hatte heftiges Erbrechen zur Folge. Schon die Aussicht hinzu-fahren schlug ihm auf den Magen. Schmerzhafte oder intensive Gedanken hatten ähnliche Wirkungen, gleichgültig, wo er sich befand oder mit wem er zusammen war. Als Hooker für eine Woche nach Downe kam, war Dar-win die halbe Zeit krank. Sie gerieten über die Artenfrage aneinander, und der Streß warf ihn aufs Sofa. Am 18. November sollten sie sich treffen, um am Begräbnis des Herzogs von Wellington in der St. Paul's Cathedral teil-zunehmen. Es war der vierte Jahrestag der Beisetzung seines eigenen Vaters, die er durch Krankheit versäumt hatte, und die Erinnerung daran setzte ihm dermaßen zu, daß er sich in der vorangehenden Nacht vor Schmerzen krümmte. Mit seinen Gedanken allein gelassen, fühlte er sich zum ersten-mal seit Wochen wieder elend.[2] Doch am Tag darauf fesselte das Staats-begräbnis die Aufmerksamkeit der beiden Freunde, und Darwin, der sol-chen Pomp genoß, ging es wieder gut.

Zehntausende trotzten der feuchten Kälte, um dem ‹eisernen Herzog› die letzte Ehre zu erweisen, unter ihnen auch der junge Huxley. Er war früh in der Kathedrale eingetroffen und ergatterte einen ‹prächtigen Logenplatz› weit vorne, wo er dann von morgens acht bis nachmittags um drei fest-gefroren blieb. Darwin würde ihn nicht erkannt haben – sie waren sich nie begegnet –, aber Huxley hatte ihm die eine oder andere wissenschaftliche Arbeit geschickt, und sie standen nun in Korrespondenz. Ein Empfeh-lungsschreiben von Darwin hatte allerdings nicht vermocht, Huxley einen Posten an der Universität von Toronto zu verschaffen, und er war immer noch mit Gelegenheitsarbeiten wie der Katalogisierung der Seescheiden im Britischen Museum und ähnlichem beschäftigt. Er interessierte sich auch für anderes wirbelloses Seegetier. Darwin hatte ihm den ersten Band über die Rankenfüßer geschickt. (Der Preis des von der Ray Society zur Sub-skription aufgelegten Werkes überstieg Huxleys Mittel.) Von technischen Kleinigkeiten abgesehen, erschien Huxley die Monographie als eine der ‹schönsten und vollständigsten› ihrer Art und ‹um so bemerkenswerter›, als sie von einem renommierten Geologen, ‹keinem professionellen Anatomen› stammte.[3] Als sich Darwin und Huxley schließlich im April 1853 in der Geologischen Gesellschaft gegenüberstanden, schnitt Darwin die Frage ei-ner Rezension an.

Er war inzwischen ziemlich gewitzt. Das jahrelange Werben um Korrespondenten in Sachen Rankenfüßer – ein bißchen in der Art, wie er seinen Vater um Geld anging – hatte ihn gelehrt, wie man bekommt, was man will, und was er jetzt wollte, war eine gute Presse. Er versuchte also, Huxley zu ködern.[4] Im Regal hatte er einige ausgezeichnete Seescheiden in Spiritus. ‹Es wäre mir ein *echtes Vergnügen*›, lockte er, ‹falls Sie sie haben und untersuchen wollten.› Vielleicht würde ihn auch ein Exemplar von Johannes Müllers Stachelhäuter-Buch *Über die Larven und die Metamorphose der Echinodermen* interessieren, ‹mit dem ich wirklich nichts anfangen kann und das *jedem* zur Verfügung steht, der es zu schätzen weiß›. Und wie beiläufig fügte er hinzu: ‹Es wäre mir ein *großes* Vergnügen, mein Werk von jemand so Fähigem wie Ihnen rezensiert zu sehen. [...] Bei meiner Ehre, ich habe nie zuvor so etwas getan, wie ... irgend jemandem eine Besprechung vorzuschlagen.› Da er es nun aber getan hatte, scheute er nicht davor zurück, jene ‹höchst merkwürdigen Punkte› anzuführen, die er erwähnt haben wollte: die Zementdrüsen, die Homologien, die ‹sexuellen Merkwürdigkeiten›. ‹Sicherlich übertreibe ich ihre Merkwürdigkeit *stark*›, bemerkte er halb entschuldigend, ‹denn ich bin zu einem Monomanen geworden›; die Rankenfüßer beschäftigten ihn ‹von früh bis spät›.

Huxley biß zwar nicht an, aber die Verbindung war wertvoll für künftige Gelegenheiten. Da war ein arrivierter Gentleman-Naturforscher, der seine Unterstützung suchte. Protektion hatte schon seltsamere Formen angenommen. Die Beziehung konnte ihnen beiden nützlich sein.

Darwin freute sich, seinen ersten Band gedruckt zu sehen, in dem er ‹meine kleinen Freunde, die Extramännchen›, vorstellte. ‹Ich habe stark befürchtet, daß niemand an sie glauben würde›, schrieb er an Albany Hancock, ‹und jetzt, da ich weiß, daß Owen, Dana und Sie an sie glauben, bin ich von Herzen zufrieden.› Aber auch im zweiten, den Seepocken gewidmeten Band hatte er über sehr merkwürdige Entdeckungen zu berichten. Darwin war verwirrt von der schieren Unvorhersagbarkeit dieser Tiere, genau wie es bei ihren gestengelten Vettern der Fall gewesen war. Sooft er auf einen abnormen Typus stieß, wie Hancocks *Alcippe,* machte ihn das ‹fast verrückt›. Zu seiner Überraschung hatte dieser parasitäre Rankenfüßer trotz des Vorhandenseins von Zwergmännchen keine Ähnlichkeit mit dem *Arthrobalanus.* Er war ‹eines der schwierigsten Geschöpfe›, die er je zu verstehen versucht hatte. Die Weibchen hatten ein höchst unerfreuliches Leben – und fühlten sich vermutlich wie Darwin an einem schlechten Tag. ‹Nach einer guten Mahlzeit›, schrieb er, müßten sie ‹den unverdaulichen Rest ausspeien, weil kein anderer Ausgang vorhanden ist›. Die Männchen seien natürlich noch skurriler, witzelte er gegenüber Lyell, und ‹die negativsten Geschöpfe der Welt; sie haben keinen Mund, keinen Magen, keinen Brustkorb, keine Glieder, keinen Hinterleib, sie bestehen ausschließlich aus den männlichen Fort-

461

pflanzungsorganen in einer Hülle›. Er habe zwölf dieser lebenden Negationen ‹*dauerhaft* mit Zement an einem Weibchen verankert gefunden›.⁵

Doch trotz all ihres Sex-Appeals blieben die Rankenfüßer eine Plackerei. Darwin hatte angefangen, sie zu hassen, ‹wie kein Mensch vor ihm, nicht einmal ein Matrose in einem dahindümpelnden Schiff, sie je haßte›. Er ‹schuftete wie ein Sklave›, an seinen Schreibtisch gekettet, und bekam fast niemanden zu Gesicht außer Sowerby, den Graveur. Nach London fuhr er höchstens einmal im Monat, und auch dann nur gezwungenermaßen. Ständig überschritt er Fristen – sein Gesundheitsindex fiel wieder –, und dabei verrann schon das siebente Jahr seiner Odyssee. Die jüngeren Kinder betrachteten es als seine Lebensarbeit; sie hatten ihren Vater nie etwas anderes tun sehen. Tatsächlich begannen sie zu glauben, alle Erwachsenen müßten in ähnlicher Weise beschäftigt sein, was sie veranlaßte, in bezug auf einen Nachbarn zu fragen: ‹Wo macht der seine Rankenfüßer?› Immerhin war jetzt das Ende abzusehen. Im Herbst hatte Darwin die ‹ewigen Rankenfüßer› beinahe durch.⁶

Er empfand zwar einen geheimen Stolz, aber nichts bereitete ihn auf die Nachricht im November vor, als er die Arbeit abschloß.

Er wurde nach London gerufen. Die Royal Society wünschte, ihm jenen ‹philosophischen Ritterorden›, die Königliche Medaille, zu verleihen. Der Kreis der Anwärter auf die Medaille, die traditionell Naturforschern vorbehalten war, welche in der Zeitschrift der Gesellschaft veröffentlichten, wurde in diesem Jahr zum erstenmal erweitert. Ursprünglich sollten damit Darwins drei Bände über die Geologie der *Beagle*-Reise sowie seine Arbeit über wirbellose Tiere Anerkennung finden; doch auf der letzten Ratsversammlung, so berichtete Hooker ekstatisch, seien ‹solche Lobeshymnen über die Rankenfüßer angestimmt worden, daß Du vor Verlegenheit in den Boden gesunken wärst›. Die Botschaft trieb Darwin Tränen in die Augen. Daß er sie außerdem von ‹einer geliebten Person› vernehmen durfte, erfüllte ihn ‹mit solcher Freude, daß ich Herzklopfen bekam›. Bescheiden wie immer, fand er es naturgemäß ‹*lächerlich*›, daß sein Rivale für die Auszeichnung, der Botaniker John Lindley, die Medaille ‹nicht schon lange vor mir› erhalten hatte (und er versäumte nicht, Lindley in späteren Jahren dafür zu nominieren). Aber das ganze gewaltige Projekt schien sich jetzt doch gelohnt zu haben. ‹Wenn die Arbeit schlecht läuft und man sich überlegt, daß alles eitel ist›, meinte er voll Genugtuung gegenüber Hooker, ‹ist es erfreulich, einen handfesten Beweis dafür zu erhalten, daß andere die eigene Mühe nicht als nutzlos ansehen.›⁷

Die Medaille wurde Darwin auf der Jahresversammlung der Royal Society am 30. November 1853 persönlich überreicht. Es war wie immer eine Qual, das Podium zu besteigen, um angesichts vieler Sitzreihen voller Gelehrter einige Worte des Dankes zu äußern. Flankiert von den beiden Sekretären stand er da; der Präsident saß hinter ihm. Über ihm hing ein riesiger Kronleuchter von der reichverzierten Decke, und von den Wänden ringsum starrten ihn die Ölbildnisse britischer Wissenschaftler aus zwei Jahrhunderten an. Die Medaille sei ein großer ‹Nugget›, prahlte er gegenüber Covington, der draußen in den australischen Goldfeldern auf die harte Tour nach seinen Goldklümpchen graben mußte; ‹sie wiegt soviel wie 40 Sovereigns›. Aber der Pflichtauftritt zwang ihn nach einjähriger Pause wieder für eine Weile in die Badekur zurück. Das Wasser half auch diesmal; sein Gesundheitsindex schoß erneut in die Höhe, und die morgendlichen Übelkeiten hörten auf. Mit einem tiefen, langgezogenen Seufzer der Erleichterung klappte er schließlich sein zweites, 900 Seiten starkes Rankenfüßer-Manuskript zu.

Was 1846 als eine auf wenige Monate angelegte Arbeit über einen seltsamen, langweiligen Rankenfüßer begonnen hatte, endete fast acht Jahre später mit zwei hochspezialisierten Abhandlungen, welche die gesamte Unterklasse einer Revision unterzogen. Es war das längste geschlossene Forschungsprojekt, das Darwin je in Angriff nahm, und es war überschattet von der schlimmsten Krankheit, Tragik und Verzweiflung, die er je durchmachen sollte. Wäre er in diesem Augenblick ‹den Weg allen Fleisches› gegangen, hätte man sich seiner als eines Tropenreisenden und Gentleman-Geologen erinnert, der sich in sein Schneckenhaus zurückzog, um die sonderbarsten aller Krustentiere zu bezwingen. (Tatsächlich verewigte ihn der Romancier Bulwer-Lytton später als den monomanischen Wissenschaftler ‹Professor Long›, der ‹zwei dicke Folianten über Napfschnecken› geschrieben hatte.) Hiob ähnlich hatte er durchgehalten, um die führende Autorität der Welt in Sachen Rankenfüßer zu werden. Das Ergebnis war ein imposantes, definitives Werk von hundert Druckseiten über die fossilen Formen und mehr als tausend über die lebenden. Damit etablierte er sich als zoologischer Spezialist und war nicht länger nur geologischer Experte. Noch wichtiger war, daß er nun die Lizenz besaß, sich zum Thema der Arten zu äußern.[8] Er hatte Hooker bei seinem so viele Jahre zurückliegenden Wort genommen und sich dieses Recht erworben. Niemand verdiente es mehr.

Nach so viel hände- und augenstrapazierender Arbeit sehnte sich Darwin an manchen Tagen nach der alten Romantik der Geologie. Er liebte ein eintöniges Leben; dennoch empfand er etwas wie Neid, wenn Freunde kamen und gingen. Besonders schlimm war es, als der aus Amerika zurückgekehrte Lyell über die Ausgrabung von ‹3 Reptilienskeletten aus der Karbonschicht› berichtete und mitteilte, er werde im Dezember nach Madeira aufbrechen. Darwin blieb Luftschlösser bauend in Downe zurück. ‹Es macht mich wirklich ganz neidisch, mir vorzustellen›, schrieb er an Lyell, ‹wie Du in diesen steilen Schluchten auf und ab kletterst [...] Ich denke oft an das

Entzücken, das ich bei der Untersuchung der Vulkaninseln empfand; ich kann mich sogar noch an bestimmte Steine erinnern, die ich abschlug, und an den Geruch der heißen, schwarzen, schlackenartigen Klippen.› Er träumte von noch exotischeren Gegenden. ‹Tasmanien ist in letzter Zeit mein Hauptquartier gewesen›, bemerkte er, als er hörte, daß die Kolonialregierung Hookers *Flora Tasmania* finanziere; ‹ich fühle mich sehr stolz auf mein adoptiertes Land.›

Hookers *Himalayan Journals* mit ihren lebendigen Schilderungen des gefährlichen Gebirgsgeländes bereiteten Darwin Ersatzbefriedigung. ‹Man hat den Eindruck, es selbst gesehen zu haben›, schwärmte er, nachdem er sie verschlungen hatte, ‹und ich habe mich bei der Überquerung mancher dieser Brücken äußerst unbehaglich gefühlt.› Sein Freiexemplar traf im Februar 1854 ein – und versetzte ihn abermals in Erregung: Das Werk war ihm gewidmet. Seit seiner Antarktisreise hatte Hooker den Wunsch gehabt, den Freund in einem Buch zu ehren, ‹aus Liebe zu Deinem eigenen Journal›. Und er hatte sehr raffiniert vorgefühlt, indem er Darwin fragte, wie es wohl Lyell gefallen würde, wenn er es ihm widmete. ‹Du Schlingel›, meinte Darwin schmunzelnd, nunmehr die List durchschauend. ‹Wer hätte je geahnt, daß Du es so dick hinter den Ohren hast?›[9]

Jetzt, nach Abschluß seiner Reisen, war Hookers Wanderlust versiegt, und er war glücklich, ‹zu Hause zu bleiben und mich bis ans Ende meiner Tage dem Alltagstrott der Botanik zu ergeben›. Er war endlich bereit, sich niederzulassen; ‹das Fernweh von 30 Jahren ist befriedigt›. Er reifte zum Familienvater heran, nachdem ihm 1853 ein Sohn und im Juni 1854 eine prächtige, fünf Kilogramm schwere Tochter geboren worden waren. ‹Hast Du Chloroform verabreicht?› erkundigte sich der einschlägig bewanderte Charles; es sei ‹mindestens so beruhigend für einen selbst wie für die Patientin›. Hookers Stern war im Aufgehen und leuchtete immer heller. Als Darwin ihn gegenüber einem Bekannten mit den Worten erwähnte: ‹Er wird eines Tages der führende Botaniker in Europa sein›, mußte er sich von diesem sagen lassen: ‹Sir, er ist ohne Zweifel schon heute der führende Botaniker in Europa.› Der führende Botaniker war ein enger Freund, alles, was sich Darwin erhofft hatte. Er grub den geheimen Brief an Emma aus, in dem von den vierhundert Pfund für die Herausgabe seines zehn Jahre alten Essays die Rede war, und schrieb endgültig auf den Umschlag: ‹Hooker bei weitem der beste Mann für die Herausgabe meines Artenbandes.›[10]

Ein weiterer potentieller Herausgeber machte rasch Karriere. In London traf Darwin in diesem Jahr erneut mit dem umgänglichen Edward Forbes zusammen und fand ihn gesund aussehend. Forbes machte sich Hoffnungen auf den Lehrstuhl für Naturgeschichte in Edinburgh. Jameson, inzwischen alt und gebrechlich, hatte zu lange – fünfzig Jahre – daran festgehalten, was boshaft kommentiert worden war. Darwin, der ihm niemals seine langweiligen Vorlesungen verzieh, beschrieb ihn als einen ‹braunen, vertrockneten, alten Stock›; andere bezeichneten ihn als ‹eine gebackene Mumie›.[11] Forbes hatte seit langem ein Auge auf den Lehrstuhl geworfen, und als Jameson im April starb, bekam er ihn.

Darwin war inzwischen wieder bei guter Gesundheit. Zur Sicherheit lutschte er Zitronen, täglich zwei ganze, die gut für seinen Magen sein sollten, und er fühlte sich sicher genug, um sich wieder in die Gesellschaft zu wagen. Im Frühjahr 1854 nahm er schließlich eine Einladung zur Mitgliedschaft in dem elitären Philosophischen Club der Royal Society an. In späteren Jahren sollte der Club zum Motor der evolutionären Naturwissenschaft werden, aber im Augenblick kam Darwin hier mit der jungen Garde in Berührung; eine ganze Reihe aufstrebender Forscher, so Huxley, seine guten Freunde George Busk und John Tyndall, der streitlustige irische Physiker, wurden im folgenden Jahr zu Mitgliedern gewählt. Der Club kam Darwin äußerst gelegen. ‹Erst vor zwei oder drei Tagen›, schrieb er Hooker im März, ‹habe ich bedauernd zu meiner Frau gesagt, daß ich fast alle meine Bekannten habe fallenlassen oder von ihnen fallengelassen worden bin und daß ich mich bemühen würde, öfter nach London zu fahren.› Jetzt konnte er neue Gesichter sehen, im Mittelpunkt stehen, den Klatsch aus dem Kreis der neuen Leute aufschnappen, jedenfalls derjenigen, von denen er sich Unterstützung für seine Artentheorie erhoffte. Zu seiner Überraschung machten ihm die Fahrten in die Stadt jetzt Spaß. ‹Sie bekommen meinem Magen ausgezeichnet›, räumte er im Mai ein. ‹Ich beginne zu glauben, daß mir Zerstreuung und Wohlleben mit reichlich Burgunder guttun, und genau das habe ich bei meinem letzten Besuch genossen. Wir werden künftig nach diesem Prinzip verfahren und haben uns soeben den Luxus von zwei Saisonkarten geleistet, um die Königin den Kristallpalast eröffnen zu sehen.›[12]

Paxtons riesige glasverkleidete Eisenkonstruktion war demontiert und in Sydenham, südlich von London, in einem ausgedehnten Areal wiedererrichtet worden, umgeben von schönen Gärten und künstlichen Seen, ja sogar Owens lebensgroßen Beton-Dinosauriern. Die Hookers konnten nach einem Besuch in Downe auf dem Heimweg den Kristallpalast und seine Anlagen besichtigen. ‹Paradiesisch› nannten sie den Ort nach einem Exkursionswochenende; ‹wir sagten beide, daß wir seit unserer Heirat niemals 5 glücklichere Tage verbracht haben›. Auch die Königin stattete dem Areal immer wieder Besuche ab, einmal sogar, als Charles mit Anhang anwesend war, in Begleitung von Louis Napoleon; allerdings fiel bei diesem Ausflug ‹Tante Elizabeth glatt in Ohnmacht›, was ziemlich ‹erschreckend und unerfreulich› war.[13]

Im allgemeinen liebte Charles diese gesellschaftlichen Anlässe. Allerdings zog er es vor, in den Anlagen spazierenzugehen, statt an den Zusammenkünften der Royal Society teilzunehmen, und wenn er die Wahl hatte –

‹Bitte behalte das skandalöse Faktum für Dich›, gebot er Huxley –, tat er genau das. Huxley, darauf bedacht, das alte Amateurethos der Society abzuschaffen, war der Letzte, dem er das hätte gestehen dürfen. Doch Charles blieb in seinem Herzen ein Landedelmann, so ganz anders als die nachwachsende Generation, die Reformen des Berufsbildes forderte. In vieler Hinsicht blieb er mit beiden Füßen der alten Schule verhaftet. Wenn Huxley von seinem ‹wissenschaftlichen jungen England› sprach, schwebten ihm neue Maßstäbe, eine neue gesellschaftliche Stellung, neue Belohnungen vor: eine den Händen des alten Klerus entwundene Wissenschaft, umgemodelt zugunsten der Naturwissenschaft und neuen, merkantilen Herren dienstbar gemacht. Die Spinnenausstopfer, die ‹närrischen alten Käuze›, die Landpfarrer – all das mußte verschwinden.[14] Aber die jungen Berufswissenschaftler benötigten dennoch eine neue legitimierende Philosophie, eine neue wettbewerbsbezogene, kapitalistische Bevollmächtigung anstelle des anglikanischen Oxbridge-Paternalismus, eine dynamische Biologie anstelle der alten statischen, schöpfungsgläubigen Hierarchie. Und Huxley hatte in diesem Stadium keine Ahnung, wer dies liefern sollte.

Die wissenschaftlichen Gesellschaften waren in rapidem Wandel begriffen; auch in der Royal Society und selbst in der einschläfernden Linnean Society, der Darwin 1854 in der Hoffnung auf neue Zeiten beigetreten war, gärte es mächtig. In der Royal Society wehte jetzt ein frischer Wind, und das zeigte sich bei der Vergabe der Medaillen. Huxley erhielt die Königliche Medaille 1852, Tyndall wurde zusammen mit Darwin 1853 und Hooker 1854 für seine Arbeit über ‹den Ursprung und die Verteilung› der Pflanzen ausgezeichnet. Darwins Drängen und Bohren hatte sich auch für Hooker ausgezahlt. Diese jungen Leute seien alle dazu prädestiniert, ‹wissenschaftliche Riesen› zu werden, prophezeite Darwin; und er hielt es nur für richtig, daß man ihnen Auszeichnungen zuerkannte, um sie anzuspornen.[15]

Tatsächlich glitten die schnellen, nicht von Oxbridge kommenden Aufsteiger bereits in Machtpositionen hinein. Huxley erhielt im November 1854 seine Chance; er nahm an der Königlichen Montanschule in der Jermyn Street, nahe Piccadilly, einen Lehrauftrag an. Ein Jahr später, als er ‹den dilettantischen Mittelstand satt hatte›, begann er seine berühmten Vorträge für Arbeiter. Tyndall hatte 1853 an der Royal Institution den Lehrstuhl für Naturphilosophie eingenommen und unterstützte Huxley bald im Wissenschaftsressort der *Westminster Review*. Hooker folgte den Fußstapfen seines Vaters und sollte in Kürze die Leitung von Kew Gardens übernehmen. Sie alle schworen auf London, ‹das Zentrum der Welt›.[16] Hier wollten sie bleiben und zeigen, was in ihnen steckte.

Parallel mit der Gesellschaft liberalisierte sich auch die Biologie. Von innen, ebenso wie von außen betrachtet, fand ein echter Wandel statt. Selbst ein

Mann der Kirche, der Reverend Baden Powell, Savilian-Professor für Geometrie in Oxford (und Vater des Gründers der Pfadfinderbewegung), sympathisierte mit dem Evolutionsgedanken. Freilich war er ein extremer Liberaler und argumentierte theologisch: Gott sei ein Gesetzgeber, Wunder verstießen gegen die bei der Schöpfung erlassenen Gesetze; deshalb sei der Glaube an Wunder atheistisch. *Quod erat demonstrandum.* Es war eine pfiffige Erwiderung auf die mit Wundern hantierenden Schöpfungsgläubigen. Baden Powell war ein idiosynkratischer anglikanischer Apologet. ‹Diese Pfaffen sind es so gewohnt, mit abstrakten Lehren zu jonglieren›, klagte Hooker, ‹als gäbe es nicht die geringsten Schwierigkeiten damit ... daß sie über den [Wissenschafts-]Parcour dahinfegen ... als wären wir in der Kirchenbank und sie auf der Kanzel. Man braucht sich nur das selbstsichere Auftreten von ... Baden Powell anzusehen.›[17]

Bei Hooker vollzog sich ein allmählicher Sinneswandel. Zwar hatte er sich Darwins neuem Evangelium noch nicht verschrieben, doch dem Botaniker Asa Gray am Herbarium von Harvard gestand er: ‹Ich stehe nicht voll und ganz, getreulich und implizit hinter der Auffassung, daß die Spezies von Anfang an erschaffene Größen sind.› Tatsächlich war ihm klar, daß Begriffe wie ‹Schöpfung› und ‹Erschaffung› nur Wortgeklingel waren. ‹Es ist sehr leicht, von der Erschaffung einer Spezies zu sprechen›, pflichtete er Darwin bei, ‹aber die *Vorstellung* ist nicht greifbarer als die von der Dreifaltigkeit, und ... sie ist weder mehr noch weniger als ein Aberglaube: ein Glaube an etwas, das der menschliche Geist nicht erfassen kann.›

Das Problem, mit dem Hooker noch zu kämpfen hatte, machte vielen zu schaffen: die Entstehung des Lebens selbst. Hooker konnte Darwin zwar ‹zurück bis zum ersten Lebensfunken› folgen. Aber was dann? Voraussetzung dafür war sicherlich ‹eine schöpferische Kraft oder wie immer Du es nennen willst, was eine ebenso unerforschliche Tatsache ist wie eine vollentwickelte Spezies›. Aber im Gegensatz zu den Atheisten, die in einer chemischen Suppe eine Alternative zum anglikanischen Schöpfungsglauben suchten, befaßte sich Darwin nicht mit den Ursprüngen. Das erste Auftreten des Lebens auf der Erde sei in der Tat undurchschaubar, ließ er gegenüber Hooker durchblicken. Das einzige, was den Naturwissenschaftler beschäftigen sollte, sei dessen spätere Verwandlung. Die Entstehung des ersten lebendigen Einzellers sei so irrelevant wie die Entstehung der Materie für die ‹Gesetze der chemischen Anziehung›. In letzter Konsequenz, insistierte er, gehe es einzig um die Frage, ‹ob Arten einer Gattung einen gemeinsamen Vorfahren gehabt haben›.[18]

Diese Verengung des Blickwinkels ließ sein Projekt professioneller und weniger ideologisch erscheinen. Das war auch notwendig, wenn er in der Wissenschaft einen Staatsstreich plante. Er distanzierte seine Studie von den schludrigeren kosmologischen Werken jener Art, die seine kirchlichen

Mentoren in Rage brachten. Die rivalisierenden Evolutionisten begingen alle Verrat an ihrer reformistischen, antianglikanischen Absicht. Herbert Spencers ‹Gesetz› des Fortschritts in *Social Statics* war 1852 in einem verrufenen Schmierblatt, *The Leader,* als ‹die Entwicklungshypothese› verallgemeinert worden. Robert Chambers' *Vestiges* wurden ein Jahr später in einer aufpolierten zehnten Auflage erneut auf den Markt geworfen. Robert Grant, jetzt ein melancholischer Mann von sechzig Jahren, verlacht von Huxley und Forbes, beharrte noch immer auf der ‹unmittelbaren Entstehung› einer Art aus einer anderen. Wenn man andererseits 1854 an einer Straßenecke anhielt oder im Fleet-Street-Viertel einen Zeitungsladen betrat und sich für einen Penny den skurrilen *London Investigator* kaufte, dann konnte man schockierende Enthüllungen über die ‹Entstehung des Menschen› lesen.[19] In dem missionarischen Atheistenblatt wurde die Betonung auf Kooperation und nicht auf die Tötung des Schwachen und Kranken durch den Gesunden und Reichen gelegt. All diese Rivalen boten eine kosmische Alternative zur ‹Schöpfung› – eine von unten angetriebene Höherentwicklung, die auf strikten Gesetzen basierte. Und alle traten sie aufgrund ihrer naturalistischen Sichtweise für den atomaren Ursprung des Lebens ein. Es waren nivellierende, progressive, demokratische Auffassungen.

Was Lyell hierbei bis ins Mark erschütterte, war der Umstand, daß der Mensch seinen ‹hohen Status›, seinen besonderen Rang in der Schöpfung verlor. Er würde auf Gossenniveau reduziert werden. Lyell hielt immer noch die menschliche Würde hoch, beschützte sie vor radikaler Degradierung. Er leugnete nach wie vor jeden Fortschritt in der Geschichte des Lebens und damit die Transmutation. Keine Spezies habe eine Genealogie, am allerwenigsten die edelste, die Gott mit Unsterblichkeit ausgezeichnet habe. Noch 1851 hatte er vor der Geologischen Gesellschaft bekräftigt, daß es *keine* ‹allmähliche Höherentwicklung zu einer vollkommeneren Organisation ... vergleichbar der des Menschen› gegeben habe.[20]

Sir Charles Lyell war ein urbaner Whig, aus Überzeugung Unitarier, durch Erbschaft reich. Er bezeichnete Harley Street als sein Zuhause, wenn er nicht auf dem Kontinent unterwegs war oder auf seinem schottischen Familiensitz residierte. Politik war für ihn untrennbar mit Religion verbunden und Religion mit Wissenschaft. Der ‹hohe Status› des Menschen war sein eigener, und er wachte eifersüchtig über ihn. Nach ihrer Rückkehr aus Madeira verbrachten er und Lady Lyell zusammen mit Hooker und dessen Frau mehrere Tage in Downe. Die Artenfrage stand zur Debatte, und die Zusammenkunft kostete Darwin zwei schlaflose Nächte. Lyell erschrak über Darwins ‹häßliche Tatsachen›. Es seien diese regelwidrigen Fakten, warnte er danach seinen Schwager, ‹die in C. Darwins Buch über die «Arten» eine Rolle spielen werden›.[21] Lyell sah die Schrift an der Wand und begann erneut über die Mutationsfähigkeit nachzugrübeln und sich über den Platz der Menschheit in der Natur Sorgen zu machen.

Darwins Strategie, so alt wie seine Notizbücher, war, sich an die Arten zu halten und die Schöpfung von selbst in sich zusammenfallen zu lassen. Und sein malthusischer, kapitalistischer, konkurrenzgetriebener Mechanismus unterschied sich grundlegend von jeder anderen Entwicklungstheorie. Er wischte die Angriffe von Liberalen und Sozialisten auf die ‹überaus logischen Schriften› von Malthus beiseite. Viele bezweifelten, daß ein größeres Nahrungsangebot zu einer Vermehrung der Tiere führe, die dadurch zum Existenzkampf verdammt seien. Manche behaupteten das Gegenteil: Wenn man Pflanzen in fette Erde einsetze, *verringere* das ihre Fruchtbarkeit. Darwin hielt dies für absurd und experimentierte mit Gartenbeeten und Kompost, um seine Behauptung zu untermauern.[22] Der Optimismus des alten William Godwin bezüglich einer von Natur aus fortschrittlichen, sich ständig höher entwickelnden Gesellschaft war nichts für ihn. Darwins Version der Evolution versprach keinen zwangsläufigen rosaroten Fortschritt, basierend auf utopischer Kooperation. Andererseits unterstützte er die Forderungen vieler Reformer: nach freiem Handel und ungehindertem Wettbewerb, nach Abschaffung der alten, ‹unnatürlichen› Monopole und Privilegien. Das machte ‹seine› Natur zu einer Bundesgenossin des Mittelstandes.

Aber konnte er einen Grünschnabel wie Huxley bekehren, der die demagogischen evolutionistischen Machwerke verachtete? Huxley verurteilte ‹die Zyniker, die Gefallen daran finden, den Menschen abzuwerten›. Er meinte, Grant habe seinen Beruf verfehlt und Spencer mißverstehe die Wissenschaft. Während seine Autorenkollegen von der *Westminster Review* mit einer aufwärtsstrebenden Evolution sympathisierten, war dies bei Huxley nicht der Fall. Er zerpflückte *Vestiges* so gnadenlos, daß ihm später Skrupel kamen. Progressive Transmutation sei ‹anmaßender Nonsens›, erklärte er in seiner apodiktischen Art. Sein Groll hatte zum Teil mit seiner eigenen mißlichen Lage zu tun; es widerte ihn an, daß ein Autor mit seiner ‹Scharlatanerie› ein Vermögen verdiente. Huxley haßte das Buch, weil es nichts erkläre. Nach seiner Meinung war das Thema von *Vestiges* – ‹Erschaffung durch Gesetz› – Mumpitz. Ein Naturgesetz in Form eines göttlichen Gebotes, das die Entwicklung des Lebens in Gang setze, habe ‹überhaupt keine verständliche Bedeutung›. Es biete keine ‹*Erklärung* der Schöpfung›, außer daß es diese als ‹geordnetes Wunder› bezeichne.[23]

‹Wie prächtig Du seinen Gesetzesbegriff analysierst›, schmeichelte ihm Darwin in dem Bewußtsein, daß solche Pfeile nicht auf ihn gerichtet werden konnten. Im übrigen hatte er jedoch gemischte Gefühle und fand, daß Huxley insgesamt zu scharf mit dem Buch ins Gericht gegangen sei. ‹Ich bin vielleicht kein fairer Richter›, schrieb er, ‹denn ich bin beinahe so unorthodox in bezug auf die Arten wie *Vestiges* selbst, wenn auch hoffentlich nicht *ganz* so unphilosophisch.› Hooker schrieb er, daß Huxleys Besprechung klug sei, ja er hielt sie für die beste Kritik «der bedauernswerten *Vestiges,* die ich gesehen habe, aber ich glaube, er ist zu streng. Du magst sagen: «Gleich und gleich gesellt sich gern»; deshalb sympathisiere ich mit dem Autor›.[24] Vielleicht war es so; vielleicht würde er sich ein paar Jahre später im gleichen Boot sehen. Er würde Huxley überzeugen müssen.

Im September 1854, als Darwin Huxleys Rezension las, war der zweite Band seiner Monographie über lebende Rankenfüßer mit dem gewaltigen Umfang von 684 Seiten erschienen, und er war damit beschäftigt, Exemplare an Freunde zu verschicken. Huxley, der mit französischer und deutscher Zoologie vertraut war – angeregt durch Darwins Werk sezierte er selbst Rankenfüßer –, versorgte ihn mit den Adressen von Autoritäten, die einen Band, garniert mit seltenen Spezies in Spiritus, erhalten sollten. Am 7. September schrieb Darwin an Hooker, er habe seine Zeit ‹in den letzten Wochen in ermüdender Weise verzettelt, teils aus Faulheit, teils mit Kleinkram und dem Verschicken von zehntausend Rankenfüßern in alle Teile der Welt. Aber in ein oder zwei Tagen werde ich mir wieder meine alten Notizen über die Arten vornehmen›.

Endlich war der Weg frei, um mit der natürlichen Auslese weiterzumachen. Die Zeit war reif, um daranzugehen; mit den aufsteigenden jungen Reformern und den bereits an einflußreicher Stelle sitzenden *Westminster*-Evolutionisten war die gesellschaftliche Grundlage der Wissenschaft sichtlich im Wandel begriffen. Und Darwin hatte nun seine Lizenz. Zwei Tage später notierte er in seinem kleinen Tagebuch: ‹Angefangen, Notizen für die Theorie der Spezies zu sortieren.›[25]

Im folgenden Monat kamen Lyell und Hooker von London herunter, um zu sehen, wie Darwin mit seinen ‹häßlichen Tatsachen› vorankomme. Lyell war erschüttert, Hooker schwankte, und Darwin hielt sich bedeckt. Vorsicht war immer noch unerläßlich – die Frage war zu gewichtig, um Risiken einzugehen. Obwohl fünfzehn Jahre vergangen waren, seitdem er seine Notizbücher zugeklappt hatte, umgeben von den Trümmern des übernatürlichen Schöpfungsgebäudes, versicherte er Hooker immer noch, er werde ‹die Argumente *beider* Seiten zu Wort kommen lassen›. Er werde nicht einseitig ‹die Sache der Mutationsfähigkeit vertreten›. Unsicher bei einem so heiklen Thema, selbst gegenüber engsten Freunden, vollführte er Verrenkungen der Selbstverleugnung. Seinem geistlichen Vetter Fox eröffnete er seinen Plan, ‹alle naturgeschichtlichen Fakten vorzubringen, die ich aufbieten kann (weiß der Himmel, wie unwissend ich mich finde), etwa über geographische Verteilung, Paläontologie, Klassifizierung, Mischformen, domestizierte Tiere und Pflanzen usw. usw., um zu sehen, wie weit sie der Vorstellung entgegenkommen oder widersprechen, daß wilde Arten mutationsfähig sind oder nicht. Ich habe vor, alle Argumente und Fakten beider Seiten aufs nachhaltigste zu vertreten. Ich habe eine *Anzahl* von Leuten, die mir in jeder Weise helfen und mir höchst wertvolle Unterstützung geben; aber dennoch zweifle ich oft, ob dieses Thema nicht meine Kräfte völlig übersteigen wird›.[26]

Ausgewogenheit und Zweifel waren eine öffentliche Maskerade. Trotz gegenteiligen Anscheins wußte er genau, was er tat. Seit fünfzehn Jahren hatte er sich eindeutig für eine Seite entschieden.

Eintreffende Bücher wurden routinemäßig daraufhin überprüft, wie seine Theorie die darin vorgetragenen Fakten erklärte. Wie immer gab er sich dabei bescheiden. Nach der Lektüre von Hookers Essays brummte er, er müsse ‹mit den Zähnen knirschen und Dich schelten, weil Du so viele gegnerische Fakten so verflucht gut ausgedrückt hast›. Da gab es kein ‹Dafür und Dagegen›; er nahm nur die Gegnerschaft zu seiner eigenen Auffassung wahr. Hooker hatte immer noch botanische Zweifel in bezug auf die ‹*elastische* Theorie›, wie er es nannte. Darwin war hart im Nehmen. ‹Was für ein Halunke Du bist›, schrieb er ihm, ‹meine *elastische* Theorie mit unverdienten Beleidigungen zu überhäufen; ebensogut könntest Du die Tugend einer Dame als *elastisch* bezeichnen, als die Tugend einer Theorie, die ihren Liebhabern entgegenkommt.› Aber dann tat es ihm wieder leid, und er bat wie gewöhnlich um Nachsicht. ‹Mir ist sterbensübel, und ich fühle mich entschieden wie ein unterentwickeltes Tier.› Diese Woche, in der das Haus voller Gäste war, hatte er wieder unter Furunkeln zu leiden. Die von Hooker gehegten ‹Vorbehalte in der Speziesfrage sollten mich in Verwirrung und Scham stürzen›, äußerte er ein anderes Mal selbstanklägerisch gegenüber dem Freund; ‹sie bewirken, daß ich mich höchst unbehaglich fühle›.[27]

Verwirrung und Scham: Die alten Reflexe stellten sich ein, doch die Worte klangen hohl. Er mochte sich unbehaglich, wirklich krank gefühlt haben – jetzt aber, da er sich die Rankenfüßer und die Königliche Medaille zugute halten konnte, war er selbstsicherer geworden. Durch sein *Journal of Researches*, die Geologiebücher und die Rankenfüßer-Monographie war er international bekannt geworden, was Professor Asa Gray veranlaßte, ihm zusammen mit Informationen über amerikanische Pflanzen eine Einladung nach Harvard zu übermitteln; man werde für alle Kosten aufkommen. (Natürlich lehnte er aus gesundheitlichen Gründen ab.) Durch jeden Schritt, den Hooker in seine Richtung machte, fühlte er sich weiter ermutigt. Und Hooker beschleunigte seine Schritte; er teilte Gray mit, er glaube inzwischen ‹nicht mehr im mindesten an die Stabilität meiner eigenen Gattungen und Arten›. Darwin gegenüber äußerte er, es sei ihm inzwischen herzlich egal, ob die Arten ‹alle Ableger einer Gattung sind oder nicht›.[28]

28

Kanonenboote und Schnapsbuden

Kaum hatte Darwin seine Rankenfüßer weggeräumt, als der große Krimkrieg begann. Die Vorbereitungen auf diesen militärischen Konflikt, zu dessen Beginn Rußlands Bestreben stand, im Osmanischen Reich Fuß zu fassen, waren während des ganzen Jahres 1853 in Gang gewesen. Im November, als Darwin die Königliche Medaille erhielt, versenkte die russische Flotte im Schwarzmeerhafen Sinope ein türkisches Geschwader. Auf dem Spiel stand nicht bloß die Schirmherrschaft über die Heiligen Stätten des Christentums, die an Frankreich abgetreten worden war, sondern auch die Herrschaft über das Mittelmeer sowie die Handelsrouten nach Indien und in den Nahen Osten. Die Briten konnten es sich nicht leisten, diese zu verlieren. Die Flotte Ihrer Majestät hatte den Sommer 1853 über außerhalb der Dardanellen vor Anker gelegen. Im Herbst bezog sie gegenüber von Konstantinopel Stellung und wartete auf Befehle.

Das Land befand sich im Kriegszustand, nicht zuletzt die hohen Herrschaften in Downe. Der junge John Lubbock, inzwischen, dank Darwin, ein publizierter Naturforscher, marschierte nach Dover ab, wo er sich bei der Kenter Artilleriemiliz ausbilden ließ. Die Darwins fuhren mit Harry Wedgwoods Familie zum Armeestandort Chobham, um sich die Manöver anzusehen. Zwölf kleine Sprößlinge waren mit von der Partie, acht von ihnen Jungen, und kein Geringerer als Capitän Sulivan, der kürzlich von den Falklandinseln zurückgekehrt war, übernahm ihre Führung. Die Schlacht mit Geschützdonner und den furchterregenden Schreien von über zehntausend Männern hatte bereits begonnen: die größten Kriegsspiele, die bis dahin in Friedenszeiten von einer britischen Armee inszeniert worden waren. Für einen Augenblick wurde alles sogar allzu wirklich. Das Darwin-Wedgwood-Kontingent sah plötzlich eine Attacke der 13. Leichten Dragoner auf sich zukommen und mußte sein Heil in der Flucht suchen. Es war ein Teil des Nervenkitzels, der drei glückliche Tage unvergeßlich machte. Und wer sie am meisten genoß, war Charles.[1]

Zu Hause änderte sich die Stimmung, als die britische Flotte erneut in See stach. ‹Wir fürchten uns alle sehr vor Krieg mit Rußland, der hoffentlich verhindert werden kann›, schrieb Darwin an Covington. Das gelang nicht. Während die Zeitungen nach Rache gegenüber dem Zaren schrien, passierte die Flotte den Bosporus mit dem Befehl, das Schwarze Meer von russischen Kriegsschiffen zu säubern. Die Franzosen schlossen sich an, und am 28. März 1854 erklärten die Alliierten den Krieg. Darwin blieb in Verbindung mit Sulivan, der als Kommandant der in der Ostsee operierenden *HMS Lightning* in den aktiven Dienst zurückgekehrt war.[2] Das Gemetzel war schrecklich – allein die Alliierten verloren 15 000 Mann –, doch der russische Marinestützpunkt Sewastopol hielt immer noch stand.

Die jungen Darwins wurden vom Kriegsfieber angesteckt, und Emma unterstützte sie auf dem Klavier mit ‹galoppierenden Melodien›. Jetzt, da William im Internat war, hatte Georgy die Führung übernommen. Mit der Kaltblütigkeit eines Siebenjährigen setzte er den Herzog von Wellington auf die Verlustliste – oder war es seines Vaters Glosse über Unsterblichkeit, die er wiedergab, als er in seiner hintergründig komischen Weise kritzelte: ‹Der Herzog ist tot. Alle Saurier sterben aus›? Aber jetzt, nach den Manövern von Chobham, wurde auch er zu einem hitzköpfigen kleinen Soldaten. Mit ihm als Sergeant und Franky als Gefreitem schlug der Darwinsche Nachwuchs glorreich die Feldzüge der Kindheit.

Die beiden gaben sich Namen und Maße von Männern. Georgy fertigte sich einen kurzen Zollstock an, mit dem er an der Garderobewand unter der Treppe seine Größe gewissenhaft als eins achtzig und die von Franky als etwas weniger verzeichnen konnte, wie es seinem Alter und seinem Rang entsprach. Sie lernten die Bestandteile von Feuerwaffen kennen, exerzierten und marschierten dann mit geschulterten Tornistern und Spielzeuggewehren den Sandweg entlang, um ein Lager aufzuschlagen. Georgy machte mit Zunderholz Feuer, um den Gewürzkuchen und die Milch aufzuwärmen; Franky stand Wache, bis ihn das Hornsignal seines Bruders ablöste. Niemand wagte es, sich einzumischen. Wenn der Vater zu seinem täglichen Spaziergang herauskam und sich näherte, um die Wache zu küssen, nahm Franky eine drohende Haltung an und schwang sein selbstgemachtes Bajonett. Im Haus ging das Phantasiespiel weiter. Es wurde viel mit Zinnsoldaten gespielt, grimmigen Kavalleristen mit erhobenen Schwertern und einem Regiment von französischen Dragonern, deren Uniformjacken Emma mühsam mit Ziegelwachs rot gefärbt hatte, um sie richtig britisch zu machen. In dem langen Korridor des Obergeschosses beschossen die Jungen einander mit bleibeschwerten Wurfpfeilen, die harmlos an ihren hölzernen Schilden abprallten. Ihre Schwestern waren sprachlos, auch die scheue Lizzy. ‹Georgy ist so ein soldatischer Junge›, sagte sie schmollend. ‹Er spricht mit keinem einzigen Mädchen›.[3]

In Sewastopol hatte die Belagerung begonnen; dann kamen die Kämpfe um Balaklawa und Inkerman. Meldungen über das Blutvergießen wurden erstmals von Kriegsberichterstattern telegraphisch von der Front übermittelt. Als die Nation die Berichte über 3000 britische Gefallene zur Kenntnis nahm, traf die Nachricht von einem weiteren Verlust ein: Am 18. November 1854 war Forbes an Nierenversagen gestorben, der liebenswerte Forbes, der Hooker gezeigt hatte, wie man einen Superkontinent heraufbeschwört. In einer Zeit hochwogender Gefühle waren Darwin und seine Freunde wie vor den Kopf geschlagen. Huxley hatte sich ‹nie zuvor so niedergeschmettert gefühlt›. Ramsay konnte es ‹kaum fassen. Mein Schmerz bricht anfallartig aus, und dann bemühe ich mich, seine Anzeichen zu unterdrücken›. Es war eine grausame und ironische Wendung; Forbes hatte seinen lebenslangen Ehrgeiz gestillt, den Edinburgher Lehrstuhl einzunehmen, und sieben Monate später starb er. Für Lyell war es ‹der größte Verlust eines aktiven, befreundeten Wissenschaftlers, den ich je erlitten habe, und dabei war er erst neununddreißig›. Es sei ‹entsetzlich›, klagte Darwin in Erinnerung an seine eigenen Todesängste im gleichen Alter.[4] ‹Was für ein Verlust für seine außergewöhnlich zahlreichen Freunde und für die Naturwissenschaft! [...] Was seine arme Frau betrifft, so bemitleide ich sie aus tiefstem Herzen; ich habe ein Kind verloren und kann deshalb in gewissem Grad nachempfinden, was der Tod in seiner schlimmsten Form ist.›[5]

Darwin dachte über den vergleichbaren Krieg in der Natur nach, darüber, wie übers Meer gekommene Invasoren – Samen und Früchte, Frösche und Schnecken – auf fremdem Gelände einen Brückenkopf errichten und die Ortsansässigen vertreiben können. Immer mehr konzentrierte er sich auf die Idee des Kampfes: wie er sich abspielte und mit welchem Resultat er endete.

Die letzte größere Revision seiner Theorie war im Gange. Angesichts der düsteren Berichte von der Krim und der niederschmetternden Nachricht von Forbes' Tod saß er im November 1854 unbehaglich in Downe – in diesem Monat gab es nur fünfzehn ‹doppelte Unterstreichungen› und eine Woche mit ‹schlaflosen› Nächten – und sann über die Diversifizierung und das Aussterben von Tieren nach. Er betrachtete abweichende Arten, Spezies am Ende eines Zweiges wie das merkwürdige eierlegende Schnabeltier, die sich weit von der übrigen Schöpfung entfernt hatten. Waren sie mangelhaft angepaßt und im Begriff auszusterben? Waren Zwischenglieder, die sie mit normalen Tieren verbanden, bereits untergegangen?[6] Dies löste eine Flut neuer Fragen aus. Wie fächerten sich Tiere in jede vorstellbare Form auf, selbst in brütende, entschnäblige Säuger? Was veranlaßte eine Spezies, sich in zwei zu spalten? Wie konnte die *Auslese* diesen verzweigten ‹Lebensbaum› hervorbringen, den er erstmals 1837 in sein Notizbuch gezeichnet hatte? Und wenn sich die Tiere entlang seitlicher Zweige auseinanderentwickelten, was war dann mit den alten Vorstellungen von ‹hoch› und ‹niedrig› in der Natur?

Der Baum war der Schlüssel. In den 1850er Jahren war er die anerkannte Metapher unter den Naturwissenschaftlern: knorrige Äste, die sich verzweigten und in Höhe und Breite wuchsen. Selbst von Kalkutta aus verglich der Kurator des Museums der Asiatischen Gesellschaft, Edward Blythe – ‹ein sehr gescheiter, eigensinniger, wilder Bursche›, der Darwin Unmengen an Material über indische Haustiere schickte –, das Leben mit einem Baum, ‹der Äste bildet, die sich immer wieder gabeln und sich immer weiter verzweigen›. Genau dies war auch Darwins Bild: Er hatte sich die Natur bereits als ‹*unregelmäßig verzweigt*› vorgestellt. Aber warum sollten sich Nachkommen von ihren Eltern abkehren und einen anderen Weg einschlagen? Wie waren diese Gabelungen zu erklären?

‹Ich kann mich genau an die Stelle der Straße erinnern, wo mir in meinem Wagen zu meiner Freude die Lösung einfiel›, entsann Darwin sich später. Gemeint war die Ursache der Gabelung. Nach dieser Erleuchtung sollte er die folgenden drei Jahre damit zubringen, seine Lösung zu verfeinern und anzuwenden.[7]

So, wie seine malthusische Erkenntnis aus der Bevölkerungstheorie gekommen war, so erschien sein Mechanismus für die Entstehung der Vielfalt wie ein Rezept für den industriellen Fortschritt. Darwin investierte kräftig in die Industrie. Seine Wedgwood-Vettern zählten zu den Pionieren der Fabrikorganisation. Sie schufen eine Fließbandmentalität mit ausgeprägter Arbeitsteilung unter der Belegschaft und steigerten die Produktivität, indem sie jedem Beschäftigten eine einzige, spezialisierte Funktion zuwiesen.[8] Mit dieser Mechanisierung der Arbeit und ihrer Auswirkung auf die Produktion war Darwin bestens vertraut. Unzählige Besuche als junger Mann im Haus von Onkel Josiah hatten dafür gesorgt; außerdem war Darwins Bibliothek gut ausgestattet mit Büchern über Wirtschaft und industrielle Produktion.

Jeder Großbürger, der von seinen Industrieaktien lebte, verstand das Prinzip der ‹Arbeitsteilung›. In einer dampfgetriebenen Gesellschaft war es ein Synonym für Spezialisierung und Geschwindigkeit. Es versprach Reichtum und florierende Märkte, und diese industrielle Metapher schien nun auch für die Natur selbst Gültigkeit zu haben. ‹Arbeitsteilung› war das Schlagwort der Epoche; Prinz Albert nannte sie die Lokomotive der Zivilisation, die durch jeden Aspekt ‹von Wissenschaft, Industrie und Kunst› donnere.[9] Herbert Spencer, der frühere Eisenbahnsachverständige, der jetzt seine eigene Zweiglinie entlangratterte, war nicht der einzige, der sie in die Wissenschaft einführte.

Darwin erkannte, daß genauso, wie die Industrie expandierte, wenn sich die Arbeiter spezialisierten, dies auch für das Leben insgesamt zutraf. Aber die Natur besaß ‹die leistungsfähigeren Werkstätten›. Er behauptete, die natürliche Auslese werde zwangsläufig ‹die physiologische Arbeitsteilung› unter den Tieren steigern, die sich in Konkurrenzsituationen befänden. Scharfe Konkurrenz in übervölkerten Gebieten – von Darwin als ‹Artenfabriken der Natur› bezeichnet – begünstige Varianten, die freie Nischen nutzen konnten. Diese Individuen ergriffen neue Gelegenheiten beim Schopfe und verwerteten die verfügbaren Möglichkeiten an Ort und Stelle.[10] Die Isolierung auf Inseln sei sichtlich nicht so entscheidend, wie er gedacht habe. Die Konkurrenz spalte dichte örtliche Populationen, fächere sie auf und zwinge eine größere Anzahl von Individuen, der Hetzjagd zu entfliehen und sich ihren eigenen geschützten Winkel zu suchen. Neue Varietäten würden aktiv vom elterlichen Stamm weggedrängt und schwächten somit die nivellierende Wirkung der Rassenmischung ab. So, wie eine überfüllte Großstadt wie London Gewerbetreibende aller Art verkraften könne, die nebeneinander und doch ohne unmittelbaren Wettbewerb arbeiteten, so entgingen die Arten dem Konkurrenzdruck, indem sie sich unbesetzte Nischen auf dem Marktplatz der Natur suchten. Je größer der funktionale Pluralismus der Tiere, desto mehr davon könne ein Areal ernähren.

Die metaphorische Übertragung war vollständig. Die Natur war eine sich selbst vervollkommnende ‹Werkstätte›, Evolution die dynamische Ökonomie des Lebens. Die Schaffung von Reichtum und die Hervorbringung von Arten gehorchten ähnlichen Gesetzen. Arbeitsteilung war ein Prinzip sowohl der Natur als auch des Menschen. Doch in Großbritannien vermengte sich die Volkswirtschaftslehre gründlich mit Parteipolitik, und Darwin führte das Thema ein, indem er sich auf den Gebrauch des Begriffs ‹Arbeitsteilung› durch den Zoologen Milne-Edwards und nicht durch einen Ökonomen berief.[11] Hätte er der natürlichen Auslese einen politischen Anstrich gegeben, dann hätte er sie zu starken Angriffen ausgesetzt. Um Erfolg zu haben, mußte die Evolution den Eindruck machen, allein auf das solide Fundament der Wissenschaft gegründet zu sein.

Da der Fortschritt in der Werkstätte der Natur ebenso garantiert war wie in der Manufaktur von Onkel Josiah, glich Darwins sich selbst entwickelnde Natur den expandierenden und sich diversifizierenden Imperien der andersgläubigen Baumwollbarone und Porzellanpatriarchen. Und tatsächlich waren die 1850er Jahre eine Dekade sich beschleunigender Produktion; es waren Jahre des Booms, in denen die ökonomischen Gesetze so unbezweifelbar erschienen wie jene der Natur. Aber aus dem Blickwinkel der Fabrikherren stellten sich die Dinge ganz anders dar als aus dem der Arbeiter. Darwin ergriff die Partei der Prinzipale und seiner Mitinvestoren und wollte mit keiner anderen zu schaffen haben.

Er setzte sich über Kritiker hinweg, die behaupteten, die Mechanisierung mache die Arbeiterschaft zu Bettlern. Zu diesen Kritikern zählte auch ein Onkel Emmas, der Nationalökonom Jean Sismondi. Brutale Konkurrenz, eine entmenschlichende Arbeitsteilung, die ‹ungerechte› Verteilung der Gewinne: Sismondi hatte sie alle als ‹Geißeln› verurteilt.[12] Darwin standen also alternative Modelle zur Verfügung. Aber er lehnte sie ab. Er akzeptierte, daß der Kampf in der Natur ebenso wie der der Nation auf der Krim einen schrecklichen Tribut forderte. Dies war der Preis des Fortschritts und der Diversifizierung; es gab keine Auflehnung dagegen. Dieser Zwist mit Sismondi reichte tief, bis hin zum Eigentum an Grund und Boden. Nach Sismondis Meinung sollten diejenigen, die das Land bearbeiteten, es auch besitzen. Kaum überraschend, daß Darwin seine Theorien ablehnte, besaß er in Lincolnshire doch selbst Eigentum, ohne auf seinem Grund zu leben.

Evolution und utilitaristische Volkswirtschaftslehre stimmten bestens überein, und vielen andersgläubigen Industriellen erschien dies völlig natürlich. Aber wenige investierten auf beiden Feldern so viel wie Darwin. Ökonomen hatten eine spezialisierte Arbeiterschaft, freie Märkte und ein Eisenbahnnetz zur Reduzierung der Transportkosten gefordert. Ihr utilitaristisches Ethos hatte ebensoviel zur Eisenbahnmanie beigetragen wie eine zum Laisser-faire neigende Natur. Darwin orientierte seine Theorie an seinen finanziellen Interessen. Er investierte Zehntausende von Pfund in Eisenbahngesellschaften und zwanzig Jahre seines Lebens in die Enthüllung des konkurrenzbetonten, spezialisierten und arbeitsintensiven Aspekts der ‹Werkstätten› der Natur. Er plazierte die Natur auf seiten der Industrie.

Weihnachten verlief in diesem Jahr in gedrückter Stimmung. Franky und Lenny litten an Fieber, und am 22. Dezember hatte Franky einen Koller. Um die Familie aufzumuntern, beschloß Charles, daß man der Abwechslung halber einen Monat in der Stadt verbringen solle. Am 18. Januar 1855 mieteten die Darwins ein Haus an der Baker Street, doch das schlechte Wetter folgte ihnen auf dem Fuße. Es war jener ‹schreckliche Krim-Winter› mit Temperaturen von zwanzig und mehr Minusgraden, bei denen selbst die Themse zufror. Charles litt ebenso wie Emma sehr unter der Kälte und bedauerte, das ‹schmutzige und verschneite› London überhaupt betreten zu haben.[13] Während ihres Aufenthalts in London wurde Lord Aberdeens Regierung, der wegen mangelhafter Kriegführung das Mißtrauen ausgesprochen worden war, gestürzt, und Palmerston, einer der Mitverantwortlichen des Fiaskos, wurde Premierminister. Allenthalben wurden Klagelieder angestimmt. Großbritannien hatte insgesamt 30000 Mann verloren, die Hälfte durch Krankheiten und Kälte. Die Wedgwood-Frauen sammelten Kleider für die Truppen und stürzten sich dann in die ‹spielerische Heiterkeit› von Sidney Smiths *Memoirs,* um die ‹harte Realität des Lebens› abzuschütteln, die ihnen aus jeder Zeitung entgegenstarrte. Aber es fruchtete nichts; auch das Wissen um das Elend, das ‹die edle Flo Nightingale› erduldet hatte, ließ die Londoner Gesellschaft nicht angenehmer erscheinen. Es gab Feste bei den Horners und den Lyells, doch die Rede war von einer halben Million Toten auf allen Seiten.[14] Die Familie kehrte am 15. Februar nach Downe zurück; alle waren gern bereit, sich zu Hause einschneien zu lassen.

Während die britische Flotte Sewastopol belagerte, zerbrach sich Darwin den Kopf darüber, wie die Arten sich über das Meer verbreiteten: wie sie auswanderten und ob sie erfolgreich mit den vorhandenen Pflanzen konkurrieren konnten, wenn sie an Land geschwemmt wurden. Er suchte immer noch nach einem Mittel, um Hookers Superkontinente-Theorie zu widerlegen. Laut Hooker gab es auf Feuerland eine Anzahl von Pflanzen, die auch auf Tasmanien und den Kerguelen, einer Inselgruppe auf halbem Weg zwischen Australien und Südafrika, anzutreffen waren. Diese Ähnlichkeiten seien ‹weitaus größer, als durch die uns bekannten Wanderungsgesetze erklärbar. Ich bin allmählich immer mehr von der Wahrscheinlichkeit überzeugt, daß die südliche Flora fragmentarisch ist, der Überrest eines großen südlichen Kontinents›. Darwin haßte hypothetische Kontinente fast ebensosehr wie eine andere Alternative, nämlich daß Gott identisches Leben an mehreren Orten, den ‹verschiedenen Entstehungszentren›, erschaffen habe. Pflanzen konnten die Meere überqueren, um neues Land zu erobern, und er würde es beweisen.

Inseln und Schiffbrüchige waren für Darwin noch aus einem anderen Grund wichtig. Wie sonst sollte er Arten wie die Galápagos-Finken und -Schildkröten erklären, von denen jede für ihre eigene Insel spezifisch war?[15] Wenn sich Inseln und Kontinente dort befanden, wo sie immer gewesen waren, zumindest seit ungezählten Jahrmillionen, dann lautete die einzige Frage, wie Tiere und Pflanzen sie besiedelt hatten.

Die Antwort war für Darwin klar: Pflanzen, Samen, Eier und Tiere waren durch Zufall auf die Reise gegangen, getragen vom Wind, vom Wasser und von Flößen. Aber er brauchte Beweise. Also gingen wieder Briefe hinaus, wie üblich an die entlegensten Orte. Er spürte einen Seemann auf, der auf den Kerguelen Schiffbruch erlitten hatte, und wollte von ihm wissen, ob er sich an Treibholz am Strand erinnere, was einen Hinweis auf Besiedlung ergeben hätte. Er versuchte auch noch andere Ansätze; so fragte er Naturforscher, ob sie im Magen von Enten Samenkörner gefunden hätten oder ob Samen, wie ihm ein Mann von der Hudsonbai gesagt hatte, auf Eisschollen ins Meer hinaustrieben. Dennoch, so meinte er, seien Hookers Fakten ‹die größte Anomalie, die uns in der Verteilung von Lebewesen über die ganze Welt bekannt ist›.[16] Das Problem war, daß alle – einschließlich Hooker – annahmen, Samen würden durch Meerwasser zerstört. Aber stimmte das?

Ende März 1855 beschloß Darwin, der Frage auf den Grund zu gehen. Mit der Zeit und der Geduld eines Landpfarrers und dessen Freude am Tüfteln konzipierte er eine Reihe von Experimenten, die von genialer Schlichtheit waren. In einer Drogerie kaufte er Meersalz. Samen aus dem Küchengarten – Kresse, Radieschen, Kohl, Salatarten, Karotten und Sellerie – wurden in kleine Fläschchen mit Salzwasser getan. Einige ließ er im Garten, andere bewahrte er in einem schneegefüllten Behälter im Keller auf, um zu überprüfen, ob die Kälte unterschiedliche Reaktionen bewirken würde. In Abständen entnahm er jedem Fläschchen einige Samenkörner und säte sie in Glasschüsseln auf dem Kaminsims des Arbeitszimmers aus, wo er sie keimen und sprießen sehen konnte. Es funktionierte. Fast alle Samen gingen auf, obwohl sie eine Woche in Meerwasser gelegen hatten, wie er Hooker begeistert mitteilte. Er trieb seinen Schabernack mit dem Bedauernswerten, indem er ihn aufforderte, ihm die Samen zu schicken, die er ‹für die *verderblichsten*› hielt, und ihre Überlebenszeit zu raten.[17] Zwei Wochen später waren die Samen immer noch keimfähig.

Hooker trug es ‹wie ein guter Christ›, wie es sich für den designierten Direktor von Kew Gardens geziemte. Er schlug Darwin vor, in großem Umfang zu experimentieren, und versorgte ihn zu diesem Zweck mit exotischem Saatgut. Aber Down House besaß nicht die Möglichkeiten von Kew. Darwin hantierte ohnehin bereits mit vierzig oder fünfzig Flaschen. Mit mehr kam er nicht zurecht; der Kaminsims war bereits voll, und das Wasser mußte jeden zweiten Tag gewechselt werden, sonst ‹fängt es an, fürchterlich zu stinken›. Und er mußte Termine absagen, wenn sie auf Tage fielen, an denen seine eingelegten Körner zur Aussaat ‹fällig sind›.[18]

Das Ganze wurde zu einer regelrechten Pfarrhausindustrie. Er ersuchte Reverend Henslow, Schülerinnen einen Sixpence zu zahlen, damit sie Samen sammelten, und beauftragte Miles Berkeley, Pfarrer in Northamptonshire, der die *Beagle*-Schwämme beschrieben hatte, Säcke mit Samen nach Ramsgate zu schicken, wo sie im Wasser des Ärmelkanals eingeweicht wurden. Inzwischen setzte der wackere Reverend Fox Belohnungen für Jungen aus, die ihm Eidechsen- und Schlangeneier brachten – es gab nichts, was Darwin nicht ausprobierte, so lächerlich es auch scheinen mochte. Mit welchen sonstigen Objekten er experimentierte, wollte er nicht verraten. ‹Wenn Du es wüßtest›, schrieb er Hooker, ‹dann würdest Du mit gutem Recht spotten, denn sie sind auch nach *meiner* Meinung so *absurd*, daß ich es Dir nicht mitzuteilen wage.›[19]

Im *Gardeners' Chronicle* gab er bekannt, daß Kresse, Kopfsalat, Karotten und Sellerie nach zweiundvierzigtägiger Marinierung gut aufgegangen seien, Radieschen weniger gut, Kohl fast überhaupt nicht. Er erklärte auch, *warum* er diese Versuche unternahm; es machte ihm nichts aus, Forbes' Atlantis ‹in einer tagesgebundenen Publikation wie einer Zeitung› abzuservieren. Eine überschlägige Berechnung folgte. Sein Atlas gab die durchschnittliche Strömung im Atlantik mit 60 Kilometern pro Tag an; in 42 Tagen legte ein Samenkorn somit eine Distanz von 2500 Kilometern zurück. Das traf sich ausgezeichnet, weil es zufällig die Distanz zu den mitten im Atlantik gelegenen Azoren war. Kein Atlantis brauchte sich dazu aus dem Meer zu erheben. Eine solche Annahme sei tollkühn; ‹sie zerhaut den Knoten, statt ihn zu lösen›. Er dröselte den Knoten langsam und überlegt auf. Samen europäischer Pflanzen waren möglicherweise über das Meer getrieben und hatten die Azoren erobert. Zumindest war die Entfernung kein Problem. Er ging noch einen Schritt weiter. ‹Das wirklich Interessante wäre, eine Liste der Azorenpflanzen zu bekommen und sich von möglichst vielen die Samen zu beschaffen, um sie zu prüfen, und, bei Jupiter, das werde ich tun!›[20] So geschah es. Er schrieb an den britischen Konsul und fragte ihn, welche Samen auf den Azoren angeschwemmt würden. Henslows Schülerinnen mußten dann die britischen Äquivalente sammeln.

Daß Samenkapseln und -schoten solche Entfernungen zurücklegen konnten, ließ sich auch durch tropische Samen beweisen, die durch den Golfstrom in Norwegen angeschwemmt wurden. Der britische Konsul schickte Darwin zwei Arten. Hooker identifizierte sie als von karibischen Pflanzen stammend; er säte sie in Kew aus, und zu seinem ‹unbeschreiblichen Verdruß› gingen sie auf. Und die Rekorde purzelten weiter. Manche Sellerie- und Zwiebelsamen sproßten tatsächlich noch nach 85 Tagen. Noch merkwürdiger: Der Selleriesamen wuchs schneller als Samen, denen diese harte Prüfung erspart geblieben war. Als widerstandsfähigste von allen erwies sich überraschenderweise die empfindliche Pfefferpflanze, die nach fast fünf Monaten im kalten Salzwasser noch keimte. Wiederum schienen Darwins ganz einfache Experimente im nachhinein so naheliegend. Gray in Harvard, der Darwins Zeitungsartikel im *American Journal of Science* nachdruckte, schlug sich an die Stirn und fragte sich, warum noch niemand vor ihm auf diese Idee gekommen war.

Doch das eigentliche Problem war nach Darwins Darstellung nicht der Transport. Am Ende seines Artikels mit der Liste der Überlebenszeiten gab er den Lesern bewußt eine harte Nuß zu knacken. ‹Wenn der Samen seine neue Heimat erreicht›, schrieb er, ‹steht ihm die schwerste Prüfung erst bevor. Wird es ihm gelingen, Fuß zu fassen? Werden die Ortsansässigen dem neuen und alleinreisenden Immigranten im großen Überlebenskampf Raum und Unterhalt zugestehen?›[21] In einem Augenblick, da die britische Flotte in die Schlacht um Sewastopol verwickelt war, muß diese Frage merkwürdig aktuell gewirkt haben: als tobe in der Natur der gleiche Krieg wie in der menschlichen Gesellschaft, und beide Formen von Kolonialismus seien einander ähnlich. Doch Darwin schmuggelte auf diese Weise eines der Hauptthemen seiner Theorie ein, und dieses Thema sollte in den kommenden Jahren auch noch andere Leute beschäftigen als Gärtner und Lehnstuhl-Admiräle.

Der Krieg schleppte sich hin. Die Nation wünschte sich dramatische Siege, kein lang andauerndes Ringen, und Charles hatte den Eindruck, als werde der ganze Konflikt ‹sehr schlecht› gehandhabt. Aber Capitän Sulivan kam voller Heldensagen nach Hause und bereitete sich auf die Rückkehr in die Ostsee mit neuem Kommando vor. Charles bezeigte ihm seine Hochachtung. ‹Die Mannschaften und die Offiziere haben sich sehr wacker geschlagen und dem Namen der Engländer zu noch größerem Stolz verholfen als je zuvor›, frohlockte er gegenüber Covington. Georgy in seiner ‹Lehmfestung› draußen war ganz ähnlich zumute. Als Sewastopol im September 1855 endlich fiel, waren die Freudenböller im ganzen Land zu hören. Er würde den Klang niemals vergessen.[22]

Kampf und Auslese – das waren die Leitthemen in Darwins System. Aber es waren immer noch Beispiele nötig, die seine Auffassung von der Verzweigtheit der Natur untermauerten, und seine Vorstellung von der Spezialisierung warf ständig neue Fragen auf. So verschieden etwa Säugetiere, Reptilien und Fische auch waren, so konvergierten doch ihre Embryos, wenn man sie zurückverfolgte, eindeutig in ihrem Aussehen. Die Föten von Säugern und Fischen glichen einander viel mehr als die erwachsenen Tiere. In Darwins Augen war das ein wunderbarer Beweis für die ‹gemeinsame Abstammung›. Aber wie *erklärte* man das durch natürliche Auslese?[23]

Von Anfang an hatte ihm vorgeschwebt, solche embryologischen Belege heranzuziehen und für seine Zwecke nutzbar zu machen. Doch er hatte sich schon längst von den herkömmlichen Auffassungen getrennt. Mediziner hatten immer angenommen, daß Mißbildungen in der Gebärmutter entstünden und daß auch alle Variationen von daher stammten. Aber war das so? Konnten in manchen Fällen nicht bloß die Anlagen zur Abweichung geerbt sein und die tatsächlichen Variationen sich später, beim Kind oder beim Erwachsenen, manifestieren? Die Selektion konnte dann erst später wirksam werden, nämlich sobald sie auftraten, und sie entweder erhalten oder unterdrücken. Schließlich hatten Menschen auch erbliche Veranlagungen zu Krankheiten, die sich erst in einem bestimmten Alter zeigten. Die Embryos würden in diesem Fall, da die Auslese nichts an ihnen änderte, stärker den Erwachsenen gleichen; die Abweichungen blieben verborgen, bis das Individuum zu wachsen begann. Seit Annies Tod hatte sich bei Darwin die Überzeugung verfestigt, daß sein eigenes Leiden erblich und schon jetzt latent in den Kindern vorhanden sei. ‹Was ich befürchte, ist eine Erbkrankheit›, schrieb er Fox. ‹Selbst der Tod ist besser für sie.›[24] Das war eine morbide Bestätigung dafür, daß er sich auf der richtigen Spur befand.

Er benötigte eine anschauliche Demonstration dieser embryonalen Ähnlichkeit und der Auslese auftretender Varianten. Dafür würden sich Haustiere eignen. Züchter imitierten die Natur, indem sie die besten Exemplare einer Rasse miteinander kreuzten und neue Spielarten herausholten. Wie gingen sie dabei vor? Es gab nur eine Möglichkeit, das herauszufinden. Er hatte seit den Tagen seiner Notizbücher einiges über Domestikation gelesen. Jetzt würde er sich energisch daranmachen und hochgezüchtete Tiere aus erster Hand studieren. ‹Besorge junge Tauben›, hatte er etwa ein Jahr zuvor auf seinen Essay über die Evolution gekritzelt.[25] Er mußte die Ähnlichkeiten zwischen den Küken der vom Menschen zurechtfrisierten und -gestutzten Rassen aufzeigen – Rassen, die vom gleichen Urtyp abstammten –, und das Modell der Natur würde vollständig sein.

Im März 1855, gerade als die Samenexperimente begannen, fing er an herumzufragen. Er nahm Fox in die Pflicht. ‹Da Du eine Arche Noah hast›, schrieb er ihm, ‹zweifle ich nicht daran, daß auch Tauben darunter sind. (Mit ein bißchen Glück hast Du sogar Pfauentauben!) Was ich nun wissen möchte, ist, in welchem Alter die Schwanzfedern von Nestlingen genügend entwickelt sind, um gezählt zu werden. Ich glaube, ich habe noch nie ein Taubenküken gesehen.› Anfangs wollte er lediglich Informationen, ohne sich allzusehr auf die Sache einzulassen. Er benötigte Küken, ‹um zu sehen, in welchem Alter und in welchem Ausmaß die Unterschiede auftreten›. Er konnte sie entweder selbst züchten, was ‹furchtbar langweilig wäre›, oder die Jungvögel kaufen, und da dies eine plebejische Angelegenheit war, wollte er sich informieren, bevor er sein Geld hinlegte, um ‹nicht meine extreme Ignoranz erkennen zu lassen und dadurch Gefahr zu laufen, hereingelegt und ausgenommen zu werden›.[26]

Domestikation hatte die Evolutionisten schon immer fasziniert. In Paris und Edinburgh hatten sie deren Potential erkannt, und selbst Skeptiker glaubten, daß sie das beste Indiz für eine ‹plastische› Natur sei. Doch von den Schreibtischwissenschaftlern hatten sich nur wenige je die Hände schmutzig gemacht; die allermeisten überließen es lieber Baumzüchtern wie dem bärbeißigen Patrick Matthew, den nötigen Beweis zu liefern. Darwin hatte dagegen nie aufgehört, einschlägige Fakten zu sammeln – und waren sie noch so bruchstückhaft. Er ging mündlichen Berichten über außergewöhnliche Jagdhunde, Seidenraupen, Gänsemischlinge, wildlebende und zahme Tiere in den Kolonien nach – so gut wie allem, was über Auslese, Vererbung und Zucht in Erfahrung zu bringen war. Fünfzehn Jahre lang ackerte er sich durch ein Handbuch über Schweine und Geflügel nach dem anderen, und je länger er die bizarren Formen studierte, desto erstaunlicher schien es ihm, ‹daß es kein Zoologe je für lohnend gehalten hat, sich die reale Struktur von Varietäten anzusehen›.[27]

Es war schwierig, sich das Innovative seines Schrittes klarzumachen. Die meisten Naturwissenschaftler verachteten Tauben und Geflügel. Wissenschaft fand nicht auf dem Bauernhof statt. Die Oberschicht mochte auf ihren Jagdgütern Zierenten gehalten, mochte zoologische Gärten gegründet haben, um die Kolonialherrschaft Großbritanniens über die Natur zu feiern. Aber diese Tierhaltung war Welten von kontemplativer Philosophie entfernt. Es war diese erbauliche Beschäftigung mit wilden Arten, mit ihrer Ordnung und ihrer Bedeutung in der Schöpfung Gottes, was die Aufmerksamkeit der Philosophen fand. Daher die Verachtung der Wissenschaftler: Niemand erwartete, daß Schweine und Tauben den Schlüssel zum Geheimnis aller Geheimnisse enthielten.[28]

Aber unkonventionelle Wissenschaft mußte aus unkonventionellen Quellen schöpfen, und Darwin drang weit über die vertrauten Grenzen hinaus vor. Er führte sich aufs neue die Alltagskost von Wildhegern zu Gemüte: Landwirtschaftsmessen, Bücher über Tierzucht, Geschichten aus der Praxis des Bauernhofes und das Geflügelzüchterblatt *Poultry Chronicle*. Und er begann all jene auszufragen, die am meisten über Zucht und Vererbung wußten: private und professionelle Züchter.

Noch vor Weihnachten 1854 hatte er angefangen, wilde und zahme Enten zu kochen, um ihre Skelette zu vergleichen, wenn auch manchmal mit ausgeprägt kulinarischem Interesse. ‹Oh, der Duft einer gut gekochten, zarten Ente!!› Aber zu seiner Überraschung waren es Tauben, die im Sommer 1855 zu seiner Passion wurden. Ebenso wie die Rankenfüßer, die Samen und so vieles andere gewann auch dieses Vorhaben ein Eigenleben. Alles Gerede von betrügerischen Händlern hörte auf. Sobald Darwin mit der ‹Liebhaberei› angefangen hatte, trank er mit Züchtern, trat ihren Clubs bei, eignete sich ihr Wissen an und bekam ihren Klatsch mit. Und welch eine Veränderung: Er baute sich im Garten ein Taubenhaus, kaufte edle Pfauen- und Kropftauben, das Pärchen für ein Pfund, und berichtete, er habe ‹Vergnügen daran, und Etty ist begeistert von ihnen›. Er ließ sich Purzeltauben und eine kräftige Haustaubenrasse kommen und hatte bald ein stattliches Aviarium. Er solle herkommen, schrieb er Lyell, und sich die Tauben anschauen, ‹welche die größte Wonne sind ... die ein Mensch haben kann›.[29] Er versorgte sich mit Büchern über die ‹Kunst›: nach welchen Kriterien die Proportionen, die Körperhaltung und der Schnabel zu beurteilen sind, wie man die Nachkommen auswählt und kreuzt, welche die gewünschte Kombination aufweisen.

Bald ging seine Begeisterung mit ihm durch. Kochen und Messen waren jetzt seine täglichen Verrichtungen, und er lernte rasch, die Rassen und ihren Nachwuchs zu beurteilen. Seine Briefe nahmen einen makabren Ton an. ‹Ich beobachte sie draußen›, schrieb er mit Blick auf seine Vögel, ‹und dann skelettiere ich sie und betrachte sie von innen.› Es waren nicht nur Tauben. Fox überschüttete ihn mit toten Enten- und Hühnerküken und bot ihm Bulldoggen und Truthähne an. ‹Sehr vielen Dank für Dein Angebot›, antwortete Darwin. ‹Ich habe Welpen von Bulldoggen und Windhunden in Salz. Und ich habe Füllen von Zug- und Rennpferden sorgfältig gemessen.›

Pferde, Hunde, Entenküken – ‹es wächst mir über den Kopf›. Er probierte alle möglichen Mittel aus, um seine Tauben zu töten: Chloroform dauerte zu lange, und der Anblick war ihm unangenehm. Besser war Zyankali in einem Fläschchen; das Blausäuregas, das es ausströmte, war schnell und schmerzlos. Aber so schnell er auch eintrat, der Tod seiner Tauben ging ihm nahe. ‹Ich liebe sie so sehr, daß ich es nicht ertragen kann, sie zu töten und zu skelettieren›, klagte er Hooker. Seine possierlichen, tapsigen Küken das Bewußtsein verlieren zu sehen, war immer traurig. ‹Ich habe die Missetat begangen, ein engelhaftes Pfauentauben- und ein Kropftaubenküken im Alter von zehn Tagen zu ermorden.› Die Kadaver türmten sich, gemessene und ungemessene Skelette lagen überall herum; weitere Tierleichen trafen per Post ein, in zerbrochenen Kisten, aus denen die Eingeweide heraushingen. Selbst Darwin gab zu, daß sich sein Arbeitszimmer allmählich in ‹eine Schreckenskammer› verwandelte.[30]

Etty mag von den Vögeln entzückt gewesen sein, aber was Emma von dem Gestank hielt, während deren Überreste in einer Hexenbrühe aus Pottasche und Silberoxid verrotteten, ist nicht überliefert. Anfangs hatte Charles sehr zu kämpfen; das verwesende Fleisch ‹verursachte meinem Helfer und mir selbst (da wir nicht viel Erfahrung in dieser Arbeit hatten) einen solchen Brechreiz, daß wir nicht weitermachen konnten›. ‹Es ist wirklich eine gräßliche Arbeit›, bemerkte er, und im Jahr darauf folgte er dem Rat von Fachleuten und verschickte die Vögel, um sie professionell skelettieren zu lassen.[31]

Fox – ‹der liebenswürdigste der Mörder› – schickte ihm alle Entenrassen, die er hatte, und fing an, Geflügel von Nachbargütern zu entwenden. Der fossiliensammelnde Sir Philipp Egerton, dessen Landsitz in Cheshire an Fox' Gemeinde angrenzte, war zwar immer zur Hilfe bereit, aber allmählich wurde er doch neugierig. Als er im September 1855 auf der Glasgower Tagung der British Association mit Darwin zusammentraf, fragte er ihn, wie Darwin Fox berichtete, ‹warum zum Kuckuck ich Dich anstifte, in seinem Geflügelhof zu wildern›.[32] Als Tory-Abgeordneter der Grafschaft, Förderer von Richard Owen und Sprecher der reputierlichen anglikanischen Wissenschaft hätte Egerton die wahre Antwort vermutlich nicht zu schätzen gewußt.

Darwin wollte zeigen, daß die Natur aus Myriaden winziger Variationen besteht, die für alle außer erfahrenen Züchtern unsichtbar sind. Diese Enthusiasten hatten ein millimetergenaues Augenmaß. Und die Unterschiede, die nur sie wahrnehmen konnten, bildeten das Rohmaterial, das durch Generationen selektiver Zucht akzentuiert wurde. Dank solcher winziger Abweichungen war es den Züchtern gelungen, einen unglaublichen Formenreichtum hervorzubringen, der zu den Kropf-, Pfauen-, Purzel- und Haustauben von damals führte. Diese Unterschiede waren inzwischen so gewaltig, daß die Zoologen, wenn es sich um wildlebende Vögel gehandelt hätte, sie als verschiedene Arten, vielleicht sogar verschiedene Gattungen klassifiziert hätten. ‹Darwin findet unter den fünfzehn Varietäten der gewöhnlichen Taube›, berichtete Lyell erstaunt, das Äquivalent von ‹drei guten Gattungen und etwa fünfzehn ausgeprägten Spezies›. Selbst ihre roten Blutkörperchen waren unterschiedlich geformt, wie Darwin entdeckte, als er Proben von einem Experten untersuchen ließ. Die gleiche Vielfalt war auch bei anderen Haustierrassen anzutreffen. Er machte Waterhouse am Britischen Museum auf die Abweichungen bei Kaninchenskeletten aufmerksam und fragte ihn, ‹ob diese nicht ebenso groß sind wie zwischen Arten›. Noch größer, lautete Waterhouse' Antwort.[33] Da hatten sich also einzelne Arten so verändert, daß selbst die besten Zoologen verblüfft waren. Ausgehend von verschwindend kleinen Variationen hatten sich gewöhnliche Kaninchen und Tauben so auseinanderentwickelt, daß man meinte, es mit ganz neuen Gattungen zu tun zu haben.

Darwin nahm an, daß ähnliche, unmerkliche Variationen auch den Schlüssel für die malthusische Selektion der Natur enthielten. Schwache, schlecht angepaßte Varianten würden von der Natur ebenso ausgemerzt wie vom Züchter. Die guten gediehen dagegen, und im Lauf der Generationen würden bestimmte Tendenzen gefördert. Adaptive Merkmale würden bevorzugt, als wäre ein unsichtbarer Züchter am Werk. ‹Künstliche Selektion› zeige, wie der Fachmann die Natur forme; die eigene ‹auslesende› Hand der Natur sei dem unendlich überlegen.

Darwin hatte die ‹auslesende Hand› gesehen – aber sie war ziemlich ungewaschen. Das Gefieder, das er bewunderte, war überwiegend das Werk von Liebhabern. Arbeiter waren immer stolz auf ihre Tauben gewesen und hatten nach der Schufterei des Tages Trost in ihrem Taubenschlag gesucht. ‹Ich stehe auf freundschaftlichem Fuß mit allen Arten von Taubenliebhabern, Webern aus Spitalfields und den ausgefallensten Exemplaren der menschlichen Spezies›, berichtete er.[34] Naturgemäß waren es keine echten Freundschaften; eine gewisse Distanz blieb immer. Selbst gebildete Züchter und Geflügeljournalisten, die Darwin mit Informationen versorgten, bekamen ihre Kosten ersetzt. Sie wurden als bezahlte Fachleute behandelt, denen er Bargeld anbot, damit sie seine Fakten überprüften und seine Manuskripte lasen. Diese Züchter aus Passion, denen die Gleichgültigkeit der wissenschaftlichen Snobs gegen den Strich ging, begrüßten sein Interesse an ihren preisgekrönten Rassen. Sein freundlicher Paternalismus wertete ihr Hinterhofsteckenpferd zweifellos auf. Aber bis zum Ende blieb Darwin unverkennbar der Gentleman unter den Züchtern aus der Arbeiterschaft.

Dies zeigte sich auch an seinem bevorzugten Club. Am wohlsten fühlte er sich in dem exklusiven Philoperisteron, der in der Londoner Freimaurer-

Taverne zusammenkam. Er besaß den Snob-Appeal eines Piccadilly-Clubs, und an seinen Ausstellungen beteiligten sich Hunderte von Züchtern, obwohl keine Preise vergeben wurden. Der ‹Philo› war ein Versuch, den schmuddeligen Kaninchen- und Taubenzüchtervereinen zu entkommen. Das wurde von manchen verübelt, und vulgäre Naturen hielten den ‹Philo› nur für geeignet, ‹das Oberhaus mit Vogelleim zu beschmieren›.[35] Die Samtwesten konnten den gewöhnlichen Züchtern nichts vormachen. Sie bevorzugten die billigen Clubs der City und von Borough südlich von London. Darwin trat auch dem Club in Borough bei. Tatsächlich besuchte der ‹Squire›, wie man ihn hier nannte, alle Vereinigungen, ob hoch, ob niedrig, mit dem Gefühl einer anthropologischen Mission: Von den verrufenen Bierhallen von Spitalfields bis zu den vornehmen Treffpunkten des West Ends versuchte er die Natur mit den Augen der Einheimischen zu sehen.

In Schnapsbuden hatte er sich zwar bisher nicht herumgetrieben, doch jetzt war er da und hörte mit.

‹Eines Abends saß ich in einer Schenke in Borough im Kreise von Taubenzüchtern, als erwähnt wurde, daß Mr. Bult seine Kropftauben mit Haustauben gekreuzt hatte, um sie größer zu machen. Wenn Du das feierliche, geheimnisvolle und mißbilligende Kopfschütteln gesehen hättest, mit dem all diese Züchter dieses skandalöse Vorgehen quittierten, dann wäre Dir klargeworden, wie wenig es in der Zucht um die Verbesserung von Rassen gegangen ist.›[36]

In Darwins Augen gab es keinen Ersatz für die unmittelbare Tuchfühlung mit den Züchtern. Es war die einzige Möglichkeit, um sich ihr Wissen anzueignen.

Und mit dem Wissen kam auch die Initiation. Der Club in Borough, schrieb Darwin an seinen Sohn William, den in Rugby eine Welt davon trennte, sei von einer ‹merkwürdigen Mischung komischer Käuze› bevölkert. Nach dem Abendessen ‹drückte mir einer mit den Worten «Da ist Ihre Pfeife» eine Tonpfeife in die Hand, als ob es eine Selbstverständlichkeit wäre, daß ich rauchte. Ein anderer kurioser kleiner Wicht (N B.: ich beginne zu glauben, daß alle Taubenzüchter kleine Wichte sind) … zeigte mir eine jämmerliche kleine Polandhenne, von der er sagte, er würde sie nicht für 50 Pfund hergeben und hoffe, 200 Pfund für sie zu erzielen, da sie einen schwarzen Schopf hatte›.[37]

Aber diese kauzigen kleinen Weber und fahrenden Händler besaßen das Geschick, Tauben nach rigorosen Maßgaben zu züchten. Sie konnten Vögel schlanker machen, sie mit Kämmen und Schöpfen ausstatten, kurz, einen Formenreichtum hervorbringen, der kaum hinter dem der wechselnden Damenmoden zurückstand. Sie waren es, die dem ‹Squire› seinen ersten Einblick in die Wirkungsweise der künstlichen Auslese gaben.

Andererseits war es Darwins eigene Begeisterung für die Zucht – seine Besuche in den Bierhallen, das Studium des *Poultry Chronicle*, die Zucht eigener Tauben –, was seinem Vergleich zwischen Kunst und Natur solche Autorität verlieh. Er hatte Parallelen selektiven Artenwandels im heruntergekommensten Viertel gefunden, wo niemand sie erwartet hätte.

29

Elendige Schufte wie ich

Um 1856 begann die junge Garde sich zu organisieren. Huxley, Hooker, Tyndall und ihr Anhang diskutierten über Strategien und nahmen ihre Gegner aufs Korn. Der erste Punkt auf ihrer Prioritätenliste war, mehr Macht für die Londoner Wissenschaftler herauszuschlagen und mehr ‹Einfluß auf die Öffentlichkeit› – und die öffentliche Hand – zu erlangen.[1] Sie betrachteten sich als kraß unterbezahlt, verglichen mit den klerikalen Naturforschern von Cambridge, und das erfüllte sie mit bitterem Groll.

Huxley stieg schnell auf: Spezialist für Mollusken, Quallen und anderes Seegetier, Lehrer an der Königlichen Montanschule und jetzt, 1856, Professor an der Royal Institution (gegen ein Honorar von hundert Pfund). In diesem Jahr folgte er mit Darwins und Sir John Lubbocks Hilfe Carpenter als Prüfer an die Universität von London. Er sammelte Posten, wie ein Priester Pfründen sammelte, und die Bezahlung stieg mit der Überarbeitung. Er hatte einen messerscharfen Verstand; ‹ein sehr kluger Mann›, stellte Darwin fest – der Typ, den er rasch zu bekehren hoffte. Hooker hielt ihn für beängstigend klug; er fand Huxleys Vorträge ‹überwältigend›, seine Fakten so ‹revolutionär›, daß er die Hälfte davon nicht nachvollziehen konnte. Darwin nahm an den Vorlesungen nicht teil, aber er war genauso beeindruckt und behauptete, über Huxleys Weichtiere nicht mehr zu wissen ‹als ein Mann, der nur Austernpastete gegessen hat›.[2]

Huxleys Londoner Lehrer waren wissenschaftliche Außenseiter, die für die abgeschottete Cambridger Mentalität und das privilegierte Old-Boy-Netzwerk nur Spott übrig hatten. Da schien es überhaupt nicht ins Bild zu passen, daß Darwin Huxleys ‹Beichtvater› spielte. Der Kreis um Huxley ahnte nicht, daß der Einsiedler von Downe, der einst für ein Kirchenamt bestimmt gewesen war, die ikonoklastische Wissenschaft liefern sollte, die ihren Ambitionen entsprach.

Für den Augenblick hatten sie ihre eigene Strategie, die darin bestand, einen neuen, fest zusammenhaltenden, genau geregelten ‹Berufsstand› zu schaffen. Das bedeutete, sich der Öffentlichkeit als ‹Wissenschaftler› zu präsentieren, als eine achtunggebietende Gemeinschaft von Akademikern, die man anständig bezahlen sollte, damit sie der Öffentlichkeit eine Dienstleistung erbrachten, so neuartig ‹Wissen› als Ware auch sein mochte. Seine Beglaubigung mußte dieser Berufsstand selbst liefern. Die Wissenschaft konnte der Theologie keine Loyalität schulden, und Huxley hetzte überall gegen die Bischöfe und machte aus der Lossagung ein öffentliches Spektakel. Ordentliche Bezahlung würde auch Begabungen anlocken und die Dilettanten aussondern. Der Wissenschaftsteil der *Westminster Review* erwies sich bereits als zu beengend; bald rief der Anhang nach einer Hauszeitung und einem eigenen Club – einer ‹intellektuellen Zuflucht›, wo diese mit Wissenschaft Handelnden dinieren und intrigieren konnten, ohne sich von den ‹jämmerlichen Stümpern› in die Karten blicken zu lassen.[3]

Unterdessen verstärkten sich die Bindungen. Der jetzt fest angestellte Huxley hatte 1855 seine Verlobte Henrietta aus Australien kommen lassen. Nach sechsjähriger Trennung heirateten sie in Anwesenheit Hookers, Tyndalls und der Carpenters. Darwin schickte seinen Segen, warnte allerdings: ‹Glück, fürchte ich, ist nicht gut für die Arbeit.› Die Ferien wurden gemeinsam verbracht, wobei Klettern der bevorzugte Sport der Männer war. Die verträumten Kirchtürme, die sie bewunderten, waren nicht die von Oxford, sondern die von Tirol. Huxley begleitete Tyndall in die Alpen und verbrachte Weihnachten mit Hooker und dem befreundeten Marinechirurgen George Busk, von der Szenerie begeistert, auf dem Snowdon. Der streitbare, draufgängerische Huxley, in seinem Haß ebenso leidenschaftlich wie in seiner Freundschaft, wußte den Wert von Männern wie Hooker, Tyndall und Darwin zu schätzen und ermahnte sie alle, ihm ‹nötigenfalls ordentlich Bescheid zu sagen›.[4]

Die jungen Eiferer waren schon dabei, gestandenen Veteranen wie Owen, der 1856 zum Leiter der Naturgeschichtlichen Sammlungen des Britischen Museums ernannt worden war, das Wasser abzugraben. Owen, der Liebling der Oxbridge-Theologen und -Politiker, symbolisierte alles, was sie verachteten. Neue Maßstäbe waren nötig, nicht Rücksichtnahme auf alte Eitelkeiten; es gab eine neue Rechenschaftspflicht gegenüber den eigenen Kollegen. Die Clique fand Owens ehrerbietigen Mystizismus unerträglich, ganz abgesehen von seinen persönlichen Marotten. Huxley, dieser ‹Republikaner, der seinen Glauben verloren hatte›, mit den blitzenden Augen und dem ätzenden Witz, gab Owen physisch und geistig der Lächerlichkeit preis. Einen ‹komischen Kauz› nannte er den Wirbeltierspezialisten, ‹mit keinem [bekannten] Archetypus des menschlichen Geistes in Beziehung zu setzen›. Seine Genossen setzten den ‹Autokraten der Zoologie› unter Dauerbeschuß. Manchmal wurde fast buchstäblich gefeuert: Als sich Owen mit einem Angriff auf Huxleys ‹Blindheit› verteidigte, ermunterte Carpenter Huxley, seinem Gegner ‹eine Kugel ins Fleisch zu jagen›, um sein Sehvermögen zu beweisen. Was den Grünschnäbeln an Respekt fehlte, machten sie zweifellos an Forschheit wett. Owen mochte mehr veröffentlicht haben als sie alle miteinander, aber sie verlangten, den Überwacher zu überwachen. Carpenter forderte, ihn rechenschaftspflichtig zu machen ‹gegenüber einem Gremium von Wissenschaftlern, die kompetent sind, seine Amtsführung zu bewerten und zu kritisieren›.[5] Das Gremium würde selbstverständlich unter Huxleys Führung stehen und niemandem Rechenschaft schuldig sein. Der kalte Wind des Professionalismus pfiff durch die alte Ordnung.

All dies braute sich im April 1856 zusammen, als Darwin eine Zusammenkunft nach Downe einberief. ‹Ich bin sehr froh, daß wir uns bei den Darwins treffen werden›, schrieb Hooker an Huxley. ‹Ich wünschte, daß wir dort einen Plan diskutieren könnten, der unseren Bestrebungen, die Wissenschaft voranzubringen, mehr Geschlossenheit verleiht.›[6]

Darwin brannte aus anderen Gründen darauf, Huxley nach Downe zu locken. Seine Anatomie war zwar brillant, aber er schien in die falsche Richtung zu driften. Er war gegen Evolution eingestellt und verurteilte das Gerede von einer durchgängigen fossilen Vorgeschichte. Wie alle übrigen wischte er die ununterbrochene Höherentwicklung, wie sie in *Vestiges* vertreten wurde, beiseite. Aber zu Darwins Verblüffung lehnte er auch Owens Fortschrittsbegriff ab. Owen war der Auffassung, daß die fossilen Tiere weniger spezialisiert gewesen seien als die heutigen. Je weiter man jeden Stammbaum zurückverfolge, desto unspezifischer würden die Tiere. Am Ende müsse man beim ursprünglichen Archetypus landen – der Idealform, aus der sie alle hervorgegangen seien. Owen nannte ein Beispiel, das klassisch wurde. Das heutige Vollblutpferd stehe auf der Zehenspitze – einer einzigen Zehe –, doch sein Vorläufer sei das kleinere, ausgestorbene *Hipparion* mit zwei kleinen Zusatzzehen an jedem Fuß gewesen, während das noch frühere, tapirähnliche *Palaeotherium* einen vollständigen, dreizehigen Fuß gehabt habe. Owen glaubte, daß diese Form der Spezialisierung typisch für die Höherentwicklung des Lebens sei.[7] In diesem Punkt stimmte ihm Darwin zu.

Huxley sah das anders. Er haßte Owen, haßte seine ‹metaphorischen Mystifikationen› und leugnete den ganzen progressionistischen Plunder. Schlimmer noch: Die Pferde hatten ihren ersten Auftritt während Owens Angriff auf Lyells nichtprogressionistische Geologie. Owen war so bissig, daß es Hooker anwiderte. Es machte auch Huxley noch wütender, der Lyell und seine Wissenschaft sehr respektierte. Auch Darwin hatte Owens Mystizismus satt und ‹verabscheute› sein nebulöses platonisches Denken.[8] Aber er wußte die fossilienbezogene Grundlagenarbeit des großen Mannes zu schätzen. Er erkannte, daß Owen trotz all seiner verschwommenen Rationalisierungen schlicht und einfach die Abstammung des Pferdes zurückverfolgt hatte. Sein ganzes Schema war in evolutionäre Begriffe übersetzbar; die Genealogie war perfekt. Darwin wünschte, daß sie intakt gelassen wurde, damit er sie für seine neue Erklärung verwenden konnte. Daß Huxley sie jetzt genüßlich auseinandernahm, paßte ihm nicht ins Konzept.

Huxleys eigene Ansichten waren beunruhigend, ja undurchschaubar. Er hatte eine merkwürdige Vorstellung von den Arten. Er sah sie in Trauben angeordnet, wie auf der Oberfläche einer Kugel, jede gleich weit vom archetypischen Zentrum entfernt. Es gab keinen Platz für Zwischenglieder und keine Möglichkeit höherer und niedrigerer Formen. Darwin war befremdet – das war alles wieder Geometrie, nicht Genealogie. ‹Ich bin überrascht von Deinen Ausführungen›, meinte er. Er war entsetzt darüber, daß Huxley jegliche Progression leugnete, und konnte auch mit Huxleys Archetypus, der zentralen Abstraktion, nichts anfangen. Der erschien geradezu ptolemäisch in seiner Primitivität, seiner starren, unnachgiebigen Form. Er hatte keinerlei Ähnlichkeit mit dem Vorfahren, der Darwin vorschwebte, als er fortfuhr: ‹Ich hätte gedacht, daß der vorgestellte Archetypus ... fähig zu weiterer Entwicklung sei und diese *im allgemeinen* auch *durchmacht*.›[9] Aber wenn Darwin skeptisch war, dann muß ein *sich entwickelnder* Archetypus Huxley einfach absurd erschienen sein.

In dem Bestreben, die Stärke seiner antievolutionären Argumentation einzuschätzen, machte Darwin Anmerkungen zu Huxleys Rezensionen.[10] Er mußte ihm noch stärker auf den Zahn fühlen. Das war der Grund, warum er Huxley zu der Zusammenkunft in Downe einlud: Er wollte seine Einwände aus erster Hand hören.

Hooker und seine Frau sollten am Dienstag, dem 22. April, eintreffen. Ebenfalls eingeladen war der überkorrekte T. Vernon Wollaston, ein stiller, kultivierter Cambridge-Mann, ein Insektenspezialist ‹und außerdem sehr nett und sympathisch›. Er war sicherlich jemand nach Darwins Herzen. Zu dieser Zeit war Wollaston damit beschäftigt, seine Insekten im Britischen Museum zu arrangieren. Sein neues Buch *On the Variation of Species* war Darwin gewidmet und stellte das bisher nachdrücklichste Plädoyer für ‹eine legitime Macht der Selbstanpassung› bei den Insekten dar, für ihre Tendenz, ‹*innerhalb feststehender, spezifischer Grenzen*› zu variieren.[11] Mit Darwin verbanden ihn nicht nur gemeinsame Interessen, sondern auch eine angegriffene Gesundheit. Seine eigene Arbeit auf Madeira (wohin er zur Erholung gefahren war) hatte ergeben, daß insulare Isolierung und klimatische Veränderungen bei Insekten die Hauptursachen der Variabilität waren, und er zitierte wiederholt Darwins *Journal of Researches* zur Bestätigung. Er schien in die richtige Richtung zu tendieren.

Zur Vervollständigung des Treffens lud Darwin den Renegaten Hewett Watson ein. Er hatte den leidenschaftlichen Atheisten und Phrenologen im vorigen August kennengelernt und ihn ‹ein bißchen sarkastisch› gefunden.

Das machte ihn zunächst mißtrauisch, wie er es gegenüber Radikalen immer war. Aber je mehr ihn Watson mit Pflanzenstatistiken versorgte, desto mehr fing Darwin an, ‹die Klarheit und die Schärfe seines Geistes› zu schätzen, und bald hatte er die ‹*höchste* Meinung› von dem Mann. Auch Watson schloß sich ihm auf und vertraute ihm seine eigenen evolutionären Auffassungen an.

Wie sich herausstellte, konnte Watson an diesem Wochenende nicht kommen. Auch in bezug auf Huxley gab es Zweifel. Er war erschöpft, und seine Frau litt an morgendlichem Erbrechen – sie hatte sicher nicht den Wunsch, irgendwo hinzufahren. Der Dienstag war außerdem sein Vorlesungstag. Darwin, wenig zuversichtlich, gab zu bedenken, ‹eine kleine Abwechslung› könne ihnen beiden guttun, und Emma versprach, daß Henrietta ‹soviel Ruhe haben kann, wie sie will, und einen bequemen Lehnstuhl in ihrem Schlafzimmer haben wird, damit sie oben bleiben kann›, wenn sie es vorziehe.[12] Die Huxleys kamen schließlich am Samstag – es war ihr erster Besuch in Downe; wahrscheinlich nahmen sie den Zug nach Sydenham, wo Darwin sie dann mit dem Wagen abholen ließ.

Es war eine jener Zusammenkünfte, wie Hooker sie liebte, mit ‹langen Spaziergängen, Herumtollen mit den Kindern auf allen vieren› und gemütlichem Bummeln durch den Garten. Sie schlenderten zum Sandweg hinaus, Hooker und Huxley die Erneuerung der Wissenschaft planend, Wollaston auf Käfer aus. Darwin führte sie in seiner ‹herzlichen Art› im grauen Jagdrock herum und wies sie mit dem Spazierstock auf die Glanzlichter seines Taubenschlages hin. Der frischverheiratete John Lubbock gesellte sich am 26. April, dem Tag, an dem die Huxleys eintrafen, zum Abendessen hinzu. Am anderen Morgen folgten nach dem Frühstück die ‹Zwiegespräche› in Darwins an einen Behandlungsraum erinnernden Arbeitszimmer. Darwin hatte einen ganzen Stoß von Zetteln mit Fragen vorbereitet, die der Beantwortung bedurften. Diese Zettel legte er jetzt Huxley vor.

Lyell war erstaunt, von den Ereignissen an diesem Wochenende zu hören. ‹Als Huxley, Hooker und Wollaston letzte Woche bei Darwin waren›, informierte er den botanisierenden Schwager seiner Frau, Charles Bunbury, ‹rannten sie alle vier gegen die Unveränderbarkeit der Spezies an und vergaloppierten sich dabei wohl stärker, als sie es vorgehabt hatten. Wollaston ist noch am wenigsten unorthodox. Ich begreife nicht recht, wie sie so weit gehen können, ohne die ganze Lamarcksche Lehre anzuerkennen.›[13] In Wirklichkeit wurde der Angriff allein von Darwin und Hooker vorgetragen. Sie erwarteten, daß sich Wollaston ihnen anschließen würde. Da er von ‹legitimen Variationen› sprach, hatte ihn Darwin für einen potentiellen Konvertiten gehalten. Doch hier irrte er. ‹Am wenigsten unorthodox› war eine Untertreibung. In seinen Auffassungen war Wollaston so festgelegt wie bei seinen Arten: Ausnahmen ließ er nur für geringfügige Abweichungen gelten.

Darwin rechnete damit, daß ihm seine Ausnahmen schließlich über den Kopf wachsen würden. Er zog Wollaston gnadenlos auf und schlug ihm den Ausspruch von Großvater Erasmus um die Ohren:

‹Ich habe gehört, daß man den Unitarismus als ein Federbett zum Auffangen eines strauchelnden Christen bezeichnet hat, und ich glaube, du befindest dich jetzt auf genau einem solchen Federbett; aber ich glaube, du wirst tiefer und tiefer fallen. Hast du nicht den Eindruck, daß «deine kleinen Ausnahmen» ziemlich zahlreich werden? Ich finde dein Argument seltsam, daß ich und andere elendige Schufte wie ich recht haben könnten, weil wir in einer sehr schwachen Minderzahl sind! Jedenfalls ist es ein Trost, zu glauben, daß *einige andere* bald auf meiner Seite sein werden.›

Wollastons ‹seltsames Argument› – die Minderheit könnte am Ende doch recht haben – war als eine Scheinkonzession gedacht. Es war aus dem Matthäus-Evangelium abgeleitet, wo es heißt: ‹Eng ist die Pforte und schmal der Weg, der ins Leben führt, und es gibt wenige, die ihn finden.› Aber die Paraphrasierung eines solchen Textes spielte geradewegs Darwin in seine nachchristlichen Hände. Wenn er und ‹andere elendige Schufte›, die an Evolution glaubten, eine solche Minderheit darstellten, dann fanden sie vielleicht den Weg des Lebens; die Verdammten waren jene, die wie Wollaston mit zwei Zungen redeten.[14] Vielleicht würde sich Darwin sogar das Verdienst erwerben, ‹einige andere› zu retten – Hooker und Huxley, wie er hoffte.

Doch als Sohn eines mit reichen Pfründen gesegneten Pfarrers war Wollaston schockiert über diese Implikationen. Obwohl er Insekten ‹in einem viel größeren Ausmaß› als die meisten zu variieren gestattete, beharrte er dennoch darauf, daß ihre Fähigkeit, sich zu verändern, ‹entschieden begrenzt› sei. Jede Spezies habe ‹nur gewisse *Grenzen*, zwischen denen sie schwanken kann›, meinte er zu Darwin; ‹diese kann sie nicht überschreiten›. Das stelle keine ‹Gefahr› dar, tönte er, weil es ‹die Frage der Entwicklung in ihrem *weiteren* Sinn nicht berührt›. Die Vorstellung von einem Artenwandel war für ihn ‹ungeheuerlich›. Darwin war bitter enttäuscht. ‹Wenn man bedenkt, wie weit er geht›, grollte er, sei es ‹ein starkes Stück›, daß er ‹diejenigen, die weiter gehen, als «höchst verderblich», «absurd» und «unzurechnungsfähig»› verteufle. ‹Manches davon hat theologische Gründe. Ich habe ihm gesagt, er sei wie Calvin, der einen Ketzer verbrennt.›[15]

Huxleys Widerstand hatte niemals theologische Gründe. Hatte er *Vestiges* nicht verrissen, weil das Buch die Natur zu einem ‹geordneten Wunder› machte? Und trotzdem hielt er noch unerbittlicher daran fest, daß der progressive Artenwandel ein schädlicher Humbug sei. Später erinnerte er sich an sein ‹erstes Gespräch› mit Darwin, bei dem er ‹mit all dem Selbstvertrauen der Jugend für die scharfe Abgrenzung der Spezies und das Fehlen traditioneller Formen argumentiert› habe und dann über Darwins lächelnd erteilte Antwort verwundert gewesen sei, ‹daß dies nicht ganz seiner Auffassung entspricht›. Darwin kannte selbstverständlich Huxleys Standpunkt; er hatte seine Rezensionen und Reden mit Anmerkungen versehen und war darüber ‹bekümmert› gewesen. Er war bar entsetzt über den brillanten Hitzkopf.[16] Nun konfrontierte er ihn mit einer Reihe von Fragen, ohne allerdings seine Auffassung über die natürliche Auslese erkennen zu lassen.

Im Arbeitszimmer brachte Huxley alle seine Einwände vor. Er wies darauf hin, daß selbst prähistorische fossile Tiere wenig veränderte lebende Verwandte hätten, daß sich Krustentiere nicht in Fische verwandeln könnten, daß Zwischenformen fehlten und daß die aus den Fossilien abzuleitende Geschichte kein Spiegelbild des embryonalen Wachstums eines Organismus sei. Sobald Huxley gegangen war, machte sich Darwin eine Anzahl von Notizen, in denen er Huxleys Bedenken aufgriff, seine irrige Argumentation zerpflückte, seine Auffassung von einer statischen, kugelförmigen Natur in die von einem dynamischen, sich verzweigenden Baum umdeutete – kurz: seine Einwände nacheinander entkräftete.[17]

Auch strategischere Unterschiede traten zutage. Während Darwin auf einen unblutigen Coup in der Wissenschaft abzielte, hatte Huxley andere Vorstellungen. Er neigte zum Streit und zur Bilderstürmerei, es gefiel ihm, wissenschaftliche Festungen zu stürmen, Machthaber wie Cuvier, Owen und Agassiz zu stürzen und ihre Vasallen herauszufordern. Hooker wollte, daß Huxley, so wie er fünf Jahre zuvor, in den Athenaeum Club aufgenommen würde; aber Darwin hatte Bedenken wegen Huxleys provozierenden Auftretens. Abgesehen von seinen wissenschaftlichen Verdiensten sei sein Ton einfach ‹zu aggressiv›. Zwei Wochen nach dem Treffen in Downe entschied sich Darwin, in der Annahme, daß Owen ohnehin dagegen sein werde, gegen die Nominierung von Huxley. ‹Kannst Du Dir Owen nicht vorstellen, wie er mit rotem Gesicht, maliziösem Lächeln und bedächtiger, sanfter Stimme fragt: «Wollen Sie mir sagen, was Mr. Huxley getan hat, um diese Ehre zu verdienen? Ich weiß nur, daß er von Autoritäten wie Cuvier, Ehrenberg und Agassiz abweicht und sie in Frage stellt!»› Sie sollten sich ‹lieber Zeit lassen›, warnte Darwin Hooker; ‹ernsthaft zu versuchen, einen großen Naturwissenschaftler ins Athenaeum zu bringen und damit zu scheitern, ist weitaus schlimmer, als nichts zu tun›.[18] In ein, zwei Jahren werde Huxley sich schon mäßigen, vermuteten sie.

Die neuen Männer schlossen ihre Reihen wie jeder verschworene Zirkel; sie identifizierten ‹Aggressoren› von außerhalb, erzwangen Zusammenhalt, eine gemeinsame Politik, gemeinsame Feinde. Alle sympathisierten mit Darwin, beeindruckt von seiner technisch brillanten, nicht durch Theologie beeinträchtigten Wissenschaft. Owen wurde wegen seines Dünkels ebenso wie wegen seiner idealistischen Verirrungen verfemt und ausgeschlossen. Auch die Moral kam ins Spiel, wie es bei Huxley immer der Fall war. Owen hielt 1856–1857 Gastvorlesungen an Huxleys Königlicher Montanschule.

Sie waren nach allen Berichten unerhört erfolgreich und wurden auch von Lords und Ladys besucht, denen Owen ‹die Macht Gottes in Seiner Schöpfung› vor Augen führte. Der Herzog von Argyll (der Generalpostmeister) versäumte kaum eine, ebensowenig der aus Afrika zurückgekehrte Dr. Livingstone. Allein daß er so gefeiert wurde, muß Huxley geärgert haben, der mitansehen mußte, wie die Hautevolee durch sein Institut paradierte, um seinem Gegner zu applaudieren. Aber Owen verstand es auch, sich geschickt als der ‹Professor› anzukündigen und damit Huxleys Position an der Schule zu usurpieren. Damit verdarb er es sich endgültig mit Huxley. ‹Selbstverständlich bin ich persönlich jetzt mit ihm fertig. Genausogut könnte ich einem Mann Anerkennung zollen, der versucht hat, mich mit List und Tücke um mein Geld zu bringen.›[19]

Doch Owen war im Austeilen ebenso gut wie im Einstecken, manchmal sogar besser. Auch Hooker begriff, daß sich Huxley durch seine Unbeherrschtheit schaden könne. Aufgeregt berichtete er Darwin das Neueste:

‹Owen ist, wie ich höre, in der Geologischen Gesellschaft mit Huxleys Vorstellungen von Anpassung unnachsichtig ins Gericht gegangen, und er hat alles mit der kühlen Bedachtsamkeit, dem Nachdruck und dem pointierten Ton und Ausdruck eines unerbittlichen Gegners vorgetragen. Und Huxley, fürchte ich, hat sich nicht gut verteidigt (wenn auch temperamentvoll); vielleicht hatte er in Carpenter, der ihn aus dem Konzept brachte, auch keinen populären Fürsprecher. Diese Zwistigkeiten sind wirklich sehr schädlich und müssen mit Sicherheit ungünstige Konsequenzen für Huxley haben.›

Darwin, der sich über Huxleys Possen durchaus amüsierte, wenn auch mit schlechtem Gewissen, warnte ihn dennoch: ‹Trete Owen (was auch immer er sein mag) um Himmels willen nicht als sanfter Hindu gegenüber: Dein Beichtvater zittert um Dich.›[20]

Kurz nach der Zusammenkunft in Downe begann Darwin eine Strategie für die Präsentation seiner Theorie auszuarbeiten. Lyell, der von Darwins Spekulationen fasziniert war, ohne sich darüber im klaren zu sein, wie weit sie gingen, spornte ihn an, sie zu veröffentlichen, da er befürchtete, daß man ihm zuvorkommen werde.

Was Lyell alarmiert hatte, war eine rätselhafte, zurückhaltend formulierte Abhandlung über die ‹Einführung› in die Arten, die in der populärwissenschaftlichen Zeitschrift *Annals and Magazine of Natural History* erschienen war. Er hatte Darwin darauf aufmerksam gemacht, wie übrigens auch der überschwengliche Edward Blythe, der davon schwärmte: ‹Gut! Im großen und ganzen!› Ein vermögender Globetrotter namens Alfred Russel Wallace, ein Jäger und Fallensteller, der vom Verkauf von Vogelbälgen, Insekten und exotischen Schmetterlingen lebte, hatte die Abhandlung auf der

Insel Borneo verfaßt, als er, von einem tropischen Monsun ans Haus gefesselt, nichts Besseres zu tun hatte. Laut Blythe hatte ‹Freund Wallace ... die
Sache gut vorgetragen›, und zwar in dem Sinne, daß die ‹verschiedenen
domestizierten Tierrassen nach und nach zu verschiedenen *Spezies* weiterentwickelt worden sind›.

Dies hätte Darwin aus seiner Seelenruhe aufrütteln müssen. Aber er ließ
sich von Wallace’ zurückhaltender Sprache täuschen. Dessen Feststellung,
‹*jede Spezies*› sei zur selben Zeit und am selben Ort wie eine frühere, ähnliche ‹*entstanden*›, hätte man als Owens ‹vorherbestimmtes, ständiges Entstehen› oder als vielsagende Deutung der schöpferischen Kontinuität verstehen
können. Darwin, wie auch anderen, entging die Tragweite der Wallaceschen
Aussagen. Das sei ‹nichts besonders Neues›, notierte er auf seinem Exemplar
von *Annals*. ‹Benutzt mein Bild des Baums›, aber ‹für ihn erscheint das alles
als Schöpfung›.[21] Darwin mißverstand Wallace’ verschlüsselte Ausdrucksweise und tat ihn als lediglich einen weiteren aufgeweckten jungen Schöpfungsgläubigen ab.

Lyell ließ sich nicht täuschen. Er war immerhin so erschüttert, daß er ein
Notizbuch zur Artenfrage anlegte, in dem er über die Konsequenzen für die
Menschheit nachgrübelte. Daß die Welt erneut in Richtung Artenwandel
taumelte, erschreckte ihn. Er zerbrach sich unablässig den Kopf über diese
Frage und beleuchtete sie aus jedem Blickwinkel. Wie hatte der ‹Urheber der
Natur› die Arten auf die Erde gebracht? Glich eine neue Spezies ihrer Vor-
gängerin, weil ‹göttliche Allmacht› sie an ähnliche Bedingungen anpaßte?[22]
Lyell ging diese Fragen jetzt ohne Umschweife an.

In Downe rückte Darwin, der wußte, daß er Lyell vorbehaltlos vertrauen
konnte, endlich mit allen Einzelheiten der natürlichen Auslese heraus, als er
ihn wankend werden sah. Lyell besichtigte Darwins Taubenschlag und bewunderte die Kropf- und Haustauben und inzwischen fast auch jede andere in England bekannte Rasse. Er stimmte ihm nicht wirklich aus innerstem
Herzen zu, aber er drängte Darwin, um der Priorität willen zu publizieren.

Lyell ging erschüttert davon. Wie immer rechnete er mit den schlimm-
sten Konsequenzen. Zu Hause, als er über die selektiv gezüchteten Tauben
nachdachte, zog er daraus Schlüsse auf die selektionierte Abstammung des
Menschen ‹von einem Orang-Utan›. Er stieß zum Kern des Problems vor.
Tiere zählten im Grunde nicht. Aber war der *Mensch* auch nur eine bessere
Art von Vieh? War er ‹die veredelte Version› eines Affen der alten Welt? Das
schien undenkbar; Menschen waren von anderer Art. Und dennoch, falls
Darwin recht hatte, ‹ist die ganze geologische Geschichte der Erde die Geschichte des Menschen›. Das war ein ebenso erhebender wie ernüchternder
Gedanke. Lyell, der Mentor, der ein Vierteljahrhundert zuvor Lamarck widerlegt hatte, spielte mit dem Feuer, zwar zögernd, aber dennoch hypnoti-
siert und fasziniert von Darwins ‹artenerzeugendem› Mechanismus. Sein

Dilemma verstärkte sich noch, als er das Thema im Philosophischen Club anschnitt. Aus seinen Gesprächen mit dem Nachwuchs ging hervor, daß die Auffassung von der Beständigkeit der Arten der Vergangenheit angehörte, selbst wenn die jungen Leute ‹keine sehr klar umrissene Überzeugung an ihre Stelle zu setzen› hatten. Die Zeit war reif für die Idee von der natürlichen Auslese. Sie würde ihnen in den Schoß fallen, wie Lyell erkannte. ‹Einerlei, ob Darwin Dich und mich dazu bringen kann, von unserem Glauben an die Spezies abzurücken›, schrieb er Hooker, ‹ich sehe voraus, daß viele zu der Lehre von der grenzenlosen Modifizierbarkeit überlaufen werden.›[23]

Auf Lyells Drängen hin begann Darwin seine Notizen zu sichten. Andere in das Establishment aufgestiegene Naturwissenschaftler feuerten ihn an, ohne sich über die Konsequenzen im klaren zu sein. Lyells Schwiegersohn Bunbury war von seinen ‹Spekulationen über die Arten› gefesselt und entzückt darüber, daß er sie zur Veröffentlichung vorbereitete. Er wußte, daß Darwin weiter ging als die meisten, aber auch Darwin, versicherte er, werde ‹keine *unbegrenzte* Variabilität behaupten; er wird kaum ... unterstellen, daß sich ein Moos in eine Magnolie verwandeln kann oder eine Auster in einen Ratsherrn›. Auch mancher Ratsherr, der seine Austernpastete aß, wäre von dieser Aussicht befremdet gewesen. Bunbury riet Darwin, ‹Vorsicht und Unparteilichkeit› walten zu lassen, um den Dogmatismus zu meiden, der sich so leicht in Diskussionen ‹über *mehrfache* Schöpfung und Artenwandel› einschleiche. Er solle ‹alle Fakten und Argumente beider Seiten› anführen, empfahl er ihm.[24] Genau dies hatte Darwin vor.

Wenn es jedoch zum Schwur kam, war es eine schwierige Aufgabe. Zum erstenmal setzte sich Darwin mit dem logistischen Problem und seiner eigenen Parteilichkeit auseinander. ‹Eine umfassende Darstellung zu liefern wäre völlig unmöglich›, dies wegen der Fülle der Fakten. Vielleicht sollte er sich ‹auf den Hauptantrieb der Veränderung, die Selektion, beschränken›. Aber eine knapp gehaltene Darlegung würde unter den Leuten, die er eigentlich überzeugen wollte, kaum eine wissenschaftliche Revolution bewirken. Nur ein achtunggebietender, umfangreicher, esoterischer und mit entsprechendem Fußnotenapparat ausgestatteter Wälzer hatte die Chance, sie zu bekehren. Doch wenn er sich nicht die Priorität sicherte, konnten zwanzig Jahre vergeudet sein. Und jetzt, da der Artenwandel in aller Munde war – in *Vestiges*, in der Sensationspresse, unter den *Westminster*-Lesern –, wurde die Zeit knapp. Darwin war beunruhigt. ‹Ich weiß nicht, was ich denken soll. Die Vorstellung, um der Priorität willen zu schreiben, ist mir ziemlich unsympathisch; andererseits würde ich mich gewiß ärgern, wenn jemand vor mir meine Thesen publizierte.›

Aber wo sollte er veröffentlichen? ‹Ich werde mich auf *gar* keinen Fall einem Herausgeber oder Beirat aussetzen›; eine wissenschaftliche Fachzeitschrift kam also nicht in Frage. Vielleicht war eine bescheidene Monogra-

497

phie doch am besten. ‹Wenn ich etwas veröffentliche, muß es ein *sehr schlankes* Bändchen sein, das einen Entwurf meiner Auffassungen und meiner Schwierigkeiten enthält›, schrieb er ratsuchend an Hooker, ‹aber es ist wirklich schrecklich unphilosophisch, eine Zusammenfassung eines unveröffentlichten Werkes ohne genaue Quellenangaben zu liefern.›[25] Wie konnte er das überhaupt? Er würde ‹über jeden anderen spotten, der das tut›.

Am Ende setzte sich die Angst um sein geistiges Eigentum durch, und am 14. Mai 1856 machte er sich an einen Entwurf, wobei er die Entscheidung, ob er ihn veröffentlichen solle, auf später verschob. Hooker begriff den Vorteil, einen ‹Essay vorauszuschicken›, fragte sich aber, ob dieser nicht die Wirkung des ausgeführten Werkes ruinieren werde. Fox hatte offenbar gleichfalls von einer Kurzfassung abgeraten. Watson hingegen war der Meinung, Darwin solle nicht zögern, sondern jetzt veröffentlichen und die Sache später vervollkommnen. ‹Damit habe ich begonnen›, beruhigte ihn Darwin, ‹aber meine Arbeit wird entsetzlich unvollkommen sein.› Seine Selbstzweifel setzten wieder ein: das traumatisierende Gefühl, die ‹lähmende Angst›, wie er es nannte. ‹Ich beginne mir *innigst* zu wünschen, daß mir Lyell niemals diesen Floh mit dem Essay ins Ohr gesetzt hätte.›[26]

Dennoch war der Zeitpunkt günstig gewählt. Der Krimkrieg war endlich vorbei, und zwei Wochen später, am Abend des 29. Mai, als Darwin wegen der Versammlung der Royal Society nach London kam, erlebte er mit, wie zur Feier des Friedensvertrags zehntausend bunte Feuerwerksraketen gleichzeitig abgeschossen wurden. Rußland war besiegt, die östlichen Handelsrouten waren gesichert. Die Zukunft Großbritanniens leuchtete hell, das Zeitalter des Sterling-Imperialismus und der *Pax Britannica* dämmerte herauf. Und die Jugend arbeitete entschlossen darauf hin, daß eine neue ‹Wissenschaft, rein und frei, nicht behindert durch religiöses Dogma› zu ihrem Erfolg beitragen konnte.[27]

30

Eine niedrige und wollüstige Natur

Anfangs war Darwin nicht mit allen seinen Gedanken bei dem Buch. Die jetzt achtundvierzigjährige Emma hatte neun Kinder zur Welt gebracht, und das Ehepaar war zuversichtlich, daß kein weiteres kommen werde. Aber 1856, als Charles zu schreiben begann, wurde Emma erneut schwanger. Das kam völlig überraschend. Die Geburt von Horace, ihre letzte, lag fünf Jahre zurück. Jetzt fühlte sich Emma erneut ‹elender denn je›. Den ganzen Mai und den Juni hindurch litt sie an Übelkeit, und im Juli trat ‹allgemeine Beklemmung› an deren Stelle.[1]

Darwin mußte sich auch wieder mit den Superkontinenten herumschlagen, da sich mehr und mehr Naturwissenschaftler dieser Theorie anschlossen. Wollaston brachte Madeira mit dem Festland in Verbindung, andere beschworen einen untergegangenen pazifischen Kontinent, und auch das alte Atlantis schlummerte nach wie vor unter den Wellen. Das Thema machte Darwin ‹närrisch›. ‹Das Blut läuft mir abwechselnd heiß und kalt durch die Adern, so rege ich mich darüber auf.› Es war so absurd. Wenn man all die untergegangenen Kontinente addierte, ‹muß die Hälfte des gegenwärtigen Ozeans in der Zeitspanne, seitdem es lebende Organismen gibt, aus Land bestanden haben›. Und halfen einem diese Vergrößerungen weiter? Warum gab es in Neuseeland keine australischen Banksia-Pflanzen, wenn die Inseln früher mit Australien verbunden gewesen waren? Und waren die gemeinsamen amerikanischen und europäischen Formen nicht durch Eisdecken erklärbar, die Tiere und Pflanzen aus der Arktis verdrängt hatten? Und warum wurden alte kontinentale Schichten niemals auf Inseln mitten im Ozean gefunden? Das Thema machte ihn inzwischen ‹ziemlich *rabiat*›, und er ermahnte sich, ‹duldsamer› zu werden und den Irrgläubigen zu gestatten, ‹Kontinente mit derselben Leichtigkeit hervorzubringen wie eine Köchin Pfannkuchen›.[2]

Bis Mitte Juli 1856 hatte er vierzig Seiten über die Migration arktischer Arten im Entwurf fertig. Schwarz auf weiß machten sich seine Ideen gut, ‹aber der Herrgott weiß, daß es alles Halluzination sein könnte›. Er hatte endlich aufgehört, in bezug auf den Umfang des Buches zu schwanken. Mit einem knappen Resümee würde es nicht getan sein; es mußte ein vollständig ausgeführtes Werk werden – wie vollständig, ahnte er freilich nicht. Er ersuchte Lyell um Erlaubnis, ihm das Werk zu widmen. Sir Charles sprang über seinen eigenen Schatten, wenn man seine alte Abscheu vor Lamarck bedenkt; ‹bezüglich der Mutationsfähigkeit der Arten wechselt er im Eisenbahntempo das Lager›, so Darwin zu Hooker, ‹und erlaubt mir, einige Sätze dieses Inhalts in mein Vorwort aufzunehmen›.[3]

Das war in der Öffentlichkeit; der private Lyell wurde immer noch von Zweifeln gequält. Was ihn wirklich peinigte, war ein Aspekt, der Darwin niemals zu schaffen machte: die Gefahr der menschlichen Degradierung. Um 1856 redete Lyell sich verzweifelt ein, eine tierische Ahnenreihe sei nur für diejenigen unehrenhaft oder ‹erniedrigend›, die ein Leben nach dem Tode leugneten. Er versuchte sich davon zu überzeugen, daß die Zukunft wichtig sei, nicht die Vergangenheit. Was hatte es überhaupt mit der menschlichen Würde auf sich angesichts ‹der Hunderte von Millionen Angehörigen primitiver oder halbbarbarischer Rassen› und ‹der Millionen von Schwachsinnigen und Geisteskranken›, die kaum eine Stufe höher als das Vieh geboren wurden? ‹Wenn eine Rasse von Wilden mit geringsten Fähigkeiten 1000 Jahre lang ohne Fortschritt existieren kann, warum dann nicht auch eine Rasse, die ein Zwischenglied zwischen ihnen und dem Schimpansen bildet?›

Gequält von den moralischen Konsequenzen, beleuchtete Lyell in seinem Notizbuch die Fragen aus allen Blickwinkeln. Aber wie er es auch drehte und wendete, er fürchtete immer noch, daß die Menschheit ihren edlen ‹Rang› verlieren und in der brutalen Natur versinken werde. War die Natur imstande, ‹das Rationale aus dem Irrationalen zu entwickeln›? Das war die Crux. Gefühle ‹moralischen Widerwillens› abwehrend, gedachte er die Abstammung des Menschen vom Affen zu rationalisieren. Wie verhielt es sich etwa mit einem ‹vernünftigen Menschen ... der schwachsinnige Eltern hat›? Der Fall lag sicherlich nicht anders als der eines Wilden, der von unvernünftigen Tieren abstammte. Man brauchte sich nur daran zu erinnern, daß Shakespeare von ganz gewöhnlichen Sterblichen gezeugt wurde. Immer wieder übersetzte Lyell das Problem in seine eigenen Begriffe: die Entstehung von Genialität, von Größe. Und was hatte die Geburt dieses erhabenen Geschöpfes namens Mensch auf der Erde angekündigt? Niemand glaubte mehr, daß ‹feurige Gestalten am Himmel erschienen›. Aber je mehr er sich darum bemühte, sich vorzustellen, der Mensch habe sich still und unbemerkt in die Welt eingeschlichen, desto mehr wünschte er sich einen wundersamen moralischen Augenblick, in dem zum erstenmal ‹eine verantwortungsbewußte Seele› auftrat.[4]

Der Aufstieg von der Barbarei zum Shakespeareschen Geistesriesen war ein Trostpflaster für das viktorianische Großbürgertum. Aber von da war es nur ein kurzer Schritt zu den rassistischen Diffamierungen, die Darwin bereits zu hören bekam. Angesichts der Dinnertafel-Erkenntnis, daß die vornehmen Angelsachsen ihren schwarzen Butlern haushoch überlegen seien, warf die Evolution einen Schatten auf die Reinheit ihrer Abstammung. Lyell selbst wurde unwiderstehlich von diesem Thema angezogen: Wenn man genügend viele Generationen zurückging, würden Schwarze und Weiße dann auf einen gemeinsamen Vorfahren stoßen? Einen, der selbst Nachkomme eines Affen war? Allein diese Vorstellung ‹würde fast allen Menschen einen Schock versetzen›. Keine Universität würde sie sanktionieren; sie zu lehren ‹hätte die Relegierung eines bereits bestallten Professors zur Folge›. Die Rassenfrage gewann in den 1850er Jahren als emotionales Thema an Brisanz. Der zynische Robert Knox, bekannt geworden durch den Burke-Hare-Skandal, machte durch seine Voraussagen künftiger Rassenkriege erneut Schlagzeilen. Er erklärte die Rassen zu getrennten Spezies. Andere, wie Louis Agassiz, sahen in ihnen getrennte Schöpfungen; einer von Darwins Bekannten bezeichnete es als ‹Glück für diejenigen von uns, die ihre Ahnen respektieren und die Verunreinigung durch Negerblut von sich weisen, daß wenigstens noch Agassiz da ist, um die Transmutationisten in die Schranken zu weisen›. Darwin konterte, indem er sofort seine evolutionistische ‹Ketzerei› gestand und sich selbst als ‹einen der Schlimmsten› bezeichnete. Doch dieser tiefwurzelnde Rassismus ließ keinen Zweifel daran, daß die Evolution mehr als *ein* kulturelles Tabu bedrohte. Darwin wußte, daß Agassiz ‹mit schwerem Geschütz auf mich schießen wird, und viele andere werden mich mit Steinen bewerfen›.[5]

Dennoch war Lyell nicht der einzige, der sich bewegte. Auch andere schwenkten vorsichtig um. Darwin war verblüfft über ‹den Sinneswandel Hookers und Huxleys bezüglich der Arten in den letzten Jahren›. Ebenso wie Lyell erhob Hooker zwar immer noch Einwände; so begriff er zum Beispiel nicht, warum sich unter ähnlichen klimatischen Bedingungen nicht identische Arten entwickelten. Doch Darwin wischte die Bedenken mit dem wiederholten Hinweis beiseite, daß er ‹sehr wenig auf die direkte Einwirkung des Klimas› zurückführe. Inzwischen wollte er von der Umwelttheorie der Radikalen nicht mehr das geringste wissen; das Leben entwickle sich weder von selbst höher, noch werde es von seiner Umgebung geprägt. Seine Spielart der konkurrenzbetonten Evolution hätte den Hookers und Huxleys ohnehin nicht gefallen. Aber er war immer noch unruhig und sehr nervös; es war ein grauenhaftes Gefühl zu wissen, daß er im Begriff war, aus den Reihen der anglikanischen Elite auszubrechen und sich an die Öffentlichkeit zu wenden. Er konnte Hooker für all seine Hilfe nicht genug danken. ‹Mein Buch mag miserabel sein›, schrieb er ihm, aber ‹Du hast Dein

Bestes getan, um es weniger miserabel zu machen. Manchmal bin ich diesbezüglich sehr frohgemut und manchmal sehr niedergeschlagen. Für mich ist die Frage der Entstehung der Arten entschieden, aber der Himmel weiß, wie wenig das wert ist›.[6]

Er konzentrierte sich wieder auf seine ursprüngliche Zielgruppe. Das Werk sollte kein Schnellschuß und auch kein journalistisches, nicht wissenschaftlich fundiertes Elaborat wie *Vestiges* werden. Nur eine seriöse Abhandlung kam in Frage, die gesicherte Forschungsergebnisse miteinander verknüpfte. Das allein war geeignet, die reformeifrigen Jungwissenschaftler zu überzeugen, welche die Karriereleiter der Royal Society emporkletterten.

Die ganze Zeit über hatte er die Verfechter der Kontinente-Idee im Visier, insbesondere den unbußfertigen Hooker. Außerstande, sich ‹das Thema aus dem Kopf zu schlagen›, quälte und marterte er sich damit ab. Während sich Kontinente nolens volens hoben und senkten, ‹ist über die Mittel der Verteilung kaum etwas bekannt›. Bei der Arbeit an dem Abschnitt über die Ausbreitung der Arten setzte Darwin seine Gegenexperimente beharrlich fort. Er schreckte nicht davor zurück, Froschlaich einzusalzen und Schneckeneier schwimmen zu lassen, wenn auch ohne Erfolg. Schließlich merkte er, daß frisch geschlüpfte Schnecken den Fuß einer toten Ente erklommen, wo sie etwa einen Tag lang außerhalb des Wassers überleben konnten. Das setzte eine weitere Versuchsreihe in Gang. Schnecken schwammen nicht auf ferne Inseln, vermutete er, sondern wurden von Vögeln dorthin getragen. Was Pflanzen betraf, so bemühte er sich immer noch nachzuweisen, wie Hookers Edwardsia und andere Arten nach Neuseeland und Südamerika gelangen konnten, aber nirgendwo sonst hin. Hooker versorgte ihn mit exotischen Samen und mußte sich dafür gelegentlich necken lassen. ‹Ich glaube, Du wagst es nicht, mir eine reife Edwardsia-Schote zu schicken›, spöttelte Darwin, ‹weil ich sie am Ende von Neuseeland nach Chile schwimmen lassen könnte!!!›[7]

Doch die Schwierigkeiten häuften sich auf allen Seiten. Die Salzwassermethode hatte sich bereits als problematisch erwiesen. Obwohl viele Samenkörner überlebt hatten, waren fast alle zu Boden gesunken. Wenn sie aber nicht schwimmen konnten, dann waren sie auch nicht imstande, ferne Küsten zu erreichen. Das schien festzustehen, und Darwin verfluchte die ‹blöden Samen›. ‹Offenbar habe ich mir all diese Mühe, die undankbaren Biester einzusalzen, umsonst gemacht.› Er zog sich in eine Auffangstellung zurück: Zweige, die durch Früchte und Samenschoten Auftrieb erhielten, könnten die Flüsse hinabgeschwommen und zu den Inseln hinausgespült worden sein. Doch auch diese Hypothese war bald zerfetzt. Er legte fruchttragende Zweige ‹mit jämmerlichem Ergebnis› in Meerwasser.[8] Innerhalb eines Monats verrotteten sie auf dem Boden seines Tanks. Er war untröstlich.

Bald begann er nach anderen Mechanismen zu suchen. Vielleicht Eisschollen? Oder wieder Entenfüße? Es klang lächerlich, aber auf einem ‹Eßlöffel voll Erdreich› aus einem Teich zog er neunundzwanzig Pflanzen auf. Kaum hatte sich die Sache herumgesprochen, begannen die seltsamsten Dinge per Post einzutreffen. ‹Soeben habe ich ein Paket mit Rebhuhnfüßen voll dicker Lehmklumpen bekommen!!!› berichtete er triumphierend. Der achtjährige Franky brachte ihn auf die makabre Idee, einen Versuch mit einem wohlgenährten Vogelkadaver zu unternehmen.

‹Gesagt, getan: Eine Taube mit Samen im Kropf ist 30 Tage lang in Salzwasser geschwommen, und die Samen haben danach prächtig gekeimt.› Natürlich würden Aasfresser den Kadaver in ‹999 von 1000 Fällen› vertilgen, aber ‹einer könnte durchkommen; ich habe schon tote Landvögel in der Meeresströmung treiben sehen›. Die Natur erschien ihm jetzt nicht mehr ganz so widerspenstig.

Körnerfressende Vögel brachten ihn auf eine andere Reihe von unkonventionellen Experimenten. Er begann Vogelexkremente zu sammeln. Diese untersuchte er unter dem Mikroskop, fischte die unverdauten Samen mit der Pinzette heraus und ließ sie keimen. Aber es gab noch ausgefallenere Transportmethoden zu untersuchen. Er fütterte Fische mit Hafer und stellte sich Reiher vor, die mit ihrem Fang auf eine entfernte Insel flogen. Während viele Tests günstig verliefen, waren andere ein Reinfall. Alles sei ‹schiefgegangen›, beklagte er sich einmal; ›die Pfauentauben haben auf dem Heimweg den Kropftauben die Federn ausgerissen, die Fische im Zoologischen Garten haben die Körner, die sie gefressen hatten, alle wieder ausgespuckt, die Körner sinken im Salzwasser zu Boden, die ganze Natur ist pervers und verhält sich nicht so, wie ich es mir wünsche›.[9]

Das erste Kapitel – über Viehzucht und künstliche Selektion – blieb unvollendet, während er seine Messungen und Experimente fortsetzte. Er kaufte weiterhin Tauben – Scanderoons und Polands und Lachtauben (die nicht lachten) – und hatte schließlich etwa neunzig Stück. Bälge trafen aus jedem Kontinent ein, manchmal auch Vögel. ‹Ich habe soeben *lebende* Tauben und Geflügel aus Gambia erhalten!› teilte er dem erstaunten Fox mit. Die ‹gepriesenen Tauben› waren unschätzbar, da er seine Abstammungsthesen an ihnen überprüfen konnte. Er wühlte sich durch Berge von Fachliteratur, um ‹die allmählichen Veränderungen der Rassen nachzuzeichnen›, wobei es ihm letztlich um die ‹fossilen› Spuren der Zucht ging und er die Rassen bis zu ihren wilden Vorfahren zurückverfolgen wollte.

Das nächste Kapitel befaßte sich ebenfalls mit der Domestizierung und wurde am 13. Oktober 1856 abgeschlossen. Auch das Fragment über die Artenverteilung war fertig, und er kündigte es Hooker an mit einem bedauernden ‹Du armer Wicht›. Drei Tage später händigte er es ihm auf einer Sitzung der Royal Society aus; in seiner entwaffnenden Art bat er Hooker, ihm mitzuteilen, ‹wie *grauenhaft* schlecht es ist, denn es ist sicherlich zu lang, zu langweilig und zu hypothetisch›.[10] Endlich würde er erfahren, ob sich sein Herumwerkeln ausgezahlt hatte und ob seine Ideen den ‹König der Skeptiker› zufriedenstellen konnten.

Bei seinem Aufenthalt in London ergriff er die Gelegenheit, im Zoo eine weitere seiner exotischen Ausbreitungs-Ideen zu testen. Er hatte einige tote Spatzen mitgebracht, deren Kröpfe er mit Hafer vollgestopft hatte und die er an einen Adler und eine Schnee-Eule verfütterte, deren ausgespienes Gewölle er dann mit nach Hause nahm. ‹Die Greifvögel haben sich wie Gentlemen verhalten›, berichtete er Hooker; ein paar Körner hätten die Magensäure des Adlers überlebt. ‹Hurra!› jubelte er, nachdem er ein ganzes Eulengewölle eingepflanzt hatte, ‹ein Samenkorn hat nach 21½ Stunden [im Magen der Schnee-Eule] gekeimt.› Auf solche Weise ‹könnte es weiß Gott wie viele Meilen zurücklegen›, erklärte er, diesmal etwas weniger präzise als gewohnt. Da habe man also ‹ein wirksames Mittel der Verteilung von Samenkörnern, die von Vögeln gefressen wurden›. Samen brauchten nicht vom Wind über eine mythologische Landmasse verweht werden; sie konnten sich auch befördern lassen.

Hooker wackelte und schwankte, als er ‹entzückt und belehrt› das Manuskript las; plötzlich begriff er, worauf Darwin hinauswollte, und die Vorstellung vom ‹*Wandel*› wurde ihm klarer denn je. ‹Ich habe mich nie zuvor so unsicher in bezug auf die Arten gefühlt›, gestand er Darwin schließlich. Mit Bleistift notierte er seine Kommentare; einiges sei zwar ‹eine etwas spröde Lektüre›, doch meinte er nicht, wie Darwin fürchtete, daß alles verbrannt gehöre. Bezüglich der Migrationen während der Eiszeit war Hooker nicht sicher, aber den Transport durch Eisberge akzeptierte er. Sein Urteil fiel ‹*unvergleichlich* günstiger› aus, als Darwin erwartet hatte. Einmal kam Darwin zur Mittagszeit nach London – nicht für lange, denn Emma stand kurz vor der Entbindung –, um noch eingehender mit ihm zu reden. Er führte ihm Punkte vor Augen, die Hooker immer noch nicht begriffen hatte. Das Entscheidende sei, daß ‹die äußeren Bedingungen *extrem* wenig bewirken›. Es sei die Selektion ‹*zufälliger*› Varianten, die zu neuen Arten führe. In dichtbesiedelten Gebieten hänge die Selektion stärker von der Konkurrenz zwischen den ‹Mitbewohnern› ab als von der Umgebung.[11]

Das Buch kam jetzt zwar voran, aber es forderte einen geistigen Tribut. Da Darwin sich für einen Wälzer entschieden hatte, stöhnte er nun über diese Aussicht. ‹Zu meinem Kummer merke ich, daß es zu einem Folianten anschwillt.› Seine Begeisterung ließ nach; er klagte, daß ihn die Arbeit ‹sehr belastet und mir Herzbeschwerden macht›. Während er unter dieser Bürde wankte, kehrten die alten Symptome nach und nach zurück. ‹Charles' Gesundheit› sei ‹immer von seiner geistigen Verfassung abhängig› gewesen, hatte Emma längst festgestellt, und sein Geist war in Aufruhr.[12] Er fürchtete, unter der Last zusammenzubrechen. Sein Zustand war auf Messers Schneide; er hätte dringend eine neue Badekur benötigt.

Doch Emma, die jetzt sogar das Schreiben eines Briefes als ‹ziemlich anstrengend› empfand, hatte Vorrang, zumindest bis zur Geburt des Kindes. Auch andere Pflichten forderten ihr Recht. Emmas über achtzig Jahre alte Tante Sarah (das letzte Kind von Josiah Wedgwood senior), die immer noch zurückgezogen im Dorf lebte, war nach einem Schenkelbruch im September zum Pflegefall geworden. Am 6. November starb sie plötzlich, so daß Charles das Begräbnis arrangieren und sich um ein Haus voller Onkel kümmern mußte. An ihrem Grab, berichtete er bedauernd, habe Reverend Innes die ‹sehr eindrucksvolle Predigt nicht sehr gut gelesen›, und die alte Dienerschaft habe viel geweint. Dann kehrten alle nach Petleys zurück, wo das Testament eröffnet wurde. Tante Sarahs Besitz sollte verkauft werden und Charles die Auktion veranlassen. Am 22. November marschierten alle Kinder außer William, der noch immer in Rugby war, ein letztes Mal zu einem Abschiedstee in das große alte Haus hinunter. Wie sie es mitsamt Mrs. Morreys Gewürzkuchen und Martha Hemmings’ Küchenliedern vermissen würden! Etty traf es besonders hart; es war ihr erster großer emotionaler Verlust seit Annies Tod. Die Dreizehnjährige erkrankte an diesem Wochenende an einer Erkältung, die sich verschlimmerte. Der Arzt meinte, es sei ein ‹leichtes Fieber›, und empfahl, sie eine Zeitlang im Bett frühstücken zu lassen.[13]

Zwei Wochen später, kurz vor der Auktion, gebar Emma ihren sechsten Sohn, Charles Waring. Ihre Schwester Elizabeth hatte wieder die Pflege übernommen, und es waren wie immer zermürbende Stunden. Da jetzt so viel von den Gefahren des Chloroforms die Rede war, gab Charles Emma weniger als bisher – keine Rede von der Eineinhalb-Stunden-Dosis, die er anfangs benutzt hatte. ‹Ich habe ihr erst etwas gegeben, als sie danach geschrien hat›, gestand er Hooker, als sie nach der Geburt von dessen viertem Kind einige Monate später ihre Erfahrungen austauschten. Wollaston gratulierte Darwin zu ‹der neuerlichen männlichen Erweiterung Deines Vivariums›. Als sich herausstellte, daß das Kind ‹ohne sein volles Maß an Intelligenz zur Welt gekommen› war, muß sich Darwin in der Falle der launischen Natur gefangen gefühlt haben, Opfer eines ihrer absurden Experimente in Fruchtbarkeit und Fruchtlosigkeit.[14]

Die Auktion von Tante Sarahs Besitz, zu der man eine Eintrittskarte benötigte, fand am 9. und am 10. Dezember statt. Darwin sah Tante Sarahs Kutsche für elf Pfund unter den Hammer kommen, ihre ‹amerikanische Uhr› für den doppelten Kaufpreis, dann Vasen, einen Lehnstuhl ... – die in Ehren gehaltenen Habseligkeiten eines ganzen Lebens. Die Verstorbene hatte ‹spartanische Schlichtheit› bevorzugt, ihr Vermögen mit den Bedürftigen geteilt, und so starb sie auch. Kein Grabstein sollte errichtet werden;

ihre Freigebigkeit würde die Erinnerung an sie wachhalten. Der Überrest von Josiah Wedgwoods Reichtum, das letzte Erbe von Englands erstem Großindustriellen, sollte an zahlreiche Wohltätigkeitsvereinigungen gehen; ein kleiner Teil war auch für die Dienstboten gedacht. Dies war die altehrwürdige Verpflichtung der Reichen: die vom Leben Gebeutelten zu unterstützen, ungeachtet des Naturprinzips der Verschwendung.[15]

Ohne sich durch Geburten, Todesfälle und Krankheiten beirren zu lassen, ackerte sich Darwin durch das dritte Kapitel. Inzwischen war jede ‹Befriedigung beim Schreiben› durch die ‹ermüdende› Länge des Manuskripts verbraucht. So rigoros er auch kürzte und verdichtete, es wucherte unaufhaltsam. Dieses letzte Kapitel über ‹Fruchtbarkeit und Sterilität›, klagte er Hooker, sei ‹auf 100 Manuskriptseiten angeschwollen, und dennoch glaube ich nicht, etwas Überflüssiges hineingetan zu haben›. Das stimmte nicht. Er brachte alles unter, von Huxleys hermaphroditischen Quallen bis zu Bienen und Fremdbestäubung, Beispiel um Beispiel, wobei das Ganze dem Zweck diente, die Opposition durch Abnutzung zu zermürben und den Beweis zu führen, daß sich Nachkommen aus der Kreuzung entfernt verwandter oder nicht zuchtverwandter Individuen im ‹harten Existenzkampf› besser bewährten.[16] Aber schließlich war das ein Thema, das ihm auf den Nägeln brannte.

Inzucht in der Familie machte ihm seit langem Sorgen. Mit der Verbindung zwischen Emma und ihm gab es inzwischen vier Cousinenehen zwischen den Darwins und den Wedgwoods. Von den zehn Kindern der Darwins waren zwei aufgrund natürlicher Ursachen jung gestorben, und die Zeichen für die übrigen waren unheilvoll: George war krank und blieb deshalb der Schule fern, Etty verbrachte die Morgen im Bett, Lizzy benahm sich immer noch sonderbar, und das Baby war nicht normal. Charles glaubte, daß das Hauptproblem erblich bedingt sei: daß er seine eigene konstitutionelle Schwäche, verstärkt durch Emmas Wedgwood-Blut, an die Kinder weitergegeben habe. Der Existenzkampf hatte bereits eingesetzt, und er erwartete, daß die Gesundheit der Kinder jederzeit versagen könne. Mit etwa neun Jahren war das kritische Alter erreicht; da war auch Annie so krank geworden. Seit ihrem Tod hatte ihm dieser Gedanke Qualen verursacht, und er wartete darauf, daß die Natur die fatale Schwachstelle nutzen werde. Alle außer dem fast siebzehnjährigen William waren potentielle Opfer.

In seinem Buch ging er ausführlich auf die ‹üblen› Folgen der Inzucht und die positiven Auswirkungen der Blutauffrischung ein. Wie immer hielt er nach der moralischen Bedeutung Ausschau: Geburt, Tod und chronische Krankheit bedurften einer vernunftmäßigen Erklärung, und die Natur lieferte sie. ‹Wenn sich Verwandte paaren›, komme es zu einer ‹Verminderung ... der allgemeinen Lebenskraft›, und die Wahrscheinlichkeit von ‹Gebrechen› unter den Nachkommen nehme zu. Der Kampf ums Dasein fordere dann unausweichlich seinen Tribut, und die Darwin-Kinder seien nicht immun dagegen. Es sei oft schwierig, das Gute daran zu erkennen, aber die Natur arbeite auf eine bessere Welt hin. ‹Die Überlebenden› seien um so ‹vitaler und gesünder und können das Leben zutiefst genießen›. Darwin beendete das dritte Kapitel in der Woche nach der Auktion mit einer Entlarvung der zuversichtlichen Bevölkerungsstudien der Radikalen und einer Rechtfertigung des pessimistischen Werkes von Malthus.[17] Der erbarmungslosen Sense der Natur entgehe man nun einmal nicht.

Er wußte, daß er sich überarbeitete. Seine Nerven waren strapaziert, er neigte immer noch zu Herzklopfen. Fox hatte einige Monate zuvor Gullys Wasserkur gegen seinen Hexenschuß ausprobiert und bei dieser Gelegenheit nach Annies Grabstein gesehen. Charles hatte ‹das Grab unseres armen lieben Kindes› noch niemals erblickt, und der Gedanke an Great Malvern brachte solch bittere Erinnerungen zurück, daß er die Wasserkur einstellte. Er versuchte es mit alternativen Mitteln; so trank er einen Cocktail aus Säuren für den Fall, daß seine Magensäfte der Stärkung bedurften. Aber er fühlte sich immer noch von der Arbeit übermannt. Das Buch sprengte jeden Rahmen; Taubenbälge ‹strömten aus allen Teilen der Welt herbei›, ebenso Schnecken.[18] Er fragte sich, wie lange er das durchhalten werde.

Kurz vor Weihnachten zerschnitt er seine zwanzig Jahre alten Notizbücher und teilte die Seiten auf dreißig, vierzig große Mappen auf, um sie zu überarbeiten. Es war tatsächlich die richtige Jahreszeit für Reflexionen, und außerdem ging es im Haus einigermaßen ruhig zu. Lady Lubbock hatte angeboten, die lärmenden kleineren Jungen nach der Geburt des Babys bei sich aufzunehmen, doch es gelang dem Personal selber, sie zu dämpfen; so konnte sich Emma in Ruhe erholen. Auch Etty blieb jeden Morgen in ihrem Bett; Lizzy war so still wie ein Mäuschen. William und George verbrachten Weihnachten zusammen mit Fannys und Hensleighs Jungen in London und kehrten am 27. Dezember zu Williams Geburtstag zurück. George sprudelte über von Berichten über sein erstes Trimester im Gymnasium von Clapham, wohin er im August geschickt worden war, um unter dem Reverend Charles Pritchard (einem Cambridge-Kommilitonen seines Vaters) Grundkenntnisse in Mathematik und Naturwissenschaften zu erwerben. Am Jahresende 1856 verabschiedete sich die ganze Familie von der Gouvernante, Miss Thorley. Nach zehn Jahren hatte sie ihre letzten Ferien bei ihnen verbracht.[19]

Vom Beginn des Jahres 1857 an war Darwin mit der Analyse des botanischen Datenmaterials beschäftigt, das ihm Hooker, Watson und Gray geliefert hatten. Er füllte dreihundert großformatige Blätter mit Berechnungen, die bewiesen, daß sich weitverbreitete ‹große Gattungen›, das heißt solche, die viele Spezies enthielten, ausdehnten und die ‹Entstehungsorte› von Varietäten waren. Das Kapitel über Variabilität, das er Ende Januar abschloß, war ein weiterer Fall von Überzeugungsarbeit durch eine Überfülle von Beispielen. ‹Ich bin wie Krösus überwältigt von meinem Reichtum an Fakten›, schrieb er nicht von ungefähr; es war durchaus beabsichtigt, daß sich diese Überwältigung auf den Leser übertrug.[20]

Eine Woche später war er mitten im ‹Kampf ums Dasein›. Hier wollte er zeigen, wie die Varianten ausgesiebt wurden, wie Hekatomben dem ‹Krieg der Natur› zum Opfer fielen. Seine neue Theorie der Divergenz bediente sich eines erschreckenden Bildes. Die Natur werde zu einem brodelnden Slum, dem alle zu entkommen trachteten, einem Rattenrudel, aus dem jeder auszubrechen versuchte. Nur wenige überlebten und verbesserten ihre Lage, indem sie neue Dynastien schufen. Die meisten lebten weiter von der Hand in den Mund, dazu bestimmt, sich vergeblich abzumühen; Nachbarn stießen einander mit den Ellbogen beiseite, um voranzukommen, und die Schwachen würden niedergetrampelt. Opferung und Vergeudung seien allgegenwärtig, ja notwendig. Die Natur bringe Totgeburten hervor, sie sei verschwenderisch und liederlich. Ihre Nieten würden ausgemerzt wie die Kümmerlinge der Züchter, die in irgendeiner Jauchegrube verrotteten. In der viktorianischen Armenrechtsgesellschaft erschien dieses Bild nicht übertrieben düster.

Das alles war durch Niedrigkeit gekennzeichnet. Einmal versuchte Darwin zu beweisen, daß die zwittrigen Medusen sich gegenseitig befruchteten (statt sich selbst zu besamen). Das müsse geschehen, so glaubte er, um der Spezies ihre Vitalität zu erhalten – genauso, wie die Exogamie gut für den Menschen sei. Er strapazierte Huxley mit der Vermutung, die Quallen nähmen das Sperma mit dem Wasser durch den Mund auf. ‹Die Obszönität des Vorgangs spricht bis zu einem gewissen Grad für seine Wahrscheinlichkeit›, entgegnete Huxley in seiner sarkastischen Art, ‹wird die Natur unter diesen Geschöpfen doch in jeder Hinsicht sehr *niedrig.*› Darwin gab die Bemerkung an Hooker weiter und fügte hinzu, die Lasterhaftigkeit der Natur stehe in schreiendem Gegensatz zu einer erhabenen Vorsehung. Und im nächsten Atemzug stieß er hervor: ‹Was für ein Buch könnte ein Kaplan des Teufels über das plumpe verschwenderische, stümperhaft niedrige und entsetzlich grausame Wirken der Natur schreiben!›[21]

Aber er hatte jetzt den falschen Chorrock an, war verschanzt hinter der Kanzel von Downe House, und die wortreiche Predigt, an der er schrieb, sollte sich wie eine grimmige Anklage lesen: Fortschritt durch Leiden, Leben durch Tod. Er hatte das alles persönlich erfahren. Auch andere hatten das, wenn sie ehrlich waren. Es konnte nicht schwierig sein, das Establishment der Kirche von der Barbarei unter der Oberfläche der Natur zu überzeugen, und dasselbe galt zweifellos für die Roheit der Londoner Slumbewohner. (Alle hatten Henry Mayhews hervorragendes Dossier *London*

Labour and the London Poor gelesen, auch Darwin.) Man brauchte sich nur das Massaker auf der Krim anzuschauen – endlich kam es den Leuten zu Bewußtsein, lebendig vergegenwärtigt durch die Gaslichtphotos, die in London ausgestellt wurden. Wer konnte den Satz des alten Erasmus Darwin bezweifeln: ‹Ein großes Schlachthaus ist die sich bekriegende Welt!› Selbst Tennysons Wort von den ‹blutigen Zähnen und Klauen› der Natur war ein Aufschrei gegen jeglichen selbstzufriedenen Glauben.[22]

Wie weit entfernt dies alles von der ‹glücklichen› Natur des Erzdiakons Paley in seiner *Natural Theology* war! Die Welt war innerhalb von fünfzig Jahren auf den Kopf gestellt worden. Durch Paleys rosige Brille betrachtet, war sie ein ewiger Sommernachmittag im Pfarrhausgarten, der von zufriedenem Leben summte. Das hatte sich geändert. Eine expandierende Industriegesellschaft bedeutete, daß immer mehr Menschen hungrig und zornig in Fabrikstädte getrieben wurden. Die Entrechteten hatten sich schon seit ewigen Zeiten gegen Paleys Bild aufgelehnt. Agitatoren der Arbeiterklasse hatten Paleys unheilvolle Rechtfertigung des Status quo verurteilt. George Holyoake hatte vor langer Zeit, nachdem seine zweijährige Tochter an Unterernährung gestorben war, *Paley Refuted in His Own Words* geschrieben.[23] In Downe blickte Darwin der Natur scharf in ihr ‹entsetzlich grausames› Gesicht; jetzt war auch für ihn die Zeit gekommen, Paley in Frage zu stellen, dessen Worten er einst zugestimmt hatte.

Durch die malthusische Brille betrachtet, verwandelte sich der Pfarrhausgarten in ein Schlachtfeld. ‹Man mag daran zweifeln›, räumte Darwin ein, wenn man ‹den friedlichen Anblick einer prächtigen Landschaft oder eines vor Leben strotzenden Tropenwaldes› vor sich hatte.

‹... zu solchen Zeiten leben die meisten Wesen darin, ohne von großen Gefahren bedroht zu sein und mit überreicher Nahrungsfülle. Und doch ist es nur zu wahr, daß in der Natur ein unablässiger Kampf herrscht. Oftmals ist dieser Kampf das Los von Ei und Samen, von Sämlingen, Larven und Nachkommen; doch ist er unwendbar das Los eines jeden Wesens im Verlauf seines Lebens oder – häufiger – in größeren Zeiträumen das Los nachfolgender Generationen, welchen es mit größter Härte widerfährt.›[24]

Es konnte nicht anders sein, wenn man sich die Fortpflanzungsraten vor Augen hielt. Wenn eine einzige Seewalze 600 000 Eier legen konnte (er hatte die Zahl auf den Falklandinseln errechnet), dann konnte nur Massenvernichtung verhindern, daß sie den Südatlantik übervölkerte.

Er schrieb eben an seinem malthusianischen Plädoyer, als am 23. Februar Capitän FitzRoy mit seiner zweiten Frau zum Mittagessen kam. FitzRoy hatte zwar genügend gelitten – seine erste Frau war gestorben und kürzlich auch seine einzige Tochter –, doch da er an eine wohlwollende Vorsehung glaubte, welche die Ökonomie der Natur regle, dürfte er diese pessimistische Sichtweise kaum gutgeheißen haben. Inzwischen waren auch andere voll in

Darwins Geheimnis eingeweiht, wenn sie auch nicht damit sympathisierten. Fox blieb eine wichtige Stütze; er warnte Charles vor Überarbeitung
und empfahl ihm, Ferien zu machen, da er befürchtete, die Sense der Natur
werde seinen Vetter fällen. Natürlich konnte Darwin seine eingesalzenen
Schnecken und Frösche, seine Tauben und Samenproben nicht verlassen.
Das Buch, bekam Fox zu hören, werde ein Wälzer, und auch Darwin fragte
sich, ob er die Drucklegung noch erleben werde.

Er war in einem Dilemma: Er lechzte nach Anerkennung, fürchtete sich
jedoch gleichzeitig davor; er hatte Angst vor dem Tod, sehnte sich aber nach
Erlösung in irgendeiner Form. ‹Ich wünschte, ich könnte weniger Wert auf
die Seifenblase des Ruhms legen, sei er gegenwärtig oder postum›, stöhnte
er, ‹doch wie ich mich kenne, würde ich genauso hart arbeiten, wenn auch
mit weniger Gusto, wenn ich wüßte, daß mein Buch für alle Zeiten anonym
erscheinen wird.›[25] Kurz, er hatte das Gefühl, eine Mission erfüllen zu müssen; er glaubte uneingeschränkt an seine selbstgestellte Aufgabe.

31

Was würde ein Schimpanse sagen?

Seine Befürchtungen wurden von den Mandarinen der Wissenschaft, die um ihn herum intrigierten, kaum beschwichtigt. Bevor er ein Wort veröffentlicht hatte, stellten sich ihm Hindernisse in den Weg. Lyell mochte sich damit abgefunden haben, daß sich die Menschen, irgendwie von Affeneltern abstammend, in die Welt geschlichen hatten; doch Owen hatte das nicht.

Richard Owen hatte wahrscheinlich mehr Affen seziert als jeder andere, und er hatte seine Resultate immer dazu benutzt, hinterhältigen Theorien über die Entstehung des Menschen den Garaus zu machen. Dieser Gefahr stellte er sich erneut 1849, kurz nachdem der Missionar Thomas Savage gemeldet hatte, daß in Westafrika noch ein weiterer, bisher unbekannter Menschenaffe vorkomme, der riesige, wilde und ‹unbeschreiblich bösartige› Gorilla. Inzwischen wurde Owen von einer neuen Klasse von Dissidenten das Leben schwergemacht, den Chapmans und Spencers und dem Verfasser von *Vestiges*. Jedenfalls mußte er schwereres Geschütz auffahren, und so versicherte er denn seinem Publikum, daß die ‹furchtbar primitiven› Affenmerkmale, wie Lyell sie nannte – die vorstehenden Augenbrauen und die reißenden Eckzähne –, nicht modifizierbar seien. Der Mensch sei kein Abkömmling des Affen.

Owen hatte von einem alten Seekapitän vier mit sakralen Stammeszeichen bedeckte Gorillaschädel erworben. Die Spuren der Barbarei ließen sich leicht abwaschen, nicht aber das Gefühl, daß dies ein ‹besonders abstoßendes› Geschöpf sei, mit einem ‹finsteren Gesichtsausdruck›, das die Menschheit mit einer unheimlichen Karikatur verspotte. Der Gorilla wurde zu einer Schlüsselfigur. Owens gesamter Vortrag 1854 vor der British Association konzentrierte sich auf die Unmöglichkeit, daß Affen aufrecht stehen und je zu Menschen werden könnten. Das Tier könne sich nicht wandeln – der Mensch war in Sicherheit, seine Würde gewährleistet. Doch der Druck ließ nicht nach. Auch Darwin hatte Owen bezüglich des Artenwandels auf den

Zahn gefühlt (und war auf vehementen Widerstand gestoßen), und um 1857 muß Owen gewußt haben, daß er dabei war, eine eigene Theorie zu Papier zu bringen.[1]

‹Gorilla› wurde zu einem Begriff, der Ende der 1850er Jahre plötzlich in aller Munde war. Angefacht durch zotige Geschichten und makabre Berichte über seine Wildheit und die Entführung von Frauen, flammte das Interesse an diesem neuen, schwarzhäutigen Affen auf. Einen Menschenaffen in Gefangenschaft zu sehen wurde als unerhört aufregend empfunden. Dank der Handelsbeziehungen der East India Company waren gelegentlich junge Schimpansen und Orang-Utans in den Docks von Bristol eingetroffen, und die Tiergärten rissen sich um sie. Niemals aber war ein Gorilla nach Großbritannien gekommen; in ganz Europa hatte niemand einen lebend gesehen. Erst 1855 bekam die Menge erstmals dieses groteske Tier zu Gesicht, nachdem es Wombwells reisender Menagerie, die an den Entladerampen Höchstpreise bezahlte, um sich Starattraktionen zu sichern, gelungen war, ein junges Gorillaweibchen zu erwerben.[2] Die Tierschau legte in diesem Jahr Hunderte von Meilen zurück, von Westengland über Oxford bis nach Yorkshire. An der Spitze marschierte eine Blaskapelle, gefolgt von trompetenden Elefanten; die lärmende Parade zog riesige Menschenmengen an.

Aber der Auftritt des Gorillas im Trubel der ungewaschenen Menschenmenge konnte die Befürchtungen hinsichtlich der Vertierung des Menschen nur verstärken. Angesehene Gelehrte verachteten den Rummel und machten sich über die Konsequenzen Sorgen. Und zwar mit Recht, nach der Billigpresse zu urteilen. Schon verkündeten Aktivisten der Arbeiterklasse, die sich alles zunutze machten, was ihren Schlachtruf ‹Der Mensch ist nichts!› in einem unpersönlichen Universum unterstützen konnte, seine Abstammung vom Affen.[3]

Dieser Form von Provokation mußte eine entschiedene Abfuhr erteilt werden. Ebenso wie Lyell fürchtete auch Owen, daß der Mensch seinen erhabenen Status in der Schöpfung verlieren werde. Die Wissenschaftler, die sich mit dem Artenwandel abgaben, gossen nur Öl ins Feuer und versorgten die Militanten mit Munition. Das war Verrat. Gegen solche Verirrungen der Wissenschaft mußte energisch eingeschritten werden, und Owen war der richtige Mann dafür. Inzwischen besaß er ein europäisches Renommee; er hatte soeben die Copley-Medaille der Royal Society erhalten, die Universität Oxford hatte ihm ein Ehrendoktorat verliehen und die französische Regierung hatte ihn zum Mitglied des Ordens der Ehrenlegion ernannt. Er verfügte über beste Beziehungen, nahm an den Frühstücken von Exkanzler Gladstone teil und pflegte mit Bischöfen und Aristokraten vertrauten Umgang in einem Maße, das die junge Garde wütend machte. (Er bewohnte bereits ein ihm von der Königin übereignetes ‹Haus der Krone› im Richmond Park.)[4] 1857 war er der designierte Präsident der British Association.

Natürlich wandten sich die Koryphäen der Wissenschaft an Owen; die anerkannte Autorität in Sachen Affen; sie erhofften sich von ihm Beruhigung hinsichtlich der Gorillas.

Owen war kein Reaktionär. Er tat jetzt seine Auffassung kund, daß die Schöpfung ständig weitergehe und im Fluß sei. Ungeschickt sprach er von einem Prozeß ‹vorherbestimmten, ständigen Entstehens›, ohne sich auf Einzelheiten einzulassen. Das machte den Eindruck einer von der Vorsehung in Gang gehaltenen Evolution. Doch es widerstrebte Owen, einen Gorilla allmählich zum Menschen werden zu lassen. Er stellte sich eher einen schöpferischen Sprung vor, brauchte aber Beweise dafür. Andere fragten sich, wo er sie finden werde. Besorgte Geistliche setzten ihm mit Fragen über die Ähnlichkeit des Gorillas mit dem Menschen zu. Was den Menschen so weit über die Tiere stelle, fragte einer. Machten Nerven und Muskeln die Hand und die Zunge des Menschen einzigartig, ‹oder ist es der Geist, der sich auf fast die gleiche Anatomie auswirkt›?[5] Das war eine moralisch brisante Frage.

Er benötigte einen Faktor, der es ihm gestatten würde, eine unüberwindliche Trennlinie zwischen Mensch und Tier zu ziehen, und den fand er im Gehirn. Er hatte seit einer Generation Affengehirne studiert, und da er ‹eine so große Autorität› sei, spottete Darwin, müsse er ‹eigentlich recht haben›. 1857 verkündete Owen, weil Menschen einen einzigartigen Hirnlappen besäßen, den Hippocampus minor, und die menschlichen Hirnhälften größer seien als die jedes anderen Säugetiers und das Kleinhirn völlig bedeckten, müsse der Mensch eine spezielle Unterklasse bilden, die für ihn allein reserviert sei. Er unterscheide sich von einem Schimpansen so weitgehend wie dieser von einem Schnabeltier. Darwin meinte dazu kopfschüttelnd, er könne es ‹nicht schlucken›, daß der Mensch sich derartig ‹von einem Schimpansen unterscheidet›. Dann fragte er in seiner unbekümmert-geistreichen Art: ‹Ich möchte wissen, was ein Schimpanse dazu sagen würde?›[6]

Darwins Tempo ließ nun merklich nach. Krankheit hatte seinen Arbeitstag ‹aberwitzig verkürzt›, und er zweifelte, ob er je fertig werden würde. Mit Mühe quälte er sich durch das sechste, von der ‹natürlichen Auslese› handelnde Kapitel. Es beschäftigte sich mit der Frage, welche der konkurrierenden Varianten ‹überleben und welche sterben›. An der Quelle des Lebens – in den expandierenden, riesigen Gattungen, die sich über die Welt ausbreiteten – war die Natur unbarmherzig; sie siebte und selektierte, um die ‹vorteilhafteste› Variante auszuwählen. Sie war der unübertreffliche Taubenzüchter, ein überirdischer Schneckenselektor. Den kleinen Züchtern in ihren Vereinen grenzenlos überlegen, ‹kümmert sie sich nicht um bloße äußere Erscheinung; man kann von ihr sagen, daß sie mit gestrengem Blick jeden Nerv, jedes Blutgefäß und jeden Muskel prüft, jede Gewohnheit, jeden Instinkt und jede Nuance der Konstitution [...] Die Guten werden erhalten und die Schlechten rigoros ausgemerzt›. Ihre ‹Erzeugnisse tragen den Stempel einer weitaus höheren Vollkommenheit›. ‹Unter Natur verstehe ich die Gesetze›, fügte er nachträglich hinzu, ‹die von Gott dazu bestimmt wurden, das Universum zu regieren.›[7]

Er war den Ursachen auf der Spur, als der kritische Moment kam. Krösus erstickte an seinen Reichtümern, und es war niemand da, der ihn rettete. Im März verschlimmerten sich Ettys Beschwerden; Emma fuhr mit ihr für einen Monat nach Hastings, damit sie Seeluft atme, und ließ ihn allein. Nach einigen Tagen überwältigte ihn das ‹ewige Artenbuch› schließlich. ‹Es übersteigt meine Kräfte›, schrieb er Lyell verzweifelt. Ein Jahr zuvor hatte ihn Fanny Allen ‹so frisch und sprühend wie das reinste Wasser› erlebt. Jetzt war er ausgelaugt, ein Wrack, benötigte ein Tonikum, klatschte sich Handtücher auf den Leib und planschte in Bädern, um seinen Organismus zu kräftigen. Dazu verordnete er sich noch Mineralwasser, das inzwischen in Great Malvern zum Verkauf abgefüllt wurde. Er konnte jedoch nicht daran denken, nach Great Malvern zu gehen; der Gedanke an Annie drückte ihm das Herz ab.[8]

So entschied er sich zu einer ‹zweiwöchigen Hydrotherapie und Erholung› im näher gelegenen Sanatorium von Dr. Edward Lane. Es befand sich in der hügeligen Heide von Farnham, etwa fünfzig Kilometer entfernt. Um dorthin zu gelangen, mußte man den Flickenteppich der Landschaft im Süden Englands durchqueren. Auf dem luxuriösen Landgut Moor Park, das einst Jonathan Swift bewohnt hatte, konnten sich die Patienten erholen und entspannen und durch die warme, sandige Heide wandern. Lane hatte gleich Gully in Edinburgh Medizin studiert; er war erst Anfang Dreißig und praktizierte seit kaum drei Jahren. ‹Zu jung›, vermutete Darwin, doch ‹das ist sein einziger Fehler›. Wichtiger war, daß ‹er ein Gentleman und sehr belesen ist›. Er glaubte auch nicht ‹an all den Unfug, den Dr. G. treibt›, die Hellseherei und ähnlichen Nonsens; allerdings hatte Darwin die Marotten der überspannteren Patienten zu erdulden. Darwin faßte sehr rasch Zuneigung zu Dr. Lane. Der Arzt hatte mit Lady Drysdales Tochter eine gute Partie gemacht, und Darwin zählte die beiden ‹zu den nettesten Leuten, die mir je begegnet sind›.

Lane schätzte Darwins Zustand ähnlich ein wie Gully und war ebenso überrascht darüber. ‹Ich kann mich an keinen Fall erinnern, wo die Schmerzen so heftig waren wie bei ihm. Bei den schlimmsten Anfällen schien er fast betäubt vor Qual.› Aber Darwin ertrug sie so stoisch, und seine ‹Liebenswürdigkeit und Sanftheit› zeigten sich in der ‹Dankbarkeit, mit der er die alltäglichsten Dienstleistungen quittierte›.[9] Obwohl ihn Lane dazu brachte, auf seinen Schnupftabak zu verzichten, fühlte sich Darwin fern von den Anforderungen und der erdrückenden Arbeitslast, unter denen er zu Hause stand, um einiges besser. Die Spaziergänge unter den einsamen Kiefern und Silberbirken am Rand der Heide gefielen ihm. Die Patienten tat er zwar als langweilig ab, aber Lane erinnerte sich, daß Darwin beim Abendessen schallend über Witze lachte und eine Schwäche für eine redselige Irin und ihre Gespenstergeschichten entwickelte, die sich wie er Salz aufs Tischtuch häufte, um ihr Brot zu würzen.

Nach einwöchiger Behandlung sprudelte er bereits über. Wie sehr ihm ‹das alles guttut›, schwärmte er Hooker vor. Es sei ‹ganz unerklärlich. Ich kann wandern und essen wie ein gestandener Christ, und auch meine Nächte sind gut. Ich kann es mir überhaupt nicht erklären, wieso die Hydrotherapie eine solche Wirkung hat, wie das jedenfalls auf mich zutrifft. Sie stumpft das Gehirn zuverlässig ab; ich habe seit meiner Abreise von zu Hause über keine einzige Spezies, welcher Art auch immer, nachgedacht.› Dann folgte eine Abhandlung über behaarte Alpenpflanzen, die seine Behauptung eher widerlegte. Doch seiner wissenschaftlichen Erkenntnisse war er sich inzwischen sicher. ‹Manchmal verachte ich mich als erbärmlichen Kompilator›, sinnierte er, ‹obwohl ich *nicht* meine ganze Arbeit verachte, weil ich glaube, daß jetzt genügend vorhanden ist, um als Grundlage für die Diskussion über die Entstehung der Arten zu dienen.›[10]

Das fanden auch andere. Alfred Russell Wallace war vom entgegengesetzten Ende der Welt mit ihm in Verbindung getreten; er arbeitete jetzt für Darwin und schickte ihm die Bälge heimischer Geflügelarten. ‹Der Transport kostet mich ein Vermögen!› stöhnte Darwin, aber das war der Preis dafür, im Fernen Osten einen erstklassigen Sammler zu haben. Er schrieb Wallace von Moor Park aus einen munteren Brief, in dem er ihm für seine Ermutigung dankte. ‹Wir haben offenbar ähnliche Überlegungen angestellt und sind bis zu einem gewissen Grad zu ähnlichen Schlüssen gelangt.› Das sollte Wallace aufmuntern, der sich ziemlich abgeschnitten fühlte und befürchtete, sein Artikel über das Auftreten der Arten (den Darwin teilweise als Leitfaden benutzte) sei ignoriert worden. Doch die Höflichkeit hatte auch ein tieferes Motiv. Darwin fuhr fort:

‹In diesem Sommer wird es 20 Jahre her sein (!), daß ich mein erstes Notizbuch über die Frage, wie und worin Arten und Varietäten voneinander abweichen, begonnen habe [...] Ich bereite jetzt mein Werk für die Veröffentlichung vor, aber das Thema erscheint mir so riesengroß, daß ... ich wahrscheinlich erst in zwei Jahren in Druck gehen werde [...] Es ist wirklich *unmöglich*, meine Ansichten im Rahmen eines Briefes darzulegen [...] Aber ich habe nach und nach eine eigene, klar umrissene Hypothese entwickelt – ob richtig oder falsch, müssen andere beurteilen.›[11]

Wallace, ob schöpfungsgläubig oder nicht, wurde auf die denkbar freundlichste Weise vor Übergriffen gewarnt. Geschickt steckte Darwin sein Terrain ab, ohne inhaltlich irgend etwas zu verraten.

Wie das fabelhafte Chloroform narkotisierte das warme Heideland Darwins Gehirn. Und dennoch begann er es in einer Weise zu betrachten wie kein anderer Patient. Wegen der Ruhe, die sie ausstrahlte, war die Heide als Standort des Sanatoriums bewußt gewählt worden. Aber was den meisten friedlich erschien, war für Darwin ein Schlachtfeld. Es fiel ihm auf, daß in eingezäuntem Gelände hochgewachsene junge Tannen standen, während die in der offenen Heide von kümmerlichem Wuchs waren, da sie von den Rindern abgefressen wurden. Er sann wieder über das Gleichgewicht in der Natur nach, über die Turbulenz unter der ruhigen Oberfläche. Eine verkrüppelte Tanne, die sechsundzwanzig Jahre lang abgeweidet worden war (er zählte die Jahresringe), war noch immer nicht höher als eine Spanne. ‹Was für ein wundersames Problem das ist – was für ein Spiel von Kräften, welche die Beschaffenheit und die Proportionen jeder Pflanze auf einem Quadratmeter Erde bestimmen!› Nicht einmal ein Sanatorium ersparte ihm die Auseinandersetzung mit den Schlachtfeldern. Es gab keinen sicheren Hafen; seine Obsession transformierte die Welt um ihn herum, wo immer er war.

Anfang Mai kam er zwar erkältet, aber bereit zu einem neuen Anlauf nach Hause. Er verbiß sich in sein umfangreiches Kapitel über die Variationen, darum bemüht, irgendeinen Grund für ihr Auftreten zu finden. Auch als er bei Tieren fündig wurde – es war ihm aufgefallen, daß die abnorm entwickelten Organe bei den Rankenfüßern in der Regel am variabelsten waren –, mußte er doch erst Hookers Einwände überwinden, um den Nachweis auch für Pflanzen zu führen.[12] Er betrachtete auch seine eigene Wiese mit neuen Augen, auf der er versuchsweise sechzehn Arten von konkurrierenden Pflanzen angebaut hatte. Sie erstickten sich gegenseitig so gründlich, daß er bezweifelte, ob mehr als eine bis zur Blüte heranreifen werde.

Einige Tage später kehrte Emma mit Etty, deren Befinden sich offensichtlich ‹kein bißchen gebessert› hatte, aus Hastings zurück. Sie kamen eben rechtzeitig, um den sechsten Geburtstag von Horace zu feiern und ein Haus voller Gäste zu empfangen. Eine Rotte von Wedgwood-Vettern hatte sich angesagt, außerdem Charles' Schwestern Susan und Catherine. Eine Woche später war in Down House alles außer Rand und Band. Das Personal und zusätzliche Dienstboten, die sich um die Gäste kümmerten, nicht mitgerechnet, wuselten zehn Kinder und sechs Erwachsene durcheinander. ‹Viel zuviel›, klagte Charles, ‹jetzt, wo die arme Etty so gleichgültig ist.› Sie waren alle zur Taufe des geistig behinderten kleinen Charles gekommen, die am 21. Mai in der Pfarrkirche stattfand. Darwins Erkältung ‹verwandelte sich plötzlich in mein altes Erbrechen›, und er war wieder am Ausgangspunkt. Es war alles ‹sehr entmutigend›. Die Arbeit, die Sorgen, der Rummel – innerhalb von zwei Wochen machten sie ‹all die wunderbaren Fortschritte zunichte, die ich Moor Park verdanke›. Seine Gesundheit war verpufft ‹wie ein Feuerwerk›.[13]

Es blieb nur ein Ausweg: Beide Patienten mußten sich in die Obhut Dr. Lanes begeben. Zuerst sollte Etty mit Emma am 29. Mai nach Moor Park fahren; zwei Wochen später sollte Charles dann in der Fürsorge für Etty, die den ganzen Sommer dort bliebe, Emma ablösen. Einstweilen machte Darwin weiter und setzte eines ‹meiner *vielen* schrecklichen Geduldsspiele› nach dem anderen zusammen. Doch unmißverständlich bekannte er: ‹Es ist mir lieber, der jämmerliche, nichtswürdige Invalide zu sein, der ich bin, als das Leben eines müßigen Squire zu führen.› Im Zusammenhang mit seinem Versuch, die Entstehung des zahmen Pferdes zu ergründen, schrieb er dem *Gardeners' Chronicle* einen Brief über braune Ponys. Dann ließ er sich erneut in das Sanatorium aufnehmen.

Auch von dort versandte er seine selbstironischen Beinah-Bettelbriefe, in denen er um Informationen bat und gleichzeitig den Adressaten zu bekehren suchte – bei Züchtern schmeichelte er sich ein, um Gullivertauben zu bekommen, und alten Presbyterianern wie Asa Gray im Herbarium von Harvard strich er so um den Bart: ‹Es ist äußerst gütig von Ihnen zu bemerken, daß meine Briefe Sie nicht allzusehr gelangweilt haben; ich kann es *kaum glauben,* denn es ist mir durchaus bewußt, daß meine Spekulationen den Rahmen echter Wissenschaft sprengen.› Oder zumindest dessen, was damals als echte Wissenschaft galt. Er spielte jeden Tag mit Etty Backgammon und wachte besorgt über sie, um die Tragödie von Great Malvern nicht ein zweites Mal durchleben zu müssen. Doch glücklicherweise schien Etty ihre Kraft zurückzugewinnen, und am 30. Juni kehrte Charles deutlich frohgemuter nach Downe zurück.[14] Er steckte wieder in der Mühle, in dem alten Problem: den Gesetzen der Variabilität.

Es wurde ein langer, heißer Sommer – die Zeit des Sepoyaufstands in Indien. Darwin hätte diesen Sommer auf seiner Wiese mit der Beobachtung seiner Tauben und dem Einsalzen seiner Schnecken verbringen sollen, nicht in der Stube sitzend. Er beendete die ‹Variation› schließlich im Juli und schickte eine Anzahl von Seiten an Huxley zur Überprüfung. Immer noch versuchte er fetale Divergenz mit der Unterschiedlichkeit der Arten in Verbindung zu setzen, um so seine Theorie embryologisch zu untermauern. Huxley teilte seine Ansicht, daß sich die Embryos um so früher zu unterscheiden beginnen, je unterschiedlicher die Erwachsenen sind. Darwin hatte jedoch auch französische Ansichten zitiert, wonach sich die spezialisierten Organe zuerst beim Fetus zeigten. Huxley wollte nichts davon hören. Der Körper sei wie ein Haus, scherzte er; der Erbauer beginne mit Grundmauern und Dachbalken, nicht ‹Gesimsen, Schränken und dem Klavier›. Der Einwand wurde zur Kenntnis genommen. Mit einem Seufzer tilgte Darwin diesen Abschnitt, ‹um den es mir ziemlich leid tut, da ich wünschte, daß er stimme; aber bedauerlicherweise sollte ein Wissenschaftler keine Wünsche und keine Neigungen haben – bloß ein Herz aus Stein›.[15]

Es ging offensichtlich zwei Schritte vorwärts und einen zurück. Eine Woche später war Darwin noch immer mit der Auszählung der Spielarten bei den Pflanzen beschäftigt, als der junge Lubbock ‹den gröbsten Schnitzer› in einer seiner Annahmen entdeckte, was ihn ‹2 oder 3 Wochen verlorene Arbeit› kostete. Er mußte sich Pflanzenkataloge ausleihen und nochmals von vorn beginnen. ‹Ich bin der jämmerlichste, konfuseste, dümmste Hund in ganz England›, lamentierte er. Von da an engagierte er Downes ‹überaus sorgfältigen Schulmeister› Ebenezer Norman, damit dieser die Auswertung in seiner freien Zeit vornehme.[16] Hooker scheute ebenfalls keine Mühe, ihm zu helfen.

Auch andere boten ihre Hilfe an. Gray versorgte ihn mit Einzelheiten über amerikanische Pflanzen. Er war nicht nur ein ‹bedächtiger Denker›, sondern offenkundig auch ein ‹liebenswerter Mensch›, und auf die Gefahr hin, ‹furchtbar selbstsüchtig zu erscheinen›, weihte Darwin ihn jetzt in seine Pläne ein. Er gab ihm einen Überblick über seine zwanzigjährige Arbeit und schloß dann: ‹Als ehrlicher Mensch muß ich Ihnen sagen, daß ich zu dem ketzerischen Schluß gekommen bin, daß es so etwas wie unabhängig voneinander erschaffene Spezies nicht gibt – daß die Spezies nur ausgeprägtere Spielarten sind. Ich weiß, daß Sie mich deshalb verachten werden.› Wie sich die Spezies aus ihren Urformen entwickelten, das habe er von den ‹Landwirten und Gartenbaufachleuten› gelernt. ‹Ich glaube, ich sehe inzwischen ziemlich klar in bezug auf die Mittel, deren sich die Natur bedient, um ihre Arten zu verändern und sie *anzupassen.*› Hooker, fügte er hinzu, habe diesen Abschnitt über die geographische Verteilung bereits gelesen und ‹hat nie zuvor so stark an der Permanenz der Arten gezweifelt›.[17]

Gray war fasziniert und gestand Darwin seine langgehegte Überzeugung, ‹daß es irgendein Gesetz, eine den Pflanzen innewohnende Kraft gibt›, die das Auftreten von Varianten verursache. ‹Ich nehme an, daß dies Ihr Ausgangspunkt ist›, erklärte er und fragte dann: ‹Sind Sie an das *Gesetz* der Variabilität herangekommen?› Das war Darwins Stichwort. Er wußte, daß Gray die Zusammenhänge noch nicht klar sah; sie hatten zwar ähnliche Interessen, arbeiteten aber auf verschiedenen Gebieten. Am 5. September tat er etwas, was seiner Meinung nach, wie er Wallace schrieb, in einem Brief unmöglich war. Er sandte Gray eine detaillierte Darstellung seiner Ansichten, erläuterte ihm die Schwierigkeiten, vor denen er stand, die ‹erschreckenden› Probleme der Embryologie, Fakten, die ihn die längste Zeit über in der Orthodoxie hatten verharren lassen, und die Unmöglichkeit, sie durch ‹Klima oder Lamarcksche Gewohnheit› zu erklären. Er schickte ihm auch die gut leserliche Abschrift, von Schulmeister Norman erstellt, seiner Kurzfassung von *Natural Selection* (dt.: ‹*Die Entstehung der Arten durch natürliche Auslese*) mit, wie er das Buch zu nennen beschlossen hatte. Gray durchdachte alles und warnte ihn davor, die ‹natürliche Auslese› zu personifizieren, sie zu einer kausalen Instanz zu machen – die steuernde Hand der Natur –, da sie doch nur Mittel und Wege beschreibe, wie das Wettrennen des Lebens zu gewinnen sei.[18]

Darwin verpflichtete Gray zur Geheimhaltung aus Furcht, jemand ‹wie der Autor von *Vestiges* könne seine Auffassungen hören und sie seinem eigenen Buch ‹einverleiben›. Der Artenwandel war zwar vielleicht kein Gebiet mehr, das Phantasten vorbehalten blieb, doch befürchtete er immer noch, daß ihm irgendein Schreiberling in die Quere kommen könnte. Dann wäre die natürliche Auslese auf Dauer diskreditiert. Darwin mußte sie angemessen präsentieren. Er mußte sich mit einem originalen, autoritativen Standardwerk an die Leuchten der Wissenschaft wenden. Dies war jetzt wichtiger denn je, denn der ‹Schöpfungsmodus› stand zum erstenmal auf deren eigener Tagesordnung: Preisfragen wurden gestellt, Zweifel geäußert. Das Thema wurde sogar in Vorträgen vor der Geologischen Gesellschaft behandelt, in zurückhaltender Weise zwar, doch immerhin war es im Gespräch. Liberale Vorsitzende traten für eine unvoreingenommene Haltung zur Entstehung neuen Lebens ein. ‹Das ist eine Spekulation, die des Einsatzes der höchsten Intelligenz würdig ist›, hatte einer von ihnen 1857 erklärt, jedoch hinzugefügt: ‹Vermeiden wir den fatalen Fehler, die Resultate wissenschaftlicher Erforschung mit den Artikeln religiösen Glaubens zu verquicken.› Er gab zu, daß der ‹Schöpfungsmodus› ehedem ‹von der Forschung ausgeschlossen› gewesen sei.[19] Aber jetzt vielleicht nicht mehr. Wenn selbst die Geologische Gesellschaft, einst eine Bastion der Orthodoxie von Oxbridge, den Wind der Veränderung spürte, dann waren die Dinge wirklich in Bewegung geraten.

Darwin wußte, daß er diesen erlauchten Zirkel ansprechen mußte. Er mußte seine Peers davon überzeugen, daß ‹natürliche Auslese› die Triebkraft der Evolution war. Er besaß den wissenschaftlichen Rang dazu, und seine Worte hatten Gewicht. Tatsächlich nahm sein Prestige zu – die Preußische Akademie der Wissenschaften in Berlin wählte ihn diesen Herbst als erste kontinentaleuropäische Gelehrtenvereinigung zu ihrem Mitglied. Das machte seine Aufgabe sowohl leichter als auch schwieriger: Seine Worte würden bei der Elite Beachtung finden. Deren Angehörige konnten ihn nicht als einen Spinner abtun, wie sie es mit seinem Lehrer Grant gemacht hatten, oder auf Fehler verweisen wie bei *Vestiges*. Aber das machte ihn ja in manchen Augen noch gefährlicher. Sein großes Buch zielte auf die neuen Spezialisten ab. In geduldiger Wühlarbeit rekrutierte Darwin Anhänger wie ein Maulwurf mit makelloser Old-Boy-Legitimation. So beurteilten es andere. ‹Mein lieber alter Freund Falconer›, klagte er, ‹hat mich zwar äußerst heftig, aber dabei ganz freundschaftlich angegriffen und mir versichert: «Du wirst mehr Unheil anrichten, als zehn Naturwissenschaftler wiedergutmachen können – ich merke, daß du Hooker bereits *korrumpiert* und halb verdorben hast.» (!!)› Und an Gray schrieb er: ‹Wenn ich bei meinen ältesten Freunden so starke Gefühle wecke, brauchen Sie sich nicht darüber zu wundern, daß ich immer erwarte, meine Ansichten würden mit Verachtung aufgenommen werden.›[20]

Andererseits wurde die junge Garde – jene Leute, die ihn unterstützen sollten – inzwischen zu einer eigenständigen Kraft. Angefeuert von Hooker, erfüllten sie die Linnean Society mit neuer Energie. Sie war soeben in das Burlington House am Piccadilly umgezogen, in denselben prestigeträchtigen Häuserblock wie die Royal Society. Huxley, Tyndall und Hooker planten immer noch ihre eigene Zeitschrift, und Huxley war dabei, ihnen eine Kolumne in der *Saturday Review* zu sichern. Darwin war bei der ganzen Gruppe hoch angesehen. Huxleys Lob für die Rankenfüßer-Bücher war grenzenlos; es handle sich um einige der ‹bewundernswertesten› Monographien, die je veröffentlicht worden seien, verkündete er 1857 in seinen Vorträgen. Das war die beste Art von Unterstützung; ‹Sie werden mir den Kopf verdrehen›, gurrte Darwin.[21]

Huxley kannte zwar die Einzelheiten der natürlichen Auslese nicht, aber Darwin ließ sich keine Gelegenheit entgehen, seinen Stammbaum-Ansatz zu propagieren. Während Huxley an sonderbaren Ansichten über die Symmetrie der Natur festhielt und Kreise ineinanderschob wie bei einem taxonomischen Geduldsspiel, erklärte ihm Darwin, das natürliche System der Klassifizierung sei ‹einfach genealogisch›. Und, so fügte er hinzu, ‹sobald Heterodoxie zur Orthodoxie wird›, werde diese Erkenntnis ‹mit einer Menge Unfug in bezug auf den Wert des Charakters aufräumen [...] Die Zeit wird glaube ich, kommen, obwohl ich sie nicht mehr erleben werde, da wir von jedem großen Reich der Natur sehr zutreffende genealogische Stammbäume haben werden›. Doch der streitbare Huxley hatte anderes im Sinn. Er versuchte immer noch, Owen zum Kampf herauszufordern. Er bezweifelte, daß eine vernünftige Zoologie möglich sei, solange man nicht die ‹servile› Wissenschaft Owens hinweggefegt habe. Erst dann könne sich ein neuer Phönix aus der Asche ‹der alten vergleichenden Anatomie› erheben. Hinsichtlich der Klassifizierung ging er am Kern der Sache völlig vorbei. Die ‹Stammbaumgeschichte› möge zwar ‹sehr interessant› sein, räumte er ein, ‹aber für mich hat sie nicht mehr mit reiner Zoologie zu tun als der menschliche Stammbaum mit der Volkszählung›.[22] Die Klassifizierung war für ihn eine Zählung der Lebenden, kein Familienstammbaum der Toten.

Während des Sommers trafen ständig weitere Kadaver bei Darwin ein (Kaninchen waren derzeit seine Leidenschaft), und das Skelettieren ging wie gewohnt weiter. Mit den Tauben hatte er jedoch inzwischen abgeschlossen. Er dachte sogar daran, seine Vögel im nächsten Jahr wegzugeben. Die Samen faszinierten ihn dagegen nach wie vor. Er versuchte ‹ihre Konstitution zu brechen›, indem er sie unter farbigem Glas aufzog; vielleicht würden sogar ‹Mißgeburten› zustande kommen, wenn auch nur Kuriositäten – bloße Spielarten –, nichts so Extremes wie die Monstrositäten, auf die es Etienne Geoffroy Saint-Hilaire und sein Sohn Isidore in Frankreich abgesehen hatten. Er fragte Hooker, ob seine botanischen Freunde je versucht hätten, ‹*Spielarten zustande zu bringen,* indem sie sich mit Pflanzen alle möglichen Scherze erlaubten, zum Beispiel wilde Arten überdüngten, mehrere Jahre lang alle ihre Knospen abpflückten, sie beschnitten usw.›. Nachdem er eine Pflanze mit grünen Blüten zurechtgezüchtet hatte, rechnete Darwin damit, ‹jede Pflanze in 4 oder 5 Generationen mehr oder weniger entarten lassen zu können›.[23]

Inzwischen begann auch der Nachwuchs mitzumischen. In seiner freien Zeit halfen die Jungen ihrem Vater, den Freunden der Blumen, den bescheidenen Bienen, auf der Spur zu bleiben und auch ihnen Streiche zu spielen. Auf seinen Spaziergängen über den Sandweg war Charles aufgefallen, daß die Bienen ihren Flug unterbrachen und eine Zeitlang an derselben Stelle zwischen den Sträuchern herumsummten. Er fragte sich, welche Flugstrecken sie beflogen und warum sie anhielten, um herumzusummen. Dies war der vierte Sommer, in dem er mit den Kindern Beobachtungen anstellte. Warme Tage waren am geeignetsten, und zwar um die Mittagszeit. Die Jungen robbten wie die Rekruten auf dem Bauch, um den Bienen unter Hecken und Sträucher zu folgen. Sie identifizierten die Summplätze, bezogen entlang der Flugstrecken Posten und riefen: ‹Da ist eine Biene!›, wenn eine vorüberkam. Die Rufe wurden weitergegeben, bis die Biene bei Charles eingetroffen war. Er stellte fest, daß die Flugrouten Jahr um Jahr gleich blieben und auch die Summplätze ‹nur um wenige Zentimeter variierten›. Daran änderte sich auch nichts, wenn man das Unterholz rodete oder eine Stelle mit weißem Mehl bestäubte.[24] Die Bienen blieben bei ihrer Route. Es gelang ihm nie auszuknobeln, warum sie festen Flugrouten folgten.

Die Jungen machten sich. Franky begleitete den Vater auf Schritt und Tritt; er bewährte sich bei den verschiedensten Aufgaben in dem von Versuchspflanzen und enthäuteten Tieren überquellenden Haus. Der aus Clapham zurückgekehrte George würde sicherlich Ingenieur werden, wenn ihn nicht das Heimweh überwältigte. Und William war nach weiterem Privatunterricht bei einem Geistlichen reif für Cambridge. Charles sah ihn als Juristen, den ‹künftigen Lordkanzler von ganz England›. Die jährliche Unterstützung in Höhe von vierzig Pfund – ‹fast soviel wie Parslows Lohn› – war nur für die laufenden Ausgaben gedacht. Künstlerische Exkursionen, Arbeitsmaterial und Williams neuestes Steckenpferd brachten weitere Belastungen für die Haushaltskasse mit sich. Die große Mode in diesem Sommer war die Photographie, und sie war nicht billig. Charles steuerte Geld für die Ausrüstung bei, als William im Juli von Rugby zurückkam. Im Obergeschoß wurde ihm ein Raum zur Verfügung gestellt, und bald lief der Junge ‹im Haus auf und ab›, faßte Glasplatten mit ‹schmutzigen Händen› an oder beugte sich über Behälter mit Chemikalien.[25] Im Herbst wollte er wieder zu malen beginnen.

Emma hatte auch in Ettys Abwesenheit alle Hände voll zu tun. Horace lernte lesen, wobei er das Geschichtenbuch benutzte, das Emma für ihre Sonntagsschule in Maer geschrieben hatte. Alle Kinder hatten von Jane und William gehört, die Sally eine Freude machten; von Mary und ihrer Mutter, die auf den Markt gingen; von dem lügenden Kind, das Gott um Verzeihung bitten sollte. Emma hatte geduldig neben jedem von ihnen gesessen und ihnen Pflichtgefühl und Bildung vermittelt. Aber Horace, so schien es, würde der letzte sein, denn der kleine Charles war sichtlich geistig zurückgeblieben und machte keine Anstalten, laufen oder sprechen zu lernen. Obwohl er ‹auffallend gutmütig› und zärtlich war und ‹durchtrieben lächelte›, verhielt er sich völlig passiv und ‹schnitt seltsame Grimassen und zitterte, wenn er aufgeregt war›. Er hatte eine ‹Leidenschaft für Parslow› und erhob besonderen Anspruch auf seine Mutter.[26]

Emmas Güte war in der ganzen Nachbarschaft bekannt. Die Dörfler wußten, daß sie sich auf sie verlassen konnten. Wie eine Pfarrersfrau kümmerte sie sich um sie, verteilte Brotmarken an die Armen, vermittelte ‹den Alten eine kleine Rente, den Kranken Leckerbissen, ärztlichen Beistand und einfache Arzneien›. Der Verlust ihrer Schwester Fanny, die Pflege ihrer invaliden Mutter, ihre Ehe mit einem gesundheitlich ruinierten Gentleman und fast ständige Schwangerschaft bis tief in ihre Vierziger hinein hatten sie menschliches Leid gelehrt. Tatsächlich war seit Annies Tod Krankheit zu einer Lebensweise geworden – Gebrechen waren normal. Emma lebte, um anderen das Leben angenehm zu machen und ihre Schmerzen zu lindern. Down House war für seine Bewohner eine Art Sanatorium und für die Gemeinde eine Apotheke, mit Emma als Stationsschwester. Sie benutzte Dr. Darwins altes Rezeptbuch, das sie mit Charles' Hilfe aus dem Lateinischen übersetzt hatte, und besaß ihre eigenen Hausmittel für Diphtherie, ‹Krebsschmerzen› und ‹schwächliche Mädchen von 15 oder 16›. Die Dienstboten überbrachten die Arzneien, bei deren Herstellung die Kinder mithalfen, und alle, denen Emma Hausbesuche abstattete, empfanden sie ‹wie einen Felsen, auf den man sich stützen kann›.[27]

Auch Charles hatte sich in der Gegend ein Renommee erworben und übernahm jetzt neue Pflichten. Während Emma Opium und Gin als Stärkungsmittel verschrieb, bereitete er sich darauf vor, Recht zu sprechen. Die Kommission für öffentliche Ordnung der Grafschaft Kent hatte die Bitte an ihn herangetragen, sich den Gutsherren und Pfarrern anzuschließen und das

Amt des Friedensrichters zu übernehmen. Er sagte zu, obwohl er sich den damit verbundenen Verlust an Zeit und Energie schlecht leisten konnte. (Ironischerweise hatte er sich dem Dienst als Schöffe versagt, weil er sich der ‹Belastung› eines einzigen Gerichtsverfahrens ‹nicht gewachsen› fühlte.) Friedensrichter zu werden, stärkte sein Wertebewußtsein; es zeugte beredt von seiner Verantwortungsbereitschaft. Für sein gesellschaftliches Ansehen bewirkte es, was die Königliche Medaille für seinen wissenschaftlichen Ruf getan hatte. Mit Referenzen von Reverend Innes und Sir John Lubbock, dem ehemaligen High Sheriff [hoher Verwaltungsbeamter einer Grafschaft; Anm. d. Ü.], wurde er Richter. Am 3. Juli schwor er auf die Bibel, ‹die öffentliche Ordnung der oben genannten Königin in der oben genannten Grafschaft zu wahren und über verschiedene Verbrechen und Vergehen sowie andere Gesetzesübertretungen in derselben Grafschaft zu verhandeln und zu richten›.[28] Wer konnte einen Evolutionisten ‹verachten›, der eine solche Verpflichtung übernahm?

Als ob dies für einen überlasteten Mann mit einer übergroßen Familie nicht genug gewesen wäre, ging er im September daran, das Haus zu erweitern. Das Kindergewimmel, ganz abgesehen von dem Gedränge, wenn Vettern und Cousinen kamen, machte die Vergrößerung unerläßlich. Die Handwerker begannen ein riesengroßes neues Eßzimmer mit einem Schlafzimmer darüber zu errichten, im Grunde so etwas wie einen Nordflügel, und das alles recht ‹hübsch und geräumig›. ‹Ich schäme mich oft fürchterlich über meine Verschwendungssucht›, versicherte er zwar allerseits, doch die Bescheidenheit war gespielt. Die Kosten von 500 Pfund ließen sich aus seinen Kapitalerträgen von 4200 Pfund in diesem Jahr leicht decken. Die Bauarbeiter mußten sich bemühen, vor seinem Arbeitszimmer möglichst wenig Lärm zu machen, wenn er mit seinem Buch beschäftigt war. ‹Ich habe einen verwegenen kleinen Exkurs geschrieben›, teilte er Hooker mit, den er so auf einen wichtigen Punkt aufmerksam zu machen gedachte, ‹in dem ich zeige, daß Organismen nicht vollkommen sind, nur vollkommen genug, um mit ihren Konkurrenten wetteifern zu können.›[29] Der Nebel über der ‹vollkommenen Anpassung› hatte sich längst gelichtet, und Darwin lehnte den Gedanken mittlerweile ausdrücklich ab. Neue Anpassungen konnten nicht vollkommen sein, wie die alten Theologen gelehrt hatten, weil es sonst keine Konkurrenz, keine Selektion und keinen Fortschritt gegeben hätte. Unvollkommenheit war das Prinzip der Natur – das erschien nachgerade augenfällig.

Und damit Darwin dies nicht vergaß, versetzte ihm die Natur einen schmerzhaften Schock. Einige Tage später, als das Haus noch voller Handwerker war, brach der siebenjährige Lenny ‹inmitten von Ziegeln und Bauschutt› zusammen. Emma schaffte ihn schleunigst nach oben ins Bett. Charles fühlte Lennys Puls und fand ihn ‹äußerst unregelmäßig und schwach›. Es war wiederum die unselige Erblast, die sich beim Vater als ‹Herzklopfen› manifestierte. Der ‹niedliche kleine Bursche› brach zusammen, ‹*genau* wie drei unserer Kinder vor ihm› schrieb er an Hooker. Zwar hoffte er, daß es ‹etwas Vorübergehendes› sei, doch da er wußte, wie erbarmungslos die Natur Unvollkommenes aufs Korn nahm, empfand er wochenlang ‹Bitterkeit›.[30]

Wegen des Aufenthalts im Sanatorium, der Krankheiten der Kinder, der Auswertungen der Saatgutversuche und des Skelettierens hatte er für zwei Kapitel sechs Monate gebraucht. ‹Schöne Aussichten!› bemerkte er. Und jetzt, da im Haus alles drunter und drüber ging, wurde es auch nicht leichter. Die Stukkateure gingen und das Baugerüst wurde entfernt, als er ein Kapitel über Hybriden zur Hälfte fertig hatte. Etty kehrte in besserer Verfassung, wenn auch immer noch schwach, nach Hause zurück, und Lenny hatte jetzt nur noch gelegentlich ‹Anfälle›. Deshalb gönnte sich Charles ein wenig Luxus. Im November begab er sich erneut zu einer einwöchigen Erholung nach Moor Park. ‹Ich wollte nur Ruhe›, gestand er Hooker, und die bekam er reichlich. Er ‹machte sehr lange Spaziergänge und genoß die Landschaft wie ein ungebundener Gentleman›.[31] Er durchstreifte die Umgebung und genoß die Einsamkeit, fern von den Kindern, der Arbeit und den Sorgen.

Bis zum Weihnachtsfest 1857 war das Manuskript von *Natural Selection* bedenklich angeschwollen. ‹Ich habe soeben eine große Aufgabe abgeschlossen, mein Kapitel über die Bastardierung› schrieb er Hooker; ‹ich habe drei Monate gebraucht, um es zu schreiben, nachdem ich alle Fakten gesammelt hatte!› Aber ein Gedanke ließ ihn frösteln, und Lyell verstand das gut. Selbst Wallace am anderen Ende des Empire konnte es ihm nachfühlen. Vom Malaiischen Archipel aus fragte er an, ob sein Buch auf die Entstehung des Menschen eingehen werde. Darwin erschien Diskretion unerläßlich. Er konnte Lyells Befürchtungen hinsichtlich einer Vertierung des Menschen nachempfinden. Er sah, daß Owen am Gehirn herumpfuschte, um den Menschen zu einer uneinnehmbaren Festung zu machen, zum würdigen Behältnis für eine unsterbliche Seele. ‹Ich glaube, daß ich das ganze Thema ausklammern werde, weil es so von Vorurteilen umgeben ist›, antwortete Darwin, ‹obwohl ich durchaus zugebe, daß es das höchste und interessanteste Problem für den Naturwissenschaftler ist.› Andere wußten, daß man sich vor dem Thema nicht drücken konnte. Lyell warf in seinem Notizbuch zentrale Fragen auf. ‹Wird sich herausstellen›, hieß es da, ‹daß Geist und Seele des Menschen eine Weiterentwicklung tierischer Instinkte sind?› Auch Darwin fiel es schwer, den Menschen aus seinen Überlegungen auszuschließen. In seinem Kapitel über den ‹Instinkt›, das er eben begann, bildeten Menschen mit Welpen, Bienen und parasitären Wespen ein heilloses Durcheinander. Verhaltensweisen von Säuglingen, Niesen, alte Damen, die Maschen fallenließen, instinktives Klavierspiel, all dies schlich sich fast unbeabsichtigt ein.[32] Und dennoch führte das Kapitel sein Thema fort: Instinkte würden geerbt und durch Selektion modifiziert. Wenn diese Beispiele triftig waren, würden die Implikationen für den Menschen auf der Hand liegen.

Darwin pries Wallace für seine Sammeltätigkeit im Fernen Osten. Und er ermutigte ihn in seinen Theoriebemühungen, denn ‹ohne Spekulation gibt es kein gutes und originelles Beobachten›. Aber er verstand nicht wirklich, worauf Wallace hinauswollte, und blieb bei seiner Annahme, daß ‹ich viel weiter gehe als Sie›. Daß er die geistige Urheberschaft beanspruchte, war ebenfalls nach wie vor klar. Zwanzig Jahre lang hatte er über Spezies gearbeitet; sein ‹etwa halbfertiges Buch› würde ‹eine große Sammlung von Fakten mit einem definitiven Ziel› enthalten, bleibe jedoch ‹ein zu umfangreiches Thema, als daß ich auf meine Spekulationen eingehen könnte›. Sich in seiner konkurrenzfreien Nische sicher wähnend, fügte Darwin lässig hinzu: ‹Ich gedenke frühestens in zwei Jahren damit an die Öffentlichkeit zu gehen› und schloß mit dem herzlichen Wunsch: ‹Mögen sich alle Ihre Theorien bewahrheiten.›[33] Nicht überraschenderweise schätzte Wallace ihn inzwischen als Sympathisanten ein, der gern seine Spekulationen über das Thema gehört hätte.

Im Zeitalter des Empire und des Fortschritts war ein starkes Bedürfnis nach wegweisenden, kühnen Büchern vorhanden. Darwin schwelgte wie das übrige Großbritannien zu Beginn des Jahres 1858 in Henry Buckles atemberaubender *History of Civilization in England*. Der erste Band, bestehend aus 500 fußnotengespickten Seiten, wurde als Sensation empfunden. Es sei ‹*wunderbar* klug und originell›, fand Darwin. Buckle, Sohn eines reichen Kaufmanns, hing ebenso passioniert an London wie Darwin an Downe. Er stellte die Geschichte in den Dienst der viktorianischen Stimmung in der Metropole. Barbarei, Priestertum und Aberglauben seien im Begriff, überwunden zu werden, verkündete er. Wahre Religion bedeute, an das ‹eine glorreiche Prinzip universeller und unverbrüchlicher Ordnung› zu glauben, das uns die Wissenschaft der Physik lehre.[34] All dies machte Buckle zu einem Mann nach dem Herzen der *Westminster Review*. Daß gesellschaftlicher Fortschritt und Moral ohne Rekurs auf göttliche Launen statistisch und wissenschaftlich erklärbar seien, war ein Lied, das die Kirchengegner schon lange gesungen hatten und das jetzt – wie *Vestiges* – auf den Hauptstraßen reißenden Absatz fand.

Erasmus fand Buckles Buch großartig. ‹Ein klarer, flüssiger, lesbarer Stil›, meinte er, wie er auch für *Natural Selection* anzustreben sei. Charles las die *History* schließlich zweimal und traf mit ‹dem großen Buckle› einmal persönlich im Haus von Hensleigh Wedgwood zusammen. Der Mann selbst beeindruckte ihn allerdings nicht sonderlich; er war oberflächlich und geschwätzig und dominierte die Unterhaltung. Als sie gerade über die ‹erstaunliche Zahl von Anmerkungen› in dem Buch sprachen, sprang Darwin zu Buckles Mißfallen auf, um die hübsche junge Effie Wedgwood singen zu hören. ‹Nun ja, Mr. Darwins Bücher sind viel besser als seine Konversation›, murmelte Buckle verstimmt. Darwin bemerkte hierzu ungerührt: ‹Was er eigentlich meinte, war, daß ich seine Konversation nicht recht zu schätzen wußte.›[35]

All die wissenschaftlichen Parvenüs hatten Buckle gehört oder kannten ihn. Er begleitete Spencer und Huxley auf ihren Sonntagnachmittags-Spaziergängen und diskutierte mit Tyndall über die Entstehung der Moral. Für Spencer bildeten die Evolution des Lebens und die Entwicklung der Zivilisation eine Einheit. Sein zweites Buch, *Principles of Psychology*, beschäftigte sich bereits mit der ‹Genese des Geistes in all seinen Formen auf der tierischen wie der menschlichen Ebene›. Jetzt plante er eine zehnbändige Abhandlung, die alles übrige umfassen sollte; das gesamte Wissen sollte ‹vom Standpunkt der Evolution aus systematisiert werden›.[36]

Dennoch ließ es die Reaktion nicht ruhig schlafen, daß Buckle so gefeiert wurde. Es war eben mit alarmierenden Kosten verbunden, ‹Leute zum Denken anzuregen›, wie Lyell erkannte. Verknöcherte alte Reaktionäre waren ‹in Aufruhr›, erschreckt über den neuen Säkularismus. Hooker hatte Huxley erst im vergangenen Januar in den Athenaeum Club eingeschleust; jetzt planten die beiden, auch Tyndall, Busk und Buckle dort einzuführen. Aber die alten Gentlemen erbleichten bei dem Gedanken an Buckle und drohten damit, gegen ihn zu stimmen.[37]

Wenn Darwin auch Trost aus dem sich wandelnden Ethos schöpfte, so sah er doch den größeren Proteststurm voraus, den sein eigenes kühnes Buch hervorrufen würde. Buckles unvollendetes Epos war zwar ebenso umfangreich, aber nicht im entferntesten so kontrovers. Es war das Werk eines Dilettanten, der aus keiner gesellschaftlichen Gruppe ausgebrochen war. *Natural Selection* hingegen würde einen Träger der Königlichen Medaille zum Autor haben, einen Friedensrichter und Gutsherrn, der für ein kirchliches Amt ausgebildet worden war. Im März 1858 näherte sich das Manuskript der Vollendung. Dreiundzwanzig Monate nach dem ersten Federstrich hatte Darwin nun das zehnte Kapitel abgeschlossen. Damit hatte er mit einer Viertelmillion Worten zwei Drittel des Weges zurückgelegt.[38] Das fertige Buch würde größeres Gewicht haben als Spencers bleierne und Buckles schwungvolle Werke; den einzigen ernsthaften Rivalen würde es in Lyells Dreibänder *Principles of Geology* finden.

Auch anderswo vertieften sich die gesellschaftlichen Gräben. Die künftigen Protagonisten der Auseinandersetzung über Affen und Abstammung bezogen ihre Standorte. Im März attackierte Huxley Owens Auffassung, daß der

Mensch eine eigene Unterklasse bilde. Man konnte Owen mit dieser Frage martern; Huxley wußte das, und er genoß einen Propagandasieg.

Owen hatte an der Royal Institution bereits seinen Standardvortrag über Menschen und Affen gehalten. Spencer hatte den Vortrag hier 1855 gehört und als ‹alles andere denn logisch› bezeichnet. Jetzt nahm Huxley vor demselben Forum den entgegengesetzten Standpunkt ein. In seinem eigenen Vortrag vor der Royal Institution im März 1858 über ‹die Besonderheiten des Menschen› verglich er Pavian, Gorilla und Mensch und unterstrich ihre ungebrochene Kontinuität. Der Mensch sei, anatomisch betrachtet, nicht weiter von einem Gorilla entfernt als der Gorilla von einem Pavian. ‹Es stimmt zwar, daß wir wohl die Bindeglieder zwischen dem [Pavian] und dem Gorilla besitzen, nicht aber die zwischen letzterem und dem Menschen; das tut jedoch nichts zur Sache. Niemand wird behaupten, daß von zwei Straßen die eine kürzer sei als die andere, weil sie von Meilensteinen gesäumt ist.› Huxley war bereit, noch weiter zu gehen; er wollte herausfinden, wieviel man ihm durchgehen ließe. ‹Mehr noch, ich glaube, daß die geistigen und moralischen Fähigkeiten bei den Tieren und bei uns essentiell und prinzipiell von der gleichen Art sind [...] Ich kann keine Trennlinie zwischen einer instinktiven und einer vernunftgesteuerten Handlung ziehen.› Das ließ nur eine Schlußfolgerung zu: ‹Bis hin zu den Wurzeln und zum Fundament seiner Natur ist der Mensch eins mit dem Rest der organischen Welt.›

In einer anderen Hinsicht war da naturgemäß schon eine ‹unüberbrückbare› Kluft. Der Mensch besaß die Sprache und damit die Überlieferung, die ihn zum ‹einzigen Lebewesen› machte, ‹in dessen Natur die notwendige Voraussetzung für unbegrenzten Fortschritt eingepflanzt ist›. Aber obwohl Huxley dies einräumte, machte er keinen Hehl aus seiner ikonoklastischen Absicht; er wollte den Zusammenstoß mit Owen provozieren. Der Mensch suchte sich seinen eigenen polemischen Weg in das Bild von Fortschritt und Evolution.

Diese Fehde war kein gutes Omen dafür, daß *Natural Selection* leidenschaftslos aufgenommen werden würde. Aber sie sicherte dem Gorilla die zentrale Rolle in der bevorstehenden Auseinandersetzung. Jetzt, da sich Huxley und Owen an der Gurgel hatten, sollten Affen und Moral ein brisantes Gemenge bilden. Und sein Oppositionsgeist, genährt von seinem Haß auf Owen, brachte Huxley der Evolution näher. Tatsächlich behandelte er in seinem nächsten Vortrag vor der Royal Institution das Problem der Arten in einer offeneren Weise als je zuvor. Er glaubte zwar immer noch, daß ‹die Frage gegenwärtig unlösbar ist›. Aber falls eine Lösung möglich *werde,* dann ‹muß sie von der Seite der unbegrenzten Modifizierbarkeit kommen›.[39] So weit hatte er sich bisher nie vorgewagt.

Huxley wußte so gut wie nichts über natürliche Auslese, aber er wußte, daß Darwin mit seinem großen Buch schon weit vorangekommen war. Und er begann zu erkennen, daß er sich auf die falsche Seite geschlagen hatte. Je vehementer er behauptete, ‹Theologie und Pfaffentum› seien die ‹unversöhnlichen Feinde der Wissenschaft›, desto mehr spürte er, daß eine bestimmte Auffassung von Evolution seinen Zwecken dienlich sein konnte.⁴⁰ Nachdem er Owen in die Defensive gedrängt und erlebt hatte, wie sein Gegner auf einem in Spiritus eingelegten Gehirn ausgerutscht war, spürte er, daß es sich auszahlen könnte, sich einer entgegengesetzten Theorie über Geist und Moral zu verschreiben. Seine streitbare Haltung trieb ihn zuletzt in Darwins Richtung.

Während Huxley sprach, schwitzte Darwin immer noch über seinen Berechnungen in bezug auf ‹große Gattungen›. Die Arbeit ‹läuft schlecht›, beschwerte er sich bei Hooker, ‹und ich habe sie von Herzen satt›. Wieder fühlte er sich überfordert, und im April fuhr er erneut nach Moor Park, da sein Magen in ‹einer entsetzlichen Verfassung› war. Er ruhte sich dort aus, entspannte sich und schrieb an Emma, um sie zu beruhigen:

‹Das Wetter ist ganz köstlich. Gestern ... habe ich einen eineinhalbstündigen Spaziergang durch die Heide gemacht [...] Schließlich schlief ich im Gras fest ein und erwachte, umgeben von einem Chor singender Vögel, von Eichhörnchen, die an den Bäumen hinaufliefen, und lachenden Spechten. Es war eine so bezaubernde und idyllische Szene, daß es mir herzlich egal war, wie all dieses Getier und diese Vögel entstanden waren.›

Drinnen vervollkommnete er sein Billard, las Romane und verschlang die Berichte der *Times* über das Attentat auf Napoleon. William, seinem Ältesten, der jetzt seine früheren Zimmer im Christ's College bewohnte, erteilte er Ratschläge und warnte ihn vor den ‹Versuchungen zum Müßiggang, die es in Cambridge gibt› – und an die er sich selber gut erinnerte. Fasziniert von militärischen Manövern, besuchte er die nahe gelegenen Kasernen in Aldershot, wo er auch einen Besuch Königin Victorias bei der Truppe miterlebte. Das alles gab ihm neuen Aufschwung, und als er Anfang Mai nach Hause kam, fühlte er sich bestens gewappnet. Die Kur ‹hat für kurze Zeit wieder einen Mann aus mir gemacht›, schrieb er, und er war entschlossen, daraus Nutzen zu ziehen.⁴¹

Erneut warf er sich in die Arbeit. Teile von *Natural Selection* gingen an Hooker mit der Warnung, das sei ‹ein harter Brocken und schwer verständlich›. Wie gewöhnlich erwartete er, daß Hooker es ‹Quatsch› nennen würde, was dieser jedoch keineswegs tat.⁴² Die Spezies verfluchend, arbeitete er dennoch tagein, tagaus weiter an der Straffung des Textes. Als am 18. Juni der Briefträger kam, hatte Darwin das Gefühl, alles breche über ihm zusammen.

All diese Jahre, die furchtbare Zerreißprobe, die seelische Zermürbung aus Sorge über die Reaktion, ganz zu schweigen von seinem Ansehen, die er erduldet hatte; all diese krankmachenden Verzögerungen, der innere

Was würde ein Schimpanse sagen?

Kampf, als er das Tabu durchbrochen hatte – und jetzt, nach zwanzig Jahren, so kurz vor der Veröffentlichung, dies! An einem stillen Freitagmorgen traf ein Paket ein, das die halbe Erde umrundet hatte. Es enthielt zwanzig Seiten von Wallace, ironischerweise als Reaktion auf Darwins Ermutigung.

Darwin sah sein Lebenswerk ‹zerschmettert›, in Scherben. ‹Deine Worte haben sich in furchtbarer Weise bewahrheitet›, wehklagte er in einem Brief an Lyell. Man war ihm ‹zuvorgekommen›.[43]

529

32

Aus der Deckung heraus

Darwins sorgfältig geordnete Welt begann zu zerbröckeln. Etty war an einer schweren Diphtherie erkrankt. Die *Times* brachte täglich grellere Berichte über Dr. Lanes Prozeß wegen Ehebruchs. Selbst schwer krank, mußte Darwin befürchten, den Arzt seines Vertrauens zu verlieren, dessen Ruf und damit dessen Existenz ruiniert erschienen. (Ebenso wie die aussagenden Ärzte unterstützte er den Beklagten, war er doch überzeugt davon, daß die reißerische Darstellung der Affäre von seiten der Patientin ein morbider Fall erotischer Wahnvorstellungen war.) Der geistig schwer zurückgebliebene kleine Charles Waring gab ständig zu Sorgen Anlaß; am Abend des 23. Juni 1858 erkrankte er an Scharlach, wie schon das halbe Dorf vor ihm. Darwin mußte sich durch ein Dickicht von Gefühlen hindurchkämpfen, nur um über Wallace' Brief nachzudenken.

Der evolutionäre Mechanismus bei Wallace erschien tatsächlich identisch. Tief getroffen, fast ungläubig, schrieb Darwin an Lyell: ‹Wenn Wallace meinen handschriftlichen Entwurf von 1842 besäße, hätte er kein besseres Resümee anfertigen können!›[1] Was er nicht wußte, war, daß signifikante Unterschiede bestanden, wenn auch nicht auf den ihm vorliegenden Seiten.

Alfred Russell Wallace entstammte einer anderen Welt, wie sein Tierhandel und seine sozialistische Herkunft verrieten. Er war weder ein wohlsituierter großbürgerlicher Naturforscher noch einer von Huxleys Karrieremachern. Als Sohn eines verarmten Anwalts in einem walisischen Tal geboren, war er in London zur Schule gegangen, jedoch nur bis zum Alter von vierzehn Jahren. Seine Abende verbrachte er im sozialistischen Bildungsverein in der Nähe der Tottenham Court Road. Dort war der Kaffee gratis, und die ‹sozialen Missionare› hielten mitreißende Reden gegen das Privateigentum und die Religion. Hier eignete sich Wallace die politischen Wertvorstellungen an, die er mit wechselnder Intensität sein Leben lang beibehielt. Viele wurden durch seine Arbeit verstärkt. Während seiner Ausbildung als Landvermesser Anfang der 1840er Jahre in Wales war er dafür bezahlt worden, Grundstücksgrenzen neu zu ziehen, nachdem das Gemeindeland unter dem Einfriedungsgesetz umzäunt und auf die Gutsbesitzer aufgeteilt worden war. Das sei, so Wallace später, ‹ein legalisierter Raub an den Armen› gewesen.

Als autodidaktischer Sozialist betrachtete Wallace die Menschheit als Teil einer im Fortschritt begriffenen, von den Naturgesetzen beherrschten Welt. In seinem Bildungsverein hatte er gelernt, die Moral als ein Kulturprodukt anzusehen, das in jeder Rasse gleiche Gültigkeit hatte. Wie so viele seinesgleichen fühlte er sich sofort von den ‹genialen› *Vestiges* angezogen und begeisterte sich für die darin vorgetragene Vision von einer sich höher entwickelnden Natur. Das Buch veranlaßte ihn, über das Problem der Arten nachzudenken. Als Einundzwanzigjähriger empfand er ‹tiefe Bewunderung für die Schönheit, die Harmonie und die Mannigfaltigkeit in der Natur ... und eine ebenso starke Leidenschaft für Gerechtigkeit unter den Menschen›.[2]

Angespornt von Humboldts Reiseberichten und Darwins *Journal of Researches,* sparte und kratzte er das Geld für seine Reisen in die Tropen zusammen, um dort Proben zu sammeln und *Vestiges* zu testen. 1848 reiste er an den Amazonas, und nach einem zweijährigen Aufenthalt in London 1852 bis 1854 machte er sich zum Malaiischen Archipel auf, einer weitverstreuten Gruppe äquatorialer Inseln, darunter Borneo, das Land der Orang-Utans, wo er Anhaltspunkte für die Abstammung des Menschen zu finden hoffte. Mit Sendungen von Insekten, Schmetterlingen und Vogelbälgen an einen Londoner Händler bestritt er seinen Unterhalt. Pro Kiste mußte er zwar eintausend etikettierte Käfer verpacken, aber er konnte davon leben. Von hier hatte er Darwin zahllose Präparate, begleitet von langen Listen, geschickt. Sein jüngster Brief, datiert vom Februar 1858, war auf der Vulkaninsel Ternate aufgegeben worden. Auf dem Weg nach Neuguinea hatte Wallace die Molukken erreicht, die Gewürzinseln.

Hier hatte er während eines Fieberanfalls seine Evolutionstheorie konzipiert. Malaria war nicht das einzige Anzeichen von Verstörung; die Welt stellte sich für die Sozialisten auf den Kopf. Malthus war ihr Schreckgespenst gewesen, aber Ende der 1850er Jahre war sein *Essay on the Principle of Population* nicht mehr so tabu. Eine neue Generation änderte die Taktik und nutzte seine Belege für die Übervölkerung, um die Notwendigkeit der Geburtskontrolle (ein weiteres sozialistisches Steckenpferd) zu unterstreichen.[3] Wallace hatte die sechste Auflage von Malthus' Buch gelesen. Als er nun, abwechselnd fröstelnd und schwitzend, auf Ternate ans Bett gefesselt war, übertrug eines Nachmittags auch er die Malthussche Übervölkerungs-Logik vom Menschen auf die Tiere.

Dennoch unterschied sich die daraus resultierende Theorie von der Darwins. Nach Wallace' Vorstellung von der Selektion eliminierte die Umwelt die Untauglichen, nicht eine mörderische Konkurrenz zwischen einzelnen. Außerdem betrachtete er die eingeborenen Dajaks, anders als Darwin seine barbarischen Feuerländer, mit egalitären sozialistischen Augen. Und Wallace sollte die Frage stellen, über die Darwin hinweggegangen war: Was war der *Zweck* der natürlichen Auslese? Die evolutionären Kräfte arbeiteten auf eine gerechte Gesellschaft hin, lautete seine Antwort, ‹um das Ideal des vollkommenen Menschen zu verwirklichen›.[4]

Darwin akzeptierte nichts derartig Utopisches. Doch im Augenblick, 1858, hatte er nichts weiter vor sich als Wallace' etwa zwanzigseitigen, sachlichen Brief, und der hatte tatsächlich große Ähnlichkeit mit einer Kurzfassung von *Natural Selection*. Es war darin von ‹Varianten› die Rede, die durch einen ‹Existenzkampf› von ihrer ursprünglichen Spezies ‹immer weiter weggedrängt› wurden. Auch die Frage der Übervölkerung wurde angeschnitten: daß ein Vogelpaar, dessen Vermehrung durch nichts gebremst würde, in fünfzehn Jahren zehn Millionen Nachkommen hätte; daß die Schwachen unterlägen und ‹die in bezug auf Gesundheit und Vitalität Vollkommensten› übrigblieben. Das System funktioniere, so Wallace, wie ‹der Fliehkraftregler der Dampfmaschine, der etwaige Unregelmäßigkeiten registriert und korrigiert, fast bevor sie sichtbar werden›.[5] Aber die Natur sei eine sich selbst in Gang haltende Dampfmaschine; die Varianten nähmen zu, und die überlegenen Spielarten überflügelten schließlich ihre Eltern.

Darwin hatte ‹noch nie eine frappierendere Koinzidenz erlebt›, zum Teil wohl deshalb, weil er seine Gedanken hineinlas. Wallace ersuchte ihn, seinen Aufsatz an Lyell weiterzureichen, was er mit einem lamentierenden Begleitschreiben tat. Wallace hatte nichts von Veröffentlichung erwähnt, doch Darwin würde ihm ‹natürlich sofort schreiben und ihm anbieten, [den Artikel] an jede Zeitschrift [seiner Wahl] zu schicken›. Allerdings befürchtete er, ‹meine ganze Originalität, was auch immer sie wert sein mag, wird dadurch zunichte›. Lyell ließ sich das Problem durch den Kopf gehen und kam auf eine Lösung: Sie sollten ihre Entdeckungen gemeinsam bekanntgeben. Darwin stimmte ihm zu, wobei er die nagende Furcht zu unterdrücken suchte, daß dies verdächtig aussehen könne, so als wolle er Wallace um seinen Lorbeer bringen. Hooker hatte freilich seinen Entwurf von 1844 gesehen, und Asa Gray in Harvard besaß ein ausführliches Resümee davon, ‹so daß ich mit vollem Recht behaupten und beweisen kann, daß ich nichts von Wallace entlehne. Ich würde *liebend* gern *jetzt* eine Skizze meiner allgemeinen Auffassungen auf etwa einem Dutzend Seiten veröffentlichen. Aber ich kann mir nicht einreden, daß ich das ehrenvollerweise tun könnte [...]. Viel lieber würde ich mein ganzes Buch verbrennen, als daß er oder irgendein anderer denken sollte, ich hätte schäbig gehandelt›. Kein gräßlicheres wissenschaftliches Mißgeschick hätte ihn ereilen können, wenn Lyell es auch prophezeit hatte.

Nachdem im Dorf drei Kinder an Scharlach gestorben waren, machte er sich Sorgen um den kleinen Charles. Er wollte Lyell bitten, Hooker um eine zweite Meinung zu ersuchen, da er es für unethisch hielt, sich angesichts der ihm vertraulich zuteil gewordenen Kenntnisse durch eine Veröffentlichung die Priorität zu sichern. Aber er war in einem Zustand, in dem ihm alles gleichgültig war. Der kleine Charles starb zwei Tage später. Am 29. Juni schrieb Hooker, aber Darwin antwortete: ‹Ich kann jetzt nicht denken [...]› Später, am selben Abend, versuchte er es nochmals. ‹Ich bin völlig am Ende und kann nichts tun, aber ich schicke [die Unterlagen von] Wallace und das Resümee meines Briefes an Asa Gray [...] Es ist mir ziemlich egal [...] Ich werde alles tun, was man mir vorschlägt. Gott segne Dich.› Damit legte er die ganze Angelegenheit in die Hände von Hooker und Lyell.[6]

Sie einigten sich auf einen gemeinsamen Artikel. Die Frage des Forums war rasch geregelt. Die Geologische Gesellschaft war ungeeignet und anti-theoretisch, in der Zoologischen Gesellschaft hielt Owen hof; so blieb nur die Linnean Society übrig, die erst kürzlich ihre neuen Räumlichkeiten am Piccadilly bezogen hatte. Hooker bemühte sich immer noch, die ehrwürdige alte Linné-Gesellschaft wiederzubeleben, und ein kontroverses Communiqué von Darwin und Wallace würde ihr sicherlich Auftrieb geben. Unter ihrem neuen Präsidenten Thomas Bell (dem Beschreiber der *Beagle*-Reptilien) waren die Zusammenkünfte lebendiger geworden. Es gab jetzt eine eigene Zeitschrift, das *Journal of the Linnean Society,* und bei den Versammlungen wurde über die Beiträge diskutiert, statt daß man diese einem versteinert dasitzenden Publikum lediglich vorlas.

Wie konnte man die Sache so kurz vor der Sommerpause noch über die Bühne bringen? Ein Trauerfall hatte in diesen düsteren Junitagen schließlich eine günstige Folge. Als Ersatz für eine Versammlung, die man verschoben hatte, weil Darwins scheuer alter Freund Robert Brown gestorben war, beraumte der Vorstand für Donnerstag, den 1. Juli eine zusätzliche Zusammenkunft vor der Sommerpause an. In letzter Minute – am 30. Juni – setzten Hooker und Lyell die Beiträge von Darwin und Wallace auf die Tagesordnung. Am nächsten Abend las der Sekretär sie mehr als dreißig verblüfften Mitgliedern vor: Auszüge aus Darwins Entwurf von 1844, Teile seines Briefes an Gray von 1857 und Wallace' Brief von Ternate. Daran schlossen sich sechs Aufsätze an, die für die verschobene Sitzung vorgesehen waren und deren letzter die Vegetation Angolas betraf – ‹neue Fakten› waren immer noch eher als neuartige Theorien die *raison d'être* der Gesellschaft.[7] Darwin blieb tief getroffen und krank zu Hause, setzte damit aber auch eine Tendenz fort, sich fernzuhalten, die das folgende stürmische Jahrzehnt hindurch andauern sollte.

Endlich hatte Darwin sich an die Öffentlichkeit gewandt. Nach zwanzig Jahren innerer Zerrissenheit und Frustration hatte er sich hervorgewagt. Aber kein Feuerwerkskörper explodierte; nur ein Blindgänger wurde losgelassen. Die Tagesordnung war zu umfangreich; die Vorträge mußten eilig durchgezogen werden und wurden wortlos aufgenommen, obwohl die Zuhörer ‹erregt murmelnd› weggingen. Bell schien feindselig, doch die Mitglieder waren offenbar verwirrt durch Hookers und Lyells stillschweigende Zustimmung.

Für Darwins Seelenfrieden war dieser Mangel an Reaktion wahrscheinlich am besten. Aber es war ein schwacher Trost. Wie Darwin später mitteilte, hatte der Präsident die Sitzung mit der Klage verlassen, das Jahr sei nicht ‹durch eine jener bahnbrechenden Entdeckungen gekennzeichnet gewesen, die unser Fachgebiet auf einen Schlag sozusagen revolutionieren›.[8] (Gleichwohl strich der Vizepräsident prompt alle Bezugnahmen auf die Unveränderlichkeit der Arten aus seinem eigenen bevorstehenden Vortrag heraus.)

Nicht daß es Charles etwas ausmachte. Während die Linnean Society tagte, begruben er und Emma, getröstet von Reverend Innes, ihren Sohn auf dem Pfarrfriedhof. Inzwischen hatte ihre Angst vor einer Epidemie ‹beinahe den Schmerz vertrieben›. Am nächsten Morgen evakuierte Charles alle Kinder außer Etty zu seiner Schwägerin in Sussex. Vier Tage später sammelte er seine Gedanken und teilte Hooker mit, die Familie sei ‹inzwischen gefaßter, jetzt, da wir jedes Kind aus dem Haus geschickt haben und Henrietta folgen lassen, sobald sie transportfähig ist. Das erste Kindermädchen ist an Halsentzündung und eitrigen Mandeln erkrankt; das zweite hat sich mit Scharlach angesteckt, ist aber Gott sei Dank auf dem Weg der Besserung. Du kannst Dir vorstellen, in welcher Angst wir waren [sechs Kinder sollten im Dorf schließlich an Scharlach sterben]. Es sind fürchterliche zwei Wochen gewesen›. Und nicht nur zwei Wochen. Seine älteste Schwester, Marianne, starb am 18. Juli im Alter von sechzig Jahren. Ihre fünf erwachsenen Kinder wurden von Catherine adoptiert und würden in The Mount leben. Charles hatte Marianne als eine ‹bewundernswerte Frau› in Erinnerung; aber sie waren einander nicht nahegestanden. Nach ihrem ‹langen und zuletzt schweren Leiden› konnte er ‹Gott danken›, daß sie ihren Frieden gefunden hatte.[9]

Dennoch war er mit dem Verlauf bei der Linnean Society ‹*mehr* als zufrieden›. Das nachdenkliche Schweigen war ein gutes Omen für eine ausführliche Darlegung seiner Theorie, die er schleunigst erscheinen lassen mußte, bevor das Buch fertig war. Er verfrachtete die kränkelnden Kinder und sich selbst, seinem angegriffenen Magen zuliebe, auf die Insel Wight, um Meerluft zu atmen, und hier, im King's Head Hotel in Sandown, begann er am 20. Juli mit der Niederschrift eines ‹Resümees› von *National Selection*.

Zunächst stellte er sich einfach einen Artikel vor, der, ‹aufs äußerste› kondensiert, für das *Journal* der Gesellschaft gedacht war. Aber es war dieselbe alte Geschichte: Die Kurzfassung sprengte den vorgesehenen Rahmen. Im August hatte er vierundvierzig Folioseiten allein über Haustiere geschrieben, und dabei war er immer noch am Meer. Im Oktober hatte das Manuskript eine ‹ungebührliche Länge› erreicht und schwoll unaufhaltsam zu einem Buch an. Während der ganzen Zeit war er von Verdauungsbeschwerden geplagt. Er hatte sich vorgenommen, im Frühjahr fertig zu sein, und die Angst bekam seinem Magen schlecht. Schließlich kehrte er nach Moor Park und zur Wasserkur zurück. Seine Klagen nahmen wieder ihre schauerliche Vertrautheit an. ‹Es ist ein verfluchtes Unglück für einen Menschen, wenn er sich so an ein Thema verliert wie ich an das meine.›[10]

Wallace' Zustimmung zu dem ganzen Verfahren traf im Januar 1859 ein. Er reagierte nicht nur liebenswürdig; er freute sich, Darwin mobilisiert zu haben. Er schrieb Hooker, er hätte ‹großen Schmerz und Bedauern› empfunden, wenn sie seinen Ternate-Artikel allein veröffentlicht hätten. Darwin versicherte ihm immer noch kleinlaut: ‹Ich hatte absolut nicht das geringste damit zu tun, Lyell und Hooker zu dem zu veranlassen, was sie für eine faire Verfahrensweise hielten.› Wallace war neugierig in bezug auf Lyells Ansichten über Evolution. ‹Ich glaube, er ist etwas wankend geworden›, antwortete Darwin, ‹gibt aber nicht nach und spricht mit Entsetzen ... davon, was für eine Arbeit ihm für die nächste Ausgabe von *Principles* bevorstünde, falls er «abtrünnig» würde. Aber er ist überaus freimütig und ehrlich, und ich meine, am Ende wird er doch abtrünnig werden.›

Darwin begriff niemals das Ausmaß von Lyells Schwierigkeit. Sein vom Artenwandel gequälter Mentor rang immer noch darum, die Abstammung des unsterblichen Menschen vom Tier zu rationalisieren. Beschränkte sich die Verwandtschaft auf ‹die animalische Natur des Menschen›, und wurden dessen ‹moralische, intellektuelle und dem Fortschritt geöffnete Fähigkeiten› als etwas Einzigartiges erschaffen? Lyell stellte das gegenüber Huxley und Tyndall zur Diskussion, mußte jedoch zur Kenntnis nehmen, daß sie für die Evolution von Leib und Seele optierten. Schließlich wünschte er sich eine ‹moralische› Erleuchtung bei der Geburt der menschlichen Spezies, einen heiligen Augenblick, in dem ihr die Gabe der Unsterblichkeit verliehen worden sei. Es war schwierig für einen in den Adelsstand erhobenen Geologen der älteren Generation. Trotzdem freute sich Darwin. ‹Wenn man sein Alter bedenkt, seine früheren Ansichten und seine Stellung in der Gesellschaft, dann, so meine ich, ist seine Haltung in dieser Frage heroisch gewesen.›[11]

Die junge Garde manövrierte behend. Nachdem er mit Owen abgerechnet hatte, bemächtigte sich Huxley jetzt der Evolution als eines massiven Keils,

um die Naturwissenschaft von der Theologie abzuspalten. Das paßte gut
in seine Kampagne für eine anständig entlohnte Gilde von Wissenschaftlern
im öffentlichen Dienst, eine neue professionelle Autorität im Dienst einer
Weltmacht. Autorität würde sich einstellen, wenn man mit einer Stimme
sprach; jede klerikale Verwässerung der Botschaft sei daher zu verabscheuen.

Huxleys Pfaffenhaß hatte den Höhepunkt erreicht. Die Frage der ‹Abstammung des Menschen› erlaubte ihm, alles aufs Korn zu nehmen, was sich
einer weltlichen Biologie ‹in den Weg zu stellen wagt›, und jeden anzugreifen, der bezweifelte, daß ‹es ebenso ehrbar ist, ein verwandelter Affe zu sein
wie ein verwandelter Lehmklumpen›. Diese Militanz trieb ihn noch weiter
in Darwins Lager. Er *wollte* keine Versöhnung mit dem Klerus. Das hätte
seine Absicht durchkreuzt; daher sein Verlangen, die Auseinandersetzung
weiter anzuheizen. Wenn den Orthodoxen gestattet werde zu beweisen, daß
die Schöpfungsgeschichte mit der Geologie vereinbar sei, dann ‹werde ich
meinerseits nicht anstehen zu beweisen›, wie er im Januar ankündigte, ‹daß
Vergewaltigung, Mord und Brandstiftung im Buch Exodus geradezu befohlen werden [...]. Man verlasse sich darauf, daß es keine Sicherheit gewährt,
neuen Wein in alte Schläuche zu füllen›. Er wollte den alten Vikaren das Leben sauer machen und ihre Lehrstühle für seine neuen Spezialisten freibe-
kommen. Eine ‹neue Reformation› breche an, eine frische Revolte gegen
kirchliche Privilegien. ‹Wenn ich den Wunsch habe, noch dreißig Jahre zu
leben, dann deshalb, damit ich den Fuß der Wissenschaft auf dem Nacken
ihrer Feinde sehe.›[12] So sprach ein Mann, der sich krummlegen und ab-
strampeln mußte, um über die Runden zu kommen, und dann erlebte, daß
den Klerikern aus Cambridge tausend Pfund im Jahr sicher waren.

Huxley schwenkte also auf die Linie Spencers, Chapmans und der Gruppe um die *Westminster Review* ein, von denen die meisten an die Evolution
glaubten. Auch in anderen Punkten kam es zu einem Schulterschluß. Spencer zerpflückte Richard Owens konkurrierendes Konzept idealer Archetypen, inkarnierter göttlicher Gedanken, von fleischgewordenen Worten
Gottes in der erhabenen Prozession tierischen Lebens durch alle Zeiten hindurch. Einen ‹fürchterlichen Quatsch› nannte Spencer das, ein Trostpflaster
für die Geistlichkeit, und er ging daran, ‹endgültig damit aufzuräumen›.
Einfachere, materielle Erklärungen seien nötig. Die Tiere hätten sich allmählich entwickelt, indem sie ‹*Anpassungen auf Anpassungen*› gehäuft
hätten.

Seit Jahren war Huxley anhand der komparativen Anatomie über Owens
Philosophie hergezogen. Im Juni 1858 hatte er in der renommierten Royal
Society einen Coup gelandet, indem er Owens majestätischem, ätherischem
Archetypus den Marsch blies, während Owen selbst den Vorsitz führte. An
dem Morgen, an dem Darwin Wallace' Artikel erhielt, meinte Huxley ge-
genüber Hooker amüsiert: ‹Ich möchte wissen, wie sich Richardus, «Rex

anatomicorum», heute früh fühlt. Ich fühle mich verdammt übel, aber das ist ja eine gerechte Strafe für uns Demokraten.›[13] Owen wurde brüskiert und hinausgedrängt – die künftigen Darwinschen Generäle machten jede Verständigung mit Darwins altem Freund unmöglich. Schon wucherte der Haß, ein öffentlicher Kampf um die Evolution war gesichert. Das verschlimmerte Darwins Dilemma, während er sich mit seinem Buch abquälte.

Seine ‹früheren, heftigen Anfälle von Erbrechen› und die Benommenheit im Kopf waren zurückgekehrt. Ein weiterer Aufenthalt in Moor Park, bei dem er sich mit klatschnassen Handtüchern traktieren ließ, machte ihn zu seinem fünfzigsten Geburtstag im Februar wieder munter, doch im März ging es schon wieder bergab. Hooker ging die Kapitel seines ‹Resümees› nacheinander durch. ‹Du hast es nicht annähernd so scharf angegriffen, wie ich fürchtete›, frohlockte Darwin, als er am 15. März eines zurückbekam. ‹Du scheinst nicht *viele* Fehler entdeckt zu haben. Ich habe fast alles aus dem Gedächtnis geschrieben und war daher besonders besorgt [...] P. S. Morgen werde ich (abgesehen von einer Rekapitulation) mein letztes Kapitel beenden.› Die Arbeit wurde durch Hookers Kinder nicht gerade erleichtert, wie Hooker niedergeschlagen an Huxley schrieb:

‹Ich hatte mir vorgenommen, Darwins Manuskript bis zum Wochenende abzuschließen, als ich zu meiner Bestürzung feststellen mußte, daß die Kinder mehr als ¼ des Manuskripts haben mitgehen lassen. Durch irgendeinen haarsträubenden Zufall ist das ganze Bündel, das über 1 Pfund wog, als es ankam (Darwin schickte Briefmarken für 2 Pfund mit), in eine Schublade gesteckt worden, in der meine Frau Zeichenpapier für die Kinder aufbewahrt – und die haben seither natürlich wie verrückt gezeichnet. Ich fühle mich als Rohling, wenn nicht Schlimmeres, denn dem armen D. geht es so schlecht, daß er nur mit Mühe die Energie aufbrachte, sein Werk abzuschließen. Ich wünschte, er könnte mir ordentlich die Leviten lesen, statt es so gutmütig hinzunehmen, wie es seine Art ist.›

Die Familie versuchte während dieser Zeit alles, um Charles aufzumuntern. Er verkaufte sogar die goldene Uhr seines Vaters und Wedgwood-Porzellan, um einen Billardtisch zu kaufen, der im Raum neben dem Arbeitszimmer aufgestellt wurde. Dorthin zog er sich täglich zurück, um ‹mir die gräßlichen Spezies aus dem Kopf zu schlagen›.[14]

Den ganzen April hindurch schlug er sich noch damit herum, gliederte Anmerkungen aus, glättete den Text und entfernte die unzähligen Illustrationen zu den entlegensten Dingen. Am Ende hatte er *Natural Selection* auf die Kerntheorie von 155 000 Wörtern verknappt. Es war ein höchst untypisches wissenschaftliches Buch für das Zeitalter, zwar immer noch zu weitschweifig, aber verkäuflich.

Lyell spielte den Agenten und gewann John Murray für die Idee. Murray hatte eines der besten Verlagsprogramme in London mit Titeln wie *Prin-*

Darwin

ciples of Geology, Hookers *Himalayan Journals,* Darwins *Journal of Researches,* Layards *Nineveh,* Grotes *History of Greece* und selbst einem ‹Düngerhandbuch› für Landwirte, und er plante bereit seine Herbstrenner: einen Bericht über die Suche nach Sir John Franklins verschollener Expedition, Wellingtons Depeschen und Samuel Smiles' *Self-Help.* ‹Kennt er das Thema des Buches überhaupt?› fragte Darwin. Es bestand Anlaß zur Sorge; schließlich hatte Murray *Eastern Life* von Harriet Martineau wegen seiner ‹ungläubigen Tendenz› abgelehnt. Darwin fügte ein P. S. an Lyell hinzu: ‹Würdest Du mir raten, Murray zu versichern, daß mein Buch nicht *un*orthodoxer ist, als das Thema erzwingt?› – womit er meinte, daß ‹ich die Abstammung des Menschen nicht erörtere. Daß ich keine Diskussion über die Schöpfungsgeschichte usw. usf. hereinnehme›. Murray wurde von Lyell beruhigt und brach tatsächlich mit seiner Kardinalregel, als er sich bereit erklärte, das Manuskript unbesehen zu veröffentlichen, und Darwin zwei Drittel des Reinerlöses anbot.

Als praktischem Menschen erschien Murray der Titel wichtiger. Darwin war entschlossen, das Buch *An Abstract of an Essay on the Origin of Species and Varieties through Natural Selection* (‹Resümee eines Essays über die Entstehung der Arten und Varietäten durch natürliche Auslese›) zu nennen. Doch trotz der viktorianischen Vorliebe für kopflastige Titel sah Murray die Gewinnchancen schwinden. Probekapitel gingen an ihn ab, darunter das ‹trockene und langweilige› über die Verbreitung, mit dem Hookers Kinder ahnungslos ihren Spaß gehabt hatten, begleitet von dem Gemurmel: ‹Gott helfe ihm, wenn er versucht, es zu lesen.› Darwin glaubte, das Buch werde ‹bei Wissenschaftlern und gebildeten Laien ... in gewissem Maße Anklang finden›, nicht aber in literarischen Kreisen; auch sei es zu ‹unerträglich trocken und verwirrend›, um den Romane verschlingenden Mittelstand im Sturm zu erobern wie *Vestiges.*[15] Murray muß es ähnlich gesehen haben, denn er wollte zunächst nur fünfhundert Exemplare drucken.

Ende Mai ließ Darwin seine Gesundheit wieder im Stich, doch eine Woche Hydrotherapie stärkte ihn für das Fahnenlesen. Die Stärkung war nötig; seine Prosa entsetzte ihn, als er sie gedruckt sah, und er nahm drastische Änderungen vor, schwärzte Seiten und heftete Notizzettel an die verschmierten Blätter, wobei er anbot, die Kosten zu tragen. Bis Ende Juni war er damit beschäftigt, zu straffen und zu ändern. ‹Ich nehme riesige Korrekturen vor›, teilte er Lyell mit. Er beklagte das ‹elende› Durcheinander gegenüber Hooker. Der aber steckte ‹tief im Morast› seiner eigenen Fahnen; er hatte die Flora von Darwins Lieblingskolonie, Tasmanien, beschrieben. In diesem Buch trat Hooker öffentlich für Darwin ein. Nicht daß er seine Arbeit mit *Origin of Species* vergleichen wollte. Das wäre, meinte Hooker, als hielte man ‹ein zerschlissenes Taschentuch neben eine königliche Standarte›.

538

Auch Huxley äußerte sich sehr freundlich. Er hatte nur einen kritischen Einwand: daß Haustierrassen, die von einem gemeinsamen Vorläufer abstammten (etwa Bulldoggen und Greyhounds als Abkömmlinge desselben wilden Hundes) keine unfruchtbaren Nachkommen hervorbrächten, wenn man sie kreuze, wie es bei unterschiedlichen wilden Rassen der Fall sei. Solange es Züchtern nicht gelinge, einen solchen Grad an Divergenz zu erzielen – nämlich faktisch neue Spezies aus einem einzigen Urahnen entstehen zu lassen –, bleibe die Analogie mit der natürlichen Auslese unvollständig. ‹Du sprichst davon, einen Fehler in meiner Hypothese zu finden›, gab Darwin vergnügt zurück, ‹was zeigt, daß Du deren Beschaffenheit nicht verstehst. Es ist ein bloßer Lumpen von einer Hypothese, mit so vielen Webfehlern und Löchern wie brauchbaren Teilen. Ich kann darin meine Frucht zu Markte tragen, jedenfalls ein kurzes Stück über eine gute Straße. Ich befürchte auch nicht, daß Du den armen Lumpen so durchschüttelst, daß er in Atome zerfällt; und ein schlechter Lumpen ist besser als nichts, um seine Frucht darin zu Markte zu tragen.›[16]

Darwin war im September ‹so schwach wie ein Kind› und kaum imstande, irgendwelche Lasten zu tragen, wie sachte auch immer. Er plante einen langen Aufenthalt in einem Kurort, wenn alles vorüber sein würde, vielleicht in dem neuen am Rand der unwirtlichen Yorkshire-Sümpfe, in Ilkley, genügend weit weg von allem. Trotz Anfällen von Übelkeit und Depression stapfte er weiter und bekritzelte die überarbeiteten Seiten, angetrieben von ‹einem wahnsinnig starken Wunsch, mein verdammtes Buch zu beenden› und ‹das ganze Thema aus meinem Bewußtsein zu verbannen›. Murray nahm die exorbitante Rechnung über 72 Pfund für die Korrekturen auf seine Kappe. Er schätzte die Verkaufschancen des Buches jetzt etwas höher ein und beschloß, 1250 Exemplare zu drucken; als Erscheinungsdatum setzte er den November fest. Unter Murrays Selektionsdruck machte der Titel eine weitere Metamorphose durch. Er hatte inzwischen abgespeckt zu *On the Origin of Species and Varieties by Means of Natural Selection* (‹Über die Entstehung der Arten und Varietäten vermittels natürlicher Auslese›), und Darwin tat jetzt noch ein übriges und verzichtete auf ‹*and Varieties*›.[17]

Saubere Abzüge des ‹gräßlichen Schinkens› gingen an Lyell. Darwin sah seinem Urteil immer noch mit ‹törichtem Bangen› entgegen; seine Zustimmung war ihm wichtiger als die von ‹einem Dutzend anderer Leute›. Lyell zollte Darwin tatsächlich ‹sehr große Anerkennung›, und auch anderen fiel auf, ‹wie erwartungsvoll Charles Lyell ... in bezug auf Darwins angekündigtes Buch über die Arten ist›. Wie Lyells Verwandter Bunbury bemerkte, würde es ‹fraglos höchst interessant und wichtig sein ... so demütigend es auch sein mag, sich vorzustellen, daß unsere entfernten Vorfahren Quallen waren›. Lyell rang noch immer mit Imponderabilien; der Gedanke machte ihm zu schaffen, daß ‹die Würde des Menschen auf dem Spiel steht›. Wie

konnte man das Gesicht des Menschen wahren und gleichzeitig einen seelenlosen Affen als Urahnen akzeptieren? Darwin brachte dafür wenig Mitgefühl auf. ‹Es tut mir leid, sagen zu müssen, daß ich keine «tröstliche Ansicht» über die Würde des Menschen habe. Ich gebe mich damit zufrieden,
daß der Mensch wahrscheinlich Fortschritte machen wird, und kümmere
mich wenig darum, ob man uns in ferner Zukunft als bloße Barbaren ansehen mag.›[18]

Gräßliche fünfzehn Monate kulminierten am 1. Oktober, als Charles unter Brechanfällen die Fahnenkorrektur abschloß. Während dieser ganzen
Zeit hatte er nur selten mehr als zwanzig Minuten hintereinander ohne Ma-
genschmerzen schreiben können. Am nächsten Tag machte er sich bei strö-
mendem Regen auf nach Ilkley, um dort im Bad die Ruhe vor dem Sturm
auszusitzen. Da er in seinem neuen Kurort nicht allein sein wollte, überredete er die amüsante Miss Butler –, die Gruselgeschichten erzählende alte
Irin von Moor Park –, ihn zu begleiten. Wenn sie da wäre, vertraute er
Freunden an, würde er sich ‹sicher und wie zu Hause fühlen›.

Ilkley Wells House war ein grandioser Palazzo in einer gepflegten Park-
anlage am Rand von Rumbold's Moor mit weitem Ausblick auf das Städtchen und das bewaldete Wharfedale. Erst drei Jahre zuvor eröffnet, bot es
das Nonplusultra an kultivierter Weltflucht, komplett mit Kegelbahnen,
Billardtischen und einem Stab von Fachärzten, die sich jeder Laune der
Herrschaften annahmen. Die nahe der Quelle gelegenen Bäder befanden
sich in einer Reihe gedrungener Ziegelbauten auf einem mit Laubbäumen
gesprenkelten Hügel. Esel trugen die Patienten vom Hotel aus in zwanzig-
minütigem Ritt dorthin. Wenn Darwin den schmalen Feldweg hinauf-
zuckelte, knatterten Ginster und Heidekraut im Nordwestwind, so daß er
schon fröstelte, bevor er ins kalte Wasser sprang. Der Winter kam früh in
diesem Jahr, und als der Darwinsche Anhang am 17. Oktober nachfolgte,
war niemand darauf vorbereitet. Alle erinnerten sich an eine Zeit ‹elenden
Frierens›.[19]

Darwins zweimonatiger Aufenthalt in Ilkley war durch Rückfälle und
Besserungen gekennzeichnet; dazwischen gab es schlimme Phasen. Zehn
Tage bevor die Fahnen in die Druckerei gingen, schrieb Darwin an Hooker:
‹In letzter Zeit ist es mir sehr schlecht gegangen. Während einer fürchterlichen «Krise» schwoll ein Bein an wie bei Elephantiasis – die Augen waren
fast verschlossen –, bedeckt mit einem Ausschlag und brennenden Ge-
schwüren. Aber sie reden mir ein, daß es mir sicher sehr gut tun wird. Es war
wie ein Aufenthalt in der Hölle.› Während er seine Tortur gleich Hiob ertrug, suchte er Rückhalt bei Freunden. Wenn es ihm nur gelinge, Hooker,
Lyell und Huxley von der natürlichen Selektion zu überzeugen, so glaubte
er, ‹ist das Thema gerettet›. Abgesehen von diesen engsten Vertrauten erwartete er, daß ihm eine schwere Zeit bevorstehe; bestenfalls Spott, schlimm-

stenfalls, ‹als Atheist verteufelt› zu werden, einschließlich der damit verbundenen gesellschaftlichen Ächtung.

Am 2. November schickte ihm Murray ein erstes Exemplar, in dunkelgrünes Leinen gebunden, auf sahnefarbenem Papier gedruckt, Ladenpreis fünfzehn Shilling, und versetzte Darwin in freudige Erregung über ‹die Geburt meines Kindes›. Am 11. und am 12. November, zwei Wochen vor der Auslieferung, kam der Moment, den er seit zwanzig Jahren gefürchtet hatte: Von seinem Kurort aus schrieb er Begleitbriefchen zu den Freiexemplaren. Ihr Ton war von entwaffnender Bescheidenheit; zwei gingen nach Harvard, an Louis Agassiz (dem er es nicht ‹in Trotz- oder Bravourstimmung› schickte) und Asa Gray (‹es gibt sehr viele Schwierigkeiten›), andere an Henslow (‹ich fürchte, Du wirst mit Deinem Schüler nicht einverstanden sein›), an Jenyns (‹vielleicht ... bin ich völlig auf dem Holzweg›), an de Candolle (‹Sie werden gänzlich anderer Meinung sein›), an den Oxforder Geologen John Phillips (den er schon ‹Bannflüche gegen mich ausstoßen› hörte), Falconer (‹Herr im Himmel, wie wild Sie sein werden [...] Sie werden Lust haben, mich lebendig ans Kreuz zu schlagen›) und Owen (dem es als ‹Schändlichkeit› erscheinen mochte).

Sich gegen die Elemente wappnend, spürte Darwin wieder einen ‹kalten Schauer›. Der heulende Wind war nichts, verglichen mit dem Sturm von Selbstzweifeln, seiner nagenden, bohrenden Furcht, daß ‹ich ... mein Leben einem Hirngespinst gewidmet habe›, noch dazu einem gefährlichen. Am Abend dachte er an Hookers Begeisterung und Lyells Aufgeschlossenheit und schaffte es so, ‹friedlich zu ruhen›. Gleichwohl schrieb er an Wallace im Fernen Osten, dem er ebenfalls ein Exemplar von *Origin of Species* schickte: ‹Gott weiß, was die Öffentlichkeit denken wird.›[20]

Die ersten Überraschungen waren angenehmer Art. In der Sicherheit seines Badeorts hörte Darwin, daß mehr Bestellungen vorlagen, als durch die erste Auflage von 1250 Stück, die am 22. November in den Handel kam, erfüllt werden konnten. Auch wenn von Franklins Knüller 7600, von *Self-Help* 3200 Exemplare verkauft wurden, war er doch überwältigt, daß 1500 Bestellungen für *Origin of Species* vorlagen. Der Erfolg war so groß, daß er in Ilkley sofort mit Korrekturen für eine zweite Auflage begann. Der Brief eines romantischen Landpfarrers kam genau zur rechten Zeit. Charles Kingsley, gepriesen als Romanautor, geschmäht als christlicher Sozialist, war voll des Lobes für das Buch. Es flöße ihm ‹*Ehrfurcht*› ein, erklärte er; ‹falls Sie recht haben, muß ich viel von dem aufgeben, woran ich geglaubt habe›. Und er schien auch dazu bereit zu sein. Er fand es ‹eine ebenso edle Vorstellung von Gott, zu glauben, daß Er zur Selbstentwicklung fähige Urformen geschaffen hat ... wie anzunehmen, daß Er einen neuen Akt des Eingreifens benötigte, um die Lücke zu füllen, die Er selbst geschaffen hatte›. Darwin war außer

sich vor Freude und fügte diese Zeilen in das letzte Kapitel ein, wobei er sie
‹einem berühmten Autor und Geistlichen› zuschrieb.[21]

Dann kamen die ersten Kritiken. Einen Tag nachdem Kingsley seinen
Brief an Darwin geschrieben hatte, gab das *Athenaeum* – Pflichtlektüre der
Londoner Intellektuellen – den Ton an. Es ließ keinen Zweifel daran, daß
das Buch einen empfindlichen Nerv getroffen hatte. Obwohl ‹der Mensch›
darin kaum erwähnt wurde, ließ ihn die Presse selten aus dem Spiel. Das
Athenaeum war ganz aus dem Häuschen darüber, daß Menschen von Affen
abstammen sollten und Theologen brüskiert wurden. Das Blatt wußte, an
welches Tribunal es appellieren mußte. Darwin sollte ‹in der theologischen
Fakultät, im College, im Vortragssaal und im Museum der Prozeß gemacht
werden›. Zu spät, bemerkte die *Saturday Review*; das Buch habe die akademischen Grenzen bereits gesprengt und seinen Weg ‹in den Salon und auf
die Straße gefunden›. Konservative sahen es in die falschen Hände geraten,
und auch Darwin war entgeistert zu hören, daß Pendler das Buch vor der
Waterloo Station kaufen konnten. Das *Athenaeum* faßte Darwins ‹Credo›
ziemlich grobschlächtig so zusammen: Der Mensch sei ‹gestern zur Welt gekommen – er wird morgen zugrunde gehen›. Nicht länger unsterblich, sei
er ein Zufallsprodukt. Das traf Emma an ihrem wunden Punkt und brachte Charles in Rage. ‹Die Art und Weise, wie [der Rezensent] die Unsterblichkeit hereinzerrt und die Geistlichkeit gegen mich aufbringt, um mich ihrer Gnade zu überlassen, ist niederträchtig›, schrieb er erbost. ‹Er würde
mich zwar keineswegs verbrennen, aber er holt vorsorglich schon das Holz
zusammen und sagt den Schwarzröcken, wie sie mich packen können.›[22]

Doch es gab auch Erfreuliches. Noch bevor er am 9. Dezember von Ilkley
nach Hause kam, erfuhr Darwin, daß Murray eine zweite Auflage von 3000
Stück vorbereite und der Heidelberger Professor Heinrich Georg Bronn eine
deutsche Übersetzung plane (eine gereinigte Fassung, wie sich herausstellte).
Und diejenigen, die er am meisten zu ‹bekehren› hoffte, zeigten sich beeindruckt. Hooker war auf seiner Seite, Lyell ‹schwelgte› in dem Buch, und
Huxley schrieb ‹so ungeheuer lobend›, daß es Darwin verlegen machte. Wie
Carlyles Held, der Prophet Mohammed, durch den die Kräfte der Natur
sprachen, schärfte Huxley bereits ‹Schnabel und Klauen›, um den ‹Schweinehunden, die bellen und jaulen werden›, den Bauch aufzuschlitzen.[23] Klerikalen Schweinehunden natürlich, die Owens Verwünschungen bellten.
Huxley brannte darauf, sich mit jemandem anzulegen, und Darwins Buch
lieferte ihm den Vorwand. Darwin wollte sich nicht direkt an diesen öffentlichen Kontroversen beteiligen (er war stets ‹zu krank›, hätte aber ohnehin
an keiner öffentlichen Debatte teilgenommen). Doch er animierte seine Anhänger vom sicheren Downe aus und stachelte sie gelegentlich an.

Das große Fragezeichen hing über Owens Kopf. Londons führender vergleichender Anatom hatte eine Arroganz, hinter der sich Empfindsamkeit

verbarg; zu Darwin war er allerdings immer höflich gewesen. Er reagierte als erster auf das ihm übersandte Exemplar; mit ausgesuchtem Charme behauptete er, schon lange geglaubt zu haben, daß ‹vorhandene Einflüsse› für die ‹vorherbestimmte› Entstehung von Arten verantwortlich gewesen seien. Er könne *Origin of Species* niemals als ‹heterodox› betrachten. Dies war außerordentlich ermutigend. Anfang Dezember hatte Darwin lange Gespräche mit Owen, der ihm bestätigte, daß das Buch die beste Erklärung ‹über die Art und Weise der Entstehung der Arten enthält, die jemals veröffentlicht wurde›. Dennoch hegte Owen weiterhin die gravierendsten Zweifel; nach seiner Überzeugung erniedrigte die Evolution den Menschen zum Tier. Für ihn war die Vorsehung am Werk, nicht die Evolution. Als Präsident der British Association hatte er 1858 von der ‹andauernden Wirksamkeit der Schöpferkraft› während der ganzen geologischen Zeit gesprochen. Da der Präsident ‹sozusagen im Namen der Königin über die Wissenschaft sprach›, war dies offensichtlich die aufkommende Orthodoxie. Die Tierarten seien ‹in sukzessiver und kontinuierlicher› Weise auf dem Planeten erschienen. Hierbei habe sich jedoch nicht eine langsam in die nächste verwandelt, sondern die Spezies seien sprunghaft aufgetreten, jede aus dem Schoß ihrer Vorgängerin, in Einklang mit irgendeinem schöpferischen Gesetz.

Wenn Owen die Evolution verabscheute, warum dann diese Freundlichkeit? Möglicherweise gestand ihm Darwin seine Neigung, ‹alles als Ergebnis geplanter Gesetze zu betrachten› (wie er Asa Gray einige Monate später versicherte). Damit meinte er, daß Gott Naturgesetzen die Evolution des Lebens aufgetragen habe, statt selbst einzugreifen; Owen, der sich an die ‹geplanten Gesetze› hielt, nahm indes an, sie hätten eine gemeinsame ideologische Grundlage, weil sie beide an eine unmittelbare ‹schöpferische Kraft› glaubten. Daher seine Höflichkeit und Darwins Eindruck, daß ‹er im Grunde seiner verborgenen Seele so weit geht wie ich›.[24]

Doch Darwins ‹Plan› war weit von Owens ‹vorherbestimmter› Natur entfernt. Ebenso wie Carpenter, Southwood Smith und andere Unitarier betrachtete Darwin die Natur als unveränderliche Kette materieller Ursachen und Wirkungen. Die göttliche Vorsehung spielte keine Rolle; natürliche Ursachen waren nicht Ausdruck der ‹andauernden Einwirkung› von Gottes Willen. Von Sedgwicks anglikanischer Auffassung, daß der Schöpfer jede Libelle persönlich entwerfe und laufend modernisiere, war nichts übriggeblieben. Darwin meinte zu Lyell, wenn jede Stufe der Evolution von der Vorsehung geplant sei, dann wäre die ganze Prozedur ein Wunder und die natürliche Auslese überflüssig. Gegenüber Gray schnitt Darwin zwar die Frage ‹geplanter Gesetze› an, überließ jedoch ‹die Einzelheiten, ob gut oder schlecht, der Wirkung dessen, was wir als Zufall bezeichnen können›. Wie ein guter Unitarier fand Darwin, daß eine rationale, von Gesetzen bestimmte Natur eine Lösung für das Problem des Bösen biete. Warum das viele ‹Elend›, wenn alles göttliche Fügung ist? fragte er Gray. ‹Ich kann mir nicht einreden, daß ein gütiger und allmächtiger Gott planmäßig die Schlupfwespen mit der ausdrücklichen Absicht geschaffen habe, daß sie Raupen bei lebendigem Leibe von innen her auffressen sollen.› Solche adaptiven Zu- und Unfälle ereigneten sich nur in einer von Gesetzen regierten Welt; dafür könne man nicht Gott verantwortlich machen.[25]

Hier sprach ein alter Unitarier, der von seinem Federbett heruntergefallen war. Er hielt sich an einen halbrespektablen Theismus und verpackte ihn für die Owens und Grays unter einem Designer-Label. Doch sein Gott war ein abwesender Grundherr, und die Natur kam ohne ihn zurecht.

Nicht unerwartet schloß sich Carpenter dem an, überzeugt davon, daß nur eine Welt ‹der Ordnung, der Kontinuität und des Fortschritts› einem allmächtigen Gott angemessen sei. Er schrieb im Dezember für die unitarische *National Review* über *Origin of Species*. ‹Jeder theologische Einwand› gegen die Abstammung einer Hunderasse oder einer Schneckenart von einer anderen sei ‹einfach absurd›, verkündete er und machte sich über die ‹verzopftesten sektiererischen Organe› wegen ihres Dogmas in solchen Dingen lustig. Die menschliche Evolution stehe dem nicht entgegen, wenngleich er diese Frage vertagte. Es genüge, daß der Kampf ums Dasein ‹zwangsläufig ... zur ständigen Höherentwicklung der daran beteiligten Rassen führt›.[26]

Im selben Augenblick flog Darwins sorgfältig errichtete Brücke zu Owen in die Luft. Natürlich steckte Huxley dahinter. Darwin las genüßlich die anonyme Besprechung in der *Times* am zweiten Weihnachtsfeiertag. Der blatteigene Kritiker, ‹so unbeleckt von wissenschaftlichen Kenntnissen wie ein Säugling›, hatte das Buch an Huxley weitergegeben. ‹Wie hast Du Jupiter Olympus herumgekriegt, Dir dreieinhalb Kolumnen purer Wissenschaft einzuräumen? Die alten Käuze werden denken, das Ende der Welt sei gekommen.› Darwin freute sich über den Artikel mehr als über ‹ein Dutzend Kritiken in gewöhnlichen Blättern›. Aber er enthielt den üblichen ‹unverschämten› Seitenhieb auf Owen, den sich Huxley anlagebedingt einfach nicht verkneifen konnte.

‹Um ehrlich zu sein, mir tut Owen leid. [Darwin hielt die Luft an.] Er wird verd——— wütend sein, denn Anerkennung, die einem anderen zuteil wird, so vermute ich stark, ist in seinen Augen Anerkennung, die man ihm vorenthält. Die Wissenschaft ist ja ein so enges Gebiet, daß es selbstverständlich nur einen Hahn im Hühnerhof geben sollte.›[27]

Verdammt wütend oder nicht, Owen war ein Schiedsrichter der Londoner Wissenschaft und erhielt eine Reihe von Klagen über das Buch. Sedgwick in Cambridge, Livingstone im Sudan, der Herzog von Argyll in der Regierung und Jeffries Wyman in Harvard, alle wandten sich an ihn. Livingstone merkte in den Weiten Afrikas nichts von einem Existenzkampf,

Sedgwick sah keinen Sinn in einer Welt ohne göttliche Vorsehung, Argyll meinte, Darwin habe vielleicht ‹ein paar *Zipfel* der Wahrheit› zu fassen bekommen, aber Wyman wußte, daß dazu sicherlich nicht die Zufallsvariationen zählten.[28]

Fünf Tage nach Huxleys Besprechung erschien Hookers Rezension im *Gardeners' Chronicle*. Darwin war dessen Lesern wohlbekannt, und der Artikel war sorgfältig auf die bodenständige Leserschaft zugeschnitten. Hooker behandelte *Origin of Species* als eine Erweiterung des Gartenbaus. Ebenso wie Erdbeersorten, hervorgebracht durch die ‹Fachkunde des Gärtners›, seien die gelungensten Spezies von der Natur ausgewählt worden. Und er fügte den chauvinistischen Gedanken hinzu, das Buch werde als erstes bei den Agrariern ‹Früchte tragen›.

Hooker ließ es wie leichte Kost klingen. Aber auch er hatte wochenlang daran zu kauen gehabt. Er pries Darwin dafür, zuerst die Kurzfassung veröffentlicht zu haben, ‹denn die dreibändige Ausgabe [*Natural Selection*] würde ohne diese Einführung jeden Naturwissenschaftler des 19. Jahrhunderts überfordern›.[29] Tatsächlich ließ gerade seine Schwierigkeit das Buch wissenschaftlich fundierter erscheinen – kein Vergleich mit dem oberflächlichen *Vestiges,* das dem niedrigsten Geschmack entgegenkam.

Aber die entschiedenste Zustimmung kam von den radikalen Atheisten wie Hewett Watson und dem alten Robert Grant; als überzeugten Transmutationisten waren ihnen die Tragweite und die Durchschlagskraft des Buches wichtiger als der von Darwin vertretene Mechanismus. Watson begrüßte Darwin als ‹den größten Revolutionär in der Naturgeschichte dieses Jahrhunderts› (es war das erstemal, daß jemand das gesagt hatte). Grant, der jetzt achtundsechzig Jahre alt war und immer noch jede Woche am University College Evolution lehrte, gab einen schmalen Band über Klassifizierung heraus und widmete ihn seinem früheren Gefährten mit den begeisterten Worten: ‹Mit einer Bewegung des Zauberstabes der Wahrheit haben Sie die von den «Arten-Krämern» verbreiteten schädlichen Dünste jetzt in alle Winde zerstreut.›[30]

1860–1871

33

Mehr Prügel als Lob

Zwanzig Jahre nach ihren Anfängen lag Darwins Theorie gedruckt vor. Manchen erschien sie als ein verspäteter Nachtrag zur Epoche der Reformen. Der trostlose, unbarmherzige Überlebenskampf, der darin vertreten wurde, schien besser zu den 1830er Jahren der Armengesetze zu passen als zu den optimistischen 1860ern. Ironischerweise kam Malthus inzwischen aus der Mode. Selbst dort, wo die Evolution akzeptiert wurde, ließ man also die natürliche Auslese – das ‹Gesetz des Drunter und Drüber›, wie Herschel es ausdrückte – für gewöhnlich nicht gelten.

Eine ‹bittere Satire› auf den Menschen und die Natur nannten Marx und Engels, die Malthus verabscheuten, *Origin of Species*. Die säkulare, im Daseinskampf stehende Natur, wie Darwin sie sah, hätte Marx ‹als naturwissenschaftliche Grundlage des Klassenkampfes in der Geschichte› dienen können; aber er lachte darüber, wie ‹Darwin unter Tieren und Pflanzen seine englische Gesellschaft wiederfindet›. Das war Natur im technischen Zeitalter mit Arbeitsteilung, Fabriken und proletarischen Verlierern. Am schlimmsten von allem: Es war ‹Hobbes' *bellum omnium contra omnes*›. Auch andere waren entsetzt über die implizite Botschaft dieses ‹Kampfes aller gegen alle›. Der Amoklauf des Laisser-faire, Konkurrenzkampf bis aufs Messer – ein satirischer Artikel stellte es so dar, als vertrete Darwin den Standpunkt: ‹«Die Macht ist im Recht», und daher ist auch Napoleon im Recht und genauso jeder betrügerische Händler.› Eine andere Stimme meinte, *Origin of Species* werde die Fanatiker des freien Marktes zufriedenstellen, ‹die alle Gesetze des Handelns und des menschlichen Denkens gewohnheitsmäßig auf die niedrigsten und gemeinsten Motive zurückführen›.[1]

Doch in Darwins näherer Umgebung war der alte malthusische Kreis der 1830er Jahre hingerissen. Erasmus hielt es für ‹das interessanteste Buch, das ich je gelesen habe›. Er schickte ein Exemplar an seine alte Flamme, Harriet Martineau, die jetzt achtundfünfzig war und im Lake District lebte, immer noch Kritiken schrieb und munter genug war, um von anonymen Bewunderern Champagner zu bekommen. Man hatte genügend Zeit in diesem Januar 1860, um Darwins Werk zu lesen. Kalte Nordostwinde brachten Schneestürme aus Sibirien mit und veranlaßten die Nation, sich um die Kaminfeuer zu scharen. Die Martineau, die eingeigelt in ihrer ‹Schneelandschaft› in dem Buch schwelgte, konnte Erasmus nicht genug danken. ‹Man könnte das ganze Leben lang «danke» sagen›, schrieb sie ihm, ‹ohne eine Vorstellung von der Dankbarkeit zu geben, die man empfindet.› Sie hatte oft geschwärmt von ‹der Qualität und der Beschaffenheit des Geistes Deines Bruders, aber es ist mir eine unaussprechliche Befriedigung, hier die volle Manifestation seines Ernstes und seiner Schlichtheit, seines Scharfsinns, seines Fleißes und der geduldigen Kraft zu sehen, mit der er eine solche Fülle von Fakten gesammelt hat, um sie durch eine so kluge Behandlung in so großartige Erkenntnisse zu verwandeln. Ich würde sehr gern wissen, wie groß der Anteil unserer Wissenschaftler ist, die glauben, daß er einen plausiblen Weg eingeschlagen hat [...] Es ist nicht besonders wichtig; denn es ist die nächste Generation, die den größten Gewinn aus solchen Büchern zieht›.

Wer die Besprechung in der *Times* geschrieben habe, fragte sie, und was Owen zu dem Buch meine. Nicht daß irgend jemand ‹Owens Benehmen oder Rede bei solchen Gelegenheiten traut; aber man fragt sich doch, was er denkt›.[2]

Harriet Martineau las *Origin of Species* als Atheistin und faßte es für ihren Mitstreiter George Holyoake vereinfachend zusammen. ‹Was für ein Buch das ist! Einerseits stürzt es (wenn es recht hat) die offenbarte Religion, andererseits ist es (was letzte Ursachen und Pläne betrifft) ganz der Natur verpflichtet. Die Spannweite und die Fülle des Wissens sind atemraubend.› Andere Rationalisten waren ebenso beeindruckt. ‹Der große Buckle stimmt mir von Herzen zu›, meldete Darwin erfreut. Und John Chapman sprach für viele, als er das Werk ‹eines der wichtigsten Bücher dieses Jahrhunderts› nannte, das ‹vermutlich eine immense geistige Revolution bewirken› werde. ‹Der Scharfsinn, das Wissen und die Unvoreingenommenheit, die aus diesem Werk sprechen, sind außergewöhnlich groß und wunderbar›.[3]

Die Martineau erhob nur einen Einwand. Darwin hatte alle Tiere und Pflanzen auf einen frühen ‹Ahnen› zurückgeführt. Um nicht mit der Nebenfrage der spontanen Entstehung des Lebens einen weiteren Proteststurm auszulösen, sprach er davon, daß dieser ‹erschaffen›, ihm Leben ‹erst eingehaucht› worden sei. Sie finde es ‹schade, daß 2 oder 3 Ausdrücke› theologisch erschienen, klagte die Schriftstellerin. Sie nahm an, daß sie umgangssprachlich verwendet worden seien, ‹ohne Bezugnahme auf ihre ursprüngliche Bedeutung. Dennoch hätten sie vermieden werden sollen; denn die Theorie benötigt keinen Schöpfungsbegriff, meine Überzeugung ist, daß Charles D. einen solchen auch nicht vertritt›.[4]

Sie schrieb an Fanny Wedgwood und äußerte auch ihr gegenüber diese Ansicht: ‹Ich bedaure eigentlich, daß C. D. es für nötig hielt, zwei- oder dreimal ... vom «Schöpfer» im landläufigen Sinn von Erstursache zu sprechen [...] Es ist kurios zu sehen, daß diejenigen, die ihm sonst zustimmen würden, sich abwenden, weil seine Auffassung «von Theologie abgeleitet ist» oder darauf beruht» [...] Mir scheint, daß er, nachdem er uns zu den frühesten Formengruppen beziehungsweise zu deren einziger ursprünglicher hingeführt hat, sich nicht darum zu kümmern bräuchte, wie diese wenigen Formen beziehungsweise diese eine Urform entstanden sind. Sein Thema ist die ‹Entstehung der Arten› und nicht die Entstehung der Organisation; und es erscheint mir als unnötiger Mutwille, die letztere Spekulation überhaupt eingeführt zu haben. Nun habe ich ganz offen gesagt, was ich denke.›[5]

Die Zustimmung der Unitarier, das Frohlocken der Atheisten und den Optimismus der jungen Wissenschaftlergarde trennten Welten von der Beklemmung, die Darwins Cambridger Mentoren empfanden. Die alten patrizischen Anglikaner befürchteten immer noch, daß eine Natur, die nicht aktiv vom Wort Gottes in Gang gehalten wurde, nichts Gutes verhieß, weil sie die Kommandostruktur einer patriarchalischen Gesellschaft bedrohte, so wie ein entfesselter, mörderischer Kapitalismus ihre Harmonie zerstörte. Sedgwick nahm kein Blatt vor den Mund. Alt und zerfurcht, hatte er für die Welt der Londoner Wissenschaft nur noch marginale Bedeutung; aber seine Seelenqual war echt. Er hatte sein Exemplar ‹mit mehr Schmerz als Vergnügen erhalten. Teile davon habe ich sehr bewundert, über andere lachte ich, bis mir fast die Augen schmerzten; wieder andere habe ich mit tiefem Kummer gelesen, weil ich sie für durch und durch falsch und äußerst verderblich halte. Du hast die wahre Methode der Induktion *verlassen* und uns in eine Maschinerie eingespannt, die in meinen Augen so ungebärdig ist wie die Lokomotive von Bischof Wilkin, die mit uns bis zum Mond dampfen sollte›.

Dem alten Proktor sträubten sich die Haare. Er bezichtigte Darwin, den Versuch zu machen, die Verbindung zwischen der materiellen Natur und ihrer moralischen Bedeutung zu durchtrennen. Nur dieses Zeichen göttlicher Liebe könne die gesellschaftliche Ordnung wahren. ‹Wäre es möglich ... [die Verbindung] zu zerreißen, dann würde die Menschheit meines Erachtens einen Schaden erleiden, der sie verrohen lassen würde›; ‹das Menschengeschlecht› würde in einen Sündenpfuhl ‹stürzen›. Er bezeichnete sich zwar als ‹Sohn eines Affen und alten Freund›, schloß aber mit einem Gedanken, der Emma einen Stich versetzte. Wenn sie beide, ‹Du und ich›, Gottes Offenbarung in der Natur und der Bibel akzeptierten, ermahnte er Charles, ‹dann werden wir uns im Himmel wiedersehen›. Diese Infragestellung von Charles’ künftigem Leben verstörte sie, und sie weigerte sich, Henrietta den Brief zu zeigen.[6]

Henslow war großmütiger. An seinen Schwager, den Reverend Jenyns, schrieb er: ‹Das Buch ist ein wunderbares Gefüge von Fakten und Beobachtungen und enthält zweifellos viele legitime Schlußfolgerungen; aber es treibt die *Hypothese* (denn es ist keine wirkliche *Theorie*) zu weit. Es erinnert mich an das Zeitalter der Astronomie, in dem viel durch Epizyklen erklärt wurde, und für jede neue Schwierigkeit wurde ein neuer Epizyklus erfunden.› Henslow zog sich zwar mit mehr Anstand aus der Affäre als Sedgwick, doch zuletzt meldete auch er Widerspruch an. ‹Darwin versucht mehr, als dem Menschen gewährt ist, so wie man früher versuchte, die Entstehung des Bösen zu erklären, eine Frage, die unsere Erkenntnisfähigkeit übersteigt.›[7] Öffentlich räumte er zwar ein, daß das Werk ‹ein Stolperschritt in die richtige Richtung› sei, aber als sein Name mit den Anhängern Darwins in Verbindung gebracht wurde, protestierte er bei den Zeitungen.

Diese anglikanische Mißbilligung hatte auch persönlichere Konsequenzen. Darwin entging dadurch vielleicht sogar die Erhebung in den Adelsstand. Lord Palmerston, der im Juni 1859 angetretene liberale Premierminister, hatte Königin Victoria offenbar Darwin als Kandidaten für eine solche Ehrung vorgeschlagen. Prinz Albert hatte zugestimmt; er war ein Freund der Wissenschaft, ein Freund von Owen, dem damaligen Präsidenten der British Association, wo Lyell über Darwins angekündigtes Werk gesprochen hatte, und er hatte Sir Charles in ähnlicher Weise geehrt gesehen. Darwin wäre hoch erfreut und erstaunt gewesen. Aber dann kam *Origin of Species* heraus. Die kirchlichen Berater der Königin, unter ihnen der Bischof von Oxford, Samuel Wilberforce, wußten die Ehrung zu verhindern, weil sie allerhöchste Zustimmung bedeutet hätte; so wurde Palmerstons Ersuchen abgelehnt.[8]

Doch die Anglikaner bildeten keine geschlossene Front. Charles Kingsley, darauf bedacht, sich mit der Avantgarde der Evolution ebenso zu solidarisieren, wie er es mit den Chartisten getan hatte, trat in einen Dialog mit Huxley. Im Februar 1860 schrieb dieser in einem Brief über Kingsley, er sei ‹ein sehr realistischer, mannhafter, aufrechter Pfarrer, aber ich habe insgesamt eher den Eindruck, daß es mehr meine Absicht ist, ihn zu bekehren, als umgekehrt. Er ist übrigens ein gestandener Darwinist und hat mir eine umwerfende Geschichte über einen Wortwechsel mit Lady Aylesbury erzählt, die ihrem Erstaunen darüber Ausdruck gegeben hatte, daß er eine solche Ketzerei billige, worauf er entgegnete: «Was könnte erhebender für mich sein, Lady Aylesbury, als zu wissen, daß Ihre Ladyschaft und ich vom selben Giftpilz abstammen?» Worauf die frivole alte Frau den Mund hielt, unsicher, ob sie wegen ihrer Bemerkung geneckt oder bewundert worden war›.[9]

Aber im allgemeinen hatte die junge Garde für Kleriker nichts übrig; ihre Strategie war auf Konfrontation ausgerichtet – Männer mit Doppelberuf sollten aus der Wissenschaft hinausgedrängt werden.

Huxleys kämpferische Haltung fiel auf. Im Februar hielt er in der Royal Institution einen Vortrag über Darwins Theorie der ‹Arten und Rassen und ihrer Entstehung›. Bewaffnet mit Darwins Zeichnungen, Schädeln von Kropf- und Haustauben sowie Stößen von Manuskriptblättern von *Natural Selection*, traf er auf dem Schauplatz ein. Nach dem Vortrag schlugen ihm ‹Wogen der Antipathie› entgegen, nachdem er mit seinem Versuch, unparteiisch zu sein, alle ‹enttäuscht und verstimmt› hatte. Das behauptete er jedenfalls. In Wirklichkeit hatte er einige der Enttäuschungen wohl absichtlich bereitet. ‹Ich hatte einen Bischof und einen Prälaten unter meinen Zuhörern, und um *denen* eine Freude zu machen, schloß ich mit der provozierendsten Gegenüberstellung von Wissenschaft und Pfaffentum, die ihnen wahrscheinlich je zu Ohren gekommen ist.›[10]

Er warf den Kirchenmännern offen den Fehdehandschuh hin, indem er *Origin of Species* für den Versuch benutzte, die Wissenschaft der kirchlichen Kontrolle zu entreißen, womit er Anwesende wie Owen in Rage versetzen mußte. Huxley hatte sein Repertoire an Metaphern inzwischen vervollkommnet: über gegnerische Kleriker, die seit den Tagen Galileis ‹in jeder Auseinandersetzung zermalmt und zerstampft› worden seien, über ‹Knute von heute [Anspielung auf Knut den Großen, um 995–1035, dänischer König von England, Dänemark und Norwegen; Anm. d. Ü.], die, feierlich inthronisiert, der großen Woge Einhalt gebieten›, über *Origin of Species* als Vorbotin einer ‹neuen Reformation›. Er verurteilte die unbefugte Einmischung der Pfaffen und schloß mit einer Frage. Würde England eine ruhmreiche Rolle in dieser ‹Revolution› des Denkens spielen? ‹Das hängt davon ab, wie Sie, die Öffentlichkeit, mit der Wissenschaft umgehen. Halten Sie sie in Ehren, wenden Sie getreulich ihre Methoden auf alle Zweige des menschlichen Denkens an, dann wird die Zukunft dieses Volkes größer sein als seine Vergangenheit. Hören Sie dagegen auf diejenigen, die sie zum Schweigen bringen und vernichten wollen, dann fürchte ich, daß unsere Kinder es erleben werden, wie Englands Ruhm sich gleich König Artus in Dunst auflöst.›

Hier paarte sich weltliche Sachkunde mit der technologischen und imperialen Rettung Großbritanniens, wurde das Heil der Nation verknüpft mit dem eigenen Wohlergehen des professionellen Wissenschaftlers. Es war ein eigennütziges Plädoyer im Namen des neuen akademischen Spezialisten, der nur eine Armeslänge vom Dogmatiker im weißen Stehkragen entfernt stand. In seinem ersten öffentlichen Vortrag über *Origin of Species* hatte Huxley den Boden für die kommende Auseinandersetzung bereitet. Darwin, der Gutsherr von Downe und alles andere als ein Stehkragenträger, war davon keineswegs entzückt. Er hielt die blumige Rhetorik für pure ‹Zeitverschwendung›.[11] Nach seiner Ansicht hätte sich der Vortrag mit den Subtilitäten des Buches befassen sollen, nicht mit Knut und Artus.

Im März fertigte Darwin bezeichnenderweise Listen von Gefolgsleuten an. Auch er hatte eine polarisierte Sicht der Ereignisse: Jeder war entweder für oder gegen ihn, auf ‹unserer Seite› oder ‹für die Außenseiter›. Huxley avancierte zu seinem ‹guten und liebenswürdigen Vermittler und Verbreiter des Evangeliums, d.h. des Evangeliums des Teufels›. Die Kameraderie zwischen Huxley, Hooker und Darwin verstärkte sich, beflügelt durch einen sektiererischen Geist, der sich in pseudoreligiösen Metaphern manifestierte – trotz einiger Zweifel darüber, auf welcher Seite der Satan denn nun stehe. ‹Für Männer, die nach dem Prinzip des Hochdruckkessels funktionieren wie wir›, so Huxley zu Hooker, ‹besteht die Alternative darin, sich hinzulegen und dem Teufel freie Hand zu lassen. Und lieber lasse ich mich in Stücke reißen, bevor ich vierzig bin, als das zu erleben.›[12]

Die unbekannte Größe war Owen. Sein öffentliches Urteil über *Origin of Species* wurde mit Spannung erwartet, und tatsächlich sah sich der Leiter der Naturgeschichtlichen Sammlungen am Britischen Museum gezwungen, zu dem Buch Stellung zu beziehen. Owen erklärte gegenüber einem Parlamentsausschuß, der die Möglichkeit untersuchte, ein eigenständiges Naturgeschichtliches Museum zu errichten, ‹in der gegenwärtigen Phase der Naturgeschichtsphilosophie› sei Expansion nötiger denn je.

‹Die ganze Geisteswelt ist dieses Jahr durch ein Buch über die Entstehung der Arten in Erregung geraten. Und was ist die Folge? Besucher kommen in das Britische Museum und sagen: «Wir möchten all diese Taubenrassen sehen. Wo ist die Purzeltaube, wo ist die Kropftaube?», und ich bin dann gezwungen, beschämt zu antworten: «Ich kann Ihnen nichts davon zeigen.» [...] Unser Raum gestattet es uns nicht, ihnen die Spielarten dieser Rassen zu zeigen oder irgendwelche jener Phänomene, die einem helfen würden, dem Geheimnis aller Geheimnisse nahe zu kommen, der Entstehung der Arten; aber sicherlich sollte irgendwo Platz dafür sein. Wenn nicht im Britischen Museum, wo dann?›

Aber so nützlich Darwins Buch als ein Hebel sein mochte, um die Regierungsschatullen zu öffnen, betrachtete Owen es dennoch als gefährliche Waffe in den falschen Händen. Huxleys religionsfeindliche Provokationen und seine Sticheleien über Affen trafen ins Schwarze. Als Owens Besprechung des Werkes im April in der *Edinburgh Review* erschien, war der überempfindliche Darwin so schockiert, daß er eine schlaflose Nacht hatte. ‹Gehässig› nannte er sie, ‹äußerst bösartig, geschickt und ... schädlich.›[13]

Owen war jetzt selbst wütend; Huxleys provozierende Posen hatten ihn verärgert. Seine Rezension zeigte, daß ihn die krude Karikatur der ‹Schöpfungsgläubigen› erboste, die das Buch enthielt, daß er ergrimmt war über Darwins Frage, ob sie wirklich glaubten, Tiere seien aus dem Nichts erschienen, als sich ‹Uratome plötzlich in lebendiges Gewebe verwandelten›. (‹Absurd und unwürdig› nannte er das, zumal Darwin *selbst* schrieb, die ersten ‹Urahnen› seien ‹erschaffen› worden! Wie wurden sie denn erschaffen? Owen schnaubte. Etwa aus ‹Uratomen›?) Durch Huxley gereizt, nahm sich Owen Darwins Feststellung über die ‹Blindheit einer vorgefaßten Meinung› zu Herzen. Er bezichtigte Darwin, Popanze zu errichten. Sollte Owens eigenes unschönes ‹Axiom vom *ständigen Wirken der vorherbestimmten Entstehung lebendiger Dinge*› ignoriert werden? Glaubten nicht die meisten modernen Geologen, das ‹Geheimnis aller Geheimnisse› habe eine natürliche Erklärung? Daß keiner von ihnen die Transmutation akzeptiere, spiele keine Rolle. Darwin sei dem Irrtum verfallen anzunehmen, die Selektion sei das einzig mögliche schöpferische Naturgesetz.[14] Es gebe jedoch eine göttlichere, weniger zufallsbedingte Alternative: Neue Arten träten auf einen Streich, durch natürliche Geburt, auf.

Auch andere stürzten sich ins Getümmel und nagelten ihre Fahnen an Owens Mast. Von Huxley in Harnisch gebracht, hielten es viele vermögende Männer für ihre Pflicht, die Wissenschaft wieder in eine respektable Richtung zu steuern. Der Herzog von Argyll, Lordsiegelbewahrer in Palmerstons Regierung, der gegenwärtig den Haushalt mit der Abschaffung der Zeitungssteuer verteidigte, sah Owens Unterscheidung als wesentlich an. Entstehung durch natürliche Selektion sei unvorstellbar – blutig, verschwenderisch und chaotisch –, während ‹*Entstehung durch Geburt*› mit der Erfahrung in Einklang stehe; schließlich sei der Fortpflanzungsvorgang ‹das einzige «Gesetz», von dem wir wissen, daß es imstande ist, etwas zu «erschaffen»›.[15] Daß Huxley und Hooker mit ihren profanen professionellen Bedürfnissen diese Unterscheidung als schädlich behandelten, sei kein Wunder, drohe sie doch ihre Wissenschaftlerkoalition zu sprengen und Geistlichen wie Aristokraten wieder die Tür zu öffnen.

Owens Bitterkeit wurde durch Huxleys Schlußfolgerung verschärft, daß ‹der Mensch ein mutierter Affe sein könnte›. In seiner Besprechung rüffelte er Darwins ‹Jünger› wegen ihrer ‹kurzsichtigen› Gefolgschaft; auch Hooker wurde getadelt. Dann wandte er sich Huxleys Vortrag in der Royal Institution zu, den er mit äußerstem Abscheu über sich hatte ergehen lassen. England verdanke seine ‹Größe› Büchern wie *Origin of Species*! Eine zutreffendere Kennzeichnung wäre nach Owens Ansicht ein ‹Affront gegen die Wissenschaft› gewesen, von jener Art, ‹der eine benachbarte Nation vor etwa siebzig Jahren ihre vorübergehende Degradierung verdankte›. Es sollte nicht das letzte Mal sein, daß man Darwin das revolutionäre Frankreich um die Ohren schlug.

Die Angegriffenen schlossen schützend ihre Reihen. ‹Er zieht furchtbar über Huxleys Vortrag her›, lamentierte Darwin, als er die Kritik las, ‹und er ist sehr erbittert über Hooker. Wir hatten also alle drei das *Vergnügen*.› Huxley hatte richtig gerechnet. Owen war in die Isolierung geraten und lächerlich gemacht worden – das war zuviel für seinen maßlosen Stolz. Jeder wußte, warum er zurückgeschlagen hatte. Ein Bewunderer meinte zu Huxley: ‹Sie haben wahrscheinlich geahnt, wie er reagieren würde, denn Sie haben es ihm ja genauso gut gegeben.› Darwin hatte eine andere, eher oberflächliche Erklärung. ‹Die Londoner sagen, er sei gelb vor Neid, weil über mein Buch viel geredet wurde›, schrieb er Henslow. ‹Es tut weh, mit der Heftigkeit gehaßt zu werden, mit der mich Owen haßt.›[16]

Die Jünger fuhren fort, ihr Terrain abzustecken. Huxley gebrauchte im April in einer Besprechung für die *Westminster Review* zum erstenmal den Schlachtruf ‹Darwinismus›. Er gab ihnen damit eine Flagge, unter der sie marschieren konnten. Sie würden nicht länger eine staatenlose Nation sein; sie waren bereit, das wissenschaftliche Großbritannien zu erobern. Huxley rechnete mit Owen ab und begrüßte *Origin of Species* als ein ‹Whitworth-Gewehr im Arsenal des Liberalismus›; er prophezeite ‹die Herrschaft der Wissenschaft› über ‹Regionen des Denkens, in die sie bisher kaum vorgedrungen ist›. Im April war klar, daß die Geschicke Darwins und Huxleys nunmehr unwiderruflich miteinander verflochten waren. Huxley habe ‹eine *brillante* Rezension› geschrieben, bekannte Darwin, und ‹Volltreffer› erzielt. Es spielte keine Rolle mehr, daß er ‹das Thema kaum voranbringt›.[17]

Darwin nahm die Angriffe sehr persönlich. Die meisten Rezensenten schrieben mit großem Respekt, so entgeistert sie auch darüber sein mochten, daß sich ein wissenschaftlich tätiger Gentleman zur Ketzerei hinreißen ließ. Doch manche seiner älteren Freunde reagierten ablehnend. Wollaston beharrte mit Coleridge darauf, daß die Natur eine ‹schädliche Abstraktion› sei und nichts selektieren könne. Die Verrisse deprimierten Darwin. Die Anwürfe prasselten ‹heiß und heftig› auf ihn nieder. Nur wenige begriffen die natürliche Selektion, so daß er fluchte: ‹Ich muß ein sehr schlechter Erklärer sein.› Selektion implizierte für die meisten einen Selektor, und sie fragten sich, warum Darwin das nicht erkenne. ‹Vermutlich war «natürliche Selektion» ein schlecht gewählter Begriff›, räumte er ein. ‹Natürliche Erhaltung [*preservation*] wäre vielleicht weniger anthropomorph gewesen.› Er probierte es an Lyell aus. Lyell konnte indes seine schauderhafte Handschrift nicht entziffern und las ‹natürliche Verfolgung› [*persecution*], was in Downe angesichts der gespannten Situation Gelächter auslöste.[18]

Doch ob die Kritiker schäumten oder schwärmten, zumindest wurde *Origin of Species* von niemandem ignoriert. Drei amerikanische Verlage versuchten Raubdrucke herauszubringen (es gab noch keinen internationalen Urheberschutz). Aber Gray in Harvard machte seinen Einfluß geltend, überredete zwei zum Verzicht und vereinbarte mit dem Verlag Appleton in New York einen fünfprozentigen Gewinnanteil nach dem Prinzip ‹Besser der Spatz in der Hand als die Taube auf dem Dach›. Darwin hatte gehofft, daß Grays Besprechung im *American Journal of Science* der Ausgabe als Vorspann beigegeben werden könne, was die Opposition beschwichtigt hätte;

wenn der Botaniker dem Buch ‹nolens volens seinen Segen› gäbe, würde es ‹dessen Rettung sein›. Aber es sollte nicht so kommen. Die US-amerikanische Ausgabe erschien im Mai in einer Auflage von 2500 Stück ohne Grays Text. Dennoch war Darwin hoch erfreut. ‹Ich hätte mir nie träumen lassen, daß mein Buch [bei amerikanischen Lesern] so erfolgreich ist›, bemerkte er mit Genugtuung und bot Gray an, ihn an den Tantiemen in Höhe von zweiundzwanzig Pfund zu beteiligen. ‹Früher hätte ich über die Vorstellung gelacht, die Druckfahnen nach Amerika zu schicken.›[19]

Jeder potentielle Triumph wurde jetzt von den missionarischen Darwinisten herausgestrichen. Da sie sich belagert fühlten, brauchten sie sichtbare Erfolge. So kam es, daß eine schlagfertige Antwort auf einer Veranstaltung beim Kongreß der British Association for the Advancement of Science am Samstag, dem 30. Juni 1860, dazu bestimmt war, unter Verlust aller Maßstäbe zum bekanntesten ‹Sieg› des 19. Jahrhunderts, abgesehen von Waterloo, hochgejubelt zu werden.

In diesem Jahr war der Tagungsort Oxford, Bollwerk des Anglikanismus und Residenz von Bischof Samuel Wilberforce. Es gab keine geschickt inszenierte Debatte über den Darwinismus, doch Professor John William Draper von der Universität New York sollte über Darwin und den sozialen Fortschritt sprechen. Deshalb bezweifelte niemand, daß der Bischof seinem Ärger beredt Luft machen werde, wenn er dazu Gelegenheit erhielte. Seit der letzten Oxforder Tagung 1847, als Wilberforce mit Chambers wegen dessen *Vestiges* abgerechnet hatte, hatte sich jedoch vieles verändert. Nonkonformistische Londoner Wissenschaftler waren dabei, die Zügel der Macht zu übernehmen, und der Kirchenfürst konnte nicht mehr mit einmütiger Zustimmung rechnen. Das begann schon damit, daß er sich in einem nagelneuen Museum, nicht in der St. Mary's Church befand; selbst in Oxford besaß die Wissenschaft jetzt ihr eigenes Haus. Andererseits war dies immer noch Oxford, und das neugotische Museum war ein Altar für den Gott der Natur. Sein Eingang wurde von einem Engel bewacht. Die Professoren, die ihn passierten, gelangten in das helle, glasgedeckte Atrium. Hier konnten sie sich in einem ‹Tempel der Wissenschaft› fühlen und in den Formen der Natur schwelgen, ‹durch die sich der Urheber des Weltalls Seinen Geschöpfen offenbart›.[20]

An diesem Samstag fand eine planmäßige Sitzung der Sektion Botanik und Zoologie statt, aber Draper und der Bischof zogen ein großes Publikum an, mindestens siebenhundert Teilnehmer. Der Klerus nahm in der Mitte Platz, die Studenten in den hinteren Reihen; die Oxforder Professoren, Naturwissenschaftslehrer und Damen der Gesellschaft füllten die übrigen Ränge. Die Zusammensetzung hätte den Gegnern Darwins vielleicht die Mehrheit gesichert, doch dies waren ungewisse Zeiten. Zwar waren manche jener

Darwin

Londoner Gelehrten anwesend, die auch 1847 dabeigewesen waren; aber dreizehn Jahre hatten ihren Tribut gefordert. Viele fühlten sich unter den gotischen Türmchen fehl am Platze und empfanden die Professoren nicht als geistesverwandt.

Dies galt etwa für die Vermessungsgeologen, junge, festangestellte Fachleute aus der Mittelschicht, die eifersüchtig ihre Autonomie hüteten. Andrew Ramsay war einer der Karrieristen am Amt für Geologische Aufnahme. 1847 hatte er Wilberforce' Seitenhieb auf all jene applaudiert, die der ‹üblen Versuchung› zur Spekulation erlägen. Inzwischen hatte er jahrelang als Kollege von Huxley und Hooker gelehrt. In ihrer Montanschule hingen Schautafeln mit Reihen prähistorischer Muscheln, die Stammbäume veranschaulichen sollten. Ramsay versicherte Darwin, er sei längst mit der ‹Kette kleiner Wunder› fertig und habe sich dem Lager der Transmutation angeschlossen.[21] Das war nicht mehr der Ramsay von 1847. Jetzt, 1860, arbeitete er gezielt daran, die peinlichen Lücken in Darwins geologischer Beweisführung zu schließen.

So sehr sich die Teilnehmer aus London verändert haben mochten, der redselige Wilberforce war noch ganz der alte. Er hatte nicht die Geschmeidigkeit eines Kingsley, der bereit war, Darwins ‹niederträchtig schlauer Argumentation in jeden Morast und jedes Dickicht zu folgen, in die er uns zu führen beliebt›. Der liberale *Daily Telegraph* schmähte den Bischof als einen der ‹Torys alten Schlages›, die ‹keinen Schritt über ihre alten Vorstellungen hinausgekommen sind›.[22] Owen, der bei Wilberforce genächtigt hatte, stand im Verdacht, ihn mit Argumenten präpariert zu haben. Wahrscheinlich tat er das auch; beim Portwein wandte sich das Gespräch zweifellos Darwins Buch zu. Aber Owen glaubte an die ‹fortwährende Entstehung› des Lebens; deshalb drängte er den Bischof wahrscheinlich von den Wundern der Genesis zu einer aufgeklärteren Sicht hin: nicht darwinistisch, aber auch nicht traditionalistisch.

Huxley brannte darauf, sich ins Getümmel zu stürzen. Er war ebenso brillant wie scharfzüngig, brachte sich aber aufgrund seines ungestümen Wesens um manche Wirkung, und gegen Owen hatte er gelegentlich den kürzeren gezogen. Hooker war gelassener und klarer, wenn auch weniger schneidend. Spätere Legenden überlieferten ein heftiges Gefecht, bei dem Wilberforce schwer getroffen, wenn nicht gefällt worden sei. Der erste detaillierte Bericht, den Darwin erhielt, zeichnete indes ein ganz anderes Bild.

Darwin hatte sich in Dr. Lanes neues hydrotherapeutisches Sanatorium in Sudbrook Park in Richmond zurückgezogen. (Der Arzt war vom Ehebruch freigesprochen worden und hatte seine Klinik dorthin verlegt.) Hier saß er nun, ‹des Lebens äußerst überdrüssig›, und las Hookers langen Brief. Hooker erinnerte ihn an ihren gemeinsamen Besuch der Oxforder Tagung

558

der British Association 1847; aber auch ihm fielen die Veränderungen auf. Das klerikale Oxford übte keine Anziehung mehr auf ihn aus. ‹Ohne Dich und meine Frau schien alles so trüb wie Grabenwasser, und ich schlich durch die einst vertrauten Gassen und fühlte mich wie ein Fisch auf dem Trockenen. Ich schwor mir, zu keiner Sitzung zu gehen›, und tatsächlich betrat er zwei Tage lang keinen Versammlungsraum; statt dessen trieb er sich müßig in den Colleges herum und bewunderte die Gärten.

Sicherlich war für diesen Samstag nichts bewußt eingefädelt worden. Huxley hatte nicht einmal die Sitzung abwarten wollen; doch dann lief ihm am Freitag ausgerechnet Robert Chambers über den Weg und warf ihm vor, ‹sie im Stich zu lassen›.[23] Zweifellos hoffte der einst planmäßig gedemütigte Chambers auf eine stellvertretende Revanche. Auch Hooker hatte keinen Auftrieb. Er schlenderte in lustloser Stimmung zur Tür des Sitzungssaals, wie er Darwin schrieb, ‹und schwor mir wie gewöhnlich, nicht hineinzugehen; aber da es mich inzwischen genauso langweilte, nichts zu tun, ging ich doch›. In seinem Brief schildert er die Szene: ‹Ein Yankee-Esel namens Draper las einen Vortrag über ‹Zivilisation nach Darwins Hypothese› oder so ähnlich vom Blatt ab, und das besserte meine Laune nicht, denn bei all dem leeren Geschwätz und all den selbstzufriedenen Schwätzern – das war der Gipfel. Es war ein Gemisch aus Herbert Spencer und Buckle ohne die Logik von beiden.›

Tatsächlich war Draper gebürtiger Engländer und Absolvent der Londoner Universität, lebte jedoch seit achtundzwanzig Jahren in Amerika. Er war die Hauptattraktion, weil er Darwins Theorie auf die Gesellschaft anwandte. Aber sein einschläfernder Vortrag leierte eine Stunde dahin, obwohl man ihm ‹mit größter Aufmerksamkeit zuhörte; niemand ging hinaus, ja niemand muckste sich›.[24] Hooker weiter an Darwin: ‹Da ich jedoch hörte, daß Soapy Sam [= Wilberforce] antworten sollte, blieb ich bis zum Ende. Das Publikum war so zahlreich, daß sie die Sitzung in die Bibliothek verlegt hatten, in der sich zwischen 700 und 1000 Personen drängten, denn alle Welt war da, um Sam Oxen zu hören. Sam Oxen stand also auf und schwafelte eine halbe Stunde lang in seiner geistvollen Art mit unüberbietbarer Bösartigkeit, Hohlheit und Unfairneß. Ich merkte, daß er von Owen Anweisungen erhalten hatte und nichts wußte, und er sagte auch keine Silbe außer dem, was in der *Review* stand [Wilberforce' Polemik über *Origin of Species* in der soeben erschienenen *Quarterly Review*]; er spottete böse über Dich und ätzend über Huxley.›

Was Hooker nicht erwähnte, war, daß der Bischof nach zwei Stunden langweiliger Vorträge in einem stickigen Saal die Stimmung mit einem Scherz aufzulockern versuchte, der offensichtlich sein Ziel verfehlte. Er wandte sich Huxley zu und fragte ihn, ob er auf seiten seines Großvaters oder seiner Großmutter von einem Affen abstamme.[25] Huxley versuchte auf diesen ‹Tiefschlag› zu entgegnen ‹und den Spieß umzudrehen, aber er konnte sich bei einer so großen Zuhörerschaft mit seiner Stimme nicht durchsetzen und sich Gehör verschaffen; auch spielte er nicht auf Sams schwache Punkte an und formulierte seine Antwort nicht in einer Weise, die das Publikum mitgerissen hätte. Das Gefecht wurde jetzt hitzig. Lady Brewster fiel in Ohnmacht, die Aufregung nahm zu, während andere sprachen›.

Hooker nannte keinen Namen, sondern erwähnte nur ‹einen grauhaarigen, älteren Gentleman mit römischer Nase›, der inmitten der Zuhörer aufstand, um gegen ‹Mr. Darwins Buch› und ‹Professor Huxleys Erklärung› zu protestieren. Es war FitzRoy, der, inzwischen Leiter des staatlichen Meteorologischen Dienstes, in Oxford einen Vortrag über Stürme halten sollte. In militärischer Haltung beschwor der einstige Kapitän, ‹eine riesige Bibel zuerst mit beiden und dann mit einer Hand emporhaltend, die Anwesenden feierlich, Gott mehr zu glauben als dem Menschen›.[26] Er gab zu, daß ihm *Origin of Species* ‹heftigsten Schmerz› verursacht habe. Es war ein trauriger Anblick, als ihn die Menge niederschrie. Hooker weiter: ‹Ich war in höchster Erregung und fühlte mich als Feigling; jetzt sah ich meine Chance. Ich schwor mir, diesen Philister Sam zur Strecke zu bringen, und wenn ich mir das Herz aus dem Leibe redete, und so reichte ich dem Präsidenten [Henslow] meinen Namen, um als nächster den Fehdehandschuh zu werfen. Ich muß Dir sagen, daß Henslow als Präsident niemanden sprechen ließ außer denjenigen, die *Argumente* vorzubringen hatten. 4 Personen waren vom Publikum und vom Präsidenten bereits wegen bloßer Deklamation zum Schweigen gebracht worden; außerdem mußte inzwischen jeder Diskussionsredner das Podium besteigen. Ich stand also da oben und sah den rechts von mir sitzenden Sam schräg an und blies ihm den Marsch, während immer wieder Beifall aufbrandete. Als erstes versetzte ich ihm einen Magenschlag mit 10 Worten, die ich ihm aus dem eigenen widerlichen Mund genommen hatte, und demonstrierte dann in ein paar weiteren 1., daß er niemals Dein Buch gelesen haben konnte, und 2., daß er nicht das geringste über die Grundbegriffe der Botanik wußte. Ich sagte noch ein wenig mehr zum Thema meiner eigenen Erfahrung und Bekehrung und schloß mit einigen knappen Bemerkungen über die relative Stellung der alten und der neuen Hypothesen und mahnte die Zuhörer zur Vorsicht. Sam hatte es die Rede verschlagen – er hatte kein einziges Wort zu entgegnen. Die Sitzung *wurde anschließend aufgelöst,* und Du bliebst nach 4stündiger Schlacht als Sieger zurück. Huxley, der bisher die Hauptlast des Kampfes getragen hatte und der mich nie zuvor (Gott sei Dank) ins Gesicht gelobt hatte, sagte mir, es sei fabelhaft gewesen, und er habe bisher nicht gewußt, wozu ich das Zeug hätte. Anschließend hatte ich das Vergnügen, die Gratulationen und den Dank der schwärzesten Talare und der weißesten Stammbäume in Oxford entgegenzunehmen.›[27]

Das war sicherlich nicht der alte Hooker von 1847. Er hatte sich großartig geschlagen und einen Bischof in seiner eigenen Diözese abgekanzelt. Darwin zitterte, als er dies las, fern vom Schuß in Sudbrook Park, als er hörte, wie mit seinem abwesenden Körper ein Tauziehen veranstaltet worden war. Der Körper selbst versagte ihm den Dienst. ‹Mir ist es sehr schlecht gegangen›, antwortete er, ‹fast unablässige schlimme Kopfschmerzen seit achtundvierzig Stunden; ich war sehr niedergedrückt und dachte, was für eine nutzlose Bürde ich für mich und alle anderen bin, als Dein Brief kam [...] Es ist mir unverständlich, wie jemand in der Öffentlichkeit argumentieren kann, wie es Redner tun [...] Ich bin froh, daß ich nicht in Oxford war, denn das hätte meine Kräfte überstiegen.›

Es sah aus, als hätte Hooker die Szene beherrscht, nicht Huxley. Darwin fragte diesen nach *seinem* Eindruck von der ‹fürchterlichen Schlacht› und fügte hinzu: ‹Ich denke oft, daß meine Freunde (und Du weit mehr als andere) guten Grund haben, mich zu hassen, denn nachdem ich soviel Schlamm aufgewirbelt habe ... kann ich nur Deinen Schneid bewundern; ich wäre eher gestorben, als zu versuchen, dem Bischof in einer solchen Versammlung zu antworten.›[28]

Huxleys Version las sich jedoch erheblich anders. Als Wilberforce ihn nach seinen Vorfahren fragte, ‹antwortete ich, daß ich nicht erkennen könne, welchen Unterschied es für meine moralische Verantwortung machen würde, wenn ich tatsächlich einen Affen zum Großvater hätte›. Das war lahm, wie Hooker richtig erkannte; ‹der seifenträchtige Samuel hielt das für eine gute Gelegenheit, einen Gelehrten zu hänseln›, und fiel über Huxley her.

‹Er ging dabei jedoch plump vor, und ich beschloß, ihn zu bestrafen, teils deshalb und teils, weil er hochtrabenden Unsinn redete. Als ich aufstand, sagte ich also etwa folgendes: Ich hätte der Rede des Lord-Bischofs mit großer Aufmerksamkeit gelauscht, doch sei es mir nicht gelungen, darin entweder ein neues Faktum oder ein neues Argument zu entdecken außer der Frage nach meiner persönlichen Präferenz bezüglich meiner Abstammung. Auch wäre es mir nicht eingefallen, ein solches Thema selbst zur Diskussion zu stellen; ich sei aber durchaus bereit, dem hochwürdigen Herrn Prälaten auch in diesem Punkt Rede und Antwort zu stehen. Wenn mir also die Frage gestellt würde, sagte ich, ob ich lieber einen erbärmlichen Affen zum Großvater hätte oder einen von der Natur reich begabten Mann mit großen Mitteln und Einfluß, der aber diese Gaben und diesen Einfluß in der bloßen Absicht gebraucht, eine ernsthafte wissenschaftliche Diskussion ins Lächerliche zu ziehen, dann zögerte ich nicht zu erklären, daß ich den Affen bevorzugte. Darauf brachen die Leute in nicht enden wollendes Gelächter aus, und sie lauschten dem Rest meiner Argumentation mit der größten Aufmerksamkeit. Lubbock und Hooker sprachen nach mir mit großer Überzeugungskraft, und so gelang es uns, dem Bischof und seinen Anhängern endgültig den Mund zu stopfen.›

Huxley beharrte darauf, daß er ‹mit völlig ruhigem Blut gesprochen› habe, aber Augenzeugen berichteten, daß er ‹bleich vor Zorn› und zu erregt gewesen sei, um ‹wirkungsvoll zu sprechen›. Seine Hitzköpfigkeit hatte ihm wieder im Weg gestanden.

Wilberforce, ein Tory-Bischof, der sich ‹aufgrund seiner Stellung anmaßte›, in wissenschaftlichen Fragen zu urteilen, verkörperte alles, was die neuen Männer verabscheuten. Huxley empfand die ‹unbändigste Verachtung› für ‹die spitzmündige, ölige, ureigene Argumentationsweise dieses Mannes›. Jedenfalls war Huxley ebenso wie Hooker überzeugt davon, daß er ‹danach volle vierundzwanzig Stunden lang der populärste Mann in Oxford› gewesen sei. Angesichts der widersprüchlichen propagandistischen Behauptungen blieb Darwin im unklaren, wer nun eigentlich triumphiert hatte, außer daß es ‹unsere Seite› gewesen sein mußte. (Auf der Gegenseite ging Wilberforce in dem frohen Bewußtsein davon, Huxley blamiert zu haben, während viele der Anwesenden von einem unterhaltsamen Scharmützel sprachen.)[29]

Die Frage eines Affen als Großmutter aufzuwerfen, war ein riskantes Manöver, da man hier mit der viktorianischen Sensibilität hinsichtlich der Heiligkeit des weiblichen Geschlechts spielte. Wäre es nicht so witzig gewesen, hätte man es als schockierende Geschmacklosigkeit empfunden. Sedgwick hatte eine ähnliche Taktik gegen *Vestiges* angewandt, indem er von der Notwendigkeit sprach, ‹unsere prächtigen Maiden› von solcher Verdorbenheit zu bewahren. Die ‹Maiden› standen für Kirche und Keuschheit im Gegensatz zu den schmutzigen Evolutionisten. Wilberforce hätte mit seinem Trick Erfolg haben können, wenn Huxley nicht so schlagfertig (und redlich) gekontert hätte. Er formulierte die Angelegenheit zu einer Frage der Rechtschaffenheit um. Huxley vereinnahmte Darwins reine, unbefleckte ‹Wahrheit› für die neue, vorbildliche Truppe der Wissenschaftler. Er brachte einen Ernst in die Rhetorik, der dem Bischof fehlte, aber schließlich ‹hat kein Mensch je mehr von den moralischen Voraussetzungen eines puritanischen Sendungsbewußtseins manifestiert›.[30]

Huxleys Strategie bestand darin, eine moralisch erneuerungsfähige Wissenschaft im Kampf gegen eine korrupte Kirche vorzuführen. Damit übernahm er eine alte radikale Taktik und nutzte sie, um die Stellung der hauptberuflichen Wissenschaftler zu festigen. Niemand mit einem Doppelberuf sollte künftig Anspruch auf Gehör haben. Geistliche Geologen wie Sedgwick, fand Hooker, ‹sind wie Esel zwischen zwei Heuhaufen›.[31] Wilberforce war noch schlimmer. Die Esel mußten sich für einen Trog entscheiden: Wissenschaft oder Theologie. Die wissenschaftliche Macht wurde von den neuen Fachleuten strikt abgegrenzt.

Darwin führte sich Hookers Bericht in Sudbrook Park ‹mit grenzenlosem Vergnügen› zu Gemüte. Er las Huxleys Brief erneut, schickte ihn nach Hause an Emma, und ‹wenn ich heimkomme, werde ich ihn nochmals lesen›. Nachdem er ‹mehr Prügel als Lob geerntet hatte›, war er dankbar für Mitstreiter, noch dazu so redegewandte; aber er hätte dennoch eine ruhige Diskussion über Kropftauben und anderes Geflügel vorgezogen. Von seinem Richmonder Sanatorium aus schalt er Huxley scherzhaft: ‹Wie kannst Du es wagen, einen leibhaftigen Bischof in dieser Weise anzugreifen? Ich schäme mich für Dich! Hast Du keine Hochachtung vor dem Hirtenamt?›[32] Doch bei all der Pseudoheroik wußte er, daß die Würfel gefallen waren und er seine alten Mentoren nicht mehr würde versöhnen können.

Weitere Anekdoten begannen die Runde zu machen und besiegelten die Legende. William Darwin – der seinem Vater an das Christ's College gefolgt war – hörte von einem der Tutoren, der blinde Henry Fawcett (ein Darwin-Sympathisant, der kurz darauf Professor für Nationalökonomie in Cambridge werden sollte) und ein weiterer Cambridge-Mann hätten nach der Versammlung ‹zufällig in der Nähe des Bischofs von Oxford gestanden; der eine fragte Fawcett, ob er meine, daß der Bischof jemals *Origin* gelesen habe›, worauf der Blinde mit lauter Stimme gerufen habe: ‹«O nein, ich würde schwören, daß er kein Wort davon gelesen hat!» Der Bischof fuhr mit gerunzelter Stirn herum und wollte sich eben auf Fawcett stürzen, als er merkte, daß er blind war, und er sagte nichts.›[33]

Es ist dennoch zu hoffen, daß Wilberforce *Origin of Species* las, denn er bekam sechzig Pfund, um für die konservative *Quarterly Review* darüber zu schreiben. Das vervollständigte die Dreifaltigkeit prominenter Rezensionen (mit Owen in der *Edinburgh Review* und Huxley in der *Westminster Review*). Darwin bekam Wilberforce' Artikel Ende Juli zu Gesicht. Er war raffiniert. Der Bischof hatte sogar eine sechzig Jahre alte Parodie von Großvater Erasmus' evolutionistischer Prosa ausgegraben, um zu zeigen, daß der Apfel nicht weit vom Stamm falle. (Die politische Botschaft lag auf der Hand – die Parodie stammte aus dem reaktionären, regierungsnahen *Anti-Jacobin,* der in den Nachwehen der Französischen Revolution scharfe Töne anschlug.) Doch die Zeit von Tory-Bischöfen in der Schiedsrichterrolle war vorüber. Ohne jede Sympathie machte sich Darwin mit dem Bleistift über den Artikel her. ‹Wenn es wirklich Transmutationen gäbe›, argumentierte Wilberforce, würde man sie heute bei den sich rasch vermehrenden wirbellosen Tieren sehen. Da das nicht der Fall sei, warum solle man dann glauben, daß ‹die günstigen Spielarten von Rüben dazu tendieren, sich zu Menschen zu entwickeln›? Darwin kritzelte ‹Quatsch› an den Rand. Hier wurde die Wahrheit einer billigen Pointe geopfert, wie bei Wilberforce' höhnischer Bemerkung gegenüber Huxley. Wie der Bischof die Klassifizierung der Tiere erklärte, brachte Darwin noch mehr auf. ‹Die gesamte Schöpfung ist die

Übertragung von Ideen, die von Ewigkeit her im Geist des Allerhöchsten existieren, in Materie›, stand da zu lesen. ‹Bloße Worte›, kritzelte Darwin, Worte von der Art, wie Owen sie von sich gab und wie abgefallene, mit beiden Beinen auf der Erde stehende Unitarier sie verabscheuten.[34]

34

Aus dem Schoß einer Äffin

So groß die Aufregung um Darwin auch sein mochte, liberale Theologen lösten in ihrer eigenen Welt noch heftigere Leidenschaften aus. Sieben von ihnen – ‹sieben gegen Christus› – setzten Leuten wie Wilberforce schon drei Monate nach dem Erscheinen von *Origin of Species* ein Manifest mit dem täuschend harmlosen Titel *Essays and Reviews* entgegen. Sie waren eine zusammengewürfelte Schar, Oxford-Professoren, Landpfarrer, der Direktor der Public School in Rugby und auch ein Laie. Aber anglikanische Geistliche, die Wunder als irrational erklärten, riefen in einem kaum von deutscher Bibelkritik berührten Land beispiellose Wutreaktionen hervor. Von *Essays and Reviews* wurden in zwei Jahren 22 000 Exemplare verkauft (so viele wie von *Origin of Species* in zwei Jahrzehnten), und das Buch zog erbitterte Polemiken nach sich. In den folgenden fünf Jahren setzten sich vierhundert Bücher und Broschüren mit Pro und Contra dieses Themas auseinander, was zu einer Verhärtung der Haltungen auf beiden Seiten führte.[1]

Da *Essays and Reviews* das Hauptfeuer des Klerus auf sich zog, kam *Origin of Species* hinter dem Pulverdampf glimpflich davon. Manche setzten die beiden Bücher in Beziehung zueinander. Der Wissenschaftlichste der sieben, Baden Powell, schmuggelte einen Satz in seine Druckfahnen von *Essays and Reviews,* in dem er ‹Mr. Darwins meisterhaften Band› lobte und gleichzeitig seine Behauptung wiederholte, der Glaube an Wunder sei atheistisch. Ein ungebrochener Kausalnexus beweise die göttliche Absicht; *Origin of Species* sei daher ein Segen für den Glauben. Das Buch müsse ‹bald geradezu eine Meinungsrevolution zugunsten des großartigen Prinzips der sich selbst entwickelnden Kräfte der Natur bewirken›. Darwins Kritiker stürzten sich auf Powell. Sedgwick tadelte, daß er solchen Unsinn so ‹gierig› aufgreife. In Tory-Rezensionen wurde ihm vorgeworfen, in das ‹Lager der Ungläubigen überzulaufen›. (Seine Zeit lief ab, bevor er die Chance hatte, denn zwei Wochen vor der Debatte der British Association im Juni 1860 starb er an einem Herzinfarkt; sonst wäre er in Oxford auf dem Podium gewesen und dem Bischof gegenübergetreten.) Nach seiner gehässigen Kritik an Darwin nahm Wilberforce in der *Quarterly Review* nun *Essays and Reviews* aufs Korn. Seine eiserne Faust schlug erneut in einem Brief an die *Times* zu, der vom Erzbischof von Canterbury und fünfundzwanzig Bischöfen unterzeichnet worden war und den Ketzern mit den kirchlichen Gerichtshöfen drohte.[2]

So vielen Prälaten durfte man niemals vertrauen. Darwin zitierte seinen Lieblingsspruch: ‹Eine Bank voller Bischöfe ist des Teufels Blumengarten› – und ging dann mit einer Flasche Narkosemittel in der Hand seinen neuesten satanischen Experimenten in seinen eigenen Blumenbeeten nach: Er chloroformierte fleischfressende Sonnentaupflanzen. Zusammen mit Lubbock, Busk, Lyell, Carpenter und anderen (unter ihnen der Mathematiker und Drucker der Königin, William Spottiswoode) unterzeichnete er einen Gegenbrief zur Unterstützung von *Essays and Reviews,* da das Buch versuche, ‹religiöse Lehren auf ein festeres und breiteres Fundament zu stellen›. Hooker hielt sich ebenso wie Huxley mit dem Argument heraus, wenn die Unterzeichner ‹überwiegend Männer derselben Denkart in Fragen wie *Origin of Species* seien›, werde der Eindruck erweckt, die Wissenschaft habe ‹unsere religiösen Auffassungen› diktiert.[3] Doch die Tatsache war nicht zu verhehlen, daß die darwinistischen Wissenschaftler – mit einer starken Flanke von Unitariern – eine gemeinsame Front mit liberalen Geistlichen bildeten. Nicht daß es irgend etwas genutzt hätte. Zwei der Verfasser von *Essays and Reviews* wurden wegen Ketzerei vor Gericht gestellt und verloren 1862 ihre Stellung.

Auch in der Wissenschaft verschärfte sich die Polarisierung, als Huxley Owen erneut öffentlich anklagte. Der Vorwurf lautete auf Meineid; es ging um Affenhirne, und das Gezänk war genauso haßerfüllt wie bei dem Debakel um *Essays and Reviews.* In der British Association hatte Owen seine Auffassung wiederholt, daß sich das Gehirn des Menschen und das des Affen in zwei Punkten unterschieden. Menschen besäßen einen speziellen Hirnlappen, den Hippocampus minor, und ihre massigen Hirnhälften seien insofern einzigartig, als sie das darunterliegende Kleinhirn bedeckten. Huxley bestritt beide Unterschiede und versprach, die Richtigkeit seiner Ansicht zu beweisen. Das Ergebnis mochte zwar nichts mit der Evolution zu tun haben, aber angesichts dieser beiden Protagonisten bezweifelte niemand, daß es bei diesem Zwist eigentlich um Darwin ging.

Die heftige Fehde begann in Huxleys neuer *Natural History Review,* die Owen zu ihrer *bête noire* machte. Dies war das erste Darwinsche Hausorgan, gekauft und überholt von Huxley, Lubbock, Busk und anderen ‹plastisch denkenden jungen Männern› (ein Code für Darwins Leute). ‹Der Ton wird leicht episkophag sein›, so Huxley maliziös an Hooker, ‹und Du und Darwin und Lyell werdet darin schön Gelegenheit haben, wenn Ihr wollt, Eure Gegner zu erschlagen.› Die erste Nummer im Januar 1861 bereitete den Boden mit Huxleys Artikel über die Beziehung des Menschen zu den Affen (den der Autor arglistigerweise an Wilberforce schickte). ‹Was für ein treffsicherer und fürchterlicher Schlag das für Owen ist (und honigsüß serviert)!› frohlockte Darwin. Wie Owen in der ganzen Nummer ‹vorgeführt› werde, ‹«dieser großartige und fundierte Logiker»›!⁵

Während der ganzen Aufregung machte Darwin ruhig zu Hause weiter und straffte die Anfangskapitel seines unvollendeten ‹großen Buches›, *Natural Selection*. Nichts wurde in Downe verschwendet, alles wurde wiederverwendet; genauso, wie die Teppiche abgenutzt waren, so wurden auch alte Manuskripte ständig erneut durchforstet und jedes kleinste Faktum einer Wiederverwertung zugeführt. Jetzt war Darwin wieder mit Tauben und Geflügel beschäftigt; das Material sollte zu einem eigenen Band über die Methoden der Nutz- und Haustierzucht verarbeitet werden. Dies war nötiger denn je. Lyell und Gray glaubten immer noch, daß Variationen von der Vorsehung geplant seien – daß der Lauf der Natur von außen gesteuert werde. Die Tauben allein sollten das widerlegen. Ihre Schöpfe und Krönchen wurden nicht auf übernatürlichem Wege selektiert. Warum sollte es also bei einem wildlebenden Vogel anders sein? An Gray schrieb Darwin:

‹Sie glauben, «daß die Variation entlang gewissen günstigen Linien gesteuert wurde». Ich kann das nicht glauben, und ich meine, Sie müßten zugeben, daß der Schwanz der Pfauentaube allein deshalb gezwungen wurde, in Zahl und Richtung seiner Federn von der Norm abzuweichen, um der Laune einiger Züchter zu genügen. Doch wenn die Pfauentaube ein Wildvogel wäre und ihren abnormen Schwanz zu irgendeinem besonderen Zweck nutzte, etwa dazu, vor dem Wind zu segeln ... hätte jeder gesagt: «Was für eine schöne und von Gott geplante Anpassung.»›

Er fragte Lyell, ob ‹die Form meiner Nase geplant wurde›. Wenn ja, ‹dann habe ich nichts mehr zu sagen›. Wenn aber nein, dann sei es ‹unlogisch› anzunehmen, daß Variationen in der Natur geplant wurden, ‹wenn man sieht, was Züchter erreicht haben, indem sie individuelle Unterschiede in den Nasenknochen von Tauben auswählten›. Nasen seien nicht weniger natürlich als ausgefallen geformte Schnäbel. Das neue Buch werde in diesem Punkt endgültig Klarheit schaffen; es werde illustrieren, ‹was für ein immenses Feld ungeplanter Variabilität› auf dem Bauernhof und im Wald ‹bereitliegt›.⁶

Übrigens scheute er nicht davor zurück, Grays theologisch argumentierende Verteidigung ‹meiner Göttin «Natürliche Auslese»› für seine Zwecke einzuspannen. Den Winter über ließ er die Tauben sein, um eine dritte Auflage von *Origin of Species* vorzubereiten. Er fügte einen knappen histori-

schen Abriß ein, eine unvollständige Liste von ‹Urahnen›, und stellte dem
ein kluges Stück Eigenwerbung voran. Asa Gray hatte im *Atlantic Monthly*
drei unterstützende Artikel veröffentlicht. Darwin überredete ihn, sie als
Broschüre nachzudrucken und ihren theologischen Ton auch schon im Titel anklingen zu lassen. Als Gray ‹Natürliche Auslese, nicht unvereinbar mit
Naturtheologie› vorschlug, war Darwin entzückt, übernahm die Hälfte der
Kosten und importierte 250 Exemplare nach England. Das war Balsam auf
die Wunden der Theologen. Er kündigte die Broschüre in der Presse an und
verschickte ein rundes Hundert Exemplare an Wissenschaftler, Rezensenten
und Theologen, ohne Wilberforce zu vergessen. In der neuen Ausgabe empfahl er – vor dem ‹Historischen Abriß› – die Schrift theologisch überemp-
findlichen Lesern; sie sei zum Preis von 1 Shilling 6 Pence von Trübner's in
der Paternoster Row zu beziehen. Doch so gern er diese Empfehlung auch
anführte, verfolgte er doch anschließend in seinem Buch den tierzüchteri-
schen Aspekt unbeirrt weiter und bemühte sich, die Grays der Welt davon
zu überzeugen, daß die natürliche Selektion im Grunde allein zurecht-
komme.[7]

Zwischen den Huxleys und den Darwins entstand in diesen Jahren eine engere Verbindung. Die Türen von Down House standen immer offen, Emma
war stets bereit zu helfen. Die Huxleys verloren ihren ersten Sohn, Noel, drei
Monate nach dem Kongreß der British Association durch Scharlach. Der
plötzliche Tod des knapp Vierjährigen warf die im sechsten Monat schwangere Henrietta zu Boden und brachte ihren Mann an den Rand eines Zusammenbruchs. Huxley versuchte das ‹heilige Abschiednehmen› rational zu
bewältigen, als er sich über den Leichnam mit den starrblickenden blauen
Augen und dem wirren goldblonden Haar beugte, doch die Tragödie hinterließ eine tiefe Narbe. Beim Begräbnis, ‹als mir zuallerletzt nach einem
Disput zumute war, las der Geistliche gemäß dem Ritual die Worte vor:
«Wenn die Toten nicht auferweckt werden, dann laßt uns essen und trinken,
denn morgen werden wir sterben.» Ich kann Dir nicht sagen, wie unbeschreiblich sie mich schockierten. [Der Pfarrer] hatte weder Frau noch
Kind, sonst hätte er wissen müssen, daß seine Alternative eine Blasphemie
gegen alles enthält, was am besten und edelsten in der menschlichen Natur
ist. Ich hätte vor Verachtung lachen können. Was! Weil ich einen unwieder-
bringlichen Verlust erlitten habe ... soll ich auf mein Menschsein verzichten
und heulend zum Vieh werden? Was sage ich – sogar die Affen wissen es
besser; wenn man ihre Jungen erschießt, dann leben die armen Tiere ihren
Schmerz aus und suchen nicht sofort Ablenkung in Völlerei›.
Die trostlose Henrietta brachte ihre drei kleinen Kinder im März 1861
für zwei Wochen nach Downe mit, wo Emma in jeder Weise Trost zu spenden versuchte. Huxley blieb in der Stadt, um an der Montanschule seine

Vorlesungen für Arbeiter zu beginnen. Aber er schickte Berichte von seinen Vorträgen über Menschen und Affen und schilderte das Stoffmützen-Publikum, das sie mit großem Interesse aufnahm. ‹Meine Arbeiter gehen wunderbar mit, das Haus ist voller denn je›, schrieb er an seine genesende Frau, um sie aufzumuntern, ‹bis zum nächsten Freitagabend werden sie alle davon überzeugt sein, daß sie Affen sind.›[8]

Einige Tage später setzten sich seine Wortgefechte mit Owen im *Athenaeum* fort. Das ‹Einschlagen auf Leichen› ging in dieser emotional aufgeheizten Periode Woche für Woche weiter, wobei Huxleys Repliken mit jeder Wiederbelebung des Leichnams an Schärfe zunahmen. Er wurde vom gesamten Darwinschen Lager unterstützt, dessen Vertreter abwechselnd antraten, um Owen zu widerlegen. Manche führten seinen Affenhirn-Irrtum auf die Verwendung von Gehirnen zurück, die in ihrem Konservierungsmittel deformiert worden seien, andere auf schlechte Sezierer. Die Christen, die für Huxley Partei ergriffen, gaben zu bedenken, daß zerebrale Unterschiede in keinem Zusammenhang mit der Psychologie oder der Debatte über die menschliche Abstammung stünden. Aber Owen versuchte Sympathie zu erringen, indem er Huxley als ‹Befürworter der Abstammung des Menschen von einem mutierten Affen› verunglimpfte. Schließlich druckte das *Athenaeum* sogar eine von Owens Entgegnungen unter der Überschrift: ‹Affenabstammung des Menschen am Gehirn erprobt›. Die List fiel auf ihn zurück. In vertraulichen Gesprächen hatte Huxley bereits angefangen, provozierend vom ‹pithekoiden›, affenähnlichen Menschen zu sprechen – zum Entzücken Darwins, der den Begriff als ‹eine ganze Abhandlung und Theorie für sich› bezeichnete. (Schließlich hatte er insgeheim selbst seit zwanzig Jahren mit ‹Affenmenschen› hantiert.) Da Owen die Debatte jetzt auf diese Ebene verschoben hatte, konnte Huxley getrost an die Öffentlichkeit gehen.[9] Indem Owen aus der Frage der Gehirnstruktur ein Problem der menschlichen Abstammung machte, gab er Huxley die Chance, seine Niederlage an dieser Front als Bestätigung des Darwinismus in dessen heikelstem Aspekt darzustellen.

Darwin lachte vor Vergnügen über Huxleys sarkastische Erwiderungen, wenn er sich jeden Samstag zur Lektüre des *Athenaeum* hinsetzte. ‹Gut gemacht, aber fast zu nachsichtig!› kommentierte er einmal belustigt. ‹Es ist ein guter Witz, daß ich mich, seit Owen mich angriff, überhaupt nicht als guter Klassenordner fühle und eher dazu neige, jemandem auf die Schulter zu klopfen, als dazu, ihn zu bremsen. Ich bin gespannt, ob er Dir antworten wird. Herr im Himmel, was für ein Dorn Du im Fleisch des armen Mannes sein mußt!›[10] Darwin konnte inzwischen keinen Funken Sympathie mehr für den armen, vielgeschmähten Mann aufbringen. Darwins ‹dämonischer› Haß auf Owen wuchs wie eine Eiterbeule und brach offen aus, während er Huxley anstachelte.

In dieser hysterischen Atmosphäre versuchten Huxleys Anatomen-Kollegen verzweifelt, die Probleme zu entwirren. Einer seiner Oxforder Schützlinge erklärte: ‹Unser höheres und göttlicheres Leben ist kein bloßes Ergebnis der Menge unserer Gehirnwindungen.›[11] Aber das war für Huxley nicht das Entscheidende. Owen war wegen Meineids angeklagt, und das wurde als symptomatisch hingestellt. Seine ganze kriecherische Ideologie stand vor Gericht. Huxley war entschlossen, ein Spektakel aufzuziehen, und versprach: ‹Bevor ich mir diesen verlogenen Humbug bieten lasse, werde ich ihn wie einen Banditen am Scheunentor festnageln als warnendes Beispiel für alle Übeltäter.› In der Rolle des Staatsanwalts deckte er das Belastungsmaterial auf: Religiöse Giftstoffe hätten Owens Blindheit und sein Fehlverhalten bewirkt. Er sei genau wie andere, etwa die Pfaffen, welche ‹die Wissenschaft prostituieren›. Darwins neue hauptberufliche Wissenschaftler seien die treueren Anhänger der Natur.

Es war ein wirkungsvolles Plädoyer: eine Abrechnung mit Owen und Wilberforce, darauf angelegt, den aufstrebenden Meritokraten zu imponieren, die das anglikanische *ancien régime* verabscheuten. In den Augen älterer, ritterlicher Seelen hatte Huxley die Grenzen des guten Geschmacks längst überschritten, und sie mißbilligten seine ‹beleidigende Art›. Aber er wollte ‹erreichen, daß eine Lüge als solche bezeichnet wird›, und hing seine Bemühungen bewußt an die große Glocke. Mit dieser moralisierenden Haltung fuhr seine Gruppe gut. Die Anbiederung an ‹die «Friede-Freude-Frohsinn-Schar»› würde überhaupt nichts einbringen. Wenn er Oberbefehlshaber in ihrem Universum wäre, würde er diese Versöhnler an einen ‹heißen Ort in den unteren Regionen› verfrachten.[12]

Die Kampagne war phantastisch erfolgreich, und auf jede ‹Drachentötung› folgte ein Werbefeldzug der Darwinianer. Das Hauen und Stechen dauerte zwei Jahre und hinterließ nie verheilende Wunden. Als Huxley 1861 in den Vorstand der Zoologischen Gesellschaft berufen wurde, schied Owen aus. Ein Jahr später schaffte es Huxley, Owens Wahl in den Vorstand der Royal Society mit der Begründung zu hintertreiben, kein ‹Gremium von Gentlemen› sollte ein Mitglied aufnehmen, ‹das sich bewußter und absichtlicher Unwahrheit schuldig gemacht hat›.

Huxleys Aggressivität machte Lyell Sorgen. Ebensoviel Bauchschmerzen verursachte ihm Huxleys Botschaft, die Abstammung vom Affen. Jahrelang hatte er ein so minderwertiges Blut in der Familie geleugnet; jetzt war er gezwungen, dem Problem ins Auge zu sehen. Er beschloß, das in einem Buch zu tun, sich auf irgendeine Weise mit den Artefakten und den Fossilien, die den prähistorischen Stammbaum des Menschen bewiesen, auszusöhnen. Darwin brachte wenig Mitgefühl für seinen Verlust an menschlicher ‹Würde› auf; er neckte seinen alten Freund: ‹*Unser* Urahn war ein Tier, das Wasser atmete, eine Schwimmblase hatte, eine große Schwanzflosse,

einen unvollkommenen Schädel und das zweifellos ein Zwitter war! Da hast
Du eine hübsche Genealogie für die Menschheit.› Es kam noch schöner:
‹Die Menschheit wird solche Fortschritte machen›, daß die vornehmen Herren des 19. Jahrhunderts rückblickend wahrscheinlich ‹als bloße Barbaren›
erscheinen würden.[13]

Huxley war noch weniger hilfreich in Sachen Würde und göttliche Pla-
nung. Er war überglücklich, dem ‹Anthropomorphismus› der göttlichen
Vorsehung die ‹leidenschaftslose Unpersönlichkeit des Unbekannten und
Unkennbaren› gegenüberzustellen, die ihrerseits zur herrschenden Orthodoxie der kirchenfernen Darwinisten wurde. Er war auch nicht bereit, Menschen und Affen voneinander zu trennen. So wies er Lyell darauf hin, daß es
erheblichere Größenunterschiede zwischen den Gehirnen von Menschen
gebe als solche zwischen kleinhirnigen Menschen und Gorillas. ‹Unter
diesen Umständen wären wir sicher gut beraten, den Kopf [als Mittel zur
Unterscheidung der Arten] aus dem Spiel zu lassen; allerdings befürchte
ich, daß es auch nicht viel besser wäre, statt dessen den Fuß ins Treffen zu
führen.›[14]

Im April 1861 hatte Lyell archäologische Stätten in England und Frankreich aufgesucht, um sich mit eigenen Augen davon zu überzeugen, daß
Steinwerkzeuge neben ausgestorbenen Hyänen gefunden wurden. Seit
dreißig Jahren hatte er ein solches Alter des Menschen geleugnet, aber die
Beweise waren inzwischen erdrückend. Falconer hatte 1858 voreiszeitliche
Schabwerkzeuge in einer Höhle in Brixham, einem Fischerdorf an der Küste von Devon, gefunden, und 1859 hatte Lyell nach einem Besuch der
Flintstein-Fundstätte von Abbeville in Frankreich seine Bekehrung signa-
lisiert. Als er in einer Schottergrube in Bedford Feuersteine untersuchte, erhielt er ein klareres Bild von der voreiszeitlichen Datierung des Urmenschen. Darwin war begeistert. ‹Das ist großartig. Was für eine schöne,
lange Ahnenreihe Du der Menschheit beschert hast.› Andere dehnten diese
noch weiter in die Vergangenheit aus. Ein neuer fossiler Mensch war zur
rechten Zeit aufgetaucht, der Schädel eines Neandertalers aus einer Höhle
bei Düsseldorf, der 1858 von dem Anthropologen Hermann Schaaffhausen
beschrieben wurde. Der Urmensch hatte eine fliehende Stirn, vorstehende
Brauenwülste und ein brutales Aussehen. Lyell befragte Huxley und weckte
auch dessen Interesse. Busk übersetzte Schaaffhausens Abhandlung im April
für die *Natural History Review,* und Huxley ging daran, die Form des ‹degenerierten› Schädels im College of Surgeons zu untersuchen.[15] Inzwischen
schwebte ihm eine neue Serie von Lehrveranstaltungen vor, die von dem fossilen Menschen handeln sollte.

In diesem Frühjahr lag Henslow im Sterben – das Herz wollte nicht mehr.
Hooker wachte am Krankenlager seines Schwiegervaters und sah ihn ‹nach-

einander Abschied nehmen von seinen Freunden, seinen Gemeindemitgliedern und seinen kleinen Botanikschülern›. Seit zwei Monaten schickte Hooker peinigende Berichte über Henslows Verfall nach Downe. Sie stürzten Darwin in Qualen der Unentschlossenheit, bis er sich am 23. April schließlich dafür entschuldigte, daß er nicht komme. Es war ein melancholischer Augenblick. Auf den Tag genau zehn Jahre zuvor hatte Annie die Augen für immer geschlossen. Darwin schuldete Henslow für alles Dank: seine *Beagle*-Reise, die Forschungsmittel, seine Unterstützung, seinen Rat in Gemeindeangelegenheiten; Annie, George und Leonard trugen sogar die Namen von Henslows Kindern. Aber er verweigerte einen letzten Besuch. ‹Ich möchte nicht im Haus sein (selbst wenn Du mich stützen könntest), da meine Brechanfälle sehr geräuschvoll verlaufen.› Seine eigene Gesundheit sei sehr labil; als er in diesem Monat in der Linnean Society einige Minuten sprach, hatte das ‹24 Stunden Erbrechen› zur Folge. Seine Entscheidung verursachte ihm quälende Schuldgefühle: ‹Ich habe meine Schwäche niemals als größeres Übel empfunden.›[16] Er sah Henslow nicht wieder. Nach dessen Tod am 18. Mai verfaßte Darwin eine kurze, nüchterne Notiz für die Familiengeschichte; doch das konnte seine Gefühle nicht beschwichtigen.

Zu seiner Krankheit kam erneut die Sorge um die Kinder. Das jüngste, Horace, war jetzt in dem Alter, in dem Annie starb, und Charles wartete darauf, daß sich die erbliche Schwäche zeigen würde. Der elfjährige Leonard wurde von einem örtlichen Geistlichen unterrichtet und wirkte bei seinen Lektionen ‹langsam und zurückgeblieben›. Charles befürchtete, seine Mängel seien nur ‹teilweise auf einen Rückstand durch Krankheit zurückzuführen›. Der sechzehnjährige George kam von der Schule in Clapham nach Hause, um seine schlechten Zähne behandeln zu lassen. Als er unter dem Chloroform, dessen Wirkung so sehr an den Tod gemahnte, das Bewußtsein verlor, durchlebte Charles alte Erinnerungen und wurde von Brechreiz überwältigt.

Henriettas Zustand verstörte ihn am meisten. Sie blieb schwach und hinfällig; mit ihren achtzehn Jahren war sie eine Invalidin. Eine Typhusinfektion im vorangegangenen Jahr hatte sie an den Rand des Todes gebracht; monatelang hatte sie rund um die Uhr drei Pflegerinnen benötigt. Ihre Fieberanfälle und ihre Verdauungsbeschwerden versetzten Charles in so ‹unaufhörliche Angst›, daß sein ‹zärtliches Mitgefühl und seine Besorgnis› sie manchmal zu sehr ‹aufwühlten› und sie ‹kaum ertragen konnte, ihn im Zimmer zu haben›. Daß sie nicht gesund wurde, stürzte auch Emma in ein Gefühl der Hilflosigkeit. ‹Ich habe mir einigermaßen beigebracht, nicht zu verzagen›, bemerkte sie seufzend, aber sie könne nur ‹von einem Tag zum anderen leben›.[17]

Vor diesem Hintergrund schmerzhafter Gedanken, verlorener Kinder, verlorener Freunde offenbarte sich Emma Charles erneut in einem anrührenden Brief ähnlich jenem, den sie ihm nach der Heirat geschrieben hatte. Die Inbrunst ihres Flehens spiegelte ihre eigene leidvolle Erfahrung wider; die ‹einzige Linderung› sei, die Schicksalsschläge ‹als von Gottes Hand› entgegenzunehmen und zu ‹glauben zu versuchen, daß alles Leiden und alle Krankheit den Sinn hat, uns zu helfen, unsere Seele zu erheben und hoffnungsvoll auf ein künftiges Leben zu schauen›.

‹Wenn ich Deine Geduld sehe, Dein tiefes Mitgefühl für andere, Deine Selbstbeherrschung und vor allem Deine Dankbarkeit für die geringste Kleinigkeit, mit der man Dir helfen will, dann kann ich mir nur innigst wünschen, daß diese kostbaren Gefühle um Deines täglichen Glückes willen dem Himmel dargebracht werden [...] Ich denke oft an die Worte: «Dem wirst Du vollkommenen Frieden schenken, dessen Seele Dir geweiht ist.» Es ist das Gefühl und nicht der Verstand, was einen drängt zu beten.›

Charles hatte mit dem Christentum abgeschlossen und die Qualen der Hölle verdammt, doch Emma beschwor ihn jetzt, um seines gegenwärtigen Glückes willen zu beten, nicht als Versicherung gegen künftiges Leiden. Zwar wünschte sie ihm, daß er den Sinn seines Schmerzes in einem späteren Leben finden möge, wo ihre Liebe ewig währen würde. Aber die Hoffnung auf den Himmel war gering. Er kritzelte nur ‹Gott segne Dich› an den Schluß des Briefes. Das einzige, was zwischen seinem Kummer und Gedanken an die Auslöschung stand, war letzten Endes Emmas unerschütterlicher Glaube. Er wurde unruhig, sooft sie ihn allein ließ.[18]

Huxleys Frühjahrsvorlesungen vor Arbeitern und Ladenbesitzern über Menschen und Affen waren ein Riesenerfolg. Lyell, tief in den Vorarbeiten für sein Buch, saß unter den Stoffmützenträgern und war ‹erstaunt über den Andrang und die Aufmerksamkeit des Publikums›. Die Szene hätte die Erfüllung seiner schlimmsten Befürchtungen sein können, wurde doch dem ungewaschenen Pöbel die Abstammung vom Gorilla vermittelt; doch die Fuhrleute und Kutscher waren höflich und schienen bereit, wie er einräumte, ‹jede Menge von Deinen anthropoiden Affenfragen zu verschlingen›.

Die Vortragsreihe wurde begeistert aufgenommen, weil die Frage der Menschwerdung in der radikalen Presse seit Jahrzehnten behandelt worden war. (Gerade als Huxley seine Vorträge hielt, brachte der säkularistische *Reasoner* eine Evolutionsserie, in der ‹theologische Theorien über die Entstehung des Menschen› widerlegt wurden und die atheistische Missionare mit menschlichen Fossilien und Darwins Buch munitionierte.) Radikale Arbeiter waren schon lange vor dem Neubekehrten, der zu ihnen sprach, Evolutionisten gewesen. Kampfschriften hatten versucht, die Macht der Priester durch materialistische Erklärungen bezüglich der Abstammung des Menschen zu unterminieren. *Origin of Species* war Wasser auf ihre Mühlen, wie zuvor *Vestiges* und die Wissenschaft der Französischen Revolu-

tion. Ein Schneider bot Darwin als Gegenleistung für ein persönlich si-
gniertes Exemplar seine Dienste an; ein Bäcker traktierte ihn mit einem
ganzen Manuskript, in dem er sich mit *Origin of Species* auseinandersetzte.
Diese Hörerschaft war für jeden Anatomen aufgeschlossen, der auf dem
gleichen Boden stand wie sie und den Menschen mit der ‹Unterwelt des Lebens› in Beziehung setzte. Schreiberlinge der Sensationspresse erschienen
erwartungsvoll mit dem Notizblock in der Hand, um über Huxleys ‹aufregende, ja feierliche› Worte zu berichten.[19]

Huxley erschloß eine neue Klientel für Darwin. Jeder Vortrag war überlegt aufgebaut. Er begann ikonoklastisch wie einer der atheistischen Agitatoren aus den Reihen seiner Zuhörer, indem er diejenigen lobte, die ‹mit
dem Geist bloßer Skepsis geschlagen sind›, und mit überlebten Traditionen
aufräumte. Wie es auf so vielen radikalen Flugblättern zu lesen stand, wies
er darauf hin, daß der Mensch als Ebenbild eines Affen entstanden sei.
Wenn er sich ‹Auge in Auge› mit Schimpansen sehe, ‹diesen verschwommenen Kopien seiner selbst, dann empfindet auch noch der gedankenloseste
Mensch einen gewissen Schock›. Die klinische Anatomie wurde mit etwas
Handwerkerzynismus angereichert. ‹Es ist, als ob die Natur selbst die Arroganz des Menschen vorausgesehen hätte›, sagte er im Zusammenhang mit
dem Spiegel, den der Gorilla dem Menschen vorhalte, ‹und mit römischer
Strenge dafür sorgte, daß sein Intellekt gerade durch seine Triumphe die
Sklaven in den Vordergrund treten ließ, was den Eroberer daran erinnerte,
daß er nur Staub ist.›

Gleichzeitig distanzierte Huxley sich von den Gossenzynikern, die darauf
aus waren, die Menschheit abzuwerten. Der Mensch möge zwar vom Vieh
abstammen, aber ‹er zählt mit Sicherheit nicht dazu›. Ein gemeinsamer
Ursprung bedeute keine ‹Brutalisierung›; durch seine Abkunft von einem
‹bestialischen Wilden› sei der Mensch ‹nicht seines hohen Ranges beraubt›,
versicherte Huxley in dem Bewußtsein, daß Lyell unpassenderweise dort
zwischen den Fuhrleuten saß.

Vielmehr propagierte er die Evolution als eine Form der Selbstentfaltung.
Er beharrte darauf, daß die unterjochten Massen, ‹sobald sie den blind-
machenden Einflüssen traditioneller Vorurteile entronnen sind, in den bescheidenen Wurzeln, denen der Mensch entsprungen ist, den besten Beweis
für die Großartigkeit seiner Möglichkeiten finden werden und in seinen stetigen Fortschritten im Lauf der Vergangenheit einen plausiblen Grund für
die Zuversicht entdecken werden, daß ihm eine edlere Zukunft bevorsteht›.
Dieses Bild der ‹bescheidenen Wurzeln und der edleren Zukunft› wäre unter den portweinschlürfenden Aristokraten auf taube Ohren gestoßen; die
strebsamen Schornsteinfeger und die unternehmenden Ladenbesitzer nahmen die Vorstellung von einem Aufstieg über die Sprossen der Entwick-
lungsleiter dagegen mit Genugtuung auf. Huxleys Tenor fand auch bei an-

deren Resonanz. Ein Korrespondent schmückte die Ahnenreihe noch aus. ‹Die Abstammung des Menschen wirkt sehr ähnlich wie der Stammbaum eines Mitglieds des Oberhauses und Angehörigen des Hochadels, dessen entfernter Vorfahr zur Zeit Wilhelms des Eroberers lebte – vor vierundsiebzig Generationen ein Perückenmacher, heute Kanzler oder Oberster Richter.›[20] Wahrhaftig, die Evolution verlieh niedriger Abkunft wissenschaftliche Würde und versprach Besseres für die Zukunft.

Das war vielleicht nicht Darwins Bild; Huxley erwähnte keine kaltschnäuzige Konkurrenz, kein Beiseitedrängen. Doch der Vortrag diente einem Zweck: die Nebelwand vor der brennenden menschlichen Frage wegzublasen. War das Thema einst tabu gewesen, so schien es jetzt obligatorisch, und die Frage wurde auf jede vorstellbare Weise angegangen. Lyell beschäftigte sich mit der menschlichen Frühgeschichte, Lubbock veröffentlichte Arbeiten über dänische Muschelhaufen, und Falconer fand in der Brixhamer Höhle weitere Werkzeuge, darunter den Armknochen eines ausgestorbenen Bären, der als Knüppel zurechtgeschnitzt war. In Darwins Kreisen bestand kein Zweifel daran, daß Menschen bis in die fossile Vergangenheit zurückverfolgt werden konnten und daß sie Zeitgenossen ausgestorbener Nashörner gewesen waren, wenngleich Huxley mit seinem dinosaurierjagenden *Homo ooliticus* etwas weit ging.[21]

Angesichts all der Aufregung wirkte die anhaltende Besessenheit, mit der Darwin sich gekochten Kaninchenknochen widmete, geradezu trivial. Er steckte jetzt tief in seinem Buch über Domestikation, wozu er sich Sammlungen von Geflügelschädeln auslieh und Bitten um weitere Kadaver verschickte. ‹Besorgen Sie mir, wenn möglich, ein weiteres Exemplar eines alten weißen Angorahasen›, ersuchte er einen Züchter. ‹Ich brauche ihn tot, wegen des Skeletts; und der Schädel sollte unbeschädigt sein.›

Im Juli und im August pausierte er, um mit Henrietta in das Fischerdorf Torquay gegenüber von Brixham an der Küste von Devon zu fahren. Hier verbrachte Charles in der warmen Sonne Stunden auf allen vieren und beobachtete Insekten auf wilden Orchideen. Bizarre Blütenblätter geleiteten die Bienen zu den Nektarien und lockten sie in die richtige Stellung. Pollenpakete hefteten sich dann genau dort an ihre Rüssel, wo sie von der Narbe einer anderen Blume wieder entfernt werden konnten. Seit den späten 1830er Jahren hatte Darwin in den Gärten von Maer und The Mount über die Art und Weise spekuliert, wie Bienen durch Fremdbestäubung befruchteten. Aufgrund seiner Theorie war er davon überzeugt, daß gekreuzte Pflanzen stärkere Nachkommen hatten. Orchideen besaßen die raffiniertesten Vorrichtungen zur Erreichung dieses Zweckes. Bei seiner Heimkehr von Torquay suchte er auf den Hügeln rings um Downe nach kleinen Orchideen. Eine solche Beschäftigung in wohltuendem Sonnenschein erschien bei weitem reizvoller, als Tauben zu dünsten. Die Verlockung war zu groß; er legte ‹die vermaledeiten Hähne, Hennen und Enten› beiseite und stieg um.[22] Wieder war er auf ein Nebengleis geraten.

Im viktorianischen Großbritannien florierte die Orchideenzucht. Dies war indes kein Kleineleutesteckenpferd, sondern eine Liebhaberei der Elite. Reiche Enthusiasten widmeten den phantastischen Blumen ganze Treibhäuser und entsandten Orchideenjäger in die Tropen. Darwin streckte Fühler aus und wurde mit seltenen Exemplaren eingedeckt. Orchideen erwiesen sich als unübertrefflicher Testfall. Welches prächtigere Beispiel pflanzlicher Launenhaftigkeit konnte es geben? ‹Wer hätte sich je träumen lassen, in den Formen und Farben von Blumen einen nützlichen Zweck zu finden?› hatte Huxley einmal ungläubig gefragt. Darwin war dieser Träumer. Er nahm den schwierigsten Fall und löste ihn. Die Blütenblätter von Orchideen waren exquisite Vorrichtungen, um Bienen und Schmetterlinge an bestimmte Stellen zum Be- und Entladen von Pollen zu lotsen. Jeder Wulst und jeder Sporn dienten diesem Zweck. Die natürliche Auslese konnte zwar nutzlose, frivole oder hübsche Blumen nicht erklären, wohl aber funktionelle.

Darwin verlor sich in den Tricks und Finten dieser Blumen, wobei ihn das Unerhörteste am meisten entzückte. Die Orchidee *Catasetum,* schon merkwürdig genug, weil sie aus drei verschiedenen Blüten bestand – einer männlichen, einer weiblichen und einer zwittrigen (die bis zu seiner Studie für drei Spezies gehalten worden waren) –, besaß ein besonderes Sensorium für Insekten und schoß Pfeile mit einem klebrigen Pollenkopf auf sie ab, wenn sie sie berührten. Darwin beschrieb Huxley den grotesken Mechanismus und bekam zu hören: ‹Denkst Du wirklich, daß ich das alles glauben kann?›[23]

Der Gegenstand war elitär und das ideale Demonstrationsobjekt. Darwin präparierte die homologen Bestandteile jeder Blume heraus und machte sie zu ‹Modifikationen ein und desselben ursprünglichen Organs›. Ebenso wie bei den Rankenfüßern drehte und wendete sich jedes homologe Organ für eine andere Rolle, änderte nötigenfalls die Taktik und machte sich jede Chance zunutze, um sein Pollenpaket loszuwerden. Darwin überredete Murray, ein Buch über Orchideen herauszubringen und es, entsprechend aufgearbeitet, als aktuellen Beitrag zum modischen Thema Evolution zu verkaufen. Und wenn das nicht Ansporn genug wäre, sollte es als ein neues ‹Bridgewater-Buch› für die alten Reaktionäre auf den Markt gebracht werden. Aber eines mit besonderer Pointe: eine köstliche Persiflage auf den Schöpfungsplan, wobei die Blüten nicht als Gottes Werk, sondern als Ergebnis einer Reihe von Zufällen dargestellt würden. Es würde ‹ein «Flankenangriff»› auf den Feind sein, schrieb Darwin streitlustig an Gray. Er folgte erneut dem Vorbild von Großvater Erasmus. Das Buch sollte jedoch nicht so schlüpfrig werden wie dessen *Loves of the Plants;* ‹jede Frau könnte es lesen›, und Murray war klug genug, um zu erkennen, daß das viele tun würden. Nachdem *Origin of Species* in deutscher und niederländischer Übersetzung vorlag und eine französische im Druck war, hatte der Autorenname Darwin wachsende Zugkraft.

Darwin fragte sich allerdings immer noch, ob das ganze Vorhaben nicht doch eine ‹äußerst fragwürdige Angelegenheit› sei. Und kaum hatte er seine Idee im September an den Mann gebracht, als er wieder krank wurde; die Arbeit stapelte sich, das Formulieren bereitete erhebliches Kopfzerbrechen, sein Magen revoltierte, und er fluchte durch die zusammengebissenen Zähne: ‹Ich gehöre vertilgt!›[24]

Freunde erwiesen sich als zweifelhafte Wohltat, und Bulldoggen machten ihn wütend. Huxley krittelte immer noch an der Sterilität herum: Die Züchter hätten durch die Kreuzung degenerierter Rassen keine unfruchtbaren Mischlinge hervorgebracht. Solange sie aber nicht eigenständige Spezies erzeugten, argumentierte Huxley, sei die Analogie von künstlicher und natürlicher Auslese unvollständig und die in *Origin of Species* vertretene Theorie unbewiesen. So landete Darwin schließlich beim Experimentieren und verlor Hunderte von Stunden mit der Bestäubung von Pflanzen und dem Aussieben von Samen. Im Januar 1862 stellte er seine Ergebnisse über Primeln zusammen und versuchte Huxley dazu zu überreden, seine Kritik zu dämpfen. Er bewies, daß Primeln und Schlüsselblumen, fast identisch strukturiert und lange für Varietäten gehalten, sterile Hybriden hervorbrachten.[25] Sterilität entstehe, so vermutete er, um verwandten Arten wie diesen eine Auseinanderentwicklung zu ermöglichen. Das sei ein Mechanismus, der verhindern solle, daß sich beide wieder zu einer unangepaßten Mittellinie vermischten. Huxley war halb überzeugt.

Während Darwin Samen siebte, folgten seine Briefe Huxley nach Edinburgh, wo der Evangelist ‹den schottischen Presbyterianern schlicht und einfach Darwinismus in seiner Anwendung auf den Menschen predigte. Und ich habe auch erreicht, daß sie mir zuhören›.

Er ‹fand Sünder genug im «frommen Edinburgh»›, genau wie in London. Die Sensationspresse quoll über von Schauermärchen über Affen. Sie gingen zurück auf die Reiseberichte des Frankoamerikaners Paul Belloni du Chaillu, dessen gruselige Gorillajagden in seinem Buch *Explorations and Adventures in Equatorial Africa* sensationell aufbereitet waren. du Chaillu befand sich gegenwärtig auf einer Vortragsreise durch England, wobei er Tierfelle und Skelette ausstellte; bei dieser Gelegenheit besuchte er auch Owen. Seine Schauergeschichten über frauenraubende Gorillamännchen und schreiende, inmitten eines Kugelhagels schützend ihre Jungen festhaltende Gorillaweibchen beherrschten die Billigpresse; Gorillas waren in aller Munde, jeder Ire in einer *Punch*-Karikatur war ein ‹Mr. G. O.’Rilla› oder ‹Mr. O’Rangoutang›. Die Zuhörer strömten in immer größeren Scharen zu

Huxleys ernsthaften Vorträgen, die sie begierig aufnahmen, ohne sich klarzumachen, wie der freikirchliche *Witness* meinte, welche ‹Ungeheuerlichkeit› ihnen da zugemutet werde. Als ihnen ‹ihre Verwandtschaft mit dem Tierreich höchst nachdrücklich bescheinigt wurde, war der Applaus am heftigsten›, entsetzte sich das Blatt. Angesichts der Leidenschaftlichkeit, mit der während des amerikanischen Bürgerkriegs gegen die Sklaverei protestiert worden war, erwartete der *Witness,* daß die verblendeten Arbeiter eine ‹Gorilla-Emanzipationsgesellschaft› gründen würden. Das ‹abscheulichste und bestialischste Paradox, das in der Vergangenheit und in der Gegenwart je unter Heiden oder Christen verbreitet wurde›, lautete die freundlichste Bemerkung.[26]

Das war von Huxley so geplant. Er genoß die Provokation und schickte Zeitungsausschnitte an Hooker und Darwin. ‹Ich habe ihnen in aller Ausführlichkeit gesagt, ich zweifelte nicht daran, daß der Mensch von denselben Vorfahren abstammt wie die Affen.› Er schwelgte in darwinistischem Chauvinismus. ‹Alle haben prophezeit, ich würde gesteinigt und zum Stadttor hinausgeworfen›, berichtete er Darwin, aber ‹ich wurde mit einhelligem Applaus aufgenommen›. Die Hurrastimmung war ansteckend. ‹Bei Jupiter›, antwortete Darwin, ‹Du hast die Bigotterie in ihrer Hochburg angegriffen. Ich dachte, der Pöbel würde über Dich herfallen.›[27]

Immer noch tüftelte er an seinen Orchideen herum und lehnte es ab, sich auf Nebenpfade zu begeben. Der Flankenvorstoß wurde am 15. Mai klar, als sein Buch unter dem wenig aufregenden Titel *On the Various Contrivances by which British and Foreign Orchids are fertilised by Insects* (‹Über die verschiedenen Vorrichtungen, durch welche britische und ausländische Orchideen durch Insekten befruchtet werden›) erschien. Dies war das erste seiner Bücher über das Schöne und Bizarre, die Evolution des Unerklärlichen. Es bewies auch den Vorteil von Kreuzungen. Orchideen seien so konstruiert, um pollentragende Insekten aufzunehmen. Es gebe nur eine Ausnahme: die Bienenragwurz, die ein Selbstbefruchter zu sein scheine und daher zum Aussterben verdammt sei. Darwin muß der einzige Mensch auf dem Planeten gewesen sein, der tausend Jahre alt werden wollte, nur um die Bienenragwurz aussterben zu sehen.

Das Orchideenbuch kam gerade rechtzeitig heraus, daß Darwin dem eben zurückgekehrten Wallace ein Exemplar verehren konnte. Wallace kündigte sein Eintreffen in England mit einer wilden Honigwabe aus Timor als Mitbringsel an. Nach sechs Jahren im Fernen Osten war er endlich wieder zu Hause; er logierte am Rand des Londoner West End, wo er sich ‹verarzten lassen›, die angesammelten Kritiken lesen und sich regenerieren konnte. Den ganzen Sommer über sichtete und ordnete er seine Ausbeute von sechs Jahren, 125 660 Proben und Präparate, wie es Darwin vor so langer Zeit unter bekömmlicheren Umständen getan hatte.[28]

Huxley faßte seine Vorträge über Affen, Stammbäume und Neandertaler zu einem schmalen Band mit dem Titel *Evidence as to Man's Place in Nature* [dt.: ‹Zeugnisse für die Stellung des Menschen in der Natur›; Anm. d. Ü.] zusammen. Dickleibige, zweibändige Wälzer waren nichts für ihn; doch die Wirkung war genauso nachhaltig. Obwohl die Fahnenlektüre Lyell im August 1862 ‹großen Genuß› bereitete, machte er sich über einige Abschnitte Sorgen und gab zu bedenken, daß sie ‹gegen den guten Geschmack verstoßen und nichts Gutes bewirken werden›. Aber sein Rat an Huxley, ‹so zu schreiben, als ob Du Dich nicht ... alten Ideen entgegenstelltest›, glich dem Versuch, einen Elefanten am Schwanz aus dem Porzellanladen zu ziehen. Zu sehr war Huxley darauf erpicht, die von Owen postulierte göttliche Vorsehung zu zertrampeln und ihn bei jeder Gelegenheit zu demütigen. Außerdem stand Lyells hehrer Anspruch im Gegensatz zu der militanten Strategie der jüngeren Naturwissenschaftler.

Huxley und Darwin hatten die Debatte über Affen und Abstammung erzwungen und orthodoxere Anglikaner beunruhigt, die sich von Owen eine Entgegnung erwarteten. Auch das *Athenaeum* stachelte Owen an. Die Darwinisten hätten ihrerseits genug zum besten gegeben, ‹um uns das Blut in den Adern gefrieren zu lassen›. Darwin habe gesprochen und ‹in Professor Huxley einen kühnen und fähigen Fürsprecher gefunden. Soll sich Professor Owen also reserviert verhalten?›[29]

Owen verfolgte einen ganz anderen Ansatz. Er glaubte, daß Tiere wie Quallen und Blutegel, die komplexe Lebenszyklen durchmachten, in denen sie verschiedene Formen annahmen und von denen ‹jede die nächste gebiert›, den Schlüssel enthielten. Er trat dafür ein, von plötzlichen Entwicklungssprüngen, von der analogen Geburt einer Spezies unmittelbar aus einer anderen auszugehen. Was bedeutete dies für den Menschen? Reverend Gilbert Rorison, ein Pfarrer der Schottischen Episkopalkirche, der seinen orthodoxen Artikel über die ‹Schöpfungswoche› der Genesis für *Replies to ‹Essays and Reviews›* schrieb, stellte genau diese Frage. Ob Owen glaube, daß der Mensch ‹durch ein *Schöpfungsgesetz* (und insofern auf übernatürlichem Wege) durch die niedrigere Spezies hervorgebracht wurde, nämlich den Schoß einer Äffin›? Ob die ‹besondere schöpferische Energie› auf das Fortpflanzungssystem des Gorillas eingewirkt habe, um den ersten Menschen zu erschaffen?

Owen wollte sich nur zu irgendeiner vorherbestimmten, natürlichen Ursache der Geburt des Menschen bekennen; er deutete an, daß es in religiöser Hinsicht keine Rolle spiele, ob der Schoß der Äffin das vermittelnde Organ sei oder, erstaunlicherweise, ob sich ‹die «Erbsünde» als bloßer Überrest des unmutierten Affen erweisen sollte, der noch in unserer Konstitution verblieben ist›. Wenn ‹Gottes Werkzeuge› natürliche Ursachen *wären,* würde das unsere Pflichten und unsere Verantwortung nicht verringern. Rorison veröffentlichte Owens Brief in den *Replies,* ohne zu merken, daß er einen Tadel an die Buchstabengläubigen enthielt.[30] Aber da er in den reaktionären, von Bischof Wilberforce herausgegebenen *Replies* landete und zu Rorisons ‹theologischem Aufguß› beitrug, ließ er Owen in Darwins und Huxleys Augen nur noch tiefer sinken.

Owen bestritt nicht, daß der Mensch veränderbar sei, ja er deutete sogar an, daß der *Homo sapiens* ‹in einer unvorstellbar fernen Zeit› durch eine höhere Spezies ersetzt werden könnte; er bezweifelte nur, daß die Transmutation der Mechanismus sei. Trotzdem wurde er verfemt und von den Darwinisten reihenweise abqualifiziert; sie sorgten dafür, daß die Geschichte über ihn hinwegging. Darwin hielt Owen für ‹so unaufrichtig, daß es mir inzwischen wirklich ziemlich gleichgültig ist, was er sagt›, und Huxley gestand er schließlich sogar: ‹Ich glaube, ich hasse ihn mehr als Du.›[31]

In Downe ging die Schinderei weiter. Den ganzen Sommer über war Darwin dabei, ‹sich mit den Knochen von Enten und Tauben herumzuplagen›. Außerstande, Huxleys Krittelei auf sich beruhen zu lassen, delegierte er Aufgaben, als sich seine Gesundheit verschlechterte, und bot Züchtern fünf Pfund, damit sie spanische Hähne mit weißen Seidenhühnern kreuzten, um die Fruchtbarkeit der Nachkommen zu überprüfen. Wie immer setzte er sich über die Regeln der Zunft hinweg. Er zwang Züchter, ihre Rassen zu zerstören, indem er sie sterile Hybridformen produzieren ließ. Sie sollten sich deshalb nicht grämen, beschwichtigte er sie; ‹für den Kochtopf taugen sie allemal›. Inzwischen experimentierten Gärtner in Kew und Edinburgh für ihn, Imker und Tierzüchter schickten ihm Bienenstöcke und Tierkadaver und untersuchten jede Kreuzung, von Melonen bis zu Doggen.

Als Sulivan und Wickham am 21. Oktober zu einer *Beagle*-Wiedersehensfeier eintrafen, fanden sie den ‹Philosophen› umgeben von Orchideen, fleischfressenden Pflanzen und endlosen Reihen von Samenproben und Geflügelknochen, während tote Zierpflanzen in übelriechenden Konservierungslösungen vor sich hin gärten. Ihr magenleidender Freund selbst war stark gealtert. Sie erwischten ihn in einem ungünstigen Moment; Emma und Leonard waren eben erst von ihrer Scharlacherkrankung im Sommer genesen, und Charles erprobte bezeichnenderweise gerade die neueste Patentmedizin, ‹Condys Ozonwasserkur›.

Er hatte sich inzwischen so tief in die Orchideen hineingekniet, daß er sich von Sir John Lubbocks Gärtner für den Winter ein Treibhaus bauen ließ und eigens einen Wagen nach Kew schickte, um seine Bestände zu ergänzen. Die Geschichte mit den Tauben wiederholte sich. ‹Du kannst Dir nicht vorstellen, was für ein Vergnügen mir Deine Pflanzen bereiten›, schrieb er dankbar an Hooker. Henrietta ‹und ich schwelgen in ihrem Anblick›. Das war sein einziger Trost in einem weiteren unangenehmen Winter. Eine Hautentzündung bewirkte, daß er sich schälte wie ein Reptil. Seinem Freund Falconer berichtete er mit schauerlicher Akribie, aufgrund des Ekzems habe sich ‹die Epidermis ein dutzendmal glatt abgelöst›.[32]

Falconer, der einzige Fossilienexperte in London, der es mit Owen aufnehmen konnte, munterte ihn im Januar 1863 mit dem Hinweis auf, im deutschen Solnhofen sei ‹eine Art Vogelmißgeburt› gefunden worden, ein zum Teil reptilienhaftes, gefiedertes Fossil; nach allen Berichten sei es ein Lotteriegewinn, der nur darauf warte, ihm in den Schoß zu fallen. Owen hatte den hervorragend erhaltenen Vogel für das Britische Museum gekauft. Darwins alter Freund George Waterhouse war nach Pappenheim in Bayern entsandt worden, um die unerhörte Summe von 450 Pfund dafür zu bezahlen, wodurch das Monster noch berühmter wurde. Darwin hatte vorausgesagt, daß eines Tages ein Urvogel mit unverschmolzenen Flügelfingern auftauchen werde; doch dieser übertraf alle Erwartungen. Er drängte Falconer nach mehr Einzelheiten ‹über den wundersamen Vogel›.[33] Als weitere Berichte eintrafen, setzte er sie zu einem erstaunlichen Bild zusammen: Das fossilierte Tier war so alt wie die Dinosaurier, hatte einen langen, eidechsenähnlichen Schwanz, und Owen hatte an beiden Flügeln vier freistehende Finger mit Klauen entdeckt.

‹Der fossile Vogel ist ein großartiger Fall für mich›, meinte Darwin zustimmend. Andere befürchteten genau dies und versuchten dem einen Riegel vorzuschieben. Der alternde Andreas Wagner am Münchener Naturgeschichtlichen Museum vermutete richtig, daß Darwin, seinen ‹phantastischen Träumen› nachhängend, ihn als eine Vogelurform begrüßen werde. Er tat den Fund nach dem Hörensagen als anomales Reptil ab, um ‹darwinistische Fehldeutungen› abzuwehren. Owen war ebenfalls besorgt. Er beschrieb das Fossil offiziell und taufte es in einem Vortrag vor der Royal Society *Archaeopteryx*. Er bezeichnete es eindeutig als Vogel, wenn auch einen primitiven, da seine Finger und sein Schwanz es näher an den Archetypus der ältesten Wirbeltiere rückten.[34]

Darwin beeilte sich, die Initiative wiederzugewinnen. Auf der Steinplatte wurde ein Schnabel entdeckt und, am umstrittensten von allem, vier oder fünf Zähne, deren glänzender Schmelz noch sichtbar war. In der *Natural History Review* bekanntgegeben, ließ die Entdeckung von Zähnen keinen Zweifel bezüglich der Bedeutung des archaischen Vogels für ‹die große Frage der Entstehung der Arten›. Hooker erblickte darin eine weitere große Lektion. Er bekam einen Teil von Owens Vortrag in die Hand und erkannte, daß das Fossil, das plötzlich in einem Steinbruch für Lithographieplatten aufgetaucht war, Darwins Behauptung hinsichtlich der Lückenhaftigkeit der fossilen Zeugnisse bewies. Darwin, der zu Hause sein ‹Ozonwasser› trank und Erdbeersorten aussiebte, schwärmte von dem prächtigen ‹Vogelgeschöpf mit seinem langen Schwanz und den Fingern›. Ein Einschub für die nächste Ausgabe von *Origin of Species* wurde archiviert.³⁵

In seinen Arbeitervorträgen gelang es Huxley in diesem Winter, den Darwinismus noch populärer zu machen. Das daraus hervorgehende Büchlein, aus sechs Broschüren zusammengestoppelt, die ein rühriger Zuhörer, der die Vorträge mitgeschrieben hatte, zum Stückpreis von vier Penny herausbrachte, erschien im Dezember. Darwin war voll des Lobes. Es sei ‹großartig geschrieben›, ‹einfach perfekt›. So gut jedenfalls, daß ‹ich meinen Laden eigentlich gleich zumachen könnte›. Vom Inhalt her sprachen die Vorträge alle Schichten an. Huxley mochte zwar Mr. Darwins Naturwissenschaft rechtfertigen, die ‹keine moderne Magie› sei; er mochte mit dem Humbug über die in *Origin of Species* vertretene spekulative Methode aufgeräumt haben.³⁶ Aber seinen Einwand in bezug auf die Sterilität hielt er immer noch aufrecht. Mit der Bissigkeit von Pressekötern rechnete Darwin, nicht aber damit, daß eine freundliche Bulldogge ständig nach ihm schnappte.

Keiner seiner Freunde bewegte sich weit oder schnell genug für ihn. Dabei begehrte er ihr öffentliches Lob und ersehnte ihre emotionale Unterstützung, die seine ständig wiederkehrenden Befürchtungen zerstreuen sollte. Am 4. Februar 1863 traf Lyells *Antiquity of Man* ein. Darwin hieß ‹das gewaltige Werk› willkommen und fuhr dann für zehn Tage zu Erasmus, um es zu lesen. Die Zustimmung von Sir Charles würde die bisher wichtigste sein; er erwartete, daß sein alter Mentor ‹dem ganzen Thema des Wandels der Arten› enormen Auftrieb geben werde. Doch die Affen und die Unsterblichkeit machten dem Mittsechziger Lyell schwer zu schaffen, und Hooker wußte, daß es ihm ‹verflucht schwerfallen würde, seine ganze alte Geologie und Biologie mit dem neuen Stand der Dinge zu vereinbaren›. Dennoch ‹wird sich sein Werk außerordentlich gut verkaufen›. ‹Welch ein reißender Absatz!› rief Darwin hingerissen aus. Viertausend Exemplare gingen am Tag der Auslieferung an die Buchhandlungen. Hooker hatte recht: ‹Das Publikum hört auf ihn.›³⁷

Antiquity of Man war zahm, und Darwin verzweifelte über Lyells Zaghaftigkeit, obwohl das Buch insgesamt eine frappierende Wirkung hatte. Zwar wurde viel darin gesagt, aber viel mehr fehlte. Ein Teil bestand aus einem öden Wiederkäuen, einer ‹Kompilation› von Erkenntnissen anderer Archäologen, die Lyell in dem Spiel weit voraus waren, auch wenn er die von ihm benutzten Fährten mit dem Hinweis relativierte, man dürfe sich ‹auf nichts verlassen, bis man es selbst gesehen hat›. Einen kleinen – sehr kleinen – Teil bildete eine matte Zusammenfassung des Beweismaterials für die Transmutation. Von Huxley präpariert, griff Lyell zwar Owens Gehirnforschung an, sagte aber nirgends ‹offen, daß er an den Wandel der Arten glaubt und daß der Mensch deshalb von einem affenähnlichen Vorfahren abstammt›. Er mühte sich sichtlich ab, war jedoch unfähig, sich zu bewegen. Er machte den Menschen wohl alt, weigerte sich aber, ihn zu degradieren, und griff lieber auf ‹neue und mächtige Ursachen› zurück, um den spirituellen Anteil der menschlichen Natur zu erklären.[38]

Dem nach Downe zurückgekehrten Darwin ging inzwischen die Geduld aus. Die Lyells sollten für einige Tage zu Besuch kommen, und er wappnete sich für eine Konfrontation. ‹Ich fürchte mich davor›, teilte er Hooker mit, ‹aber ich muß ihm sagen, wie enttäuscht ich darüber bin, daß er sich nicht offen über die Arten geäußert hat und noch weniger über den Menschen. Und der größte Witz ist, daß er glaubt, mit dem Mut eines Märtyrers von dazumal gehandelt zu haben.› Doch Lyell *hatte* mit sich gerungen, und kein Märtyrer legte einen so weiten Weg zurück, von der Sicht des Menschen als ‹verdorbenen Erzengel› bis zu dessen Einschätzung als ein höheres Tier. Er selbst erklärte gegenüber Darwin: ‹Ich habe mich so weit geäußert, wie es meine gegenwärtigen Überzeugungen erlauben, und bin in meinen Ausführungen über die geradlinige Abstammung des Menschen vom Vieh sogar noch über meine gegenwärtige *Gefühlslage* hinausgegangen.› Es war unrealistisch gewesen, von Lyell zu erwarten, ‹den ganzen Gorilla zu bringen›, nachdem er dreißig Jahre lang und während neun Ausgaben der *Principles of Geology* eine Wandlung der Tierarten verneint hatte. ‹Dein Urteil über dieses Thema hätte Epoche gemacht›, äußerte Darwin mißmutig; nun sei diese Chance ‹für mich endgültig verspielt›.[39] Die Sache schlug ihm so auf den Magen, daß er den Besuch der Lyells absagte.

Kein Wunder, daß er ‹Hurra, das Affenbuch ist gekommen!› ausrief, als Huxleys *Evidence as to Man's Place in Nature* Ende Februar eintraf. Das war mehr nach seinem und auch Hookers Geschmack; ‹erstaunlich klug› nannte er das Buch. Die Titelseite allein war beredt genug. Sie zeigte eine Anzahl von Skeletten, hintereinandergereiht wie Schlange stehende Menschen, mit einem Gibbon am Ende, gebeugten Menschenaffen in der Mitte und einem Menschen an der Spitze. ‹Es ist eine schaurige und groteske Prozession›, befand der Herzog von Argyll, der peinlich berührt, aber dabei noch froh darüber war, daß ihre Gehirne nicht ähnlich aufgereiht worden waren. Dieses Bestiarium ‹schnatternder, kriecherischer Affen› verursachte dem *Athenaeum* Zähneklappern. Das Blatt warf Lyell und Huxley als zynische Erniedriger in einen Topf; der eine habe den Menschen ‹hunderttausend Jahre› alt gemacht, der andere ihm ‹hunderttausend Affen als Vorfahren bescheinigt›.[40]

Huxleys Buch holte auch noch die letzte Unze Gold aus der Debatte mit Owen heraus. Owen war sich selbst der schlimmste Feind; seine geschraubte Ausdrucksweise forderte zur Parodie geradezu heraus. Sein Wort von der ‹fortgesetzten Wirksamkeit der vorherbestimmten Entstehung lebendiger Dinge› bedeutete einfach, daß Gott eine ‹*vorausschauende* Intelligenz› sei,

welche die Arten mittels eines Naturgesetzes (also einer Art göttlichen Er-
lasses) ständig an die Umwelt anpasse. Huxley behandelte diesen Anspruch
jedoch als ein Stück semantisches Pandämonium. Diese mit der Vorsehung
operierenden Platitüden wirkten wie ein rotes Tuch auf die anschwellenden
Reihen der rationalistischen Darwinisten. Owens Äußerungen klangen aus-
weichend. Doch Huxley brachte die Sache in *Man's Place* auf den Punkt:
‹Obwohl ich von der Verkündung einer Formel hörte, die von der «vorherbestimmten, ständigen Entstehung organischer Formen» spricht, liegt es auf
der Hand, daß es die erste Pflicht einer Hypothese ist, verständlich zu sein,
und [dies] ... kann man rückwärts, vorwärts oder seitwärts mit genau demselben Quantum an Bedeutung lesen.›

Darwin genoß den ‹köstlichen Spott›. Die Theatralik, mit welcher Owen
der Marsch geblasen wurde, förderte den Absatz; die ersten tausend Exemplare von Huxleys Buch waren schnell verkauft und machten innerhalb von
Wochen eine Neuauflage nötig.[41]

Aber nichts entschädigte Darwin für seine Enttäuschung über Lyell.
Während der Lektüre von *Antiquity of Man* erlitt Charles wieder solche
Brechanfälle, daß Emma zu drastischen Maßnahmen griff. ‹Es bricht mir
das Herz›, schrieb er seufzend an Hooker, ‹aber Emma sagt ... daß wir alle
für zwei Monate nach Malvern gehen müssen.› Er hatte den Badeort seit
zwölf Jahren gemieden; die Erinnerungen schnitten zu tief. Auch jetzt meinte er noch, ‹ein guter schwerer Anfall von Ekzemen› könne ihn vor dem
Trauma bewahren. Es kam jedoch nur zu einem leichten, der lediglich seine
Abreise verzögerte und ihn müde machte. Verzweifelt versuchte er es mit
Verwandtenbesuchen in der Hoffnung, der Tapetenwechsel werde ihn heilen. Aber es wurde nur schlimmer, und im Juni war er an sein Sofa gefesselt
und zu nichts anderem fähig, als seine neuen rankentragenden Pflanzen zu
beobachten. Gray hatte ihn mit einer Packung wilder Gurkensamen zu einer
neuen Versuchsreihe animiert; sie waren schnell gewachsen und hatten den
Patienten neugierig gemacht. Tag und Nacht beobachtete er von seinem
Krankenlager aus die langen, lassoartigen Ranken, die kreisförmige Bewegungen ausführten, zuerst in die eine und dann in die andere Richtung. ‹Ich
habe großen Spaß an meinen Ranken›, schrieb er Hooker und bat ihn um
exotischere Arten zum Beobachten; ‹das ist genau die Art von Trödelei, die
mir liegt.›[42]

Sein Ausschlag verschwand, doch dann kam die Nachricht, daß Dr. Gully
krank sei, und die Fahrt nach Great Malvern wurde ein weiteres Mal verschoben. Charles führte den ganzen Sommer über ‹mehr denn je das Leben
eines Einsiedlers›. ‹Teuflische Kopfschmerzen› setzten ein, und im August
litt er wieder jeden Morgen an Brechreiz. Er verschickte Phiolen mit Erbro-
chenem zur Analyse, aber ohne Ergebnis. Als im September die Rebhuhn-

saison begann, setzte Emma schließlich ihren Willen durch. Während die Jagdflinten knallten, die sie an ‹alte Zeiten› erinnerten, nahm sie ihn mit auf die Reise. In Great Malvern mieden sie zwar ihr früheres Quartier, doch den traurigen Assoziationen des Ortes konnten sie nicht entrinnen. Charles und Emma hatten niemals Annies Grab gesehen. Es fiel Emma schon schwer genug, sich in den Friedhof zu wagen, aber es traf sie in der Seele, daß sie den Grabstein nicht fanden. Charles schloß vorschnell, er müsse in einem schändlichen Akt von Vandalismus gestohlen worden sein. Sie wandten sich an Fox, der ihn einmal gesehen hatte, und er führte Emma zu dem überwucherten Grab.[43]

Durch den fürchterlichsten Zufall erhielten sie nur wenige Tage später – am Dienstag, dem 29. September – ein kurzes Schreiben von Hooker mit der Klage: ‹Meine geliebte kleine zweite Tochter ist vor einer Stunde hier gestorben.› Hookers sechsjährige Minnie wurde ‹nach wenigen Stunden *besorgniserregender* Krankheit› dahingerafft. Er erhielt vom Arzt eine dreiminütige Warnung und verbrachte die kostbaren Augenblicke an ihrem Bett. ‹Ich habe soeben mein geliebtes kleines Mädchen bestattet›, schrieb er einige Tage später. Sie war ‹in jedermanns Augen die schönste Blüte meiner Schar, die Begleiterin meiner Spaziergänge, das erste meiner Kinder, das Liebe für Musik und Blumen erkennen ließ, und das sanftmütigste, zärtlichste kleine Geschöpf, das ich je kannte. Es wird lange dauern, bis ich aufhöre, ihre Stimme in meinen Ohren zu hören oder ihre kleine Hand zu spüren, die sich am Kamin und im Garten in die meine schmiegte – wo immer ich hingehe, sie ist da›.

In Great Malvern wurde Charles von Erinnerungen überflutet. ‹Ich verstehe gut Deine Worte: «Wo immer ich hingehe, sie ist da»›, antwortete er traurig. ‹Gott segne Dich, mein bester Freund.› Als er den Brief nochmals las, weinte er wieder ‹über unseren armen Liebling›. Aber die Zeit heilt, und die Tränen hatten ‹jene unsägliche Bitterkeit früherer Zeiten verloren›.[44]

35

Lebendig begraben

Dr. Gully befahl ihm sechs Monate Ruhe, aber Charles schaffte bloß sechs Monate Krankheit. Er wurde sogar zu schwach, um eine Feder zu halten, und Emma nahm seine Diktate auf. Selbst die gute Nachricht, eine Übersetzung von *Origin of Species* ins Italienische, genügte nicht, um ihn wieder auf die Beine zu bringen. Ebensowenig vermochte ihn die Familienneuigkeit zu erschüttern, die Eheschließung seiner kränklichen dreiundfünfzigjährigen Schwester Catherine mit dem Witwer Charles Langton, die allen übrigen als sinnlos erschien. Darwin lag jeden Tag auf ein Sofa hingestreckt; ‹es ging stetig bergab›, und er wünschte abwechselnd, tot zu sein und ‹am Leben zu bleiben, um noch ein bißchen arbeiten zu können›. Besuche waren verboten, Freunde und wallfahrende Freidenker wurden abgewimmelt. Ärzte aus der Londoner Harley Street kamen und gingen mit Urinfläschchen. Nichts wirkte; niemand konnte einen organischen Schaden an Darwins ‹Gehirn oder Herzen› finden. Er verfiel immer mehr, war nicht mehr imstande, die achtzig Meter bis zum Treibhaus zu gehen, konnte nicht einmal mehr die *Times* bewältigen, und Emma mußte zu ‹Schundromanen› übergehen. Er erbrach sich nach jeder Mahlzeit, mehrmals auch nachts – einmal siebenundzwanzig Nächte hintereinander. Ausgezehrt und ausgeblutet, hoffte er, ‹wieder ein bißchen bergaufkriechen zu können›, falls aber nicht, daß ‹mein Leben sehr kurz sein möge›.[1]

Die niederdrückende Krankheit dauerte bis zum Frühjahr 1864. Der April war gnädig und fand Darwin im Zustand der Besserung im Gewächshaus sitzend. Jahrelang hatte er immer wieder einmal Blutweiderich *(Lythrum)* gezüchtet, wie immer fasziniert von den Merkwürdigkeiten der Natur, und es gab nichts Merkwürdigeres als ihre dreifache Sexualität.[2] Er liebte sexuelle Rätsel, weil sie so eng mit der Frage von Sterilität und Evolution verknüpft waren – und weil sie einen zwingenden Vorwand zum Tüfteln lieferten. Er hatte alle erdenklichen ‹illegitimen Heiraten› unter Weiderichgewächsen herbeigeführt, um den Grund für ihre eigenartigen Blüten herauszufinden. Als seine Kraft zurückkehrte, sammelte er mit der Pinzette Samen ein und pflanzte eine neue Generation.

Lythrum hat drei Arten von Blüten. Die weibliche, pollenaufnehmende Narbe kann entweder einen kurzen, einen mittellangen oder einen langen Griffel haben; abhängig von seiner Größe okkupieren zwei Sätze männlicher, pollenerzeugender Staubblätter die übrigen beiden Positionen. Wenn die weibliche Narbe auf einem langen Griffel sitzt, sind die männlichen Staubblätter mitellang beziehungsweise kurz. Niemand hatte sich je gefragt, warum die Natur zu einer so merkwürdigen Anordnung gegriffen hatte, und niemand hatte in funktionalen Kategorien gedacht. Darwin hatte Spaß daran, die achtzehn möglichen geschlechtlichen Kombinationen herbeizuführen, indem er Pollen von Staubblättern jeder Größe auf Narben der verschiedenen Größen auftrug, die Samen zählte und sie in Dutzenden von Töpfen keimen ließ, um ihre Fruchtbarkeit zu testen.

In diesem April sortierte er Hunderte von Samenkörnern, wertete die Ergebnisse aus und schrieb darüber für die Linnean Society. Nur sechs ‹Paarungen› erwiesen sich als ‹legitim›, und in jedem Fall hatten Samenblätter und Griffel dieselbe Größe. Seine Tabellen zeigten eindeutig: Je größer die Höhenunterschiede, desto größer die ‹Illegitimität› und die Häufigkeit der Unfruchtbarkeit. Lange Griffel und kurze Staubblätter (die bei derselben Pflanze auftraten) brachten sterile Samen hervor; das war ein weiterer Ad-hoc-Mechanismus der Natur, um Fremdbestäubung zu gewährleisten.

Das Gerede über illegitime Paarungen hätte vielleicht die Damenclubs schockiert, zumindest aus dem Munde des Enkels von Erasmus Darwin. (Des Großvaters eigene Experimente mit illegitimer Fortpflanzung gaben immer noch Anlaß zu Klatsch und Tratsch. Zu diesem Zeitpunkt hatte Darwin den Verdacht, daß die Witwe eines befreundeten Botanikers, Francis Boott, eine außereheliche Enkelin des alten Erasmus sein könnte.) Aber Darwin war unbeirrbar und ging systematisch vor; er reduzierte seine Liebe zu den Pflanzen auf kalte, klinische Berechnung. Das Auszählen steriler Samen paßte zu dieser unromantischen, faktenbesessenen Ära. Die blumigen Personifizierungen von Großvater Erasmus, bei dem sich Griffel und Staubblatt einander zuneigten, um sich in einem Kuß zu vereinigen – sie waren nicht seine Sache.

> Bezaubernde Melisse, dein Altar ist duftumflort,
> Ritter und Knappen dir zu Füßen beugen sich davor.

Trotzdem verstand er sich auf einen kleinen Scherz. Von einer Mrs. Becker um etwas Erbauliches für ihre literarische Damengesellschaft gebeten, schickte er ihr einen Text mit dem Titel ‹Über die sexuellen Beziehungen der drei Formen von *Lythrum salicaria*›. Weiß der Himmel, wie viele Damen mit rotem Gesicht weggingen, nachdem sie gehört hatten, daß ‹die Natur ein

höchst komplexes Heiratsarrangement vorgesehen hat, nämlich eine dreifache Paarung zwischen drei Zwittern, wobei jeder Zwitter sich in seinem
weiblichen Organ deutlich von den anderen beiden Zwittern und in seinem
männlichen Organ teilweise von diesen unterscheidet und jeder mit zwei
männlichen Organen ausgestattet ist›.[3]

Als Darwin mit den Weiderichgewächsen fertig war, erstickten Schlaf-
und Arbeitszimmer sowie die Treibhäuser in Kletterpflanzen und sich ein-
rollenden Ranken. Hookers exotische Lianengewächse und kommerziell
erworbene Kletterpflanzen hatten alles überwuchert: Kranzwinden aus
Queensland, *Cerepegias* aus Ceylon, Passionsblumen und Zaunrüben. Und
naturgemäß niemals nur eine, sondern stets sieben Sorten von Klematis,
acht von Kapuzinerkresse ... Als Darwin sich im Mai hinsetzte, um eine
kurze Abhandlung über die Rankenbewegungen zu schreiben, befaßten sich
andere, Wachsamere, mit den Rassen des Menschen.

Lyells *Antiquity of Man* und Spencers *Social Statics* hatten Wallace angespornt, sich zur menschlichen Evolution zu äußern. In diesem Monat
vertiefte sich Darwin in den ersten Vortrag, den Wallace vor der ultrarassi-
stischen, für die Sklaverei eintretenden Anthropologischen Gesellschaft gehalten hatte.

Diese unerfreuliche Gesellschaft war Darwin ein Greuel, und der amerikanische Bürgerkrieg steigerte noch seinen Abscheu. Trotz Grays Berichten
über das ‹schreckliche Gemetzel› während der Schlacht in der Wilderness
ließ er nicht daran rütteln, ‹daß die Abschaffung der Sklaverei wohl ein Dutzend Jahre Krieg wert sei›. Es gebe keine wissenschaftliche Rechtfertigung
für die Sklaverei. Darin stimmte ihm die gesamte rivalisierende Ethnologi-
sche Gesellschaft zu. Londoner Parteigänger waren gerade eifrig damit beschäftigt, Standpunkte zur Rassenfrage mit den unbezweifelbar Erkenntnissen der Biologie abzusichern. Die rassistischen Anthropologen zogen über
die abolitionistischen Ethnologen her (an deren Spitze Huxley, Busk, Lubbock, Galton und Wallace standen, mit Darwin als Ehrenmitglied und
seinem Bruder Erasmus im Vorstand), und die Rezensionen boten einen
Vorwand für die literarische Hinrichtung.[4] Wallace, der kooperative Frie-
densvermittler, versuchte auf der Basis eines kühnen Evolutions-Kompro-
misses einen Waffenstillstand herbeizuführen. Er postulierte, die Rassen
seien zwar schon seit langem getrennt (was die Anthropologen freute), sie
seien jedoch kurz nach dem Affenstadium aus einer einzigen gemeinsamen
Entwicklungslinie hervorgegangen (was die ethnologischen Darwinisten
freute).

Als guter – zu dieser Zeit freilich noch ziemlich wackliger – Sozialist
begann Wallace bei den sozialen Unterschieden zwischen Menschen und
Tieren. Auch primitive Gesellschaften hätten eine ‹Arbeitsteilung›: manche

Mitglieder eines Stammes jagten oder fischten, andere sammelten und pflanzten. ‹Gegenseitiger Beistand› sei von höchster Wichtigkeit: die Kranken würden gepflegt, die Nahrung werde geteilt, Binnenkonkurrenz werde zum Wohl der Gruppe reduziert. Mit der Stärkung der sozialen Organisation würden diese gemeinsamen ‹moralischen› Qualitäten durch natürliche Auslese vervollkommnet.

Konkurrenz bestehe nicht zwischen einzelnen, sondern zwischen den Gruppen. Die robustesten Rassen mit der größten Erfindungsgabe und der ausgeprägtesten Kooperation würden sich durchsetzen, während der Wettbewerb ‹zur unvermeidlichen Auslöschung all jener tiefstehenden und geistig unentwickelten Populationen führt, mit denen die Europäer in Verbindung kommen›. Dem konnte Darwin zustimmen; er unterstrich den Abschnitt mehrfach. Imperiale Expansion vom Norden aus vernichtete die einheimischen Stämme. Die Reise mit der *Beagle* hatte ihm das vor Augen geführt. Er kritzelte an den oberen Rand der Seite: ‹Die natürliche Auslese wirkt sich jetzt auf die unterlegenen Rassen aus, wenn diese in Konkurrenz mit den Neuseeländern treten. Die hochstehenden Neuseeländer berichten, die [Maori-]Rasse sterbe ebenso aus wie die einheimische Ratte.›[5] Die Horden von europäischen Kolonisten, Ratten und Farmern richteten bei ihrem Vordringen Verheerungen an.

So weit war eine kooperative Ethik aus Wallace' politischer Sicht vereinbar mit dem Darwinismus; Wallace betrachtete die gegenseitige Fürsorge als Produkt der natürlichen Selektion. Doch dann wechselte er die Gangart. Das Aufkommen des Bauens, des Feuers, der Kleidung und der Bodenkultur habe den Menschen zum Herrn über seine Umwelt gemacht. Die menschliche Physis mit ihren grundlegenden rassischen Unterschieden sei nicht länger Naturkräften unterworfen; der Intellekt gewinne jetzt die Oberhand über die Selektion. Der menschliche Körper habe, abgesehen von Aspekten wie Haut- oder Haarfarbe, seine Entwicklung abgeschlossen, während der geistige Fortschritt über Jahrtausende unvermindert weitergegangen sei, bis der Mensch schließlich den Körper eines aufrechten Affen, aber einen Geist besessen habe, der eine Utopie entwerfen konnte.

Die natürliche, selektionierte Gruppenmoral, der Wallace das Wort redete, führte die Gesellschaft in eine sehr undarwinistische Richtung. Der alte Sozialist betrachtete das Millenium unter diesem moralischen Regime optimistisch: Jeder werde sich ‹sein eigenes Glück schaffen›, Disziplinierung werde unnötig sein, überall werde Freiheit herrschen, ‹da die ausgewogenen moralischen Fähigkeiten niemandem gestatten werden, gegen die gleiche Freiheit anderer zu verstoßen›; despotische Regierungen würden absterben (‹Jeder Mensch wird sich selbst zu beherrschen wissen›), die amorphe Menge werde ‹durch freiwillige Zusammenschlüsse zu allen nützlichen öffentlichen Zwecken ersetzt werden›.[6] Mit diesem optimistischen, ja geradezu anarchistischen Ausblick auf eine egalitäre Gesellschaft als Ergebnis geistiger Auslese schloß Wallace.

Darwin war vermutlich höchst erstaunt, durch seine Wissenschaft den Weg zur Utopie geebnet zu sehen. Er schrieb Wallace, die Gehirn-Körper-Dichotomie sei ‹großartig und höchst eloquent entwickelt›, erhob jedoch Widerspruch hinsichtlich des Nachlassens der Selektion und stellte sich dumm in bezug auf die Politik. Wie er darlegte, sei auch der australische Wilde angesichts seiner ‹ständigen Kämpfe› der Selektion ausgesetzt. Und die englische Gesellschaft werde nur durch ungehinderte Konkurrenz vital und fortschrittlich bleiben. Alles Kränkliche und Degenerierte verdiene niedergemäht zu werden, glaubte er, während er gleichzeitig die Wohltätigkeitsvereine in Downe finanziell unterstützte, um seine eigene paternalistische Ordnung aufrechtzuerhalten, und sich über die durch Inzucht erzeugten Gebrechen seiner Söhne Sorgen machte. Er verurteilte ‹das Erstgeburtsrecht, weil es die natürliche Auslese vereitelt›, während er gleichzeitig seinen Erstgeborenen, William, durch Lubbock in das Bankgeschäft einführen ließ.

Wallace schüttelte den Kopf. Kriege bedeuteten keine Auslese der Tauglichsten, denn die ‹Stärksten und Tapfersten› stürben als erste. Er konnte auch nicht viel mit ‹sexueller Auslese› anfangen, da jede Rasse ihre Partner nach ihren eigenen Schönheitsmaßstäben wähle. Ebensowenig vermochte er übrigens Darwins Behauptung zuzustimmen, die Mitglieder der europäischen Aristokratie sähen besser aus als die Angehörigen der Mittelschichten. Das bloße ‹*Auftreten*› und die Verfeinerung der begüterten Klassen würden hier mit Schönheit ‹verwechselt›.[7] Die Politik trieb einen Keil zwischen die beiden Männer.

Wallace sprudelte über von Ideen. Er überzeugte Lyell davon, daß die Höhlen auf Borneo ‹unsere Vorfahren› enthalten könnten. Erasmus ließ seinen Bruder wissen, daß Lyell für die Entsendung einer Expedition eintrat und sich um Unterstützung seitens der Ausgräber der Höhle von Brixham bemühte. Lyell arrangierte sogar ein Treffen mit Sir James Brooke, dem von der Regierung ernannten Radscha von Sarawak, und versuchte ihn mit dem Gedanken anzuspornen, bei der Expedition könne man vielleicht ‹ausgestorbene Orang-Utans, wenn nicht sogar das fehlende Bindeglied [zwischen Mensch und Affe]› finden.[8] Es wurden jedoch keine öffentlichen Gelder bereitgestellt, und so beschloß der britische Konsul, die riesigen Höhlen selbst zu erforschen.

Die bisher gefundenen Höhlenfossilien schienen das Bild eher zu verwirren. Der Neandertaler wurde Opfer eines Tauziehens. Manche sahen in ihm einen ‹armen Idioten›, andere einen Urmenschen mit animalischen ‹Gedanken und Gelüsten› – *Homo neandertalensis,* den ersten, noch nicht klugen

Menschen. Fossile Schädeldecken, die über vorsintflutlichen Werkzeugen gefunden wurden, veranlaßten die kirchliche Presse zu neuen exegetischen Verrenkungen. Selbst wenn man von der Existenz eines ‹präadamischen› Menschen ausgehe, argumentierte das Quäkerblatt *Friend,* bedeute das nicht, daß dieser ‹eine engere Verbindung mit den Nachkommen Adams hatte als die möglichen Bewohner des Mondes›. Der freikirchliche *Morning Advertiser* warf die Frage auf, ob dies ‹der «Mensch» ohne «lebendige Seele»› war, ‹von dem in der Genesis gesprochen wird›. Wahrscheinlich sei er ein Tiermensch gewesen, ein ‹bloßes Tier und nicht wichtiger als die Fledermäuse und die Eidechsen jener längst vergangenen Zeiten›. Die Spekulationen und Huxleys Versuch, den moralischen Spieß umzudrehen, veranlaßten Kardinal Wiseman, einen Hirtenbrief herauszugeben, in dem er sein Befremden darüber ausdrückte, daß ‹ein einzelnes Schädeldach› oder ‹eine antiquierte Fischgräte ... gegen die Lehre der Heiligen Schrift in die Waagschale geworfen› werden konnte. Er verurteilte Professoren, die lehrten, daß der Mann ‹die entwickelte Intelligenz› und die Frau die ‹gereifte Anmut› eines Pavians besäßen. Ob man, so zitierte ihn die *Times,* ‹den Glauben an die moralische und spirituelle Wahrheit dem Urteil derjenigen unterwerfen› solle, ‹die behaupten, den Schlüssel zur wissenschaftlichen Wahrheit in der Hand zu halten›?[9]

Unterdessen ging die Debatte über *Essays and Reviews* weiter, deren liberaler Anglikanismus als nationaler Skandal empfunden wurde. Prälaten kochten vor Empörung über das dynamische, ohne Wunder auskommende Christentum der Verfasser. Wenn man das tolerierte, bedeuteten die Neununddreißig Artikel nichts mehr; die Staatskirche selbst war dann in Gefahr. Die beiden kirchlichen Essayisten, die wegen ihrer allzu freien Ansichten über die Bibel und die ewige Verdammnis der Ketzerei überführt worden waren, hatten an den Justizausschuß des Staatsrats [die höchste Berufungsinstanz Großbritanniens; Anm. d. Ü.] appelliert, der das Urteil jetzt revidierte und ‹die Klage der Hölle kostenpflichtig abwies›. Wilberforce war ebenso wütend, wie es zweifellos die 137 000 Laien waren, die einen Dankesbrief an die Erzbischöfe von Canterbury und York unterzeichneten, weil diese gegen den Ausschuß gestimmt hatten. Da die juristischen Mittel erschöpft waren, taten sich die Kirchenmänner zu öffentlichen Protesten zusammen; Wanderprediger und anglikanische Prälaten begruben ihre Fehden und reichten sich die Hände. Eine Deklaration zugunsten biblischer Inspiration und ewiger Höllenqualen wurde in Oxford entworfen und an die 24 800 Mitglieder des Klerus übermittelt. Mit 11 000 Unterzeichnern im Rücken nahm Wilberforce an der Provinzialsynode von Canterbury teil und erwirkte dort im Juni eine ‹synodale Verurteilung› von *Essays and Reviews.*[10] Eine Gegenbewegung formierte sich; das verhieß nichts Gutes für die Sache der Evolution.

Nicht daß sich Darwin selbst viel darum kümmerte. Während sich die Gesellschaft mit Imponderabilien herumschlug, sezierte er seine Kletterpflanzen, um herauszufinden, wie ihre Evolution funktionierte. Tische und Fensterbänke waren immer noch überwuchert von Lianen und Rankengewächsen; Töpfe standen auf jedem Sims, während er mit der Uhr Suchbewegungen maß und die Wirkung von Licht überprüfte. Warme Sommertage verbrachte er in den Hopfenfeldern und beobachtete die Pflanzen, wie sie sich an den Stangen emporschlängelten. Er brachte Hopfen nach drinnen, und obwohl er eigentlich bettlägerig war, band er Gewichte an ihre Spitzen, um ihr Emporklettern zu verlangsamen. Die Reben um das Haus herum nahmen ein surreales Aussehen an; Darwin hatte sie mit farbigen Markierungen verziert, um ihre Drehbewegungen zeitlich messen zu können.

Die Klematis hatte sich mit ihren Häkchen festgeklammert, und da Darwins Untersuchungen zumindest immer eines waren, nämlich vollständig, fing er an, auch diese Blattkletterer zu studieren. Er vermutete, daß sie evolutionäre Bindeglieder zwischen den Stammkletterern und den rankenschwenkenden Pflanzen waren. Sie dienten seinem Zweck; er wies nach, daß die Haken modifizierte Blattstengel und Ranken Blätter oder Blütenstengel waren, die, drastisch in die Länge gezogen, Lassos bildeten. Diese Veränderungen halfen einer Pflanze bei ihrem tastend, klammernd, in Windungen sich vollziehenden Kampf ums Dasein. Ebenso wie der Fortpflanzungsapparat der Orchideen sicherten sie das Überleben der Spezies. Darwins ‹Divertissement› hatte sich wie immer zu einem größeren Projekt ausgewachsen. Vier Sommermonate lang war er infolge von Grays wilden Gurkensamen auf dieses Nebengleis gelockt worden; seine am 13. September beendete Abhandlung hatte einen solchen Umfang angenommen, daß die Linnean Society sie als hundertachtzehnseitige Monographie mit dem Titel *The Movements and Habits of Climbing Plants* [dt.: ‹Die Bewegungen und Lebensweise der kletternden Pflanzen›; Anm. d. Ü.] herausbrachte.

Am nächsten Tag schleppte er sich wieder zu seinen zahmen Enten und Gänsen zurück. Er war nicht völlig genesen; die geringste Aufregung konnte ihn niederwerfen. Im Oktober verursachte ihm ein zehnminütiges Beisammensein mit den Lyells einen ‹schrecklichen Tag des Erbrechens›, und er fühlte sich ‹lebendig begraben›, was zeigt, wie sehr er Lyell immer noch dessen mangelnde Unterstützung für die Idee der Transmutation verübelte. Von seinem Mausoleum aus fuhr er fort, Züchter zu beschwatzen und seine Großzügigkeit walten zu lassen. Er unterstützte in Not geratene Züchter, gab einem Gartenbaufachmann Geld, damit dieser sich die ersehnte Fahrt nach Indien leisten konnte, und schickte Bewunderern sein Autogramm.[11] Er brauchte diese gleichförmige Existenz – er zog es vor, mit der Welt per Post zu verkehren.

Briefwechsel war für ihn eine mittelbare Art, am Leben teilzunehmen. Das galt insbesondere gegenüber seinen Söhnen. George, jetzt neu in Cambridge, hielt ihn über das College-Leben auf dem laufenden, und Frank in der Schule von Clapham erinnerte ihn an die Qualen der Mathematik mit seinen Klagen über die langweiligen ‹logarithmischen Rechnungen›, die ihm der Schulleiter, Reverend Wrigley, aufgab. Leonard und Horace, begriffsstutzig und körperlich zart, waren noch zu Hause und wurden von örtlichen Geistlichen unterrichtet. Alle verhätschelten die beiden aus Angst um ihre Gesundheit. Charles fürchtete ebenfalls um ihre Zukunft, trotz der vernünftigen Ratschläge des alten Pfarrers von Downe, Reverend Innes, in bezug auf geeignete Schulen.

Innes war jetzt Briefpartner und trug einen neuen Namen: Brodie Innes. Er hatte ihn geändert, als er im Schottischen Hochland einen Besitz erbte, und sich mit seiner Frau und seinem kränkelnden Sohn dorthin zurückgezogen; die Gemeinde hatte er der zweifelhaften Obhut seines Vikars, des Reverend Thomas Stephens, anvertraut. Ohne eine Pfarrpfründe erwies es sich als unmöglich, einen Priester von Format nach Downe zu locken. Brodie Innes, immer noch der für die Gemeinde verantwortliche Hirte, stützte sich auf Darwin als seinen Stellvertreter und Informanten. Jahrelang waren sie die Säulen der beiden Wohltätigkeitsvereine von Downe gewesen; bei seinem Weggang hatte der Pfarrer Darwin zum Schatzmeister des Dorfes gemacht. Trotz seiner eigenen Arbeit übernahm Reverend Henslows alter Schützling gern diese Aufgabe. Sich um die weltlichen Bedürfnisse armer Nachbarn zu kümmern, war genauso eine Pflicht, wie ihre geistlichen zu erfüllen. So versorgte Darwin Brodie Innes mit Nachrichten über die Gemeindepolitik, während Stephens ihm über Pfarreiangelegenheiten berichtete. Brodie Innes und Darwin waren ein gutes Gespann. Auch wenn der eine ein Tory, der andere ein Liberaler war, so verbanden sie doch als Grundbesitzer gleiche Interessen. Der Pfarrherr erfreute Darwin mit Jagdgeschichten aus der schottischen Wildnis, während er an der Moral der heimischen Kleinpächter allerhand auszusetzen hatte. ‹Sie sind sicherlich alles andere als ehrlich, aber ... durchweg voller frommer Reden wie ein englischer Dissenter. Was kann ich mehr sagen?›[12]

Als Huxley und seine Mannen einen Verteidigungsring um Darwin bildeten, begann er sich erleichtert zu fühlen. Die Reihen schlossen sich 1864 noch fester, doch inzwischen war überall eine militante Reaktion auf dem Vormarsch. Auf der anglikanischen Synode legten bibelfeste Wissenschaftler eine Deklaration vor, in der sie ihren Glauben an die Harmonie von Gottes Wort und Werken bekräftigten und die sie zu einem ‹Vierzigsten Artikel› der Kirche von England zu machen suchten. Sie brachten sie auch vor die British Association, wo Huxleys ‹gefährliche Clique› ihre Ketzereien verbreitete ‹und damit die Skepsis förderte, die in den letzten Jahren sogar in den Reihen entsprechend autorisierter christlicher Geistlicher Anhänger gefunden hat›.[13] Es kam zu Schismen und Spaltungen, als sie die Delegierten auf ihre Seite zu ziehen trachteten und so den jahrzehntealten Anspruch der Association auf religiöse Neutralität ruinierten.

Auf der Gegenseite agitierten die Darwinisten und die radikalen Freikirchler. Empört über einen scheuklappentragenden Konservatismus, der die ‹neue Reformation› zerschmettern wollte, verbündeten sie sich zur Verteidigung des evolutionären Naturalismus. Am 3. November schlossen sich Huxley, Hooker, Tyndall, Busk, Spencer, Lubbock und zwei andere im St. George's Hotel in der Londoner Albemarle Street zu einer Art darwinistischen Freimaurerloge zusammen, die Außenseitern verborgen bleiben sollte: einem Dining Club, der sich einer durch jegliche Theologie ‹unbehinderten› Wissenschaft widmen wollte. William Spottiswoode gesellte sich zu ihnen, so daß sie nun neun waren, aber ein Zehnter kam niemals hinzu, obwohl sie ihren Verein ‹X-Club› nannten. Sie wollten die Natur von reaktionärer Theologie befreien, die Wissenschaft aus aristokratischer Bevormundung lösen und eine intellektuelle Elite an die Spitze der englischen Kultur stellen. Durch Manöver innerhalb der Royal Society gelang es ihnen, die Wahlverfahren so zu verändern, daß sie ihre Bundesgenossen durchbekamen und bald im Vorstand die Fäden in der Hand hielten.[14]

Die erste Handlung des X-Club war die Verleihung ‹der altehrwürdigen, olivfarbenen Krone der Royal Society›, der Copley-Medaille, an Darwin. Busk und Falconer nominierten ihn, und trotz eines wütenden Gerangels hinter den Kulissen – die Cambridge-Fraktion stellte den alten Sedgwick als Gegenkandidaten auf – verlief die Abstimmung mit zehn zu acht Stimmen zugunsten Darwins. Das schockierte einige alte Mitglieder, die bei der Vorstellung schlotterten, ‹etwas so Unorthodoxes wie *Origin* auszuzeichnen›, wie Lyell berichtete. Nicht von ungefähr ließ der Präsident in seine Verleihungsansprache am 30. November ein abschwächendes Votum einfließen: Er gab bekannt, der Vorstand habe *Origin of Species* ‹ausdrücklich von der Begründung unserer Auszeichnung ausgenommen›. Das löste Empörung aus; Lubbock, Hooker und Huxley erhoben Widerspruch (und auch Darwin war verstimmt, als er es hörte). Huxley rief nach dem Protokoll, um zu beweisen, daß der Vorstand keine derartige Absprache getroffen habe, und versuchte die anstößige Bemerkung aus den Annalen streichen zu lassen. Lyell milderte den Affront etwas, indem er in seiner Rede erklärte, er habe seinen ‹alten Glauben› an feststehende Arten ‹aufgeben müssen›, jedoch noch nicht ‹zu einem neuen gefunden›. Die Medaille ermutigte Darwin, stärkte den X-Club und erboste die orthodoxen Anglikaner; kein Wunder, daß Huxley Darwin über die ‹Genugtuung› berichtete, ‹welche diese Auszeichnung Deinen Scharen von Freunden bereitet hat›.

Darwin hielt sich fern; sein Magen revoltierte bei dem bloßen Gedanken an das Gepränge und die Zeremonie. Busk nahm die Medaille in Empfang und lieferte sie bei Erasmus ab. Charles mimte Überraschung darüber, daß ‹ein so alter, ausgelaugter Hund wie ich noch nicht ganz vergessen ist›, wenn auch ‹solche Dinge wenig ins Gewicht fallen›. Huxleys und Hookers Gratulationen ‹sind die wirkliche Auszeichnung für mich, nicht das runde Stückchen Gold›. Seine Nonchalance wurde noch von Erasmus übertroffen, der das letzte Wort über die Ehrung seines jüngeren Bruders hatte. Er meldete zwar das Eintreffen der Medaille, fügte aber hinzu, ‹sie ist ziemlich häßlich anzusehen und zu klein, als daß sich Kerzenhalter daraus machen ließen›.[15]

Die *Natural History Review* hatte entgegen Huxleys Hoffnung keinen ‹Anklang bei den Massen› gefunden; deshalb investierten die Mitglieder des X-Club ihre Energien und ihr Geld – hundert Pfund je Anteilseigner – in ein neues, wöchentlich erscheinendes Magazin, *The Reader*. Darwin gab seinen Segen dazu, doch Spencer wollte mehr von ihm, zumindest gelegentlich einen publizierbaren Brief, welcher der Zeitschrift Auftrieb geben sollte. Der *Reader* unterstützte seinerseits Darwin, indem er zum Beispiel die Ansprache des Präsidenten anläßlich der Verleihung der Copley-Medaille (ohne die beleidigende Einschränkung) abdruckte. Der *Reader* war wahrscheinlich der letzte Versuch im viktorianischen England, liberale Wissenschaftler, Theologen und Publizisten beisammenzuhalten. Galton fungierte als Chefredakteur, ebenso Huxley, der in der letzten Nummer von 1864 einen vernichtenden Leitartikel über ‹Wissenschaft und Kirchenpolitik› verfaßte. Darin stellte er seine berühmte Behauptung auf, eine tiefe Religiosität könne völlig ohne Theologie auskommen. Religion sei wichtig, und er riet den Laizisten: ‹Verbrennt nicht euer Schiff, um die Kakerlaken loszuwerden.› Dennoch müßten die klerikalen Schädlinge ausgerottet werden. Leidenschaftlich betonte er, die Wissenschaft habe nicht ‹die Absicht, einen Friedensvertrag mit ihrer alten Gegnerin zu unterzeichnen, und wird sich auch mit nichts anderem zufriedengeben als einem absoluten Sieg und unkontrollierter Vorherrschaft› über die Theologie.[16]

Eine sarkastische Tory-Opposition übertraf sogar Huxley in der Polarisierung der Streitfragen. Benjamin Disraeli, der jüdische Verteidiger der Kirche, der witzige Literat, der mit seinem Roman *Tancred* eine Satire auf *Vestiges* verfaßt hatte, trat in einem fremdartigen Jagdrock aus schwarzem Samt und mit Schlapphut vor die Oxforder Diözesangesellschaft hin und erklärte Wilberforce: ‹Die Frage lautet doch: Ist der Mensch ein Affe oder ein Engel? Exzellenz, ich bin auf der Seite der Engel.› Darauf gründete der gedankenlose Torysmus seinen Standpunkt. Darwin hatte für literarisch ambitionierte Torys wenig übrig, noch weniger für jüdische Witze, und er blickte mit Verachtung auf *Tancred* zurück. Mit Schadenfreude registrierte er, daß sich dessen hochgekommener Verfasser – ‹diese leere Seite zwischen dem Alten und dem Neuen Testament› – damit dem *Punch* auslieferte, der ihn sinnigerweise als jüdischen Engel darstellte.[17]

Drei Wochen später nahm die Opposition eine ernstere Wendung. Papst Pius IX. verkündete eine Enzyklika mit anschließendem Syllabus, in dem die katholische Kirche allem, was dem zeitgenössischen Engländer lieb und wert war, den Kampf ansagte: ‹Fortschritt ... Liberalismus und ... der modernen Zivilisation›. Dies war der erste Schritt zur Proklamation päpstlicher Unfehlbarkeit. Huxley konterte im *Reader* mit einer ‹Gegenenzyklika›, einer ätzenden Erwiderung, die auch noch die liberalen Anglikaner unter den Lesern vor den Kopf stieß.[18] Diese Militanz, verbunden mit redaktioneller Inkompetenz, ließ das publizistische Abenteuer scheitern. Die um Anhänger werbenden Darwinisten schlugen nun andere Wege ein und sahen sich nach einer sympathisierenden Zeitschrift um.

Jetzt, da der X-Club schon dem Papst antwortete, verfügte Darwin über all die Truppen, die er benötigte. Er konnte es sich leisten, seine älteren, versöhnlerischen Bundesgenossen fallenzulassen. Mit Gray hatte er in der Frage des göttlichen Plans einen toten Punkt erreicht; fortan warb er in *Origin of Species* nicht mehr für dessen Broschüre. Lyell enttäuschte ihn weiterhin. Es brachte ihn in Rage, daß Lyell der Meinung des Herzogs von Argyll beipflichtete, die Selektion sei nicht das eigentliche ‹Schöpfungsgesetz›. Noch irritierender war es, seine Hoheit in einer geschliffenen Rede behaupten zu hören, das Leben werde von oben gelenkt und der schimmernde Glanz der Kolibris mache Darwins grobschlächtige Sicht des Nützlichkeitsprinzips der Natur zunichte. Prächtige Schönheit entziehe sich einer so niedrigen Erklärung. Owen stimmte dem zu; durch Darwins pessimistischen Malthusianismus hindurch könne er das reine Licht des Zieles der Natur wahrnehmen. ‹Eine einzelne treue Seele›, versicherte er Argyll, sei vielleicht ‹eine ebenso seltene Ausnahme wie ein keimendes Samenkorn und ein sich entwickelndes Fischei, denn ‹«eng ist die Pforte»›. Doch ‹wenn es der großen Ersturache gefällt›, auf diesem Umweg eine moralische Ordnung herbeizuführen, dann möge es geschehen. Alle waren sich darin einig: Die Selektion sei gesteuert, die Natur sei kein blinder, zu Unfällen neigender Krüppel.

Darwin war entsetzt. Argylls Gerede über Schönheit um der Schönheit willen zeigte, daß der Herzog wie jeder Politiker nur viele Worte machen, aber nicht zuhören wollte. ‹Der Herzog, der mein Orchideenbuch so gut kennt›, klagte er gegenüber Lyell, ‹hätte daraus eine Lektion in Vorsicht lernen können.› Daß winzige Differenzen beim Schnabel und bei den Flügeln keinen praktischen Unterschied machten, war lächerlich. Darwin erhob Widerspruch gegen Argylls Glauben an das dramatische Auftreten von Arten, die er als ‹neue Geburten› bezeichnete. ‹Das mag eine sehr gute Theorie sein, aber sie ist nicht die meine, es sei denn, er bezeichnet einen Vogel, der mit einem um $^1/_{10}$ Millimeter längeren Schnabel als üblich auf die Welt kommt, als «eine neue Geburt».[19] Darwins Varianten krochen in winzig kleinen Schritten vorwärts und seitwärts, aber ein Taubenzüchter begriff das eher als ein Politiker.

Hinter all den Kritteleien lauerte die menschliche Frage. Neandertaler, Affen, schwarze Vorfahren – das war mit Gefühlen befrachtet und machte vielen angst. Die alten Gewißheiten waren bedroht, die Regeln, die das Verhalten seit Jahrhunderten bestimmt hatten. Das war der Grund, weshalb Huxley in seinen Vorträgen für ein Laienpublikum die religiösen Diktate durch Naturgesetze ersetzte und davon ausging, daß Dienst an der Wissenschaft zum selben Ziel führe, nämlich zu gesellschaftlicher Ordnung und richtiger Moral. Doch dem traumatischen Umbruch war nicht zu entrinnen – und ebensowenig dem Vormarsch eines messianischen Materialismus. Von der Gosse bis zum Palast ging es um die Stellung des Menschen in der Natur. Nach seiner Rückkehr von einer dreiwöchigen Berlinreise im Januar 1865 berichtete Lyell, er habe mit der Königlichen Prinzessin von Preußen ‹ein angeregtes Gespräch über den Darwinismus› geführt und sie ‹über *Origin* und Huxleys Buch, über *Antiquity* usw. usf. bestens unterrichtet gefunden›. Darwin mit seiner ‹instinktiven Ehrfurcht vor hohem Stand› fühlte sich geschmeichelt.[20]

Im Februar war Darwin so schwach, daß ihm sogar das Gewicht der Neuausgabe von Lyells *Elements of Geology* im Bett unerträglich war. Er zerschnitt das Buch in zwei Hälften und riß die Buchdeckel ab. Inmitten eines Durcheinanders von losen Blättern lag er da und hing morbiden Gedanken nach, ausgelöst durch Hugh Falconers qualvollen Tod durch ein rheumatisches Fieber. Jahre zuvor war Falconer einer der wenigen Privilegierten bei den Zusammenkünften in Downe gewesen. Erst vor wenigen Wochen hatte er daran mitgewirkt, daß Darwin die Copley-Medaille zuerkannt worden war. Darwin fühlte sich im Banne eines verstörenden Gespensterreigens, untermalt von Hookers Geraune, man werde sich ‹in einer besseren Welt wiedersehen›. ‹Persönliche Auslöschung›, antwortete Darwin sarkastisch, verblasse zur Bedeutungslosigkeit neben der ihn verfolgenden ‹Schreckensvision›, dem Kältetod des ganzen Planeten. Man brauche sich nur die Äußerungen des Physikers Sir William Thomson über das Auskühlen der Sonne und die unausweichliche Vereisung der Erde in kalkulierbarer Frist anzuhören! Welcher Trost bleibe da Menschen ohne Glauben an die göttliche Gesellschaft? Die langsame Evolution der Menschheit falle kaum ins Gewicht, fügte Darwin hinzu, da ‹die Sonne eines Tages erkalten und wir alle erfrieren werden. Wenn man sich vorstellt, daß der Fortschritt von Millionen Jahren, der dazu geführt hat, daß es auf jedem Kontinent so viele gute und aufgeklärte Menschen gibt, in einem solchen [...] «Sic transit gloria mundi» enden wird›.[21]

Im April war er erneut schwer krank. Er ließ Enten und Gänse sein und bezweifelte, ob er das Buch über Domestikation je vollenden werde. Er feuerte seinen ärztlichen Berater aus der Harley Street und hörte sich nach einem besseren um. Busk empfahl ihm einen Spezialisten für ‹Gichtbeschwerden›, doch niemand schien wirklich etwas gegen seine ‹unterdrückte Gicht› tun zu können. Sein Vertrauen zu den Medizinern war bestenfalls wackelig, und Hooker tat nichts, um es zu festigen. ‹Was zum Teufel ist diese «unterdrückte Gicht», der die Ärzte jedes Übel zuschreiben, das sie nicht benennen können?› fragte er. ‹Wenn sie *unterdrückt* ist, wie wissen sie dann, daß es Gicht ist? Wenn sie offenkundig ist, warum zum Teufel nennen sie sie dann *unterdrückt?*›[22] Aus dem Munde eines Edinburgher Dr. med. war dies kaum beruhigend.

Es war auch nicht zum Lachen. Darwin rutschte jetzt in eine erschreckende Periode der Krankheit ab, die fast acht Monate dauerte. ‹Was dieser Mann zu leiden hat!› bedauerte ihn Emmas Tante. ‹O wenn doch nur die klare Sonne für sie aufgehen würde.› Doch die Sommersonne zeigte sich nicht; es herrschte ein Halbschatten, in dem der Tod erneut als Erlösung erschien. Wochenlang konnte Charles das Bett nicht verlassen, und Emma las ihm laut vor: Romane aus der Londoner Stadtbibliothek, solange sie gut ausgingen, und anspruchsvollere Dinge, wenn sie mit dem Postsack kamen. Kursorisch übersetzte sie ihm Fritz Müllers eindrucksvolles Plädoyer *Für Darwin* und Friedrich Rolles Buch *Der Mensch,* das die Wurzeln der Menschheit auf die südafrikanischen Buschmänner zurückführte. Charles' Ideen, in Deutschland als ‹Darwinismus› bezeichnet, gewannen in diesem Land mit seinen langjährigen liberalen Traditionen der Bibelkritik und des ungeschminkten Materialismus rasch an Boden.

Charles' Mut sank wieder, als er hörte, daß sich Lubbock in der Politik versuche und im Wahlkreis West Kent für die Liberalen kandidiere. Über eine solche Verschwendung von Geistesgaben konnte er nur den Kopf schütteln. Lediglich aus der ‹mangelhaften, kurzsichtigen Perspektive› der *Times* war Politik interessanter als Wissenschaft. Emma versuchte ihn mit Lubbocks Buch *Prehistoric Times* aufzumuntern. Was der Autor über die Wilden zu sagen hatte, fand er tatsächlich anregend. Noch mehr richtete es ihn auf, als er hörte, daß Lubbock von dem konservativen Wahlkreisinhaber empfindlich geschlagen und damit ein großartiger Kopf für die Wissenschaft gerettet worden war. Aber die Wissenschaft war andererseits auch Lubbocks Verderben gewesen. *Prehistoric Times* war mitten in der Wahlkampagne erschienen und hatte die unentschiedenen Kenter Wähler verstört, die sich nicht vorstellen konnten, daß Sachkunde über Steinzeitbarbaren die richtige Voraussetzung für die Lösung der Verkehrsprobleme von Maidstone sei.[23]

Obwohl Darwin sich selbst nach Erlösung sehnte, war er auf FitzRoys Flucht nicht vorbereitet. In den ersten Maitagen kam die Nachricht vom Tod des einstigen Captain. FitzRoy, im Meteorologischen Amt unter Druck geraten, wegen seiner Wettervorhersagen verspottet, war wieder einmal dem Trübsinn verfallen. Darwin hatte das auf der *Beagle* erlebt, die Anfälle von Jähzorn, den psychischen Zusammenbruch. Alles, so mußte es FitzRoy vorkommen, hatte sich gegen ihn verschworen: Er war übergangen worden, Sulivan, sein Untergebener, hatte den ersehnten Posten als Chief Naval Officer im Marineministerium eingenommen. Er brütete über *Origin of Species,* wurde von Depressionen heimgesucht und überarbeitete sich; als ihn seine Gesundheit im Stich ließ und sein Gehör versagte, fiel er seiner eigenen Raserei zum Opfer. Am Sonntag, dem 30. April, schnitt er sich in einem Anfall von Verzweiflung im Badezimmer die Kehle durch.

Die Nachricht rüttelte Darwin auf. ‹Ich habe nie im Leben einen so widersprüchlichen Charakter kennengelernt. Da war immer viel Liebenswürdiges, und ich habe ihn einmal aufrichtig geliebt; aber er hatte ein so cholerisches Temperament und war so leicht beleidigt, daß meine Liebe allmählich ganz geschwunden ist und ich nur noch wünschte, nichts mehr mit ihm zu tun zu haben. Zweimal hat er fürchterlich mit mir gestritten, ohne daß ich ihn provoziert hätte. Aber sicher hatte sein Charakter auch viel Nobles und Ehrenwertes.›[24]

Einige Tage später trat Darwin mit John Chapman in Verbindung. Der Buchverleger und Herausgeber der *Westminster Review* hatte sich inzwischen als Spezialist für Magenkrankheiten und psychologische Medizin einen Namen gemacht. Ein Vertrauter von Spencer und Huxley und Mittelpunkt eines Kreises neurosegeplagter Dissidenten, hatte er sie alle irgendwann ‹zusammenklappen› gesehen, während sie ihre rationalistischen Ansprüche in einer feindseligen Gesellschaft durchzusetzen versuchten. Er spezialisierte sich auf solche Patienten, ‹deren Geist hoch kultiviert und entwickelt, aber oft beschwert, modifiziert und dominiert ist durch subtile psychische Einflüsse, deren Intensität und Auswirkung auf die körperliche Krankheit schwer zu fassen ist›. Darwin, der heldenhafte Verfechter der Evolution, war für ihn die Herausforderung schlechthin. Chapman schickte sein Buch *Sea-Sickness* (‹Seekrankheit›) voraus, um Darwin einen Vorgeschmack zu geben. Seine Behandlung – Eisbeutel auf die Wirbelsäule – ging davon aus, daß Nervenbeschwerden durch Unterkühlung und Anästhesierung der Wirbelsäule beeinflußt werden könnten.

Darwin lud Chapman nach Downe ein und schickte ihm eine Liste seiner Symptome mit allen schauerlichen Einzelheiten: ‹Alter 56–57. Seit 25 Jahren extreme, krampfartige tägliche und nächtliche Blähungen. Gelegentliches Erbrechen, zweimal monatelang anhaltend. Dem Erbrechen gehen Schüttelfrost, hysterisches Weinen, Sterbeempfindungen oder halbe

Ohnmachten voraus, ferner reichlicher, sehr blasser Urin. Inzwischen vor jedem Erbrechen und jedem Abgang von Blähungen Ohrensausen, Schwindel, Sehstörungen und schwarze Punkte vor den Augen. Frische Luft ermüdet mich, besonders riskant, führt die Kopfsymptome herbei; Unruhe, wenn mich Emma verläßt ...›

Die Liste ging noch weiter. Dr. Chapman muß ebenso gestaunt haben wie seine Vorgänger: Dieser Patient schien nicht nur hochsensibel, sondern überspannt zu sein. Er verpaßte Darwin einen Eisbeutel auf die Wirbelsäule und setzte diese dreimal täglich für je eineinhalb Stunden unter Kälteschock.[25] Darwin fühlte sich zunächst munterer und schrieb, beflügelt durch den Hoffnungsschimmer, um den Emmas Tante gebetet hatte, das kontroverseste Kapitel seines Buches über Domestikation.

Mit tiefgekühltem Rücken vollendete er vierzig Seiten seiner neuen Hypothese über Vererbung. Am Ende fühlte er sich etwas verunsichert. Allein schon die Bezeichnung seiner Theorie würde manche Leute in Harnisch bringen: Da er die Vorstellung vermitteln wollte, daß jede Körperzelle einen repräsentativen Teil von sich ausschütte, nannte er sie ‹Pangenesis›. Das ‹pan› sollte besagen, daß diese Körnchen oder Gemmulae (Keimchen) aus dem ganzen Körper stammten und sich in den Fortpflanzungsorganen sammelten, aber ‹meine Frau meint, es klingt gottlos, wie Pantheismus›. Das Eis schien zu wirken, und er schickte den ‹Pangenesis›-Text zur Begutachtung an Huxley, den er als einzigen in die Theorie einweihte, und Darwin zuckte zusammen, als Huxley sie ‹unfertig und grobschlächtig› nannte. Sie war tatsächlich ein grobgeschnitzter Hutständer, an den er alle seine Lieblingshüte hängen konnte. Die Pangenesis konnte die Knospen einer Pflanze ebenso erklären wie die Fähigkeit eines Wassermolchs, einen abgetrennten Fuß zu regenerieren, oder die Kräftigung und die Schrumpfung von Organen durch Gebrauch beziehungsweise Nichtgebrauch oder die geschlechtliche Fortpflanzung – sie war ein Allzweckabkömmling der ursprünglichen Vererbungsgedanken aus seiner Londoner Zeit. Nicht zuletzt benötigte er sie, um zu erklären, wie verändertes Gewebe durch Selektion an die nächste Generation weitergegeben werden konnte. Warum brachten Kropftauben – von Hinterhofzüchtern zurechtfrisierte und -gestutzte Tauben – kleine Kropftauben hervor?

Der Kern der Sache war, ‹daß jede Zelle ein Atom seines Inhalts oder ein Keimchen abwirft und daß sich diese [Atome, Gemmulae] zu der eigentlichen Eizelle oder Knospe vereinigen›. Jede Region des Körpers sei im Ei demokratisch repräsentiert. Darwin verglich den ganzen Körper mit einer Kolonie (wie seine ehemaligen koloniebildenden Polypen), in der jedes Individuum ein repräsentatives Quentchen an ‹generativem Protoplasma› absondere.[26] Nach vierzig Jahren war die Faszination seiner Studentenzeit für die Körnchen, aus denen Pollen und Eier bestehen, immer noch da.

Nachdem er einen Monat lang täglich vier Stunden Eispackungen getragen hatte, begann er in jeder Hinsicht abzuschlaffen. Jetzt, da er den ‹Pangenesis›-Text aus der Hand gegeben hatte, lag er darnieder und hoffte, Huxley würde mit seinem Elaborat zärtlich umgehen. Huxley gebrauchte seine ‹schärfste Brille und sein kritischstes Denkvermögen› und wog seine Worte. Er war skeptisch; aber nachdem ihn *Origin of Species* auf dem falschen Fuß erwischt hatte, zögerte er jetzt, Darwins embryonalen Gott abzuwürgen. ‹Jemand, der in einem halben Jahrhundert Deine Manuskripte durchblättert, wird die «Pangenesis» finden und sagen: «Was für eine wunderbare Vorwegnahme unserer modernen Theorien, und dieser Esel Huxley hat ihre Veröffentlichung verhindert!»›[27] Aber die Botschaft war deutlich genug: Tu es nicht.

Darwin wurde erneut von Brechanfällen geschüttelt, und Huxleys Göttermord besserte die Dinge nicht. Zutiefst niedergeschlagen, trennte er sich im Juli von Chapman und den Eisbeuteln, da sie ihm ja doch nicht halfen, und kehrte für den Rest des Jahres ins Bett zurück.

Von da aus beobachtete er, wie sich die Welt weiterdrehte und alte Freunde sich zerstritten. Lyell war in eine heftige Fehde verwickelt. In *Antiquity of Man* hatte er ganze Absätze aus Lubbocks Abhandlung über dänische Archäologie verwendet. Diese Art von ‹Kompilation› war auch in Darwins Augen verachtenswert. ‹Lyell hat ganze Sätze von Lubbock übernommen und ihn zu zitieren vergessen›, bemerkte er. ‹Das ist furchtbar.› Hooker erklärte ihm den eigentlichen Grund der Erbitterung. ‹Und jetzt, mein lieber D., soll ich Dir den eigentlichen Grund von alldem sagen? Vielleicht wirst Du es nicht glauben. Aber es geht nur darum, daß Lady Lyell Mrs. Busk keinen Besuch abstattet und die Busks nicht zu ihren Partys einlädt. Das ist es, was die Lubbocks und die Huxleys übelnehmen.› Busk wurde von Lyell (der in derselben Straße wohnte) routinemäßig ‹nach seinem Wissen ausgequetscht›, und gleichzeitig wurde seine aus einer niedrigeren Schicht stammende Frau gesellschaftlich geschnitten. Es war ein Zeichen dafür, daß nicht alle Mitglieder des X-Club, zumindest nicht deren Ehefrauen, den alten sozialen Maßstäben entsprachen.

Doch die Zeiten änderten sich und mit ihnen das Herrschaftsgefüge in der offiziellen Wissenschaft. Die X-Club-Mitglieder unterwanderten zielstrebig die British Association und manipulierten deren byzantinischen Machtapparat. Sie selbst stiegen in einflußreiche Positionen auf. Nach dem Tod seines Vaters war Hooker zum Direktor von Kew Gardens ernannt worden, und Lubbocks Parlamentskarriere schien gesichert.[28]

Huxley verdankte seine Macht der Fähigkeit, große Menschenmengen anzulocken. Zweitausend Personen mußten im Januar 1866 an den Pforten der zum Bersten vollen St. Martin's Hall abgewiesen werden, als die Londoner Huxleys Rede zur Eröffnung der ‹Sonntagabende für das Volk› hören wollten. Karl Marx' Tochter Jenny pferchte sich hinein und fürchtete zu ersticken. Sie hatte in dem Saal am Jahrestag der Ersten Internationale Walzer getanzt, doch hier einen ‹echt fortschrittlichen› wissenschaftlichen Vortrag zu hören, war etwas Neues, zumal in einem ‹Augenblick, da die Herde eigentlich im Hause des Herrn grasen sollte›. Huxleys Hymne galt der materiellen Erlösung. Die Menschheit sollte den ‹feingesponnenen kirchlichen Spinnweben› in eine neue Welt entkommen, geprägt von Tyndalls deterministischer Physik, Buckles fortschrittlicher Geschichtsschreibung und Darwins evolvierendem Leben. Das war keine statische Welt mehr, sondern eine Welt in heraklitischem Fluß wie Turners Gemälde *Regen, Dampf und Geschwindigkeit*, eine verschwimmende Bewegung, ‹eine Welt, deren feste Konturen sich durch die Fahrtbewegung der Dampflokomotive auflösen›.[29]

Die Rhetorik war brillant und erschien Außenseitern kriegerisch. Owen war bleich vor Wut über die ‹extremistischen Auffassungen›, die Huxley ‹der anwesenden Jugend beiderlei Geschlechts› vermittelte. Nachdem er den Arbeitern weisgemacht habe, sie seien Söhne von Gorillas, habe er sie durch ‹Angriffe auf das gemeinsame Fundament von Überzeugungen› aufgewiegelt. Lyell war genauso entsetzt über die Rede am folgenden Sonntag, in der Carpenter mit den kalvinistischen Lehren ‹rüde ins Gericht ging›. Der Skandal von Laienpredigten am Sabbat war zu schockierend, und die ‹Gesellschaft zur Einhaltung des Tags des Herrn› erreichte, daß die Halle geschlossen wurde. Huxley setzte sich gegen Atheismusvorwürfe gelangweilt mit dem Hinweis zur Wehr, eine solche Position sei absurd, da ‹die Möglichkeiten der Natur grenzenlos sind›. Doch mit jedem Jahr empfand er ein stärkeres Bedürfnis nach einem neuen Etikett, einem neuen ‹-ismus›, der angesichts fehlender Beweise Zweifel legalisieren und den Glauben an das Reich des ‹Unmoralischen› verbannen würde.[30]

Darwin blieb nichts anderes übrig, als all dieses aus der Ferne zu bestaunen. Nach einer Radikalkur unter einem neuen Arzt, mit winzigen Mengen von Toast und Fleisch, war er ‹halb verhungert›. Beim geringsten Lesen begann ihm der Kopf ‹fürchterlich zu dröhnen›. Deshalb sprang Emma, sein ‹gutes Frauenzimmer›, ein und las ihm ‹fortschrittliche Bücher› vor. Ihre Bereitschaft zur Selbstaufopferung wurde auf die Probe gestellt, als sie ihm William Leckys *History of the Rise and Influence of the Spirit of Rationalism in Europe* und Edward Burnett Tylors evolutionistische Darstellung von Kultur und Religion *Early History of Mankind and Civilization* vorlas. Wenn man ihn eine Viertelstunde sich selbst überließ, unterhielt sich Charles durch Blättern in alten Nummern der populärwissenschaftlichen Zeitschrift *Annals and Magazine of Natural History*. Die Diät schien zu wirken; er nahm fast sieben Kilogramm ab, und der Arzt ließ ihn aufstehen und spazierengehen. Die Rückkehr seiner Lebensgeister brachte ihn sogar dazu, seinen

Friedensrichterhut aufzusetzen und einem benachbarten Gutsbesitzer eine Klage wegen des verwahrlosten Zustands seiner Pferde anzudrohen.[31]

Doch die Monate des Siechtums hatten ihre Spuren hinterlassen; Darwins neueste Photographie zeigte eine hagere Gestalt mit glasigen Augen und abgespanntem Gesicht. Ein Jahr zuvor hatte er robust und ehrwürdig gewirkt; laut Hooker hatte eine flüchtige Ähnlichkeit mit dem Moses des Freskos im Oberhaus bestanden. Er solle es verbrennen und sich ein neues machen lassen, lautete Erasmus' wenig hilfreicher Rat in bezug auf das neue Photo. Visitenkarten mit Porträtphoto waren *de rigueur,* und Darwin konnte auf diesen *cartes* von Jahr zu Jahr den Verfall seines Gesichts verfolgen. Er sammelte leidenschaftlich solche Porträtkarten und verschickte seine eigene blasse Physiognomie an englische und deutsche Wissenschaftler. Das mochte seiner Profilierung nicht besonders förderlich sein, aber in Deutschland verknüpfte sich der schreckliche ‹Darwinismus› dadurch mit einem Gesicht.[32] Es wurde schnell zum Gesicht der Evolution – und so bekannt, daß Darwins Visitenkarte in einem Schaufenster zum Verkauf angeboten wurde.

Sein Bildnis strahlte auch eine starre Traurigkeit aus. Seine Schwester Susan, die sich in The Mount immer noch um Mariannes Kinder kümmerte, litt an Ohnmachtsanfällen. Im Januar 1866 schrieb Catherine im Bewußtsein, bald zu sterben, ihre Abschiedsbriefe. Wenige Wochen später ereilte sie ein leichter Tod. Sie hatte die ‹große Seele›, wie Vater Darwin es vor langer Zeit genannt hatte; aber ihr Leben bestand aus unerfüllten Ambitionen und körperlichen Beschwerden. Ihr Hinscheiden war ‹ein Segen, denn ein langes und noch schwereres Leiden war zu befürchten›. ‹Trauriges, trauriges Shrewsbury, das früher so strahlend und sonnig schien!› klagte Emmas Tante. So empfanden es auch Charles und Erasmus, als sie zusammenkamen, um Catherines Hinterlassenschaft zu regeln und ihre Testamente entsprechend abzuändern.[33]

Die von seinem Arzt empfohlene Lebensweise mit Diät und Spaziergängen hatte Charles zumindest aus dem Bett gebracht, und als er in die Gesellschaft zurückkehrte, verbarg er sich hinter einem buschigen Bart. Sein patriarchalisches Gesicht verschwand hinter der überwucherten Maske. Die Mode lieferte ihm den Vorwand dazu; sogar Huxley trug einen schwarzen Bart, erkannte das aber bald als Fehler. Doch der Autor von *Origin of Species* konnte jetzt inkognito reisen – es gab keine Aufregungen mehr wie früher, wenn ihn Fremde unter den Besuchern des Kristallpalastes erkannten. Leider wurden seine Freunde genauso hinters Licht geführt. Wohlauf genug, um am 27. April an der Soiree der Royal Society teilzunehmen, trat er auf wie Moses bei der Rückkehr vom Berge. Hooker war entgeistert, ebenso alle übrigen, sobald sie ihn erkannten. Der bärtige Gentleman mit dem abgezehrten Antlitz war gezwungen, sich Bekannten und Unbekannten vorzustellen, so auch dem Prinzen von Wales. Der junge Prinz sagte etwas mit halblauter Stimme; Darwin verstand ihn nicht. Verwirrt ‹machte er die tiefste Verbeugung, die er konnte› und floh.³⁴

Körperlich mochte es mit ihm bergab gehen, doch was ihn ärgerte, war, wegen wissenschaftlicher Blindheit angegriffen zu werden. Die Grays, Lyells, Owens und Argylls wunderten sich alle über seine Weigerung zu erkennen, daß die Auslese der Natur ebensoviel Gedankenarbeit und Zielgerichtetheit erforderte wie die des Landwirts. Nach Darwins Vorstellungen ‹bevorzugte› und ‹begünstigte› die Natur; seine Schriften verkündeten das. Die auswählende Hand war intelligent und konnte nur ein Zeichen von Gottes enormer Reichweite sein. Darwin wurde peinlicherweise in seiner eigenen Falle gefangen.

Spencer bot einen leichten Ausweg, und Wallace machte Darwin darauf aufmerksam. Der Sozialist hatte sich inzwischen von Spencers kosmischem Optimismus mitreißen lassen, was er unter anderem dadurch zu erkennen gab, daß er seinen Sohn Herbert Spencer Wallace nannte. ‹Ich hoffe, er wird den Stil seines Vaters imitieren und nicht den seines Namensvetters›, bemerkte der etwas befremdete Darwin trocken. In seinen *Principles of Biology* hatte Spencer den Begriff ‹Überleben der Tauglichsten› als Ersatz für ‹natürliche Auslese› geprägt. Damit wurden die Anthropomorphismen des ‹Auswählens› und ‹Begünstigens› vermieden – und Wallace ging sein Exemplar der *Origin of Species* durch und ersetzte ‹Auslese› jedesmal durch ‹Überleben›, nicht ohne die Vorzüge zu begründen.

Darwin hatte sich durch den Spencerschen Wälzer hindurchgeackert. Dessen ‹gräßlicher Stil› schreckte ihn ab; er meinte, Spencer müsse ‹sehr gescheit› und er selbst sehr beschränkt sein, denn am Ende war er nicht klüger. Wenn Spencer nur etwas mehr beobachtet und etwas weniger nachgedacht hätte, dann hätte er vielleicht etwas zu sagen gehabt. ‹Dröhnende Hohlheit›, so kennzeichnete Hooker Spencers einlullendes *System of Synthetic Philosophy*. Darwin subskribierte die endlose Reihe, mußte ihm aber zustimmen. Mit dem Begriff ‹Überleben der Tauglichsten›, gab er Wallace zu bedenken, werde die Analogie zwischen der Auslese der Natur und der des Züchters aufgegeben.³⁵ Immerhin war Spencers Formel geeignet, ihm die unfreundliche Kritik vom Halse zu schaffen und ihn aus der Klemme seiner anthropomorphen Begriffe zu befreien. Deshalb plante er, sie in seinem Band *The Variation of Animals and Plants under Domestication* wohlüberlegt zu gebrauchen.

36

Smaragdgrüne Schönheit

1866 beherrschte der Darwinismus – oder zumindest die Frage der Abstammung – erstmals den Kongreß der British Association in Nottingham. Die Zeitungen waren voll davon. Der anglikanische *Guardian* berichtete, Darwins Theorie sei ‹überall im Kommen›. Es sei ‹unmöglich, eine Sektion nach der anderen zu besuchen, ohne zu merken, wie auflockernd diese Ansichten auf den wissenschaftlichen Geist unserer Zeit gewirkt haben›. Der Präsident, der Physiker und Jurist William Robert Grove, nahm eine vernünftige Haltung zum ständigen inhärenten Wandel der Natur ein. Da er bald auf der Richterbank sitzen sollte, übte er sich schon jetzt darin, in Talar und Perücke zu plädieren, und setzte dem wissenschaftlichen Tribunal auseinander, daß die Evolution per Saldo dem Interesse der Krone diene. Kontinuität sei der Schlüssel, von den wimmelnden Pünktchen unter dem Mikroskop bis zu den größten Galaxien; er empfahl seinen Zuhörern, darauf vorbereitet zu sein, ‹sie auch in der Geschichte unserer eigenen Spezies zu erkennen›.

‹Die revolutionären Ideen von den sogenannten Naturrechten des Menschen ... sind weitaus fragwürdiger ... als das Studium der allmählich voranschreitenden Veränderungen, die durch veränderte Umstände, veränderte Bedürfnisse und veränderte Gewohnheiten entstehen. Unsere Sprache, unsere gesellschaftlichen Institutionen, unsere Gesetze, die uns mit Stolz erfüllen, sind das Ergebnis der Zeit, das Produkt langsamer Anpassungen, die aus ständigen Kämpfen hervorgegangen sind. In diesem Land hat uns die praktische Erfahrung zum Glück gelehrt, zu verbessern, statt von Grund auf umzumodeln; wir nehmen uns das Naturgesetz zum Vorbild und vermeiden Umbrüche.›[1]

England habe gemerkt, daß die Natur die Dinge auf ihre Weise regle. Die Wilberforce' und Sedgwicks würden auf den Kopf gestellt: die Evolution lasse keine gellenden Aufschreie bei der Inthronisierung der Göttin der Vernunft fürchten, sondern eröffne die Aussicht auf Sicherheit und Frieden im Zuge fortschrittsfördernder Reformen.

Darwin war frustriert, weil sich der Vortrag über den natürlichen Fort-schritt und die gesellschaftliche Ordnung ‹in solchen Allgemeinheiten erschöpfte›. Aber Grove hatte *Origin of Species* bewußt zu erwähnen ver-mieden. Er hatte Hooker vorher zu sich gerufen und ihm geraten, ‹den Darwinismus in die Reihen des Feindes zu tragen›. Da Huxley jetzt Vorsit-zender der Sektion Biologie war, Hooker über Inselkolonisierung sprach und ‹der natürlichen Auslese seinen Segen gab› und Wallace den Vorsitz über die neue Untersektion Anthropologie führte, verliefen die besten Re-ferate in Darwins Sinne.

Hooker schloß mit einer ätzenden Satire, in der er die antievolutionären Gelehrten auf dem Oxforder Kongreß von 1860 als einen unzivilisierten Stamm verspottete, der ‹den Mond jeden Monat als eine Neuschöpfung sei-ner Götter› betrachtet habe. Sie hätten ‹die Missionare der aufgeklärtesten Nation›, die ihnen dessen Lauf zu erklären versuchten, darob verspeist. ‹Die Priester griffen die neue Lehre als erste und in blinder Wut an, ihre Tempel waren mit Symbolen des alten Glaubens geschmückt, und ihre religiösen Gesänge und Riten bauten darauf auf [...] Die Medizinmänner jedoch ... sympathisierten mit den Missionaren, viele aus Trotz gegen die Priester, aber einige, wie ich sehen konnte, auch aus Überzeugung.› Heute seien sechs Jah-re wie sechs Jahrhunderte; die Stammesältesten seien in dem neuen Glauben getauft worden und hätten ihrem ‹präsidierenden Häuptling› (Grove) ap-plaudiert, weil er sie aus der Wildnis herausgeführt habe. Zweitausend Zuhörer lauschten all dem gespannt und ‹brachen über den Schluß in schal-lendes Gelächter aus›, wie sich Hooker gegenüber Darwin rühmte. Darwin hatte das bereits gehört; Fanny Wedgwood war dabeigewesen und hatte ihm anschaulich die atemlose Stille zu Beginn des Vortrags und die ‹allgemeine Heiterkeit› am Ende geschildert.[2]

Die kirchliche Presse zeigte sich dagegen nicht amüsiert. Der *Methodist Recorder* war über Groves Rede ‹überrascht und betrübt›. Das galt auch für Owen, der gar nicht ins Spiel gekommen war. Er beklagte sich darüber, daß Gehässigkeit ‹auf diesem Kongreß in Mode ist› und Spott und Hohn die ‹Hauptwaffen› der Darwinisten seien. Sie setzten sich ‹verächtlich› über Ar-gumente hinweg, die sich auf einen göttlichen Plan bezogen, und trampel-ten absichtlich auf höheren Gefühlen herum. Das werfe ein schlechtes Licht auf den Naturforscher in Downe. ‹Darwin ist eine genauso gute Seele wie sein Großvater›, befand Owen, ‹und eine genauso große Gans.›[3]

Während Huxleys und Tyndalls pfaffenfeindliche Appelle an die Arbei-ter einen materialistischen Tenor annahmen, spaltete sich das radikale Pu-blikum auf, und die einzelnen Fraktionen drifteten in völlig verschiedene Richtungen auseinander. Nach dem Niedergang des Chartismus ließen sich viele der älteren Agitatoren von der Woge des Spiritismus mitreißen. Die amerikanische Mode des Tischrückens und Geisterklopfens hatte sich um die 1860er Jahre eingebürgert; Räume wurden verdunkelt, man hielt sich an den Händen, wenn die Toten ihre Signale gaben. Keine ‹Wissenschaft›, nicht einmal die Phrenologie, war populärer und unmittelbarer zugänglich. Auch Robert Chambers wurde dafür gewonnen und begann *Vestiges* in einem spiritistischen Licht umzumodeln. Für alte Radikale, wenn nicht alte Damen, war das ein demokratisches Ventil, eine neue, alternative Heilslehre – der menschliche Geist hatte progressive Tendenzen und trieb die Gesellschaft auf ihren kooperativen Endzustand hin.[4] Unsichtbare Kräfte unterminierten den Kapitalismus und kündigten das kommende Paradies an. Auch der Doyen der Sozialisten, Robert Owen, ließ sich überzeugen, und sogar der begnadigte Anführer des walisischen Chartistenaufstands von 1839, John Frost, erlag dieser Massensuggestion.

Auch in den vornehmen Salons der Hauptstadt begannen Séancen, zum Ärger gestandener Wissenschaftler, die sich auf ihren eigenen priesterlosen Weg zum Neuen Jerusalem machten. Huxleys evolutionäre Wahrscheinlichkeiten mußten jetzt in den technischen Instituten mit spiritistischen Gewißheiten konkurrieren. Der *Reader* brachte 1864 einen sehr kritischen Artikel, ‹Wissenschaft und Geisterklopfen›, der Darwin neugierig auf den Verfasser machte (Hooker bestätigte, daß es Tyndalls Reaktion auf eine Séance gewesen war). Huxley hatte bereits ein Medium im Haus seines Bruders George entlarvt; allerdings räumte er ein, daß der Spiritismus die Selbstmordrate verringern könne. ‹Es ist besser, als Straßenkehrer zu leben›, spottete er, ‹als zu sterben und von irgendeinem unterbezahlten «Medium» dummes Zeug in den Mund gelegt zu bekommen.›[5]

Doch Wallace ließ sich von der Strömung mitreißen. Als Phrenologe, Mesmerianer und alter Sozialist zeichnete er sich durch eine Selbsthilfementalität aus, die von utopischen Idealen geprägt war. Er besuchte 1865 seine ersten Séancen mit Mrs. Marshall, Englands berühmtestem Medium. Darwins Vetter Hensleigh wußte davon, und wenige Jahre später, als sich Wallace zu einer höheren spirituellen Realität bekannte, wußte es die ganze Stadt. Zu Hause kippte Wallace' eigener Tisch, und aus dem Jenseits erschienen frische Blumen, um ihn zu schmücken. (Bezeichnenderweise analysierte er sie, ‹15 Chrysanthemen, 6 gefüllte Anemonen, 4 Tulpen›, um ihre Herkunft zu klären.) Er brachte eine Broschüre mit dem Titel *The Scientific Aspect of the Supernatural* (‹Der wissenschaftliche Aspekt des Übernatürlichen›) heraus und begann den Leuten damit lästig zu fallen. Huxley lehnte es ab, an seinen Séancen teilzunehmen, da er sich nicht von dem ‹körperlosen Geschwätz› langweilen lassen wollte.[6] Nachdem er dem Klerus einen Teil seiner Macht entrissen hatte, widerte es ihn an, sie auf spleenige Damen übergehen zu sehen. Diese spiritistischen Taschenspielertricks verwässerten die ernst zu nehmende Botschaft, daß nüchterne Wissenschaftler die neue moralische Autorität seien. Doch das Schlimmste stand noch bevor. Wallace krempelte die Evolution um, um diese unsichtbaren Geister zu berücksichtigen.

Im Oktober lernten die Darwins Charles' überschwenglichsten, produktivsten deutschen Bewunderer kennen, den Zoologen, der schließlich als der ‹deutsche Darwin› bezeichnet werden sollte: Ernst Haeckel. Es war ein Zusammentreffen von Gegensätzen. Der zweiunddreißigjährige Haeckel stammte aus einer preußischen Beamtenfamilie. Seine evangelische Erziehung und seine Bewunderung für Goethes pantheistische Philosophie hatten ihn an der Universität Würzburg zu einer mystischen Naturverehrung geführt. Er war ein großartiger praktischer Naturforscher und hatte eine ganze Reihe von Veröffentlichungen vorzuweisen, aber er und Darwin entstammten verschiedenen Welten.

Seit Jahren schon hatte Haeckel lange, schmeichelhafte Berichte über die Ausbreitung des ‹Darwinismus› in Deutschland geschickt und alle Bekehrten aufgezählt. Huxley hatte sich für den frischgebackenen außerordentlichen Professor der Zoologie in Jena verbürgt und bestätigt, daß er ‹einer der fähigsten der jüngeren Zoologen in Deutschland› sei. Haeckel verwandelte das liberale Jena, Goethes Universität, in eine ‹Zitadelle des Darwinismus›. Hier, so erfuhr Darwin, zogen seine Darwinismus-Vorlesungen regelmäßig 150 Studenten an. Er lehrte seine Schüler, dem Naturwissenschaftler in Downe Verehrung entgegenzubringen. Einer, Anton Dohrn, der sich auf die Rankenfüßerlarven geworfen hatte, betrachtete einen Brief von Darwin als ‹wissenschaftlichen Ritterschlag›. Diese Studenten blickten auf das Jahr 1859 als einen Höhepunkt des Jahrhunderts zurück; Österreichs Niederlagen in der Lombardei und das Auseinanderbrechen des Kirchenstaates verblaßten neben der Veröffentlichung von *Origin of Species*. Kein Wunder, daß Darwin gegenüber William Preyer, einem in Bonn lehrenden englischen Physiologen – der bald einen Lehrstuhl in Jena erhalten sollte –, erklärte, die deutsche Resonanz sei der ‹Hauptgrund für die Hoffnung, daß sich unsere Auffassungen letzten Endes durchsetzen werden›.[7]

Origin of Species hatte auch Haeckel ‹zutiefst bewegt›. Wo Darwin zögerte, preschte Haeckel vor. Er war es, der die Debatte in Deutschland anstieß, indem er Auslese und Konkurrenzkampf auf die Gesellschaft ausdehnte, überzeugt davon, daß sie ‹die Völker unwiderstehlich vorwärts ... in höhere kulturelle Stadien treiben›. Der Fortschritt sei ein Naturgesetz, das ‹weder die Waffen des Tyrannen noch die Bannflüche des Priesters› abschaffen könnten. Für Haeckel war *Origin of Species* ein politisches Dokument, das sich auf jedermanns ‹persönliche, wissenschaftliche und gesellschaftliche Auffassungen› auswirkte – und das bewies er. Auch um über seinen Schmerz nach dem tragischen Tod seiner jungen Frau 1864 (deren Photo er Darwin rührenderweise geschickt hatte) hinwegzukommen, hatte er sich heroisch in eine systematische Revision seines gesamten biologischen Wissens in Einklang mit Darwins Erkenntnissen gestürzt.[8] Seine *Generelle Morphologie* war ein imposantes, in nur einem Jahr geschriebenes Werk, dessen erste Fahnenabzüge Darwin im August 1866 in Händen hielt.

Ihre Begegnung in Down House war eine religiöse Erfahrung für Haeckel. Von dem Augenblick an, in dem Darwins Hand die seine ergriff, fühlte er sein Herz ‹im Sturm› erobert. Darwin war für ihn ‹groß und verehrungswürdig ... mit den breiten Schultern eines Atlas, die eine Welt des Denkens trugen, einer jupiterähnlichen Stirn, wie wir sie bei Goethe sehen, mit einer hohen und breiten Wölbung, tief durchfurcht vom Pflug geistiger Arbeit. Die liebevollen und freundlichen Augen waren überschattet von dem großen Dach der vorstehenden Brauen. Der sanfte Mund wurde von einem langen, silberweißen Bart umrahmt›.

Tief beeindruckt begann Haeckel englisch zu radebrechen. Darwin sagte etwas und merkte, daß auch Haeckel ihn nicht verstand. Sie starrten sich einen Augenblick lang an und brachen dann in Lachen aus. Langsames Sprechen wirkte Wunder, und beim Mittagessen schien die Verständigung endlich hergestellt – bis Haeckel erneut in Erregung geriet. Mit den Armen fuchtelnd, ‹zog er über die sturen und verzopften Professoren her, die sich immer noch gegen die leuchtende Wahrheit der Entwicklungslehre stellten›. Niemand konnte seinen Tiraden folgen, und Emma blickte ungeduldig drein. Darwin legte nur seine Hand auf Haeckels breite Schulter, nickte und lächelte. Für Haeckel war es eine Segnung.

Darwin hatte ‹selten einen sympathischeren, herzlicheren und freimütigeren Mann gesehen›. Verbindungen wurden rasch zu der ganzen Gruppe hergestellt: Lubbock kam von High Elms herüber, um Haeckel kennenzulernen, und Darwin stellte ihn Hooker vor. Man versicherte sich der gegenseitigen Hochachtung; Haeckel pries Huxley als ‹den herausragendsten englischen Zoologen› und wurde seinerseits als Koryphäe der deutschen Naturwissenschaft begrüßt.[9]

Innerhalb weniger Wochen hatte Darwin, der immer noch an *Variation under Domestication* herumbosselte, das Kapitel über Pangenesis in Form gebracht. In bezug auf die Theorie war ihm unbehaglich zumute – sie würde als ‹verrückter Traum› oder noch Schlimmeres ‹klassifiziert› werden. ‹Fürchterlich spekulativ› nannte er sie gegenüber dem äußerst skeptischen Hooker, der über all die hypothetischen Keimchen entsetzt war, die ihm ‹sogar eines Herbert Spencer würdig› erschienen.

Nicht daß Spencers Spekulationen nicht nützlich waren. In seinem *System of Synthetic Philosophy* verallgemeinerte er die Evolution zu einer Erklärung des Universums, wobei er die gesellschaftlichen Ambitionen seiner X-Club-Freunde in kosmische Dimensionen hob. Und in politischer Hinsicht konnte man sich auf ihn verlassen. Im November zog er Darwin in die Debatte über Edward John Eyre, den Gouverneur von Jamaika, hinein, die damals die britische Intelligenz polarisierte. Ein Jahr zuvor hatten die Truppen des Gouverneurs einen Aufstand der einheimischen Bauern brutal niedergeschlagen; über 400 Schwarze wurden hingerichtet, 600 ausgepeitscht, 1000 verdächtige Häuser abgerissen. Gegen die Sklaverei eintretende radikale und liberale Politiker bildeten den Jamaika-Ausschuß, der Eyre vor Gericht stellen wollte; Wallace, Lyell und Spencer waren beigetreten, und jetzt unterschrieb auch Darwin und spendete dem Ausschuß zehn Pfund. Ein Verteidigungs- und Hilfskomitee für Eyre verfügte ebenfalls über einen Fonds und gewann Dutzende von Klerikern, Adligen und Militärs. Tyndall trug sein Scherflein bei, Reverend Kingsley machte mit, und selbst Hooker schien mit ihnen zu sympathisieren. Die Grundsätze der Ankläger von Gouverneur Eyre, so versuchte Hooker Darwin klarzumachen, seien ‹unhaltbar›.[10]

In den Kreisen der Darwinisten flammten die Emotionen auf, angefacht durch die höhnische Bemerkung der *Pall Mall Gazette,* die Auffassungen Huxleys und Lyells über die ‹Entwicklung der Arten› hätten sie ‹dazu gebracht, dem Neger jene verständnisvolle Anerkennung entgegenzubringen, in die sie sogar den Affen als «Menschen und Bruder» einzubeziehen gedenken›. Huxley schlug zurück und verwies auf den Verfassungsgrundsatz, daß es ‹nach englischem Recht guten Menschen als solchen nicht gestattet ist, schlechte Menschen als solche zu massakrieren›. Wäre dem nicht so, würde er ‹die erste Gelegenheit ergreifen, nach Texas oder an einen anderen ruhigen Ort auszuwandern›. Für Darwin ging diese Frage tiefer. Er verabscheute alle Formen von Grausamkeit; die Einstellung der Verteidiger Eyres gegenüber den Schwarzen erinnerte ihn an FitzRoys Eintreten für die Sklaverei. Er war wütend über ihre Arroganz und konnte nicht verstehen, daß sich manche seiner Freunde auf ihre Seite schlugen. Einmal gingen sogar seine Gefühle mit ihm durch, als ihn Eyre-Lobbyisten zu Hause aufsuchten.

Der sechsundzwanzigjährige William, inzwischen Geschäftspartner einer Bank in Southampton, war im August in Verdacht geraten, mit Eyre zu sympathisieren, nachdem er ‹versehentlich› als Teilnehmer eines in der Stadt zu Ehren Eyres veranstalteten Banketts genannt worden war. Charles war darüber so aufgebracht, daß er tatsächlich dem Lordkanzler schrieb, um den Irrtum richtigzustellen. Doch nun kam die Wahrheit heraus. Im November machte William im Haus seines Onkels Erasmus eine abfällige Bemerkung über den Jamaika-Ausschuß, der aus dem Anklagefonds seine eigenen Dinners bestreite. Charles fuhr ihn wutentbrannt an, wenn er dieser Meinung sei, dann würde er ‹besser zurück nach Southampton gehen›. William blieb noch eine Nacht, und am nächsten Morgen um sieben Uhr kam sein Vater zu ihm ins Zimmer herein und setzte sich auf sein Bett. Er habe die ganze

Nacht nicht geschlafen, sagte er; sein Zorn sei grausam gewesen, und es tue ihm leid.[11]

Dies war Charles' erster Besuch bei Erasmus seit Susans quälend langsamem Sterben Anfang Oktober. Sie hatten zwei Schwestern in diesem Jahr verloren, es war eine emotional belastende Zeit. Susans Nachlaß wurde aufgeteilt, und Charles hatte das erste Anrecht auf ihre indischen Schachfiguren. Erasmus war soeben von The Mount zurückgekehrt, das verkauft wurde. Charles erfuhr von der Auktion durch Hooker, der ebenfalls dabeigewesen war. Hooker war ein fanatischer Sammler von Wedgwood-Porzellan; auf der Suche nach raren Stücken durchstöberte er schäbige Londoner Trödelläden. Er hatte The Mount in der Hoffnung besucht, einige Medaillons erwerben zu können, da er wußte, daß die Darwins, wie Charles witzelte, ‹die degenerierten Abkömmlinge des alten Josiah W.› waren. Er kam mit leeren Händen zurück.[12] The Mount war leergeräumt, die letzten Bande mit Shrewsbury waren gekappt, und Hooker hatte der Auflösung beigewohnt.

In Downe plumpsten die beiden fünfhundertseitigen Bände von Haeckels *Genereller Morphologie* in Darwins Briefkasten. Sie waren darauf angelegt einzuschüchtern und erzielten jedenfalls bei Darwin die gewünschte Wirkung. Er kämpfte sich durch das Dickicht hindurch, verirrte sich in dem Wald von Stammbäumen und resignierte unter dem Gewicht der Neologismen. ‹Die Anzahl neuer Wörter ist für einen Mann wie mich, der schwach im Griechischen ist, einfach entsetzlich›: ‹Ontogenese› für den Verlauf der Keimentwicklung, ‹Phylogenese› für die Stammesentwicklung, ‹Ökologie› für die Biologie im engeren Sinne. Auch Darwins Deutsch war nicht viel besser. Wort für Wort klaubte er mit Hilfe eines Wörterbuchs zusammen, ein Vorgang, so schmerzhaft wie Zähneziehen. Er hatte ‹keine Ahnung von Grammatik› und las deshalb jeden Satz immer wieder, bis ihm die Bedeutung dämmerte. (Der Satzbau machte ihn wütend; er war davon überzeugt, daß Deutsche ‹einfach schreiben könnten, wenn sie nur wollten›).

Dank dieser Hartnäckigkeit erhaschte er schmerzhafte Einblicke in Haeckels Ehrgeiz, die Gültigkeit des Evolutionsprinzips über dessen legitime Grenzen hinaus auszudehnen. Für Haeckel war die Auslese nur ein Bruchstück einer ‹universellen Entwicklungstheorie, die in ihrer enormen Spannweite das ganze Gebiet des menschlichen Wissens umfaßt›. Darwins zutiefst englische Erkenntnis, eine Legierung aus Paleys Plan, Malthus' Pessimismus, aus Taubenkunde und maritimem Leben, wurde einer Zerrlinse ausgesetzt. Hier hatte der Darwinismus eine Form angenommen, die zu Bismarcks kleindeutscher Reichsidee paßte. Antiklerikaler Patriotismus bildete eine Folie für Anatomie und Embryologie, und das Ganze war eingebunden in eine geschlossene evolutionäre Kosmologie. Es war in Darwins Augen unnötig auftrumpfend und provozierend.[13]

Doch Haeckels Bücher besaßen politische Durchschlagskraft. Sein liberaler Darwinismus war mit Forderungen nach einem Nationalstaat verknüpft, der Meinungsfreiheit und Freihandel garantierte. In ihrer krudesten Ausformung konnte die Abstammung vom Affen die privilegierte Aristokratie vom hohen Roß holen – Adlige und Hunde seien im Mutterschoß ein und dasselbe, bemerkte Haeckel einmal. Auf einer anderen Ebene eröffneten die Gesetze der biologischen und der nationalen Evolution Hoffnungen auf eine Führungsrolle für ein vereinigtes Deutschland. Haeckel hatte eine fast messianische Vorstellung vom deutschen Volk, das eine tiefe Bindung an sein Vaterland habe, und er tat alles, um diese zu stärken. Bismarck hieß er in Jena mit den Worten willkommen: ‹Während der Kanonendonner der Schlacht von Königgrätz 1866 den Niedergang des alten bundesdeutschen Landtags und den Beginn einer glänzenden Epoche in der Geschichte des Deutschen Reiches ankündigte, wurde hier in Jena die Geschichte des Stammes geboren.›[14] Der Stamm, eine höhere Gruppe, deren rassische Integrität durch die Evolution erklärt wurde, habe sich ebenso durch Konkurrenzkampf und Auslese entwickelt wie der preußische Staat.

Die polemische *Morphologie* beeindruckte Darwin und machte ihn wütend. Er schlug sich wochenlang mit ihr herum. ‹Ich sehe, daß er uns beide oft lobend zitiert›, schrieb er an Huxley. ‹Ich bin sicher, daß mir das Buch sehr gefallen würde, wenn ich es mühelos lesen könnte, statt über jeden Satz zu stöhnen und zu fluchen.› Bis Weihnachten hatte er ‹da und dort eine Seite› gemeistert. Seine einzige Hoffnung war eine Übersetzung, doch sosehr sich Huxley auch über Haeckels Versuch freute, ‹die Biologie› nach darwinistischen Prinzipien ‹zu systematisieren›, hielt er eine Übersetzung ‹ohne zu große Auslagen› doch für hoffnungslos.

Das eigentliche Problem war, daß Haeckels Darwinismus antiklerikal verpackt war, und diese Verpackung würde man entfernen müssen. Die Unwandelbarkeit der Arten war für ihn ‹ein kolossales Dogma ... gespeist von blinder Autoritätsgläubigkeit›, die christliche Offenbarung eine primitive, rückständige Religion, deren Schöpfergott ein ‹gasförmiges Wirbeltier› sei. Nichts konnte provozierender wirken. Huxley empfand Ersatzbefriedigung über Haeckels ‹polemische Exkurse›, hielt er es doch für ‹eine gute Sache›, wenn ein Mensch gelegentlich ‹einen öffentlichen Kriegstanz gegen Schwindel und Betrug aller Art aufführt›.[15] Aber er wußte, daß das englische Anstandsgefühl zu leicht verschreckt wurde.

Dennoch war Haeckel weniger skurril als Darwins anderer Bewunderer, Haeckels Landsmann Karl Vogt. Der Sozialist Vogt, der nach der Revolution von 1848 nach Genf ins Exil gegangen war (wo er *Vestiges* übersetzte), machte sich jetzt erbötig, auch *Variation under Domestication* zu übertragen; doch Darwin war klug genug, sich für Huxleys Mann Viktor Carus zu entscheiden, den Leipziger Professor, der *Man's Place in Nature* übersetzt hatte.

Carus selbst hatte Darwin davor gewarnt, diese Aufgabe einem kirchen-feindlichen Revolutionär wie Vogt zu übertragen. Tatsächlich gab Vogts Sprache Anlaß zur Besorgnis. In England hätte es außer der Sudelpresse tatsächlich niemand gewagt, bestimmte ‹affenartige› Schädel aus dem Mittelalter als ‹Apostelschädel› zu bezeichnen in der Annahme, daß sie von christlichen Missionaren stammten.

Übrigens war Carus auch mit Haeckel nicht ganz glücklich – brachte dieser es doch fertig, die ‹fromme Inquisition› als Beweis dafür heranzuziehen, daß dem Kosmos eine moralische Ordnung fehle. Nur Darwin könne solchen Mißgriffen Einhalt gebieten, meinte Carus; Haeckel würde auf niemanden sonst hören. Darwin versuchte tatsächlich, Haeckels Ausfälle mit dem Hinweis zu zügeln, daß man mit dem Aufstechen der theologischen Eiterbeule ‹Zorn erregt, und daß Zorn alle so völlig verblendet›. Er solle ‹sich nicht unnötig Feinde machen›, denn ‹es gibt schon genügend Schmerz und Verdruß in der Welt›.[16] Doch Haeckel war kompromißlos; er antwortete, nur durch einen kraftvollen Angriff könnten Vorurteile überwunden und eine radikale Reform eingeleitet werden.

Kurz vor Weihnachten schickte Darwin *Variation under Domestication* in die Druckerei – mit Ausnahme des letzten Kapitels. Er schmuggelte ein spezielles Präsent für Gray ein, ein schlagkräftiges Argument gegen dessen Konzept einer von Gott gesteuerten Variabilität. So viele hatten sich Grays Grundgedanken zu eigen gemacht (teilweise dank der Werbung für seine Broschüre in *Origin of Species),* daß es Darwin ‹schäbig› erschien, der Frage weiter ‹auszuweichen›.

Er führte einen Vergleich ins Feld, den er seit Jahren vervollkommnet hatte. Da waren die Gesteinsbrocken am Fuß einer Felswand, die alle von selbst abgebrochen waren. Angenommen, ein Architekt benutze sie zum Bau eines Hauses: ‹Kann vernünftigerweise behauptet werden, der Schöpfer ... habe bestimmten Gesteinsbrocken befohlen, bestimmte Formen anzunehmen, damit der Erbauer sein Gebäude errichten könne?› Offensichtlich nicht. Ob man denn ‹mit größerer Wahrscheinlichkeit behaupten› könne, der Schöpfer habe die winzig kleinen Variationen ‹eigens vorgesehen›, mit denen die Züchter arbeiteten, um ihre ausgefallenen Rassen zustande zu bringen? Nein. Nun, ebensowenig seien sie in der Natur vorgesehen. Spielarten entstünden nach ‹allgemeinen Gesetzen›, und manche erwiesen sich *zufällig* als nützlich. Die natürliche Auslese – der Architekt – wähle sie aus, um Pflanzen und Tiere ‹einschließlich des Menschen› zu verbessern.[17]

‹Einschließlich des Menschen› war eine Andeutung, daß sich der Himmel nicht geöffnet habe, um die Geburt der Menschheit zu verkünden. Der Mensch sei genauso ein Naturprodukt, genauso zufällig. Darwin hatte ein Kapitel über dieses Thema in *Variation under Domestication* einfügen wollen, aber das Buch war bereits so ‹entsetzlich, abstoßend dick›, daß Murray zwei Bände von je über 400 Seiten daraus machte. Der Schiedsrichter fand den Wälzer unverdaulich, und Murray gedachte nur 750 Exemplare aufzulegen. Im März 1867, nachdem die Setzer einen besseren – den endgültigen Titel – gefunden hatten, *The Variation of Animals and Plants under Domestication,* verdoppelte Murray die Auflage, doch inzwischen hatte Darwin beschlossen, sein Kapitel über den Menschen zu einem separaten ‹kurzen Essay› auszubauen, in dem er sich auf die Abstammung vom Affen, die geschlechtliche Auslese und den Ausdruck von Gemütsbewegungen beim Menschen konzentrieren wollte. Er würde schließlich offen Stellung beziehen, da er es satt hatte, ‹gehänselt› zu werden, ‹weil ich meine Auffassungen [über die Abstammung des Menschen] verheimlicht habe›.[18]

Inzwischen wurde bereits mit Hochdruck an den Übersetzungen gearbeitet; Carus hatte die deutsche, Wladimir Kowalewski die russische übernommen. Während Darwin beträchtlich unter polemisch verpackten ausländischen Ausgaben von *Origin of Species* gelitten hatte, setzte er in Kowalewski einiges Vertrauen. Bronns Übersetzung, die erste in Deutschland, wurde durch kritische Anmerkungen und einen Anhang ergänzt; Clémence Royer stellte ihrer Übertragung ins Französische eine antiklerikale Polemik voran und machte das Ganze noch schlimmer, indem sie den Titel veränderte. Der erst fünfundzwanzigjährige, leidenschaftliche Kowalewski hatte Huxley und Lyell stilvoll übersetzt; auf ihn würde man sich wohl verlassen können. Andererseits benutzte er die Evolution in seinem nihilistischen Kreuzzug gegen die russisch-orthodoxe Autokratie. Darwin ließ ihm die Fahnen frisch aus der Druckerei sofort nach Sankt Petersburg schicken, worauf Kowalewski mit Volldampf an die Arbeit ging und sogar Murrays Erscheinungsdatum unterbot. Die früheste Ausgabe von *Variation under Domestication* erschien auf russisch.[19]

Darwin schlug sich in diesem Frühjahr mit der sexuellen Auslese herum; er unternahm den Versuch, die Ursachen der Variabilität bei diesem ‹äußerst domestizierten Tier›, dem Menschen, zu erklären. Warum unterschieden sich die Rassen in ihren körperlichen und emotionalen Merkmalen und gehörten doch alle einer Spezies an? Warum hatten Männer und Frauen unterschiedliche Behaarung und unterschiedliche Gewohnheiten? Er konnte keinen evolutionären Vorteil in Bärten, vollen Lippen oder rundlichem Hinterteil entdecken – nichts, womit die natürliche Auslese arbeiten könnte; deshalb führte er sie auf das Paarungsspiel zurück. Nicht die Natur wähle aus, sondern die einzelnen; ihre rassischen und geschlechtlichen Unterschiede zeigten, was erfolgreich war, um Frauen zu erringen und Männer anzuziehen. Ästhetische Vorlieben übersetzten sich in Anatomie.

Darwin führte Beispiele von den Mollusken bis zu den Affen an, konzentrierte sich aber auf das prächtige Gefieder und die Balzrituale der Vögel.

Er ließ die Laubenvögel im Londoner Zoo mit bunten Stoffen konfrontieren, um ihre Farbpräferenz zu testen; er ließ Kampfhähne von Züchtern stutzen und verschieden färben, um festzustellen, ob diese Verunstaltung ihre Chancen bei den Weibchen minderte; er bepinselte Täuberiche rot, um zu sehen, ob dies ‹bei den anderen Tauben, insbesondere den weiblichen, Bewunderung oder Verachtung auslöste›. Entsprechend glaubte Darwin, daß auch die Farben der Insekten geschlechtlich ausgelesen worden seien, und ließ einmal sogar eine Libelle ‹in prächtigen Farben bemalen›; dieses Experiment gedieh allerdings nicht sehr weit.[20]

Das Buch *The Reign of Law* des Herzogs von Argyll führte ihm erneut die Notwendigkeit eines Werkes über die geschlechtliche Auslese vor Augen. Der Duke oder ‹Dukelet› (‹Herzöglein›), wie Huxley ihn nannte (‹Wie kannst Du so von einem leibhaftigen Herzog sprechen?› meinte Darwin pikiert), trug alle auf die Vorsehung sich berufenden Kritiken an *Origin of Species* zusammen und walzte sie zu einem Reißer breit. Darwin war ziemlich verärgert. ‹Das Buch des Herzogs erscheint mir als sehr gut geschrieben, interessant, ehrlich, klug und sehr arrogant›, erklärte er gegenüber Kingsley. Er mäkelte daran herum, schrieb darüber an Lyell und beklagte sich bei seinem Sohn William.[21] Es war klar, daß sein eigenes Buch mit diesem dilettantischen Unsinn aufräumen und jeden pfiffigen Schlenker von Argylls Feder durch tausend Gegenbeispiele entkräften mußte.

Argylls intellektuelle Schulung war unverkennbar. Er hatte Owens Vorlesungen besucht und seine Lektion gut gelernt. Die natürliche Auslese erkläre ‹den Erfolg, das Fußfassen und die Ausbreitung neuer Formen nach deren Entstehung›, gebe aber keinen Aufschluß über ihre Herkunft. Der Titel *Origin of Species* sei irreführend; das Buch hätte ‹The Selection of Species› (‹Die Auslese der Arten›) genannt werden müssen. Was verursache also die Variationen? Argyll brachte den neuen Konsens über den göttlichen Plan auf den Punkt, laut dem die Spezies von der göttlichen Vorsehung vorherbestimmt und die Naturgesetze das Ergebnis göttlicher Verfügung seien. Es herrsche immer noch die von Gott verfügte Ordnung, versicherte Argyll in *The Reign of Law;* Chaos und Anarchie hätten nicht von der Natur Besitz ergriffen, die wilden Horden aus den Slums nicht die Zitadelle überrannt.

Der Herzog hatte seine Kapitel zusammengefügt, während er sich darum bemühte, Gladstones neues Reformgesetz von 1866 durch das Unterhaus zu jonglieren. Er stellte sich die Natur als von einer ähnlich gearteten, von oben befohlenen Reformbewegung beherrscht vor. Ebenso wie Owen konnte er niemals akzeptieren, daß Zufallsvarianten die Quelle des Fortschritts seien. Er sprach von einer unbekannten Ursache, welche die ‹Variationen in eine bestimmte Richtung› steuere. Lyell stimmte ihm ebenso zu wie Gray. Und Owen selbstverständlich auch; Argyll wirkte in *The Reign of Law* geradezu wie Owens Sprachrohr, wenn er von einer Macht redete, die das Leben lenke, ‹auf eine Ordnung hinwirkt, einer Zielrichtung gehorcht und diese Richtung durch Voraussicht bestimmt›.[22]

Doch der eigentliche Clou in dem Buch waren Argylls Auslassungen über Kolibris. Er stellte die Kardinalfrage, die Darwin zusammenzucken ließ. Warum sollte bei den schimmernden Kolibris ein topasgelbes Häubchen selektioniert worden sein statt eines saphirblauen? Oder Halsfedern mit smaragdgrünen Punkten und nicht rubinroten? Diese Schönheit diene nur dem Lobe Gottes – es gebe keinen irdischen Grund dafür, kein Existenzkampf könne sie erklären.

Argyll warf Darwin vor, dies der geistlosen natürlichen Auslese zugute zu halten. Doch für Darwin *war* die Auslese schöpferisch. Der Herzog, so Darwin, ‹wertet die Bedeutung der natürlichen Auslese ab, aber ich nehme an, er würde nicht leugnen, daß [Tierzüchter] unsere verbesserten Rinderrassen in gewissem Sinne hervorgebracht haben, obwohl die ursprünglichen Variationen selbstverständlich auf natürlichem Wege entstanden sind; doch solange sie nicht ausgewählt wurden, blieben sie unwichtig, und in diesem gleichen Sinne erscheint mir die natürliche Auslese von höchster Bedeutung›.

Er protestierte vergeblich. Die von Argyll postulierte Spielart der vom Schöpfer bestimmten Evolution war den Nichtdarwinisten ungeheuer sympathisch. Mit Owen begrüßten sie die ‹gesunde› Intervention des Herzogs als ‹ein rechtzeitiges und bekömmliches Mittel› gegen Darwins ‹schädliche Trugschlüsse›. Niemand war in einer günstigeren Position, um Darwins und Huxleys Überzeugung zu widerlegen, alles werde ‹von unveränderlichen Gesetzen regiert, in die keine Willenskräfte natürlicher oder übernatürlicher Art eingreifen›.[23]

Huxley machte sich nicht einmal die Mühe, *The Reign of Law* zu lesen. Hooker überflog es ‹mit äußerstem Widerwillen und unbeherrschbarer Empörung›. Man stelle sich einmal vor, schnaubte er, ‹daß Gott gezwungen ist, rudimentäre Organe anzukleben, *um den Schein zu wahren*›, daß der göttliche Architekt nutzlose Einzelheiten hinzufüge, damit das Ergebnis Owens Bauplänen entspreche. Darwin stimmte ihm zu, voll Verachtung für Argylls Bild von Gott als ‹einem Menschen, der klüger ist als wir›. Doch schließlich schrieb das ein Herzog, ‹kein gewöhnlicher Sterblicher›. Vielleicht war er ‹nicht nach herkömmlichen Regeln zu beurteilen›.[24]

Wallace konterte Argylls Bibelzitate mit einer ätzend scharfen Rezension, in der er auf die Pracht der Kolibris einging. Es sei riskant, sie Gottes Schönheitssinn zuzuschreiben. Wie wolle man dann Stinkkäfer und Schlangen erklären? Er zog Seine Hoheit auch mit den leuchtend bunten Orchideen auf, die die Funktion hätten, Bienen anzulocken, und erinnerte ihn daran, daß ständige Einmischung von oben auf einen Mangel an göttlicher Voraussicht hindeute. Kleinliches Herumpfuschen möge sich für Reformgesetze ziemen, doch die Natur habe es von Anfang an richtig gemacht.

Wie die Natur die Dinge berichtigte, war eine andere Frage. Die Auffassungen von Wallace und Darwin darüber gingen immer mehr auseinander. Bei Darwin ersetzte die geschlechtliche Auslese Gott, den Künstler, so wie die natürliche Auslese an die Stelle Gottes, des Architekten, getreten war. Die Tiere waren ihre eigenen Züchter; sie bildeten phantastische Spielarten aus. Die Menschen formten sich selbst durch ihre Partnerwahl. Doch für jeden auffallenden Vogel, den Darwin der geschlechtlichen Auslese zuschrieb, führte Wallace einen anderen an, der ein Produkt der natürlichen Auslese sei. Weibchen mit unauffälligem Gefieder seien getarnt, um in einem offenen Nest überleben zu können. Grellbunte Falter, die ihren Freßfeinden nicht schmeckten, trügen warnende Farben, wieder andere ahmten sie nach.

Wallace lehnte die geschlechtliche Auslese als ‹Hauptinstanz› ab, welche die menschlichen Rassen forme. Die natürliche Auslese sei dieser Aufgabe durchaus gewachsen. Für Darwin kam dies als ‹der schwerste vorstellbare Schlag›. Keine noch so große Fülle an Beispielen von Vögeln und Insekten konnte Wallace umstimmen. Darwin spielte jetzt den abgefallenen Teufel und argumentierte gegen genau die Theorie, für die er sein Leben lang eingetreten war. Wallace erwies sich seinerseits als der monomanischere Anhänger der natürlichen Auslese, als darwinistischer denn Darwin.[25]

Jede Antwort Wallace' an Argyll zog eine Welle neuer Kritik nach sich, und Schlimmeres stand noch bevor. Darwins angesehenste Gegner waren Physiker mit engen Bindungen an den Glasgower Professor Sir William Thomson (den späteren Lord Kelvin). Thomson berechnete das Alter der Erde neu und setzte der Zeit, die eine schwerfällige, verschwenderische natürliche Auslese für ihr Wirken zur Verfügung hatte, beengende Grenzen. Im Juni wandte sein Partner im Unterseekabelgeschäft, der Ingenieur Fleeming Jenkin, eine noch grausamere Logik an. Er demonstrierte, daß einzelne Varianten die erneute Vermischung mit einem Ozean normaler Artgenossen nicht überleben konnten. Blut mische sich immer; ein weißer Matrose mit einer schwarzen Frau habe ‹Mulatten›-Kinder. Kein alter Seebär, der an afrikanischen Gestaden strande, könne, so potent und überlegen er auch sein möge, ‹eine Nation von Negern bleichen›. Dazu seien Schiffsladungen von Weißen nötig. Wie Jenkin sagte, konnte sich eine Spezies nur dann verändern, wenn gleichzeitig viele Spielarten oder Mutationen auftraten und miteinander Nachkommen zeugten.

Das jedoch war gleichbedeutend mit einer ‹Theorie von aufeinanderfolgenden Schöpfungen› – oder zumindest mit einer von Gott gesteuerten Evolution. Jenkin hatte einen Umschwung bewirkt. Er überzeugte Darwin davon, daß ‹abartige› Exemplare nicht überleben konnten; nur einer ganzen Welle gleichzeitig auftretender Varianten könne dies gelingen.[26] Andere durchschlugen den Knoten und suchten Zuflucht bei Argylls ‹Erschaffung durch Geburt›, bei der jede Spielart im voraus geplant und festgelegt war. Es war ein Rückzug an allen Fronten.

Im Juli war Lyell der Verzweiflung nahe; er arbeitete an einer zehnten Ausgabe der *Principles of Geology* und versuchte vergeblich, aus einem antilamarckistischen Opus einen darwinistischen Cocktail zu mischen. Der stets hoffnungsvolle Darwin freute sich darüber, daß er sich erstmals ‹unmißverständlich zur Artenfrage äußern› werde, auch wenn das in Abzügen vorliegende Kapitel über den Menschen, ‹der zuviel an sein wertvolles Ich denkt›, danebengegangen war. Es war ‹zu lang ... und zu orthodox außer für den saturierten Klerus›, eine Bemerkung, von der zu bezweifeln ist, ob sie den siebzigjährigen Lyell beruhigte.

Lyell war seinerseits sehr angetan von Darwins Fahnenabzügen von *Variation under Domestication;* es gefiel ihm, was er hier über exotische Tauben und Kaninchen und über die Art und Weise las, wie sich die Rassen, ausgehend von ihren wilden Vorfahren, aufgefächert hatten. All dies werde ‹für echte Naturwissenschaftler höchst überzeugend› sein, antwortete er großmütig, womit er sie noch weiter in Richtung von *Origin of Species* trieb.[27]

Darwin benötigte diese Bestätigung. *Variation under Domestication* war sein umfangreichstes Buch, und die Fahnen brachten ihn fast um, da er jede Seite ‹stark veränderte›. Zweimal legte er in diesem Sommer die Feder aus der Hand und verbrachte eine Woche bei Erasmus; doch es nutzte nichts. Nach Downe zurückgekehrt, arbeitete er dann um so länger, um die Unterbrechungen wettzumachen. Von Carus und Kowalewski trafen endlose Briefe ein, Anfragen bezüglich des Registers, neue Stöße von Revisionsbogen, und das alles neben der obsessiven Suche und Archivierung von Fakten über die geschlechtliche Auslese und den Menschen.

Trotz aller Befürchtungen und Phobien Darwins, trotz Lyells Zaudern und Argylls Verärgerung wandelte sich die Welt. Reverend Kingsley symbolisierte ihren komischen elliptischen Lauf. Hier predigte ein Pfarrer, daß Gott die Schönheit um ihrer selbst willen erschaffen habe, und gleichzeitig triumphierte er, weil ‹die besten und stärksten Männer› in Cambridge sich zu dem ‹bekehren ... was die Welt als Darwinismus bezeichnet und Sie und ich und einige andere als Tatsachen und Wissenschaft›.

‹Die jüngeren Akademiker sind nicht nur bereit, sondern begierig zu hören, was Sie zu sagen haben; und die älteren (die natürlich mehr alte Vorstellungen zu überwinden haben) stellen sich der gesamten Frage in einem ganz anderen Ton, als sie es noch vor drei Jahren taten. Ich werde keine Namen nennen, um nicht Personen zu «kompromittieren», die sich in einem ehrlichen, aber «beklommenen» Stadium der Bekehrung befinden; aber ich bin überrascht gewesen ... über die Veränderung seit dem letzten Winter.›

Sollte die Evolutionstheorie inzwischen Cambridge erobert haben? Kingsley wußte, daß für Darwin die Vorfahren des Menschen ‹haarige Tiere› waren. Wußte das sonst niemand? Oder war der Gedanke in Oxbridge jetzt ebenso diskussionsfähig, wie er unter den Kirchengegnern akzeptiert war? Einst mochte es Darwins schlimmster Alptraum gewesen sein, in einem Verbrecheralbum wie Holyoakes kirchenfeindlichem Traktat *Half-Hours with Freethinkers* vorzukommen. Jetzt war seine kurzgefaßte Biographie ebenso darin enthalten wie die Lebensgeschichten von Emma Martin, Robert Owen und Lukrez, während Reverend Kingsley, der Cambridge-Professor für moderne Geschichte, sein Loblied sang.[28]

Beharrlich trieb er *Variation under Domestication* voran. Nach sieben Monaten des Durchstreichens und Korrigierens war er mit den Fahnen am 15. November fertig. Emma wünschte, er solle sich entspannen und ‹eine Pfeife rauchen oder wiederkäuen wie eine Kuh›; aber Muße zu genießen war harte Arbeit. Er machte sich Sorgen, ob irgend jemand sein Mammutbuch lesen würde. Dennoch stieß er einen tiefen Seufzer aus und teilte Hooker seine Erleichterung mit; um ihm den Umgang mit den zwei Bänden zu erleichtern, empfahl er ihm: ‹Erspar Dir den *ganzen* ersten Band außer dem letzten Kapitel (und auch das brauchst Du nur zu überfliegen), und erspar Dir den größten Teil des zweiten Bandes; dann wirst du sagen, es sei ein sehr gutes Buch.›[29]

37

Sex, Politik und die X-Club-Freunde

Dreizehn Jahre nachdem Darwin seine ersten Kropftauben gezüchtet und die entsprechenden Ergebnisse ausgewertet hatte, lag das Buch in den Läden der Hauptstraßen aus – das Buch, das die Plastizität der Arten in beispielloser Fülle dokumentierte: *The Variation of Animals and Plants under Domestication.* Selbstverständlich hatte es mittlerweile auch einige andere Funktionen: Es wies ‹die schädlichen Folgen der Inzucht› nach, stellte Darwins neueste Gottheit, den ‹großen Gott Pan›, vor und räumte mit dem von Gray postulierten göttlichen Planer als Urheber der Variation auf.

Am Tag der Auslieferung, dem 30. Januar 1868, schrieb Darwin an Fritz Müller: ‹Den größten Teil braucht man, wie Sie sehen werden, nicht zu lesen; aber es würde mich sehr interessieren, was Sie von der «Pangenesis» halten.› Jedem Empfänger wurde so zugeredet, doch die Resonanz war für Darwin ernüchternd. Hooker fand, das Geheimnis der Keimchen oder was auch immer wäre besser nicht gelüftet worden. ‹Diese Fähigkeit, in einer Zelle das Potential einer unbegrenzten Anzahl der unbegrenzten Eigenschaften ihrer Vorfahren unterzubringen, übersteigt unsere Vorstellungskraft im gleichen Maß wie Atome oder Ethik oder Zeit oder Schwerkraft oder Gott.› Darwin begann ihm zuzustimmen. Und er rechnete immer noch mit einem ‹Verriß› von Huxley, der die Pangenesis in die gleiche Kategorie einreihte wie die Genesis. Plötzlich war ihm der Anblick des Buches zuwider; seine alten Unsicherheiten tauchten wieder auf, seine Furcht vor Ablehnung und Prestigeverlust. ‹Wenn ich einige Seiten zu lesen versuche, wird mir ziemlich schlecht.› Zwar stellte er sich schützend vor Pan, doch in bezug auf das übrige meinte er: ‹Zum Teufel mit dem ganzen Buch.›[1]

Die Leser hatten eine bessere Meinung; selbst Murray hatte die Nachfrage unterschätzt. Die 1500 Exemplare verschwanden in einer Woche. Das Interesse war so groß, daß nach elf Tagen mit dem Druck einer zweiten Auflage begonnen wurde. Am Nachmittag dieses Tages gab George Lewes dem Buch in der *Pall Mall Gazette* ein wunderbares Geleitwort mit, indem er die

620

‹noble Gelassenheit› von Darwins Darlegungen lobte. Sich als ‹unbeeindruckt von der Erregtheit der polemischen Agitation› beschrieben zu sehen, ließ Darwin auflachen, und die Rezension machte ihn insgesamt ‹übermütig›. Wie üblich wartete das *Athenaeum* mit einem Verriß auf; aber das war nicht anders zu erwarten gewesen, und Darwin war inzwischen an die Samstagmorgen-Rempeleien gewöhnt, wenn auch noch nicht ganz unempfindlich dagegen. ‹Der Verfasser verachtet und haßt mich›, äußerte er betroffen, die Identität des Rezensenten halb ahnend.[2] Nur ein Mensch konnte ‹mich so gnadenlos zerpflücken›: Owen.

Dennoch machte er sich um die Pangenesis Sorgen. Er hatte sie ins Herz geschlossen wie ein ‹geliebtes Kind› und glaubte daran wie an einen Gott. Sie war der Sproß seiner fruchtbaren Phantasie, ein *deus ex machina,* um die Phänomene der Vererbung zu erklären. Da er befürchtete, sie werde ‹ohne den Segen und den Fluch der Welt entschlafen›, war er entschlossen, für die Theorie ‹einzustehen›; doch ebenso wie Gott und die Gesundheit seiner Kinder war sie ständigen Zweifeln ausgesetzt. Er verfiel von einem Extrem ins andere. Die Reaktionen Hookers und Huxleys veranlaßten ihn zu dem Wunsch, ‹den großen Gott Pan als totgeborene Gottheit› aufzugeben. Dann machte ihm Wallace' Begeisterung wiederum Mut. Später, als Gray die Theorie mit Sympathie behandelte, erhoffte sich Darwin, daß das ‹Kind ... ein langes Leben haben wird. Wenn das keine elterliche Vermessenheit ist!›[3]

Seine elterliche Vermessenheit nahm auch in anderer Hinsicht zu. Jahrelang war er nie sicher gewesen, ob sich seine kränklichen Söhne im Lebenskampf behaupten würden. William, der Tüchtigste, leitete zwar erfolgreich seine Bank, eine sichere, sitzende Beschäftigung. Aber welche Aussichten hatten die anderen? Würden sie ihrem Vater folgen und sich der Wissenschaft verschreiben, oder würden ihre erblichen Schwächen sie daran hindern? Der achtzehnjährige Leonard, der sich an der Schule von Clapham um Horace kümmerte, hatte soeben einen der ersten Plätze auf der Bewerberliste von Sandhurst belegt und steuerte die Königliche Militärakademie in Woolwich an, wo er die Aufnahmeprüfung als Zweitbester bestanden hatte. ‹Wer hätte je gedacht, daß der arme, liebe kleine Lenny so glänzend abschneiden würde!› entfuhr es Charles, der an der Bedeutung dieses Erfolgs zweifelte. ‹Es würde mich interessieren, wie viele sich beworben haben.› Leonard würde eine solide Ausbildung als Ingenieur erhalten, die aber nur begrenzte Aufstiegschancen bot. Eigentlich war ihm das ganz recht, dem Sohn, bei dem ‹die Sammelleidenschaft ... die armselige Form des Briefmarkensammelns› angenommen hatte.

Horace, ein Jahr jünger als Leonard, blieb ein Rätsel. Er hatte technische Fähigkeiten; falls es seine Gesundheit erlaubte, würde er Frank vielleicht nach Cambridge folgen und Naturwissenschaften studieren. George bewies, was ein schwächlicher Darwin dort erreichen konnte, und die Augen seines

Vaters waren jetzt auf ihn gerichtet. Der Dreiundzwanzigjährige sollte in Kürze sein Mathematikstudium abschließen. Er stand am Scheideweg. Gerade als *Variation under Domestication* bei den Rezensenten eintraf, kam ein Telegramm nach Down House: George hatte sich fabelhaft gehalten und war Zweitbester seines Jahrgangs geworden. Als Charles ihm seine Glückwünsche schrieb, zitterte seine Hand. Er hatte ‹niemals einen so großartigen Erfolg erwartet›. In Clapham, wo Reverend Wrigley das junge Mathematikgenie vorbereitet hatte, wurde eine ‹regelrechte Orgie› gefeiert. Alle bekamen einen halben Tag frei und wurden in den nahe gelegenen Kristallpalast verfrachtet. George bekam die Stelle eines Naturwissenschaftslehrers in Eton angeboten, lehnte sie aber zugunsten eines Jurastudiums ab. Einer Professur am Trinity College, die Onkel Erasmus für die ‹beneidenswerteste Stellung auf Erden› hielt, konnte er sich jedoch schlecht verweigern.[4]

Auch Darwin heimste Ehrungen ein. *Origin of Species* lag inzwischen in einem halben Dutzend Sprachen vor. Überall setzten sich Naturwissenschaftler mit seinen Argumenten auseinander, Intellektuelle diskutierten über deren Bedeutung. Ob man es liebte oder haßte, das Buch war ein geniales Werk. Wenige Tage nach dem Eintreffen von Georges Telegramm, während Gratulationen hereinströmten, erfuhr Darwin, daß der König von Preußen ihm den Orden Pour le mérite verliehen hatte. Nur Wochen später wählte ihn die Kaiserliche Akademie der Wissenschaften in Sankt Petersburg zu ihrem korrespondierenden Mitglied. In der Hoffnung, die Titelseite der russischen Ausgabe von *Variation under Domestication* damit schmücken zu können, beeilte er sich, dies dem Revolutionär Wladimir Kowalewski mitzuteilen. Der Eile hätte es nicht bedurft, da Kowalewski seine Übersetzungen vorübergehend ruhen ließ und mit einem Hilfskomitee für landwirtschaftliche Notstandsgebiete jede Woche tausend Meilen quer durch Rußland zurücklegte.[5]

Am Tag nach Eingang der Mitteilung seitens der Preußischen Botschaft wandte sich Darwin erneut der geschlechtlichen Auslese zu. An normalen Tagen sandte er acht bis zehn Briefe ab, um Informationen einzuholen. So wurde er zu einem Milliardär in Sachen bizarre Fakten: Die Mähnen von Makaken, die Geweihe von Wild, das Brutkleid der scharlachroten Ibisse, die Tönung eines Tukanschnabels – keine Kragenzier und kein Augenfleck, die von einem Paarungspartner hätten bevorzugt werden können, entgingen ihm. Er überwand sich sogar, mit Louis Agassiz in Harvard Verbindung aufzunehmen. Agassiz war vom Amazonas zurückgekehrt, den er auf der Suche nach Anzeichen für frühere Gletscher bereist hatte, um beweisen zu können, daß die von ihm postulierte Eiszeit global gewesen war und somit die alte Schöpfung von der neuen abgeschnitten hatte. Es war allseits bekannt, daß dieser apokalyptische Eisschild dem Zweck dienen sollte, ‹darwinistischen

Ansichten› den Garaus zu machen, und nichts als ‹blühender Unsinn› war. Für Darwin hatte Agassiz einen ‹Gletscherfimmel›. Doch das hinderte ihn nicht daran, ihn um Informationen über laichende Amazonasfische anzuge- hen; bei seinem Versuch, die antidarwinistischen Erkenntnisse des armen Mannes in nützliche Beute zu verwandeln, verfuhr er allerdings so sanft, daß er am Ende nicht klüger war.

Die geschlechtliche Auslese, mit der Darwin sich befaßte, mutierte eben- so wie die Fische und nahm ein Eigenleben an. Sie war zu einem ‹Rie- senthema› herangewachsen. Darwin ließ sich auf die Knie nieder, um die niedrigsten Angehörigen des Tierreichs zu untersuchen. Frühere Helfer aus den Tagen der Beschäftigung mit den Rankenfüßern wurden reaktiviert: Albany Hancock schickte ihm Unmengen von Belegen über prächtig ge- färbte Nacktkiemer, andere sandten reiches Material über die Vermehrung von Krabben und Krebsen, die Balzrituale blinder Käfer, sadistische Spin- nen und leuchtende Schmetterlinge. Er wollte wissen, ‹auf welch tiefer Stufe geschlechtliche Unterschiede auftreten, die einen Grad an Selbstbewußtheit seitens der Männchen erfordern›. Es gab Fragen, die nur er stellen konnte. Wurde das Zirpen der Grillen geschlechtlich selektioniert? Konnten sich ‹dumme› Zikaden vermehren?[6]

Er begann sich kommerzielle Züchter zu angeln und hatte sie bald soweit, daß sie ihre schönsten Exemplare einschmierten, stutzten oder anderweitig beschädigten: Tauben wurden andersfarbig bemalt, Kampfhähnen die Schwanzfedern ausgerissen, und ein Züchter sollte die rosarote Brust eines Gimpels braun färben und feststellen, ob dessen Potenz beeinträchtigt wür- de. Auch hörte sich Darwin noch immer nach einem reichen Gutsherrn um, der bereit war, einem Pfau die Augen aus den Schwanzfedern zu schnipseln. ‹Aber wer würde die Schönheit seines Vogels für ein ganzes Jahr opfern, bloß um einem Naturforscher einem Freude zu machen?›

In zwanghafter Sorge und Arbeitswut ließ er wenig Raum für anderes. Als er Hooker eines Tages verzückt von Händels ‹Messias› schwärmen hörte, er- klärte er, seine Seele sei ‹zu vertrocknet, um das noch so schätzen zu können wie in früheren Zeiten›. Orchideen beeindruckten ihn mehr als Orgelpfei- fen, Korallen mehr als das Händelsche ‹Halleluja›. ‹Ich bin in jeder Hinsicht außer in der Wissenschaft ein welkes Blatt.›[7] Doch die Papierberge, die er zu bewältigen hatte, hätten für eine ganze Beamtenschaft gereicht. Sein Ein- Mann-Büro erstickte nach wie vor im Schriftverkehr. Im März wurde er täglich bündelweise mit Briefen von Züchtern, Landwirten, Fischerei- fachleuten, Volkszählungsstatistikern, Sammlern und Kolonisatoren über- schwemmt.

Zum Teil fühlte er sich von Argyll genötigt, prunkvolle Kolibris zu erklären, angestachelt von der Behauptung des Herzogs, daß ‹bloße Verzie- rung oder Schönheit ein Zweck, ein Ziel und ein Sinngehalt an sich› seien, eine Laune des Schöpfers, um den Menschen zu erfreuen. Auch Wallace untersuchte Schuppen und Gefieder sowie die Art und Weise, wie blattähnliche Nachtfalter oder gutgetarnte brütende Vögel selektioniert wurden und wie die übrigen, die schillernden Schlangen und die irisierenden Insekten, auf ihre Giftigkeit hinwiesen – oder jene nachahmten, die das taten. Jetzt blieben aber immer noch die topas- und smaragdfarbenen Nektarnipper übrig, und das war Darwins Terrain. Die Augenflecken auf einer Raupe imitierten vielleicht das Gesicht einer Schlange, und die Augen auf den Schwanzfedern des Pfaues bezauberten die Henne. Sie mußten das Ergebnis einer bewußten Wahl sein.

Konnte es denn sein, daß verliebte Bewunderinnen winzige Unterschiede wahrnahmen? Wallace war skeptisch. Würde die Henne ‹einen um zwei, drei Fingerbreit längeren Pfauenschwanz oder einen Unterschied von einem Zentimeter beim Schwanz des Paradiesvogels wahrnehmen und honorieren›? Darwin war überzeugt davon. ‹Ein Mädchen sieht einen attraktiven Mann, und ohne darauf zu achten, ob seine Nase oder sein Schnurrbart um einen Zentimeter länger oder kürzer sind als bei einem anderen, bewundert sie seine Erscheinung und erklärt, daß sie ihn heiraten will. So ist es, glaube ich, auch bei der Pfauenhenne.›

Ein zusätzlicher Tupfen steigere zwar die Wirkung, doch was geschätzt werde, sei der ‹prächtige Gesamteindruck›. Die Partnerinnen würden auswählen, wobei die Schönheit im Auge der Betrachterin sei. ‹Es fällt sehr schwer, sich vorzustellen, daß die Schleppe des Pfaues so entstanden ist; aber da ich es glaube, glaube ich auch, daß beim Menschen dasselbe, etwas abgewandelte Prinzip am Werk war.›[8]

Darwin nahm seine Arbeit mit, als Emma und die Mädchen ihn im März zu einer vierwöchigen Erholung nach London entführten. Sein Gärtner bedauerte ihn; einen Monat fort zu sein, sei sicherlich eine ‹schreckliche Sache› für seine Experimente. Dennoch zogen die Darwins nach einer Woche bei Erasmus in Elizabeth Wedgwoods Haus am Regent's Park um, zehn Gehminuten vom Zoo entfernt. Die Folge war, daß Charles seine Zeit, abgesehen von geselligen Mittagessen und Stippvisiten bei Hensleigh, um mit der freigeistigen Feministin Frances Power Cobbe über die Abstammung der Menschheit zu diskutieren, im Zoo verbrachte, wo er mit den Wärtern zechte, die Elefanten trompeten ließ (um zu sehen, ob sich Tränen bildeten) und die Fasanen bei der Balz beobachtete. Außerdem folgte er den Spuren seiner alten Notizbücher über Metaphysik und untersuchte die sozialen Instinkte von Affen, denen er sogar Schlangen in den Käfig steckte, um die wechselseitigen Reaktionen zu testen.

Der unnatürlich hektische Aufbruch nach London war ein Zeichen dafür, daß sich seine Gesundheit besserte. Er dankte dem an der Royal Institution am Piccadilly tätigen Grove dafür, daß er George für sein Jurastudium in Lincoln's Inn [eine der Berufsvereinigungen britischer Juristen, benannt nach dem Platz in London, wo sie ihren Sitz hat; die Mitgliedschaft in einem dieser Verbände war damals Voraussetzung für die Zulassung zum Jurastudium; Anm. d. Ü.] untergebracht hatte, unterhielt sich im Britischen Museum über Schweine, nahm an einer Zusammenkunft des X-Club teil und schaffte es fast bis nach Kew Gardens.[9]

Vielleicht plauderte er auch mit John Murray über ein neues Werbekonzept. Darwin war ein geschickter Selbstvermarkter, doch der Import von Grays Broschüre war eine Petitesse gewesen im Vergleich mit dem Plan, der ihm jetzt vorschwebte. Während es in Deutschland eine Flut von Veröffentlichungen über den Darwinismus gab, war in England kein einziges befriedigendes Buch zur Unterstützung seiner Position erschienen. Kein Autor hatte wirkungsvoll für ihn Partei ergriffen. Lyells *Antiquity of Man* war eine halbe Sache und verfehlte das Ziel, Huxleys Broschüren für Arbeiter hatten eine winzige Auflage und umgaben den Darwinismus mit Mahnungen zur Vorsicht; Huxleys *Evidence as to Man's Place in Nature* war zwar ausgezeichnet in bezug auf Affen, schwieg sich aber hinsichtlich der natürlichen Selektion aus. Jetzt, da Argylls übles Machwerk die Lorbeeren einheimste, waren drastische Maßnahmen erforderlich.

Darwin mußte sein Netz weit auswerfen – bis zum Amazonas –, um einen wirklich sattelfesten Schüler zu finden. Er versuchte Murray an einer Übersetzung von Fritz Müllers Schrift *Für Darwin* zu interessieren. Müller war ein weiterer Radikaler, der nach der fehlgeschlagenen Revolution von 1848 ins Exil gegangen war; er hatte sich nach Brasilien begeben, wo er Garnelen und Rankenfüßer studierte und sich als Lehrer durchschlug. Murray fürchtete das finanzielle Risiko; deshalb übernahm Darwin die Herausgabe in Kommission und subventionierte sie mit hundert Pfund. Er besorgte auch den Übersetzer, beaufsichtigte die Herstellung, kam für die Werbekosten auf und organisierte den Versand der Rezensions- und Widmungsexemplare. Wie sollte man das Buch betiteln? Der Übersetzer schlug *A Lift for Darwin* vor, ein allzu vordergründiger Scherz [der leider nicht übersetzbar ist, da er mit den verschiedenen Bedeutungen von *lift* wie ‹beistehen›, ‹emporheben›, ‹klauen› spielt; Anm. d. Ü.]. Lyell riet zu *Facts and Arguments for Darwin,* was allgemeine Zustimmung fand. Die Setzer ließen es sich nicht nehmen, ‹Darwin› auf der Titelseite in größeren Lettern zu setzen als ‹Müller›. Murray druckte 1000 Exemplare für sechs Shilling das Stück, was sowohl für den Verleger wie für den Auftraggeber ein gutes Geschäft war.[10]

Im Frühjahr versorgte einer von Huxleys Schützlingen Darwin mit esoterischen Berichten über die Zucht von Wassermolchen. Er hieß St. George Mivart, war vierzig Jahre alt, Zoologe und vor bald einem Vierteljahrhundert zum Katholizismus konvertiert. Er war Absolvent der Harrow School, verbindlich und mit geschliffenen Manieren, die er sich im Umgang mit den feinen Leuten angeeignet hatte, die das ‹Mivart Hotel› seines Vaters am Grosvenor Square (später Claridge's) frequentierten. Er hatte sich in Lincoln's Inn bereits als Rechtsanwalt qualifiziert, schlug aber eine Anwaltskarriere in den Wind, nachdem er im College of Surgeons nebenan Owens Vorlesungen gehört hatte. Der eigentliche Wendepunkt trat ein, als er 1859 Huxley kennenlernte. Verglichen mit dem schwerfälligen, schweigsamen Owen war Huxley offen, anregend und in zoologischer Hinsicht beweglich. Mivart war fasziniert von den ‹tiefliegenden dunklen Augen› und der Schlagfertigkeit Huxleys und beeindruckt von dessen schonungslosen Entlarvungen. Er fand sich zwischen David und Goliath; Empfehlungen sowohl von Owen als auch von Huxley hatten ausgereicht, um ihm 1862 die Dozentur in Zoologie am St. Mary's Hospital in Paddington einzutragen. Er nahm auch weiterhin an Huxleys Vorträgen an der Montanschule teil und besuchte ihn häufig zu Hause.[11] In Huxleys Schlepptau fand er auch bei Darwin Gehör.

Darwin traktierte ihn mit unzähligen Fragen und eignete sich sein Wissen über Färbung, Rückenkämme und Paarungsverhalten laichender Wassermolche an. Mivart scheute keine Mühe, ihm zu helfen. Er war ein vorzüglicher Anatom und sprach über die Muskeln von Molchen mit derselben Autorität wie über die Gliedmaßen der Affen. Doch in größeren Fragen, etwa über Mensch und Moral, war sein Standpunkt ambivalent. Er bezeichnete sich allerdings als ‹gestandenen› Darwinisten. Angeregt von Huxleys *Evidence as to Man's Place in Nature,* hatte er Affen und Lemuren studiert und über Leben und Geist diskutiert. ‹Was die «natürliche Auslese» betrifft, so habe ich sie vollständig akzeptiert›, versicherte er Darwin. Aber wer wie er hinzufügen konnte, so groß die Ähnlichkeit zwischen dem ‹toten Körper› eines Menschen und dem eines Gorillas auch sei, unsere ‹geistige, moralische und religiöse Natur› unterscheide uns stärker ‹von einem Menschenaffen, als sich ein solcher Affe von einem Granitblock unterscheidet›, der würde nicht lange gehorsam in Huxleys Vorlesungen sitzen.

Mivarts Konversion und Abfall hatten aus dem schöpfungsgläubigen Saulus wahrscheinlich doch keinen darwinistischen Paulus gemacht. Er hatte sich nicht eindeutig festgelegt und blieb in mancher Hinsicht auch seiner Kirche treu. Tief innen erhielt er sich neben der Angst um eine erniedrigte Menschheit eine Liebe zu Owens Wissenschaft, und tatsächlich gestand er Darwin, daß seine ‹Zweifel und Schwierigkeiten zuerst durch die Teilnahme an Prof. Huxleys Vorlesungen geweckt wurden›.[12] 1868 stand Mivart unentschlossen, schwankend an der Peripherie des Darwinschen Zirkels.

Inzwischen war Darwin bei der Arbeit an seinem Buch bei Argylls letztem Argument angekommen: Paradiesvögeln aller Art. Enthusiasten färbten noch immer Gimpelmännchen und weiße Täuberiche für ihn um und beobachteten, ob die Leidenschaft der Weibchen dadurch beeinflußt wurde. Die Situation hatte eine neue Dringlichkeit, da Argylls Kritik gierig von der Presse aufgegriffen wurde. Wozu sei Darwins berühmte Auslese gut, wenn sie nicht ‹den südasiatischen Pfau und den böhmischen Fasan› hervorbringen konnte? fragte sich die *Edinburgh Review* in einem nachdenklichen Artikel über *Variation under Domestication*. Die Auslese erforderte Nützlichkeit, aber leuchtende Farben besaßen keine. Darwin mußte beweisen, daß Vögel das schöne Gefieder ihrer Partner wählen konnten, wenn er verhindern wollte, daß man sich auf einen göttlichen Modisten berief.

Hooker hatte sich von Argylls *Reign of Law* ein Bild gemacht und beabsichtigte, das Buch in seinem diesjährigen Vortrag als Präsident der British Association zu zerpflücken. Er fand die Großspurigkeit des Herzogs ‹äußerst widerwärtig›. ‹Ich habe nichts dagegen, wenn mich jemand aus Bosheit und Neid verspottet, aber ich vertrage es nicht, wenn man es vom hohen Roß herunter tut.› Das alles roch nach Owen, bis hin zu Argylls herablassenden Bemerkungen über Rudimentärorgane, die ‹sehr drollig› seien. Owens Überzeugung, daß Rudimente ein Tier mit einem göttlichen Plan und nicht mit einem Vorfahren verbanden, wurde von den Darwinisten in aller Entschiedenheit verworfen. Ein Kritiker bemerkte amüsiert, Darwin habe mit seinem Hinweis auf die Affenreste beim Menschen wie ‹die hartnäckige Zuspitzung an unseren Ohren ... mehr dafür getan›, seinen Gegnern ‹Mißbehagen zu bereiten›, als mit einer Million anderer Fakten. Rudimente waren ein leichtes; das eigentliche Problem war, zu beweisen, daß leuchtendes Gefieder und auffallende Augen keine Folge göttlicher Launen seien.

Nach Gesprächen mit Hooker, nach Durchsicht der Kritiken und Lektüre von Autoren wie Lubbock und Tylor war es Darwin klar, daß das neue Buch – das er *The Descent of Man* (‹Die Abstammung des Menschen›) nennen wollte – ein breites Spektrum von der geschlechtlichen Auslese und Affenvorfahren bis zur Entwicklung von Moral und Religion abdecken mußte. In seinen alten Notizbüchern hatte er all das schon bearbeitet. Tatsächlich dachte Hooker, daß es ‹sehr interessant wäre, Moral und Politik wie irgendeinen anderen Zweig der Naturgeschichte zu erörtern›. Er und Darwin waren übrigens nicht die einzigen, welche diese Gebiete im Lichte der natürlichen Auslese betrachteten. Gesellschaftliche Fragen zu ‹darwinisieren›, war inzwischen zu einem beliebten intellektuellen Zeitvertreib geworden.[13]

Die besseren Zeitschriften quollen über von solchen Versuchen. Darwin las sie alle mit dem Bleistift in der Hand und holte sich Ideen für sein Buch. Wallace, der alte Sozialist, hatte als erster argumentiert, daß die Kooperation den Zusammenhalt von Gruppen festige und ihre Chance erhöhe, im Existenzkampf zu überleben. Das war fragwürdige Kost für Darwin – aber zumindest ein Beleg für ererbte moralische Eigenschaften. Sein Vetter Francis Galton servierte nahrhaftere Speisen. Der aus einer Quäkerfamilie stammende Erbe eines Waffenfabrikanten und eines Birminghamer Bankiers war Darwins Beispiel gefolgt und hatte die Medizin aufgegeben, um in Cambridge Mathematik zu studieren, bevor er sich für ein Leben des Reisens und der wissenschaftlichen Muße entschied. Der ‹Erblichkeit von Talent und Charakter› galt sein Hauptinteresse, und sein diesbezüglicher Artikel in *Macmillan's Magazine* faszinierte Darwin. Galton betonte darin, daß jedes moralische und mentale Merkmal von Trunksucht und Dummheit bis zu Nüchternheit und Genialität ererbt sei. Rassen und Klassen nähmen den Charakter ihrer einzelnen Mitglieder an; Galton trat deshalb für bessere Züchtung wie bei ‹Pferden und Rindern› ein, um zu gewährleisten, daß sich die ‹edleren Spielarten der Menschheit› gegenüber den ungünstigeren durchsetzten. Vor allem sollte die voranschreitende Zivilisation durch die Machtübernahme seitens wissenschaftlicher ‹Meisterdenker› vor ‹geistiger Anarchie› bewahrt werden.[14]

Ganz auf Galtons Linie lag Darwins alter Freund William R. Greg von der Plinian Society, inzwischen im Ruhestand befindlicher Mühlenbesitzer aus Lancashire. Sein Artikel in *Fraser's Magazine* über natürliche Auslese in der Gesellschaft weckte unbehagliche Ängste in bezug auf die ‹Untauglichen›. Darwin las ihn mit höchstem Interesse, da er ihn zum Nachdenken darüber veranlaßte, ob die oberen Mittelschichten – deren Mitglieder ihre Heirat aufschoben, bis sie die nötigen Mittel hatten, um eine Familie zu ernähren – nicht zum Untergang verurteilt seien. Die untätigen Reichen vermehrten sich stärker als sie, weil sie es sich leisten konnten, desgleichen die untätigen Armen, weil es ihnen an Malthus' ‹moralischer Zurückhaltung› fehlte.

‹Der leichtsinnige, verkommene, unehrgeizige Ire vermehrt sich wie die Kaninchen; der genügsame, vorausblickende, sich selbst achtende, ehrgeizige Schotte, von strenger Moral, frommem Glauben, scharfsinniger und disziplinierter Intelligenz, verbringt seine besten Jahre in Existenzkampf und Ehelosigkeit, heiratet spät und hinterläßt wenige Nachkommen. Man nehme ein Gebiet, das von tausend Angelsachsen und tausend Kelten bevölkert ist – in einem Dutzend Generationen wären fünf Sechstel der Bevölkerung Kelten, aber fünf Sechstel des Eigentums, der Macht, des Geistes würden dem einen verbliebenen Sechstel der Angelsachsen gehören. In dem ewigen «Kampf ums Dasein» wäre es die minderwertigere und *weniger* begünstigte Rasse, die sich durchgesetzt haben wird – und zwar nicht dank ihrer guten Eigenschaften, sondern dank ihrer Fehler.›

Was war mit dem Fortschritt, wenn die Gesellschaft genetisch ausblutete? Der dynamische, konkurrenzorientierte, aufstrebende Teil der Bevölkerung erstickte an seinem eigenen Erfolg. Die natürliche Auslese ließ ihn im Stich. Darwin sah sich abrupt mit dem schwierigsten malthusischen Dilemma konfrontiert.

Militärischer Beistand traf mit Walter Bagehots Essays über ‹Physik und Politik› in der *Fortnightly Review* ein. Darwin hielt wieder seinen Bleistift gezückt. Für Bagehot, wohlhabender Bankier und Herausgeber der Zeitschrift *The Economist,* hing der Fortschritt von der Befehlsstruktur einer Gesellschaft ab. Die Zivilisation begann für ihn mit Gehorsam, Achtung vor dem Gesetz und ‹der Bindekraft des Militärs›. Je größer der disziplinierte Zusammenhalt eines Stammes, desto größer seine Chancen, im Kampf zu siegen und seine Erfolge fortzusetzen. Durch imperiale Blutfehden schälten sich neue rassische und nationale Typen heraus, erprobt und bewährt durch die Auslese, und dies sei ein moralischer Segen. ‹Die Charaktere, die im Krieg gewinnen, sind die Charaktere, von denen wir wünschen sollten, daß sie im Krieg gewinnen.› Darwin war fasziniert. Zweifellos eingedenk der Engländer in den Kolonien notierte er die Bedingung: ‹Nationen, die *umherziehen* und sich mit anderen kreuzen, würden die höchste Variabilität aufweisen› – weil sie mit ständiger Konkurrenz konfrontiert wären. Doch er stimmte Bagehots Analyse der ‹prähistorischen Politik› zu und empfahl sie Hooker.[15]

Hooker war der erste Darwinist, der Präsident der British Association wurde. Das war ein sicheres Zeichen dafür, daß die Gefolgsleute Darwins zumindest im ‹Parlament der Wissenschaft› auf die Regierungsbänke überwechselten. Hooker stöhnte, wenn er an seine ‹Antrittsrede› dachte. Sie war von entscheidender Bedeutung, da die Federfuchser darüber berichteten, als handle es sich um ‹eine Budgetrede von Mr. Gladstone› (die nur unerheblich mehr Furore machte). Darwin war noch unbehaglicher zumute. ‹Ich bemitleide Dich aus tiefster Seele wegen der Ansprache; sie macht mir eine Gänsehaut.› Hooker war selber angst und bange. ‹Ich würde 100 Guineen dafür geben, daß sie schon vorbei wäre, selbst mißlungen, ein Fiasko oder noch schlimmer.› Zuerst hatte er vor, über ‹die Ablehnung der natürlichen Auslese› zu sprechen. Darwin gab ihm Tips und erinnerte ihn daran, daß Newtons Gravitationsgesetz von dem ‹außerordentlich fähigen› Leibniz abgelehnt worden war. Es sickerte durch, daß die Rede eine parteiische Stellungnahme sein werde, und Wallace hoffte, sie werde schlicht und einfach ‹den Darwinismus propagieren›.[16] Der X-Club trat in Aktion, und im engsten Kreis wurde beschlossen, daß Huxley das Dankeswort sprechen und Tyndall es unterstützen sollte.

Während sich die Truppe vorbereitete und Hooker probte, fuhren die Darwins in die Ferien. Begleitet von Erasmus und sogar dem alten Tommy, Charles' riesigem Pferd, nahmen sie den Zug und die Fähre zur Insel Wight. Charles selbst war ein Wrack, doch die Seeluft machte ihn wieder munter. Trotzdem fühlte er sich todunglücklich, fern von zu Hause, getrennt von seinen Experimenten, und er murrte, daß er gezwungen sei, ‹das Leben einer Drohne zu führen›. In Freshwater mieteten die Darwins von der Photographin Julia Cameron für sechs Wochen ein Häuschen. Der hagere Evolutionist bot ihr ein perfektes Motiv für ein Porträt in den natürlichen und heiteren Sepiatönen, die ihre Arbeiten kennzeichneten (die Darwins fanden das Bildnis ‹ausgezeichnet›). Die poetischeren Gesichter, die sie porträtierte, tauchten bei den Darwins auf; Tennyson kam mehrmals zu Besuch, ebenso die Amerikaner Longfellow und Thomas Appleton. Und der irische Dichter William Allingham schrieb: ‹... zu den Darwins. Dr. Hooker schreibt im unteren Zimmer an seiner Rede; möchte «Peter Bells» Himmelschlüssel hineinnehmen und will den genauen Wortlaut wissen. Oben Mrs. Darwin, Miss D. [Henrietta] und Mr. Charles Darwin selbst, fahl, kränkelnd, sehr still. Er nimmt seine Mahlzeiten ein, wann ihm danach ist, kommt mit Leuten zusammen oder nicht, wie es ihm beliebt, genießt die vollen Privilegien eines Kranken, eine große Hilfe für einen Gelehrten.›[17] Hooker war zu Besuch gekommen; er schrieb an seiner Rede zum größeren Ruhm der fahlgesichtigen, kränkelnden Seele im Obergeschoß.

Die Darwinisten minus Darwin versammelten sich in Norwich zum Kongreß der British Association. Von fern und nah strömten sie zusammen, eine Heerschau von Evolutionsgläubigen aller Schattierungen. Der leidenschaftliche Materialist Karl Vogt reiste aus Genf an und versicherte seinem sozialistischen Genossen Wallace, dank Darwins *Variation under Domestication* würden ‹die Deutschen alle bekehrt›. Viktor Carus traf aus Leipzig ein, voll Hoffnung, anschließend in Downe seine Reverenz erweisen zu dürfen. Bei einer Zusammenkunft so vieler Sekten, von denen jede *Origin of Species* hochhielt, waren Reibungen unvermeidlich. Mivart kam mit seinem Beichtvater Roberts, der gegenwärtig in London ein spartanisches Leben in einem Elendsquartier an der Drury Lane führte und sich erfolgreich darum bemühte, Mivart von einer darwinistischen Erklärung der Ethik abzubringen. Welche Hoffnung bestand für Huxleys neue Reformation, wenn die alte noch nicht gegriffen hatte?

Hookers Ansprache war ein durchschlagender Erfolg für die X-Club-Freunde, ein Potpourri heißer Themen, geschmort in einem darwinistischen Topf: Orchideen, Kletterpflanzen und die Abstammungslehre, ergänzt durch ein prähistorisches Diorama, mit dem Hooker den Aufstieg des Urmenschen und den Niedergang der archaischen Theologie illustrierte. Er pries Lyells Heroismus und noch mehr jenen Darwins und verurteilte ‹die gefährlichste aller zweischneidigen Waffen, die Naturtheologie›. Darwins jüngstes Werk wurde mit Beifall bedacht, das *Athenaeum* verrissen und die natürliche Auslese zu einem Bestandteil des geistigen Rüstzeugs jedes ‹philosophischen Naturwissenschaftlers› erklärt.[18] Kein Präsident hätte mehr sagen können.

Darwin kehrte am 21. August mit den Tagesausgaben von *Times, Daily Telegraph, Spectator* und *Athenaeum* aus dem Urlaub zurück, die alle die Ansprache brachten. Und nachdem er sie verschlungen hatte, ließ er einen weiteren Packen Zeitungen kommen. Die Tory-Presse entrüstete sich wegen der Theologie. *John Bull* beanstandete, daß Hooker ‹Mr. Darwins neueste Halluzinationen hinausposaunt› habe, und diffamierte die Rede als ‹eine melancholische Vorführung von äußerster verbaler Mittelmäßigkeit›, was Hookers Aktien enormen Auftrieb gab. Er fühle sich ‹wie der Türke in Hogarths Bild›, ließ er Darwin wissen, ‹der gelassen seine Pfeife raucht, während er durch das Fenster einer Kirche blickt, in der sich die Gemeinde in einem Zustand religiöser Verzückung befindet›.

Aber wer war drinnen und wer draußen? Die Stimmung unter den Parteigängern war euphorisch, als die Darwinisten mit Hooker in das wissenschaftliche Allerheiligste einzogen. Wallace bemerkte frohlockend zu Darwin, der Darwinismus befinde sich ‹im Aufstieg›; das Schlimme daran sei freilich, ‹daß keine Gegner mehr übrig sind, die irgend etwas von Naturgeschichte verstehen, so daß es keine der guten Diskussionen mehr gibt, die wir früher hatten›. Der radikale *Daily Telegraph* unterstützte Hooker vorbehaltlos, der anglikanische *Guardian* anerkannte, daß die ‹Herrschaft› des Darwinismus ‹triumphiert hat›, und selbst der grantige *English Churchman* mußte zugeben, daß ‹krasse Ungläubigkeit› jetzt die wissenschaftliche Norm sei.[19]

Überall fiel der Presse auf, daß Darwins Jünger bereit waren, ‹furchtloser ihre Konsequenzen zu ziehen als der Meister selbst›. Huxley schrieb Darwin dazu in einem Brief genüßlich: ‹Schuld an allem war der schreckliche Darwinismus, der sich in der Sektion Biologie ausbreitete und zum Vorschein kam, wenn man es am wenigsten erwartete, selbst in Fergussons Vortrag über «buddhistische Tempel». Du wirst das seltene Glück haben, Deine Ideen noch zu Lebzeiten triumphieren zu sehen.›

Auch Tyndall in der Sektion Physik äußerte hoffnungsvoll, die Evolution der Wissenschaft werde das ‹Geheimnis› der Beziehung zwischen Geist und Gehirn lösen und beide als identisch erkennen. Er war zu optimistisch für Huxley, der Tyndalls Fragestellung für eine künftige Physik auf die ironische Formel brachte: ‹Sie kennen die molekularen Kräfte in einem Hammelkotelett; leiten Sie daraus Hamlet oder Faust ab.›[20]

Aber Darwin sonnte sich in Tyndalls Rede. Tyndall und Huxley waren die Starrhetoriker neuen Schlages, deren Vorträge die Zuhörer in ihren Bann schlugen und die kirchliche Presse in Wut versetzten. (Wie üblich ‹beleidigte Huxley den Klerus zweimal ohne Ursache oder Anlaß›, schrieb Hooker vergnügt an Darwin.) Sie waren überzeugend und visionär, versessen auf die Herrschaft und fegten die Überreste von Privilegien und Dilettantismus beiseite. Die Wissenschaft befreite sich aus ihren Zwängen; die alten Oxbridge-Fesseln wurden abgeschüttelt. Die X-Club-Freunde, die ihre evolutionistischen Ziele verfolgten, beklagten sich darüber, daß ‹geologische

Spekulationen stets auf eisige Ablehnung gestoßen› seien. Tyndall verachtete die ‹Torys ... in der Wissenschaft, welche die Phantasie als eine Fähigkeit betrachten, vor der man sich fürchten muß›. Ihr Protest hatte die Aufhebung der Sanktionen gegen Darwins neuen Naturalismus zum Ziel; so verbat sich Tyndall jede Einmischung und warnte die Wissenschaftler davor, ‹[Darwins] intellektuellen Horizont einzuengen›.

Tyndall fand überall Anklang, und das machte ihn gefährlich. In diesen kämpferischen Jahren gab er im Rahmen der British Association den Anstoß zu Vorträgen für die Arbeiterschaft, die es in sich hatten. Die Zuhörer hielten den Atem an, wenn er halb im Scherz von Retortenbabys und dem Denkvermögen von Robotern sprach. Sein fabelhaft deterministisches kosmologisches System machte den Priester ebenso wie den Armen zu einer Seele aus Feuer und einem Kind der Sonne. Alle beugten sich derselben unabänderlichen Notwendigkeit. Er beschwor ihre Schönheit und ihre Unentrinnbarkeit und äußerte frohlockend: ‹Im gegenwärtigen Augenblick sind unsere gesamte Dichtung, unsere gesamte Wissenschaft, unsere gesamte Kunst – Plato, Shakespeare, Newton und Raffael – im Feuer der Sonne als Potential vorhanden›.

Darwins neue Vorkämpfer hatten den ethischen Rigorismus der Evangelikalen geerbt. Sie waren zum Teil Positivisten, im Herzen Darwinisten und ausnahmslos X-Club-Mitglieder, aber sie waren keine Atheisten oder Materialisten, und tatsächlich fehlte ihnen ein identifizierendes Etikett. Sie warfen mit biblischen Metaphern um sich, doch sie waren antitheologisch. Moral war für sie eingebettet in die Berücksichtigung von Tatsachen, und sie kreuzigten ihre Feinde wegen der ‹Sünde des Glaubens›. Sie bekannten sich zu ‹einer wissenschaftlichen Hölle, in welche die Verstockten verbannt werden, jene, die sich weigern, das neue physikalische Evangelium anzuerkennen›, und bezeichneten den darwinistischen Wissenschaftler als den eigentlichen Erben der Reformation. All dies machte Mivart doppelt verächtlich gegenüber Tyndalls ‹neuem Credo «Ich glaube an die eine Kraft»›. Der ‹schreckliche› Darwinismus wurde an einen pantheistischen Überbau gekoppelt und von seinen aggressiven, der Mittelschicht entstammenden Exponenten unterschrieben.[21] Darwin konnte das alles nur mit Staunen beobachten.

In Haeckels Werk wurde der Darwinismus noch allumfassender gesehen; er schloß das Leben, den Geist, die Gesellschaft, die Politik und selbst das Wissen mit ein. Darwin bemühte sich nach wie vor um eine entschärfte Übersetzung von Haeckels *Genereller Morphologie*. Er bot an, einen Teil der Kosten zu übernehmen, und in Norwich erklärte sich die Ray Society bereit, das Werk herauszubringen, wenn dessen ‹aggressive Heterodoxie› abgeschwächt würde. Nach Huxleys Ansicht waren radikale Kürzungen nötig; die höhnische Bemerkung über den gasförmigen Gott mußte gestrichen und das Buch ‹aufs äußerste komprimiert› werden. ‹Wir haben nichts gegen Heterodoxie, sofern sie sich nicht offen als solche zu erkennen gibt›, bemerkte er sarkastisch, womit er meinte, daß sich die Ungläubigkeit in England höflich äußern müsse. Haeckel bereitete sogar selbst eine gestutzte Version für die Übersetzung vor. Doch es gab weiterhin unüberwindliche Probleme, und der Plan fiel schließlich ins Wasser. Das Buch sei einfach ‹zu profund und zu lang›, hieß es.[22]

Es wurde überdies durch Haeckels *Natürliche Schöpfungsgeschichte* in den Schatten gestellt. Darwin war erstaunt, als ihm ein weiterer dickleibiger Wälzer ins Haus schneite, und äußerte Bewunderung für den ‹unermüdlichen Arbeiter›, der Bücher im Tempo von Herbert Spencer hervorbringen konnte. Haeckel wartete erneut mit einer Fülle von entwicklungsgeschichtlichen Stammbäumen auf, während sich Darwin gerade auf diesem Terrain nur zaghaft vorwagte. Das Ganze ließ eine gewisse Atemlosigkeit erkennen und war voll schillernder Spekulation. ‹Ob man ihm zustimmt oder nicht›, meinte Huxley, es sei ‹nutzbringender, fehlzugehen, als stillzustehen›. Huxley fügte sich schließlich ins Unvermeidliche und machte sich Haeckels Ansatz zu eigen. In der Zoologischen Gesellschaft zeichnete er einen Stammbaum der Rebhühner und der Tauben auf und tat somit, was er einst gegenüber Darwin als unmöglich und falsch bezeichnet hatte: Er schuf ‹eine *genetische Klassifikation*›, welche die Wege bezeichnete, auf denen ‹sich alle Lebewesen jeweils aus ihren Vorläufern entwickelt haben›. Im Zuge dieser Arbeit verlegte er die Entstehung der Vögel noch weit hinter deren straußenähnliche Vorfahren bis zu den Dinosauriern selbst zurück.[23] Nach einem Jahrzehnt der Vorbehalte und Bedenken war er endlich auf Darwins Position eingeschwenkt.

Zweifellos war dies Haeckels Verdienst, und Huxley revanchierte sich bei ihm. Er benannte ein Urschleimgeschöpf, einen kernlosen Organismus, der von einem Lotungsschiff, das die Verlegung des Transatlantikkabels vorbereitete, aus der Tiefe heraufgeholt worden war, *Bathybius Haeckelii.* Bedauerlicherweise erwies es sich weniger als ein Lebewesen denn als Produkt der Konservierungsflüssigkeit, doch die Hommage war bezeichnend, ein stillschweigendes Eingeständnis, daß die Deutschen einen Schritt voraus waren. Huxley verschaffte auch deutschen Pilgern Audienzen, die ‹im Heiligtum von Mr. Darwin ihre Huldigung› erweisen wollten – oder dem ‹Papst Darwin›, wie ihn Huxley auf einer beigelegten Skizze komplett mit weihrauchfaßschwingendem Meßdiener dargestellt hatte. In Downe geleitete Parslow die Professoren in das Arbeitszimmer, wo sie die Wirkung des Darwinismus an den deutschen Universitäten in den leuchtendsten Farben schilderten. Jena, wo Haeckel lehrte, wurde rasch zum Zentrum der Bewegung. Wilhelm Preyer in Bonn übertraf sogar noch Haeckel; seine Vorlesungen zogen bis zu fünfhundert Studenten an. Tage nachdem er von Huxley auf den

Papstthron gehoben worden war, empfing Darwin eine noch größere Auszeichnung: ein Ehrendoktorat der Universität Bonn.[24]

Der Herbst war denkwürdig durch die Anerkennung und die rührenden Widmungen, die Darwin aus aller Welt zuteil wurden. Französische Fossilienschwarten mit üppigen Stammbäumen, ein Bericht über die Expedition der Smithsonian Institution an den Amazonas, Wallace' *Malay Archipelago* – all diese Werke waren Darwin gewidmet.[25] Jetzt, da sein Buch über Orchideen ins Französische übersetzt wurde, rechnete Hooker damit, daß sogar die Académie Française schließlich mürbe werden und ihn zum Mitglied wählen würde.

Dies waren die geselligsten Monate, an die sich die Kinder erinnern konnten. Asa Gray, im Herbarium von Harvard überlastet und ‹halb tot vor Überarbeitung›, traf Mitte September mit seiner Frau nach zweiwöchiger Dampferfahrt zu einem langen Urlaub in England ein. Er verbrachte seine Zeit in den Treibhäusern von Kew mit Hooker, der die Grays dann zu Besuchen nach Downe mitnahm, bei denen einmal auch Tyndall anwesend war. Auf diesen Wochenendfahrten hatten die Grays Gelegenheit, die Darwins zu Hause zu erleben – die zwanglose Unordnung, die abgenutzten Möbel, die gleichbleibenden Gepflogenheiten. Emmas und Charles' abendliche Backgammon-Duelle wurden zu einem Zuschauersport, wobei Mrs. Gray Emma anfeuerte und ihr Mann den Verlierer tröstete. (‹Dich juckt wohl das Fell!› wetterte Charles oft in gespielter Wut gegen seine Frau.) Darwin erschien Mrs. Gray als ‹rundum faszinierend›, groß, knorrig, mit ‹einem dichten, grauen, entlang der Oberlippe gerade gestutzten Bart›. Aber nicht einmal ‹das freundlichste Lächeln, die liebenswürdigste Stimme, das heiterste Lachen› konnten die Verheerungen verbergen. ‹Die Spuren des Leidens und der Krankheit sind auf seinem Gesicht zu sehen [...] Er blieb nie lange Zeit bei uns, und sobald er viel geredet hatte, sagte er, er müsse gehen und sich ausruhen, besonders wenn er aus tiefstem Herzen gelacht hatte.›

Es war wie bei den früheren Zusammenkünften. Grays Freund Charles Eliot Norton, Herausgeber der *North American Review,* hatte sich im nahe gelegenen Pfarrhaus von Keston einquartiert und kam zum Mittagessen mit seiner Frau und deren neunzehnjähriger Schwester Sara Sedgwick (auf die William ein Auge hatte) nach Downe. Ein andermal kamen Wallace und Edward Blythe zu Besuch, beide Tropenreisende, die man über Kolibris und exotische Schmetterlinge ausquetschen mußte. Down House hatte seit einem Jahrzehnt nicht mehr ein solches Kommen und Gehen erlebt. ‹Ich werde es ungeheuer genießen›, witzelte Darwin vor einem Dinner, ‹wenn es mich nicht umbringt›.

Gray fühlte sich unter den Eingeborenen, insbesondere gegenüber Hooker, Huxley und Tyndall, auf ziemlich verlorenem Posten. In theologischer Hinsicht sah er sich durch *Variation under Domestication* in die Enge getrieben, und er erkannte, daß der Gegenseite in der Frage der Entstehung der Arten der Sieg nicht mehr zu nehmen war. Hookers Rede und Tyndalls Phantasien fanden wohl kaum seinen Beifall, und obwohl er eine englische Mode nach Harvard mitbrachte (einen ‹ehrwürdigen weißen Bart›), war ihm jegliches Verlangen abhanden gekommen, sich auf ‹darwinistische Diskussionen› einzulassen; ‹mit dem Kreis um Huxley› wollte er ‹nichts mehr zu tun haben›.[26]

Eine Million Erstwähler halfen, die Torys in den Parlamentswahlen vom November davonzujagen und das neue Oberhaupt der Liberalen, William Gladstone, in Downing Street, Nr. 10 zu etablieren. Um ein Haar hätte auch der X-Club seinen eigenen Parlamentsabgeordneten durchgebracht. Lubbock kämpfte mit Darwins moralischer Unterstützung (und versehen mit einer von ihm geliehenen Kutsche) erneut um West Kent, verfehlte aber knapp sein Ziel, den bisherigen Tory-Wahlkreisinhaber abzulösen. Das war ein kleines Trostpflaster für den alten Pfarrer von Downe, Brodie Innes, der Darwin mit dem Vorwurf geneckt hatte, er versuche wohl, den Birminghamer Abgeordneten und Helden der Arbeiterklasse John Bright ‹zum Diktator zu machen›. Brodie Innes war jedoch inzwischen von dringlicheren lokalen Machenschaften in Anspruch genommen. Von seinem Familiensitz in Schottland aus versuchte er mit Darwins Hilfe den amtierenden Vikar in Downe loszuwerden.

Es war die traurige Saga von einer schlecht versorgten ‹verarmten Pfründe›. Der lasche Vikar, dem Brodie Innes die Pfarrei übergeben hatte, Reverend Stephens, war im Vorjahr weggegangen, und Brodie Innes hatte den dringenden Wunsch, sich der Verantwortung für die Pfarre zu entledigen. Er bot Darwin sogar an, ihm das Recht auf Ernennung des Seelsorgers von Downe zu verkaufen, was dieser jedoch dankend ablehnte. Stephens' Nachfolger waren noch schlimmer, und Brodie Innes bestürmte Darwin mit besorgten Briefen über ihr Betragen. Reverend Samuel Horsman hatte sich nur drei Monate gehalten. Er machte einen Berg von Schulden und ging dann mit der Schulkasse durch, nachdem Darwin den Fehler begangen hatte, die Pflichten des Schatzmeisters mit ihm zu teilen. Horsman sei ‹eher ein hoffnungsloser Narr als ein Ganove›, meinte Darwin beschwichtigend, und Brodie Innes konnte ihn nur ‹für verrückt halten›. Doch kaum war er unter Androhung eines Gerichtsverfahrens des Amtes enthoben, als sich sein Nachfolger, Reverend John Robinson, unmöglich machte, indem er ‹nachts mit Mädchen ging›.[27]

So wurde jedenfalls in diesem Herbst gemunkelt, wie Brodie Innes von seinen Augen und Ohren in Down House erfuhr. Darwin schrieb ihm: ‹Meine Frau traf Mrs. Allen in großer Empörung über Mr. R.s Betragen gegenüber einem ihrer Hausmädchen an. Ich glaube nicht, daß es Belege für wirklich strafwürdiges Verhalten gibt. Da ich nur aus zweiter Hand berichte, sollte mein Name aus dem Spiel bleiben. Unsere Hausmädchen haben meiner Frau gesagt, sie glaubten nicht, daß derzeit irgend jemand in die Kirche gehen wird ...›

Brodie Innes antwortete mit einer schriftlichen, zum Umlauf in der Gemeinde bestimmten ‹Herausforderung› an die Bezichtiger Robinsons, sich offen zu äußern. Das versetzte Darwin in Aufregung, denn wenn er das Rundschreiben weitergab, konnte ihm das ‹eine Verleumdungsklage› eintragen. Dennoch mußte etwas geschehen.

Die Gerüchte über den Vikar hatten sich inzwischen verdichtet. Darwin schürfte tiefer und spielte sogar den Detektiv im Dorf. Brodie Innes vernahm das Urteil des Friedensrichters kurz vor Weihnachten.

‹Mr. Allen weiß nichts aus eigenen Beobachtungen. Der Name des Mädchens ist Esther West. Mr. Allens Köchin sah, daß Mr. R. auf der Straße in der Nähe des Hauses mit ihr redete. Er hatte von Mrs. Allen gehört, daß die Mutter des Mädchens (das Mr. Allen verlassen hat) an Mr. R. geschrieben und ihm verboten hat, sie in ihrem Haus zu besuchen; auch daß man Mr. R. ein Haus im Dorf betreten sah, wo ein Mädchen mit angeblich schlechtem Charakter wohnt. Mr. Allen sagte, er glaube, diese zweite Geschichte stamme von Mrs. Englehart und die über die Mutter des Mädchens von Mrs. Buckle, der Frau des Gerichtsdieners.›

Alles nur Indizien vom Hörensagen. Deshalb nahm Darwin Mrs. Allen, welche die Geschichte in Umlauf gesetzt hatte, ins Verhör und beobachtete ihre Gefühlsregungen mit geschultem Auge: ‹Nach ihrem Verhalten zu urteilen, wußte sie eine ganze Menge, sagte aber, sie sei unsicher, und wollte sich nicht festlegen. Dementsprechend sagte sie auch, sie könne sich nicht daran erinnern, wer ihr das alles erzählt habe, auch nicht an den Namen des Mädchens im Dorf; auch wolle ihre Köchin sich nicht festlegen und weigere sich zu sagen, ob Mr. R. mit dem Mädchen bei Tageslicht oder nach Einbruch der Dunkelheit gesprochen habe.›

Die ‹einzige Aussage, die etwas taugen würde, könnte die von der Mutter des Mädchens sein›, doch ‹vielleicht würde sie sich weigern, dazu Stellung zu nehmen›, faßte Darwin zusammen und schickte das Rundschreiben mit ‹aufrichtigem Bedauern wegen all dieses Ärgers und Verdrusses› an Brodie Innes zurück. Dieser dankte ihm überschwenglich dafür, ‹einem alten Freund aus einem höchst widerwärtigen Dilemma herausgeholfen› zu haben. Robinsons Tage seien dennoch gezählt. ‹Ich hoffe, daß wir sehr bald einen neuen Vikar haben werden.›[28]

Zu Hause war die sexuelle Schnüffelei anderer Art inzwischen in Fahrt gekommen. Down House war zum Angelpunkt eines das gesamte Empire umspannenden Korrespondenznetzes geworden, dessen Tentakel bis in die entlegensten Winkel der Welt reichten. Der Postsack brachte täglich Kostbarkeiten, die Darwin bei seiner Erforschung der geschlechtlichen Auslese helfen sollten. Botaniker von Ceylon bis Kalkutta schickten Berichte über Affenmähnen und bärtige Inder, Bergwerksingenieure von Malakka bis Nicaragua klärten ihn über einheimische Sitten und Gebräuche auf, Kachelproduzenten in Gibraltar kümmerten sich um Merinolämmer, Weinexporteure in Portugal verfolgten die heimischen schwanzlosen Hunde, Lappen vermaßen Rentiergeweihe, Neuseeländer gingen beherzt dem Schönheitssinn der Maoris auf den Grund, und Missionare und Regierungsbeamte von Queensland bis Victoria verlegten sich von der Bekehrung und Verhaftung auf die Beobachtung des Verhaltens der Urbevölkerung, wobei sogar der alte Schiffskamerad von der *Beagle,* Philip King, mithalf.[29] Darin zeichnete sich Darwin aus: im Sammeln und Vergleichen, im Aufspüren und Verifizieren von Fakten, in der Ausdehnung seiner alten Notizbuch-Spekulationen auf den ganzen Erdball.

38

Haltlose Spekulationen

Sosehr sich der Evolutionsgedanke auch durchsetzen mochte, Freunde und Gegner wandten sich gleichermaßen gegen den blinden, stolpernden, zufallsbedingten Mechanismus, wie Darwin ihn postulierte. In dieser Hinsicht standen Lyell und Gray auf demselben Boden wie Owen und Argyll; weder die einen noch die anderen konnten sich damit anfreunden. Wann sollte sich der Mensch in dem von Darwin angenommenen ‹ungeordneten› Prozeß entwickelt haben, bei dem von zehntausend Zufallsvarianten nur eine verwendbar war, zumal schottische Physiker das Alter der Erde um Jahrmillionen kürzten? Das Warten auf Zufallsvarianten war zeitraubend, und die Zeit wurde knapp. Lyell hatte einst fast grenzenlose Zeitspannen beschworen; Darwin war 1859 von 300 Millionen Jahren allein seit der Herrschaft der Dinosaurier ausgegangen. Doch William Thomsons neueste Berechnungen, basierend auf der Annahme, daß die Erde eine auskühlende Kugel sei, ergaben 100 Millionen Jahre seit der Verdichtung der Erdkruste, was im Hinblick auf den langsamen, zufallsabhängigen Entwicklungsgang des Darwinschen Postulats ‹lächerlich inadäquat› war.[1] Nicht für die Schöpfungsgläubigen natürlich; sie waren gern bereit, einen schnelleren Prozeß anzunehmen, indem sie eher ‹gesteuerte› als zufällige Variationen voraussetzten und den Vorgang unter göttlicher Kontrolle stattfinden ließen. Den Affen der Physiker hatte jetzt Darwin im Genick.

Thomson dräute ‹wie ein scheußliches Gespenst› aus einer Séance von Wallace. Darwin war entsetzt über diese Verkürzung der für die Entwicklung des Lebens zur Verfügung stehenden Zeit. Da seine eigene mathematische Geologie auf wackligen Füßen stand, bat er den eben mit seinem Mathematikdiplom aus Cambridge zurückgekehrten George, Thomsons Zahlen zu überprüfen, da er die ‹Kürze der Welt› einfach nicht glauben konnte. Abermillionen Jahre *müßten* den frühesten silurischen Meerestieren vorangegangen sein, ‹sonst wären meine Ansichten falsch, was unmöglich ist – q.e.d.›. Wie konnten sich die weit über tausend Meter dicken Sedimentschichten in so kurzer Zeit abgelagert haben, wie die alten Schichten erodiert sein? Es war einfach unmöglich.

Dennoch kam Darwin im Winter 1868/69 mit kosmetischer Chirurgie an einer neuen (fünften) Ausgabe von *Origin of Species* der Kritik entgegen. Manche Einschnitte gingen auch etwas tiefer. So ließ er die Umwelt eine größere Anzahl nützlicher Varianten hervorbringen. Das beschleunigte den Prozeß und verminderte das Risiko, daß neue Spielarten durch Rückkreuzung mit der Hauptpopulation wieder in dieser aufgingen. Und er reaktivierte die alte Vorstellung, daß exzessiver Gebrauch eines Organs dessen Wachstum anrege – wie dies etwa beim Bizeps eines Schmieds der Fall war – und daß diese Veränderung weitergegeben werden könne (‹Vererbung erworbener Eigenschaften›).[2] All das verlieh den Variationen eine konzentriertere Richtung, beschleunigte die Evolution und gestattete es dem wunderbaren Reichtum des Lebens, das Produkt von lediglich 100 Millionen Jahren zu sein. Am 10. Februar 1869, zwei Tage vor seinem sechzigsten Geburtstag, war Darwin damit fertig.

Eine Woche später avancierte Huxley zum ‹Staatsanwalt› und gab der Geologischen Gesellschaft als deren Präsident in der Zeitfrage die Linie vor. Sein Referat diente dem Ziel, die Stimmung zu heben, nicht zuletzt die Darwins. ‹Die Biologie erhält ihre Zeit von der Geologie›, verkündete er im Namen der evolutionistischen Lobby. ‹Falls die geologische Uhr falsch geht, dann braucht der Naturforscher nichts weiter zu tun, als seine Vorstellungen von der Schnelligkeit des Wandels entsprechend zu modifizieren.› Und nachdem er sich eingehend mit den Kapriolen der solaren Aufheizung und der terrestrischen Abkühlung befaßt hatte, war das ‹falls› unüberhörbar geworden.

Darwin fand seine Rede ‹brillant›, doch mit dieser Kompromittierung der Königin der Wissenschaften, der Physik, zog Huxley die Pfeile auf sich. Er sei wie seine gräßlichen ‹Gewerkschaftler›, schrieb ein anderer von Thomsons Mitarbeitern, welche die ausgeklügelten Maschinen kaputtschlügen, die ihnen die Physiker lieferten, um biologische Schwerstarbeit überflüssig zu machen. ‹Daß gebildete Wissenschaftler derart auf die hanebüchenen Trugschlüsse von Handwebern hereinfallen … ist sicherlich ein sehr bemerkenswertes psychologisches Phänomen, das der Aufmerksamkeit von Sensationsschriftstellern über obskure Krankheiten der Seele und des Gehirns würdig wäre.› Thomson sei in Wirklichkeit eher noch zu großzügig mit diesen biologischen Grobianen gewesen; das *wahre* Alter der Erde betrage nur ‹*zehn* oder *fünfzehn* Millionen [Jahre]›. Diese Zahl hätte, falls sie stimmte, jede entwicklungsgeschichtliche Anpassung unmöglich gemacht.

Als er das las, fühlte sich Darwin ‹sehr klein›, und seine Erde schrumpfte noch mehr zusammen. Offen gestanden glaubte er die Zahl keinen Augenblick lang. Er schöpfte Trost aus dem ‹scharfen Hieb› auf Hooker und albernen Ausfällen gegen Huxley in dem Aufsatz; wie er den Ausführungen entnehmen konnte, war er wenigstens nicht allein mit seiner Auffassung. ‹Dieser Artikel zeigt mir – ohne daß ich das nötig hatte –, welch teuflisch schlauer Fuchs Huxley ist, denn der Kritiker kann nicht anders, als seine Fähigkeiten zu bewundern.› Sein Sohn George vermutete, daß diese jüngste Schätzung von einem Mitarbeiter Thomsons, Peter Guthrie Tait, stamme, einem Edinburgher Professor für Naturphilosophie, der ständig die Bibel mit sich herumschleppte. George führte seinem Vater auch die Bedrohlichkeit von Thomsons Argumentation vor Augen. ‹Sag George von mir, daß er Dich nicht mit seiner Mathematik kopfscheu machen soll›, schrieb Hooker an Darwin. ‹Nimm eine weitere Dosis von Huxleys ... Rede und schick George ins College zurück.›[3]

Darwins Beschwerden in diesem Frühjahr hatten nicht nur wissenschaftliche Gründe. Im April erlitt er einen Reitunfall in Keston Common; sein altes Lieblingspferd Tommy stolperte, stürzte und überrollte ihn. Er erlitt schwere Quetschungen, und die Ärzte rieten ihm, sich einige Monate Erholung zu gönnen. Doch schon nach wenigen Wochen war er wieder auf dem Damm und nahm unter Emmas wachsamen Augen erneut die Arbeit auf. Sie waren sich jedoch darüber einig, daß Tommy unzuverlässig sei.[4] Mit sechzig brauchte Charles ein sicheres Reittier; doch er fand keines, und damit war sein Reiterleben zu Ende.

Huxley, der Haeckel über Redlichkeit in metaphysischen Dingen belehrt hatte, wurde der Ketzerei bezichtigt, nachdem er an einem Sonntag in Edinburgh eine ‹Laienpredigt ... über die physische Grundlage des Lebens› gehalten hatte. Es *klang* wie Materialismus – Leben, Geist und Seele ein glorifizierter chemischer Prozeß –, obwohl er darauf beharrte, daß Materialismus letzten Endes ebenso absurd sei wie Spiritualismus. Vergeblich. Sein Vortrag, in der *Fortnightly Review* veröffentlicht, wurde als Sensation empfunden, und die Ausgabe erlebte noch nie dagewesene sieben Auflagen. Die kirchlichen Federfuchser schäumten. War er nicht der personifizierte Darwinismus, der Hohepriester des neuen, profanen Glaubens, der ‹Sonntagabende für das Volk› organisierte, für ‹wissenschaftliche Sonntagsschulen› eintrat und der Londoner ‹Sunday Lecture Society präsidierte›?[5] Sie porträtierten ihn als einen Mann der seelenlosen Materie, einen Atheisten ohne Moral.

Er war nichts von alledem; allerdings gab es Meinungsverschiedenheiten darüber, was er war. Er rechtfertigte sich im April, als eine Gruppe von liberalen Kirchenmännern einen letzten Versuch unternahm, unter der zerstrittenen Intelligenz der Nation einen religiösen Konsens herbeizuführen. Ihr monatliches Diskussionsforum, die Metaphysische Gesellschaft, war eine Menagerie von Glaubensrichtungen und Häresien; Bischöfe und Erzbischöfe trafen dort mit Positivisten, Deisten und Unitariern zusammen, und als Würze gab es sogar vereinzelte Atheisten. Huxley trat mit Tyndall und Lubbock als Repräsentant der darwinistischen Fraktion auf, doch bevor ihn irgend jemand festnageln konnte, zog er ein neues Etikett aus dem Ärmel – er prägte die Bezeichnung ‹Agnostiker›. Ein Agnostiker leugne weder die Existenz Gottes noch behaupte er sie; er gebe nicht vor zu wissen, ob die Welt aus Materie, Geist oder was auch immer bestehe. Ebenso wie ‹Stammtischpolitik› sei das Thema endlos und fruchtlos diskutabel. Darwins Wissenschaft stehe über diesem Gezänk, da sie sich mit der erkennbaren Welt befasse. Für Huxley war der Darwinismus ‹nicht nur «unsektiererisch», sondern ... ganz und gar «profan»›.[6]

Huxley liebte die Konfrontation, und er benötigte einen reaktionären Feind. Den lieferte ihm der Katholizismus. Er diffamierte die römische Kirche ständig als ‹unseren großen Gegenspieler›, die effektvollste Folie. Er schilderte sie als eine jesuitische Miliz, deren Priester, zum Kampf gegen den wissenschaftlichen Wandel ausgebildet, im Vergleich mit Darwins Haufen von Freigeistern ‹wie die kampferprobten Veteranen von Napoleons alter Garde› wirkten. Diese strategischen Angriffe peinigten seinen katholischen Bewunderer St. George Mivart bis zur Schmerzgrenze. Vom ‹affenähnlichen Menschen› zu hören war belastend genug; aber gesagt zu bekommen, die katholische Kirche müsse sich ‹auf Leben und Tod dem Fortschritt der Wissenschaft und der modernen Zivilisation entgegenstemmen›, war zuviel – selbst wenn die jüngsten Verdikte des Papstes es zu bestätigen schienen. (Mivart war zu liberal, um den Index Pius' IX. ernst zu nehmen.) Und missionarische Werke aus Kontinentaleuropa wie Vogts aufwieglerische *Vorlesungen über den Menschen* und Haeckels *Generelle Morphologie* hatten ihm die Sache auch nicht erleichtert. Mivart war hin und her gerissen; das zeigte sich an den verzweifelten Verrenkungen in seinen Briefen an Darwin.

‹Ich werde meinerseits nie etwas anderes als Dankbarkeit und aufrichtige Hochachtung für den Verfasser der «Natürlichen Auslese» empfinden, aber ich verabscheue aus tiefstem Herzen manche, die diese Theorie einfach als eine Waffe der Beleidigung gegen höhere Interessen benutzen und als ein Mittel, um den Fortschritt des Menschen auf sein «Ziel» hin zu behindern, wo auch immer sein «Ursprung» liegen mag.›

Das galt Huxley. Auf seinen ‹Wanderungen durch Italien› sei er ‹erstaunt und betrübt› darüber gewesen, Huxleys *Evidence as to Man's Place in Nature* ‹in den meisten Bahnhöfen unter einem Berg von *Obszönitäten* zum Verkauf angeboten zu sehen.[7] Huxleys aggressives Auftreten kostete Darwin Anhänger.

Darwin wußte auch, daß sich Verdruß mit Wallace zusammenbraute, und er erwartete mit Bangen seine Rezension der zehnten Auflage von Lyells

Principles of Geology. Der anglikanische *Guardian* hatte Lyells milden Darwinismus bereits belächelt. ‹Jetzt, da die Torys radikale Reformgesetze verabschieden und die Kirchenblätter für den Darwinismus eintreten›, schrieb Wallace, ‹muß das Tausendjährige Reich ja vor der Tür stehen.› Doch was Darwin bekümmerte, war Wallace' Vorstellung von einer geistgelenkten Evolution. Er sei ‹äußerst neugierig› auf seine Besprechung, schrieb er ihm. ‹Ich hoffe, Du hast Dein eigenes und mein Kind nicht ganz und gar gemeuchelt.› Eindringliche, besorgte Worte. Die Rezension erschien im April, und Darwin identifizierte die Leiche des Kindes, entsetzt über die verunstaltende Mißhandlung. Mit Ausrufezeichen hieb er auf Wallace' Text ein und setzte ein dreifach unterstrichenes ‹Nein› darunter.[8]

Wallace hatte das expansive Bewußtsein der Menschheit völlig aus der Sphäre der Selektion entfernt. Wilde hätten eine geistige Kapazität, die ihre Bedürfnisse weit übersteige. Wenig mehr als das Gehirn eines Gorillas würde genügen; statt dessen besäßen sie den Eierkopf eines Engländers und damit eine intellektuelle Überkapazität. Von der Selektion, die sich mit dem unmittelbar Nützlichen beschäftige, könnten sie sie nicht erhalten haben, wohl aber von den spirituellen Kräften. Nachdem er bei seiner Sammlertätigkeit im Amazonasgebiet und im Fernen Osten mit den Eingeborenen zusammengelebt hatte, empfand der Sozialist Hochachtung für die Wilden. Er teilte nicht Darwins diffamierende Sicht, die von den listigen, kannibalistischen Feuerländern ausging. ‹Je besser ich die unzivilisierten Menschen kennenlerne›, hatte Wallace während seines Zusammenlebens mit den Dajaks auf Borneo gesagt, ‹desto höher ist meine Meinung von der menschlichen Natur.› Das Gehirn stelle zwar eine Überausstattung dar, doch manche Stämme hätten es benutzt, um eine höhere Moral zu entwickeln als die Kolonisatoren, die versuchten, sie auszurotten.

Das große Gehirn sei eine wesentliche Voraussetzung für die Entwicklung der Zivilisation. Doch die Selektion besitze keinen Weitblick – sie sorge für die tägliche Existenz, nicht für künftige Bedürfnisse. Und nach der ‹sozialen Barbarei› des viktorianischen England zu urteilen, das durch einen gnadenlosen Kapitalismus moralisch degeneriert sei, besitze die Auslese nicht die Kraft, die Zivilisation voranzubringen. Nein, für Wallace wurde das menschliche Schicksal von höheren, spirituellen Mächten gesteuert. Sie seien verantwortlich für das Gehirn; sie würden auch die Rettung des Menschen sein und ihn auf den richtigen Weg zum Paradies auf Erden führen.

‹Ich sehe das völlig anders als Du›, schrieb ihm Darwin, ‹und ich bedaure das zutiefst.› Es war traurig, erleben zu müssen, daß der wackerste Mitstreiter jetzt unerklärlicherweise Geister aus anderen Welten herbeizitierte. Es war auch ‹unglaublich seltsam›. Hätte Darwin nicht Bescheid gewußt, dann hätte er ‹schwören können›, daß die Abschnitte über das Gehirn ‹von fremder Hand eingefügt worden sind›. Von unsichtbarer Geisterhand, wie

Wallace umgehend erklärte; seine Auffassungen hätten sich gewandelt, gestand er, nachdem er ‹die Existenz von Kräften und Einflüssen, die von der Wissenschaft noch nicht anerkannt sind›, studiert habe.[9]

Aus dem Frühjahr der Fahnenfluchten wurde ein Sommer der Verzweiflung. Am 3. Juni erlangte Mivart mit Huxleys Hilfe die Mitgliedschaft in der Royal Society. Das war eine krönende Anerkennung seiner Studien an Affen und kein Hinweis auf den grausamen Schlag, der folgen sollte. Zwölf Tage später wurde er zum Verräter. Er kündigte Huxley ins Gesicht an, er wolle seine Einwände gegen die darwinistischen Auffassungen von menschlicher Natur und Moral veröffentlichen. ‹Sobald ich ihm meine Absicht klargemacht hatte, veränderte sich Huxleys Ausdruck in einer Weise, wie ich es nie zuvor gesehen habe›, erinnerte sich Mivart. ‹Dennoch wirkte er eher traurig und überrascht als sonst etwas. Er war freundlich und sanft, als er bedauernd, aber entschieden sagte, nichts vereinige oder trenne die Menschen so wie derartige Fragen.› Mivart war für den erlesenen innersten Kreis herangezogen worden und schien dafür bereit. Sein Absprung wurde als Verrat empfunden, und die Darwinisten schlossen ihre Reihen, als eine Periode der Bitterkeit und der Vorwürfe einsetzte.

Der Bruch hatte sich bereits angekündigt, als Mivart in anonymen Artikeln in der katholischen Zeitschrift *The Month* die natürliche Auslese kritisierte. Er führte eine Unzahl von Schwierigkeiten an: Wie könne die Selektion die erstaunliche Konvergenz zwischen dem plazentalen Hund und dem australischen Beutelwolf erklären? Und könne sie einen beginnenden Flügel erklären? Welchen Nutzen habe ein halber Flügel, wenn doch von der Selektion angenommen werde, daß sie das Tier in jedem Stadium funktionsfähig halten solle? Das waren tatsächlich Rätsel. ‹Wie unfertige Organe nützlich sein können, ist eine echte Schwierigkeit›, räumte Wallace nach Lektüre des *Month* gegenüber Darwin ein, ‹ebenso die voneinander unabhängige Entstehung ähnlicher komplexer Organe.› Darwin versah den anonymen Nachdruck mit zahlreichen Anmerkungen. Er konnte die von Mivart postulierte innere, auf ein definitives Ziel hinarbeitende Kraft nicht akzeptieren. Ebensowenig vermochte er sich vorzustellen, daß das Leben, dem Willen Gottes folgend, auf breiter Wellenfront vorwärtsrolle, wie er auch Lyell, Gray und Argyll nicht zustimmen konnte.[10]

Während Mivart und Wallace die Wasser trübten, rührte Argyll den Schlamm auf. Das Ergebnis waren weitere einschlägige Traktate, die reißenden Absatz fanden. Argyll, seit kurzem Staatssekretär für Indien, fand Zeit, Gladstones Irlandpolitik voranzutreiben, das Eisenbahnwesen in Indien zu organisieren und wie jedermann seine Ansichten über den Menschen zu publizieren. Seine Schrift *Primeval Man* war nicht mehr, als man von einem liberalen Herzog erwarten konnte, der von einem Schreibtisch in Whitehall aus Indien regierte; doch die Öffentlichkeit liebte solche Machwerke.

Argyll nahm Lubbock aufs Korn; er räumte zwar eine lange Vorgeschichte ein, erblickte jedoch keine Anzeichen ursprünglicher Animalität. Die Menschheit könne sich nicht ohne fremde Hilfe aus ‹äußerster Barbarei› erhoben haben. Wohl aber könne der Mensch aus einem höheren Zustand abgesunken sein. Heutige Wilde seien nicht Relikte aus der Steinzeit, sondern Degenerierte, die durch besser angepaßte Rassen in die schlechtesten Regionen abgedrängt worden seien. Ebensowenig seien unsere Vorfahren moralisch tiefstehend gewesen. Und wie könne die Selektion all dies hervorbringen? Man müsse sich nur die rosige Haut und den zarten Körperbau des Menschen anschauen. Wie könne die Auslese eine größere Schwäche hervorgebracht haben, ohne den Menschen zuerst mit der kompensierenden Gabe der Vernunft auszustatten? Wie würde sich ein so hilfloser Wilder im Kampf ums Dasein behaupten? Eine Zeitung wußte es genau: ‹Man stelle ein nacktes Vorstandsmitglied der British Association einem von M. de Chaillus Gorillas gegenüber, dann wird man sehen, wie kurz und schmerzlich der Kampf verlaufen wird.›[11]

Argyll war unerbittlich. ‹Der Mensch muß über einen menschlichen Geist verfügt haben, bevor er es sich leisten konnte, seinen animalischen Körperbau einzubüßen.› Und nur weil Lubbocks Wilder keine Kenntnis von Metallen gehabt habe, bedeute das nicht, daß ‹er auch nichts über Pflichterfüllung und nichts über Gott wußte›. Darwin fand das alles unerhört raffiniert und ziemlich langweilig. Er kniete sich tief in *Descent of Man*, wobei er darauf hinwies, daß, solange unsere Vorläufer fehlen, niemand annehmen könne, wir seien ‹kleiner und schwächer› als sie. Außerdem, fügte er, Argyll auf den Kopf stellend, hinzu, habe die Verletzbarkeit des Menschen den sozialen Zusammenhalt und damit die Moral gefördert. Lubbock bereitete sich darauf vor, seine Argumente vor der British Association zu wiederholen, daß die Gebräuche von Naturvölkern Überbleibsel aus der Steinzeit seien, die uns ‹eine Vorstellung von der früheren Barbarei› geben.[12] Und von Darwin über die Feuerländer aufgeklärt, machte er diesen Punkt in seiner zweiten Ausgabe von *Prehistoric Times* mit allem Nachdruck deutlich.

Während sich Lubbock auf die rührige British Association vorbereitete, wurde der während der Genesung von seinem Reitunfall grummelnde und brummende Darwin von ‹seinen Damen› in einen Urlaub entführt. Sie brachen am 10. Juni nach Caerdeon im Tal von Barmouth auf und übernachteten unterwegs in Shrewsbury. Er stattete The Mount einen Besuch ab, aber die neuen Besitzer begleiteten ihn höflichkeitshalber überallhin. ‹Wenn man mich im Gewächshaus nur fünf Minuten lang allein gelassen hätte›, flüsterte er mit einem melancholischen Seufzer, ‹dann weiß ich, daß ich meinen Vater in seinem Rollstuhl so leibhaftig vor mir gesehen hätte, als wäre er dagewesen.› Die mit lila Heidekraut bedeckten Hügel von Nordwales voll alter Erinnerungen deprimierten ihn. Er sehnte sich danach, wieder auf die Gipfel hinaufzustürmen, wie er es als Student getan hatte, aber er konnte kaum eine halbe Meile vom Haus weg zu Fuß gehen. ‹Das genügt, daß man sich ein ruhiges Plätzchen in einer komfortablen Gruft wünscht›, murmelte er; während die anderen Kinder herumalberten und für ein Gruppenphoto posierten, teilte er mit George das Krankenlager.

Der Erholungsort zog auch noch andere namhafte Leute an. Als Darwin sich eines Nachmittags eine sanfte Anhöhe hinaufschleppte, wurde er von einem Ruf gestoppt. Über eine ‹undurchdringliche Hecke› hinweg erblickte er in zwanzig Meter Entfernung die respekteinflößende Miss Cobbe, ihres Zeichens Frauenrechtlerin und Tierschützerin, die darauf brannte, ihm von John Stuart Mills emanzipatorischem Buch *On the Subjection of Women* zu erzählen. Es sei ideal für sein Studium der menschlichen Abstammung, rief sie ihm zu, insbesondere die Kapitel über geschlechtliche Auslese. Darwin belferte zurück, daß Mill ‹einiges von der Biologie lernen könnte›. Die Überlegenheit der Männer sei das Produkt des ‹Kampfes ums Dasein›; ihre besondere ‹Kraft und ihren Mut› verdankten sie dem Kampf ‹um den Besitz der Frauen›. Als sie das hörte, bot ihm Miss Cobbe ihr Exemplar von Kant über die ‹Moral› an, damit er sich über seine offenkundigen ethischen Probleme klarwerde. Er lehnte dankend ab.[13]

Mit der Gründung von *Nature* im November kam der X-Club endlich zu einem dauernden eigenen Presseorgan. Während Hooker es für Rezensionen benutzte und Huxley, um Goethe zu preisen, las Darwin das Werk eines weiteren Förderers von *Nature*, Francis Galtons *Hereditary Genius*. Lobend schrieb er seinem Cousin: ‹Du hast aus einem Gegner in gewissem Sinn einen Konvertiten gemacht, denn ich war immer der Meinung, daß sich die Menschen mit Ausnahme von Schwachköpfen weniger in ihren geistigen Fähigkeiten unterscheiden als in bezug auf Fleiß und harte Arbeit; und ich halte das immer noch für einen äußerst wichtigen Unterschied.›[14]

Darwin beendete das Jahr, wie er es begonnen hatte, bei der Fron; ‹krumme Sätze ausbügelnd›, rang er darum, die geschlechtliche Auslese endlich abzuschließen, ‹der ewigen Männchen und Weibchen, Hähne und Hennen überdrüssig›. Am Ende fühlte er sich so ‹dumpf wie eine Ente›. Und immer noch überhäuften ihn Kolonisatoren und Empire-Erfahrene mit Wissenswertem: China bereisende Söhne hielten die Augen für ihn offen, von der Kolonialverwaltung in Kapstadt kamen Informationen über afrikanische Nachtfalter, und von Indien bis Sierra Leone wurden Eingeborene anhand seiner gedruckten ‹Fragebogen über Gefühlsäußerungen› interviewt. Wenn sonst nichts, würde *Descent of Man* den Stempel des britischen Weltreichs tragen.

Alle Blicke richteten sich auf Darwin. Alle hatten sich schon zum Aufstieg und Fall des Menschen geäußert außer ihm. Von ihm erwartete man,

Darwin

daß er mit einer definitiven Stellungnahme den Nebel lichten werde. Murrays neue literarische Monatsschrift, *The Academy,* kündigte das Werk in ihrer ersten Ausgabe an. Wie immer reagierten die Deutschen blitzartig und wetteiferten um die Übersetzungsrechte von *Descent of Man.* Darwin fühlte sich bei Carus gut aufgehoben, aber zu seinem Entsetzen bewarb sich der hitzköpfige Vogt um die Rechte. Bei Erasmus erzählte er Frances Cobbe, Vogt habe in London ‹einen Vortrag gehalten, in dem er die Messe als das letzte Relikt jenes *Kannibalismus* behandelte, der allmählich dazu überging, nur noch das Herz oder die Augen eines Mannes zu essen, um dessen Mut zu erlangen›. Darwins einziger Kommentar lautete: ‹Mit wieviel mehr *Anstand* man in England über solche Themen spricht.› Er durfte *Descent of Man* keinesfalls einem solchen Zyniker in die Hände fallen lassen.

Die Aussicht, sich offen über dieses umstrittene Thema zu äußern, erfüllte Darwin mit großer Furcht. Diesmal lagen seine Kritiker bereits gewappnet auf der Lauer. ‹Sobald ich mein Buch veröffentliche›, meinte er halb anklagend zu Mivart, ‹erwartet mich universelle Mißbilligung, wenn nicht Hinrichtung.›[15]

Charles hielt das Kaminfeuer im Arbeitszimmer in Gang und vollendete während des langen, harten Winters die Kapitel über die ‹geistigen Kräfte› und das ‹moralische Empfinden› des Menschen. Er schickte sie nach Cannes, wohin die siebenundzwanzigjährige, einigermaßen attraktive Henrietta eine Erkundungsreise unternommen hatte. Auf Stil und Moral bedacht, glättete sie seine Prosa und wachte darüber, daß die Schicklichkeit gewahrt wurde. Manches sei zu missionarisch, fürchtete er; es lese sich wie eine Predigt. ‹Wer hätte je gedacht, daß ich zum Pfarrer werde!›

Übrigens ein ungläubiger Pfarrer, wie aus den atheistischen Untertönen seiner Argumentation hervorgeht. In seinen Augen unterschied sich das ‹Gefühl religiöser Hingabe› nicht grundlegend von der Zuneigung eines Affen zu seinem Wärter oder von der ‹tiefen Liebe›, die Henriettas Hund Polly für sie hegte. Auch sei der ‹erhebende Glaube an Gott› nicht angeboren und universell, sondern nur die höchste Sanktion zur Aufrechterhaltung der gesellschaftlichen Ordnung. Alle Glaubensannahmen und Sitten seien aus tierischen Instinkten und barbarischem Aberglauben entstanden. Dies waren alte Auffassungen aus den Tagen von Charles' ‹Notizbüchern›. Aber selbst jetzt noch, zehn Jahre nach dem Furore von *Origin of Species,* konnte die Veröffentlichung der Familie schaden; Henrietta mußte dafür sorgen, daß nicht die falschen Schlüsse daraus gezogen wurden. Während sie den Text zurechtstutzte, hielt ihr eigener Schutzengel – Emma – sie auf dem richtigen Pfad. Die Behandlung von Moral und Religion ‹mag sehr interessant sein›, schrieb Emma, aber sie sehe sie dennoch ‹sehr ungern, da es Gott wieder ein Stück weiter wegrückt›.[16]

646

Bald war Darwin erschöpft, und Emma machte ihre Drohung wahr, ihn zu einer Erholungspause ‹irgendwohin zu verfrachten›. Er ging diesmal bereitwillig, und zwar nach Cambridge. Frank schloß sein Studium mit einem guten Mathematikdiplom ab, und Horace leistete ihm inzwischen im Trinity College Gesellschaft. Es war Mitte Mai, und das Gelände hinter den Colleges bot einen ‹paradiesischen› Anblick. Hätte es eine bessere Zeit geben können, um das alte Städtchen nach mehr als dreißig Jahren wiederzusehen? Henrietta kam mit ihrer Schwester Bessy mit, um nach Horace' Gesundheit zu sehen, und sie wohnten alle mitsammen im Hotel Bull. Neben dem pulsierenden Markt und den betriebsamen Geschäften war da eine neue Kapelle am St. Johns' College, eine neue Innenausstattung in Great St. Mary, und wo einst der alte Botanische Garten gewesen war, befanden sich jetzt Museen und Vorlesungssäle. Charles ließen die Erinnerungen an seine früheren Spaziergänge mit dem ‹lieben Henslow› nicht los. Cambridge war einfach ‹nicht mehr dasselbe› ohne ihn.

Am Tag vor ihrer Abreise trafen sie zufällig Professor Sedgwick. Gealtert und ‹in freudloser Einsamkeit lebend›, floß er über vor Freude, Charles im ‹Kreise einer lieben Familie zu sehen›, und nötigte ihn, sich zu einer langen Plauderei mit ihm hinzusetzen. Er tat so, als sei *Origin of Species* nie erschienen – vielleicht aus Höflichkeit, aber Charles fand, er habe geistig ‹stark nachgelassen›. Sedgwick machte sich dann erbötig, ihm seinen ganzen Stolz und seine Freude, das Woodwardian Museum voll Fossilien und Steinen, zu zeigen. Es war schon spät, aber eine Ablehnung war undenkbar, und so schleppte ihn der alte Proktor, mit wehendem Talar an seinem Stock humpelnd, zu der geologischen Besichtigung durch die Straßen. Am Ende war Charles ‹völlig geschafft›; am nächsten Morgen konnte er sich kaum zum Zug schleppen. ‹Ist es nicht demütigend›, seufzte er, ‹von einem sechsundachtzigjährigen Mann so zur Strecke gebracht zu werden, der offensichtlich keine Ahnung hatte, daß ich nicht mehr kriechen konnte?›[17]

In häuslicher Sicherheit ging er daran, den Sarg von Sedgwicks gottgeschaffenem Menschen endgültig zuzunageln. Manche erkannten nicht, was er da vorhatte. Der neue Tory-Rektor von Oxford, Lord Salisbury, lud ihn zur Abschlußfeier im Juni ein, bei der ihm ein Ehrendoktorat in Zivilrecht verliehen werden sollte. Darwin, gesund genug für Cambridge, lehnte ab, angegriffene Gesundheit vorschützend. Eine Ehrung seitens dieser Bastion der Staatskirche war bestenfalls dubios; überdies war er, wie Huxley ausplauderte, ein Kompromißkandidat gewesen. Als der ehrwürdige Reverend Edward Pusey, Regius-Professor für Hebräisch, Wind von den Nominierungen bekam, hatte es einen ‹fürchterlichen Krach› gegeben. Er stimmte ‹Deiner Promotion› nur zu, ‹um sieben Teufel fernzuhalten›, die noch schlimmer seien als der erste. Aber ‹ich wünschte, Du hättest dort sein können›, so Huxley sarkastisch, ‹nicht um Deinet-, sondern um ihretwillen ... O Coryphaeus diabolicus›.[18]

Andere Titel paßten ihm schon eher. Die Kaiserliche Gesellschaft der Naturwissenschaftler in Moskau wählte ihn zu ihrem Ehrenmitglied, und die Südamerikanische Missionsgesellschaft bot ihm dasselbe an. Der letzte Blick, den er auf den verwahrlosten Jemmy Button geworfen hatte, ließ ihn schwören, daß die wilden Feuerländer unzivilisierbar seien; FitzRoys Scheitern bewies die Unmöglichkeit, ihnen ihre Lebensweise abzugewöhnen. Aber Sulivan, der davon überzeugt war, daß kein Mensch ‹zu gering› sei, ‹um die einfache Botschaft des Evangeliums zu begreifen›, und ihm von den Errungenschaften der Missionsgesellschaft berichtete, hatte Darwin eines Besseren belehrt. In Feuerland war ein anglikanischer Vorposten gegründet worden, hatte man die Eingeborenen bekehrt und bekleidet, und die strategisch wichtige Region am Kap Hoorn war nunmehr ohne Gefahren für die englische Schiffahrt. Als Beweis hatte ihm Sulivan ein Photo von Jemmys wohlgeraten wirkendem Sohn geschickt. Von dem Wunsch beseelt, die Segnungen der Zivilisation zu verbreiten, hatte Darwin der Mission mehrere Jahre lang kleine Spenden überwiesen. Ja, er wäre stolz, Ehrenmitglied zu sein. Nur, warnte er Sulivan, ‹ich werde ... ein weiteres Buch, zum Teil über den Menschen, veröffentlichen, das, wie ich fürchte, viele als sehr ruchlos verurteilen werden›.[19]

Die Wahl, die ihn am meisten freute, war die von Lubbock. Im Februar 1870 war sein Nachbar dank eines Vorsprungs von hundert Stimmen für Maidstone ins Unterhaus eingezogen, und Darwin verschwendete keine Zeit, um ihm Aufträge zu erteilen. Die telegraphische Verbindung nach Downe war dürftig; ‹alle Einwohner› wünschten von ihrem neuen Abgeordneten, daß er im Postministerium Dampf mache, damit sich dieser Zustand bessere. Auch stand eine Volkszählung vor der Tür. Mit Hilfe seines alten Schützlings konnte man die Erhebung zu einem anthropologischen Fragebogen erweitern. Darwin hatte im Lauf der Jahre Dutzende verschiedener gedruckter Fragebogen verschickt, mit denen er Landwirte, Chirurgen, Missionare und Kolonialreisende um Berichte aus erster Hand anging. Jetzt sah er seine Chance, die ganze Nation in ein Netzwerk von Informanten über die leidige Frage der Inzucht zu verwandeln.

Darwin hatte Tauben ad infinitum gekreuzt; auch gegenwärtig führte er Wachstumsversuche mit gekreuzten und selbstbefruchteten Pflanzen durch. Aber in bezug auf den Menschen stocherte er im Nebel – für *Descent of Man* fehlte ihm das Beweismaterial. Das Volk experimentierte zwar täglich, die Bevölkerung vermehrte sich, doch noch niemand hatte die Fruchtbarkeit von Inzuchtfamilien untersucht. Angesichts von vier Cousinenheiraten in seiner Generation der Darwin-Wedgwoods war dies eine persönliche Frage. Falls seine eigenen schwächlichen Kinder Opfer waren, dann war die Erbmasse der Nation sicherlich genauso betroffen. Wäre es nicht lohnend herauszufinden, ob Schäden wie ‹Taubheit, Dummheit, Blindheit usw.› mit Endogamie zusammenhingen?[20]

Die Frage lautete: Entsprießen einer Cousinenheirat ebenso viele überlebende Kinder wie nicht verwandten Eltern? Größere Familien seien überlebenstauglicher, argumentierte er; die Größe sei ein Kriterium. Am 22. Juli, bei der zweiten Lesung des Volkszählungsgesetzes, fragte Lubbock das Unterhaus: Da Naturwissenschaftler der Auffassung seien, daß ‹Blutsverwandtschaftspaarungen im gesamten Pflanzen- und Tierreich schädlich seien›, wäre es dann nicht ‹wünschenswert herauszufinden, ob dies auch ... auf die gesamte Menschheit zutrifft›? In der Ausschußphase der Gesetzesvorlage stellte Lubbock den Antrag, bei der Frage nach dem Familienstand ‹die Zusatzfrage zu stellen: «Mit einem Cousin/einer Cousine ersten Grades verheiratet?»›. Darüber brach eine leidenschaftliche Debatte aus. Das sei ‹inquisitorisch›, heulte die Opposition auf, und ‹die krasseste Grausamkeit, von der man je gehört hat›. Wenn sich ‹die Philosophen› durchsetzten, dann werde dies natürlich zu ‹weiteren Schnüffeleien bezüglich Anzahl, Gesundheit und Geisteszustand der Kinder› führen. Das Parlament würde vielleicht sogar aufgefordert werden zu entscheiden, ob man eine Cousine ersten Grades heiraten dürfe, was vielen Paaren ‹Seelenqualen› bereiten würde.[21] Der Antrag wurde mit Zweidrittelmehrheit abgelehnt.

Charles knirschte mit den Zähnen und trieb sich an, das Manuskript abzuschließen. Inzwischen war das Parlament vergessen, und man redete über nichts anderes als den Krieg zwischen Frankreich und Preußen. Zehntausende starben täglich, und im August dachte auch die Familie an nichts anderes. Leonard in Woolwich erklärte sich zu einem überzeugten Preußen, während seine kampfeslustigen Soldatenkameraden die Franzosen unterstützten, da sie erkannten, daß Krieg mit England wahrscheinlicher sei, falls diese triumphierten. Emma schürte ihre eigene Preußenbegeisterung, indem sie über die Intrigen Napoleons I. nachlas. In Frankreich, so ihr Eindruck, sei ‹Wahrheitsliebe keine nationale Wertvorstellung›. ‹Was für ein fürchterlicher Niedergang das ist›, eine sich selbst etwas vormachende Nation, ‹die sich kopfüber in ... einen Krieg stürzt, ohne einen Begriff davon zu haben, wozu der Feind fähig ist›! Charles stimmte in den Chor der Verdammung ein, machte sich aber um seine Bundesgenossen Haeckel, Preyer und Carus Sorgen. Der Krieg werde ‹die gesamte Wissenschaft ... für lange Zeit lahmlegen›.[22]

In Downe begannen Kriegsspiele wie während des Krimfeldzugs, aber mit einer neuen Kompanie von Soldaten. Die sieben kleinen Huxleys kamen für zwei Wochen zu Besuch, damit ‹der General› – wie Huxley senior genannt wurde – am Kongreß der British Association in Liverpool teilnehmen konnte. Der ‹Volkswissenschaftler› hatte nach längerem Tauziehen die Präsidentschaft übernommen, obwohl die *Times* empört darüber war. Die Massenblätter nahmen sich des Falles an. ‹Mr. Huxley ist so indiskret›, geiferten sie, die *Times* nachäffend. ‹Wenn wir bloß einen «indiskreten» Erzbischof hätten!› Wenn das nicht ging, hofften die Boulevardblätter auf einen ‹indiskreten Präsidenten›, mit dem sie einigen Spaß haben würden. Aber der nüchterner gewordene Huxley versicherte allen, daß ein Agnostiker kein Wadenbeißer sei, und hielt eine gemäßigte Ansprache über die Entstehung des Lebens, die von den Schmuddelblättern als ‹nicht frech genug› ausgezischt wurde. Darwin, der sich mit seinen ‹vermaledeiten Fahnen› abquälte, vermißte plötzlich den alten Satansbraten. Tyndall blieb dagegen seiner früheren Form treu und rechtfertigte zu Darwins großem Vergnügen den Gebrauch von Hypothesen und Metaphern in der Wissenschaft.[23]

Darwin war durch den Krieg aufgerüttelt worden. Inzwischen, Ende September, hatte Napoleon bei Sedan kapituliert. In dem belagerten Paris herrschte ein Pandämonium; Straßburg war bereits gefallen. Das Gemetzel war schrecklich, das Land wurde überrannt, und dennoch verschmähten die Franzosen die preußischen Friedensbedingungen und kämpften weiter für *la gloire.* ‹Ich habe noch keine Menschenseele in England getroffen, die sich nicht über den großartigen Triumph Deutschlands über Frankreich freut›, so Darwin stolz zu Fritz Müller in Brasilien. ‹Das ist eine äußerst gerechte Strafe für diese überhebliche, kriegerische Nation.› In Leipzig erstaunte ihn Carus durch seine Bereitschaft, *Descent of Man* zu übersetzen, während der Konflikt andauerte. Der werde dem Absatz nicht schaden, meinte er, obwohl er wünschte, das Ringen zwischen der ‹romanischen› und der ‹teutonischen› Rasse könne auf weniger primitive Weise ausgetragen werden. Darwin, der diese Empfindung teilte, versprach, ihm schleunigst die korrigierten Fahnen zu schicken. Kowalewski hatte zuvor aus Berlin geschrieben und Englands Sympathien für die Preußen beklagt; nachdem er noch keine Fahnen erhalten hatte, befürchtete er jetzt, durch diese Äußerung eine politische Ungeschicklichkeit begangen zu haben. Er müsse die Übersetzung rasch abschließen, schrieb er Darwin, weil er seiner Schwägerin im belagerten Paris beistehen wolle.[24]

Darwin arbeitete an seinen ‹fürchterlichen› Korrekturen, ohne sich über den Anstoß zu täuschen, den sein Buch erregen würde. Es ‹bringt mich halb um durch Erschöpfung›, schrieb er Wallace im November, als er die letzte Druckfahne in die Hand nahm, und ‹ich fürchte sehr, es wird mich in Deiner Wertschätzung ganz erledigen›. Verwandte und Freunde würden noch schlimmer getroffen sein. Trotz Henriettas Säuberungen wußte er, daß *Descent of Man* sie beleidigen werde. Fox hatte bereits ‹traurige Geschichten› über das Buch vernommen und leugnete die Existenz illegitimer Affen in seinem Familienstammbaum. Und erst Sulivan; er und die Mission würden sich tief verletzt fühlen. ‹Kränklich und mürrisch› wies ihn Darwin zu Weihnachten nochmals darauf hin, daß *Descent of Man* ‹Dich und viele andere anwidern› werde.[25] Er machte die Luken dicht vor dem Sturm.

Die Korrekturfahnen gingen am 15. Januar 1871 ab. Er bezweifelte, daß es das Buch ‹wert [sei], veröffentlicht zu werden›, und nahm unter Verwendung von übriggebliebenem Material über Gemütsbewegungen sofort das nächste in Angriff. Andere hatten dieselben Zweifel. Innerhalb einer Woche traf Mivarts Schrift *On the Genesis of Species* ein, der vernichtendste Rundumschlag gegen die Theorie von der natürlichen Auslese zu Darwins Lebzeiten. Es war auch ein Präventivschlag gegen *Descent of Man,* und da er von einem dem inneren Kreis nahestehenden Mann kam, fühlte sich Darwin ‹tief getroffen›. Er war so zornig, daß er kaum sprechen konnte.

Wie ein schlauer Kronjurist karikierte der einschlägig geschulte Mivart den Darwinismus ‹schlicht und einfach› als natürliche Auslese. Er setzte ihn auf die Anklagebank und präsentierte eine solche Fülle von Gegenbeweisen, daß die Geschworenen überwältigt sein mußten. Viel davon war zum damaligen Zeitpunkt unangreifbar und erzielte sichtlich Wirkung, nach den Auflagenhöhen zu urteilen. Auf kumulative Wirkung bedacht, reihte Mivart eine Widerlegung an die andere: Er beschwor Thomsons Zeitgespenst herauf, zerlegte die Pangenesis in Scheiben, machte sich über die Vorstellung eines halbentwickelten Flügels lustig, warf das Problem konvergierender Arten auf, schlug aus den Unterschieden zwischen Darwin, Huxley und Wallace Kapital und schloß mit einer Zurechtweisung der Darwinisten wegen deren Einmischung in die Metaphysik. Dies war sein eigentliches Ziel: zu zeigen, daß die Idee von der Auslese nicht nur falsch sei, sondern gefährlich, wenn sie auf Moral und Religion angewandt wurde – und er wußte, daß Darwin im Begriff war, das zu tun.

In persönlichen Gesprächen bekannte Mivart nichts als ‹Sympathie und Achtung› für Darwin selbst. Er schrieb ihm in ernsthaftem Ton und erwähnte, daß er sich auf eine Plauderei freue. Er gab den übereifrigen Anhängern die Schuld an der skrupellosen Erweiterung des Darwinismus, wenn er auch bedauerte, daß ‹Sie nicht nachdrücklicher gegen deren unnötige irreligiöse Schlußfolgerungen protestieren›.

‹Das Bekenntnis zu Ihren Auffassungen bedeutet für viele die Aufgabe des Glaubens an Gott und an die Unsterblichkeit der Seele sowie an künftige Belohnungen und Strafen [...] Ich meine, daß die Zerstörung dieser Glaubensüberzeugungen äußerst gravierend für das irdische Glück der Menschheit ist [...] Gebe Gott, daß wir in England uns nicht einer Zersetzung der Religion nähern, die der in Frankreich Mitte des 18. Jahrhunderts gleicht, für welche die Franzosen jetzt mit Blut und Tränen bezahlen müssen.›

Atheismus, Anarchie und nationaler Ruin – während Darwin angesichts der alten Gleichung zusammenzuckte, war Paris im Belagerungszustand. Hunde und Katzen wurden von den Hungernden verspeist, und Ratten brachten auf der Straße einen Franc das Stück. Manche in Mivarts Kreis waren unmittelbarer betroffen. Owen, der in den nach dem Vorbild des Londoner Zoos errichteten Jardin d'Acclimatation investiert hatte, sah seine Anteile wertlos werden, als die exotischen Säugetiere, selbst die geliebten Elefanten, geschlachtet wurden, um die Bevölkerung zu ernähren. Darwins alte Alpträume begannen zurückzukehren. In diesem hysterischen Klima erwartete er einen Rückschlag. Nicht nur würde ‹das Pendel [gegen die natürliche Auslese] ausschwingen›; der Verfasser von *Descent of Man* würde als ein jakobinischer Anarchist verteufelt werden.[26]

Vorausexemplare gingen an Mivart, Wallace, Cobbe und zahllose andere Kritiker. Während Darwin auf die Rezensionen wartete, wurde ihm weitere Schmach zuteil. Die Pfarrgemeinde war jetzt in den guten Händen von Reverend Henry Powell, aber dessen Vorgänger Robinson, der auf eine Vikarstelle in der Nähe entsandt worden war, hatte sich mit dem früheren Amtsinhaber Horsman zusammengetan, der Darwin wegen dessen rufschädigender Bemerkungen, er sei mit der Schulkasse durchgegangen, zu verklagen drohte. Robinson schien der Informant gewesen zu sein. ‹Ich glaube wirklich, vor Gericht zitiert zu werden, würde mich halb umbringen›, stöhnte Darwin gegenüber Brodie Innes, dessen Freundschaft er jetzt mehr denn je schätzte. Der Fall werde ‹niemals vor Gericht kommen›, beschwichtigte ihn dieser. Das Außergewöhnliche ihres beruhigenden Bündnisses kam Brodie Innes zu Bewußtsein. ‹Du meine Güte!› schrieb er. ‹Wenn manche Deiner Naturforscher und manche meiner stockkonservativen Freunde hörten, wie freundlich wir miteinander umgehen, würden sie sich fragen, ob ein Wetterumschwung bevorstehe oder Paris befreit werde, was ich beides sehr begrüßen würde.›

Doch Paris fiel und wurde von preußischen Truppen drangsaliert. Charles und Emma, die alte Erinnerungen mit der Stadt verbanden, empfanden Mitgefühl für die Bevölkerung. Emma stritt sich sogar mit einem deutschen Gast, der das verübelte. ‹Wir machten beide unserem Herzen Luft›, schrieb sie ihrer Tante Fanny, ‹und schlossen dann wieder Frieden.› Briefe aus Deutschland wurden mit angehaltenem Atem geöffnet. Carus kam mit der deutschen Ausgabe voran; nur eine kurze Krankheit brachte eine Verzögerung. Haeckel meldete die Geburt einer Tochter namens Emma. Kowalewski und seine Frau hatten die Korrekturfahnen von *Descent of Man* vierzig Kilometer weit durch die preußischen Linien bis nach Paris geschmuggelt und unterwegs nur ein paar Blätter verloren. Kowalewski arbeitete an der Übersetzung weiter, obwohl er wußte, daß der russische Innenminister das ‹materialistische› Buch verboten hatte und mit der Konfiszierung von Exemplaren drohte. ‹Ein schrecklicher Akt der Tyrannei›, schnaubte Darwin.[27]

Unter diesen Umständen gelangte *Descent of Man* zum Verkauf, zwei stattliche Bände von je 450 Seiten zum Ladenpreis von 24 Shilling. Eine zweite Auflage wurde innerhalb von drei Wochen erforderlich; Ende März waren 4500 Exemplare in Druck, und Darwin hatte fast 1500 Pfund eingenommen. ‹Ein schöner Batzen Geld›, brüstete er sich gegenüber Henrietta und bot ihr eine Prämie von dreißig Pfund für ihre Mühen. Die ersten Reaktionen waren erstaunlich. ‹Jeder redet darüber, ohne schockiert zu sein.› Wenige Anpöbeleien, wenige antidarwinistische Ausfälle; es war so verblüffend, daß Darwin Murray ersuchte, auf Besprechungen in ‹abgelegenen Blättern, insbesondere den religiösen› zu achten, um seine schlimmsten Befürchtungen zu bestätigen. Nichts tauchte auf. Die meisten Kritiker ließen ein leises Ächzen vernehmen – das war alles. Wie der Rezensent der *Edinburgh Review* räumten sie ein, daß das Buch ‹einen Sturm, gemischt aus Zorn, Erstaunen und Bewunderung› unter der Bevölkerung auslöse. Widerwillig ließen sie irgendeine Art von Evolution gelten, bestritten aber, daß die ‹spirituellen Kräfte› des Menschen durch Selektion aus animalischen Instinkten hervorgegangen seien, denn sonst wären ‹ernsthafte Menschen gezwungen, sich von den Motiven loszusagen, die sie zu dem Versuch veranlaßt haben, ein ehrenwertes und tugendhaftes Leben zu führen›.

Durch Huxley und Tyndall an Affenmenschen und Materialismus gewöhnt, von Galton, Greg und Bagehot über das Ringen um Zivilisation aufgeklärt, schienen die Leute begierig nach *Descent of Man* zu greifen, einfach weil es Darwins Namen trug. Das Thema war weniger eine schlechte als eine altbekannte Nachricht. Für den ungeheuer erleichterten Darwin war das ‹ein Beweis für die wachsende Liberalität in England›.[28]

Das war es und noch mehr. In vielerlei Hinsicht war das Buch ein getreues Abbild des Mannes: zu Fülle und Gemütlichkeit neigend, in vorgerückten Jahren gesetzter geworden, voller Anekdoten und ziemlich altmodisch. Es hatte wenig Feuer und Flair, nichts von Huxley, Haeckel oder Vogt. Wie ein guter Onkel stellte es kaum die Toleranz auf die Probe; es war unterhaltsam. Es erzählte eine Lehnstuhl-Abenteuergeschichte über die Engländer und ihre Entwicklung, wie sie sich mühsam aus dem Affenstadium emporarbeiteten, wie sie darum rangen, die Barbarei zu überwinden, wie sie sich vermehrten und über die ganze Erde ausbreiteten. In Darwins beklommenen frühen Notizen erschien eine solche Geschichte gefährlich unplausibel; sein geheimer Angriff auf die Vorfahren des Menschen war ein kühner Glaubensakt gewesen, wie er nur von Radikalen und ihresgleichen zu erwarten war. Aber jetzt, gewöhnt an materiellen Fortschritt, soziale Mobilität und imperiale Abenteuer, waren die arrivierten Leser mehr als aufgeschlossen dafür. Ein romantischer Stammbaum, eine epische Genealogie gefielen ihnen. Die Affen ignorierend, wie es viele taten, empfanden sie *Descent of Man* als eine imposante Familiensaga.

Die gesamte viktorianische Welt war da versammelt, von dem feuerländischen Wilden York Minster bis zu ‹unserem großen Philosophen Herbert Spencer›. Jede Rasse klettert, angetrieben durch die natürliche Auslese, die Leiter der Zivilisation hinauf, unterstützt durch Vererbung von Brauchtum, wobei der egoistische Instinkt allmählich Platz macht für Vernunft, Moral und englische Sitten. Treue und Mut sind im Vormarsch, ebenso Keuschheit bei Frauen und Mäßigung bei Männern; Sklaverei, Aberglaube und sinnlose Konflikte werden zurückgedrängt, so daß am Ende ‹die Tugend triumphieren wird›. Dennoch ist es eine unleugbare Geschichte des malthusischen Kampfes ums Dasein. Immer gibt es Helden und Verlierer, siegreiche Kulturen und bezwungene ‹Barbaren›, expandierende und ausgelöschte Nationen, große und kleine Familien. Die ‹geistig Überlegenen› vermehren sich stärker als die Minderwertigen, die besseren Klassen überholen die ‹unmäßigen, lasterhaften und kriminellen Schichten›, und die Reichen hinterlassen tendenziell mehr Nachkommen als die hemmungslos sich vermehrenden Armen, die schon in der Kindheit dezimiert werden. Und trotz allem herrscht ein rühmlicher Humanismus. Der ‹edelste Anteil› der menschlichen Natur diktiert uns Mitgefühl mit ‹den schwächeren Mitgliedern der Gesellschaft›. ‹Die negativen Folgen des Überlebens und der Vermehrung der Schwachen› müssen hingenommen werden, ‹ohne zu klagen›.[29]

Die Darwins paßten perfekt in dieses Bild. *Descent of Man* war im Grunde ihre Geschichte. Natürliche und geschlechtliche Auslese hatte sie zuerst gemacht und dann geschwächt. Charles war herumstolziert wie ‹ein Pfau, der sein Gefieder bewundert›, als er um Emma warb. Keusch und beeindruckbar, hatte sie ihn gewählt, da sie seinen ‹Mut, seine Ausdauer und seine entschlossene Energie› nach einer Reise um die Welt bewunderte. Ihre ‹mütterlichen Instinkte› und ihre weiblichen Intuitionen waren die Hauptpfeiler ihrer Ehe gewesen (selbst wenn es sich dabei teilweise um Atavismen ‹einer vergangenen und niedrigeren Kulturstufe› handelte). Mit Reichtum ausgestattet, hatten sie einen Vorsprung im Existenzkampf – und eine ‹Akkumulation von Kapital› war wesentlich, wenn sich die zivilisierten Abendländer ausbreiten und die niedrigeren Rassen unterwerfen sollten. Die Reichen, ‹die nicht für ihr tägliches Brot arbeiten müssen›, waren unabdingbar für die Gesellschaft. ‹Alle anspruchsvolle geistige Tätigkeit wird von ihnen geleistet, und von solcher Arbeit hängen materielle Fortschritte aller Art in erster Linie ab.› Ihre Söhne mußten jedoch der Konkurrenz ausgesetzt werden, sie mußten den Maßstäben der Natur entsprechen, und ‹die Fähigsten sollten nicht durch Gesetze oder Gebräuche daran gehindert werden, den größten Erfolg zu erzielen und die größte Anzahl an Nachkommen aufzuziehen›.

Darwin schloß das Buch mit einer persönlichen Bemerkung, immer noch Geschichten erzählend, immer noch seine eigentlichen Helden, die Tiere, preisend. Er berichtete von dem ‹heroischen kleinen Affen, der sich dem gefürchteten Feind entgegenstellte, um das Leben seines Wärters zu retten›, und von dem alten Pavian, der ‹seinen jungen Spielkameraden aus einer Meute verblüffter Hunde rettete›. ‹Was mich betrifft›, gestand er, ‹wäre es mir lieber, von ihnen abzustammen› als von einem nackten, degenerierten Wilden.[30]

In Paris war der Friede eingekehrt, und die preußischen Truppen waren abgezogen. Aber es brach ein Aufstand aus, bei dem wütende Bürger die Armee angriffen. Angeführt von Sozialisten und Republikanern, trieben sie die Truppen aus der Stadt, forderten den Rücktritt der Regierung und wählten am 26. März ihre eigene, die Kommune. Eine Woche später folgte die zweite Belagerung von Paris, diesmal durch französische Streitkräfte, und die Schlächterei begann erneut. Die englischen Zeitungen liefen Sturm gegen die Kommunarden und die *Times* gegen Darwin. Er zersetze die Autorität. Falls seine Auffassungen von moralischer Entwicklung akzeptiert würden, dann würden die ewigen Prinzipien von Richtig und Falsch ihre Macht verlieren. Das Gewissen werde nicht mehr imstande sein, ‹die blutrünstigsten Revolutionen› aufzuhalten. In Frankreich habe eine ‹gewissenlose Philosophie› die moralischen Prinzipien mit schrecklichen Ergebnissen zugrunde gerichtet. ‹Ein Mann lädt eine ernste Verantwortung auf sich, wenn er zu einem solchen Zeitpunkt mit der Autorität einer wohlverdienten Reputation die zersetzenden Spekulationen dieses Buches präsentiert.›[31]

Darwin tat den Kritiker als ‹einen Windbeutel voll Metaphysik und Klassik› ab, machte sich aber gleichzeitig Sorgen, ob das den Absatz beeinträchtigen werde. Von diesem ‹Donnerer› bis zu dem Waliser, der ihn ‹einen alten Affen mit behaartem Gesicht› nannte, konnten ihm die Griesgrame nicht länger schaden. Und ebensowenig Brodie Innes. ‹Der Mensch wurde als Mensch erschaffen›, spöttelte der alte Tory, und habe sich aufgespalten ‹in Neger, die zur Arbeit gezwungen werden müssen› und in ‹bessere Menschen, die sie dazu zwingen können›; so sei jedenfalls Gottes Plan gewesen, bevor er von den ‹Radikalen› gestört wurde. Darwin antwortete ihm: ‹In diesem Punkt glaube ich, Dir ein gutes Stück voraus zu sein.› Nicht einmal das Gekreisch des *Family Herald* mit seiner Auflage von 200 000 Exemplaren, in dem es hieß, ‹die Gesellschaft muß in Stücke brechen, wenn der Darwinismus recht hat›, konnte ihn berühren. Es gab einfach zuviel Beifall, zu viele ernsthafte Diskussionen, als daß solche törichten Anwürfe ins Gewicht gefallen wären. Die seriösen Zeitschriften waren jetzt voll mit Essays über

‹Darwinismus und Religion, Darwinismus und Moral, Philosophie und Darwinismus›, und er verschlang sie alle.[32]

Cobbes gutgemeinte, aber naive Verteidigung des übernatürlichen Gewissens quittierte er mit einem Achselzucken. Dagegen pries er den brillanten Herausgeber der *Fortnightly Review,* John Morley, weil er einräumte, daß ‹die Grundlagen der Moral, die Unterscheidung zwischen Richtig und Falsch, tief in den Grundbedingungen der sozialen Existenz angelegt sind›. Wallace' Besprechung in der Monatsschrift *The Academy* erzielte nur geringe Wirkung; ihre Einwendungen erschienen inzwischen ‹fast stereotyp›. Doch in Erasmus' Worten war sie ein ‹hinreißend schöner› Beitrag zu der Kontroverse, großzügig und höflich. ‹In künftigen Wissenschaftsgeschichten›, sagte er voraus, ‹wird die Auseinandersetzung zwischen Wallace und Darwin einen der wenigen Lichtblicke bilden›, ein glänzendes Beispiel dafür, wie Gentlemen ihre Meinungsverschiedenheiten austrügen.[33]

Im Gegensatz dazu war das Zerwürfnis mit Mivart eine unrühmliche Geschichte, die Darwin zu persönlich und Mivart allzu leicht nahm. Darwin, der mit seinem Manuskript über Gemütsbewegungen rang, betrachtete sich eben schaudernd im Spiegel, als Mivarts Brief eintraf. Man pirschte sich an ihn heran. Mivart bestimmte die Bedingungen des Duells und wünschte sich gleichzeitig ‹von ganzem Herzen, wir würden *nicht* so weit auseinanderliegen›. Die Debatte sollte sich um Metaphysik, um die Grundannahmen der Wissenschaft drehen. Und er wiederholte: ‹Während ich (wie mich die Pflicht zu tun zwingt) Standpunkte angreife, die Sie einnehmen, greife ich weniger *Sie* an als andere, deren Auffassungen sich auf Ihre Forschungsarbeit stützen.›

Darwin fühlte sich irritierend aufs Korn genommen, und das von einem Abtrünnigen. Mivart konnte nicht als Windbeutel abgeschrieben werden, wenn ihn auch die Theologie zum Moralisieren verleitete. Einige Tage später legte Darwin sein Manuskript über Gemütsbewegungen, das in der Rohfassung fertig war, beiseite und begann eine Neuauflage von *Origin of Species* zu planen. Eine billige, wies er Murray an: In Lancashire taten sich Arbeiter zusammen, um ein Exemplar der fünften Auflage für 15 Shilling zu kaufen.[34] Er wollte, daß jeder ein Exemplar bekäme. In der sechsten Auflage wollte er sich mit Mivart auseinandersetzen. Er würde dessen Behauptungen anfechten, daß ein halbentwickelter Flügel eine Absurdität sei und daß die Auslese nicht die Ähnlichkeit zwischen dem Beutelwolf und dem plazentalen Wolf erklären könne. Und er würde mit Mivarts Annahme aufräumen, daß irgendeine unergründliche innere Kraft die Evolution auf ihr Ziel zutreibe.

Mai und Juni flogen dahin. Bis in den Sommer hinein war Darwin mit der Plünderung alter Notizen, dem Ausbau seiner Verteidigung und der Festigung seines Renommees beschäftigt. Paris war verwüstet, und die Kommunarden waren vernichtend geschlagen worden. Und während sie sich mit ‹ewiger Schande› bedeckten, wie Darwin an Kowalewski schrieb, rief Mivarts leidige *Genesis of Species* ‹eine große Wirkung gegen die natürliche Auslese und, genauer gesagt, gegen mich hervor›. Er war entschlossen, sich zu verteidigen, seine Stellung zu halten und auf philosophische Verstärkung zu warten. Mivarts *ancien régime* würde nicht wiederaufleben.

In der Woche, die er im Juni bei Erasmus verbrachte, kam Nachricht aus den Vereinigten Staaten. Erasmus' Dinnergast, Edward Youmans, war Amerikas führender Wissenschaftsverkäufer. Er war von New York gekommen, um große Namen – Huxley, Tyndall, Spencer, Lubbock – als Autoren für seine neue populärwissenschaftliche Bibliothek, die ‹Internationale Wissenschaftsreihe› zu gewinnen. Darwin bestand darauf, daß für Youmans' Pläne auf einer Nebenveranstaltung der British Association im August in Edinburgh geworben werden müsse. Er war ‹voll Neugier› bezüglich des Fortschritts der Wissenschaft in den Staaten, wohin er George und Frank in diesem Sommer in die Ferien schicken wollte. Youmans berichtete ihm, daß er vor einem ‹ökumenischen Verein› in Brooklyn einen Vortrag über die Abstammung des Menschen› gehalten habe. Das Thema schien Darwin weniger überraschend als das Auditorium. ‹Was!› platzte er heraus. ‹Kirchenmänner verschiedener Konfessionen unter einem Dach? Wie die sich streiten würden, wenn sie hier zusammenkämen!›[35]

In Downe machte ihm ein weiterer Amerikaner Mut. Einer von Grays Studenten, Chauncey Wright, ein scheuer junger Philosoph, der mit der Herausgabe des *Nautischen Jahrbuches* seinen Unterhalt fristete, schickte ihm eine vernichtende Analyse von Mivarts *Genesis of Species*. Sie sollte in der *North American Review* erscheinen, und Darwin erkannte, daß sie sich als nützlich erweisen könnte, um seine schärfsten Kritiker im eigenen Land zu neutralisieren. Für das Heranziehen ausländischer Unterstützung besaß er eine gute Hand. Er fragte Wallace, ‹einen unvergleichlich besseren Kritiker, als ich es bin›, ob er den Artikel importieren solle, bekam jedoch zu hören, daß er mühsam und schwer verständlich sei. Henrietta, die er ebenfalls befragte, fand den Artikel lediglich ‹interessant›.[36] Darwin war unschlüssig.

Dann traf Mivarts Besprechung von *Descent of Man* ein. Es war eine lange, tödliche Zergliederung, gespickt mit Vorwürfen von ‹Dogmatismus›, unbewiesenen Annahmen und Pseudometaphysik. Sie erschien auch anonym, doch Darwin erkannte die ‹wunderbar geschickte› Hand des Anatomen dahinter, die ihn gnadenlos zerpflückte. Die Arbeit an der Neuauflage von *Origin of Species* verursachte ihm plötzlich ‹Überdruß an allem›; dies stürzte ihn in Verzweiflung.

Der katholische Konvertit ging in der *Quarterly Review* daran, ‹die ganze und nackte Wahrheit über die logischen Konsequenzen des Darwinismus> zu enthüllen. Mivart wiegelte die schlafmützigen Torys gegen seinen früheren Mentor auf. *Descent of Man* sei darauf berechnet, erprobte und bewährte Überzeugungen, die ‹von der Mehrheit der kultivierten Geister› gehegt würden, aus den Angeln zu heben. Sie werde ‹unsere halbgebildeten Klassen› aus der Bahn werfen. Die Moral sei keine ‹Entwicklung brutaler Instinkte›. Wenn dem so wäre, wer wüßte dann, ob die Gesellschaft ‹richtig oder falsch ist› oder gar, ‹warum wir uns der Gesellschaft überhaupt unterordnen sollen›? Die Menschen würden tun, was sie wollten, und gegen Gesetze und Bräuche verstoßen, wie es ihnen gefiele. Nein, der Mensch sei ein ‹moralisch frei Handelnder›, erschaffen mit einer übernatürlichen Seele. Er habe ‹ein Bewußtsein einer absoluten und unveränderlichen [göttlichen] Macht, die *legitimerweise* Gehorsam fordert›.[37]

Darwin sah sich als Missetäter, als Bösewicht angeklagt. ‹Ich werde bald als der verachtenswerteste Mensch betrachtet werden›, brach es aus ihm heraus, die ‹arroganteste, hassenswerteste Bestie, die je gelebt hat.› Mivarts ‹Bigotterie, Arroganz, Illiberalität und viele andere hübsche Eigenschaften› brachten ihn in Rage, und die Galle staute sich innerlich und fraß an seinen Eingeweiden. Wrights Kritik an Mivart schien in diesem Augenblick wie ein Geschenk des Himmels. Sie drehte den Spieß um und stellte die Theorie von der natürlichen Auslese als ein Vorbild guter Wissenschaft und Mivart als einen Fall schlechter Metaphysik hin. Seine ‹innere Antriebskraft› werde die Evolution nirgendwo hinführen.[38] Mit Wrights Hilfe würde Darwin dafür sorgen.

Er schrieb Wright einen Brief, in dem er ihn um die Erlaubnis bat, seinen Artikel als Broschüre nachzudrucken. Dann verordnete ihm Emma einen vierwöchigen Erholungsurlaub. Er war völlig fertig, fühlte sich im Bahnhof von Croydon so ‹schwindlig und schlecht›, daß sie ihn keinen Augenblick allein lassen konnte. In dem Weiler Albury in den North Downs (wo Malthus einst Vikar gewesen war) mit Blick über sandige, farnbewachsene Hügel und Kiefernwälder erholten sie sich. Es war ein sonniger August, und sie hatten nichts anderes zu tun, als dazusitzen oder spazierenzugehen. Doch Charles' Kopf blieb ‹benommen und elend›. Er las ein wenig – Lubbocks jüngstes Werk über Insekten, Thomsons brüske Abfertigung der natürlichen Auslese in seinem Vortrag vor der British Association –, aber seine Gedanken kehrten immer wieder zu Mivart zurück. Sobald Wrights Zustimmung eingetroffen war, schrieb Darwin an Murray und ersuchte ihn, 750 Exemplare der Broschüre zu drucken. Seine Schadensbegrenzungsmaßnahme begann. ‹Etwa 200 Stück› würde er an jede Fachzeitschrift und jede wissenschaftliche Gesellschaft schicken sowie an ‹Clubs und ... alle Privatpersonen›, die ihm einfielen.[39] Da würden noch genug für die Öffentlichkeit übrigbleiben.

Sie kehrten zu Henriettas Hochzeit am 31. August zurück. Die Romanze war ein kurzer Wirbelwind gewesen. Ihr Verlobter Richard Litchfield war ein untersetzter, kurzsichtiger Jurist, der als Verwalter kirchlicher Besitzungen tätig war und in seinen freien Stunden am Arbeiter-College in London Musik, Mathematik und Naturwissenschaften unterrichtete. Gesang war seine Leidenschaft, Dirigieren seine Stärke, und Henrietta hatte sich in den Künstler in ihm verliebt, ganz zu schweigen von seinem ‹liebenswürdigen› Lächeln und seinem ‹langen, dichten braunen Bart›. Die Trauung war schlicht und ohne anschließende Festlichkeiten. Es wurden auch keine Freunde und keine Verwandten eingeladen, denn Charles benötigte seine Ruhe. Als er jedoch mit seinem Butler Parslow eintraf, fand er Fremde in den Kirchenbänken vor. Der stets fürsorgliche Parslow war entsetzt; er glaubte, ‹jedes Gesicht im Dorf› zu kennen. Ein Häuflein von Litchfields Arbeitern hatte herausgefunden, wann die Zeremonie stattfinden sollte, war mit dem Zug aus London gekommen und die sechs Kilometer von Orpington aus zu Fuß gegangen, um ihn zu überraschen.

Als Henrietta samt Aussteuer nach London fuhr, ließ sie ihren Foxterrier Polly zurück. Von jetzt an sollte Polly treu und brav hinter Charles hertrotten.[40]

Im September schickte Murray Exemplare der Broschüre. *Darwinism* lautete der ‹etwas sensationelle Titel›, von dem Wright meinte, daß er sich gut verkaufen werde. Darwin war damit einverstanden; damit erteilte er einer fundierten Vorstellung von Wissenschaft seinen Segen, die über Metaphysik und religiösen Hokuspokus erhaben sein sollte. Huxley erhielt sein Exemplar in Schottland, wo er Urlaub machte. Er hielt es für ‹nützlich›, aber zufällig hatte er bereits etwas Besseres vorzuweisen, da er einige Tage auf das Golfen verzichtet hatte, um Mivarts *Genesis of Species* und dessen Artikel in der *Quarterly Review* in einer Rezension zu geißeln. Mivart sei zwar kein ‹übler Bursche›, aber ‹vergiftet von ... dem unseligen Pfaffentum und der Angst um seine Seele›, und er habe in unverzeihlicher Weise gesündigt, indem er ‹unverschämt zu Darwin› gewesen sei. Schlimmer noch, seine Argumente machten Menschen tatsächlich schwankend. Das rufe nach Strafe, knurrte Huxley, und ‹der Teufel hat mich geritten›, sie zu erteilen.[41]

Darwin, niedergeschlagen und krank an *Origin of Species* feilend, schöpfte wieder Mut, als Huxleys Nachricht eintraf. ‹Das Pendel schwingt gegen unsere Seite, aber ich bin davon überzeugt, daß es bald wieder in die andere Richtung ausschlagen wird; und kein Sterblicher wird halb soviel dazu beitragen wie Du, es in die richtige Richtung anzustoßen.› Huxleys Korrekturfahnen trafen eine Woche später ein und richteten ihn weiter auf.

Huxley frönte darin, was er am meisten liebte, der religiösen Exegese. Geschickt umging er die Wissenschaft und führte einen wuchtigen Schlag gegen die katholische Kirche, indem er darlegte, daß Mivarts Standpunkt theologisch ebenso unhaltbar wie wissenschaftlich katastrophal sei. Mivart hatte die Auffassung vertreten, die Evolution sei mit den Kirchenvätern vereinbar, mit Augustinus, Thomas von Aquin und dem letzten großen Scholastiker, Suárez. Huxley bestritt das und stellte ihn mit seitenlanger, gewissenhafter lateinischer Textauslegung in den Schatten, indem er den Beweis führte, daß sein abtrünniger Schüler von der scholastischen Philosophie nicht mehr verstand als von der Lehre Darwins.

‹Wenn Suárez die katholische Lehre richtig wiedergegeben hat, dann ist Evolution schlimmste Ketzerei. Und dafür halte ich sie auch [...] Eines ihrer größten Verdienste in meinen Augen ist in der Tat das Faktum, daß sie eine Position des völligen und unversöhnlichen Antagonismus gegenüber diesem leidenschaftlichen und unbeirrbaren Feind des höchsten geistigen, moralischen und sozialen Lebens der Menschheit einnimmt – der katholischen Kirche.›

Huxley brillierte in diesen Konfrontationen, wenn es darum ging, die Kirche gegen die Evolution auszuspielen, und *Genesis of Species* hatte ihm einfach eine weitere uneingeschränkte Chance dazu geboten. Der abtrünnige Schützling Mivart bekam vorgehalten, daß er nicht ‹gleichzeitig ein treuer Sohn der Kirche und ein loyaler Soldat der Wissenschaft› sein könne.[42] In der persönlichen Begegnung fiel das Urteil noch härter aus; Huxley untersagte Mivart, weiterhin mit den Hasen zu laufen und mit den Hunden zu jagen.

Huxley sprach *ex cathedra,* wie es früher Owen getan hatte. So hatte sich die Welt verändert. ‹Wie Du mit Mivarts Theologie ins Gericht gehst!› frohlockte Darwin. ‹Nichts wird ihn mehr ärgern als dieser Teil Deiner Kritik [...] Von jetzt an kann er schreiben, was er will; ich werde mich nicht mehr darüber grämen.› Für Hooker, der sich um den Gesundheitszustand seiner Mutter sorgte, war der Essay ‹ein Geschenk des Himmels› und Huxley ‹der Verteidiger der Getreuen›. Doch sicherlich, schrieb er seinem Freund in Downe, habe er über Mivarts Demütigung ‹nicht frohlockt›. ‹Ich bin kein so guter Christ, wie Du glaubst›, entgegnete Darwin, ‹denn ich habe meine Rache genossen›.[43]

Dennoch hatte sich die Lage nicht grundlegend gebessert. Die Wissenschaft war jetzt in der Defensive; die Verteidigung der natürlichen Auslese wurde ignoriert. Wenn Huxley die Waffe auch mit seiner üblichen Geschicklichkeit führte, so war es ihm doch nur gelungen, ein paar Kerben in das Fundament von Mivarts Metaphysik zu schlagen. Angesichts ‹des Eindrucks, den Mivarts Buch gemacht hat›, mußte die natürliche Auslese irgendwie untermauert werden. Und die Zeichen an der Wand waren besorgniserregend. Wrights Broschüre war nicht gegangen – Ende Oktober waren erst vierzehn Stück verkauft.[44] Der vor ihm liegende Weg erfüllte Darwin mit Bangen.

1871–1882

39

Sich Zeit lassen

Darwin schritt noch immer den Sandweg entlang. In einem Vierteljahrhundert war er glattgetreten worden, sein privater Gedankenpfad unter den inzwischen hochgewachsenen Bäumen, der seinen Geist an unzählige Orte führte. 1871, als die Herbsttage kürzer wurden und die Buchen ihre Blätter abwarfen, schritt er reflektierend und genesend auf ihm dahin.

In diesem Jahr war er gealtert. Gebeugt und knorrig geworden, fühlte er sich älter als zweiundsechzig. Die Kinder waren erwachsen und ließen ihn und Emma allein mit Bessy. William, Teilhaber einer Bank in Southampton, George, der sich auf den Anwaltsberuf vorbereitete, Frank, der in London Medizin studierte, Leonard, der für das Pionierkorps ausgebildet wurde, Horace, der in Cambridge das Little Go machte – alle waren sie zu Großem bestimmt. Das heißt, falls ihre Gesundheit durchhielt, denn sie kamen immer noch oft nach Hause, um sich gesundpflegen zu lassen. Nicht jedoch Henrietta. Sie an den aufgeblasenen Stutzer Richard Litchfield zu verlieren war ‹furchtbar und erstaunlich›; das Leben würde niemals mehr dasselbe sein. Nur Emma war noch da, um Charles zu verhätscheln. ‹Nimm sie Dir als Beispiel›, empfahl er seiner Tochter, ‹dann wird Dich Litchfield in künftigen Jahren nicht nur lieben, sondern anbeten, wie ich unsere liebe alte Mutter anbete.›[1]

Sein Magen hatte ihn am schlimmsten altern lassen. Auch jetzt versetzte jede Runde auf dem Sandweg seine Eingeweide in Aufruhr. Emma mochte ihn ablenken, doch sie konnte seinen Gedanken nicht Einhalt gebieten, und sein Grübeln hatte Brechreiz ausgelöst, als Mivarts Herausforderung offenbar wurde. Er wußte, daß er verletzbar war. Die Evolution hatte zwar triumphiert, aber über die natürliche Auslese würde erst die Zeit ihr Urteil sprechen. Und was war mit ‹der Zitadelle selbst›, Geist, Seele und Moral des Menschen? In *Descent of Man* war er gegen dieses letzte religiöse Bollwerk angerannt und hatte die erhabensten menschlichen Eigenschaften erklärt. Doch die Zitadelle war nicht gefallen; der Mensch, von Mivart behütet, stand immer noch stolz und unerschütterlich da. Das frustrierte Darwin zutiefst. Würde seiner traurigen Berühmtheit, den Menschen zum Affen gemacht zu haben, die Niederlage folgen? Vielleicht hätte er diese Ketzerei für sich behalten sollen. Vielleicht war es ein Fehler gewesen, *Descent of Man* zu veröffentlichen.[2]

Doch das infame Geheimnis war ans Licht gekommen, und er mußte dazu stehen. Noch eine Runde. Er kehrte in sein Arbeitszimmer zurück, um die Revision von *Origin of Species* abzuschließen. Im Dezember, nach Monaten wechselhaften Fortschritts, vollendete er die gewaltige Aufgabe. Mehr als zweitausend Sätze, einschließlich eines neuen Kapitels gegen Mivart, waren hinzugefügt oder umgeschrieben worden. Das Wort ‹Evolution› erschien zum erstenmal. Ein hilfreiches Glossar kam hinzu. Am ermutigendsten von allem war, daß Murray angesichts einer vorgesehenen populären Ausgabe zum halben Preis eine neue Werbekampagne plante.[3] Dies würde Darwins letzte Chance sein, Mivart zu antworten, und er wußte es.

Es war ein virtuos geführter Streich. Er zielte auf den stärksten Strang, der sich durch Mivarts *Genesis of Species* zog, und durchschlug den Knoten, den die Argylls und Owens für sicher hielten und dessen Stärke selbst Wallace Sorgen machte. Waren teilweise entwickelte Strukturen – ein halber Flügel, ein beginnendes Auge – funktionale Absurditäten? Konnten nur die fertigen Strukturen in einem einzigen schöpferischen Sprung aufgetreten sein? Mit mühelosem Affront häufte Darwin Faktum auf Faktum. Er räumte das Problem aus dem Weg, indem er Organe aufzeigte, die ihre Funktion wechselten: Schwimmblasen, die zu amphibischen Lungen wurden, und Luftröhren, die sich zu feingeäderten Insektenflügeln weiteten. Mivart hatte das Wesentliche übersehen: Beginnende Lungen und Augen und Flügel mußten nicht geatmet oder gesehen oder geflattert haben. Wie immer ließ Darwin die Kuriositäten der Natur aufmarschieren – die Barten des Bartenwals, die wandernden Augen von Plattfischen, Greifschwänze, die zwickenden Zangen von Seesternen – und demonstrierte, wie sich diese allmählich entwickelt hatten. Er begrub Mivart unter einer Überfülle von Details, während er sich sorgfältig absicherte, sich vorsichtig ausdrückte, die natürliche Auslese in manchen Fällen herunterspielte, ja sogar einiges zurücknahm und in anderen Fällen ‹spontane Variationen in der richtigen Richtung› oder ein Wachstum durch erhöhten Gebrauch einräumte. Was er niemals zugeben konnte, war die entmündigende innere Kraft, der Mivart das Wort redete, und Mivarts monströse Sprünge zu fertigen Flügeln und Lungen.

Die Einsätze waren hoch, und Mivart zog die gleichen Seesterne und Wale zur Verteidigung seiner heiligen Zitadelle heran: die ‹geistigen Fähigkeiten› und die moralische Veranlagung des Menschen. Darwins Schwert zielte auch auf das metaphysische Herz seines Gegners. Eine Million ausgefallene Fakten ergossen sich nicht nur deshalb über ihn, um die Idee von der natürlichen Auslese zu rechtfertigen, sondern auch, um Mivarts Bindung an die Theologie zu diskreditieren. Die freundschaftliche Beziehung zu seinem Meister hatte sich bei Mivart in giftige Säure verwandelt, wobei Darwin davon überzeugt war, daß all dies auf Mivarts katholischen Fanatismus zurückzuführen sei. Mivart verstand niemals den Grund; seine ‹Naturgesetze› waren ebenso wie die von Owen, Argyll und Gray göttliche Edikte, steuernder und dirigierender Ausdruck himmlischer Willenskraft. Sie hielten die richtige wissenschaftliche Ordnung im Universum aufrecht und schoben das Leben entlang einer koordinierten Wellenfront vorwärts. Doch für Darwin waren Mivarts gesteuerte, gelenkte Sprünge von einem schön koordinierten Fisch oder Frosch zu einem anderen unnatürlich und unerträglich: Die Wissenschaft betrat damit wiederum ‹das Reich der Wunder›.[4]

Diese Debatte drängte Darwin weiter in einst tabuisierte Bereiche hinein. Während er sich durch die Fahnen von *Origin of Species* hindurchackerte, schrieb er einem führenden Freigeist, der sich in sicherer Distanz in den Vereinigten Staaten befand, eine emphatische Ermutigung.

Francis Abbot war Herausgeber des *Index*, des Wochenorgans des radikalen Flügels der Free Religious Association, einer Aktionsgruppe unzufriedener Unitarier und philosophischer Atheisten. Sie waren auf der Suche nach Mitarbeitern, die ohne ‹Unterwerfung unter die Autorität der Bibel, der Kirche oder Christi … den Geist der Reform› zu fördern gedachten. Charles Eliot Norton, der in Downe zu Gast gewesen war, hatte die Vereinigung mitgegründet, und Abbot hatte Darwin sein Manifest *Truths for the Times* geschickt und ihn um einen Beitrag ersucht. ‹Ich glaube nicht, daß ich tief genug [über Religion] nachgedacht habe, um öffentliche Äußerungen zu rechtfertigen›, lautete die lahme Antwort. Doch Darwin abonnierte den *Index*, studierte die Nummern und war mit Abbots Traktat einverstanden. Kühn, in fünfzehn scharfen Thesen, sagte Abbot ‹das Verlöschen des Glaubens an die christliche Konfession› und die Entwicklung einer humanistischen ‹freien Religion› voraus, welche ‹die einzige Hoffnung der spirituellen Vervollkommnung des Individuums und der spirituellen Einigung der Menschheit verkörpert›. Dies waren evolutionäre ‹Wahrheiten›, und Darwin antwortete herzlich: ‹Ich bewundere Sie aus innerstem Herzen und stimme fast jedem Wort zu.›

‹Fast› wurde nachträglich eingefügt. So, wie er sich nach seinem Studienabschluß in Cambridge leichthin zu den Neununddreißig Artikeln bekannt hatte, so unterschrieb Darwin jetzt, als er wütend seine letzten Worte über die Evolution verfaßte, die fünfzig Thesen eines nachchristlichen Credos. Ganz entgegen seiner Art gestattete er Abbot, seine Zustimmung im *Index* abzudrucken. Sie erschien in der Weihnachtsnummer, einen Ozean von englischen Augen entfernt. Und er ließ auch in seiner Unterstützung nicht nach: Einige Jahre später, als der *Index* harte Zeiten durchmachte, überwiesen Charles und William im Namen von Williams Bank einen großzügigen Betrag, ein Zeichen tiefer Sympathie ‹für Ihren bewundernswerten und entschlossenen Kampf› für eine freie Religion.[5]

Charles ermutigte noch einen weiteren atheistischen Anhänger im Ausland, Ernst Haeckel, dessen antiklerikale Tiraden ihn einst verdrossen hatten. Das war vor langer Zeit, und die Situation hatte sich verändert. Das meiste dessen, wofür Haeckel einstand, war in *Descent of Man* präsentabel verpackt worden. Nun zog sich Darwin allmählich zurück und reichte die Fackel der Freiheit weiter. ‹Ich bezweifle, ob meine Kraft für noch viel weitere ernsthafte Arbeit ausreichen wird›, vertraute er dem Zoologen an. ‹Ich werde die Arbeit fortsetzen, solange ich kann, aber es hat nicht viel zu bedeuten, wenn ich aufhöre, da es so viele genauso fähige Leute, vielleicht noch fähigere als mich gibt, die unsere Arbeit fortführen können; und unter diesen nehmen Sie den ersten Rang ein.›[6]

Darwin hatte einen toten Punkt erreicht. Die religiösen Kontroversen hatten ihn zermürbt, und er haßte sie. Nach zehn Jahren gingen ihm jetzt die Antworten aus, und er hatte es satt, sich zu wiederholen. Was blieb ihm nach den letzten Revisionen von *Origin of Species* noch mehr zu sagen übrig? Die Welt wußte alles über seine Auffassungen, was zu wissen wert war. Weitere Äußerungen konnten ihm nur mehr Schmähungen eintragen und Emma kränken, deren Einstellung zur Religion immer noch bedauerlich von der seinen abwich. Künftig würde er seine Meinung für sich behalten.

Sobald er die neue Fassung von *Origin of Species* in Händen hatte, ging Murray an die Verwirklichung seines Plans. Er ließ den gesamten Text in winziger Schrift neu setzen. Das hatte zwar zur Folge, daß die Ausgabe mit Fehlern gespickt war, aber sie war auch um 142 Seiten kürzer, wodurch er sich pro Exemplar einen Sixpence allein für das Papier ersparte. Er verkaufte die Druckplatten für fünfzig Pfund an Appleton in New York und konnte dadurch einen Ladenpreis von sechs Shilling ins Auge fassen, so daß das Werk auch für die arbeitende Bevölkerung erschwinglich wurde.[7]

Nachdem er die Idee von der natürlichen Auslese verteidigt und die Kontroverse hinter sich gebracht hatte, wandte sich Darwin im Januar 1872 unvollendeten Geschäften zu. Nichts sollte ihn davon abbringen. Mivart versuchte tatsächlich, ihn noch einmal zu provozieren. Floskelhafte Wünsche für einen glückliches neues Jahr vorausschickend, forderte er Darwin auf, seine ‹fundamentalen intellektuellen Irrtümer› in *Descent of Man* zu widerrufen. Ihre Briefe klangen jetzt gezwungen, die Höflichkeiten krampfhafter denn je, gespickt mit Verneinungen böser Absicht und dennoch Mißtrauen ausstrahlend. Darwin war fertig mit Mivart. Er mied ihn fortan. Weiterer Meinungsaustausch würde fruchtlos sein; das Leben war zu kurz dafür. Sie gingen ihre eigenen Wege. Während sich Mivart über die Krone der Schöpfung Sorgen machte, arbeitete Darwin an der geringsten Kreatur, dem Wurm. ‹Mit der wenigen Kraft, die mir noch bleibt› wandte er sich unumstrittenen Themen zu.[8]

Seine Briefpartner waren ihm gefällig, und in seinen Bergen von Post begannen Regenwurmanekdoten ans Licht zu kommen. Jedermann beantwortete seine Fragen – nicht nur Kollegen aus drei Kontinenten, sondern Wedgwoods, Darwins und sogar Franks walisische Freundin Amy Ruck. Darwin hegte Sympathie für die Bodenverbesserer seit seinen ersten Angeltagen in The Mount und seiner Romanze in Maer. Jetzt stopfte er eine alte Mappe mit Notizen voll, das Vorspiel zu einem weiteren Buch. Nachdem er seine geologische Karriere mit Spekulationen über Kontinente begonnen hatte, würde er sie im Garten grabend beenden. Der Evolutionist arbeitete sich hinunter zu den Würmern vor.

Gleich dem Gegenstand seiner Forschung bewegte er sich langsam; das Schreiben kostete ihn unendlich viel Zeit. Aber da war noch ein weiteres unvollendetes Buch, ein Ableger von *Descent of Man,* der sich durch die Mivart-Krise um neun Monate verzögert hatte. Nach einer Pause würde die Vollendung von *The Expression of the Emotions in Man and Animals* Vorrang haben. Er verbrachte fünf Wochen in London, besuchte Erasmus und veranlaßte, daß die neue Ausgabe von *Origin of Species* zusammen mit Mivarts *Genesis of Species* günstig besprochen wurde. Das Erscheinungsdatum war der 19. Februar, und obwohl die zahlreichen Änderungen den Stückpreis auf sieben Shilling Sixpence erhöht hatten, schnellte der Absatz dennoch von 60 auf 250 Exemplare pro Monat hoch. Darwin kehrte in dem Bewußtsein an das Manuskript von *Expression of the Emotions* zurück, eine größere Leserschaft zu erreichen.[9]

Das Buch war der amputierte Kopfteil von *Descent of Man,* der ein Eigenleben angenommen hatte. Und das war gar nicht schlecht, denn er sollte sich als populär erweisen. Antworten auf seine Fragebogen, in denen er wissen wollte, wie die verschiedenen Rassen Freude und Leid, Vergnügen und Schmerz ausdrückten, waren von Missionaren, Unternehmern und Kolonialbeamten hereingeströmt. Stößeweise trug er die Informationen über Bombayer Bärte und Gaucho-Gestik, die Lebensweise der Aborigines und die Zeichensprache der Singhalesen zusammen. Wie früher die Phrenologen las er die Belege für die menschliche Abstammung vom Gesicht des Alltagslebens ab. Und wie insbesondere die Plinier-Phrenologen fünfundvierzig Jahre zuvor in Edinburgh nahm er sich Sir Charles Bells frommes Werk *Anatomy and Physiology of Expression* als Hauptziel. Die Gesichtsmuskeln des Menschen seien von Gott nicht geschaffen worden, um dessen erlesene Gefühle auszudrücken. Sie hätten sich entwickelt – man brauche nur die Natur, die Gesichter von Affen, Primitiven, Schwachsinnigen und Geisteskranken zu betrachten, um ihre sozialen Ursprünge zu erkennen. Jeder einfühlsame Beobachter könne nachvollziehen, daß Menschen und Tiere nicht nur Gefühle miteinander gemein hätten, sondern auch die Mittel, sie auszudrücken.

Vor langer Zeit hatte ihm ‹Jenny Orang› ihre menschliche Seite gezeigt, als sie sich ‹genau wie ein unartiges Kind› benahm. Seine Studien des panischen Entsetzens, der Wut und des geräuschlosen Lachens von Schimpansen lösten eine väterliche Faszination gegenüber seinen eigenen Säuglingen aus. Er hatte sich über zahllose Kinderbettchen gebeugt und jedes Blinzeln und jeden Schrei registriert, wenn der Wechsel von Lächeln, Verfinsterung und herabgezogenen Mundwinkeln die eigenen Affenvorfahren verriet. In jüngster Zeit benutzte er die neuesten Techniken, um diese Bilder einzufangen. Hunderte von Photographien waren in Down House eingetroffen, von sich krümmenden Schauspielern, greinenden Babys und ‹schrecklichen ... Idioten› in einem Yorkshirer Pflegeheim, deren entstellte Züge ein affenähnliches Urmenschentum evozierten.[10]

Das Manuskript schwoll mit den Befunden und Belegen an. Und während Darwin seine gewundene Prosa verfluchte, Absätze ausstrich und umformulierte, schrieb er auch zaghaft über sich selbst. Er erinnerte sich an sein Entsetzen, als ein Kind ‹unmittelbarer und vernichtender Gefahr ausgesetzt› gewesen war, an seinen ‹fassungslosen Schmerz› und seine ‹Verzweiflung› nach dem Tod von Angehörigen und an seinen späteren, tränenreichen Gedanken, daß ‹längst vergangene glückliche Tage ... nie zurückkehren› würden. Engländer ‹weinen selten›, bekannte er, ‹außer im Zustand heftigsten Schmerzes›. Doch er hatte dieses Gefühl gekannt, hatte sich selbst weinen sehen und hatte gelernt, in den Gesichtern von Fremden zu lesen.

‹Eine alte Dame mit einem entspannten, aber versunkenen Gesichtsausdruck saß mir in einem Zugabteil gegenüber. Während ich sie anschaute, sah ich, daß ihre *depressores anguli oris* [Muskeln in den Mundwinkeln] sich ganz leicht und doch entschieden zusammenzogen; aber da ihre Miene so ruhig wie zuvor blieb, überlegte ich, wie bedeutungslos diese Kontraktion sei und wie leicht man sich davon täuschen lassen könnte. Kaum war mir dieser Gedanke gekommen, als ich sah, wie sich ihre Augen plötzlich fast zum Überfließen mit Tränen füllten und ihr ganzes Antlitz sich verdüsterte. Es konnte jetzt keinen Zweifel geben, daß ihr irgendeine schmerzhafte Erinnerung, vielleicht an ein längst verlorenes Kind, durch den Sinn ging.›[11]

Darwin war also kein distanzierter Beobachter. Er nahm voll Mitgefühl wahr, und der Gedanke an sein eigenes, längst verlorenes Kind rührte ihn immer noch zu Tränen. Im Tod wie im Leben öffnete Annie sein Herz.

Das ganze Frühjahr hindurch rang er mit dem Buch, gestärkt durch die Nachricht von seiner Wahl in die nationalen Akademien der Niederlande und Ungarns. Die Korrekturfahnen waren kein geringerer Alptraum und wurden mit der Anweisung, kosmetische Veränderungen vorzunehmen, an

Leonard und Henrietta vergeben. Wie üblich erwies sich dies als unmöglich. Sein eigenwilliger Stil machte größere Eingriffe erforderlich. Er ächzte über die Demütigung und die Verzögerung, ‹des Themas, meiner selbst und der Welt überdrüssig›. *Expression of the Emotions* enthielt sieben Tiefdrucktafeln, so daß es eines der ersten Bücher mit photographischen Illustrationen war. Aber die Herstellungsprobleme waren ebenso gewaltig wie die Kosten. Bei dem Preis von 75 Pfund pro tausend Abzüge und einer Auflage von 7000 Stück würden die Illustrationen ‹ein schreckliches Loch in die Gewinne reißen›, warnte Murray.[12] Sich Sorgen zu machen, das war alles, wozu Darwin taugte. Sie umwölkten seinen einwöchigen Urlaub im August in Leith Hill mit seiner Schwester Caroline und Emmas Bruder Josiah, doch zumindest konnte er dort die Fahnenkorrektur abschließen.

Zu Hause erwartete ihn ein Brief von Wallace; er ließ die Kluft noch deutlicher werden, die sich zwischen den beiden Entdeckern der natürlichen Auslese aufgetan hatte. Wallace war in den Londoner Osten gezogen und hatte unter Nutzung seiner Vermessungskenntnisse etwa dreißig Kilometer von der Stadt entfernt für sich und seine Familie ein neues Haus errichtet. Da es ihm selbst mit Darwins Unterstützung nicht gelungen war, eine Anstellung als Museumsleiter zu bekommen, lebte er immer noch von seinen Tantiemen und von Rezensionen. Ihre Meinungsverschiedenheiten in bezug auf okkulte Kräfte und die geschlechtliche Auslese waren unüberbrückbar geworden. Hartnäckig waren sie beide, doch Wallace blieb ein unbezähmbarer Enthusiast, der sich immer für das Allerneueste begeisterte.

Und das Allerneueste war Henry Charlton Bastians Buch *The Beginnings of Life*. Den Viktorianern gefiel es, wenn schockierende wissenschaftliche Erkenntnisse sie in Form zweibändiger Wälzer erreichten, und der Professor für Pathologie am University College kam dieser Vorliebe entgegen. Mikroben und deren Entstehung waren das unwahrscheinliche Thema. Diese müßten erstmals in einer chemischen Suppe auf der archaischen Erde aufgetreten sein und die Evolution in Gang gesetzt haben, und Bastian bewies, daß dieser Prozeß fortdauere. (Er war einer der Studenten des achtzigjährigen Robert Grant, die nicht aufzuhalten waren; trotzig folgten sie immer noch ihrem eigenen evolutionären Pfad.) ‹Nichts Wichtigeres ist seit Deiner *Origin* erschienen›, verkündete Wallace in der Hoffnung, Darwins Interesse anzufachen, und er erklärte sich als ‹gründlich bekehrt›.

Nicht so Darwin. Spontane Entstehung, räumte er taktvoll ein, wäre ‹eine Entdeckung von epochaler Bedeutung›, würde sie wirklich bewiesen. Huxley war weniger höflich; er spottete über Bastians alchimistische Brühe aus gekochten Phosphaten und entwischenden Bazillen: ‹Die Transsubstantiation wird nichts im Vergleich damit sein, wenn sich das als wahr erweist.› Einst auf der Erde, in der Ursuppe, ja, aber nicht heute. Zu viele Fakten sprachen gegen Bastian. Und Darwin hatte zu viele Jahrzehnte mit der Untersuchung von Mikrokosmen zugebracht, um sich blenden zu lassen. Überdies schwor er der kontroversen Wissenschaft ab und zog es statt dessen vor, bei seinen Sonnentaupflanzen zu sitzen. Er hatte zwanzig Jahre darauf gewartet, diese Insektenfresser säuberlich zu zerlegen, und war nicht in der Stimmung, sich davon ablenken zu lassen. ‹Ich habe alte botanische Arbeiten wiederaufgenommen›, teilte er Wallace in einem entschiedenen P. S. mit, ‹und alle Theorien aufgegeben.›[13]

Ende September war er erneut dem Zusammenbruch nahe. Er fühlte sich niemals wohl außer bei der Arbeit oder im Bett, und der Schlaf erfrischte ihn nicht. Emma gab dem ‹ermüdenden und unbekömmlichen› Mikroskop die Schuld und rief George, Frank und Horace zu Hilfe. In der Hoffnung, ihren Vater von seiner vermaledeiten Arbeit wegzulotsen, ließ sie die Söhne nach einem Logis Ausschau halten. Horace fand ein Haus in Sevenoakes Common, nur wenige Kilometer entfernt, und gemeinsam gelang es ihnen, Charles aus seinem Arbeitszimmer zu locken. Er mußte zugeben, daß drei Wochen Abwesenheit Wunder wirkten. Eine solche Unterbrechung alle paar Monate würde ihn geistig gesund erhalten und sein Abgleiten in den Orkus verlangsamen. Er war nicht mehr krank, ‹wurde bloß alt und schwach› und fürchtete den Tag, an dem seine geistigen Fähigkeiten anfangen würden zu versagen.[14]

Freunde warteten auf seine Genesung. Kowalewski, der *Expression of the Emotions* ins Russische übersetzte, verschob eine Fahrt nach Downe, während sich Darwin erholte. Auch Hooker wurde vertröstet, obwohl er als Direktor von Kew Gardens seine eigenen Probleme hatte.

Seit über einem Jahr hatte sich Hooker ‹in der gräßlichsten Lage befunden, in der ein Wissenschaftler oder ein Offizier oder ein Gentleman gegenüber seinem Herrn und Meister sein kann›. Sein Herr und Meister war der Verwalter der öffentlichen Bauten in Gladstones Regierung, Acton Smee Ayrton, ein scharfzüngiger, dickfelliger, rücksichtsloser Sparfanatiker. Der für seine ‹schonungslose Härte› bekannte Populist war aufgrund seines Programms gewählt worden, die sich stark vermehrenden ‹Architekten, Bildhauer und Gärtner› kurzzuhalten, und er war entschlossen, Kew gehörig zu stutzen. Der botanische Garten von Kew wurde von der öffentlichen Hand finanziert, und Hooker glaubte, es sei Ayrtons geheimes Ziel, die führende Pflanzensammlung Großbritanniens – die von den Hookers in dreißig Jahren mit Schweiß und Tränen aufgebaut worden war – zu schließen, die wissenschaftliche Forschung einzustellen, die gebieterische Notwendigkeit zu mißachten und den Garten in einen billigen öffentlichen Park umzuwandeln.

Hooker hatte an den Premierminister appelliert und Ayrton beim Schatzkanzler angeschwärzt – alles vergeblich. Deshalb trat nun der X-Club in

Aktion, entschlossen, Kews politisches Profil zu verbessern. Eine Petition wurde verfaßt, unterzeichnet von Darwin und anderen wissenschaftlichen Sympathisanten, und Gladstone überreicht. Lubbock brachte die Angelegenheit im Unterhaus zur Sprache. Unter den Dokumenten, die im Parlament behandelt werden sollten, befand sich jedoch ein offizieller Bericht über Kew, den Hooker selbst nie gesehen hatte. Der Name des Verfassers verriet das Spiel: Richard Owen, die *bête noire* der X-Club-Freunde, hatte ihn auf Ersuchen Ayrtons ausgebrütet. Dem alten Autokraten, der Hooker und seine Büchsenspanner verabscheute, ging es darum, die Pflanzensammlung in seine eigene Verfügungsgewalt am Britischen Museum zu bringen. Wütend bemerkte Darwin: ‹Früher habe ich mich geschämt, ihn so zu hassen. Aber jetzt werde ich meinen Haß und meine Verachtung bis zum letzten Tag meines Lebens hingebungsvoll pflegen.›[15]

Hookers Posten wurde schließlich gesichert, obwohl er im Oktober, als er Darwin Sonnentaue und Venusfliegenfallen zum Experimentieren schickte, immer noch unter Ayrtons Knute stöhnte. Er war schon gedemütigt genug, aber dann traf ihn ein Schlag, der jeden Wunsch lähmte, weiterzukämpfen. Seine betagte und bettlägerige Mutter starb und hinterließ bei ihm, ‹einem Mann von 55›, das Gefühl, ‹zum *Waisenkind* geworden zu sein›. Darwin in Sevenoakes Common war von der Nachricht berührt und versuchte mitzufühlen. Außerstande, sich an seine Empfindungen beim Tod der eigenen Mutter zu erinnern, dachte er an andere Verluste. ‹Mit Ausnahme der eigenen Frau ist es der größte Verlust, den ein Mann erleiden kann – obwohl der Verlust eines Kindes weiß Gott bitter genug und überwältigend ist.› Hooker und Darwin hatten fünf ihrer Kinder sterben sehen. Sie hatten jahrelang ihre persönlichsten Gefühle miteinander geteilt, eine Intimität, die sich im Lauf der Jahre noch vertiefen sollte. Als Darwin schwächer wurde, brauchte er Hooker, dessen starke ‹Zuneigung› ihn aufrechterhielt und seiner Arbeit Leben einhauchte.[16]

Im November begann Darwin seine Versuche mit fleischfressenden Pflanzen, wobei es ihm um Ähnlichkeiten der Innervation und des Verdauungsapparats zwischen Pflanzen und Tieren ging. Welch sonderbare Chemie veranlaßte die klebrigen Tentakel des Sonnentaus, sich zusammenzuziehen und ihre Beute festzuhalten? Er beträufelte sie mit den verschiedensten Haushaltssubstanzen: Milch, Urin, Speichel, Alkohol, selbst starkem Tee. Und was konnten die Tentakel verdauen? Er servierte ihnen Roastbeef, Gemüse, hartgekochtes Ei – es gab nichts, was ein alter Magenleidender, der die ausgefallensten Diäten hinter sich hatte, nicht probieren würde.

Erstaunlicherweise gediehen die Pflanzen. Sie nahmen ihre Nahrung zu sich wie Tiere und sonderten ähnliche Verdauungssäfte ab, als solches ‹eine neue und wunderbare Tatsache›. Also vergiftete er sie. Strychnin, Chinin und Nikotin waren alle mehr oder weniger tödlich, doch Morphium erzielte eine geringe Wirkung, und Kobragift wirkte anregend. Das beweise, stellte er schließlich lachend fest, daß der Sonnentau kein ‹verkleidetes Tier› mit einem Nervensystem sei. Trotzdem war die Pflanze außerordentlich empfindlich, mehr als ‹der empfindlichste Teil des menschlichen Körpers›. Er staunte, daß ‹eine so unvorstellbar winzige Quantität wie ein zwanzigmillionstel Gran Ammoniakphosphat› einen Tentakel um 180 Grad abknicken ließ.[17]

Fliegenfallen, Wasserhelme und Fettkraut wurden ähnlich mit Speis und Trank verwöhnt und dann vergiftet. Sie trafen aus allen Teilen der Welt ein und wurden im Treibhaus in Untersuchungshaft gehalten. Diese Blumen des Bösen in ihren Töpfen bedienten sich jedes heimtückischen Mittels, um ihre Beute festzuleimen, in Fallen zu fangen oder zu ertränken. Die Schurkereien, die Darwin mit ihnen anstellte, lagen auf ihrer Linie. Als er mit seinen Versuchen vorankam, fing er an, *Insectivorous Plants* zu schreiben. Es konnte nicht ausbleiben, daß ihm die Anstrengung zuviel wurde. Nicht einmal die Nachricht, daß von *Expression of the Emotions* – das von einer schockierten, errötenden, Anstoß nehmenden viktorianischen Generation als prickelnd empfunden wurde – über 5000 Exemplare abgesetzt worden waren, vermochte ihm Auftrieb zu geben. (Sogar das *Athenaeum* war über seinen Schatten gesprungen und fand den Gedanken, ‹Mimik und Gestik in den Dienst der Evolutionstheorie zu stellen [...] brillant, würdig des Scharfsinns und Einfallsreichtums ihres Urhebers›.) Darwin war erschöpft und mehr denn je ein ‹anerkannter Invalide›. Auch eine Vorweihnachtswoche bei Erasmus half ihm nicht auf die Sprünge. Entmutigt und mit benebeltem Kopf saß er da und verfaßte sein Testament. Ein Sechstel seines Besitzes für jeden der Jungen, schlug Erasmus vor; ein Sechstel sollten sich die Mädchen teilen – ‹mehr wäre nicht gut für sie›.[18]

Auch das Zusammentreffen mit Huxley in der Stadt nutzte nichts. Die alte Bulldogge fühlte sich selbst heruntergekommen; zur Überlastung mit Arbeit kam das Durcheinander einer Übersiedlung samt Familie in ein neues Haus. Unaufhörliche Verdauungsbeschwerden und Übelkeit signalisierten, daß Huxley mit zu vielen Aufgaben jonglierte – Sekretär der Royal Society, Biologiedozent an der neuen Lehrerbildungsanstalt in South Kensington, Hookers Sekundant in der Ayrton-Affäre –, während er sich gleichzeitig gegen Kritik wehren mußte, weil er das Medizinstudium für Frauen ablehnte. Die Ärzte gaben ihm zu bedenken, daß ‹alle möglichen wunderbaren Dinge passieren werden, wenn ich mir keine ausreichende Erholung verschaffe›, schrieb er dem bei Haeckel studierenden Anton Dohrn, der sich am Mittelmeer eines zuträglicheren Klimas erfreute. Zu alledem war Huxley soeben zum Lord Rector der Universität von Aberdeen gewählt worden (nachdem Darwin abgelehnt hatte). Als die beiden zusammenkamen, wur-

den jedoch keine Toasts ausgebracht. Huxley versuchte nach ‹strikt aske-
tischen Prinzipien› zu leben und trank nur Wasser. Ihm war allerdings ohnehin nicht nach Feiern zumute, da ihn ein Nachbar wegen seines feuchten
Kellers verklagt hatte und ihn mit Prozeßkosten zu ruinieren drohte.[19]

Charles hatte seine eigenen Sorgen. George und Horace waren krank
nach Hause gekommen, um sich pflegen zu lassen. Um seine eigene Gesundheit zu schonen, hörte Charles auf, über Insektenfresser zu schreiben,
und machte sich an eine geruhsamere Aktualisierung seiner alten Monographie über Kletterpflanzen. Die Familie schien unter einem Fluch zu stehen,
ein Opfer der Biologie. Erst als Galton seine jüngsten Erkenntnisse über
‹Verbesserung des Erbgutes› schickte, lebte Charles wieder auf. Die Gesellschaft, schlug Galton vor, solle geistige und körperliche Schwäche weg-
züchten, indem sie ‹unter den von der Natur Gesegneten einen Kastengeist
entwickelt›. Deren Familien sollten registriert werden, ihre Kinder sollten
untereinander heiraten, und man sollte ihnen Anreize zur Fortpflanzung
bieten – der genetische Verschleiß würde so gestoppt und die Erbmasse der
Nation verbessert. Charles fragte sich, ob die Schaffung einer solchen Rasse
von Übermenschen möglich sei. Die Wahl des Züchters würde in jeder
‹großen, hochwertigen Familie› nur auf ein einziges Kind fallen, wie in der
Taubenzucht – von den Darwins erfreute sich einzig William guter Gesundheit. Diese würden es naturgemäß ablehnen, registriert zu werden und
sich ‹an ihre eigenen Familien zu halten›, und damit das ganze Unternehmen scheitern lassen. Die Alternative, Zwangsregistrierung, verursachte
Charles politische Bauchschmerzen. Es war ein illiberales, ‹utopisches› Rezept, selbst wenn es das ‹einzig Machbare› für die ‹Verbesserung der menschlichen Rasse› sein sollte. Besser wäre, einfach über das ‹so überaus wichtige
Prinzip der Erbanlagen› aufzuklären und es den Leuten zu überlassen, dieses ‹großartige› Ziel selbst zu verfolgen.

Für die Darwins kam Galtons Plan zu spät. Was sie brauchten, waren
kurzfristige Lösungen. Im März 1873 war Charles erneut unwohl. Er würde ‹viel lieber zu Hause bleiben, weiß aber, daß es aussichtslos ist, und fügt
sich›, meinte Emma und schleppte ihn zur Erholung in ein Stadthaus im
West End. Die Stadt hatte keine Schrecken für Charles, solange er verwöhnt
wurde und unbehelligt blieb. Die Litchfields und Hensleigh Wedgwoods
Familie boten gefahrlose Geselligkeit und waren immer um seine Gesundheit besorgt. Inzwischen grassierten Gerüchte, daß es mit Huxley bergab
gehe. Der Prozeß setzte ihm in jeder Hinsicht zu. Die Ehefrauen der
X-Club-Freunde schlugen eine Kollekte vor, und Emma brachte Charles die
Idee nahe. Er zweigte von seinen Tantiemen aus *Expression of the Emotions*
in Höhe von 1000 Guineen 300 Pfund ab, um die Pumpe in Gang zu setzen. Nach dieser Starthilfe ließen Hooker, Tyndall, Spencer und Spottiswoode im X-Club den Hut herumgehen, der sich als attraktiver Zylinder

erwies. Achtzehn Kollegen spendeten insgesamt über 2000 Pfund. Darwin zahlte das Geld über Lubbocks Bank direkt auf Huxleys Konto ein. Es sollte ‹einem geehrten und vielgeliebten Bruder ... eine vollständige Erholungspause› ermöglichen, teilte er Huxley am 23. April mit. ‹Wir sind davon überzeugt, im öffentlichen Interesse zu handeln.›[20]

Das Schicksal narrte die Bruderschaft und fügte ihr gleich am nächsten Tag einen Verlust zu. Lyells Frau erlag dem Bauchtyphus. Sie war zwölf Jahre jünger als ihr Mann, der mit fünfundsiebzig nicht erwartet hatte, sie zu überleben. Erasmus überbrachte Emma die Nachricht und überließ es ihr, Charles schonend davon in Kenntnis zu setzen. Hooker steigerte Darwins Angst, indem er zärtlich ‹dieses so überaus liebenswerte, von Blumen umrahmte Gesicht im Sarg, so ruhig und schön aussehend› beschrieb. Darwin sah sie vor sich, wie sie, der Inbegriff von Geduld, dreißig Jahre zuvor den Männern bei ihren Gesprächen über Geologie zugehört hatte. Seine Gefühle wallten auf, doch die Worte fehlten ihm. Er verfaßte einen Beileidsbrief, den er später wieder umformulierte, und begnügte sich schließlich damit, seinem alten Freund zu versichern: ‹Du erleidest jetzt das größte Unglück, das einem Menschen in der Welt zustoßen kann. Gott gebe, daß Du die Kraft aufbringst, Deinen Schmerz zu ertragen.›[21]

Ende Mai heiratete Fannys und Hensleighs Tochter Effie ihren hartnäckigen Freier Thomas (‹Theta›) Farrer in London; die Trauung erfolgte in der Unitarierkapelle in der Little Portland Street, die auch von den Lyells frequentiert worden war. Er war zwanzig Jahre älter als sie, ein einflußreicher Sekretär der Handelskammer und ein botanisierender Rechtsanwalt, einer von Charles' Informanten und Mitunterstützer des Huxley-Hilfsfonds. Das Paar ließ sich in Abinger, unweit der Wedgwoods in Leith Hill, nieder und offerierte den Darwins eine weitere willkommene Fluchtburg.

Im Juni nahm Charles nicht ohne Ablenkung die Arbeit an seinen fleischfressenden Pflanzen wieder auf. Huxley brachte vor seinem bezahlten Urlaub seine ganze Nachkommenschaft nach Downe. Emma diente dem ‹öffentlichen Interesse› und nahm die sieben Kinder bei sich auf, um seiner Frau eine Erholung zu ermöglichen. Kaum hatte Huxley mit Hooker seine Europareise angetreten, als die Kinder ihre Nase in jedes Treibhaus steckten und über jedes Experiment Auskunft begehrten.

Es war wie sommers in den 1850er Jahren. Überall kletterten Kinder herum. Alte Spielsachen wurden hervorgekramt, alte Spiele gespielt, und Emma schwelgte in Erinnerungen. Die Huxley-Kinder nahmen am Sonntag, dem 6. Juli, auch an größeren Festlichkeiten teil, als Litchfields Gesangsklasse vom Arbeiter-College in Down House zu Gast war. Es war ein ‹strahlender Tag mit vollerblühten Rosen und Heu auf den Wiesen›, und Charles und Emma waren in guter Verfassung wie selten sonst. Um die siebzig Gäste kamen, viele junge Arbeiter gingen vom Bahnhof Orpington aus zu Fuß, andere trafen mit Henrietta und ihrem Mann in Pferdekutschen ein. Alle wurden im Salon empfangen und dann auf die neue Veranda – Charles' Stolz und Freude – und in den Garten hinausgeleitet. ‹Auf langen Tischen ... waren Tee und Erdbeeren serviert, unter den Linden wurde gesungen, auf dem Rasen getanzt und auf der Wiese gespielt.› Alle nahmen daran teil, ermuntert durch ‹die Herzlichkeit und die Wärme› ihrer Gastgeber.[22]

Die jungen Huxleys wurden gebührend verwöhnt. Charles tätschelte schon beim Frühstück ihre Lockenköpfe und forderte sie auf, ‹tüchtig zuzulangen›. Dann ging's hinaus auf den Sandweg, wo sie ‹Indianer› spielten, ‹bewaffnet mit Haselnußspeeren, die sie den Reisigbündeln entnommen hatten, welche der Gärtner hinter dem Taubenschlag stapelte›. Kurz vor dem Mittagessen gesellte sich der Hausherr zu ihnen; ‹seine blauen Augen leuchteten›, als er, dicht gefolgt von Polly, seine Runden drehte. Um die Teezeit waren die Huxley-Kinder vielleicht gerade damit beschäftigt, ‹in der Glut eines richtigen Zigeunerfeuers Kartoffeln zu braten›, als dieselbe hochgewachsene Figur zurückkehrte, mit einem weiten schwarzen Mantel und einem weichen Filzhut bekleidet, stets mit einem ‹freundlichen Wort› auf den Lippen. Die Abende waren beschaulich. Der rundliche Parslow, ‹weißhaarig und apfelgesichtig›, sorgte für die Bedürfnisse der Kinder, während Charles und Emma im Schein einer hellen Lampe im Wohnzimmer ihre rituellen Backgammon-Partien spielten.[23]

Down House war der Himmel, doch die Pfarrei war das Fegefeuer. Ein strammer neuer Pfarrer hatte im November 1871 das Regiment übernommen, Reverend George Sketchley Ffinden. Er war ein reformfreudiger Vertreter der Staatskirche, kein gemütlicher Typ wie Brodie Innes. Er legte Wert auf architektonische Verbesserungen, liturgische Feinheiten und die Erneuerung der priesterlichen Autorität. Seine Theologie unterwarf die Gemeinde seiner Befehlsgewalt etwa so, wie die *Beagle* der von FitzRoy unterstanden hatte, und führte zu Spannungen mit den Darwins, schon bevor sie sich kennenlernten. Tatsächlich gehörten sie verschiedenen Welten an. Ffinden war 1861 von Bischof Wilberforce in sein Amt eingesetzt worden und hatte Lord Carington als Hauskaplan gedient. Er verkehrte mit führenden Torys und kirchlichen Würdenträgern und nutzte diese Verbindungen, um ein neues Pfarrhaus und die Renovierung der Kirche herauszuschlagen.[24]

Downes führende Familien unterstützten Ffinden so weit wie möglich. Die Darwins hatten der Kirche im Vorjahr 50 Pfund gespendet und trugen 35 Pfund zum Unterhalt des Pfarrhauses bei. Im Winter nahm sich Charles die Zeit, Ffinden beim Kauf einer Wiese von Emmas Schwester Elizabeth zu beraten, die jetzt in Trowmer Lodge wohnte. Aber der Pfarrer hatte seine eigenen Absichten. Zuerst machten seine Restaurierungspläne den Kirchen-

675

vorstand kopfscheu, und Brodie Innes – der glücklose Patron – mußte Darwin nach dem Grund fragen. Dann riß Ffinden die Aufsicht über die Dorfschule an sich. Diese war seit Jahren durch einen informellen Ausschuß, bestehend aus Darwin, Lubbock und dem amtierenden Pfarrer, für die Gemeindearmen betrieben worden. Auch nach dem Schulbildungsgesetz von 1870, das eine Subventionierung der Gebühren und der Regierungsinspektoren mit sich brachte, behielt der Ausschuß einen Großteil seiner Unabhängigkeit bei. Er beharrte nach wie vor auf einer ‹Gewissensklausel›, welche die Kinder vor anglikanischer Indoktrinierung bewahrte. Ffinden bereitete dem ein Ende. Er war jetzt Vorsitzender und Schatzmeister des Ausschusses und hatte seine eigenen Vorstellungen vom Lehrplan. Künftig sollten Downes achtzig Rangen vom Pfarrer in den Neununddreißig Artikeln unterwiesen werden.

Ffinden überschritt damit zwar nicht seine Rechte, trat jedoch auf zu viele Zehen, und die geplante anglikanische Indoktrinierung brachte das Faß zum Überlaufen. Darwin schied aus dem Schulkomitee aus und kürzte seine jährliche Kirchenspende drastisch. Mit Ausnahme der Friendly Society zog er sich damit aus seinen Gemeindeverpflichtungen ebenso zurück wie aus den öffentlichen Kontroversen und ließ sich statt dessen von der Arbeit an *Insectivorous Plants* ‹halb auffressen›.[25]

Am 5. August fuhren die Darwins für einige Tage nach Abinger, um die jungverheirateten Farrers zu besuchen. Das war an sich schon ein Meilenstein, denn zum erstenmal seit fünfundzwanzig Jahren war Charles Hausgast bei jemandem außerhalb der unmittelbaren Familie. Das letzte, was die Darwins erwarteten, war ein aufgebahrter Leichnam und die makabre Begrüßung durch Effie und Thomas. Zwei Wochen zuvor, so stellte sich heraus, war die Dienerschaft zu einem Unfall gerufen worden. Sie fand den Vorsitzenden des Oberhauses, Earl Granville, entsetzt über einen am Boden liegenden Toten gebeugt vor. Sein Begleiter hatte sich eben seiner Reitkünste gerühmt, als sein Pferd stolperte und er über dessen Kopf flog. Der Leichnam war in den Salon gelegt worden, wo sie jetzt saßen. Es war Samuel Wilberforce. Hier war der Bischof flach auf den Boden gebettet verblieben, angetan mit dem Amtsornat, dem Hosenbandorden und einem Kreuz von Rosen anstelle seines juwelenbedeckten Kruzifixes. Zwei Tage lag er feierlich da aufgebahrt, während eine Untersuchung durchgeführt wurde und Würdenträger ihre Aufwartung machten. Gladstone kniete hörbar schluchzend neben dem kalten, lächelnden Gesicht seines Freundes. Dann wurde der Leichnam des Bischofs unter dem Geläut der Kirchenglocken weggebracht.

Wilberforce hatte Darwin immer für einen ‹famosen Kerl› gehalten, so entsetzt er auch über die Evolutionstheorie sein mochte. Ein solches Ende verschaffte keine Genugtuung. Huxley vergoß natürlich Krokodilstränen und spottete gegenüber Tyndall: ‹Ein einziges Mal ist sein Gehirn mit der Realität in Berührung gekommen, und das Ergebnis war tödlich.›[26] Doch andere wußten mehr über Reitunfälle. Charles erinnerte sich an seinen eigenen Sturz von 1869, als ihn Tommy überrollt hatte. Er und Emma äußerten ihre Bestürzung über das Schicksal des Bischofs und fuhren dann nach Southampton weiter, wo sie zehn Tage mit William verbrachten.

Zu Hause kam Hooker zu Besuch, berichtete sprudelnd von Huxleys Erholung und erwartete, über Darwins jüngstes Steckenpferd vernommen zu werden, den Wachsschimmer auf bestimmten Pflanzenblättern. Darwin war sicher, daß dieser die Pflanze vor dem Verbrennen schütze, wenn sie in direktem Sonnenlicht gegossen werde, und wollte die Autorität des Direktors von Kew – und gegenwärtigen Präsidenten der Royal Society – auf seiner Seite haben. Sie befaßten sich zu eingehend mit diesem Thema, denn Darwin brach anschließend zusammen. Gequält lag er im Bett, während ein ‹schwerer Schock ständig durch mein Gehirn zuckt›; sein Gedächtnis war geschwunden, er konnte sich an nichts erinnern, was Hooker gesagt hatte. Nichts dergleichen war je zuvor geschehen, und Emma befürchtete einen epileptischen Anfall. Sie riefen Huxleys Arzt, Dr. Andrew Clark, der Charles eine ‹schauderhafte Diät› verschrieb und befand, daß ‹das Gehirn nur sekundär betroffen› sei. Mitte September war Darwin wieder bei seinen Insektenfressern. ‹Gott sei Dank›, seufzte er gegenüber Hooker; ‹ich würde viel lieber sterben als den Verstand verlieren.›[27]

Sein Geist war tatsächlich immer noch beweglich und machte Überstunden. Zwischen Besuchen im Treibhaus schrieb er für *Nature* einen Beitrag über Rankenfüßer, überwies 75 Pfund als Gründungsbeitrag für Anton Dohrns zoologische Station in Neapel und bedankte sich für zahllose Geschenke. Karl Marx schickte ihm die neue Ausgabe des *Kapitals* mit der Widmung ‹Von einem aufrichtigen Bewunderer›. Es sei ein ‹großartiges Werk›, erkannte Darwin, als er die ersten paar Dutzend Seiten aufschnitt. Aber die deutsche Sprache verwirrte ihn, und der Tenor des Buches schien ‹so anders› als sein eigener. Er wünschte, er wäre ‹würdiger, es zu empfangen durch tieferes Verständnis des wichtigen Themas der politischen Ökonomie›, schrieb er Marx dunkel. Aber zweifellos würden ihre jeweiligen Bemühungen um ‹die Erweiterung des Wissens auf längere Sicht zum Glück der Menschheit beitragen›.[28]

Haeckels *Natürliche Schöpfungsgeschichte* war etwas anderes. Charles hatte mehr davon auf deutsch durchgeackert und spendete der neuen Ausgabe uneingeschränktes Lob; sie werde ‹ungeheuer viel dazu beitragen, die Evolutionslehre zu verbreiten›, befand er. Aber schließlich brauchten ‹junge und aufstrebende Naturwissenschaftler›, an die er in *Origin of Species* appelliert hatte, jegliche Ermutigung.

Und Darwin verstand sie zu geben, hatte er doch Erfahrung darin, seine eigenen Söhne aufzumuntern und anzuspornen. Gerade jetzt ließ Frank in seinem Medizinstudium nach. Er hatte bei Onkel Erasmus gelebt, dessen Dilettantentum ansteckend war (wobei Charles in Medizin auch kein besseres Beispiel gegeben hatte). Vater und Sohn einigten sich darauf, daß Frank seine Dissertation über tierische Gewebe abschließen und dem Vater dann in Downe bei der Arbeit an botanischen Geweben assistieren sollte. Das alte Kinderzimmer im ersten Stock wurde in Erwartung dessen bereits als Labor eingerichtet.[29]

George war ebenfalls aus dem Tritt gekommen. Nervös und zu Magenkrämpfen neigend, hatte er den größten Teil der beiden letzten Jahre mit dem Besuch von Kurorten verbracht und seine juristische Laufbahn vernachlässigt. Als er Anfang Oktober nach Cambridge zurückkehrte, war er von dem verzweifelten Wunsch erfüllt, sich einen Namen zu machen, und fing an, zeitkritische Essays zu schreiben. Einer war bereits in der *Contemporary Review* erschienen, in dem er Galtons eugenische Vorschläge für ein Familienregister unterstützte und für gesetzliche Änderungen eintrat, durch die Geisteskrankheit, Kriminalität und Lasterhaftigkeit – aus damaliger Sicht lauter Erbschäden – als Scheidungsgründe anerkannt werden würden. Sein Vater zollte ihm Beifall, doch an Georges jüngstem Produkt hatte er schwerer zu schlucken.

Es stellte Gebete, göttliche Moralgebote und ‹künftige Belohnungen und Strafen› in Frage, alles Themen, denen sein Vater in der Öffentlichkeit mit Bedacht ausgewichen war. Es war eine Frage der Strategie. ‹Ich empfehle Dir dringend, den Artikel *frühestens* in einigen Monaten zu veröffentlichen und bis dahin zu überlegen, ob er neu und wichtig genug ist, um die Nachteile aufzuwiegen, wenn Du die Wagenladungen bedenkst, die zu diesem Thema schon veröffentlicht worden sind. Mit Nachteilen meine ich, die Gefühle anderer zu verletzen und Deine eigene Kraft und Nützlichkeit zu untergraben.› Habe Voltaire nicht feststellen müssen, daß ‹direkte Angriffe auf das Christentum ... geringe dauerhafte Wirkungen erzielen›, daß ‹Gutes nur durch langsame und geräuschlose Flankenangriffe erreichbar scheint›? Und Lyell habe ‹den Glauben an die Sintflut usw. weitaus nachhaltiger erschüttert, indem er niemals ein Wort gegen die Bibel sagte›. Auch John Stuart Mill, Englands größter glaubensloser Philosoph, habe es fertiggebracht, daß seine Schriften ‹Lehrbücher in Oxford› wurden, indem er sich mit seiner ‹Religionskritik› zurückgehalten habe. Auch der Verfasser von *Origin of Species* hatte gelernt, sich bedeckt zu halten.

‹Es ist eine alte Überzeugung von mir, daß es für einen jungen Autor von höchster Wichtigkeit ist, nur das zu veröffentlichen (falls es unter seinem Namen geschieht), was sehr gut und neu ist, so daß ihm die Öffentlichkeit vertrauen kann und liest, was er schreibt [...] Ich habe ein oder zwei Abschnitte angestrichen, in denen Du Deine eigene Überzeugung äußerst; bedenke, daß ein Gegner fragen könnte: Wer ist dieser Mann, wie alt ist er, und was hat er studiert, daß er es wagen kann, der Welt seine Meinungen über die tiefsten Fragen zu verkünden? Dieser Kritik könnte man sich leicht entziehen [...] Aber mein Rat lautet: Laß Dir Zeit.›

Charles hatte sich, ein Auge auf den ‹Gegner› gerichtet, jahrzehntelang Zeit gelassen. Ebensowenig sollte George impulsiv handeln und sich mit schädlichen Auffassungen an die Öffentlichkeit wenden, die ein schlechtes Licht auf die Familie werfen könnten. ‹Ich wünschte, daß Du an ein Studienfach gebunden wärest, über das Du einige Jahre nicht hoffen könntest, etwas zu publizieren.›[30]

Das ‹moralische Problem›, sich öffentlich zur Religion zu äußern, sei ‹fürchterlich schwierig›, und Darwin war es ‹in dieser Frage nie gelungen, einen endgültigen Standpunkt zu beziehen›. Obwohl er in *Origin of Species* die theologische Sprache benutzt und in *Descent of Man* die Entwicklung der Religion erörtert hatte, berührte er seine persönlichen Überzeugungen nur mit äußerster Diskretion. Auch jetzt war er nicht bereit, mehr zu sagen, als er einem ihn bewundernden niederländischen Studenten geantwortet hatte: daß die Frage nach der Existenz Gottes ‹das Fassungsvermögen des menschlichen Geistes übersteigt›.[31]

Viele seiner Bewunderer waren zu demselben Schluß gekommen. In diesem November erhielt er eine Stippvisite von dem fülligen kosmischen Theisten John Fiske, dem umgänglichen Harvard-Philosophen, der zum Popularisierer geworden war und jetzt eine Europareise machte, um seine Helden persönlich kennenzulernen. Nachdem er gegen den Kongregationalismus seiner Jugend in Neuengland rebelliert und seine Schrift *Outlines of Cosmic Philosophy* vollendet hatte, kniete Fiske jetzt vor Spencers Altar für den Unkennbaren und Undenkbaren. Bei den X-Club-Freunden machte er sich durch seinen ansteckenden Humor beliebt, über den sogar Tyndall Tränen lachte. ‹Nichts ist erfreulicher, als diese Männer zu *sehen,* nachdem man sie so lange nur schattenhaft gekannt hat›, schrieb Fiske nach Hause. ‹Ihre Bücher zu lesen, kann die Begegnung mit ihnen in Fleisch und Blut nicht ersetzen.›

Und um Fleisch und Blut war es dem urwüchsigen Neuengländer zu tun. Vor Huxley war er schon in New York von einem ausgewanderten Cockney gewarnt worden. ‹*What, that 'orrid hold hinfidel 'Uxley?*› (‹Was, dieses gottlose alte Ekel Huxley?›), zitierte ihn Fiske unter schallendem Gelächter, wobei er sich Mühe gab, den Londoner Akzent wiederzugeben. ‹*Why, we don't think hanythink of 'im in Hingland! We think 'e's 'orried!*› (‹Wir halten *überhaupt nichts* von ihm in England! Wir finden ihn gräßlich!›) Während es die großen und die kleinen 'Uxleys gewohnt waren, ihren Häuptling als ‹Kannibalen› bezeichnet zu hören, berichtete Fiske hocherfreut nach Hause, daß das Ungeheuer zu den ‹charmantesten und liebenswürdigsten› Menschen zähle und so ‹zärtlich wie eine Frau› sei.

‹Ich bin ganz hingerissen von Huxley. Er ist schön wie ein Apoll [...] Ich habe noch nie im Leben so faszinierende Augen gesehen. Seine Augen sind schwarz, und sein Gesicht drückt eine gespannte, brennende Intensität aus [...] Er wirkt ernst – ungeheuer ernst – und äußerst offen und herzlich und bescheiden. Und weiß der Himmel, welch ein Vergnügen es ist, einem so klaren Geist zu begegnen! Er ist wie Saladins Schwert, das die Kissen durchbohrte.›

Die Wallfahrt nach Downe war für Fiske der Höhepunkt. Überschwenglich berichtete er: ‹Der alte Darwin ist der liebenswürdigste, freundlichste, reizendste alte Großpapa, den es je gab. Und insgesamt beeindruckt er mich mit seiner Kraft mehr als jeder andere Mann, der mir bis jetzt begegnet ist. In allem, was er tut, strahlt er eine bezaubernde Art von ruhiger Kraft aus. Er ist nicht brennend und angespannt wie Huxley. Er hat sanfte blaue Augen und ist der gütigste aller gütigen alten Herren.›

Fiske porträtierte Darwin fast wie Galilei; das ‹lange weiße Haar und der riesige weiße Bart› ließen ihn ‹sehr malerisch› erscheinen. Den größten Eindruck machte ihm die ‹arglose Schlichtheit› dieses großen Gelehrten, der so abgeschieden von der Gesellschaft lebte. ‹Ich fürchte, ich werde ihn nie wiedersehen, denn seine Gesundheit ist sehr angegriffen [...] Von all meinen Tagen in England bedeutet mir der heutige am meisten.›[32] Was auch immer die beiden Darwins von diesem Wirbelwind hielten, der durch Downe fegte – er muß Emma verblüfft und Charles aufs äußerste strapaziert haben. Der joviale John Fiske, ein Anhänger Spencers, wie er für Amerikas Goldenes Zeitalter so typisch war, verließ sie jedenfalls beglückt.

Darwin erholte sich ausreichend, um eine Neuausgabe von *Descent of Man* in Angriff zu nehmen. Da er zwei oder drei Bücher in Arbeit hatte, war ihm eine weitere Unterbrechung zuwider. Ohne Hilfe indessen würde er für die Änderungen ewig brauchen. Er dachte an Wallace, der von seiner Schriftstellerei leben mußte und Arbeit benötigte.

Darwin fragte im November etwas kleinlaut bei ihm an, da er es haßte, Kollegen zu Lohnarbeitern degradiert zu sehen (obwohl er es seit seinen Londoner Tagen gewohnt war, Präparatoren und Zeichner zu beschäftigen). Wallace nannte einen Preis von sieben Shilling pro Stunde; Lyells *Principles of Geology* hatte er für fünf Shilling die Stunde redigiert, aber das war schlecht bezahlt für ‹Arbeit dieser Kategorie›. Zahlreiche Änderungen könnten erforderlich sein, und Darwins fürchterliche Handschrift verdoppelte die Mühe. Wallace würde über die aufgewendeten Stunden Buch führen und nicht einmal ‹daran denken, substantielle Kritik vorzubringen›. Seine

Arbeitskraft war für den Sozialisten Geld, und er verdingte sie für jede gute Sache. ‹Du hast vielleicht gesehen, daß ich einen Ausflug in die Politik gemacht habe?› fragte er Darwin. In Tat und Wahrheit hatte er sich mitten ins politische Getümmel gestürzt und argumentierte in den *Daily News,* daß die Kohlenreserven des Landes unter nationale Treuhänderschaft gestellt, die Gruben jedenfalls ganz aus Privatbesitz genommen werden sollten.

Emma setzte Charles' Plan ein Ende. Sie veranlaßte ihn, George mit der Aufgabe zu betrauen; ihm fehle nichts außer literarischer Anleitung, und er werde es kostenlos tun. Charles willigte ein, obwohl das Thema Fachkenntnisse erforderte und Georges Horizont überstieg. Noch kleinlauter teilte Darwin Wallace mit: ‹Falls mein Sohn die Arbeit nicht bewältigt, werde ich mich wieder melden und Dein Angebot *dankbar* annehmen.› Aber inzwischen ‹hoffe ich von Herzen, daß die Politik die Naturwissenschaft nicht verdrängen wird›.[33]

Dabei schafften es die Darwins selbst nicht, sich zumindest aus der Gemeindepolitik herauszuhalten. Während Charles mitten in der Nacht aufstand, um seine zuckende indische Telegraphenpflanze, eine Kleeart, zu beobachten – ‹Sie hat tief geschlafen, mit Ausnahme ihrer kleinen Ohren, die lebhafte Spielchen trieben› –, lag Emma wach und plante einen Winterlesesaal für die örtlichen Landarbeiter. Vorläufer hatten sich als großer Erfolg erwiesen, ein Beispiel von stillem Gemeindepaternalismus jener Art, wie er in tausend verschlafenen Weilern praktiziert wurde. ‹Reputierliche Zeitungen und einige Bücher lagen auf, und ein geachtetes Gemeindemitglied war jeden Abend anwesend, um den Anstand zu wahren.› Die Männer zahlten einen Penny pro Woche und kamen hin, um zu rauchen und zu spielen, ‹ohne deswegen in ein Pub gehen zu müssen›. Das Schulzimmer war ein idealer Treffpunkt gewesen, und Lubbock war bereit, es erneut zur Verfügung zu stellen. Emma hoffte, der Pfarrer werde ihren Antrag an den Schulausschuß unterstützen.[34]

Ffinden hatte den Lesesaal zwei Winter lang geduldet, war aber nicht länger dazu bereit. ‹Kaffeetrinken, Tivoli und andere Spiele› seien gestattet gewesen, doch wenn die Kinder am Morgen eintrafen, waren ‹die Folgen des Tabakrauchs und des Ausspuckens› nicht zu übersehen. Dies sei eine ‹Zweckentfremdung des Gebäudes›, die er ablehne. Nicht gewillt, sich von einem gefühllosen Tory in die Schranken weisen zu lassen, veranlaßte Emma Charles, sich an die Schulaufsicht in London zu wenden. Er erhielt eine günstige Antwort, allerdings unter der Bedingung, daß der Saal jedesmal saubergemacht werde. Die Darwins und die Lubbocks – auch Elizabeth Wedgwood – trugen dies dem Schulausschuß vor und boten an, für die Reinigungskosten aufzukommen.

Zur Konfrontation kam es kurz vor Weihnachten. Emma verfaßte eine letzte Petition an den Ausschuß, die Charles unterzeichnete. Es sei höchst wichtig, meinten sie, ‹der arbeitenden Klasse jede mögliche Gelegenheit zu Weiterbildung und Unterhaltung zu verschaffen›. In der Tat hätten ‹die arbeitenden Menschen dieses Landes ... so wenige Vergnügungen außer dem rohen Zeitvertreib des Trinkens, daß, selbst wenn der Lesesaal lediglich als ein Ort der Unterhaltung betrachtet wird, es *wünschenswert* ist, ihnen [diese Möglichkeit] einzuräumen›. Der Ausschuß entschied zu Emmas Gunsten, wie Ffinden den Darwins in einem äußerst kurzen Schreiben mitteilen mußte. Er war wütend, weil Darwin sich hinter seinem Rücken an die Schulbehörde gewandt hatte. ‹Da ich nach Artikel 15 des Gesetzes von 1871 der einzige anerkannte Korrespondent der Schule bin, halte ich ein solches Vorgehen für völlig unangebracht, zumal ich selbst mit der Behörde in Verbindung getreten war.›[35]

Ein Gentleman von Darwins gesellschaftlicher Stellung zögerte eben nicht, die entsprechenden Fäden zu ziehen. Und es war eine Bagatelle, verglichen mit der Petition an den Premierminister in der Ayrton-Affäre. Trotzdem, die Pfarrgemeinde war eine fragile politische Welt, die Schaden genommen hatte. Wenn der Klerus und die hohen Herrschaften nicht die Reihen schlossen, wie sollte dann die Ordnung im Lande aufrechterhalten werden? Angesichts des ganzen Theaters war es vielleicht besser, daß bewegliche Pflanzen Darwin weiterhin faszinierten und von Ffindens Kleinlichkeit ablenkten.

40

Ein erbärmlicher Heuchler

Sich ‹alt und hilflos› fühlend, nahm Charles am 10. Januar 1874 mit Emma den Zug nach London, um Dr. Andrew Clark zu konsultieren. Er suchte die Verleger auf, sprach mit Murray über *Descent of Man* und mit Smith Elder über eine Neuausgabe von *Coral Reefs*, was ihn ziemlich erschöpfte. Die Nachmittage mit Erasmus hätten eine Erholung bieten sollen. Doch nein, auch Erasmus war inzwischen von den spiritistischen Séancen fasziniert.

In den eleganten Londoner Salons hatte man seit zehn oder mehr Jahren die Geister klopfen gehört. Vornehme Damen spielten Gastgeberinnen für die ‹Manifestationen›, und die Creme der Gesellschaft erschien, begierig nach dem neuesten Zeitvertreib. Wie nicht anders von ihm zu erwarten, hatte Huxley sich gegen eine offizielle Untersuchung spiritistischer Phänomene gesperrt. Doch für Wallace manifestierte die Natur immer noch einen fortschrittlichen Geist, und William Crookes, ein prominenter Chemiker (der das Element Thallium entdeckte), hatte experimentelle Séancen durchgeführt, um die Macht okkulter Kräfte› zu beweisen. Francis Galton nahm an einer solchen teil, und die Vorgänge ‹frappierten ihn›. Keine ‹vulgären Taschenspielertricks›, versicherte er Charles, etwas wirklich Sonderbares geschehe.[1]

Darwin konnte Wallace' plebejische Leichtgläubigkeit mit einer Handbewegung abtun, nicht aber einen Mann wie Galton. Und jetzt war sein eigener Bruder im Begriff, sich von den Geistern betören zu lassen und sich vor Freunden zum Narren zu machen. Eines Nachmittags hatten sie sich alle um Erasmus' Eßtisch versammelt: Galton und die Litchfields, Hensleigh und Fanny Wedgwood mit ihrer ältesten Tochter Snow, George Lewes und Marian Evans (George Eliot) – Snows literarische Mentoren –, Charles und Emma, die begierig gewesen waren, den Autor von *Middlemarch* kennenzulernen, und ihr Sohn George, der das Medium, Charles Williams, angeworben hatte. Und noch einer saß in der Runde: Huxley, der auf Darwins

683

dringende Bitte ‹dem Medium gegenüber inkognito› blieb. George und Hensleigh saßen zu beiden Seiten von Williams und banden ihn an Händen und Füßen. Die Vorhänge wurden zugezogen und die Türen geschlossen. Alle saßen stumm im Finstern – außer Lewes, der Witze riß – und warteten, daß sich der Geist in Bewegung setze.

Während zwei Dutzend Augen und Ohren angestrengt lauschten und durch das Dunkel spähten, wurde es im Raum stickig. Charles fand es ‹so heiß und ermüdend›, daß er den Bann brach, sich entschuldigte und ins Obergeschoß ging, um sich hinzulegen. Die Vorstellung begann ohne ihn. Sie ‹raubte ihnen allen den Atem›. Eine Glocke erklang, ein Kerzenleuchter hüpfte, man hörte den Wind rauschen, sah Funken aufflammen, und dann bewegte sich der Tisch. Als Charles zurückkehrte, erfuhr er, daß er sich über die Köpfe aller Anwesenden erhoben habe und daß die Stühle am Ende auf ihm drauflagen, wie er sehen konnte. Wie Williams diese ‹erstaunlichen Wunder oder diesen Schwindel› vollführte, blieb ihm ein Rätsel. Galton bezeichnete es als eine ‹gute Séance›, doch Charles brachte keine Sympathie auf. ‹Gott gnade uns allen, wenn wir an einen solchen Quatsch glauben müssen›, stöhnte er gegenüber Hooker aus der Sicherheit von Downe.[2]

Während Erasmus in ‹Geisterphotographie› dilettierte, beeilte sich Huxley, Darwins wankende Überzeugung zu stützen. Zusammen mit George organisierte er eine weitere Séance mit William. Sie saßen neben ihm und ertappten ihn bei gewissen Bewegungen, was zu Darwins Erleichterung bewies, daß er nichts weiter als ‹ein Scharlatan› war. Er hatte Emma bereits klargemacht, daß die Vorfälle bei Erasmus ‹bloße Taschenspielertricks› seien. Es würde ‹einer Unmenge erdrückender Beweise› bedürfen, um ihn vom Gegenteil zu überzeugen. Emma konstatierte das Knarren eines sich verschließenden Geistes. Selbst neutral in bezug auf eine übernatürliche Erklärung, sagte sie zu Snow: ‹Er *will* es nicht glauben, der Gedanke daran ist ihm so unsympathisch.› Snow erinnerte sich desillusioniert, daß Onkel Charles ‹es als eine große Schwäche ansah, wenn man seine Überzeugungen von Wünschen beeinflussen ließ›. Emma meinte: ‹Ja, aber er handelt nicht in Einklang mit seinen Prinzipien.› – ‹Das scheint mir aber genau das zu sein, was man unter Heuchelei versteht.› – ‹O ja›, erwiderte Emma lächelnd, ‹er ist ein richtiger Heuchler.›[3]

Der Winter ging vorüber, ohne daß er viel vorzuweisen gehabt hätte. Zwar konnte Darwin Lubbock dazu überreden, ihm den Sandweg zu verkaufen, den er während all der Jahre in Pacht gehabt hatte, doch Lubbock verlangte einen Spitzenpreis und kühlte so ihre Freundschaft ab. Ansonsten stapfte Darwin durch eine eintönige Existenz, die sich zwischen Pflanzenexperimenten und Buchrevisionen erschöpfte. Henrietta half ihm bei *Coral Reefs*: ..die späteren Kapitel bedurften jedoch einer substantiellen Überarbeitung.

In seinem Wettrennen gegen die Zeit schien er nicht gewinnen zu können. Die Botanikbücher machten keine Fortschritte und er ebensowenig. Dr. Clarks Empfehlungen konnten nicht eingehalten werden. Die Diät erwies sich als unmöglich, und seine Strychnin-Rezeptur ‹hat mir geschadet›. Kein Wunder, daß seine Sonnentaupflanzen daran eingegangen waren.[4]

Auch an *Descent of Man* wurde herumgedoktert, zwar nicht im gleichen Maß wie an *Origin of Species,* aber unter ebenso großen Mühen. Während George das Manuskript zusammenstückelte und ein neues Register anfertigte, verfaßte Charles Dutzende von Einschüben: über Selbstmord unter Wilden, die Werbung bei Schmetterlingen und die Auswirkungen der Kastration bei Schafen. Anekdoten von Briefpartnern wetteiferten mit Ausschnitten aus Zeitschriften um Raum, und seine gehorteten Verweise ließen die ohnehin zahlreichen Fußnoten weiter anschwellen. Die geschlechtliche Auslese behauptete sich gut; allerdings wurde die natürliche Selektion etwas zurückgestutzt. ‹Bei hochzivilisierten Nationen hängt der anhaltende Fortschritt in untergeordnetem Maß von der natürlichen Auslese ab›, notierte Darwin optimistisch, ‹denn diese Nationen rotten sich nicht gegenseitig aus, um die Stelle des Gegners einzunehmen, wie es bei primitiven Stämmen der Fall ist.› Doch auch hier werde die Spreu vom Weizen getrennt, vielleicht weniger gewaltsam, aber nicht weniger effektiv. Galtons Arbeit über geistige Vererbung hatte ihn überzeugt. ‹Die intelligenteren Mitglieder desselben Gemeinwesens werden sich langfristig besser behaupten als die minderwertigen und eine zahlreiche Nachkommenschaft hinterlassen, und dies ist eine Form der natürlichen Auslese.› Der Fortschritt sei nunmehr abhängig von ‹einer guten Schulbildung in der Jugend, während das Gehirn noch formbar ist›, verbunden mit ‹einem hohen Leistungsanspruch, der einem von den fähigsten und besten Männern eingepflanzt wird›.[5]

Sein eigenes Gehirn eignete sich gut zum Begleichen alter Rechnungen. ‹Was für ein Dämon auf Erden Owen ist. Ich hasse ihn›, schrieb Darwin an Hooker, nachdem er von Owens neuesten Dreistigkeiten gehört hatte. Hinter einem Komplott, den pensionsreifen darwinistischen Präsidenten der Linnean Society, den Botaniker George Bentham, aus dem Amt zu drängen, steckte angeblich der Botanikfachmann des Britischen Museums, aufgewiegelt von Owen. Da Bentham von Hooker unterstützt wurde, roch dies nach einer Vergeltung für Owens vergeblichen Griff nach den Sammlungen von Kew. Die alten Wunden, die man nach Huxleys Hieben hatte weiterschwären lassen, waren auch nach zehn Jahren noch nicht verheilt. Tyndall versuchte zwar einmal zu vermitteln, biß aber bei Owen auf Granit, der forderte, daß der ‹niederträchtige und verderbliche› Huxley zuerst seinen Vorwurf des Meineids zurückziehe.

Angesichts dieser neuen Machenschaften scheute Darwin nicht davor zurück, Salz in die Wunde zu streuen. Er entfachte ein weiteres Mal die

Affenhirndebatte, um den bereits Entthronten ein letztes Mal zu stürzen. Die endgültige Ausgabe von *Descent of Man* sollte Owens Niederlage besiegeln und neueren Kritikern den Mund stopfen. Huxley war ihm mit einer stringenten Darstellung seiner alten Auffassungen gefällig. Das ‹macht aus dem Gegner Hackfleisch›, rühmte er sich, auch wenn es ‹außer Anatomen niemand› merken werde.⁶

Darwin lieferte das Manuskript von *Descent of Man* im April ab. Angespornt von dem Erfolg der verbilligten Ausgabe von *Origin of Species,* plante Murray eine Ausgabe zum halben Preis, für zwölf Shilling. Es war geschafft; Charles hatte für die Evolution getan, was in seinen Kräften stand – er wollte nicht einmal mehr die Fahnen sehen, die an George gingen. Keine Bücher mehr über dieses Thema, ließ er Fox wissen, der seinen Ruhestand auf der Insel Wight angetreten hatte. Seine verbleibende Kraft würde er der sanften Mordlust seiner insektenfressenden Pflanzen widmen.

Dazu spannte er so viele Helfer ein wie möglich: Hooker und dessen Assistenten William Thistelton-Dyer in Kew; den Physiologen John Burdon Sanderson am University College, der Laborversuche über die Verdauungssäfte der Pflanzen durchführte; Asa Gray im Herbarium von Harvard, der ihn immer noch gegen die Theologen in Schutz nahm; und sogar den alten John Price aus Shrewsbury, der ihm einen seltenen Wasserhelm beschaffte. Das ganze Frühjahr über trafen Pflanzensendungen ein, welche die Treibhäuser verstopften und mit Resten von der Familientafel gefüttert wurden. Darwin verlor nie seine spezielle Gabe, sich von überallher Informationen zu beschaffen. Er brauchte nur einige Zeilen an *Nature* über Grünfinken zu schreiben, die seine Primelnektarien abrissen, um frische Stapel von Post zu erhalten.⁷ Wenigstens half ihm jetzt Frank, was die Arbeitslast etwas erleichterte.

Die anderen Söhne heimsten fern von zu Hause Erfolge ein. Horace hatte sein Diplom geschafft und machte ein technisches Praktikum, und Leonard war mit den Königlichen Pionieren nach Neuseeland versetzt worden, um den Durchgang der Venus zu beobachten. Frank war die Hauptstütze; er hatte sich in Brodie Innes' altem Haus im Dorf eingerichtet und bereitete sich auf die Heirat mit Amy Ruck vor. Die Hochzeit fand am 23. Juli statt, gerade als sich ein weiterer ‹wissenschaftlicher Sohn› der Familie anschloß, wie Lubbock vor langer Zeit. Es war George Romanes, einer von Burdon Sandersons Studenten, der mit Frank in Cambridge gewesen war. Der vermögende Sechsundzwanzigjährige, ursprünglich für den geistlichen Beruf bestimmt, hatte eine Vorliebe für wirbellose Meerestiere und einen wißbegierigen Geist; das alles war angenehm vertraut.⁸

Der immer noch kränkliche Sohn George vergrub seine Nase in den Druckfahnen und führte statistische Analysen von Cousinenheiraten durch.

‹In unseren Kreisen› stellte er fest, seien sie dreimal häufiger als in den unteren Schichten.) Er griff Galtons Menschenzuchtpläne auf und hatte bereits einen Artikel über ‹Wünschenswerte Einschränkungen der Eheschließung› veröffentlicht. Mivart las ihn mit Bestürzung. Nachdem er mit Darwin gebrochen hatte, empfand er Georges Beitrag als einen perfekten Vorwand, um die Angriffe auf *Descent of Man* zu erneuern. Könne man sich einen besseren Beweis für die gesellschaftlichen Tendenzen des Darwinismus vorstellen, polemisierte Mivart in der Juli-Nummer der *Quarterly Review*, als George Darwins Vorschläge, um einer Verbesserung der Rasse willen die Bande der Ehe zu lockern und die Scheidungsgründe zu erweitern? Dies sei moralische Anarchie. Mivart hatte den Aufsatz in Dresden anhand hastiger Notizen geschrieben und Überlegungen fehlgedeutet. George trat für Scheidung im Fall von Kriminalität oder Lasterhaftigkeit ein, aber Mivart brachte das durcheinander und beschuldigte ihn grundlos, für ‹die schikanösesten Gesetze und die Förderung der Lasterhaftigkeit zur Eindämmung der Bevölkerungszunahme› einzutreten. Gespenster der nationalen Degeneration, des revolutionären Frankreich und des heidnischen Rom wurden an die Wand gemalt. Tatsächlich ‹gibt es keine noch so abscheuliche sexuelle Kriminalität heidnischer Tage, die nicht aufgrund der Prinzipien jener Schule, der dieser Autor angehört, verteidigt werden könnte›.

‹Lasterhaftigkeit›, ‹sexuelle Kriminalität›, ‹schikanöse Gesetze› – das war Verleumdung. Es warf ein schlechtes Licht auf Georges Vater, untergrub das Ansehen der Familie und stürzte die ganze darwinistische ‹Schule› in eine moralische Jauchegrube. Charles kochte – schon bevor er wußte, von wem der Artikel stammte. Er empfahl George, juristischen Rat einzuholen, während er sich den Herausgeber der *Quarterly Review* vorknöpfte, John Murray. Es wäre ein ‹fürchterliches Unglück›, falls es zwischen ihnen ‹zum Streit käme›; entweder die *Quarterly Review* drucke in der nächsten Nummer Georges Antwort, oder er würde sich einen anderen Verleger suchen.[9]

Die Affäre überschattete seinen Augusturlaub in Southampton. Charles entwarf eine Entgegnung für George und versuchte sich mit den Fahnen von John Tyndalls Vortrag vor der British Association abzulenken, die in diesem Monat in Belfast tagen sollte. Es sollte eine große Schau für den X-Club werden, da Huxley, Hooker, Lubbock und Tyndall, die Hälfte der berüchtigten ‹Schule› der *Quarterly Review*, als Redner vorgesehen waren. Tyndalls Fanfarenstoß betonte nur, wie sehr die Militanz auf beiden Seiten zugenommen hatte. ‹Wir beanspruchen die gesamte Domäne der kosmologischen Theorie›, verkündete er mit seinem irischen Akzent, ‹und wir werden diese den Händen der Theologie entwinden›, was zu Rufen führte, ihn wegen Blasphemie anzuklagen. Vor dem Hintergrund dieser eifernden Forderungen seitens der neuen ‹Sekte der darwinistischen Evolutionisten› erschienen Mivarts Posen weniger bedrohlich als defensiv. Kritiker geißelten bereits den religiösen Dogmatismus, ‹den missionarischen Furor› und die puritanische Vehemenz der Darwinisten, deren Enthusiasmus ‹eine Tendenz hat, ihre Diskretion zu überflügeln› und deren ‹Geist latenter Intoleranz ... einen Beigeschmack von sektiererischer Bitterkeit aufweist›. Im sektiererischen Belfast wurde Darwin zum Oberhaupt einer reformierten Biologie gekürt. ‹Er bewegt sich über das Gelände mit der leidenschaftslosen Kraft eines Gletschers›, las Charles über sich; ‹und das Knirschen des Gesteins geht nicht selten mit der logischen Pulverisierung des Gegners einher.›[10]

Daß dem tatsächlich so war, sollte der Katholik Mivart kurz darauf merken. Besorgt, einen einträglichen Autor zu verlieren, setzte Murray den Chefredakteur der *Quarterly Review* unter Druck, und im Oktober erschien Georges summarischer Widerspruch neben einer ‹Entschuldigung› seines Verleumders. Sie wies alle Kennzeichen von Mivarts schlauer Heimtücke auf. Ohne anzudeuten, daß der jüngere Darwin ‹irgend etwas gebilligt hat, das er zu dementieren wünscht›, schloß sie: ‹Wir müssen daran festhalten, daß die Lehren, die er verkündet, überaus gefährlich und verderblich sind.› Dies war sophistische Spiegelfechterei – die Sünde zu verurteilen, aber nicht den Sünder. Darwin wurde fuchsteufelswild und nahm es persönlich. ‹Er hat sein Ziel erreicht, mich zu kränken, und, guter Gott, wenn ich an das schmeichlerische, fast speichelleckerische Gewäsch denke, mit dem er mir in den Ohren gelegen hat!› Auf welch niedrige Stufe habe sich Mivart im Namen des Christentums begeben!

Sosehr er sich auch ärgerte, seine Antipathie gegen Religion wurde durch Gedanken an Lyell gemäßigt. Inzwischen fast blind und kränkelnd, hatte Lyell Tyndalls Verbeugung vor ‹Dir und Deiner Theorie der Evolution› großzügig applaudiert, mochte er auch Bedenken wegen dessen ‹furchtloser Offenheit› haben. Mehr denn je trieb ihn die Frage nach einem künftigen Leben um; das zeigte er. Darwin konnte ihm nur wenig Trost bieten. Viele gingen intuitiv davon aus, ‹und ich nehme an, daß ich mich von diesen Personen unterscheiden muß› – einschließlich Emmas –, ‹denn ich empfinde keine angeborene Überzeugung›. Trotzdem, ‹sich in Deinen Umständen zu befinden›, war ein gräßlicher Gedanke. Wenn er blind und ohne Emma dem Ende entgegensehen müßte, dann, das wußte Darwin, würde auch ihn das Problem des Danach ‹mitten in der Nacht mit schmerzhafter Gewalt überfallen›.

Tagsüber wieder am Mikroskop beschäftigt, verbannte er solche Gedanken aus seinem Bewußtsein. Er verlor sich in seinen Pflanzen und arbeitete auf Mivarts Sturz hin. Huxley und Hooker würden am besten wissen, welche Strafaktion die geeignetste war. Inzwischen ließ Darwin gegenüber Reverend Ffinden Dampf ab und schied aus gesundheitlichen Gründen offiziell aus dem Schulkomitee aus.[1]

Am 13. November wurde die Neuausgabe von *Descent of Man* zum reduzierten Preis von neun Shilling ausgeliefert, obwohl Murray gestand, daß dies die Gewinne bis auf den Knochen beschneiden werde.

An diesem Tag starb plötzlich Hookers Frau Fanny. Hooker war auf dem Gipfel seiner Karriere und bereits schwer überlastet: Er gehörte fünfzehn Ausschüssen der Royal Society an und rang mit der neuen Regierung Disraeli um eine Erhöhung der Zuschüsse für Kew. Zu Hause hatte er sechs Kinder, drei von ihnen noch klein. Fanny hatte den Haushalt in Schuß gehalten, ihm beim Schreiben und beim Korrekturlesen geholfen und, da sie als eine geborene Henslow selbst botanisch versiert war, wichtige Besucher in Kew herumgeführt. Dreiundzwanzig Jahre lang, seit seiner Rückkehr aus dem Fernen Osten, war sie die perfekte Partnerin gewesen. Jetzt fühlte er sich, als durchwandere er erneut den Himalaja, verloren, trostlos, allein. Er verfiel in ‹eine Art Trance›, war kaum imstande, das Unheil zu ermessen. Die Aussicht, nach dem Begräbnis in sein Haus zurückzukehren, lähmte ihn, und er bat um Zuflucht in Downe. Darwins Haus verwandelte sich wie so oft in ein Hospiz, da Hooker immer wieder für einige Tage kam oder die Kinder in Emmas Obhut ließ. Nach Hause zurückgekehrt, war er außerstande zu arbeiten. ‹Äußerste Verlassenheit› überkam ihn, wenn er sein Haus in Kew betrat, und sein erster Impuls war, zurück zu den Darwins zu flüchten. Charles empfahl ihm sein eigenes Mittel: Er ermutigte ihn, quälende Gedanken ‹durch harte Arbeit› zu verbannen.[12]

Doch Hooker ‹stolperte immer wieder in die Fallgruben von Erinnerungen›. Darwin wartete einige Wochen und brachte dann Mivarts Niedertracht aufs Tapet. Hooker stimmte ihm darin zu, daß die sogenannte Entschuldigung eine Gemeinheit sei, und schlug vor, Mivart zu zwingen, sich zu dem anonymen Artikel zu bekennen und ihn formell zurückzunehmen. Ein gemeinsamer Brief von X-Club-Mitgliedern sollte den nötigen Druck auf ihn ausüben. Für Huxley war dies ein weiterer Vorwand, mit der gespaltenen Loyalität seines früheren Schülers – gegenüber der Evolution und der Kirche – abzurechnen, und er ergriff die Gelegenheit in einer Buchbesprechung. ‹Wenn ich nicht irre›, schnaubte er, sei der ‹*Quarterly Reviewer* ... so freundlich, mich unter die Mitglieder jener Schule einzureihen, deren Spekulationen die rohe Lasterhaftigkeit des kaiserlichen Rom zurückbringen sollen›. Mit seinem gewohnten sinnlichen Vergnügen daran, vom Leder zu ziehen – was jetzt einen auffallenden Kontrast zu Darwins Ernst bildete –, variierte Huxley sein Sektiererthema: daß ‹Verdrehungen und Fälschungen die bevorzugten Waffen des jesuitischen Rom sind› und ‹anonyme Verleumdung› nicht in ‹der Lasterhaftigkeit eines Nero oder eines Commodus, sondern in den geheimen Vergiftungen der päpstlichen Borgias› kulminiere.

Der X-Club schloß seine Reihen und bildete einen schützenden Kreis. ‹Du solltest Dich wie einer der seligen Götter im Elysium verhalten›, riet

Huxley Darwin vor Weihnachten, ‹und die untergeordneten Gottheiten mit den höllischen Mächten kämpfen lassen.› Er selbst ließ Mivart durch einen katholischen Priester mitteilen, daß Unverschämtheiten dieser Art inakzeptabel seien. Mivart wußte, daß er zur Strecke gebracht werden sollte wie Owen vor ihm. Er brach in Bitten und Proteste aus und fragte Huxley im Vertrauen, wie er Genugtuung leisten könne.

Huxley plante mit Darwin Mivarts Exkommunizierung aus der wissenschaftlichen Kirche. ‹Die härteste und wirksamste Strafe für diese Art von moralischem Rufmord besteht darin, den Übeltäter schweigend zu ignorieren und ihm die kalte Schulter zu zeigen.› Darwin, nicht überquellend von weihnachtlicher Versöhnlichkeit, trommelte mit den Fingern. Emma, seine X-Club-Freunde und selbst George unterstützten Huxleys Rat, aber ihn juckte es, sich ‹mannhaft› zu verhalten und Mivart die Meinung zu sagen. Bösartige Verdrehung der Wahrheit und Abschneiden der Familienehre waren unverzeihlich. Am 12. Januar 1875, als keine weitere Entschuldigung eingetroffen war, handelte Darwin. In einem Schreiben voll eisiger Formalität schwor er Mivart, niemals wieder ein Wort mit ihm zu wechseln.[13] Der Mivartsche Wurm wand sich am Darwinschen Haken und verendete an seiner Unanständigkeit. Mivart wurde niemals Pardon gegeben; noch Jahre später schmetterten Huxley und Hooker seinen Antrag auf Mitgliedschaft im Athenaeum Club ab.

Von dem endlosen Manuskript geplagt, sputete sich Darwin mit *Insectivorous Plants*. Die Prosa war verschwommen, und im Februar hatte er sich ächzend festgefahren. Er half George kaum aus seiner Niedergeschlagenheit, wenn er ihn bedauerte: ‹Ich kenne das Gefühl, daß das Leben kein Ziel hat und alles müßig und eitel ist.› Er sei sogar ‹bereit, sich das Leben zu nehmen›, las Hooker mit Bestürzung. Der Tod des alten, traurigen Lyell am 22. Februar hinterließ bei Darwin das Gefühl, ‹als ob wir alle bald gehen würden›. Nach Lyells mangelnder Unterstützung für *Origin of Species* war ihre Beziehung abgekühlt. Es war ein unrühmliches Ende einer vormals berühmten Freundschaft. Hooker sorgte für Lyells Platz in der Westminster Abbey, doch Darwin lehnte es ab, als Sargträger zu fungieren. ‹Ich würde mit großer Wahrscheinlichkeit mitten in der Zeremonie zusammenklappen, und der Kopf würde mir von den Schultern rollen.›

Im März kroch er wieder aus seinem Sumpf hervor und warf das fertige Buch hin, seiner fleischfressenden Gefährten herzlich überdrüssig. Er betrachtete sein Ölporträt von Walter Ouless, ein Geburtstagsgeschenk. Es zeige ‹einen sehr ehrwürdigen, wachen, melancholischen alten Hund›, entschied er, was ziemlich genau seiner Stimmung entsprach. Doch der alte Hund hatte noch ein oder zwei Knochen zu vergraben. Darwin lieferte das Manuskript bei Murray ab und verbrachte zwei Wochen mit Erasmus und

Henrietta in London. Da Lyell erst vor kurzem verstorben war, schien eine Séance am 1. April bei Hensleigh Wedgwoods Familie schlecht gewählt, ein tragischer Scherz, wenn er nicht so geschmacklos gewesen wäre, eine Menge ‹Quark›, um den öden Diktaten der Mode zu genügen.[14]

Das Leben war an so vielen Fronten mühsam. Die Pfarrgemeinde vergrößerte noch seine Kalamitäten, da das Fiasko mit Ffinden seinen Lauf nahm. Seit einem Jahr hatte der Pfarrer sämtliche Familienmitglieder geschnitten und Darwin so zum Mivart der Pfarrei gemacht. Charles fühlte sich ‹so gröblich beleidigt›, daß jedes Wort jetzt über einen Mittelsmann gehen mußte. Lubbock hatte im Namen Darwins angefragt, ob man ihm den Schulraum für zwei Abendvorträge für die Dorfbewohner zur Verfügung stellen würde. Der Ausschuß stimmte zu, doch Ffinden erhob Einwände. Er weigerte sich, mit einem Ungläubigen zu kooperieren, der seine Autorität in Zweifel zog, und erklärte mit giftiger Scheinheiligkeit: ‹Ich war mir der schädlichen Tendenzen von Mr. Darwins Ansichten für die offenbarte Religion seit langem bewußt gewesen, aber als ich in diese Pfarrgemeinde kam, war ich fest entschlossen, ein freundliches Gefühl guter Nachbarschaft nicht durch unsere Meinungsverschiedenheit, soweit es in meiner Macht stünde, beeinträchtigen zu lassen, im Vertrauen darauf, daß die Gnade Gottes mit der Zeit einen geistig und moralisch so hochbegabten Menschen besseren Sinnes werden lassen könnte.›

Dem wich Lubbock diplomatisch aus, als er den Schulraumstreit zu schlichten versuchte. Mit Henrietta an seiner Seite verfaßte Charles eine gewundene Rechtfertigung, die einen weiteren Rückzieher von seiten Ffindens bewirken sollte. ‹Wenn sich Mr. F. vor Mrs. D. und mir verneigt, werden wir seinen Gruß erwidern›, meinte er herablassend und zeigte damit, daß amtskirchliche Torys kein Monopol auf Arroganz hatten. Da es in der Pfarrei keinen X-Club gab, der eine Entschuldigung erzwingen konnte, würde die Wiederherstellung des Friedens eine ‹Herkulesarbeit› sein.

Die Schroffheit war unübersehbar. Nachdem er der öffentlichen Kontroverse abgeschworen hatte, merkte Darwin, daß seine private Feindseligkeit gegen das Christentum zunahm. Ffinden und Mivart hatten seine Toleranz bis zum äußersten strapaziert.[15] Dogmatismus ihres Schlages benötigte eine Dosis von liberalem Humanismus; ihre Engstirnigkeit mußte durch den Ansturm einer reformistischen Wissenschaft aufgebrochen werden.

Dem wissenschaftlichen Fortschritt galt sein Hauptinteresse während seines Frühjahrsaufenthalts in London. Er leitete ein Nachhutgefecht gegen die erstarkende antivivisektionische Bewegung. Die hypochondrische Henrietta hatte sich deren Anliegen zu eigen gemacht. Wie so viele abgeschirmte viktorianische Matriarchinnen identifizierte sie sich mit leidenden Lebewesen. Königin Victorias Maiden bildeten den Kern der Bewegung und ‹projizierten ihr eigenes Elend auf die Opfer von Tierversuchen›. Henrietta unterstützte eine Petition, verfaßt von der Frauenrechtlerin Frances Power Cobbe. Diese organisierte die Unterstützung der öffentlichen Meinung für einen massiven Schlag gegen Versuche an lebenden Tieren. Ihre von Erzbischöfen, Dichtern und Politikern unterzeichnete Petition drohte sogar mit einem Gesetz, das den Experimentatoren die moralischen Entscheidungen abnehmen würde. Darwin war untypisch für einen Briten, ein Tierliebhaber, der jedoch die Autonomie seiner Kollegen noch höher stellte. ‹Die Physiologie›, beschied er Henrietta, ‹kann nur durch Versuche an lebenden Tieren Fortschritte machen.› Diese müßten ungehindert, ‹auf der Suche nach der abstrakten Wahrheit›, durchgeführt werden können. Jedem Mißbrauch solle durch ‹die Sensibilisierung der humanitären Gefühle› entgegengewirkt werden. Mit anderen Worten: gesetzliche Restriktionen wären fatal. Wenn die Hasenjagden veranstaltenden heuchlerischen Abgeordneten Miss Cobbes ‹pubertäres› Gesetz verabschiedeten, werde die physiologische Forschung in England ‹dahinsiechen oder ganz erliegen›.[16]

Je mehr Darwin darüber nachdachte, desto besorgter wurde er. Der Einmischung Cobbes mußte ein Riegel vorgeschoben werden. Er spielte mit einer Gegenpetition, doch Huxley erkannte schließlich, daß die fuchsjagenden Parlamentarier die Wissenschaft retten mußten, und sei es aus Furcht um ihre eigene Haut. ‹Wenn physiologische Versuche von Gesetzes wegen eingestellt werden, dann werden Jagd und Fischfang, gegen die viel bessere Gründe ins Feld geführt werden können, bald folgen.› Zur Wahrung der allgemeinen Freizügigkeit sollten die Physiologen selbst einen Gesetzentwurf einbringen. In London warb Darwin verzweifelt um Unterstützung für ein Gesetz, das der Bewegung den Wind aus den Segeln nehmen würde. Es sei ‹kein Tag zu verlieren›, wenn sein ‹Vivisektorengesetz› – wie die Gegner es nannten – noch in der laufenden Sitzungsperiode eingebracht werden sollte.

Weder er noch Huxley hatten selbst Versuche an lebenden Tieren durchgeführt, doch Freunde, die das getan hatten, wie Burdon Sanderson, waren leicht zu gewinnen. Darwin stimmte sogar Henrietta um, und ihr Ehemann beteiligte sich als Jurist an der Formulierung eines Entwurfs. Regelung, nicht Restriktion war dessen Ziel. Durch das Erteilen von Genehmigungen an die Experimentatoren würde deren Freiheit gewahrt und das Leiden der Tiere auf ein Minimum beschränkt werden. Darwin schickte den Entwurf zur Abzeichnung an Hooker, um sagen zu können, ‹daß er Deine Billigung als Präsident der Royal Society hat›. Dann trug er ihn Lord Derby, dem Außenminister, vor und drängte ihn, auf ausgewählte Mitglieder des Tory-Kabinetts einzuwirken, damit eine ‹überstürzte Gesetzgebung gegen die Wissenschaft› abgewendet werde.[17]

Das war erstklassiges Lobbying. Darwins Name öffnete Türen und ließ den Entwurf der Wissenschaftler auf dem Schreibtisch des Innenministers landen. In Downe zeterte Ffinden immer noch über ‹deplazierte Einmischung› wie eine Stechmücke auf dem Rücken eines Nashorns; Darwin, umgeben von Insektenfressern, hatte jetzt gezeigt, was Einmischung fertigbringen konnte. Als Huxley und Romanes, Darwins neuer Schützling, am 17. April nach Downe kamen, galt es nur noch, die Einzelheiten des Vorhabens zu regeln: wer den Entwurf wann einbringen würde. Zu Hause blieb das Thema den Männern vorbehalten. Romanes wurde bei seinem ersten Besuch von Darwin ermahnt, nicht in ‹Gegenwart meiner Damen … über Tierversuche zu sprechen›.

Eine Dame schlug sie um eine Nasenlänge. Am 4. Mai wurde Miss Cobbes Entwurf dem Oberhaus unterbreitet. Die Alternative der Wissenschaftler mit ihrem ‹stärkeren humanitären Aspekt›, wie Darwin es formulierte, erreichte acht Tage später das Unterhaus. Der Innenminister reagierte mit der Ankündigung, eine Königliche Kommission einzusetzen zur Untersuchung ‹der Praxis, lebende Tiere zu wissenschaftlichen Zwecken Versuchen zu unterwerfen›. Das kam nicht ungelegen, da sich die Physiologen über die Absicht ihres Entwurfs zerstritten. Darwin setzte seine Hoffnungen auf Huxley, der in die Kommission berufen worden war, und sie ‹ließen die gegenwärtige Hysterie abklingen›.[18]

Darwin war in eine publizistische Tretmühle eingespannt und strampelte sich immer schneller dem Grab entgegen. Ein Buch führte zum nächsten, und er hatte immer einige in der Hinterhand, falls es ihm langweilig werden sollte. *Insectivorous Plants* war schnell ausverkauft, und im Juli verschwand eine Neuauflage von tausend Stück innerhalb von zwei Wochen. Der Name Darwin hatte jetzt Zugkraft, so weit hergeholt das Thema auch sein mochte. Wer hätte sich vorstellen können, daß sich ein 450 Seiten starker Katalog von Pflanzenversuchen schneller verkaufen würde als die Erstauflage von *Origin of Species?*[19] Eine Neuausgabe von *Variation under Domestication* folgte; die Ergänzungen stammten aus den Hunderten von Briefen und Dutzenden von Monographien, die Downe in den letzten sieben Jahren überschwemmt hatten. Das Thema hatte es Darwin angetan. Er änderte seine Meinung über die Halsbehaarung von Ziegen, fügte Details über die Selektion von Goldfischen während der Sung-Dynastie ein und tilgte den Hinweis auf Robert Chambers' sechsfingrige Tochter, deren amputierter überzähliger Finger nachzuwachsen schien (‹Wir weisen eine Tendenz auf, zum reptilischen Typus zu regredieren›, hatte der selbst sechsfingrige Chambers einmal gescherzt, und in der ersten Ausgabe hatte ihn Darwin wörtlich genommen).[20]

Dann inthronisierte er erneut seinen ‹großen Gott Pan›, indem er zwar dessen Äußeres veränderte, aber seine Fähigkeiten intakt ließ. Der Gott hatte nicht viele Verehrer gefunden, obwohl sich Romanes an seinem Altar einfand. Von Darwins Vaterfigur überwältigt, hatte Romanes seine Quallen im Stich gelassen und angefangen, Gemüsepflanzen durch Propfung zu kreuzen. Wenn sich die Keimchen durch Rassenkreuzung vermischten, dann, so hoffte er, werde er Hybriden mit den Eigenschaften sowohl des Schößlings wie der Mutterpflanze erhalten. Darwin wußte zwar, daß ‹die Welt durch Tierversuche weitaus stärker zu beeinflussen sein wird›, doch Erfolge bei Pflanzen wären ein erster Schritt.

Er wußte auch, daß es Galton ebenfalls versucht hatte und gescheitert war. Galtons Haus hatte von Kaninchen gewimmelt, als er, fasziniert von der ‹Pangenesis›, mit Bluttransfusionen experimentierte. Doch reinrassige silbergraue Rammler und ebensolche Weibchen, die Blut von gewöhnlichen Kaninchen erhielten, hatten unveränderte Nachkommen – die achtundachtzig Jungen aus dreizehn Würfen wiesen keine Modifikation auf. Darwin protestierte zwar, daß er niemals von Keimchen im Blut gesprochen habe; seine gute Miene wirkte indes mit der Zeit etwas verkrampft. Galton hatte den Verdacht, daß die Vererbung kein demokratischer Vorgang sei: die Keimchen kämen nicht aus allen Körperteilen im Ei und in der Samenzelle zusammen. Vielmehr seien die in den Keimzellen enthaltenen souverän und steuerten alles. Die Nachkommen würden durch den genetischen Aufbau dieser Zellen bestimmt, nicht durch Veränderungen im Körper ihrer Eltern.[21]

Darwin mochte sich jedoch nicht von der Vorstellung trennen, daß ein vielbenutztes und gestärktes Organ vererbt werden könne. Seit Jahrzehnten hatte er Belege dafür angehäuft, daß der Körperbau von Handwerkern an die nächste Generation weitergegeben werde: daß die Kinder von Schmieden mit entsprechenden Bizeps geboren würden, daß sich elterliche Narben auf ein Baby übertrügen. Immer mehr griff er darauf zurück und machte die ‹Pangenesis› zu einem zentralen Element. In *Descent of Man* wurde diese Erblichkeit als ein mächtiger Faktor in der menschlichen Evolution dargestellt. Nichts sollte Darwin veranlassen, Huxley nachzuahmen und seinen jungen Gott abzuwürgen. Also ließ er Pan im wesentlichen ungeschoren und gestattete den Organismen, sich buchstäblich aus ihren ererbten Keimen zu entwickeln. Bittere Erfahrung hatte ihn gelehrt, daß die Kinder seine Schwächen teilten. Erfreulicher war der Gedanke, daß sie auch seine geistigen Stärken mitbekommen hatten und daß die modifizierten Keime seines jungen, überarbeiteten Gehirns seine speziellen psychologischen Gaben weitergegeben hatten.[22]

Als Beweis dafür diente ihm Frank. Dessen Liebe zur Naturgeschichte war genauso groß wie die von Charles im gleichen Alter. Frank kam an den meisten Tagen aus dem Dorf herüber und werkelte ständig im Treibhaus herum, wo er mit Pflanzendüngung experimentierte, oder er machte sich oben im Labor zu schaffen. Charles, der auf seinen neuen Assistenten stolz war, nominierte ihn als Mitglied der Linnean Society.

Darwins Ruhm hatte zur Folge, daß er von jedem Narren, dem ein Gedanke kam, belästigt wurde. Predigtschreiber und Seelenretter wandten sich an ihn, Ausländer wollten ihre Schriften veröffentlicht sehen oder wünschten lediglich seine Imprimatur, Dozenten waren auf Lehrstühle, Wissenschaftler auf Forschungsgelder aus. Die meisten wurden liebenswürdig behandelt, einige wenige eher schroff. Manche weigerten sich aufzugeben. Gegenwärtig hatte der zudringliche Birminghamer Chirurg Robert Lawson Tait seinen Fuß in Darwins Tür. Der erst dreißigjährige Tait hatte sich auf die Entfernung von Eierstöcken und Gebärmüttern spezialisiert und beschäftigte sich daneben mit Pflanzenphysiologie. Sein Renommee war im Steigen begriffen, und er wünschte sich, Mitglied der Royal Society zu werden, was seiner gynäkologischen Praxis zugute gekommen wäre. Nach monatelanger schamloser Speichelleckerei zwang er Darwin im Oktober, seinen Artikel über Kannenpflanzen zur Veröffentlichung an die Royal Society zu schicken. Er schien ein ‹wichtiger Beitrag zur Wissenschaft› zu sein; sorgfältig gelesen hatte ihn Darwin freilich nicht.[23]

Seine eigenen Veröffentlichungen nahmen jede wache Stunde in Anspruch. Mit Murray waren endlose Verhandlungen über Preise, Auflagen und Rechte zu führen. Seine Übersetzer Viktor Carus in Leipzig und Giovanni Canestrini in Padua hatten große Mühe, mit ihm Schritt zu halten, und arbeiteten an mehreren seiner Bücher gleichzeitig. Aber sie schafften es nicht. *Variation under Domestication* war in der Druckerei; ein alter botanischer Essay sollte im November herauskommen: *The Movements and Habits of Climbing Plants* mit ‹Illustrationen, gezeichnet ... von meinem Sohn George›. Und Charles kritzelte bereits ‹Unmengen von Papier› für den Band *The Effects of Cross and Self Fertilization in the Vegetable Kingdom* voll. Nur eine ehrenvolle Einladung aus London konnte ihn bremsen. Lord Cardwell forderte ihn auf, vor der Königlichen Kommission über Vivisektion auszusagen.[24]

Huxley bestand auf seinem Erscheinen. Ein junger österreichischer Arzt, Eduard Klein, hatte den Ausschuß verärgert, als er in gebrochenem Englisch Darwins ‹völlige Gleichgültigkeit gegenüber dem Leiden der Tiere› beklagte. ‹Er hat Narkosemittel angewandt, nur um Tiere ruhigzustellen!› warf Huxley empört ein. Klein erhob gegen alle die gleichen Anklagen und machte den Ausschuß durch sein hartnäckiges Bohren und Nachhaken wütend. ‹Er hat mehr Unheil gestiftet als alle Fanatiker miteinander›, aber das dürfe man ja ‹außerhalb des Kreises der diskreten Darwinisten› nicht erwähnen. Eine hohe Autorität war nötig, um Kleins Aussagen zu konterkarieren. ‹Erstaunt und angewidert› sagte Darwin sein Erscheinen zu. Am 3. November hatte er seinen kurzen Auftritt. Cardwell empfing ihn an der Tür, ließ ihn auf einem speziellen überdimensionierten Lehnstuhl Platz nehmen und behandelte ihn ‹wie einen Herzog›. Sie wollten sein ‹Glaubensbekenntnis› bezüglich der Bedeutung der Physiologie und ‹der Pflicht der Menschheit› gegenüber den Tieren, das war alles. Zehn Minuten von ihm wogen zwei Stunden riskanter vivisektionistischer Apologetik auf. Es war eine schmerzlose Episode, doch die Droschke setzte Darwin abends ‹in angegriffenem Zustand› bei Erasmus ab.[25]

Dies war die erste Weihnacht in Downe ohne Parslow. Darwin hatte im Dorf ein Häuschen für ihn gemietet und ihm eine Pension von fünfzig Pfund im Jahr ausgesetzt, sein Lohn für sechsunddreißig Jahre treue Dienste. Jackson, ein komischer kleiner Mann, ‹mit roten Bäckchen› und ‹vereinzelten lockigen Backenbartbüscheln›, übernahm jetzt das Regiment, aber niemand konnte den respekteinflößenden alten Butler wirklich ersetzen. Andere Dienstboten kamen und gingen; es gab immer einen Kutscher und einen Hausdiener, zwei Stubenmädchen und mindestens zwei Gärtner. Mrs. Evans, die Köchin, war nach Parslow die Dienstälteste. Zwar ließ ihre Kochkunst nach Charles' Meinung Wünsche offen; dafür war sie billig – ihr Lohn betrug weniger als acht Pfund im Quartal. Und nur Jackson verdiente mehr; in diesem Jahr beliefen sich die gesamten Lohnkosten des Personals auf ganze 86 Pfund.

Das war nur ein Bruchteil der Ausgaben des Darwinschen Haushalts. Zu Weihnachten zog Emma Bilanz. Charles, wie üblich voll ‹düsterer Prognosen›, sah Armut und Ruin auf die Familie zukommen. Er machte sich Sorgen um sein Vermögen, auch als dieses anwuchs, und knauserte bei Haushaltsausgaben mit jedem Penny. Jetzt, da die Kinder fort waren, hatten sie die niedrigsten Kosten seit fünf Jahren, da für Fleisch – den größten Ausgabeposten – nur noch 221 Pfund aufgewendet wurden. Die Gesamtausgaben betrugen lediglich 900 Pfund; das waren zehn Prozent ihrer Einkünfte und Kapitalerträge. Kommunal- und Einkommenssteuern waren unbedeutend, weniger als die Personalkosten, doch selbst nach Abzug von Beträgen für Bier und Brandy, Süßigkeiten und Champagner sowie der Zuwendungen für die Jungen erzielten sie den zweitbesten bisherigen Überschuß von 4658 Pfund, der reinvestiert werden konnte.[26]

Typischerweise wurde alles im Haus aufgelistet und abgerechnet, vom Bratenfett, drei Pfund, bis zur Friendly Society. Das mit der Präzision eines Uhrwerks ablaufende Leben der Darwins beruhte auf Berechnungen; über alles wurde Bilanz gezogen. Auch Spielergebnisse wurden andächtig verzeichnet. Charles führte darüber in einem Notizheft Buch, das im Salon aufbewahrt wurde. Jeden Abend trugen er und Emma nach genau zwei Partien Backgammon ihre Ergebnisse ein, eine Praxis, die ihre Gäste erstaunte und erheiterte. Asa Grays Ehefrau hatte sich bei dem Besuch zusammen mit ihrem Mann Jahre zuvor darüber amüsiert, und am 28. Januar 1876 teilte ihr Charles den augenblicklichen Spielstand mit, ‹da sie Männer gern angeben hört, es tut ihnen so sehr wohl›. Emma, ‹die arme Haut, hat nur 2490 Spiele gewonnen, während ich, hurra, hurra, 2795mal gesiegt habe›!²⁷

Aber Notizbücher waren schließlich nichts Neues. Seit seinen Jagdzeiten in Maer wurde jeder Aspekt des Lebens auf einer Liste eingetragen. Er hatte gezählt und klassifiziert, gesiebt und aussortiert – Käfer in Cambridge, Vögel auf der *Beagle*, Bücher, die zu lesen waren, und ‹doppelt unterstrichene› Tage in seinem Gesundheitsdiarium. Alles diente irgendeinem Zweck. Seit 1866 hatte er über Tausende von Pflanzen Buch geführt, die er persönlich aus Samen aufzog, und seine Befruchtungsexperimente erreichten jetzt ihren Höhepunkt in *Cross and Self Fertilization*.

Von seinen ersten Notizen über die Evolution an hatte er vermutet, daß die Sprößlinge selbstbefruchteter Pflanzen schwächer sein würden als fremdbestäubte. In *Origin of Species* stellte er diese Behauptung auf, doch schließlich betraf sie ihn persönlich. Für Pflanzen wie für Menschen waren die Paarungen zwischen Nichtverwandten am günstigsten. Selbstbestäuber und die Nachkommen von Cousinenehen waren im Kampf ums Dasein benachteiligt. In seinem Orchideenbuch hatte er die bizarren Anpassungen vorgeführt, die dafür sorgten, daß Bienen nur fremdbestäuben konnten, und seit einem Jahrzehnt hatte er Pflanzen unter kontrollierten Bedingungen gekreuzt, um statistisch zu beweisen, daß dies vorteilhaft sei.²⁸

Es war seine erstaunlichste, sorgfältigste Versuchsreihe. Die Pflanzen mußten durch Gazeschleier vor Insekten geschützt werden. Bei manchen Gruppen führte er Fremdbestäubungen, bei anderen Selbstbefruchtungen durch. Die Samen wurden sorgfältig gesammelt, etikettiert und unter identischen Bedingungen bis zur Reife großgezogen. Die entstandenen Pflanzen wurden wiederum auf Sterilität getestet; gekreuzte Pflanzen mußten erneut gekreuzt, die anderen selbstbestäubt werden. Dies wurde über zehn Generationen durchgeführt, wobei in jedem Stadium über die Länge der Pflanzen, ihre Blütezeiten, Anzahl und Gewicht der Samenkapseln und die Quantität der in jeder Kapsel enthaltenen Samen Buch geführt wurde. Es wurden auch nicht nur ausgefallene Spezies untersucht; Trichterwinde, Fingerhut, Veilchen, Petunien und Dutzende andere wurden alle gleichzeitig getestet, so daß das Treibhaus überquoll und wegen Platzknappheit viele in ein und denselben Topf gepfercht wurden. Dann versuchte er es mit chinesischen Primeln, französischem Mohn und Treibhausexoten …

Tausende von Pinselbestäubungen waren nötig, Zehntausende von Samen mußten gezählt werden. Es war eine zwanghafte Tätigkeit; jedes Samenkorn wurde ‹ein kleiner Dämon, der ihm zu entwischen versuchte, indem er sich in den falschen Haufen einschmuggelte› oder unter dem Mikroskop ‹weghüpfte›. Wenn er jetzt über seinen Zwicker spähte, hatte er bei der Auswertung dicke Bücher voller Daten vor sich. Galton überprüfte seine Statistiken; die Zahlen quantifizierten die ‹selektive Kraft›, die verändernd auf die Pflanzen einwirkte. Kreuzungen erwiesen sich den Selbstbestäubern an Größe, Gewicht, Vitalität und Fruchtbarkeit erheblich überlegen. Und weshalb? fragte sich Darwin am Ende. Weil die Natur ‹legitime Paarungen› segnete, solche zwischen Partnern unterschiedlicher Herkunft.

Menschen oder Pflanzen, es war alles dasselbe, und die persönliche Dimension war nur zu offenkundig. Nach dem fruchtlosen Vorstoß, den Volkszählungs-Fragebogen um eine Frage nach Cousinenehen zu erweitern, hatte George mit einer Analyse von Daten nachgefaßt, die er aus Irrenanstalten und Heiratsanzeigen in der *Pall Mall Gazette* bezog. Laut seinen Statistiken, die Darwin anführte, mochten Cousinenehen zwar ‹kleine› Schäden nach sich ziehen; sie seien jedoch ‹in den oberen Schichten› tolerierbar, unter Angehörigen der gehobenen Stände, die in abwechslungsreicher Umgebung aufwuchsen.[29] Und Charles und Emma? Ihre fruchtbare Verbindung hatte kränkliche Nachkommen hervorgebracht. Offenbar war der Humus in Maer Hall und The Mount zu ähnlich gewesen. Das Paar stellte keine günstige Kreuzung dar.

Cross and Self Fertilization erwies sich als Darwins umfangreichstes Pflanzenbuch, und die Arbeit daran zog sich bis in den Sommer hin. Charles legte einen Rhythmus mit kurzen Pausen fest – vielmehr Emma tat das – und nutzte seine Zeit hervorragend; er genoß ‹mein einziges Vergnügen im Leben›, die Arbeit.

Nicht einmal die Rückschläge verdarben ihm dieses Vergnügen. Haeckel bezog gegen die ‹Pangenesis› Stellung. Taits Aufsatz wurde von der Royal Society schmählich abgelehnt. Romanes begann im geheimen Nachforschungen über Spiritismus anzustellen, auch wenn Darwin sich in dieser Hinsicht als ‹erbärmlichen Heuchler› bezeichnete. Und im Parlament wurde ein Gesetzentwurf betreffend ‹Grausamkeit gegenüber Tieren› eingebracht, der weit über die Empfehlungen der Königlichen Kommission hinausging und Miss Cobbe entgegenkam. Darwin machte seinem Ärger in der *Times* Luft; der alte Patriarch nahm darin jene Frauen aufs Korn, die sich ‹aufgrund ihrer Herzensgüte und ... ihrer profunden Ignoranz› allen Tierversuchen widersetzten.

Keine Arbeit schien Darwin zuviel zu werden. Im Mai war der erste Entwurf von *Cross and Self Fertilization* fertig; außerstande, sich einen Augenblick zu entspannen, warf er sich prompt auf eine neue Ausgabe des Orchideenbuches.[30]

Emma riß ihn davon los, fast bevor er damit anfing. Hensleigh und Fanny hatten sich auf dem Lande, in Surrey, ein Haus gebaut, und Charles und Emma nahmen ihre Einladung zu einem Besuch an; sie konnten es kaum erwarten, ihnen die gute Nachricht mitzuteilen.

41

Niemals ein Atheist

Sie sollten Großeltern werden! Franks Frau Amy war im fünften Monat schwanger. Charles und Emma hatten die Ankündigung erwartet – die Ehe währte schließlich schon zwei Jahre –, und Hensleigh und Fanny feierten mit ihnen. Selbst in den Siebzigern, sehnten sich die beiden nach einem eigenen Enkelkind und verbrachten die Wochen mit den Darwins in Gedanken an die Zukunft.

Für Charles wurde die Zeit knapp, und es blieb ihm noch so viel zu tun. Er mußte *Orchids,* das Orchideenbuch, überarbeiten und hatte zwei weitere Pflanzenbücher in petto. Die Regenwürmer faszinierten ihn nach wie vor, und er hoffte, ihre Lebensweise zu beschreiben, bevor er sich zu ihnen gesellte. Er würde ein Enkelkind haben, das an seinem Begräbnis teilnahm. Und was dann? Er stellte sich vor, wie er ‹als Toter aus einer anderen Welt› zurückschauen würde. Er sah das Baby heranwachsen, neugierig werden auf seinen Namen, nachdenken über den Autor von *Origin of Species.* Hatte er sich nicht auch oft gewünscht, mehr über seinen eigenen Großvater Erasmus zu wissen?

Als er sich inmitten neuen Lebens in der Sonne wärmte, beschloß er, eine postume Botschaft an die Familie zu verfassen. Er begann am Sonntag, dem 28. Mai 1876, auf einem großformatigen Bogen mit der Überschrift ‹Erinnerungen an die Entwicklung meines Geistes und Charakters›. Die Absätze flossen ihm rasch aus der Feder, als er seine nichtsnutzige Kindheit und seine verschwendeten Schultage durcheilte, seine Lehrzeit in Edinburgh unter Dr. Grant, seine studienfernen Interessen in Cambridge und die Spaziergänge mit Professor Henslow, seine Geplänkel mit FitzRoy auf der *Beagle* und die wachsende Liebe zur Wissenschaft. Nichts davon war zur Veröffentlichung bestimmt; da waren zu viele beiläufige Bemerkungen über alte Freunde, ganz zu schweigen von der Privatsphäre und der milden Selbstkritik. Dies war den Augen der Angehörigen vorbehalten.

Nach einem fliegenden Start schrieb er an den meisten Nachmittagen in Downe eine Stunde lang. Es fiel ihm leicht, im Gegensatz zu der mühseligen Überarbeitung von *Cross and Self Fertilization,* mit der er sich nach dem Frühstück abplagte. Er war mit seiner Geschichte in London angekommen – bei der Geologie, seinem *Journal of Researches* und Lyell –, als er sie abbrach, um ein Kapitel unter der Überschrift ‹Religiöser Glaube› zu beginnen. Chronologisch gehörte es an den Beginn seiner Ehe, doch Charles spannte einen viel weiteren Bogen. Wenige Wochen vor Amys Niederkunft kam er auf seinen langen Disput mit Emma zurück.

Nichts schränkte seine Freimütigkeit ein; dies waren ja private Seiten. Anfangs sei er nicht bereit gewesen, den Glauben aufzugeben, schrieb er, und habe sogar versucht, ‹Belege zu erfinden›, um die Evangelien zu stützen, was seine Unentschlossenheit verlängert habe. Aber genauso, wie seine kirchliche Laufbahn eines langsamen, ‹natürlichen Todes› gestorben sei, sei auch sein Glaube an das ‹Christentum als eine göttliche Offenbarung› allmählich verwelkt. Es habe keine Umkehr für ihn gegeben, nachdem er dieser Vorstellung den Todesstoß versetzt hatte. Aus dem Schwanken habe sich schließlich eine moralische Überzeugung herauskristallisiert, so strikt, daß er ‹nicht begreifen [konnte], warum sich irgend jemand wünschen sollte, daß das Christentum wahr ist›. Denn wäre es wahr, so scheine ‹die eindeutige Sprache› des Neuen Testaments doch ‹zu zeigen, daß die Menschen, die nicht glauben, und dies würde meinen Vater, meinen Bruder und fast alle meine besten Freunde einschließen, auf ewig bestraft werden. Und dies ist eine verdammenswerte Lehre›.[1]

Diese harten, aus dem Herzen kommenden Worte erinnerten an die bitteren Monate und Jahre nach dem Tod des Vaters. Aber wie stand es um die umfassenderen Fragen? Wie konnte man den Glauben an Gott und die Unsterblichkeit angesichts der widersprüchlichen Evidenz rechtfertigen? ‹Innere Überzeugungen und Gefühle› seien unzuverlässig, weil sich der menschliche Geist entwickelt habe. Die blinde Natur habe ihnen, ebenso wie anderen Instinkten, einen Überlebenswert verliehen. Während er sich also manchmal als Theist fühle, mißtraue er in anderen Momenten seinen eigenen Gefühlen, ganz zu schweigen von denen anderer.

Insgesamt war es eine harsche Anklage von Emmas sentimentalem, auf der Bibel beruhendem Glauben. Die Ungeheuerlichkeit des Niedergeschriebenen erschütterte Charles. Es offenbarte ihren intimen Konflikt, legte ihn vor der Familie bloß. Als er weiterschrieb, verwandelte sich seine Zuneigung in Tränen. ‹Ihr alle kennt eure Mutter gut›, fügte er hinzu, ‹die mir in jeder moralischen Hinsicht so unendlich überlegen ist ... meine kluge Beraterin und heitere Trösterin.› Er erinnerte an ihren ‹schönen Brief› nach der Heirat, in dem sie ihrer Sorge um sein ewiges Schicksal Ausdruck verliehen hatte. Das war ihre Seite der Geschichte, und er wollte, daß die

Familie das wußte. Dann wandten sich seine melancholischen Gedanken
Annie zu, die jetzt ‹zu einer bezaubernden Frau herangewachsen› wäre.
‹Manchmal kommen mir immer noch Tränen in die Augen, wenn ich an ihr
liebenswürdiges Wesen denke.›

Bedrückende Erinnerungen fluteten zurück. Zweimal hatte er für geliebte Menschen gesorgt, während er auf eine Niederkunft wartete: für seinen
Vater wenige Monate vor Franks Geburt und für Annie kurz vor Horace'
Ankunft. Jetzt, da Amy im Begriff war, einem Kind das Leben zu schenken,
blickte er ‹wie ein Toter› auf sein eigenes Leben zurück.

Den ganzen Juli über setzte er die Autobiographie fort. Er häufte Anekdoten aus den Gower-Street-Jahren an und durchlebte erneut die Arbeit an
Origin of Species und seinen anderen Büchern. Nach der Veröffentlichung
von *Cross and Self Fertilization* ‹wird meine Kraft [...] wahrscheinlich erschöpft sein›, schloß er. Wie der fromme alte Priester Simeon beim Anblick
des Jesuskindes ‹werde ich bereit sein auszurufen: Nunc dimittis!›.[2]

Für sein Enkelkind bereit, schloß er das Manuskript am 3. August ab und
kehrte zu seiner Daueraufgabe *Orchids* und seinen Gemeindepflichten
zurück. Er ließ 25 Pfund, ebensoviel wie Lubbock, in Reverend Ffindens
‹Pfarreistiftung› fließen.[3] Nichts als solide Ehrbarkeit für den zweiten Squire
von Downe, ein Fundament für die Zukunft. Das Baby kam am 7. September zu Hause zur Welt und wurde Bernard genannt. Es war wohlgeraten, aber seine Mutter wurde von einem Fieber befallen, das zu Krämpfen
führte. Sie verlor das Bewußtsein, und am dritten Tag war die Prognose
düster. Frank verbrachte die Nacht an ihrem Bett, ihr schwarzes Haar und
ihr schmales Gesicht streichelnd. Am 11. September um sieben Uhr früh
kam Charles herein, und sie sahen sie sterben. Amy war gerade sechsundzwanzig geworden.

Frank erlitt einen Schock. Bessy brach zusammen, und selbst Emma war
fast überwältigt. Für Charles war es ‹das Schrecklichste›, was je geschehen
war – schlimmer für Frank als ‹der Tod der armen Annie› für ihn. Beruhigend war nur die Erkenntnis, daß es Amy ‹niemals bewußt war, daß sie ihren
geliebten Mann für immer verlassen müsse›, doch das war ein ‹erbärmlicher
Trost›. Sein Sohn erlitt jetzt, was er selbst am meisten fürchtete. Emma zu
überleben war undenkbar.[4]

Monate vergingen, bis das Leben wieder in halbwegs normalen Bahnen verlief. Frank, außer sich vor Schmerz, zog mit dem Kind nach Down House.
Er erledigte mechanische Arbeiten für seinen Vater, fertigte eine saubere Abschrift von dessen Autobiographie an und korrigierte die Fahnenabzüge von
Orchids. Charles erweiterte das Haus für ihn, was noch mehr Unruhe bedeutete. Es war zwanzig Jahre her, daß Bauarbeiter mit einem schreienden
Kind wetteiferten, die tägliche Routine zu durchbrechen. An die Nordseite

des Hauses kam ein zweigeschossiger Anbau, bestehend aus einem eigens hierfür geplanten Billardzimmer unten und einem Schlafzimmer nebst Ankleideraum für Frank oben. Das alte Billardzimmer wurde Franks Arbeitsraum, neben dem seines Vaters gelegen, und am Ende des Flurs bauten die Arbeiter eine neue Vordertür ein.[5]

Im Oktober wappneten sich Charles und Emma für einen weiteren von Haeckels Blitzbesuchen, die Emma fürchtete. Wieder stürmte Haeckel das Haus und dröhnte genug ‹schlechtes Englisch›, um die Gastgeber ‹fast taub› zu machen, doch trotz alledem fand Emma ihn ‹herzlich und liebevoll›. Charles ergötzte ihn mit den skurrilen Neuigkeiten. Huxleys Schützling, der stürmische Ray Lankester, ein Experte für fossile Fische und jetzt Grants Nachfolger am University College, hatte in der *Times* ein beutelschneiderisches amerikanisches Medium, Henry Slade, entlarvt. Die Folge war, daß Slade zu drei Monaten Gefängnis mit Zwangsarbeit verurteilt wurde, obwohl die Verteidigung Wallace als Zeugen aufgeboten hatte. Emma fand, die Leichtgläubigen verdienten es, hereingelegt zu werden. Anders Charles; die Affäre sei von ‹öffentlichem Nutzen›, befand er – er hatte insgeheim zehn Pfund zu den Kosten der Strafverfolgung beigetragen.[6]

Die Pfarreiangelegenheiten machten ihm immer noch zu schaffen, auch wenn einige Erfolge zu verzeichnen waren. Vor Weihnachten wurde ein Leseraum eröffnet, worüber Emma hoch erfreut war, weil Ffinden alle seine Verhinderungsversuche nichts genutzt hatten. Charles, der bereits an seinem nächsten Blumenbuch arbeitete, hatte jetzt *Orchids* und *Cross and Self Fertilization* gedruckt vorliegen und verzeichnete im Februar 1877 einen kleinen persönlichen Sieg. Während der Agrarkrise, als die Löhne sanken und viele Arbeitsplätze in Gefahr gerieten, wollten die Landarbeiter im Dorf die Friendly Society auflösen und das Vereinsvermögen aufteilen. Nur Darwin als Schatzmeister stand ihnen im Weg. Wie es sich gehörte, sprach eine Abordnung in Down House vor, und es wurde eine außerordentliche Generalversammlung einberufen, bei der Darwin das Wort ergreifen sollte.

Angetan mit seinem schwarzen Überzieher und dem weichen Filzhut, stapfte Charles an einem frostigen Samstagabend zum George and Dragon Inn hinunter und saß, umgeben von seinen beschwipsten Dörflern, in dem stinkenden Rauchzimmer. Er hielt ihnen eine Gardinenpredigt über ihre Verluste, falls die Gesellschaft aufgelöst würde, über Sparsamkeit und über das Eintauschen langfristiger Sicherheit für ein paar Pfund in der Hand. Was sei, wenn sich die Lage weiter verschlimmere? Wer würde ohne die Gesellschaft für ihre Familien sorgen? Im Saal brach Streit aus, und Charles entfloh den blauen Rauchwolken, nachdem seine Philippika die Verschwender mundtot gemacht hatte.[7] Die Männer gingen einen Kompromiß ein; sie einigten sich darauf, zwar ihre Überschüsse zu verteilen, die Bücher aber offenzuhalten.

Als Gemeindepatriarch setzte sich Darwin für die Ideale der Selbsthilfe ein, die sein von Murray verlegter Autorenkollege Samuel Smiles vertrat. Darwin war von dessen Schrift *Self-Help* beeindruckt gewesen und schwelgte später in Smiles' Biographie von Selfmademen – Geschichten von heroischer Klugheit, von Fleiß und Unternehmungsgeist im Stil von Harriet Martineaus mythischen Armengesetz-Sagas. Die von Smiles propagierten Werte hatten England und die Evolution groß gemacht. Das entfesselte Individuum, das in einer schrankenlos konkurrenzorientierten Gesellschaft sein Eigeninteresse verfolgte, war seit einem halben Jahrhundert, seit den Tagen der radikalen Whigs und der Freihändler, das politische Ideal gewesen. Es war Darwins Manifest in *Descent of Man,* und er selbst blieb ‹durch und durch ein Liberaler›.[8]

Das bedeutete: ein Anhänger Gladstones. Darwin folgte dem großen alten Mann selbst in dessen oppositioneller Außenpolitik. Im Dezember hatte er den Aufruf zu der großen Demonstration gegen die blutigen ‹Greueltaten an Bulgaren› unterzeichnet, die Massakrierung von 15 000 bulgarischen Rebellen durch türkische Truppen. Er spendete auch für die Hilfsaktion – insgesamt fünfzig Pfund – und unterstützte Gladstones Appell an die Russen, das christliche Bulgarien gegen die moslemischen Türken zu verteidigen. Dieses Eintreten für die slawische Sache blieb nicht unbemerkt. Freigeister brandmarkten Gladstone als Opportunisten, weil er die religiösen Fanatiker gegen die protürkischen Torys aufwiegle. Für Marx war er schlichtweg ein Heuchler, ein Vertreter der Hochkirche, der sein Christentum über seinen Liberalismus stellte und einen orthodoxen zaristischen Unterdrücker einem türkischen vorzog. Marx erwartete mehr von Darwin und geißelte seine Unterstützung für die ‹schweinische Demonstration›.

Doch die politische Loyalität zahlte sich aus, und kurz darauf brachen die olympischen Götter des viktorianischen Liberalismus über das verschlafene Nest Downe herein. Gladstone machte die Runden bei seinen Hinterbänklern und verbrachte das Wochenende bei Lubbock in High Elms. In seiner Begleitung befanden sich der für Wissenschaftsfragen zuständige Abgeordnete Lyon Playfair, Mitverfechter des Vivisektionsgesetzes, der Herausgeber der *Fortnightly Review,* John Morley, der *Descent of Man* so hilfreich gepriesen hatte, und sogar Huxley, dessen schwarze Augen angesichts von Gladstones biblischem Bombast vor Verachtung blitzten. Am Samstag, dem 10. März, erschienen die Götter vor Darwins Tür und ließen sich in seinem Salon nieder. Der große Gladstone, im selben Jahr wie Darwin geboren, setzte das Interesse seines Gastgebers an dem türkischen Terrorismus als selbstverständlich voraus: er las aus den Druckfahnen seines neuesten Pamphlets vor und ‹schleuderte seine Blitze mit unerschöpflichem Furor› wie Zeus persönlich. Darwin verschlug es die Sprache; er verharrte fast zwei

Stunden in betäubtem Schweigen. Bevor Gladstone davonrauschte, fragte er Darwin, was die Evolutionstheorie für die Zukunft bereithalte. Gehöre diese Amerika, jetzt, da die östlichen Kulturen verfielen? Vielleicht eine bessere Frage für Disraeli, aber nach einigem Nachdenken wagte Darwin doch eine Antwort. ‹Ja›, erwiderte er. Als er Gladstones ‹aufrechter, agiler Figur› auf dem Rückweg ins Dorf nachblickte, murmelte er Morley zu: ‹Was für eine Ehre, daß mich ein so großer Mann besuchen kommt!› An diesem Abend vermerkte Gladstone in seinem Tagebuch lediglich die ‹angenehme und bemerkenswerte› Erscheinung seines Gastgebers.[9]

Selbst Torys zollten Darwinisten jetzt gelegentlich Tribut, wenn auch verständlicherweise nicht für deren Darwinismus. Während der Herzog von Argyll Hooker als Leiter von Kew Gardens keiner Ehrung für würdig befunden hatte, weil, wie dieser bemerkte, ‹ihm mein Darwinismus nicht gefällt›, nominierte der neue Staatssekretär für Indien in Disraelis Kabinett, der eingefleischte Anglikaner Lord Salisbury, Hooker für eine sehr spezifische, schmeichelhafte Auszeichnung, den Stern von Indien, in Anerkennung seiner gewaltigen, jahrzehntelangen Arbeit über die Flora im Himalaja. Hooker bemerkte zu Darwin, er fühle sich durch diese Auszeichnung mehr geehrt als durch alles andere, was die Krone zu vergeben habe, und nahm die Verleihung der Knighthood, des untersten Adelstitels, an.[10] Der nun zu Sir Joseph avancierte Hooker, Präsident der Royal Society, bewies somit, daß der Darwinismus nicht länger ein gesellschaftlicher Stolperstein war.

Während seine Jünger in die höchsten Kreise aufstiegen, war es Darwin noch widerwärtiger, sich mit berüchtigten Radikalen einzulassen. Sie baten vergebens um seine Unterstützung. Charles Bradlaugh, ein großer, lärmender Anwaltsgehilfe aus dem Londoner East End, war der beherrschende Kirchengegner jener Jahre. Der militante Atheist war bei jeder Wahl seit 1868 als inoffizieller liberaler Kandidat aufgestellt gewesen, zwar ohne Erfolg, doch mit der besten politischen Maschinerie eines Radikalen außerhalb der Gewerkschaften. Seinen erbitterten Forderungen nach einer Wahlrechtsreform entsprach ein ebenso entschiedenes Engagement für die Empfängnisverhütung: Geburtenkontrolle würde die arbeitende Bevölkerung vor der malthusischen Armutsfalle retten und sie aus häuslicher Sklaverei befreien. Zwei Wochen nach Gladstones Besuch empörte Bradlaugh die Besitzbürger durch die Veröffentlichung von Selbsthilferatschlägen eines amerikanischen Arztes, James Knowlton, zur Empfängnisverhütung. Das Sixpence-Pamphlet *Fruits of Philosophy* wurde als schamlose Obszönität gebrandmarkt. Bradlaugh und seine Mitherausgeberin Annie Besant (eine moderne Emma Martin, die als atheistische Mutter von zwei Kindern ihren Ehemann verlassen hatte) wurden am 18. Juni – dem Tag, an dem Darwin von Hookers Ehrung hörte – in der zentralen Londoner Strafkammer, dem Old Bailey, vor Gericht gestellt.

Der Fall machte in der gesamten Presse Schlagzeilen; seit Holyoakes Prozeß dreißig Jahre zuvor hatte es kein solches Aufsehen mehr gegeben. Er spaltete auch die Radikalen selbst. Sogar der alte, zigarrenrauchende, honorige Holyoake schnaubte, er kompromittiere sie vor einer christlichen Öffentlichkeit, die diesen ‹neomalthusischen› Unsinn als unmoralisch und subversiv verdamme. Empfängnisverhütung war ‹lasterhaft› und wurde von Malthus als Mittel zur Eindämmung des Bevölkerungswachstums verteufelt. Welcher vernünftige Mensch würde die Sexualität von der Fortpflanzung trennen und die Frauen zur Liederlichkeit verleiten, die Männer verderben und die Familie zerstören? Die Verteidiger konterten mit einem Aufgebot medizinischer und wissenschaftlicher Autoritäten, die bezeugten, daß ‹die Lehre von der Begrenzung der Familie› auch in anderen Veröffentlichungen offen diskutiert werde.[11]

Darwin war entsetzt, zwei Wochen vor dem Prozeß unter Strafandrohung vorgeladen zu werden. Bradlaugh und die Besant, die sich selbst verteidigten, hatten sich mit ihrer Annahme, der Verfasser von *Descent of Man* werde sie unterstützen, gewaltig verrechnet. Hatte er nicht die Menschheit vom Aberglauben befreit? Darwin antwortete sofort; er machte seine jahrelange Krankheit geltend, seinen erzwungenen Rückzug aus ‹allen Geselligkeiten und öffentlichen Veranstaltungen› und das ‹große Leiden›, das ein Erscheinen vor Gericht für ihn zur Folge hätte. Dahinter verbarg sich ein Bündel alter Befürchtungen: um seine Familie, seinen guten Ruf und seine Position als Friedensrichter. Falls er zur Aussage gezwungen werde, schloß er, werde er die Angeklagten verurteilen müssen, denn er hege ‹seit langem eine entgegengesetzte Meinung› über Geburtenkontrolle.

Zum Beweis schickte er einen Auszug aus *Descent of Man* mit; dort hieß es: ‹Unsere natürliche Vermehrungsrate darf, obwohl sie zu vielen und offenkundigen Mißständen führt, nicht durch irgendwelche Mittel verringert werden.› Im Klartext bedeutete das: durch ‹künstliche Mittel zur Empfängnisverhütung›. Andernfalls werde dies zu schauerlichen Konsequenzen führen; derartige Praktiken würden sich ‹auf unverheiratete Frauen ausbreiten und die Keuschheit zerstören, von der die Familienbindung abhängt; und die Schwächung dieser Bindung wäre das größte aller möglichen Übel für die Menschheit›. Ein Kompromiß sei undenkbar; ‹mein Urteil würde in schärfstem Gegensatz zu dem Ihren stehen›. Für den Fall einer erneuten Vorladung nannte er Adressen in Leith Hill und Southampton, wo er in diesem Monat Ferien machen wollte. Er hoffe jedoch, daß es nicht dazu komme, und wollte es sofort wissen, ‹da die Beunruhigung über die bevorstehende Strapaze verhindern würde, daß mir die Ruhe, die ich benötige, viel nutzt›.

‹Ruhe› bedeutete natürlich rastlose Arbeit fern von zu Hause. Zum Glück zogen die Atheisten ihre Vorladung zurück und ließen ihn mit seinen Würmern in Frieden.

Er war wieder auf der Erde zurück und pries das Bescheidene auf seine eigene, besondere Weise. Wie bei allen seinen Arbeiten spannte er den Bogen von geringfügigen, kaum merklichen Veränderungen zu deren globalen Konsequenzen. Würmer, die Schlösser begruben, Erdbeben, welche die Anden auftürmten, Flecken und Tupfen, die sich zu einem Auge oder einem Flügel fügten – er hielt Ausschau nach winzigen Wirkungen, die kumulativ und kreativ waren. Den Besuch bei William nutzte er zu einem Tagesausflug nach Stonehenge – das er zum erstenmal sah –, um zu überprüfen, wie die prähistorischen Monolithen von den Ausscheidungen der Würmer begraben worden waren. Emma befürchtete, die zweistündige Bahnfahrt und die knapp vierzig Kilometer per Droschke würden ihn ‹halb umbringen›; doch selbst nach dem Graben in der glühenden Sonne war er großartig in Form.[12]

Darwins fünfzehn Jahre anhaltende Beschäftigung mit dem Geschlechtsleben der Pflanzen kulminierte Mitte Juli in dem Band *The Different Forms of Flowers on Plants of the Same Species*; die charmante und ungewöhnliche Widmung galt Asa Gray. Das Buch setzte ein weiteres altes Thema fort, das der vegetabilen Strategien zur Sicherung von Sexualität und Fortpflanzung. Keine ‹kleine Entdeckung› machte Darwin je ‹soviel Vergnügen› wie jene, die *raison d'être* zwei- und dreigeschlechtlicher Blüten aufzuspüren – es war eine Erregung wie damals, als er die ‹Extramännchen› der Rankenfüßer entdeckt hatte: Bei heterostylen – mit Griffeln unterschiedlicher Länge ausgestatteten – Pflanzen war jedes weibliche Organ am fruchtbarsten mit dem männlichen Gegenstück der gleichen Größe, das stets auf einer anderen Pflanze vorkam.

Forms of Flowers stellte den krönenden Abschluß von Darwins Forschungen über die komplexen ‹Paarungsarrangements› der Natur dar. Es war das Tagebuch eines botanischen Voyeurs. Er hatte alle Arten von Liaisons zwischen den Blüten zustande gebracht und ihnen durch sein Okular nachspioniert. Nach endlosen manuellen Bestäubungen und Myriaden mikroskopischer Samenzählungen beschrieb Darwin die Resultate mit der gebotenen Zartheit, indem er nachwies, wie durch Fremdbestäubung ‹Legitimität› zustande kam.[13] Noch bevor die ersten Rezensionen erschienen, war er schon völlig von seinem neuen Buch über Pflanzenbewegungen in Anspruch genommen. Keine Zeit durfte verloren werden, und ebensowenig konnte er es ‹ertragen, untätig zu sein›.

Untätigkeit wäre bei ihm auch nicht zu erwarten gewesen. Er fuhr fort, Samen und Exemplare zu sammeln, wobei er sich möglichst viel von Hooker und Thistelton-Dyer in Kew zusammenschnorrte. Dazu führte er eine ausfernde Korrespondenz über die verschiedensten Themen, von Wurmkunde und Schmetterlingen bis zu beschwipsten Affen. Im Oktober fand er sogar Zeit, Gladstones Blitzen zu trotzen, indem er es wagte, ihn bezüglich des Farbensinns im Griechenland Homers zu kritisieren. In politischer Hinsicht blieb er jedoch standhaft. Ein junger russischer Botaniker, Kliment Timiriasew, kam eines Nachmittags vorbei und hörte Darwin seine uneingeschränkte Unterstützung für Rußlands Krieg gegen die Türkei erklären. Doch Monate später, als russische Truppen die Grenzen des Zarenreichs zu überschreiten drohten und England seine Interessen gefährdet sah, hielt sich Darwin an Gladstones neutrale Linie: Er unterstützte eine öffentliche ‹Deklaration gegen den Krieg› und stellte seinen Namen für eine Unterschriftensammlung zur Verfügung.[14]

Nach wie vor holte ihn Emma alle ein bis zwei Monate für eine Ruhepause aus seinem Arbeitszimmer heraus, obwohl es schwieriger wurde. Sie unterließen in diesem Herbst ihren üblichen Besuch in Southampton – der frisch verlobte William erhielt ein Geschenk von dreihundert Pfund –, doch eine Woche in dem ländlichen Abinger in den North Downs entschädigte sie dafür. Wallace, der sein idyllisches neues Haus hatte verkaufen müssen, wohnte in dem nur wenige Meilen entfernten Dorking. Darwin mied ihn. Seit dem Prozeß um das spiritistische Medium Henry Slade herrschte Verstimmung zwischen ihnen, und bezüglich der geschlechtlichen Auslese waren die Meinungsunterschiede unüberbrückbar. Wallace schien ebenso unbelehrbar wie Mivart, wenn auch unvergleichlich sympathischer. Es war fruchtlos, mit ihm über irgendein ‹schwieriges Thema› zu diskutieren. Ein Wiedersehen hätte Darwin den Urlaub verdorben, was er freilich höflicher ausdrückte. ‹Ich wollte hinüberkommen und Sie besuchen›, schrieb er, ‹aber die Fahrt ermüdet mich so, daß mich der Mut verließ.›[15]

Im November scheute Darwin nicht die Fahrt nach Cambridge, um sich ehren zu lassen. Inzwischen war sogar seine Alma Mater bekehrt. Darwinisten lehrten hier in der Professorenrobe, organisierten die neuen Labors und schanzten ihren Schützlingen Posten zu, während Hooker und seine Kollegen die Studenten über natürliche Auslese prüften. Es blieb nichts anderes übrig, als zu kapitulieren und Darwin einen Ehrendoktor in Jura zu verleihen. Am Tag der Zeremonie, am 17. November, einem Samstag, war das Senatsgebäude brechend voll, da alle einen Blick auf den bärtigen Gelehrten erhaschen wollten. Studenten füllten die Galerien, hockten auf Statuen und standen auf den Fensterbänken. Sie spannten eine Schnur quer über den Saal und ließen über der wartenden Menge eine Affenmarionette tanzen. Ein Proktor kletterte hinauf und holte das Äffchen unter Beifalls- und Unmutsäußerungen herunter. Dann erschien ein echtes ‹fehlendes Bindeglied›, ein dicker Ring, geschmückt mit bunten Bändern, der während der ganzen Zeremonie mitten im Saal hängenblieb. Als Darwin, in einen roten Talar gehüllt, hereingeleitet wurde, brachen die Studenten in einen lauten Begrüßungsschrei aus. Er strahlte zurück. Der Vizekanzler folgte in seiner scharlachroten, hermelinbesetzten Robe und führte ihn mit zwei Trägern des Amtsstabes nach vorn, wo er fünfzig Jahre zuvor seinen Immatrikulationseid geleistet hatte.

Der offizielle Universitätsredner trat vor und stimmte seine Lobeshymne an, begleitet von gelegentlichen ‹Zwischenrufen und Hohngelächter›. ‹Höchst ungezogen›, zischte Emma, die mit Bessy und den Söhnen im Auditorium saß, wenn es auch eine ‹langweilige Tirade› war. Korallenriffe, Tauben, Fliegenfallen, Rankenfüßer, Kletterpflanzen, Vulkane – alles, wofür Darwin stand, wurde in bombastischer lateinischer Prosa gewürdigt. In einer Atempause des Redners rief eine muntere Stimme aus der Menge: ‹Herzlichen Dank!›, was mit schallendem Gelächter quittiert wurde. Das war immer noch Cambridge, ruppig, aber ehrenwert; und der Festredner wahrte ebenso wie der eifrige Proktor die Dialektik und distanzierte die Würdenträger von ‹dem unliebsamen Stamm der Affen›. ‹Vielleicht werden wir doch den Trost haben, mit dem römischen Rhetor, der auch ein großer Philosoph war, sagen zu können: *Mores in utroque dispares*› – die moralische Natur der beiden Rassen ist verschieden.[16]

Es folgte die rituelle Verleihung der Ehrendoktorwürde; danach gab es Erfrischungen und Toasts. Emma hatte Kopfschmerzen; deshalb ließ sich Charles beim Diner der Philosophischen Gesellschaft von Cambridge entschuldigen, obwohl er der Ehrengast war. Hooker konnte nicht teilnehmen, doch lustigerweise schickte seine neue Frau einen Bund Bananen aus Kew. Romanes und alle Darwin-Söhne außer William waren anwesend und hörten Huxleys Trinkspruch mit einer in Watte verpackten Spitze gegen die Universität, die es versäumt habe, Darwin zwanzig Jahre früher zu ehren. Am Sonntag gab es einen ‹prachtvollen Lunch› mit George im Trinity College und Führungen durch die neuen Universitätsgebäude. Emma fühlte sich ‹großartig, mit einem Ehrendoktor in seinem seidenen Talar herumzuspazieren›. Sie sah amüsiert zu, als ehrfürchtige Professoren dem berühmten Einsiedler vorgestellt wurden. ‹Ein kräftig ... aussehender Mann mit eisengrauem Haar›, registrierte staunend der Maschinenbauprofessor James Stuart, der Darwin in seiner Werkstätte herumführte. Darwin schien ihm ‹wie mit einem schweren Hammer aus dem Felsen gehauen›. Er habe eine Aura um sich wie ein vorzeitlicher Megalith, die Huxley und all die anderen Berühmtheiten ‹in den Schatten stellt›. Das sei ‹ein Mann von Genius, in der Tat einer «der wenigen»›.[17]

Amys Tod quälte Darwin immer noch. ‹Das Leben wäre eine äußerst trübselige Leere ohne ein liebes Weib, das man aus ganzer Seele liebt›, sagte er zu Williams Verlobter Sarah Sedgwick. Die Hochzeit Ende November half ihm, die Vergangenheit zu begraben. Sarah bezeichnete sich verschämt als ‹sehr amerikanisch›, aber die Darwins liebten sie dennoch, und sie brachten auch Sarahs Bostoner Schwager, Charles Eliot Norton, bereits Sympathie entgegen. Sarah hatte eine Offenheit, die Charles an Amerikanern immer bewunderte, und eine ‹Bereitschaft, einem zu vertrauen und sich vertrauensvoll mitzuteilen›, die ihre Gegenwart wie Balsam wirken ließ.

Die Familie bereitete sich auf einen ruhigen Winter vor. Franks nun schon über ein Jahr altes Söhnchen Bernard – ‹Abbadubba› – war jedermanns Liebling. So besitzergreifend war die Familie, daß sich Charles beklagte, den Enkel nicht genug zu sehen. Die erwachsenen Sprößlinge erschienen von Zeit zu Zeit: George, der ohne Wissen seines Vaters mathematische Astronomie studierte, Leonard, der jetzt bei den Königlichen Pionieren in Chatham Chemie unterrichtete, und Henrietta, die über Weihnachten blieb, während ihr Mann von einer Blinddarmentzündung genas. Im Salon katalogisierte Litchfield sämtliche Klaviernoten Emmas, ein dankbarer ‹Liebesdienst›, während sich Charles und Frank auf der anderen Seite des Flurs von morgens bis abends mit ihren Pflanzen abplagten.[18]

Auch das war ein Liebesdienst. Der Frühling verwandelte das Arbeitszimmer in einen stechend riechenden Dschungel; Samen sproßten in Keksdosen auf dem Kaminsims, Kohl und grüne Bohnen in Bodentöpfen, Kapuzinerkresse, Zyklamen, Kakteen und Telegraphenpflanzen auf verschiedenen Tischen. Charles war in seinem Element, vernarrt in jedes Würzelchen und jede Blüte. Sie alle waren seine Gefährten; er hatte ein Gefühl für ihre ‹Lebendigkeit›. Unbefangen redete er mit ihnen und lobte oder schalt die ‹kleinen Lumpen›, weil sie ‹genau das tun, was ich nicht möchte›. Manchmal erregte eine Blüte seine besondere Aufmerksamkeit; dann streichelte er sie sanft, in kindlicher ‹Liebe zu ihrer exquisiten Form und Farbe›. Die Pflanzen bewegten ihn wie die Liebesromane, die Emma ihm am Nachmittag vorlas, und wenn sich die Pflanzen selbst bewegten, faszinierten sie ihn am meisten.[19]

Wie machten sie das? Allein im brasilianischen Urwald, hatte er das pulsierende Leben gespürt, sich windende Lianen, bebende Palmen, stachlige Zweige, die ihm den Weg versperrten. Auch in seinem Arbeitszimmer warfen die Pflanzen ihre Lassos und hakten sich fest, doch hier konnten Frank und er sie dabei ertappen. Sie ersannen Methoden zur Aufzeichnung der Bewegungen, ja sogar, wie sie die Pflanzen nach ihrer Pfeife tanzen lassen konnten. Sie pflanzten Samenkörner verkehrt herum ein und beobachteten die Wurzelspitzen Stunde um Stunde, wie sie in winzigen Zickzacklinien wieder nach unten strebten. Mit Hindernissen konfrontiert, drehten sich die Wurzeln hin und her und suchten nach einem Weg. Charles und Frank banden Schößlinge fest, pfuschten an ihnen herum und peinigten sie – und entdeckten, daß sie weiterhin spiralförmig aufwärtsstrebten, selbst in völliger Dunkelheit. Darwin vermutete zunächst, die Zickzacklinien könnten eine Reaktion auf Schwingungen sein. Doch Franks Auf-den-Tisch-Klopfen, Türenschlagen und die Ständchen, die er ihnen auf seinem Fagott brachte, widerlegten das. Jeder Teil jeder Pflanze war ständig und spontan in Bewegung, in einer unablässigen rhythmischen Rotation oder ‹Zirkumnutation›, wie die beiden es nannten.

Nachts verfolgten sie die Schlafbewegungen und ertappten Pflanzen dabei, daß sie schlaff herabhingen oder ihre Blätter zusammenfalteten. Und sie bewiesen, daß diese Bewegungen lebensnotwendig waren. Im März 1878 hatten Charles und Frank Dutzende von Pflanzen umgebracht, indem sie deren Blätter festbanden, um sie daran zu hindern, nachts herunterzuhängen oder sich zu schließen. Sie beobachteten Zimmerpflanzen, die nur schliefen, wenn man sie tagsüber im Freien ließ, und tropische Gewächse, die gar keinen Schlaf brauchten. Eine ganze Reihe ausgetüftelter Experimente hatten sie zu dem Schluß geführt, daß Gefährdung der entscheidende Faktor war. In jedem Fall hatten sich die Blätter spontan angepaßt und ihre Oberseite geschützt.[20]

Die Arbeit ging ohne Unterbrechung weiter. ‹Ich werde keine Ruhe geben, bis ich es versucht habe›, kündigte Charles an, wenn er ein weiteres ‹Narrenexperiment› ausgeheckt hatte. Frank schien es, ‹als zwinge ihn eine äußere Macht dazu›. Kein Wunder, daß sich die Anspannung für Darwin als zuviel erwies – die alte Übelkeit machte sich wieder bemerkbar. Im März suchte er Dr. Clark in London wegen der ‹unerträglich lästigen› Schwindelanfälle auf. Die ‹Trockenkost› des Arztes ließ ihn zwar nach einem ‹Weinglas voll Wasser› lechzen, aber sie schien zu helfen. Clark weigerte sich, seinem berühmten Patienten eine Rechnung zu schicken; deshalb spendete Darwin, wie immer gut bei Kasse, hundert Pfund für die Entwicklung einer pilzresistenten irischen Kartoffel – nachdem er sich vergewissert hatte, daß der betreffende Züchter in Belfast ‹hochanständig› war.

Sein alter Schiffskamerad Sulivan, jetzt Flottenadmiral, war weniger auf bürgerliche Salonfähigkeit bedacht; er kümmerte sich um die Wilden. Auf seine Bitte hin, ihm bei der Unterstützung eines Waisenjungen zu helfen, steuerten alle *Beagle*-Offiziere ihr Scherflein bei. Auch Darwin, beeindruckt von den Zivilisierungserfolgen der Südamerika-Mission, ließ sich nicht umsonst bitten. Der Junge war der Enkelsohn von Jemmy Button.[21]

Romanes war jetzt Darwins wichtigster Schützling. Der in der Wolle gefärbte Darwinist hatte in Kew mit Hooker zusammengearbeitet, Huxley in Sachen Vivisektion unterstützt und mit seiner Arbeit über die Nervenreaktionen von Quallen sogar dem barschen Spencer imponiert. Huxley, Hooker und Darwin ließen ihn zum Mitglied der Linnean Society und der Royal Society wählen. Romanes war nicht nur ein ehrgeiziger Wissenschaftler, sondern auch ein katzbuckelnder Konvertit. In Cambridge hatte er zu den Fundamentalisten gezählt. Mit derselben Inbrunst, die damals seinen preisgekrönten Essay *Christian Prayer and General Laws* ausgezeichnet hatte, diente er jetzt am Altar der Evolution. Darwin war sein neuer Gott.

Romanes beschattete seinen Meister, schrieb ihm lange Briefe und schmeichelte sich bei ihm ein. Sein ‹Respekt und seine Zuneigung› waren jedoch echt genug, und Darwin konnte nicht anders, als ihn trotz seiner ‹oberflächlichen Fehler› zu mögen. Er bewunderte seine Forschheit, seine Entschlossenheit, hoffnungslose Hypothesen zu testen, und er spornte ihn mit seinem Motto an: ‹Hartnäckigkeit führt zum Ziel!› Die Pangenesis-Experimente schlugen zwar fehl, doch Darwin bot ihm weiterhin seinen Küchengarten für Zwiebelpropfversuche an. Der Spiritismus war eine weitere Sackgasse, da sich Romanes nicht mit den Gespenstern hatte anfreunden können. Darwin begrüßte seine negativen Resultate im Zusammenhang mit Medien einschließlich des ‹gerissenen Schlitzohrs› Williams, da er deren Taschenspielereien für ‹infam und skandalös› hielt.[25]

Doch insgeheim wurde Romanes auch in seinem neuen Glauben wankend. Als seine Schwester in diesem Frühjahr phantasierend auf ihrem Sterbebett lag, sehnte er sich nach einer Versicherung, daß sie sich wiedersehen würden. Er suchte einen namhaften Spiritisten auf, einen der Verteidiger im Slade-Prozeß. Es war eine trostlose Begegnung. Romanes, der ‹furchtbar krank und verstört› aussah, schüttete ihm seine quälenden Zweifel aus. Er wollte überzeugt werden, bettelte um Fakten, ging jedoch mit leeren Händen weg. Tage später starb seine Schwester.[23] Als Darwin die Nachricht vernahm, lud er Romanes nach Downe ein.

Die Situation war emotional aufgeladen. Vier Jahre nach seinem Eintritt in den Kreis der Darwinisten hatte sich Romanes in einen unrealistischen Skeptizismus verrannt. Sein Kopf gehörte zwar der Evolution, aber sein Herz wollte nicht mitmachen. Er war ein personifiziertes Paradox, die Verkörperung von Charles' und Emmas Dilemma. Darwin sprach von seiner eigenen moralischen Empörung über die Lehre von der ewigen Verdammnis. Das Christentum stellte für beide keine Option mehr dar, doch sosehr Romanes sich auch bemühte, konnte er ebensowenig an Gott und an die Unsterblichkeit glauben. Was die Sache noch schlimmer machte: Er war gerade auf Brautschau und würde bald selbst eine fromme Gemahlin haben. Romanes bat Darwin um Hilfe.

Es war das alte, ‹furchtbar schwierige› Problem, ‹sich offen über Religion zu äußern›. In seiner ersten Aufwallung von evolutionärem Enthusiasmus zwei Jahre zuvor hatte Romanes eine geharnischte Widerlegung des Theismus verfaßt, aber dann Darwins Rat befolgt, erst einmal innezuhalten. Jetzt fühlte er sich zur Veröffentlichung getrieben, seiner Überzeugungen gewiß, vielleicht traurig, aber erpicht auf ein Publikum. Er ließ sich nicht aufhalten, genausowenig, wie Vater Darwin einst Charles hatte davon abbringen können, Emma sein Herz zu öffnen. Darwin empfahl ihm, anonym zu veröffentlichen, so daß seine Argumentation allein nach deren Verdienst beurteilt werden würde. Wie Darwin wußte, war es auch hilfreich, sich vor Augen zu halten, wie sich die religiöse Betrachtungsweise entwickelt hatte. Er überließ Romanes seine Notizen und ein ungenutztes Kapitel von *Natural Selection* über den Instinkt und veranlaßte ihn dadurch zum Studium der vergleichenden Psychologie.[24]

Darwins Ratschläge zahlten sich aus, und Romanes erhielt im August stürmischen Beifall für seinen Vortrag vor der British Association über mentale Evolution. In Ermangelung real vorhandener Vorfahren, so berichtete die *Times,* habe er eine unschöne Ersatzkollektion von ‹Wilden, kleinen Kindern, Schwachsinnigen und ungebildeten Taubstummen aufmarschieren lassen›. Diese dubiosen Stellvertreter schienen zu zeigen, daß ‹Mensch und Tier geistig und vielleicht sogar moralisch viel mehr miteinander gemein haben, als man sich träumen läßt›. Sie alle seien in einem niedrigen Entwicklungsstadium ‹steckengeblieben›. Darwin genoß das alles, insbesondere die Lobrede im ‹großen Finale›. Er solle sich ‹einen jungen Affen halten, um seinen Geist zu beobachten›, empfahl er Romanes. Frank fügte eine weniger praktikable Anregung hinzu. ‹Frank sagt, Du solltest Dir einen Schwachsinnigen, einen Taubstummen, einen Affen und ein Baby in Deinem Haus halten!›

Schwachsinnige waren unnötig, da die Familie mit ihren eigenen Rückschlägen zu kämpfen hatte. Hensleigh hielt borniert am Spiritismus fest, obwohl sein Lieblingsmedium Williams im September als Scharlatan entlarvt worden war. Noch alberner: Er bezeichnete Williams jetzt als Scharlatan mit übernatürlichen Kräften und behauptete, auf einer von Williams' Séancen ein Gespenst mit schmutzigen Gewändern und so weiter gesehen zu haben. Ob das nicht eine ‹psychologische Kuriosität› sei, meinte Darwin erstaunt. Er versuchte Williams in der Presse bloßzustellen in der Hoffnung, daß andere Blätter die Sache aufgreifen würden. Er verabscheute Medien, diese Gaukler der Transzendenz. Hier wurden doch nur die Furcht und der Schmerz von Menschen für eine Handvoll Münzen manipuliert![25]

Im November fuhr Romanes, mit seinem neuen Buch in der Hand, zu den Litchfields, wo sich Charles und Emma aufhielten. Er stellte ihnen seine Verlobte vor und überreichte ihnen ein Exemplar von *A Candid Examination of Theism* von ‹Physikus›. Darwin war nicht begeistert. Man könne genausogut versuchen, ‹den Mitternachtshimmel mit einer Kerze zu erleuchten›, wie die Metaphysik mit dem Licht der Vernunft zu erhellen. Aber er versprach, sich das Buch anzuschauen, und stellte zu Hause fest, daß er es nicht aus der Hand legen konnte. Romanes war ein tragischer Geist. Entschiedener zur Ungläubigkeit bekehrt, als Darwin es je war, warf er sich dem ‹einsamen Mysterium der Existenz› mit ‹äußerstem Kummer› in die Arme. Das Universum ohne Gott habe ‹seine liebliche Seele verloren›, und die biblische Mahnung, zu ‹wirken, solange es Tag ist›, nahm eine erschreckende Gewalt an durch ihre Schlußworte: ‹Es kommt die Nacht, da niemand mehr wirken kann.› Die Philosophie sei zu ‹einer Meditation nicht nur des Todes, sondern der Auslöschung geworden›.

Eilig schrieb Darwin Romanes einen Brief. Seine Toleranz für religiöse Literatur sei zwar gering, aber er habe *Candid Examination* mit ‹*sehr großem Interesse*› gelesen. Nicht daß es ihn überzeugt habe. Romanes' Argumentation schließe nicht aus, daß Gott am Beginn des Universums Materie und Energie mit der Fähigkeit geschaffen habe, sich zu organisieren und sich zu entwickeln. Auch sei es nicht notwendigerweise ‹*menschlicher*›, Gottes Existenz zu bezweifeln, nur weil es ‹rationaler› erscheine. Falls der Theismus recht habe, ‹dann ist der Verstand vielleicht nicht das einzige Instrument, um dessen Wahrheit zu erkennen›. Unsere instinktiven Gefühle wiesen zwar vielleicht zum Himmel – obwohl, wer könne das sagen? Doch der frisch verlobte Romanes war in einem ‹«schwachsinnigen» Geisteszustand›, unfähig, über Unwägbarkeiten nachzudenken. ‹Du wirst mich zum Teufel wünschen, daß ich Dich behellige›, entschuldigte sich Darwin und legte dem Brief ein Photo von sich für ‹die künftige Mrs. Romanes› bei.[26]

Die Welt wollte Darwins religiöse Ansichten erfahren. Jetzt, da er mit öffentlichen Ehrungen überhäuft wurde, war er in seine delphische Orakelphase eingetreten. Die Zudringlichkeit der Predigtschreiber, der Missionare und der spirituellen Voyeure war unerträglich. ‹Die Hälfte aller Narren von ganz Europa schreibt mir, um mir die dümmsten Fragen zu stellen›, ächzte er. Manchmal schaffte er eine knappe Abfertigung – ‹Ich bedaure, Ihnen mitteilen zu müssen, daß ich nicht an die Bibel als göttliche Offenbarung glaube und daher auch nicht an Jesus Christus als den Sohn Gottes› –, seltener eine zurückhaltende Erwiderung, besonders dann, wenn sein Briefpartner prominent war.[27]

Nein, antwortete er einem jungen Grafen, der bei Haeckel studierte, er glaube nicht, ‹daß es je eine Offenbarung gegeben hat. Was ein künftiges Leben betrifft, so muß jeder Mensch für sich zwischen widersprüchlichen, vagen Wahrscheinlichkeiten abwägen›. Nein, entgegnete er auf den Sermon des Prälaten Edward Pusey, *Origin of Species* habe ‹überhaupt keinen Bezug zur Theologie›, obwohl sein eigener ‹Glaube an das, was man einen persönlichen Gott nennt›, zu dem Zeitpunkt, als er es schrieb, ‹so fest war wie der von Dr. Pusey selbst›. Nein, blockte er den Erzbischof von Canterbury ab, er werde nicht an einer ‹privaten Konferenz› frommer Wissenschaftler im Lambeth Palace zur Harmonisierung von Wissenschaft und Religion teilnehmen, denn er ‹sehe nicht, daß irgendein Nutzen daraus erwachsen› könne.

Ausflüchte und Dementis waren sicherer als Deklarationen. Darwin war nicht bereit, sich aufs Glatteis führen oder bloßstellen zu lassen. Mochte

Huxley sich mit Bischöfen anlegen, Tyndall pantheistischer Pyrotechnik frönen – er würde ihnen dafür Beifall zollen. Aber er beabsichtigte, den Frieden zu wahren – zum Wohlgefallen seines Pfarrers. Brodie Innes (der ihm Puseys Predigt geschickt hatte) beklagte die ‹unklugen und scharfen› theologischen Angriffe auf den liebenswürdigen, kränklichen Gutsherrn. Sie waren in den meisten pfarreifremden Dingen verschiedener Ansicht, und Brodie Innes ahnte die Verachtung seines Freundes für das Christentum. Dennoch erklärte er schmunzelnd: ‹Wie gut würden die Dinge vorankommen, wenn andere Leute wie Darwin und Brodie Innes wären!›[8]

Was Charles wirklich glaubte, ging ‹niemanden außer mir selbst etwas an›. Außerhalb von Down House wußten es nur Erasmus und einige Vertraute. Lediglich der *Index* in Amerika hatte sein Credo veröffentlicht. Doch Anfang 1879 äußerte er sich etwas offener, als er daranging, sich mit der Geschichte seiner Familie zu befassen.

Es begann mit einem ehrerbietigen Essay über seinen Großvater Erasmus. Er erschien aus Anlaß von Darwins siebzigstem Geburtstag in der deutschen Wissenschaftszeitschrift *Kosmos*. Im März vereinbarte Darwin mit dem Verfasser, Ernst Krause, die Übersetzung in Buchform herauszubringen, was ihm die Möglichkeit gab, ein biographisches Vorwort zu schreiben. Das Bild seines Großvaters mußte dringend zurechtgerückt werden, nachdem Samuel Butlers infame Schrift *Evolution Old and New* den alten Erasmus Darwin an die Spitze des Darwinschen Pantheons gehoben und *Origin of Species* als ‹intellektuelle Taschenspielerei› abgetan hatte. Charles schickte Butlers Buch mit der Empfehlung an Krause, ‹nicht viel Pulver und Blei darauf zu verschwenden›, da Butler nichts von Naturwissenschaft verstehe.

Mit Genuß machte er sich an die Biographie. In verstaubten Briefen und Manuskripten stöbernd, hatte er das Gefühl, ‹mit dem Toten in Verbindung zu treten›. Bis Mai hatte sich Großvater Erasmus an seiner Seite materialisiert. Nicht daß seine Naturwissenschaft viel taugte; sie war zu hemmungslos theoretisch. Doch sie hatten eine umfassendere gesellschaftliche und evolutionistische Weltanschauung gemein. Der alte Erasmus war ein humanistischer Liberaler gewesen, der sich für Bildungsreformen und technischen Fortschritt einsetzte. Seine intellektuellen und moralischen Qualitäten waren herausragend, und auch er wurde als radikaler Atheist verleumdet. Das war beruhigend zu wissen.[29]

Gestärkt kehrte Charles an seine eigene Biographie zurück, die seit drei Jahren brachgelegen hatte. Er machte sich liebevolle Notizen über seinen Vater: die enorme Beobachtungsgabe, die Gedächtnisleistungen, den erstaunlichen Geschäftssinn Robert Darwins, der ‹sich über fast alles eine Theorie gebildet› habe, obwohl sein Denken nicht strikt wissenschaftlich gewesen sei. Sein Mitgefühl und seine Klugheit hätten ihn zu einem moralischen Leitstern für seine Söhne gemacht. Charles erinnerte sich besonders an das Verhalten seines Vaters gegenüber Frauen, wie er mit ihren Gefühlen umging, und an seinen vorehelichen Rat, die religiösen Zweifel für sich zu behalten – ein guter Rat, wie sich herausstellte. Zu oft wurden Ehefrauen von Sorgen um das Seelenheil ihrer freigeistigen Männer gequält und gaben ihre Pein in irgendeiner Form an diese weiter.

Charles hatte an keine Erlösung geglaubt und deswegen gelitten. Jetzt sprach er sich auf dem Papier frei. Als jemand ‹ohne festen und immer vorhandenen Glauben an die Existenz eines persönlichen Gottes, an ein künftiges Leben mit Strafe und Lohn› habe er dennoch nicht in Furcht vor göttlichem Zorn gelebt. Statt dessen sei er mit gutem Gewissen seinen ‹sozialen Instinkten› gefolgt. Seine freigeistigen Darwinschen Vorfahren hätten ihm weder ein Gefühl von moralischer Unredlichkeit noch ein Schuldgefühl gegeben. ‹Ich empfinde keine Reue, weil ich irgendeine große Sünde begangen hätte›, versicherte er Emma und der Familie. ‹Ich glaube, daß ich richtig gehandelt habe, indem ich stets der Wissenschaft folgte und ihr mein Leben widmete.›

Während er schrieb, traf ein weiterer neugieriger Brief ein. Ob er an Gott glaube? Ob Theismus und Evolution vereinbar seien? Er antwortete, ein Mensch könne zweifellos ‹glühender Theist und gleichzeitig Evolutionist› sein; man brauche nur an Charles Kingsley und Asa Gray zu denken. Er selbst sei ‹niemals ein Atheist im Sinne einer Leugnung der Existenz eines Gottes gewesen›, aber er empfinde immer noch eine tiefe Ungewißheit. Wenn er ein Etikett tragen müsse, dann würde ihm das von Huxley eher entsprechen. ‹Ich glaube, daß es im allgemeinen (und mit zunehmendem Alter immer mehr), aber nicht immer die zutreffendere Beschreibung meiner Gesinnung wäre, mich als Agnostiker zu bezeichnen.›[30]

Selbst wenn er in seiner hellsichtigen Verwirrung gelegentlich agnostisch in bezug auf seinen Agnostizismus war, so war dies in den letzten Jahren doch ein ehrenwerter Standpunkt geworden.

Biographie war freilich nicht seine Stärke. Die Skizze über seinen Großvater fiel ihm schon schwer genug. Sie sei todlangweilig, fand er, und den ganzen Sommer lang verstümmelte er die Fahnen. Sie sei noch schlimmer, meinte Henrietta: zu lang und zu freimütig. Während Krause an dem deutschen Text herumtüftelte, strich sie den ihres Vaters zusammen, indem sie alle religiös riskanten Stellen entfernte. John Murray war der einzige, der mit dem Endprodukt zufrieden war, und er bot an, von *Erasmus Darwin* auf gut Glück tausend Exemplare herauszubringen und den Gewinn zu teilen. Charles, der sich als ‹kompletter Narr› empfand, weil er die Aufgabe übernommen hatte, schwor, sich ‹nie wieder von meiner eigentlichen Arbeit weglocken zu lassen›.[31]

42

Bei den Würmern unten

Darwin ermüdete jetzt rascher und hatte sich damit abgefunden, obwohl er immer noch mehrere Stunden täglich intensiv an Wurzeln und Trieben arbeitete. ‹Ich habe nichts anderes zu tun›, seufzte er in einem Brief an seinen alten *Beagle*-Gefährten Admiral Sulivan, ‹und ob man ein Jahr früher oder später verschlissen ist, bedeutet nur wenig.› Emma, munter wie immer, hatte ein Auge auf ihn. Wenn sie nicht aufpaßte, würde er sich zu Tode arbeiten.

Im Juni 1879 brachte sie ihn für ein Wochenende nach Dorking, und im August verbündete sie sich mit den Litchfields, um ihn für einen Monat in den Lake District zu entführen.[1] Nachdem sein ‹gräßliches Untergangsgefühl› beim Verlassen von Down House sich verflüchtigt hatte, lebte Charles auf. Sie machten das Waterhead Hotel am See von Coniston zu ihrem Standquartier und unternahmen von dort Ausflüge zur Furness Abbey und nach Grasmere. Mehrmals überquerten sie den See, um sich mit Litchfields Freund vom Arbeiter-College, John Ruskin, zu treffen.

Ruskin hatte soeben die Slade-Professur in Oxford aufgegeben und sich in Brantwood Cottage niedergelassen, um sich auf seine Kunstgeschichte zu konzentrieren. Der Darwinismus war in seinen Augen Mumpitz, eine Menge überflüssiger Konflikte, doch er empfing ‹Sir Charles› mit Höflichkeit und erläuterte ihm die Turner-Gemälde in seinem Schlafzimmer. Darwin tat sein Bestes, um Interesse für sie aufzubringen. Er konnte ‹absolut nichts mit dem, was Ruskin in den Bildern sah›, anfangen; dagegen mißfiel ihm ein Tizian, worüber sein Gastgeber ‹sehr froh› war. Dann wandte sich das Schlafzimmergespräch behutsam der geschlechtlichen Auslese mit Ausführungen über Pfauen, Primaten und Balzverhalten zu. Als die Gruppe aufbrach, holte Ruskin noch einige schöne Studien von Pfauenfedern hervor, ohne zu merken, wie sehr das Aufhebens um solche Objekte seinem Gast auf die Nerven ging. Die Gereiztheit war gegenseitig. Ruskins sexuelle Schwierigkeiten – er vollzog seine Ehe nicht, nachdem er die erschreckende Ent-

716

deckung gemacht hatte, daß seine junge Braut Schamhaare besaß – scheinen die Beobachtung des Kunstgelehrten beeinflußt zu haben, Darwin lasse ‹ein tiefes und zärtliches Interesse für die grellgefärbten Hinterhälften bestimmter Affen› erkennen. Er hatte recht; Darwin lachte, als er es hörte.²

Nach der Rückkehr der Darwins kam Haeckel nach Downe und setzte Charles' Nerven zu, indem er eine Stunde lang über die Freiheit der Wissenschaft ‹brüllte›. Obwohl der dandyhafte Litchfield Haeckels ‹überschäumende Art und seinen muskulösen Körperbau irgendwie sympathisch› fand, war sich Emma nicht so sicher. Charles zog sich zu seinen glücklicherweise stummen Pflanzen zurück. Er stellte einen weiteren Gärtner ein und sorgte sich wegen der erfolglosen Belfaster Kartoffelversuche, für die er im vergangenen Jahr hundert Pfund aufgewendet hatte. Der Züchter war jetzt in ‹großer Bedrängnis›, da sein ganzes Werk in Gefahr war. Vielleicht würde die Handelskammer Geld herausrücken, um die Ernährung der Iren zu sichern? Darwin wandte sich an den Ständigen Staatssekretär, Thomas Farrer – Effie Wedgwoods Ehemann –, allerdings vergeblich. Es sei ‹sehr schwierig für Minister, zu entscheiden, was in solchen Fällen zu tun ist›, war Farrers ausweichende Antwort; sie hätten es ‹im Unterhaus immer mit Nörglern› zu tun. Charles wetterte über die Art und Weise, wie ‹Politiker ihre Zeit mit Gezänk verschwenden und es verabsäumen, etwas Nützliches zu tun›.³

In Wirklichkeit war Farrer mit seinen Gedanken anderswo. Als Vater einer einzigen Tochter (aus erster Ehe), Ida, war er entschlossen, eine gute Partie für sie zu finden. Ida hatte sich in Horace, den jüngsten und schwächlichsten der Darwin-Söhne, verliebt. Horace hatte zwar eine Neigung zur Technik, aber keine Laufbahn vor sich; er trieb sich immer noch in Maschinenwerkstätten herum und lebte von Zuwendungen der Familie. Seine Zukunft sah düster aus; so jedenfalls hatte Farrer von dem Moment an, in dem Horace und Ida erstmals die Frage einer Verlobung anschnitten, vernehmbar gemurmelt. Ida sei zu gut für ihn. Der weltmännische Farrer – Eton, Balliol, Studium der Rechte – hatte auf einen Bankier oder einen hochkarätigen Anwalt als Schwiegersohn gehofft. Ein kränklicher, erfolgloser Darwin genügte ihm einfach nicht.

Emma und Charles fühlten sich ‹schrecklich›, Hensleigh und Fanny war es peinlich, und das bis über die Ohren verliebte Paar ließ nicht mit sich handeln. Die beiden setzten ihren Kopf durch, und vor Weihnachten wurde man sich über die Konditionen einer Heirat einig. Darwin versicherte Farrer, sein Sohn werde genug erben, um sich bequem zur Ruhe setzen zu können; zum Beweis schenkte er Horace Eisenbahnaktien im Wert von 5000 Pfund. Die Hochzeit fand am 3. Januar 1880 in der St. Mary's Church am Bryanston Square in London neben dem Haus der Litchfields statt. Doch die Beziehungen blieben frostig, und beim Empfang sprachen die Familien immer noch nicht miteinander.⁴

Weitere kleine Stürme standen bevor. Frank, der inzwischen dem Schulausschuß von Downe angehörte, war in einen Versuch verwickelt, Ffinden als Vorsitzenden auszubooten. Der Pfarrer räumte seinen Platz jedoch nicht geräuschlos. Als ‹*gesetzlich* bestalltes Oberhaupt› der Pfarrgemeinde, so bekam Frank zu hören, werde er sich nicht herablassen, unter dem Vorsitz eines anderen zu dienen. Auch sei es nicht ‹dem Amt eines Priesters angemessen, sich unterzuordnen, wenn Sie verstehen, was ich als Vertreter der Staatskirche meine›. Demokratie war zuviel für Ffinden, und er legte sein Ausschußamt nieder. Aus Bosheit schickte er das Rücktrittsschreiben an Franks Vater.[5] Das tat natürlich weh, aber Emma und Bessy besuchten den Gottesdienst ja längst in der Nachbarpfarrei Keston.

Pfarrer mochten zwar wie erwürgte Schlangen neben Herkules' Wiege am Boden liegen, doch neue Feinde erhoben sich wie aus Drachensaat. Apostaten machten Darwin die größte Sorge, jene Jünger, die sich in Feinde verwandelt hatten: erst Mivart und jetzt Samuel Butler. Und das Bewußtsein, daß diese verfemten Evolutionisten inzwischen unter einer Decke steckten, machte die Sache nicht leichter. ‹Haben Sie Butlers *Evolution Old and New*?› fragte Mivart Owen. ‹Sein Wahnsinn hat Methode, und es wird, glaube ich, dazu beitragen, den aufgeblasenen Luftballon der «natürlichen Auslese» zum Platzen zu bringen.›[6] Owen, Mivart und Butler bildeten jetzt die dämonische Dreifaltigkeit.

Samuel Butler war ein Enkel von Darwins altem Schuldirektor in Shrewsbury. Sein Vater war mit Darwin in Cambridge gewesen, wo er sich auf das Priesteramt vorbereitete, und hatte ihn auf seinen Käferjagden begleitet. Selbst für die Kirche bestimmt, hatte Butler junior *Origin of Species* gelesen und war zu einem eifrigen Darwinisten und Ungläubigen geworden. Seine anonymen Romane *Erewhon,* eine antichristliche Satire, und *The Fair Haven,* ein hinterhältiger Angriff auf die Auferstehung, hatten Darwins Beifall gefunden. Er hatte Downe zweimal besucht, mit Charles und Erasmus in London diniert und auch Illustrationen für Darwins *Expression of the Emotions* beigesteuert. Aber Mivarts abtrünnige Schrift *On the Genesis of Species* hatte ihn bezüglich der natürlichen Auslese desillusioniert, und deren Ausbeutung durch die Materialisten entfremdete ihn noch mehr. ‹Ich fürchte mich nicht vor den Bischöfen und Erzbischöfen›, erklärte Butler. ‹Männer wie Huxley und Tyndall sind meine natürlichen Feinde.› Er las *Origin of Species* erneut und nahm rasch Abstand von dessen Inhalt, überzeugt davon, daß Darwin die Welt hinters Licht geführt habe, indem er seine evolutionistischen Vorläufer abwertete, deren Ehrenrettung Butler in *Evolution Old and New* betrieb. Das Buch sollte den entstandenen Eindruck berichtigen, Dr. Erasmus Darwin über seinen degenerierten Enkel stellen und der Auffassung zum Durchbruch verhelfen, daß der Geist die treibende Kraft in der Natur sei, nicht die Materie. Das Leben entwickle sich bewußt durch den Wandel der Lebensweise, behauptete Butler, nicht mechanisch durch natürliche Auslese.[7]

Er war darauf vorbereitet, *Erasmus Darwin* persönlich zu nehmen. Nicht überraschenderweise; in seinem Vorwort verbürgte sich Darwin für die Zuverlässigkeit der Übersetzung von Krauses Artikel. Er wies darauf hin, daß dieser *vor* Veröffentlichung von *Evolution Old and New* auf deutsch erschienen sei. Butler führte jedoch Passagen der Übersetzung an, die erst *nach* seinem Buch entstanden sein konnten – darunter eine Diskreditierung von Versuchen, Erasmus Darwin zu rehabilitieren, die von ‹einer Denkschwäche und einem geistigen Anachronismus› zeugten, ‹um die man niemanden beneiden kann›. Darwin gab zu, daß Krause seinen deutschen Text vor der Übersetzung überarbeitet habe, ‹eine so verbreitete Praxis›, daß sie ihm nicht erwähnenswert erschienen sei. Butler interpretierte das so, daß der Affront beabsichtigt gewesen sei. Er protestierte beim *Athenaeum* (einst die Hochburg des ätzendsten Antidarwinismus) dagegen, daß Darwin eine Verurteilung von *Evolution Old and New* verschleiert habe, indem er seine Worte einem ‹unvoreingenommenen› Dritten in den Mund gelegt habe.[8]

Emma äußerte sich empört über Butlers ‹widerlichen, boshaften Brief›. Charles war genauso wütend darüber. Ignorante theologische Angriffe konnte er ertragen, aber vor der literarischen Welt der ‹Doppelzüngigkeit und Falschheit› geziehen zu werden, war zuviel. Lieber ließ er sich einen Atheisten oder einen Neomalthusianer nennen. In Panik unternahm er krampfhafte Rechtfertigungsversuche. Eine Woche lang entwarf er im Februar Antworten und verschickte sie mit der Bitte um Rat an die Angehörigen. Der erste Entwurf gefiel niemandem, über den zweiten war die Meinung geteilt; Litchfields juristischer Rat lautete, Butler völlig zu ignorieren. Eine Antwort werde nämlich ‹*genau* das Resultat haben, das er sich am meisten wünscht ... eine «Butler-Darwin-Affäre», wie die Franzosen sagen würden›. Huxley stimmte dem zu; er vermutete, Mivart habe Butler ‹gebissen und mit Darwinophobie angesteckt. Das ist eine gräßliche Krankheit, und ich würde jeden Hundesohn erschießen, den ich damit herumlaufen sähe›.

Totschweigen war die Lösung. Darwin hörte auf Huxleys Rat, erleichtert darüber, daß ihm die Pein einer Selbstverteidigung erspart blieb. ‹Ich fühle mich wie ein Mann, der aufgeknüpft werden sollte und soeben begnadigt wurde›, seufzte er abgekämpft. Butler fühlte sich natürlich wie einer seiner vordarwinschen Evolutionisten: ignoriert. Für ihn war Darwins Schweigen ein unausgesprochenes Schuldeingeständnis.[9]

Das Frühjahr 1880 brachte den Darwins die traurige Tatsache zum Bewußtsein, daß eine Generation abtrat. Die Nachricht von Josiah Wedgwoods Tod kam. Emmas Bruder war fünfundachtzig geworden. Niemals habe es einen ‹liebenswürdigeren Menschen› gegeben, tröstete Charles

Hensleigh. Emma blieb dem Begräbnis ihres Bruders fern, weil sich Charles unpäßlich fühlte. Er war auch nicht wohl genug, um an der Beisetzung von Fox teilzunehmen. Sie hatten sich im Lauf der Jahrzehnte auseinandergelebt, fühlten sich aber durch lebhafte Erinnerungen verbunden. Charles blickte von seinem Manuskript über Pflanzenbewegungen auf, schloß die Augen und reiste fünfzig Jahre zurück. Vor sich sah er Fox' ‹strahlendes Gesicht, so voller Intelligenz› bei ihren Frühstücken im Christ's College; er konnte sogar die Stimme seines Cousins ‹so klar hören, als ob er hier im Arbeitszimmer wäre›.[10]

Viel Zeit mußte vergangen sein, damit Huxley seinem Vortrag vor der Royal Institution den Titel geben konnte: ‹The Coming of Age of the Origin of Species›. Waren seit der Veröffentlichung des Buches wirklich schon einundzwanzig Jahre vergangen? Charles meinte, der Titel beziehe sich auf ‹das Heranreifen des Themas›, bis ihm Emma auf die Sprünge half. Ohne Zweifel sprach Huxley in seinem Vortrag den Schlüssel zum Tor der Naturwissenschaft Darwin zu. Es war Propaganda und enthielt als solche keine geringe Verdrehung der Fakten, behauptete Huxley doch, um 1859, vor Erscheinen von *Origin of Species*, sei man noch von ‹großen und plötzlichen physischen Umwälzungen, globalen Schöpfungen und Auslöschungen› ausgegangen. (Das stimmte aber nicht; Owen hatte der Welt in den 1850ern mit seiner Theorie von der einheitlichen fortwährenden Entstehung einen dramatischen Fortschritt beschert.) Die Bulldogge Huxley zeigte sich erneut in Bestform. Charles las die Berichte über den Vortrag in den Ferien, die er mit den Farrers in Abinger verbrachte. Jetzt, da die Familien wieder miteinander redeten, amüsierte er sich, vor Vergnügen glucksend, mit Farrer über die Pressekommentare. Dann las er den Text. Die Verdrehung war geradezu fatal. Sein großer Leitgedanke, die natürliche Auslese, jene Theorie, der er die Hälfte seines Lebens gewidmet hatte, wurde nicht einmal erwähnt.

Huxley hatte sich immer unverbindlich über die Auslese geäußert. Jetzt trugen Mivart und andere Kritiker den Sieg davon. Die Auslese wurde schmählich über Bord geworfen, als behindere sie nur den Glauben an das eigentliche ‹Faktum der Evolution›. Die Bulldogge hätte den Schwanz einziehen sollen. Darwin räumte ein, daß auch er der natürlichen Auslese manchmal ‹eine ganz untergeordnete Bedeutung› beimaß. Zu anderen Zeiten, wenn er den Überlebenswert irgendeines ‹nutzlosen› Teils einer Pflanze entdeckte, wußte er wieder, daß sie allgegenwärtig war. Doch niemals hatte er einen Augenblick lang daran gezweifelt, daß seine ‹Göttin «natürliche Auslese»› überhaupt existierte. Es war traurig, daß es so wenige wahrhaft Überzeugte gab. Er hatte die ganze Welt zur Evolution bekehrt und faktisch niemanden zur natürlichen Auslese, nicht einmal seine Mitstreiter.[11]

Bei weitem die beste Nachricht im April war die vernichtende Niederlage der Torys nach Gladstones brillantem Wahlkampf. Mit siebzig zog Gladstone seine zweite Regierungsperiode als einen moralischen Kreuzzug auf; der Union Jack flatterte für die ganze Menschheit, in Ägypten und in Transvaal, in Irland und im Nahen Osten. ‹Barmherzigkeit und Profite waren zusammengetroffen, Ökonomie und Frieden reichten sich die Hände.› Emma und Charles waren außer sich vor Freude, trotz des Eigensinns ihrer Söhne. Frank ‹ist ziemlich gleichgültig›, meinte Emma achselzuckend. ‹George sorgt sich ein bißchen in der falschen Weise›, und die Meinungen der Litchfields seien ‹diametral entgegengesetzt›. Aber sie und Charles hatten das Land hinter sich, und Tante Elizabeth im Dorf war mit von der Partie bei dem ‹Champagner, den sie im Geiste tranken›. Beflügelt von der Woge des Liberalismus, überwies Charles Abbots ‹ausgezeichnetem Blatt› *The Index* eine große Spende und wünschte ihm ‹herzlichst› Erfolg bei seinen ‹bewundernswerten Bemühungen um die gute Sache der Wahrheit›.[12] Religionsfreiheit war immer noch Darwins Credo.

Doch der Liberalismus hatte Grenzen. Am äußersten Rand der Partei wurde Bradlaugh schließlich als Abgeordneter von Northampton in das Unterhaus gewählt. Nach dem ungünstigen Ausgang des Prozesses um *Fruits of Philosophy* hatte seine Kenntnis juristischer Finten ihn und Annie Besant zwar vor dem Gefängnis bewahren, aber seinen Ruf nicht verbessern können. Die christliche Nation stand jetzt vor der Aussicht, daß ein erklärter Atheist und verurteilter Herausgeber obszöner Schriften auf die Bibel schwören würde, um seinen Sitz im Unterhaus einzunehmen. Ob dieser Ungeheuerlichkeit gerieten viele Abgeordnete in Rage. Jeder Trick der parlamentarischen Geschäftsordnung wurde angewandt, um Bradlaugh auszuschließen. Man verbot ihm, den Treueid zu leisten, der eine Bezugnahme auf Gott enthielt, gestattete ihm aber auch nicht, eine eidesstattliche Erklärung abzugeben wie die Quäker. Atheisten seien von Natur aus unmoralisch, hieß es; ihr Wort bedeute nichts, das Unterhaus könne sie nicht aufnehmen. Northampton würde nochmals wählen müssen–verantwortungsvoll.

Ende Mai war der Atheismus zu einem brennenden politischen Thema geworden. Hochrangige Ausschüsse saßen darüber zu Gericht, die Presse fachte die Flammen an, und ‹Bradlaugh› war in aller Munde. Auch die Säkularisten stürzten sich ins Getümmel. Edward Aveling, ein junger Anatomiedozent, der sich sehr für die Popularisierung der Evolutionsidee einsetzte, hatte sich mit Annie Besant zusammengetan (in mehr als einer Hinsicht, obwohl beide verheiratet waren); die beiden reisten durchs Land und hielten flammende Reden über christliche Heuchelei und die Beschneidung von Bürgerrechten. Aveling schrieb auch für Bradlaughs Kampfblatt, den *National Reformer*. Als das parlamentarische Ringen begann, veröffentlichte er gerade eine Artikelserie über ‹Darwin und seine Werke›, eine Fortsetzung

721

von Artikeln, die er zwei Jahre zuvor in einer Studentenzeitschrift publiziert hatte. Darwin hatte Aveling damals geschrieben, um ihm für diese Beiträge zu danken, und ihn ersucht, ihm künftige Folgen zukommen zu lassen.[13]

Das war vor zwei Jahren gewesen. Jetzt machte sich Darwin Sorgen, daß sein Brief an den inzwischen prominenten Aveling hochgespielt werden und ihn kompromittieren könnte – schmuddeligen Ungläubigen von zweifelhafter Moral war es durchaus zuzutrauen, daß sie private Korrespondenz abdrucken würden. Für eine Stütze der Gesellschaft war die öffentliche Assoziation mit diesen verkommenen Subjekten unzumutbar. Darwin ging kein Risiko ein. Er schickte das Manuskript seines neuen Buches, *The Power of Movement in Plants*, an Murray ab und fuhr Anfang Juni zu William und Sarah nach Southampton. Mit William unterhielt er sich über den freidenkerischen *Index,* der in Amerika vor neugierigen englischen Augen vermeintlich sicher war. Sie lasen ihn beide begierig, waren sich aber darin einig, daß Charles' allwöchentlich veröffentlichte Empfehlung für Abbots *Truths for the Times* – jetzt, da die englischen Zeitungen einen solchen Wirbel um den Atheismus machten – künftig unterbleiben sollte. Diese englischen Schlagzeilenjäger könnten sich darauf stürzen und die Sache in Großbritannien an die große Glocke hängen. Charles, der Abbot gerade eine großzügige Spende geschickt hatte, fand die Angelegenheit etwas peinlich; deshalb übernahm William die Aufgabe, Abbot den väterlichen Wunsch zu übermitteln. Er schickte ihm einen mit Liebenswürdigkeiten gespickten Brief, beging aber den Fehler zu erklären: ‹Es lag nicht in der Absicht meines Vaters, daß seine Worte für diesen Zweck benutzt werden sollten.› Die Worte waren Abbot jedoch ausdrücklich als Werbetext zur Verfügung gestellt worden – Abbot besaß den Beweis dafür.[14] Dennoch entsprach Abbot der Bitte der Darwins.

In Downe stapelte sich die Arbeit, doch Charles war das nur recht. Würmer waren wieder seine Hauptbeschäftigung, und er spannte auch die Familie dazu ein, ja ließ sich sogar von Farrer als Wiedergutmachung für dessen Verleumdungen Bodenproben von Abingers römischen Ruinen schicken. Er wurde überschwemmt mit Bitten um Rat, Darlehen und Audienzen. Es war pure Routine, einem Birminghamer Komitee 25 Pfund als Preis zur Förderung örtlicher Forschung zu stiften oder die Wissenschaftliche Vereinigung von Lewisham und Blackheath nach Down House einzuladen. Seine Arbeit hatte indes Vorrang, dafür sorgte Emma. Nach vierzig Jahren waren seine Prioritäten die ihren geworden, und ‹wenn es ihm seine Lebensumstände je unmöglich machten zu arbeiten, dann war sie bereit, in seinen Tod einzuwilligen›.[15]

Im August benötigte Charles eine Pause, und Horace und Ida, die sich in Cambridge niedergelassen hatten, luden die Eltern ein. Dem alten Mann war vor der Fahrt bange. Ohne besonderen Anlaß, der ihn mobilisierte, ohne Seidentalar, der ihn erwartete, begann er sich über die 110 Kilometer weite Fahrt zu beklagen. Die Aussicht, auf den turbulenten Londoner Bahnhöfen umsteigen zu müssen, löste bei ihm Panik aus. Deshalb plante Emma ein Stück schieren Luxus. Sie und die Söhne buchten einen eigenen Waggon, damit Charles mit allem Komfort reisen konnte. Er konnte mit seinem Troß darin sitzenbleiben, ohne umzusteigen, wie Königin Victoria auf ihren Reisen durch das Land. Sie bestiegen den Zug in dem nur zehn Kilometer entfernten Bromley, und von der Londoner Victoria Station wurde ihr Waggon quer durch die Stadt zu der nach Cambridge führenden Bahnlinie verschoben, die von King's Cross ausging. Im plüschigen Komfort der ersten Klasse sitzend, sahen sie Elendsviertel und Gasometer an sich vorüberziehen. Emma war mit der Stadt inzwischen so wenig vertraut, daß sie ‹irgendeine kleine Kirche› für die St. Paul's Cathedral hielt.

Sie genossen eine entspannte Woche in Cambridge, wo ihnen Horace und seine ‹charmante Frau› die neuesten Sehenswürdigkeiten zeigten. Emma hörte in der Kapelle des Trinity College die Orgel und bekam deren Besonderheiten persönlich vorgeführt. Charles führte sie Arm in Arm durch die Innenhöfe des St. John's College, und sie bewunderten die gotische ‹Pracht› der Kapelle des King's College, das Charles schändlicherweise an den alten Herbert und die ‹Schlemmer› erinnerte. In Cambridge wurde immer noch ausgiebig gefeiert, halbe Nächte durchgezecht und den Proktoren auf der Nase herumgetanzt – ungeachtet der neuen Frauen-Colleges. Wehmütig erblickte Charles überall ‹Szenen meiner Jugend›, halb argwöhnend, daß es das letztemal sein würde.

Im September bewältigte er zu Hause die Fahnenkorrekturen von *Movement in Plants,* eine gigantische Aufgabe. Das 600 Seiten starke und mit 196 Holzschnitten illustrierte Werk war sein umfangreichstes Botanikbuch und, wie er vermutete, zum Einschlafen langweilig. ‹Ich bin zu einer Art Maschine zur Beobachtung von Fakten und zur Erzeugung von Schlußfolgerungen geworden›, hörte man ihn seufzen. Dennoch veranlaßte er eine deutsche Übersetzung und machte sich an das nächste Buch, das dem unscheinbaren Regenwurm gewidmet sein sollte. Inzwischen schwoll die Korrespondenz weiter an. Es galt Fakten abzuheften, sich für Ehrungen zu bedanken, Einladungen abzulehnen. An den meisten Nachmittagen schaffte er, in einem großen, roßhaargepolsterten Lehnstuhl sitzend, ein halbes Dutzend Antworten.[16]

Am 13. Oktober traf der Brief ein, vor dem er sich fürchtete: der von Aveling. Dieser hatte Darwins Ermutigung nicht vergessen. Aveling hatte seine Evolutionsartikel aus dem *National Reformer* zu einem Buch zusammengefaßt und bat um Erlaubnis, es Darwin zu widmen. Es sollte in der ‹Internationalen Bibliothek der Wissenschaft und des Freigeistes› erscheinen, herausgegeben von ‹meinen Freunden Annie Besant und Charles Bradlaugh, M. P.›. Aveling schickte Mrs. Besants Übersetzung eines Pamphlets des deutschen Arztes Ludwig Büchner mit (dessen kompromißlos materialistische Literatur bereits in Darwins Regalen stand). Das Ziel der Bibliothek sei es, so stand in der Ankündigung, unter den englischen ‹lesenden Massen Ketzerei zu verbreiten›.

Ketzerei war nichts Neues. Darwin hatte sie in *Origin of Species* und *Descent of Man* seit Jahren in höflichem Ton verbreitet. Was als skandalös empfunden wurde, war die Gesellschaft, in der er sich befinden würde. Er antwortete umgehend mit einem vierseitigen Brief, unübersehbar als ‹persönlich› gekennzeichnet. Nein, er wolle die Widmung nicht gestatten, ‹obwohl ich Ihnen für die beabsichtigte Ehrung danke›. Sie würde ‹gewissermaßen meine Billigung der gesamten Edition› der Internationalen Bibliothek bedeuten, – ‹über die ich nichts weiß›, schwindelte Darwin, der die Herausgeber sehr wohl kannte.

‹Obwohl ich in jeder Hinsicht ein entschiedener Verfechter der Gedankenfreiheit bin, scheint es mir darüber hinaus (ob zu Recht oder zu Unrecht), daß direkte Argumente gegen das Christentum und den Theismus kaum eine Wirkung auf die Öffentlichkeit erzielen und daß Gedankenfreiheit am besten durch die allmähliche Erleuchtung des menschlichen Geistes gefördert wird, die sich aus dem Fortschritt der Wissenschaft ergibt. Es ist daher immer mein Ziel gewesen, es zu vermeiden, über Religion zu schreiben, und ich habe mich auf die Wissenschaft beschränkt. Es mag jedoch sein, daß ich mich dabei über Gebühr von dem Schmerz leiten ließ, den es manchen Mitgliedern meiner Familie bereiten würde, wenn ich in irgendeiner Weise direkte Angriffe auf die Religion unterstützte.›

Hier sprach jemand, der sein ganzes Leben lang mit Christen intim befreundet gewesen war, jemand, dessen gesamtes Wohlbefinden von seiner frommen Gattin und seinen frommen Töchtern abhing. ‹Allmähliche Erleuchtung› war immer sein Luxus, religiöse Verschwiegenheit seine Praxis gewesen. Jetzt wollte er nicht einmal mit Avelings Fahnenabzügen etwas zu tun haben. ‹Ich bin alt und habe sehr wenig Kraft, und die Durchsicht von Fahnen ermüdet mich sehr (wie ich aus gegenwärtiger Erfahrung weiß).› Er wußte sich immer noch zu wehren.[17]

In diesem Herbst wurde er an die Kürze des Lebens erinnert, als er seine Verwandten hinfällig werden sah. Schwester Caroline in Leith Hill wurde von Herzbeschwerden und Arthritis geplagt. Sie lud ihn und Emma zu einem Besuch ein, der die Gastgeberin jedoch fast überforderte. Auch Fanny Wedgwood hatte ein Herzleiden; dennoch kam sie, als sie Erasmus besuchten, in einem Rollstuhl angefahren, um beim Tee seine Hand zu halten. Erasmus selbst ging es schlecht. Seine schädliche Lebensweise währte schon zu lange. Die Zeit und das Opium hatten ihren Tribut gefordert; er litt an ständigen Schmerzen und war kaum imstande, das Haus zu verlassen. Emmas letzte Schwester, die bucklige kleine Elizabeth, erblindet und meistens bettlägerig, hielt sich ebenfalls nur noch im Haus auf. Ihre gebeugte, am Stock herumtapernde Gestalt hatte ein Dutzend Jahre lang in Downe zum festen Inventar gehört; jetzt lag sie, verhutzelt und verlassen, in Trowmer Lodge, während ihre Dienstboten die ‹Bettler und Betrüger› verjagten, die ihren Wedgwood-Reichtum anzuzapfen versuchten. Am Sonntag, dem 7. November, starb sie im Alter von fünfundachtzig Jahren. Ein kleiner Familienkreis versammelte sich auf dem Friedhof, um Reverend Ffinden die Leichenrede halten zu hören. Emma trug es gefaßt; sie empfand ‹nichts als Freude› über Elizabeths Erlösung.

Die Theorie von der natürlichen Auslese zog nach wie vor einen Hagel von Kritik auf sich, und Mivarts Geist schwebte über dem zoologischen Bericht von der jüngsten wissenschaftlichen Erdumsegelung im Auftrag der Regierung unter Leitung von Sir Wyville Thomson. Thomson, für seine Leistungen an Bord der *Challenger* in den Adelsstand erhoben (eine Ehrung, über die Darwin entzückt gewesen wäre), ließ es sich angelegen sein, die Theorie abzuwerten, ‹welche die Evolution der Arten auf extreme Variation, gesteuert ausschließlich durch natürliche Auslese, zurückführt›. Darwin war gekränkt und ließ es sich anmerken. ‹Kann mir Sir Wyville Thomson irgend jemanden nennen, der gesagt hat, die Evolution der Arten hänge einzig und allein von der natürlichen Auslese ab?› schrieb er ungehalten in einem Brief an *Nature*. Niemand habe eine solche Fülle von zusätzlichen Ursachen aufmarschieren lassen wie er selbst in *Variation under Domestication,* einschließlich ‹der Folgen des Gebrauchs und Nichtgebrauchs von Körperteilen und der unmittelbaren Einwirkung äußerer Gegebenheiten›. Die Evolution sei eine multikausale Angelegenheit; er habe es zugegeben. Diese grobschlächtigen Karikaturen verfehlten ihr Ziel. Thomsons Kritik begebe sich ‹auf ein Niveau ... wie es nicht selten von Theologen und Metaphysikern erreicht wird, wenn sie über wissenschaftliche Themen schreiben›. Darwin war in Versuchung, ‹respektlose Worte› zu wählen; nur Huxley bewahrte ihn davor, ausfällig zu werden.[18]

In all den nörgelnden Anfeindungen hielt Darwin unvermindert seine schützende Hand über seine Schützlinge. Wallace war immer noch arbeitslos, und seine kargen Investitionen schrumpften in der Wirtschaftskrise; er war nach Croydon gezogen, um eine Ganztagsschule für seine beiden Kinder zu finden. Mit einem festen Einkommen von etwa sechzig Pfund im Jahr, ergänzt durch geringe Nebeneinkünfte aus seinen Schriften, hatte er kaum genug, um seine Familie ‹auf sparsamste Weise› über Wasser zu halten. Dies war eine Quelle ‹ständig wachsender Angst› und einiger Peinlichkeit für einen Naturforscher in den Fünfzigern. Ein Jahr zuvor, als ihm der Posten des Verwalters von Epping Forrest trotz der Unterstützung von

Darwin, Hooker und Lubbock verwehrt worden war, war er in eine solche Depression geraten, daß sich seine alte Freundin Arabella Buckley, Lyells alte Sekretärin, für ihn verwendete. Sie fragte Darwin, ob er nicht irgendeine ‹bescheidene Arbeit› für ihn finden könne.

Darwin dachte an eine staatliche Pension in Anerkennung von Wallace' Verdiensten um die Naturgeschichte. Hooker wollte nichts davon wissen. Wallace habe sich selbst ‹schlimmstens deklassiert›, sowohl durch seinen Spiritismus als auch dadurch, daß er unehrenhafterweise eine Wettsumme eingesteckt habe, die er einem reichen Schwachkopf mit dem Beweis der Kugelgestalt der Erde abgewonnen hatte. (Der Prozeß über den Fall hatte sich zehn Jahre lang hingezogen und Wallace die gewonnenen 500 Pfund und noch mehr gekostet.) Außerdem, setzte Hooker hinzu, habe ‹ein Mann, der nicht völlig verarmt ist, wenig Chance›, und ‹Wallace behauptet ja nicht, daß er in Not sei, sondern daß er keine Anstellung findet›. Darwin kapitulierte; Wallace' Missetaten seien ihm ‹niemals› in den Sinn gekommen, bemerkte er und teilte Mrs. Buckley mit, es sei hoffnungslos.[19]

Darwin mochte von Wallace' Leichtgläubigkeit befremdet gewesen sein und an seiner wissenschaftlichen Vernunft ‹arg gezweifelt› haben – in der Tat war Romanes von seinem ersten Besuch bei Wallace voll Spott über dessen ‹seltsamen Hang zur Astrologie› zurückgekehrt –, doch er vergaß niemals Wallace' Großzügigkeit in bezug auf die natürliche Auslese. Jetzt, im November, gab es einen weiteren Grund, die Frage der Staatspension erneut anzuschneiden. Wallace' ‹bestes bisheriges Buch›, *Island Life,* wurde von den Kritikern mit Beifall begrüßt. Die Diskrepanz sprang Hooker ins Auge. ‹Daß ein solcher Mensch Spiritist sein soll, ist erstaunlicher als sämtliche Bewegungen aller Pflanzen›, meinte er; er hielt das Buch für ‹großartig›, wozu er guten Grund hatte, denn es war ihm gewidmet. Darwin nutzte den Augenblick. Er wußte, daß Lubbock auf seiner Seite war, ein weiterer Bewunderer von Wallace' ‹charakteristischer Selbstlosigkeit›; er zog Huxley auf seine Seite, und gemeinsam setzten sie Hooker unter Druck. Huxley trug den Fall dem X-Club-Mitglied William Spottiswoode, dem Präsidenten der Royal Society, vor, der eine Petition an Gladstone verfaßte. Nachdem Gladstone bei ihm in Downe zu Gast gewesen war, erklärte sich Darwin sogar bereit, die Ehre zu erwidern. Er habe ‹sich selten etwas so sehr gewünscht› wie die Gewährung der Pension und werde ‹gern nach London kommen› und die Petition persönlich in der Downing Street 10 überreichen.[20]

Er verfaßte sein eigenes rührendes Empfehlungsschreiben, in dem er auf Wallace' ‹Liebe zur Naturgeschichte›, auf den Mangel an festen Einkünften, die fehlgeschlagenen Investitionen, die jämmerlichen Erträge der Veröffentlichungen und die durch ‹den Tropenaufenthalt› angegriffene Gesundheit des Gelehrten hinwies. (Das wäre ein Selbstporträt gewesen, wenn ihm das Schicksal nicht gnädig und seine Familie nicht vermögend gewesen wäre.)

726

Der endgültige Entwurf war vor Weihnachten fertig, und Charles sammelte fieberhaft Unterschriften. Emma sah ihn ‹so erfüllt von der Wallace-Geschichte, daß er keine Zeit für seine eigenen Angelegenheiten hat›, womit sie sein Buch über die Würmer meinte. Die Denkschrift mußte Gladstone vor der Wiedereröffnung des Parlaments im neuen Jahr erreichen. Während Emma über die Feiertage die Jahresbilanzen machte, gewann Charles die Unterstützung seines alten Kontrahenten in der ‹Schönheitsfrage›, des Herzogs von Argyll, Exstaatssekretär für Indien. Seine Hoheit legte dem Premier die Zustimmung nahe, und die Denkschrift erreichte Gladstone in der ersten Januarwoche 1881. Zwölf aufrechte Darwinisten hatten sie unterschrieben.

Vor der Thronrede am 6. Januar schrieb Gladstone an Darwin, daß er Wallace für eine bescheidene Zivillisten-Pension von 200 Pfund jährlich, sechs Monate rückwirkend, empfehlen werde. Hocherfreut übermittelte Darwin Wallace die Nachricht zu dessen achtundfünfzigstem Geburtstag am 8. Januar und unterwies ihn, wie er sich formvollendet zu bedanken habe.

Während Wallace seine 200 Pfund erhielt, schloß Emma die Familienbilanz ab und versetzte Charles in die Lage, den Überschuß aus dem Kapitalertrag des abgelaufenen Jahres von 8000 Pfund an die Kinder zu verteilen.[21]

Immer noch wurde Charles von alten Kontroversen verfolgt. Butler war damit beschäftigt gewesen, die Geschichte umzuschreiben wie Huxley, nur daß er sich und andere Evolutionisten als Opfer einer darwinistischen Verschwörung darstellte. Sein Buch *Unconscious Memory* wiederholte die Anwürfe gegen Darwin – ‹Doppelzüngigkeit und Falschheit› – und verschlimmerte die Beleidigung noch durch den Abdruck ihrer privaten Korrespondenz über die Biographie von Großvater Erasmus Darwin.

Charles litt, während die Familie hitzige Diskussionen führte. Die Söhne befürworteten die Einfügung eines Blattes in die unverkauften Exemplare von *Erasmus Darwin* mit der Erklärung, daß der deutsche Text bei der Übersetzung verändert worden sei. (Inzwischen war ihnen klargeworden, daß Krause ganze Abschnitte von Butler übernommen hatte.) Aber die Litchfields empfahlen, das alles mit Schweigen zu übergehen. Ihr Freund Lesley Stephen, Herausgeber des *Cornhill Magazine*, ein exkommunizierter Priester, der durch *Origin of Species* seinen Glauben verloren hatte und ‹Darwin jetzt wie einen Gott bewunderte›, fungierte als Schiedsrichter und legte die Angelegenheit damit bei: Schweigen sei genau die ‹Ohrfeige›, die Butler verdiene. Ein ‹wissenschaftlicher Sohn› indes fühlte sich durch die Bedenken der Familie nicht gebunden. Romanes, der Darwins Gefühle kannte, verabreichte Butler eine schallende öffentliche Ohrfeige. Der jetzt die Kinderstube eines Affen teilende Romanes war eine Autorität in bezug auf geringere

Intelligenzen. Butler erschien Darwin als ‹psychologische Kuriosität›, doch
für Romanes war er ein ‹nicht einmal Verachtung verdienender Verrückter,
ein Objekt des Mitleids, wenn er nicht diesen Zug zur Bosheit hätte›. Er
habe ‹Bestrafung› verdient, und die ließ er ihm in *Nature* zuteil werden, wo
er Butler des Rufmords bezichtigte.[22]

Charles kehrte zu würdigeren Gegenständen zurück; er beobachtete
Würmer und beschäftigte sich mit den örtlichen Schweinen. Im Dorf gras-
sierte die Schweineseuche, und eine strikte Quarantäne war in Kraft. In
Downe eingeschneit, mußte Charles täglich eine richterliche Anordnung erlassen, um den Bauern wenigstens zu gestatten, ihre Tiere über die Straße zu
treiben. Die Last der öffentlichen Verantwortung bedrückte ihn mehr denn
je, während die Tage verstrichen. ‹Mein Leben ist so geregelt und eintönig
wie eine Uhr›, seufzte er gegenüber Kowalewski, als er ihm für eine große
Kiste mit russischem Tee dankte. ‹Ich mache sichere, aber bedauernswert
langsame Fortschritte mit meinem neuen Buch.›[23]

Der Lebensabend rief seltsame Erinnerungen in ihm wach. Ende Februar
fuhr Charles mit Emma nach London, wo sie bei den Litchfields wohnten.
Charles hatte von Sarah, einer der Owen-Töchter, gehört, daß ihre inzwischen
siebzigjährige verwitwete Schwester Fanny in der Stadt lebe. Er hoffte auf
ein kurzes Wiedersehen, vielleicht ihr letztes. Erlauchtere Erstbesuche wurden
bei diesem Aufenthalt eingefädelt. Er stattete dem Herzog von Argyll, der
ihn so viele Jahre lang kritisiert hatte, einen Besuch ab. Der Butler geleitete
Darwin in das Argyll-Palais, wo ihn der Herzog freundlich willkommen
hieß und aufrichtigen Dank für die Unterstützung Wallace’ entgegennahm.
Politische Gesprächsthemen gab es genügend – den Konflikt in Transvaal,
die Bodenreform in Irland, Gladstones Gesundheit nach einem Sturz in der
Downing Street –, und sie führten ein langes und ‹ungeheuer freundliches›
Gespräch. Der Herzog war ‹überhaupt nicht hochnäsig›, wie Darwin be-
fürchtet hatte, doch unweigerlich wandte sich der Dialog der Religion zu.

Vor Argyll saß der Mann, der die englische Wissenschaft untergraben
hatte, der den Menschen zum Tier gemacht und die Natur der Seele beraubt
hatte. Argyll wollte wie jedermann wissen, was der Weise aus Downe wirklich glaubte. Er ging ein Dutzend Jahre zurück und griff die Fäden verklun-
gener Debatten auf. Orchideen und ihre Formenpracht: Ob Darwin sie
wirklich für ein Zufallsprodukt der Evolution halte? Es sei doch sicherlich
unmöglich, insinuierte Argyll, diese Wunderwerke anzuschauen, ‹ohne zu
erkennen, daß sie das Produkt und der Ausdruck göttlichen Geistes› seien?
Darwin sah ihn ‹sehr fest› an, bevor er antwortete. Ja, er könne verstehen,
daß diese Sichtweise eine ‹überwältigende Kraft› habe.[24] Aber, versetzte er
ernst, er könne sie nicht länger akzeptieren.

Nach Downe zurückgekehrt, beobachtete Darwin eine Million Organismen bei der Arbeit – genauer gesagt, 53767 je Acre. Regenwürmer sind

schlaue Geschöpfe, begann er zu entdecken. Er experimentierte jetzt in dem neuen Billardzimmer, das in seinen Arbeitsraum verwandelt worden war, damit er mehr Platz hatte. Es war vollgepackt mit Würmern, die sich in Töpfen unter Glasdeckeln durch die Erde wühlten und diese pulverisierten. Darwin stolperte nachts herum und konfrontierte sie mit Licht: Kerzen, Paraffinlampen, sogar Laternen mit roten und blauen Schutzgläsern. Nur ein scharfer Lichtstrahl löste eine reflexartige Reaktion aus: Die Würmer flüchteten blitzartig – ‹wie Kaninchen›, lispelte Bernard – in ihren Bau. Hitze beeindruckte sie wenig, nicht einmal ein in die Nähe gehaltener rotglühender Schürhaken. Ebensowenig waren sie geräuschempfindlich. Bernard blies eine Trillerpfeife, Frank spielte auf seinem Fagott, Emma klimperte auf dem Klavier, und Bessy schrie: Die Würmer ließ das alles kalt. Berührung war etwas anderes; wenn man sie nur anblies, verkrümelten sie sich kopfüber. Charles prüfte ihren Geruchssinn, indem er sachte in die Töpfe blies, während er Tabak kaute oder Zuckerwatte lutschte. Auch ihr Geschmackssinn wurde getestet und ihre Vorlieben festgestellt; grünen Kohl zogen sie rotem vor, Sellerie beidem, und rohe Karotten hatten sie am liebsten.

Was Darwin am meisten gefiel, war ihre Mentalität. Nach ihrer ‹Begierde für bestimmte Nahrungsmittel› zu schließen, schienen sie ‹das Vergnügen des Fressens zu genießen›, und ihr sexuelles Verlangen war ‹stark genug, um ihre Furcht vor Licht zu überwinden›. Er fand sogar ‹eine Spur von sozialem Gefühl›, denn sie tolerierten es, wenn ‹Artgenossen über ihren Körper krochen› und sie berührten. Er beobachtete, wie sie Blätter in ihren Bau schleppten. Die Verhaltensweise war instinktiv. Aber woher hatten sie die Methode? Blätter aller Art wurden ausprobiert und schließlich dreieckige Kartonschnipsel. Als Darwin die Objekte wieder aus dem Bau holte, bemerkte er, daß die große Mehrzahl auf die leichteste Weise hineingezogen worden war, nämlich mit dem schmaleren Ende beziehungsweise der Spitze voran. Es war sichtlich kein Lernprozeß durch Versuch und Irrtum. Die Würmer verschafften sich irgendwie eine ‹wenn auch noch so grobe Vorstellung von der Form eines Gegenstands›, wahrscheinlich indem sie ihn mit ihrem Körper ‹an vielen Stellen abtasteten›. Dieser geschärfte Sinn war wie der eines ‹blind und taub geborenen Menschen›. Er befähigte sie, geometrische Probleme zu lösen. Intelligenz war vorhanden.[25]

Sie entsprach vielleicht nicht gerade Argylls Vorstellung von überirdischer Intelligenz, aber schließlich hatte sich auch Darwin fünfzig Jahre lang vorrangig um erdnähere Dinge gekümmert. Er zog sich zurück, um die letzten Kapitel des Bandes *The Formation of Vegetable Mould through the Action of Worms* zu schreiben. Es würde ‹ein Büchlein von geringerer Bedeutung› sein, teilte er Viktor Carus Mitte März mit, und sicherlich sein letztes. ‹Ich habe wenig Kraft und fühle mich sehr alt.›

Als er damit fertig war, lebte die Tierversuchsdebatte wieder auf, und er schrieb Leserbriefe an die *Times*. Miss Cobbe schlug sich mitten im Getümmel, wie es, das wußte er, für Frauen typisch war. Sie begingen ‹ein Verbrechen gegen die Menschheit›, indem sie ‹den Fortschritt der Physiologie› hemmten. Sie waren zu weich gegenüber dem Leiden, zu zimperlich gegenüber dem Tod. Der Tod kam ihm jetzt in den Sinn, als er in seine Töpfe mit Erde starrte. Der alte Wurm krümmte sich, als er über die unablässige Formung der Erdoberfläche durch Myriaden glitschiger, halbintelligenter Lebewesen nachdachte. Die Würmer begruben und bewahrten die Vergangenheit wie die römischen Ruinen in Abinger. Sie pflügten die Felder des Bauern, wie es Onkel Josiah damals in Maer festgestellt hatte. Man ‹sollte [ihnen] dankbar sein›. Und sie bohrten sich auch ‹hier in Downe einige Meter tief in die Erde›, in eine Tiefe, in der er selbst ihnen bald zum Fraß dienen würde.[26]

Am Wochenende vor Ostern verpackte Darwin das Manuskript und hatte plötzlich das Gefühl, in der Luft zu hängen. Er hatte ‹weder das Herz noch die Kraft ... eine neue, jahrelang dauernde Untersuchung zu beginnen›, das einzige, was ihm wirklich Freude machte. ‹Niemals glücklich außer bei der Arbeit›, sah er den ersten beiden Wochen seit einem Vierteljahrhundert entgegen, in denen er kein Manuskript fertigzustellen hatte.

Dann erinnerte er sich an seine Autobiographie. Jetzt, da Ida und Horace ein Kind erwarteten, war ein weiterer Grund vorhanden, eine positive Bilanz zu hinterlassen. Nach Ostern nahm er den Faden wieder auf, fügte die Notizen über seinen Vater ein und überarbeitete die Abschnitte über Religion. Er dachte an Emma und die religiösen Differenzen zwischen ihnen beiden. Emmas Angst, daß sie nicht ‹einander für ewig gehören› könnten, hatte ihn bedrückt, genau wie sein Vater vorausgesagt hatte. Jetzt war er traurig darüber. Am Ende fügte er ein verschlüsseltes Zeichen für Emma ein – ein Datum. Neben den Absatz mit dem Rat seines Vaters, er solle seine Zweifel für sich behalten, notierte er: ‹Am 22. April 1881 abgeschrieben.›[27]

Es war Karfreitag, auf den Tag genau dreißig Jahre, seit Annie im Friedhof von Great Malvern zur letzten Ruhe gebettet worden war. Sooft er sich an ihr strahlendes Gesicht erinnerte, ‹ihre funkelnden Augen und ihr Lächeln›, ihre ‹süßen Lippen› und ihre Küsse, ihr ‹herzzerreißendes Weinen ... beim Abschied von Emma›, überwältigten ihn seine Gefühle.[28] Jetzt, da er zum letztenmal in seiner Lebensgeschichte blätterte, hatte er ihre Photographie neben sich. Er las weiter – über Emma, seine ‹kluge Beraterin und heitere Trösterin›, über ihren ‹schönen Brief› an ihn nach ihrer Hochzeit, über ihren Schmerz und Annies ‹liebenswürdiges Wesen›. Er hatte diese Worte geschrieben, als sei er ‹ein Toter ... der zurückblickt›. Emma würde zurückbleiben und sich nach einem Wiedersehen sehnen. Er war außerstande, sie zu beruhigen und ihren Schmerz zu lindern.

Wieder flossen seine Tränen – Tränen beim Gedanken an ihre Trennung, die Tränen, die Annie vergossen hatte, als sie ihre Mutter zum Abschied küßte, bevor sie starb. Er griff nach Emmas schönem altem Brief, den er mit den anderen Andenken neben seinem Manuskript aufbewahrt hatte. Er las wieder über ihre Befürchtungen um ihn und ihre unsterbliche Liebe. Nachdem seine Blicke eine Weile auf Annies Gesicht geruht hatten, kritzelte er unglücklich darunter: ‹Wenn ich tot bin, dann wisse, daß ich dieses Bild oftmals geküßt und darüber geweint habe.›[29] Es war der einzige Trost, den er ihr geben konnte.

43

Das letzte Experiment

Darwin hatte seinen Lebenszweck verloren. Ohne einen neuen Berg von Fakten, die er meistern, ohne eine neue experimentelle Odyssee, zu der er aufbrechen konnte, schien nichts mehr lohnend. Ein Blick auf die Fahnen von *Action of Worms,* und er reichte den Stoß an Frank weiter, außerstande, sich der Überarbeitung zu stellen. Er lehnte Gladstones Angebot ab, einer der Kuratoren des Britischen Museums zu werden. Er hörte Hans Richter auf Emmas Klavier spielen, doch selbst das Gastspiel des Kapellmeisters der Wiener Hofoper, der London im Sturm erobert hatte, rüttelte ihn nur für eine Stunde auf. Er biß die Zähne zusammen und zog Pflanzen aus der Erde, um die Zellstruktur ihrer Wurzeln zu betrachten. Es war eine triviale Tätigkeit, verglichen mit Rankenfüßern, der Artenfrage und Blumen, doch sie half ihm, die Depression abzuwehren.

Anfang Juni nahmen ihn Emma und die Litchfields zum Lake District mit. Da Bernard und William sie begleiteten, hätte es eine glückliche Zeit in dem großen Haus am Ullswater sein können. Aber Charles brachte seine Beschwerden mit. Bernards Munterkeit und die Spaziergänge mit Emma am See vermochten ihn ebensowenig zu erheitern wie die großartige Landschaft. Das Wetter war schauerlich, der Himmel ‹wie Blei› und der See ‹so schwarz wie Tinte›. Als er zu klettern versuchte, tanzten Punkte vor seinen Augen; einer Ohnmacht nahe, stolperte er vom Berg, und ein Arzt wurde gerufen. Dieser diagnostizierte Angina pectoris, bezeichnete den Zustand des Herzens als ‹bedenklich› und verordnete Ruhe. ‹Müßiggang ist eine richtiggehende Qual für mich›, stöhnte Darwin gegenüber Hooker. ‹Ich kann meine Beschwerden keine Stunde vergessen und muß dem Friedhof von Downe als dem angenehmsten Platz auf Erden entgegensehen.›[1]

Der 400 Seiten dicke Wälzer *The Creed of Science,* verfaßt von dem irischen Philosophen William Graham, sorgte für bessere Laune. Ans Haus gefesselt, las er ihn von Anfang bis Ende und schwärmte Romanes davon vor. Graham war eine beruhigende Lektüre, denn er war felsenfest davon überzeugt, daß viele traditionelle Glaubensinhalte – Gott, der freie Wille, die Moral und die Unsterblichkeit – die kurzlebige Mode des Materialismus überleben würden. Darwin zweifelte zwar an vielen Schlußfolgerungen Grahams, doch eine teilte er; er schrieb Graham: ‹Sie haben meine innerste Überzeugung geäußert, daß das Universum nicht das Ergebnis von Zufällen ist.› Aber selbst in diesem Punkt schlichen sich wieder ‹gräßliche Zweifel› ein, wie so oft. Welchen Wert konnte ein solcher Glaube haben, wenn der Geist durch Entwicklung entstanden ist? ‹Würde irgend jemand den Überzeugungen eines Affengehirns vertrauen, falls dieses Überzeugungen enthält?› Die Frage sei unlösbar, befand er.

Weniger gefiel ihm, daß Graham die Bedeutung der natürlichen Auslese als Motor des sozialen Fortschritts herunterspielte. Was für ein Ringen hatte es zwischen Spaniern und südamerikanischen Indianern gegeben, zwischen englischen Siedlern und australischen Ureinwohnern, zwischen Kolonisatoren und Kolonisierten allerorten! ‹Erinnern Sie sich, in welcher Gefahr die europäischen Nationen vor nicht allzu vielen Jahrhunderten waren, von den Türken überwältigt zu werden, und wie lächerlich eine solche Vorstellung jetzt ist! Die zivilisierteren sogenannten kaukasischen Rassen haben die Türken im Kampf ums Dasein vernichtend geschlagen.› Er versicherte Graham, daß die Auslöschung ‹niedrigerer Rassen durch höherstehende, zivilisiertere› so unvermeidlich sei wie malthusische Kampf, der die Menschheit vorantreibe.[2]

In Downe erfuhr er aus einem Brief von Wallace, daß dieser bis zum Ende ein sozialer Missionar bleiben würde, obwohl nun eine Welt zwischen ihnen lag. Er warb für die sozialistische Streitschrift des Amerikaners Henry George, die *Progress and Poverty* betitelt war. ‹Das ist der faszinierendste Roman und das originellste Buch der letzten zwanzig Jahre›, versicherte er Darwin. George werde damit ‹die gleiche Wirkung erzielen wie Adam Smith vor hundert Jahren›. Wallace, Präsident der Land Nationalization Society, war auf Georges Rezept gegen chronische Armut und ungleiche Vermögensverhältnisse vorbereitet – ‹Grund und Boden müssen Eigentum der Allgemeinheit werden›. Die ‹kategorische Verteidigung› des privaten Grundbesitzes und die Idee des unvermeidlichen Kampfes seien falsch, und der Glaube, daß ‹manche ein höheres Existenzrecht haben als andere›, sei unmoralisch. Malthus' Erkenntnisse mochten für Tiere gelten, aber nicht für Menschen.

Squire Darwin, der Gutsherr von Lincolnshire, wehrte Wallace' Angriffe höflich ab, klagte jedoch, solche Bücher hätten ‹eine katastrophale Wirkung› auf seinen Geist. Gewiß ‹solle in bezug auf Bodenbesitz und Armut etwas geschehen›, er hoffe aber, daß Wallace nicht ‹zu einem Renegaten der Naturgeschichte› werden würde. Die zwei einander scheinbar so nahestehenden Männer hatten sich das ganze Leben lang mißverstanden. Darwin war dies inzwischen egal; er war zu einem geistesabwesenden alten Naturforscher geworden, der gegenüber dem scharfsinnigen alten Sozialisten leichtfertig zugab: ‹Ich habe alles, um glücklich und zufrieden zu sein.›[3]

Es war eine Zeit des gelassenen Erinnerns. ‹Schöne Erinnerungen an längst vergangene Tage›, schrieb er Hooker, in denen sie ‹manche Diskussionen und manchen guten Streit hatten›. Hooker widmete sich weiterhin den Pflanzen der Welt und war immer noch nicht zu stolz, sich auf seinen ältesten Kollegen zu stützen, sondern verlangte nach dessen Kritik ‹als Dein Schüler›. Darwin blieb für ihn ein Resonanzboden, er verfügte über die Fakten, er konnte Lücken entdecken, und vor ihm ‹kann ich meine müßigen Gedanken ausschütten›. Sie waren beide toleranter geworden, hatten aber ihren Biß nicht verloren. ‹So wie Eisen Eisen schärft›, hatten sie die unverbrüchlichste Freundschaft geschmiedet. Hooker, der sich danach sehnte, ‹die Fesseln des offiziellen Lebens abzuwerfen› und seinen Abschied von Kew zu nehmen, hatte Mitgefühl für Darwins Kummer, keine Projekte zu haben, auf die er ‹zurückgreifen› konnte. Inzwischen in den Sechzigern, sah auch Hooker dem Ende seiner nützlichen Tage entgegen und fand es ‹schwierig, einer pessimistischen Sicht der Schöpfung zu widerstehen›. Doch ‹wenn ich zurückschaue ... auf die Zeiten, die ich im Umgang mir Dir und den Deinen verbrachte›, tröstete er seinen ‹geliebten Freund›, ‹dann bekommt diese Sicht Flügel und fliegt davon›.[4]

Darwin empfand so etwas wie eine Zufriedenheit des Lebensabends, den er nicht nur mit seinen Pflanzenwurzeln verbrachte. Mit den Litchfields saß er unter den Linden in Downe und vertrieb sich die Sommernachmittage. Er war in seiner ‹glücklichsten Stimmung› und ‹genoß es›, stundenlang zu plaudern. Abends, wenn er sich auf dem Sofa ausstreckte, bat er immer wieder darum, ihm Bach und Händel vorzuspielen. Romanes kam häufig mit seiner Frau und dem Neugeborenen zu Besuch, und sie fanden den alten Mann ‹so großartig und gut und hellwach wie eh und je›. Doch in den frühen Morgenstunden, wenn Emma leise neben ihm atmete, spürte er den inneren Verfall.

Die Zeit wurde knapp, und natürlich machte er sich über *Action of Worms* Sorgen. Er drängte Murray, das Buch schneller herauszubringen, selbst wenn es einen Verlust bedeute.[5] Das Werk, dessen Entstehung sich über vierzig Jahre hingezogen hatte, hing über ihm wie ein Leichentuch.

Ehrungen krönten sein Alter. Von der Linnean Society wurde ein Ölporträt in Auftrag gegeben. In der ersten Augustwoche fuhr Darwin nach London, um Huxleys Schwiegersohn John Collier Modell zu sitzen, und man war sich allgemein einig, daß dies sein ‹ähnlichstes› Bildnis werde. Er wohnte bei Erasmus, der, melancholisch und abgezehrt, vom Tod seines alten Freundes Thomas Carlyle in Anspruch genommen war. Am 3. August dinierte

Charles anläßlich der Eröffnung des 7. Internationalen Medizinischen Kongresses auf besondere Einladung mit dem Prinzen von Wales, dem deutschen Kronprinzen und namhaften Ärzten.

Während er an diesem Tag mit den Königshäuptern Portwein trank, flogen die eigentlichen Atheisten – die ihn belästigt hatten, mit denen er niemals assoziiert werden wollte – buchstäblich auf die Straße. Bradlaugh, der, nachdem man seinen Unterhaussitz für vakant erklärt hatte, erneut zum Abgeordneten von Northampton gewählt worden war, wurde, als er mit Aveling und Annie Besant im Parlament eintraf, von einem wütenden Haufen von Saaldienern, Polizisten und Tory-Abgeordneten die Treppe hinuntergezerrt und in den Palasthof gestoßen. Darwin vollführte Eiertänze gegenüber solchen Leuten, da er sich der Vorurteile bewußt war, die sie wachriefen. Eine Woche später schickte ihm Aveling seine gesammelten Artikel, *The Student's Darwin,* ohne Widmung, mit einem Brief, in dem er sich für seine atheistischen Extrapolationen entschuldigte. Darwin bedankte sich mit einem kühlen Schreiben, in dem er einräumte, daß er Autoren kaum davon abhalten könne, seine Auffassungen ‹weiter auszulegen, als mir zuträglich erscheint›.[6]

Erasmus wurde innerhalb von Tagen schwer krank. Die Litchfields eilten herbei, ebenso Fanny Wedgwood, ‹die wahre Liebe seines Lebens›, die bis zum Ende an seiner Seite blieb. Er verdämmerte still am 26. August. Ein Telegramm informierte Emma, die Charles die Nachricht überbrachte. Er hatte Erasmus ‹über viele Jahre hinweg› langsam sterben sehen. Sein Bruder war ‹kein glücklicher Mann›, jedoch immer gütig, klarsichtig und liebevoll gewesen. Es gab keinen Trost. In der Tat fand Hooker es schlimmer, den Gefährten eines ganzen Lebens zu verlieren, als einen Bruder in der Jugend, wie es ihm widerfahren war. Nein, antwortete Darwin, ihn mißverstehend, der Tod eines Kindes, ‹vor dem eine helle Zukunft liegt, bewirkt einen Schmerz, der niemals ganz schwindet›. Immer dachte er an Annie.

Das Begräbnis fand am 1. September in Anwesenheit der ganzen Familie auf dem Friedhof von Downe statt. Reverend Ffinden überließ seinen Platz Charles' und Emmas fünfundachtzigjährigem Cousin John Allen Wedgwood, der sie getraut hatte. Es war bitter kalt; Rauhreif überzog die Gräber, als Charles dem Toten im blassen Morgenlicht die letzte Ehre erwies. Er sah ‹alt und krank› aus in seinem langen schwarzen Trauermantel, ein Bild ‹trübseliger Träumerei›, als der Sarg hinabgesenkt wurde. Die Mamorplatte trug Carlyles Worte: ‹Einer der lautersten, treuesten und bescheidensten Menschen›.[7]

London würde niemals mehr so sein wie vordem. Das Haus in der Queen Anne Street wurde innerhalb einer Woche verkauft und das Inventar rasch verstreut. Erschüttert von dem ‹schweren Verlust›, wandte sich Charles seinem eigenen Tod zu. Mit der Hälfte von Erasmus' Vermögen und seinen

eigenen Investitionen besitze er über eine Viertelmillion Pfund, teilte ihm
William erstaunt mit, und das ‹ohne Mutters› Besitz. Charles änderte sein
Testament. Er plante, jeder seiner Töchter 34000 Pfund und den Söhnen je
53000 Pfund zu vermachen. Das würde sie ‹jeder Not entheben›, falls ihre
Gesundheit nachließe. Und er bedachte auch andere, Kollegen, die ihm in
den harten Zeiten beigestanden, alte Freunde, die ihn beschützt hatten,
nachdem *Origin of Species* erschienen war. Hooker und Huxley sollten je
1000 Pfund erhalten, ‹als kleines Andenken an meine lebenslange Zuneigung und Achtung›. Das Testament wurde am 7. September mit Jackson,
dem Butler, als Zeugen abgefaßt. Danach fand eine gedämpfte Feier statt.
Es war Bernards fünfter Geburtstag.

Charles schickte eine traurige Epistel an Caroline über ihre Hälfte von
Erasmus' Hinterlassenschaft. Nur sie beide waren jetzt übrig, um sich an die
Tage der Kindheit zu erinnern. Er legte ein Miniaturbildnis ihrer Mutter
bei. Sie zeigte darauf einen ‹äußerst liebenswürdigen Ausdruck›. Wenn ihr
Gesicht nur so lebhaft vor ihm stünde wie das seines Vaters! Woran er sich
erinnerte, war ihr ‹schwarzes Samtkleid› und die ‹Sterbeszene› und wie sie
miteinander um sie weinten, aber wenig mehr. Vielleicht hatte er das geliebte Gesicht vergessen, weil es niemand ertragen hatte, ‹über einen so entsetzlichen Verlust zu sprechen›.[8]

Ein sonderbares Telegramm riß ihn aus seiner Träumerei:
‹Dr. Ludwig Büchner, Deutschland, ist in London. Könnte er Mittwoch
oder Donnerstag zur Stunde Ihrer Wahl die Ehre eines Gesprächs haben?
Abreise Freitag. Verzeihen Sie Abruptheit und Kühnheit der Bitte.›
Das Telegramm versetzte die Familie in Aufruhr. Es stammte von Aveling, der am Kongreß des Internationalen Freidenkerverbandes in der
Hauptstadt teilnahm. Büchner, der Präsident des Kongresses, war sieben-
undfünfzig und renommiert, Aveling dreißig und berüchtigt. Als Bodenver-
staatlicher und Führer der Arbeiterbewegung hätte Büchner vielleicht Wallace besucht; als entschiedener Materialist hätte er sich vielleicht Tyndall als
Gesprächspartner gewünscht. Doch emporgehoben von einem missionarischen Darwinismus, hatte Darwin unter deutschen Ärzten inzwischen Hel-
denstatus erreicht. Büchner glaubte, einen berühmten Bundesgenossen zu
begrüßen. Der sanfte Gutsherr in Downe hatte sich immer vor einem derart grotesken Mißverständnis gefürchtet.

Charles fragte Emma, wie er sich dem angesehenen Büchner, ob Atheist
oder nicht, verweigern könne. Aveling habe ihn stets höflich behandelt. Sie
könnten zum Mittagessen kommen, etwa ein Stündchen bleiben, und das
sollte dann genügen. Die entsetzte Emma, von der erwartet wurde, Gastgeberin für notorische Atheisten zu spielen, hatte eine bessere Idee. Da
Brodie Innes in der Nähe sein würde – ob man ihn nicht auch einladen

solle? Außerdem vertraute sie darauf, daß Büchner ‹englisch spricht und darauf verzichten wird, seine sehr entschiedenen religiösen Meinungen zu äußern›.[9]

Am nächsten Tag, Donnerstag, dem 28. September, führte Jackson um ein Uhr die Anwesenden zur Tafel. (Die nervenschwache Bessy blieb im Obergeschoß.) Am Kopfende saß Emma, ihr abgeklärtes Gesicht von der Spätsommersonne vergoldet. Ihr gegenüber, neben der Tür, durch welche die Dienstboten dampfende Tabletts herbeitrugen, war Frank postiert, neben ihm Bernard und einige Freunde. Den Kindern gegenüber saßen in einer imposanten Reihe Charles und die Atheisten. Zwischen Aveling und Emma hatte man wie zu ihrem Schutz den weißhaarigen Reverend Brodie Innes plaziert, liebenswürdig und rechtschaffen. Die Tafel wurde zu einer Verkörperung von Darwins lebenslangem Dilemma. Es war weniger ein Lunch als ein letztes Abendmahl; alle, die er liebte, alles, was er fürchtete, alle Paradoxe seiner Laufbahn hatten sich zu einem vorletzten Akt eingefunden. Da waren seine mißbilligende, bibelgläubige Frau, sein gütiger, konservativer Pfarrer, seine genetisch schwachen Kinder und seine atheistischen Jünger, Büchner zu seiner Rechten und Aveling zur Linken, die sich an seinem physischen Abscheu weideten, während seine Präsenz Bosheit verströmte ‹wie ein diabolischer Lebensborn›. In der Mitte saß der Naturforscher der Pfarrei, der gescheiterte Priesteranwärter, der Kaplan des Teufels, der sich trotzig allen Erwartungen entzog.

Die Anwesenheit des Pfarrers bedurfte offensichtlich einer Erklärung. Eingedenk der gemischten Gesellschaft zog sich Charles souverän aus der Affäre. ‹Brodie Innes und ich sind seit dreißig Jahren gute Freunde›, sagte er. ‹Wir waren uns über kein Thema je wirklich einig, aber gelegentlich haben wir uns scharf angeschaut und gedacht, daß einer von uns beiden sehr krank sein müsse.›[10] Die Nerven waren gereizt, die Situation gespannt. Ohne diese komische Wendung wäre das Treffen ein Alptraum geworden.

Während des ersten Gangs kamen die Würmer zur Sprache. Aveling äußerte gutgemeintes Entsetzen darüber, daß sich der Verfasser von *Origin of Species* zu einem ‹so unbedeutenden Thema› herabgelassen habe. Den freigeistigen Missionaren stand der Sinn nach den großen sozialen Problemen der viktorianischen Ära. Keiner von beiden erwartete, daß sich ihr Held für die Vorgänge unter dem Erdboden mehr interessieren könnte als für die darüber. Charles wandte sich Aveling ernsthaft zu und erwiderte: ‹Ich habe ihre Lebensweise seit vierzig Jahren studiert.› Für ihn ließ sich am Kleinen das Große ablesen, jedoch nicht in einer Weise, die Aveling – bald Marxens ‹Schwiegersohn› – nachvollziehen konnte. Nach dem Dessert, das ihm verboten war, das er aber trotzdem aß, zog sich Charles mit Frank und den Gästen in das Rauchzimmer zurück, seinen alten Arbeitsraum, wo er *Origin of Species* geschrieben hatte.

Sie zündeten sich Zigaretten an, und Darwin kam, wie es gar nicht seine Art war, ohne Umschweife zur Sache. ‹Warum bezeichnen Sie sich als Atheisten?› Im Greisenalter, vierzig Jahre nach den Tagen seines geheimen Notizbuchs, brachte er das Thema schließlich offen zur Sprache. Er ziehe das Wort Agnostiker vor, sagte er. ‹Agnostiker ist nur der schicklichere Ausdruck für Atheist›, antwortete Aveling, nach einer gemeinsamen Grundlage suchend, ‹und Atheist ist nur der aggressive Ausdruck für Agnostiker.› Darwin entgegnete: ‹Warum wollen Sie so aggressiv sein?› Sei denn etwas zu gewinnen, indem man den Menschen neue Ideen aufzwinge? Freigeisterei sei ‹gut und schön› für die Gebildeten. Aber seien denn gewöhnliche Menschen ‹reif dafür›? Da sprach der in angenehmen Verhältnissen lebende Gutsherr, der das soziale Gleichgewicht nicht stören wollte.

Die Atheisten waren sich dessen bewußt, und Aveling begehrte auf. Was wohl gewesen wäre, wenn ‹die revolutionären Erkenntnisse von natürlicher und geschlechtlicher Auslese› nur ‹den wenigen Aufgeklärten› nahegebracht worden wären? Was, wenn er die Veröffentlichung von *Origin of Species* verzögert hätte, bis die Zeit ‹reif› gewesen wäre? Wenn er ‹Schweigen bewahrt› hätte, wo dann die Welt im Jahr 1881 stünde? Sicherlich sei doch ‹sein eigenes glänzendes Beispiel› eine Ermutigung für jeden Freidenker, die Wahrheit ‹draußen von den Dächern zu verkünden›! Dennoch verfehlten sie den wahren Darwin. Er hatte die Evolution ja tatsächlich zwanzig Jahre lang vergraben gehalten aus Angst um seinen guten Ruf, hatte die patriarchalische Ordnung eine Generation lang mitgetragen, bevor er gezwungen worden war, an die Öffentlichkeit zu gehen.

Nur über ein Thema konnten sie sich einigen: das Christentum. Darwin gab zu, daß er sich mit seiner Ansicht nicht ‹auf Beweise stützen› könne. Auch sei er nur langsam zu seiner Schlußfolgerung gelangt. Er zwinge sich neue Ideen nicht einmal selbst auf, sondern warte, bis die Zeit reif sei. In der Tat, erklärte er seinen Gästen offen, ‹habe ich das Christentum erst mit vierzig Jahren aufgegeben›.[11] Es hatte des Todes seines Vaters und Annies bedurft, damit er die letzten Reste abschüttelte. Und selbst dann hatte er es abgelehnt, sich öffentlich zu äußern oder den Glauben anderer Menschen vehement anzugreifen. Er war niemals ihr Waffenbruder gewesen.

Action of Worms erschien im Oktober und fand reißenden Absatz, Tausende von Exemplaren innerhalb von Wochen. Doch die ‹lachhafte› Anzahl von Briefen, insbesondere von ‹idiotischen›! Jedermann hatte eine Frage, eine Theorie, eine pedantische Beobachtung beizusteuern. Würmer waren schließlich die alltäglichsten Tiere. ‹Erschöpft› floh Charles mit Emma nach Cambridge, um sich, ärztlichen Anordnungen folgend, zu entspannen. Sie verbrachten eine ‹glückliche Woche› bei Horace und Ida, die in Kürze einem Jungen, Erasmus, das Leben schenken sollte. Die Reise tat Charles ‹richtig gut›, und bei seiner Rückkehr wandte er sich mit neuem Eifer dem Zerlegen seiner Wurzeln zu.

Er hatte sie in Salmiakgeist stehen. Fand in dieser Umgebung unter den Zellen ein Kampf ums Dasein statt? Waren die mit ‹ausgelaugter Materie› verstopften Zellen ‹lebensuntauglich› geworden, oder war es ihre Aufgabe, diese zu sammeln – Indiz für die ‹physiologische Arbeitsteilung› einer Wurzel? Darwin arbeitete ‹jetzt noch konzentrierter›, dehnte die natürliche Auslese auf die winzigsten lebenden Bausteine aus und rundete sein Lebenswerk ab. Keine Sekunde wurde verschwendet; sein Kopf tanzte zwischen Mikroskop und Notizblock hin und her. Unter ‹heftigen Verwünschungen› an seiner Weste zerrend, suchte er nach seiner Brille.[12] In dem Ammoniakdunst konnte er sich stundenlang vergessen. Er vergaß sogar sein Herz.

Vor Weihnachten besuchten Charles und Emma Henrietta in London, ihre erste Fahrt in die Stadt seit Erasmus' Tod. Es hätte eine Zeit der Einkäufe und der Geschenke sein sollen. Merkwürdigerweise wirkte das West End trotz des Feiertagstrubels leer, gedämpft. Am 15. Dezember sprach Charles unangemeldet im Haus von Romanes in Cornwall Terrace gegenüber dem Regent's Park vor. Romanes war nicht zu Hause. Der Butler merkte, daß der alte Herr an der Tür Beschwerden hatte. Sein Gesicht war blaß und verzerrt, er griff sich an die Brust. Darwin lehnte das Angebot ab, sich drinnen auszuruhen, und stolperte davon, um mit einer Droschke zu Emma zurückzukehren. Er überquerte die Straße und wankte, von den besorgten Blicken des Butlers verfolgt, in Richtung Baker Street. Als er sich hundert Meter weiter der Straßenecke näherte, taumelte er und klammerte sich an das Parkgeländer. Er machte kehrt und begann zurückzugehen, während der Butler auf ihn zulief; dann blieb er stehen, kehrte wieder um und winkte einer Droschke.

Dr. Clark kam auf Emmas Bitte am nächsten Morgen, doch Charles schien es besserzugehen, und der Arzt fand keine Anzeichen zur Besorgnis. Emma ging kein Risiko ein, sondern hielt Charles unter wachsamen Augen im Hause. Statt dessen wurden Einladungen verschickt, und eine kleine Heerschar wissenschaftlicher Stars erschien, um Darwin die Ehre zu erweisen: Romanes, Hooker, Huxley, Galton, Burdon Sanderson und der Geologe John Judd. Darwin schien hellwach und animiert, wenn auch ‹vielleicht etwas forciert›. Dennoch bemerkte er zu Judd, er habe ‹seine Warnung erhalten›.[13]

Ein Mann, der sich von der Zellforschung gefangennehmen ließ, konnte diese Warnung nur zu leicht ignorieren. Zu Hause trieb Darwin sich bis in die ersten Monate von 1882 hinein schonungslos an. Er stand früh auf, frühstückte mit Bernard und unterteilte den Tag mit Runden auf dem Sandweg, wenigeren jetzt und langsameren, die eiserne Spitze seines Spazierstocks tickte dabei gegen die Feuersteine. An den Vormittagen schrieb er technische Abhandlungen über die Wirkung von Hirschhornsalz auf Wurzeln und Blätter. Zu Mittag kamen manchmal Gäste, unter ihnen Graham, für dessen religiöses Buch er immer noch die Trommel rührte. Danach folgten endlose Briefe. Gegenüber einer amerikanischen Feministin behauptete er, Frauen seien ‹geistig minderwertig›; er unterstützte eine Übersetzung von August Weismanns *Studien über Deszendenztheorie* und versprach Hooker, sich mit 250 Pfund im Jahr an der Herausgabe eines Katalogs aller bekannten Pflanzen, des großen *Index Kewensis,* zu beteiligen. Dann eine Zigarette um drei, während ihm Emma vorlas, eine weitere um sechs vor dem Abendessen, zwei Partien Backgammon mit vielleicht einer Prise Schnupftabak – und er war reif fürs Bett. Das neue Arbeitszimmer diente ihm zum An- und Auskleiden. Um halb elf schneuzte er sich laut und stieg dann mit ‹langsamen, müden Schritten› die Treppe hinauf.[14]

Im Februar bewirkte ein Husten, daß er sich ‹in einem merkwürdigen Grad miserabel› fühlte. Emma verordnete ihm Chinin, was half, aber eine Woche nach seinem dreiundsiebzigsten Geburtstag überkam ihn starkes Erbrechen, und der Brustschmerz kehrte zurück. Dies hielt ihn eine Zeitlang von Spaziergängen ab. Trotz der Martern ließ die Faszination nie nach, welche die aufschlußreichen Kuriositäten der Natur für ihn hatten. Jemand schickte ihm einen Schwimmkäfer, an dem eine zweischalige Muschel klebte. Er hatte vor, ihn, sobald er gesund war, zur Identifizierung ins Britische Museum zu bringen. Er begrüßte dieses Beispiel von Huckepacktransport als Ergänzung der von ihm gefundenen Verbreitungsmethoden. Alte Steckenpferde wurden von Darwin zu Tode geritten.

Am 7. März erlitt er, als er über den Sandweg humpelte, einen weiteren Anfall. Er war allein und, fast vierhundert Meter vom Haus entfernt, in panischer Angst. Irgendwie schaffte er, von Baum zu Baum wankend, den Rückweg und brach in Emmas Armen zusammen. Dr. Clark bestätigte die Diagnose von Angina pectoris und verschrieb Morphiumpillen gegen die Schmerzen. Charles erstarrte. Er fühlte sich verurteilt, ein Gefangener seines Körpers, ein Unschuldiger, der gehenkt werden sollte. Er überließ sich der Verzweiflung. Tagelang lag er auf dem Sofa im Salon und starrte leeren Blicks eine Vitrine mit altem Familienporzellan an, ‹Henriettas Reliquienschrein›. Er war unheilbar krank. Gedanken schwirrten ihm durch den Kopf, sein Magen krampfte sich zusammen. Sobald er aufstand, setzte der Schmerz mit dem ‹Gefühl, halb in Ohnmacht zu fallen›, ein, und Emma eilte an seine Seite. Sie schlug ihm vor, sich auf die Veranda zu setzen, aber er lehnte ab. Ebensowenig wollte er mit der Familie speisen, sondern zog es vor, allein in seinem Schlafzimmer zu essen. Zudem konnte er kaum schlafen.[15]

Dr. Norman Moore, ein junger und aufstrebender Arzt, versicherte ihm, sein Herz sei nur schwach. Innerhalb von Tagen nahm Charles wieder an den Abendmahlzeiten teil, spielte Backgammon und erledigte liegengebliebene Korrespondenz. Die Fahrt nach London wurde abgesagt; den muscheltragenden Käfer schickte er statt dessen mit der Post. Er schrieb einen Brief an *Nature,* in dem er darlegte, wie Käfer ihre blinden Passagiere verteilten, indem sie mit zweischaligen Muscheln auf dem Rücken von Teich zu Teich flogen. Das weckte alte Erinnerungen an seine Sammelwut in Cambridge und die Versuche mit den schwimmenden Samen. Vielleicht blieb ihm noch etwas Zeit. Dieser Gedanke ließ seine Schritte wieder federn. Eines Tages vergaß er sich und ging rasch nach oben, ohne Schmerzen zu verspüren.

Auch Besuche richteten ihn auf. Am 23. März kam Leonard mit seiner Verlobten vorbei, und als Charles spürte, daß sie ‹*sehr* glücklich› war, neckte er sie mit freundlichen Scherzen. Henrietta traf ein, begleitet von ihrer Freundin Laura Forster (Tante des gerade dreijährigen künftigen Schriftstellers Edward Morgan Forster), selbst rekonvaleszent nach einer Krankheit. Lauras rasche Genesung gab ihm Hoffnung. Tag für Tag beschrieb er ihr seine Symptome und schüttete ihr seine Gefühle aus. Das erleichterte Emmas Los und ‹machte sie ihm gegenüber heiterer und lebhafter›. Das herrliche Frühlingswetter trug dazu bei. Emma und Henrietta lockten Laura am Taubenschlag vorbei in den Küchengarten, dann durch das Tor in der großen Mauer hinaus in den Obstgarten. Als sie, umgeben von leuchtenden Krokussen, unter den Bäumen in der milden Sonne saßen, erschien Charles und ließ sich ins Gras nieder. Er legte Emma den Arm um die Schultern und zog sie an sich, wobei er murmelte: ‹Ach Laura, was für ein verlorener Mensch wäre ich ohne diese liebe Frau!›[16] Ein ewiger Augenblick, der eine Rückkehr zur Gesundheit anzukündigen schien.

Charles wußte es besser und spürte die Veränderungen fast von Stunde zu Stunde. Ungewiß und doch ruhig beobachtete er seinen Körper mit morbidem Interesse. Eines Nachmittags schlurfte er aus dem Arbeitszimmer herbei, um sich auf das Sofa im Salon zu legen, und fand Laura am Kaminfeuer sitzend vor. ‹Die Uhren gehen so schrecklich langsam›, stöhnte er. ‹Ich bin nur hereingekommen, um zu schauen, ob diese schneller über die Stunden hinwegkommt als die im Arbeitszimmer.›

Laura und Henrietta verabschiedeten sich am Dienstag, dem 4. April, weil Emma ein ruhiges Osterfest im kleinen Kreis wünschte. An diesem und dem nächsten Tag hatte Charles schwere Anfälle. Mit gewohnter kaltblütiger Präzision begann er sich Notizen zu machen. ‹Starke Schmerzen›, hielt er klinisch distanziert fest. Emma schickte nach Dr. Moore und einem örtlichen Arzt, Dr. Allfrey, der sie drängte, eine Art Sänfte anzuschaffen, um ihn nach oben zu tragen. Am 6. April war Charles sehr müde und hatte abends Schmerzen, weshalb er zwei Kapseln Amylnitrit nahm, ein krampflösendes Mittel. Das Wochenende brachte vorübergehende Erleichterung. Am Montag, dem 10. April, traf George ein und half Frank und Jackson, den Vater ins Schlafzimmer und zurück zu tragen. Charles war froh über die zusätzliche Gesellschaft, aber es fehlte ihm der Atem, um lange zu sprechen. Die nächsten beiden Nächte waren qualvoll. ‹Magen äußerst schlecht – ging um zwei Uhr zu Bett, aber keine Schmerzen und keine Dosis›, kritzelte er am Donnerstag. Und am Freitag: ‹1 Anfall, leichte Schmerzen, 1 Dosis.› Er führte sein letztes Experiment durch.[17]

Am Samstag, dem 15. April, kamen die Litchfields zum Abendessen. Alle saßen bei Tisch, Bernard in seinem Hochstuhl. Als das Fleisch aufgetragen worden war, verspürte Charles einen scharfen Stich im Kopf. ‹Mir ist so schwindlig, ich muß mich hinlegen›, stammelte er und wankte in den Salon. Einen Augenblick stützte er sich auf den Kaminsims und fiel dann mit dem Gesicht nach unten auf das Sofa. Er war nur eine Minute bewußtlos. George gab ihm einen Schluck Brandy und half ihm ins Arbeitszimmer, während Emma die Dienstboten wegscheuchte. ‹Umgefallen›, notierte er vor dem Schlafengehen, als wäre er eine Pflanze, die nachts zu Boden sinkt.

Emma, ‹ruhig und beherrscht›, lehnte es ab, die Ärzte zu rufen, die ihn nur aufregten. Den Sonntag überlebte er mit ‹mehrmaligen, sehr leichten Schmerzen› und ohne Medikament. ‹Es lohnt sich fast, krank zu sein, um von dir gepflegt zu werden›, meinte er dankbar zu Emma. Am Montag trat eine weitere Besserung ein. Von beiden Seiten gestützt, ging er sogar bis zum Obstgarten. Er schien ‹voll seinem Durchschnitt entsprechend›, deshalb fuhren die Lichtfields am nächsten Tag zurück, und George brach nach Cambridge auf. Charles aß weiterhin gut und blieb abends länger als üblich, mit Bessy plaudernd, im Salon.[18]

Die Schmerzen begannen kurz vor Mitternacht. Sie waren brutal und umklammerten ihn wie ein Schraubstock, der ihm die Brust von Minute zu Minute enger zusammenpreßte. Er weckte Emma und bat sie, das Amylnitrit aus dem Arbeitszimmer zu holen. Sie lief aus dem Schlafzimmer und geriet in Verwirrung, bis sie schließlich Bessy rief. Sie brauchten Minuten, um die Kapseln zu finden. In seiner Qual fühlte Charles, daß er sterbe, war aber nicht imstande zu schreien. Als er bewußtlos auf das Bett fiel, kehrten Emma und Bessy zurück. Sie klingelten nach einem Dienstboten, und nachdem sie Charles aufgerichtet hatten, versuchten sie ihm Brandy einzuflößen. Er lief ihm durch den Bart und über das Nachtgewand auf die Bettdecke. Mit seinem Körper ringend, drückten sie seinen Kopf zurück und gossen ihm die Flüssigkeit zwischen die Lippen. Emma war in äußerster Erregung; sie glaubte, es sei das Ende.

Sekunden später spuckte und würgte er; seine Lider öffneten sich zuckend. Sie schmiegte sich an ihn und suchte in seinem Gesicht nach einem Zeichen des Erkennens. ‹Meine Liebe, meine Allerliebste›, flüsterte er kaum vernehmbar. ‹Sag allen meinen Kindern, sie sollen sich erinnern, wie gut sie immer zu mir gewesen sind.› Er rang nach Luft, und sein Gesicht verzog sich zu einer Grimasse. Emma umfaßte fest seine Hand; es war so furchtbar, die Worte versagten ihr. Er setzte nochmals an, jetzt bei vollem Bewußtsein, und sagte, ihr in die Augen schauend: ‹Ich fürchte mich nicht im mindesten vor dem Sterben.› Er wurde ruhig.

Emma schickte nach Dr. Allfrey, der um zwei Uhr eintraf. Er legte Charles Senfpflaster auf die Brust, was ihm Erleichterung verschaffte. Kurz nach sieben brachten die Dienstboten das Frühstück nach oben, und es gelang Charles, ein paar Bissen zu essen, bevor er einschlief. Allfrey, der seinen Puls stärker fand, wunderte sich, daß er überhaupt wieder zu Bewußtsein gekommen war. Der Arzt ging um acht.

Unmittelbar danach begann das Erbrechen. Es war heftig und anhaltend. Als der Magen leer war, überwältigte Charles der Brechreiz weiterhin schubweise. Sein Körper bäumte sich auf und erzitterte, wie von einer äußeren Kraft geschüttelt. Eine Stunde, zwei Stunden vergingen. Immer noch würgte er und rang nach Luft. ‹Wenn ich bloß sterben könnte›, keuchte er mehrmals, ‹wenn ich bloß sterben könnte.› Emma klammerte sich zitternd an ihn, als ein weiterer Anfall begann. Er war kalt und feucht, seine Haut grau und gespenstisch. Blut schoß ihm aus dem Mund und floß den Bart hinunter. Sie hatte niemals ein solches Leiden gesehen.

Frank kehrte vor zehn Uhr aus London zurück. Bessy schickte Jackson nach Henrietta, die um ein Uhr eintraf. Sie lief nach oben, wo sie ihren Vater schlafend vorfand, daneben ihre Mutter, die, dem Zusammenbruch nahe, Frank zu trösten versuchte. Henrietta bestand darauf, daß Emma eine Opiumpille nehmen und sich ausruhen sollte, was sie ohne Widerrede tat. Von den letzten vierundzwanzig Stunden hatte sie weniger als zwei geschlafen.

Charles wachte benommen auf und bat darum, aufgesetzt zu werden. Er erkannte die Kinder und umarmte sie unter Tränen. Frank flößte ihm löffelweise Suppe und Brandy ein, während Henrietta sanft seine Brust einrieb. Dann übermannte ihn erneut der Brechreiz und ließ ihn sich zusammenkrümmen. ‹O Gott!› rief er hilflos. ‹Gott im Himmel!› Dann verlor er das Bewußtsein. Henrietta hielt ihm Riechsalz an die Nase; er atmete es begierig ein und fiel dann erschöpft zurück. ‹Wo ist Mammy?› fragte er mit schwacher, hohler Stimme. Sie sagten, daß sie sich ausruhe. ‹Ich bin *froh* darüber›, seufzte er. ‹Ihr zwei Lieben seid die besten Krankenschwestern.› Er wurde schläfrig. Es verwirrte ihn; er glaubte zu sinken und streckte mit einer ‹schwachen, bebenden Bewegung› die Hände aus, um hochgehoben zu werden. Doch als ihn Frank aufsetzte, überfiel ihn der Schmerz. Er bat um etwas Whisky, da er sich erinnerte, daß ihm Dr. Allfrey das geraten hatte.

Die Zeit stand still für Henrietta. Frank, der in Abständen den Puls seines Vaters fühlte, wußte, daß die Stunde nahe war. Fünf Minuten vor halb vier, während er hoch gelagert war, stöhnte Charles: ‹Ich glaube, ich werde ohnmächtig.› Sie riefen Emma, die sofort kam und ihn in die Arme nahm. Sein Gesicht sank vornüber, doch nach einigen Teelöffeln Whisky richtete er sich wieder auf, und Emma half ihm, sich niederzulegen. Aber der Schmerz war in jeder Stellung unerträglich. Sich aufrichtend, begann er erneut das Bewußtsein zu verlieren. Die Türglocke läutete – die Ärzte. Henrietta stürzte nach unten, ihnen entgegen, während sich Charles an Emma klammerte. Frank rief Bessy und den Ärzten zu, sofort zu kommen.

Charles verlor das Bewußtsein. Sie sahen, daß es hoffnungslos war. Da war nur noch das tiefe, röchelnde Atmen, das dem Tod vorausgeht. Emma wiegte Charles' Kopf an ihrer Brust mit geschlossenen Augen sanft hin und her. Sein Leben endete am Mittwoch, dem 19. April, um vier Uhr nachmittags.[19]

Frank, schmerzerstickt, holte Bernard aus dem Kinderzimmer. Langsam gingen sie Hand in Hand in den Garten, am Salon vorbei, wo Bernard seine Tanten beisammen sah. ‹Warum weinen Bessy und Etty?› fragte er. ‹Weil Großpapa so krank ist?› Sie hatten den Küchengarten erreicht, als Frank endlich sprechen konnte. ‹Großpapa ist so krank gewesen, daß er nicht mehr krank sein wird.› Als sie den Sandweg erreichten, pflückte Bernard einen Strauß wilder Lilien.[20]

44

Ein Agnostiker in Westminster Abbey

Am nächsten Tag meldeten die Zeitungen, Darwin werde auf dem Friedhof von St. Mary in Downe bestattet werden. Die Beisetzung werde am folgenden Montag oder Dienstag in der ‹Familiengruft› erfolgen. Er würde unter der großen Eibe liegen, die seit sechs Jahrhunderten am Friedhofstor wachte – neben seinen frühverstorbenen Kindern und seinem Bruder Erasmus. Darwin hatte erwartet, hier begraben zu werden, als er im vorigen Sommer seinen Tod kommen sah, und es war der eindeutige Wunsch der Familie und der Dorfbewohner.

Brodie Innes bot an, die Trauerfeier zu halten. William und George, Leonard und Horace eilten nach Hause. John Lewis, der Dorfschreiner, der Darwin als junger Bursche bei der Einrichtung seiner kalten Gartenbäder geholfen hatte, arbeitete bereits am Sarg, und der Leichnam, der ‹friedlich und fast lebendig› aussah, wurde in den vorgesehenen Zinkeinsatz gelegt. Die Familie versammelte sich um ihn. Emma empfand den Schmerz ihrer Söhne als ‹so heftig und ergreifend›, daß schließlich auch sie zusammenbrach und weinte.[1]

Briefe, so schwierig in dieser Zeit, mußten geschrieben werden. Sie waren eine Pflicht und boten ihre eigene Form von Katharsis. Emma und Henrietta schrieben rührend an Freundinnen und Verwandte, berichteten intime Einzelheiten und letzte Worte. Frank und George benachrichtigten Wissenschaftlerkollegen ihres Vaters und übermittelten ihnen die Nachricht von dem Herzanfall in klinischerem Ton.

Galton und Huxley hatten ihre schwarzumrandeten Briefe am Donnerstag nachmittag erhalten. Beide waren meisterhafte Publizisten. Aus Liebe und Loyalität zu ihrem alten Freund handelten sie sofort. Huxley quälte sich stundenlang mit einem kurzen Nachruf für *Nature,* bevor er dem Athenaeum die traurige Nachricht überbrachte. Galton begab sich zur Royal Society, die an diesem Tag eine Zusammenkunft hatte.

Beide gehörten jener einflußreichen Gruppe innerhalb der Royal Society an, die darum gerungen hatte, die Rolle des Klerus zu übernehmen. Eine neue ‹wissenschaftliche Priesterschaft› nannte Galton diese jungen Berufs-akademiker, von deren Leistungen ‹die Gesundheit und das Wohlbefinden der Nation› abhingen und deren wachsendes soziales Prestige davon zeugte. Eine der Funktionen dieser Priesterschaft erblickte Galton darin, ‹die religiöse Bedeutung der Evolutionslehre› hervorzuheben. Und wie hätte das auf großartigere Weise geschehen können als durch eine angemessene Gedächtnisfeier anläßlich von Darwins Tod? Die wissenschaftliche Priesterschaft hatte einen ihrer großen Naturforscher, Galton seinen Cousin und geistigen Vater verloren. ‹Es hat keinen Menschen gegeben, den ich mehr verehrt habe und dem ich *geistig* mehr verdanke als ihm›, tröstete Galton George Darwin. ‹Sein *Origin of Species* hat mich zum erstenmal sozusagen mit der Natur in Einklang gebracht.›[2] Für einen solchen Mann, eine ‹königliche Gestalt›, sei die höchste Form des Gedenkens notwendig.

Galton setzte sich mit William Spottiswoode in Verbindung, dem Präsidenten der Royal Society, und vereinbarte mit ihm, daß er der Familie Darwin telegraphieren und sie fragen solle, ob sie einer Beisetzung in Westminster Abbey zustimmen würde. Die Anfrage erschien offizieller, wenn sie vom Oberhaupt der Gelehrtengemeinde kam, und sie war geziemender von einem Wissenschaftler, der nicht mit der Familie verwandt war. Spottiswoode war einflußreich, sowohl kraft seines Amtes wie auch als Drucker Ihrer Majestät. Als Mitglied von Athenaeum Club und X-Club zählte er zur Huxley-Galton-Gruppe und war dafür prädestiniert, den Plan voranzutreiben. Alles sollte seine Richtigkeit haben und kein Risiko eingegangen werden, gegen die öffentlichen Anstandsregeln zu verstoßen. Ein bedachtes Wort an der richtigen Stelle würde die erwünschte Wirkung haben. Könnte Reverend Charles Pritchard, Mitglied der Royal Society, der George und Frank Darwin auf Cambridge vorbereitet hatte, der Familie schreiben und ihr die Zustimmung nahelegen? Vielleicht könnte jemand darauf hinwirken, daß eine führende konservative Zeitung wie der *Standard* in eigenem Namen eine Beisetzung in Westminster forderte?[3]

Huxley, Hooker und Lubbock wurden in den Plan eingeweiht, und sie gaben die Losung an die wissenschaftliche Kurie und die Mitglieder des X-Clubs weiter. Hooker, seit vierzig Jahren mit Darwin befreundet, war tief betrübt und niedergeschlagen. Tagelang hatte er selbst unter Anginaschmerzen gelitten und war jetzt ‹völlig durcheinander und untauglich› für jede Art von Arbeit. Er zauderte zunächst, da er sich ‹nicht für den bitteren Geschmack dieser Zeremonien› erwärmen konnte. Doch Huxley und Lubbock waren begeistert. Sie wußten, welche Genugtuung Lyells Bestattung in der Abbey Darwin 1875 bereitet hatte.

Am nächsten Tag, Freitag, erörterten Huxley und Spottiswoode Galtons Plan im Athenaeum Club. Reverend Frederic Farrar gesellte sich zu ihnen, Kanonikus in Westminster und vormals Direktor der Marlborough School.

In den 1860er Jahren hatte Farrar dem Schulausschuß der British Association vorgestanden, dem auch Huxley angehörte. Spottiswoode und Huxley respektierten Farrar als Freund der neuen Wissenschaften und Kritiker des klassischen Lehrplans. Darwin, kein Liebhaber der klassischen Sprachen, hatte sich ebenfalls für den Kanonikus erwärmt; er hatte dessen Werk über die Entstehung der Sprache gepriesen und Farrars erfolgreiche Kandidatur für die Royal Society unterstützt. Farrar fragte, warum die Wissenschaftler ihre Bitte, Darwin in Westminster zu bestatten, nicht an den Dekan von Westminster, Reverend George Granville Bradley, herangetragen hätten.

Einen Freidenker in die Abbey zu bekommen, sei nicht leicht. Knapp eineinhalb Jahre zuvor hatte es Huxley rundweg abgelehnt, Bradleys liberalen Vorgänger zu bitten, George Eliots Beisetzung dort zu gestatten, da er es für unfair hielt, ihn zu etwas zu nötigen, ‹wofür er mit ziemlicher Sicherheit heftig angegriffen werden würde›. Doch Darwin hatte kein sündiges Leben geführt wie diese. Diesmal rechnete er damit, daß der Dekan überredet werden könne, und er wußte, wie man das am besten einfädelte. Er setzte Farrar auf die Fährte, indem er durchblicken ließ, es sei wohl wenig sinnvoll, eine solche Bitte zu äußern, da sie mit Sicherheit abgelehnt werden würde. Das war äußerst geschickt von ihm. Schließlich kannte Huxley Bradley gut. Ihm war im vergangenen November, als Bradley Dekan in Oxford wurde, sogar dessen Posten als Rektor des dortigen University College angeboten worden. Und er war sich Bradleys starken Interesses an der Wissenschaft bewußt, da er mit ihm über akademische Berufungen nach Oxford gesprochen hatte. Genau wegen dieses Interesses hatten Galton, Huxley und Spottiswoode 1873 Bradleys Aufnahme in den Athenaeum Club unterstützt. Er war ziemlich sicher, daß der Dekan von Westminster einwilligen würde, wenn man es richtig anfing.[4]

Die List gelang. Farrar ließ sie wissen, der Dekan werde sicher keine Schwierigkeiten machen, wenn man ihm eine Petition schicke, und er ging daran, dies in die Wege zu leiten. Inzwischen schrieb Spottiswoode auf Athenaeum-Club-Briefpapier an William Darwin, nunmehr Oberhaupt der Familie:

‹Ich habe mit Huxley, einem Bischof, 2 Kanonikern (von denen einer einen sehr ausgedehnten Bekanntenkreis im Klerus der Hauptstadt und darüber hinaus hat) und dem Direktor einer Privatschule gesprochen. Alle haben den Vorschlag aus ganzem Herzen unterstützt. Ich habe auch den Lordkanzler aufgesucht, der natürlich etwas zurückhaltender war. Lord Aberdare äußerte im eigenen Namen und in dem der Geographischen Gesellschaft, daß wir unser Vorhaben unbedingt ausführen sollten, und gab seiner aufrichtigen Hoffnung Ausdruck, daß Ihre Familie zustimmen werde.

Darwin

Neben Lyell ist ein Platz frei, wo Ihr Vater beigesetzt werden könnte; die nötigen Vorbereitungen könnten, soweit sie in und von London aus zu bewerkstelligen sind, leicht bis nächsten Mittwoch abgeschlossen sein.›

An diesem Freitagabend bemerkte Huxley voreilig zu Hooker: ‹Ich glaube, die Westminster-Geschichte geht in Ordnung, obwohl der Dekan bedauerlicherweise nicht in der Stadt ist.›[5]

Während Spottiswoode an die Familie herantrat und Farrar an den Dekan von Westminster, warb Lubbock in den Korridoren der Macht um Unterstützung. Er war Präsident der Linnean Society, und als ihn am Donnerstag die Nachricht vom Ableben Darwins erreichte, vertagte er aus Pietät die angesetzte Versammlung. Er selbst hätte sich gewünscht, Darwin in Downe, im Beisein der Freunde und der Nachbarn, begraben zu sehen. Aber er kannte seine Pflicht. Er beugte sich ‹dem Willen der Intelligenz der Nation›, wie es Huxley in seinem Nachruf in *Nature* ausgedrückt hatte; als City-Bankier und liberaler Abgeordneter hatte er es ohnehin längst gelernt, sich der Meinung des akademischen Mittelstandes unterzuordnen.[6] Als er am Freitag hörte, daß eine Petition nötig sein werde, begab er sich ins Parlament.

Im Unterhaus hatte Irland die Debatten beherrscht. Die Liberale Partei war gespalten, während die Greueltaten der irischen Extremisten weitergingen, und Gladstone hatte mit seiner Bodenreform in Irland alle Hände voll zu tun. An diesem Freitag, als hundertfünfzig Abgeordnete im Unterhaus anwesend waren, begann Lubbock unter seinen Kollegen Unterschriften zu sammeln, und Irland wurde für einen Augenblick zugunsten Darwins und des englischen Stolzes beiseite geschoben. Lubbock verließ das Parlament mit einer Petition, in der es hieß, ‹es wäre im Sinne einer sehr großen Anzahl unserer Landsleute aller Klassen und Überzeugungen, daß unser hochberühmter Landsmann Mr. Darwin in der Westminster Abbey beigesetzt wird›.[7]

‹Sie trug sehr einflußreiche Unterschriften›, berichtete er Frank Darwin, nachdem er die Petition am nächsten Morgen an den Dekan abgeschickt hatte. An der Spitze der achtundzwanzig Unterzeichner dieses im wesentlichen von Liberalen geprägten Dokuments standen vier Mitglieder der Royal Society, unter ihnen der Unterrichtsminister und der Stellvertretende Parlamentspräsident Lyon Playfair. Ebenfalls unterzeichnet hatten der Unterstaatssekretär im Außenministerium und Marineminister Sir George Otto Trevelyan. Es folgten der zweite Kronanwalt, der Postminister, ein Seelord und der Parlamentspräsident. Arthur Russell, ein schweigsames Mitglied des Unterhauses, war der Cousin eines Schuljungen namens Bertrand Russell. Ein anderer Unterzeichner, Henry Campbell-Bannerman, würde eines Tages Premierminister sein. Lubbock versicherte: ‹Wäre mehr Zeit gewesen, wären viele andere Unterschriften hinzugekommen.› Er erklärte jetzt William Darwin, die Abbey-Beisetzung sei ‹sehr richtig›.[8]

Nach Spottiswoodes Telegramm und Schreiben wurde die Familie mit Briefen überschwemmt, die sie drängten, ihre Zustimmung zu geben. Am Samstag veröffentlichte der *Standard* einen gefühlvollen Appell – gewissermaßen eine Bitte von Durchschnittsbürgern an Emma und die Kinder.

‹Darwin starb, wie er gelebt hatte, in der stillen Zurückgezogenheit des Landhauses, das er liebte; und das ländliche Idyll, in dem er die alltäglichen Pflanzen und Tiere fand, die es ihm ermöglichten, das große Rätsel der Entstehung der Arten zu lösen, mag vielen seiner Freunde vielleicht als die geeignetste Umgebung für seine letzte Ruhestätte erscheinen. Doch jemand, der dem englischen Namen solche Ehre gemacht hat und dessen Tod bei vorübergehender Vernachlässigung der vielen brennenden politischen und sozialen Fragen des Tages von der ganzen zivilisierten Welt beklagt wird, sollte nicht in ein vergleichsweise unbekanntes Grab gesenkt werden. Der ihm zukommende Platz ist unter jenen anderen Großen, deren Ruhm einen Meilenstein in der Geschichte des Volkes darstellt, und falls es nicht seinen eigenen ausdrücklichen Wünschen oder den Pietätsgefühlen der Familie widerspricht, schulden wir es der Nachwelt, seine sterblichen Überreste in der Westminster Abbey zu bestatten, unter den berühmten Toten, die diesen edlen Tempel zu etwas Einzigartigem in der Welt machen.›[9]

Auch andere Zeitungen schlossen sich der Kampagne an. Patriotismus war das vorherrschende Motiv. Für wen sei der geheiligte Boden der Abbey denn bestimmt, wenn nicht für jene, die Großbritannien groß machten, sein Imperium ausdehnten und zu Hause ebenso wie in der Ferne neue Welten zivilisierten? David Livingstone und die Helden des Sepoyaufstandes lägen da neben den Ingenieuren Stephenson und Telford, deren Leistungen dem eisernen viktorianischen Zeitalter den Weg geebnet hätten. Und in der Nähe befänden sich Gedenkstätten für andere, welche die Kräfte der Natur nutzbar machten, Watt, Trevithick und Brunel. Sie alle würden von Sir Isaac Newton überragt, immer noch der Mann, an dem alle anderen gemessen würden; und diesem Maßstab genüge Darwin durchaus. Sei er nicht ‹der größte Engländer seit Newton›? Habe er nicht ‹allem, was für die geistige Energie des neunzehnten Jahrhunderts am kennzeichnendsten ist, genau denselben Anstoß, dieselbe Richtung [gegeben], wie es Locke und Newton im achtzehnten taten›?[10]

Die Verfasser der Nachrufe allein gewährleisteten schon fast eine Westminster-Bestattung durch ihre Vergleiche mit Newton. Die Forderung gewann noch an Dringlichkeit, als die Huldigungen des Auslands eintrafen. Preußische, französische und amerikanische Zeitungen flochten Darwin Lorbeerkränze und wiesen auf die Vernachlässigung dieses einheimischen Genies durch Großbritannien hin. Der preußische König, bemerkte der *Telegraph,* habe Darwin bereits vor fünfzehn Jahren mit dem Orden Pour le mérite geehrt, während England seinen größten Sohn schäbig ignoriert habe. Es habe verabsäumt, durch Verleihung eines Titels an ihn ‹sich selbst zu ehren›. Im Gegensatz zu den Lyells, Herschels und Newtons sei Darwin ebenso wie die schmutzbedeckten Ingenieure als gewöhnlicher ‹Mr.› auf sein Grab zugegangen. Dafür sei Wiedergutmachung zu leisten, bevor es zu spät sei. Großbritannien dürfe sich nicht von seinen ausländischen Rivalen übertreffen lassen. Der Vergleich mit dem unsterblichen Newton würde hohl klingen, wenn er ohne Konsequenzen bliebe; die Ehrung Newtons müsse auch Darwin zuteil werden.[11] Der Staat müsse auf den Leichnam Anspruch erheben und ihm ein würdiges Denkmal setzen.

Kanonikus Farrar hatte gute Arbeit geleistet. Noch bevor er die parlamentarische Petition erhielt, telegraphierte der Dekan, der sich in Frankreich aufhielt, seine freundliche Zustimmung. Die Angehörigen wurden davon in Kenntnis gesetzt. Am Samstag nachmittag waren sie beinahe schon weich geworden und hatten akzeptiert, daß der Verstorbene dazu bestimmt sei, neben seinem alten Mentor Lyell in Westminster zu liegen. Dennoch machten sie klar, daß sie nicht einwilligen würden, falls es ‹irgendwelche Widerstände oder Diskussionen› gebe.[12] Und sie wollten den Eindruck vermeiden, daß der Vorschlag von ihnen gekommen sei. Ihre Befürchtungen wurden beschwichtigt, auch wenn, wie die X-Club-Freunde wußten, der Initiator in der Tat ein Verwandter, Galton, gewesen war.

Die plötzliche Änderung der Pläne ließ wenig Zeit für Trauer. Sargträger mußten ausgewählt, Gäste eingeladen und die ursprünglichen Begräbnisvorbereitungen abgesagt werden. Ein neues Bestattungsunternehmen wurde verpflichtet, T. und W. Banting in der Londoner St. James's Street 27, die das Begräbnis des Herzogs von Wellington organisiert hatten. Sie sollten den Leichnam abholen und ihn am Mittwoch für das Begräbnis aufbahren. William und George sorgten für die Sargträger. Lord Derby und die Herzöge von Devonshire und Argyll repräsentierten den Staat, und Devonshire war zudem Kanzler von Darwins Alma Mater, der Universität Cambridge. Der vierte im Bunde sollte der amerikanische Botschafter James Russell Lowell sein, in ‹dankbarer Anerkennung des Interesses, das Amerikaner für Mr. Darwins Werke gezeigt haben›. Und von der englischen Wissenschaft würden vier Getreue vom X-Club, Spottiswoode, Lubbock, Huxley und Hooker, den Sarg tragen helfen. Kanonikus Farrar, der soviel getan hatte, um den Weg zu ebnen, sollte sie begleiten. Dummerweise hatte Huxley vergessen, Wallace zu fragen. Wallace, dieser ewige Zweite in der Geschichte des Darwinismus, wurde hastig angesprochen, und man kam überein, daß er den Schluß bilden sollte. Die Bestatter gaben Eintrittskarten aus. Mrs. Huxley und die Jungen erhielten die ihren – Leonard, jetzt in den Zwanzigern, war schließlich Darwins Patenkind. Ein Problem gab es mit dem wählerischen Herbert Spencer, der unter Freunden und nicht bei den wissenschaftlichen Würdenträgern sitzen wollte. Doch selbst er bekam den gewünschten Platz – im Chor –, nachdem Huxley angedeutet hatte, sein Oppositionsgeist könne ihn sonst von der Teilnahme abhalten.[13]

In all dieser Eile und Betriebsamkeit blieb Emma, mit Henrietta und Bessy an ihrer Seite, äußerlich ruhig. Aber sie dachte an die Zukunft und wie sie in einer Welt zurechtkommen würde, die jetzt ‹so leer und trostlos› war. Sie schüttete Fanny und Hensleigh ihre Gefühle aus.

‹Ihr werdet von Westminster hören, was ich als so gut wie sicher betrachte. Es hat uns allen einen Stich gegeben, daß er nicht ruhig bei Erasmus ruhen soll; aber William war davon überzeugt, und nach einigem Nachdenken bin ich es auch, daß er mit seiner liebenswürdigen und dankbaren Natur gewünscht hätte, die Anerkennung seiner Leistungen zu akzeptieren [...] Ich bin sicher, liebste Fanny, daß Du gern teilgenommen hättest, wenn Du in London gewesen wärest; aber es wird lang und aufwühlend und wahrscheinlich kalt und ziemlich riskant sein, und ich bin sicher, daß dies auch für Hensleigh gilt.›

Schließlich trotzte der neunundsiebzigjährige Hensleigh am Mittwoch dennoch der Kälte und den Emotionen und schritt mit den übrigen durch das Kirchenschiff.[14] Emma blieb allein in Down House. Da fühlte sie sich Charles näher.

Anscheinend fuhr auch keiner der Dorfbewohner nach Westminster außer dem alten Parslow. Aber er war eigentlich ein Mitglied der Familie, der er seit den Tagen in der Gower Street so treu gedient hatte. Als Butler, der den ‹hohen Herrschaften› nahestand, vereinte er die Empfindungen von Dörflern und Angehörigen. Nicht lange danach erinnerte er sich an die ‹große Enttäuschung› unter den Einwohnern von Downe, weil Darwin nicht im Dorf begraben worden war. ‹Er liebte diesen Ort, und wir glauben, daß er ihn sich zur letzten Ruhe ausgesucht hätte, wenn er gefragt worden wäre.›

Die Geschäftsleute waren verärgert. Der Gastwirt des George and Dragon Inn beschuldigte die Politiker, dem heimischen Gewerbe das Wasser abzugraben. ‹Alle Leute wünschten, daß Mr. Darwin in Downe begraben wird, aber die Regierung wollte es nicht zulassen. Es hätte dem Ort so sehr geholfen, denn die Leute wären scharenweise gekommen, um sein Grab zu sehen.› Der Friedhof von St. Mary hätte zu einem Wallfahrtsort werden können, was seinem gegenüberliegenden Pub einen stetigen Zustrom an Gästen beschert hätte. Der Tischler John Lewis war genauso verstimmt. Sein Lohn wäre mehr als finanziell gewesen, nämlich das Bewußtsein, daß der von ihm gezimmerte Sarg die sterblichen Überreste seines berühmten Nachbarn Mr. Darwin enthielt. Doch nachdem die schlichte Eichenkiste fertiggestellt war und der Leichnam einen Tag darin geruht hatte, war ein geschäftstüchtiger Bestatter vom Piccadilly mit einem prächtigen und teuren Sarg erschienen. Nichts Geringeres, sagte er, käme für ein Staatsbegräbnis in Frage. ‹Ich habe seinen Sarg genauso gemacht, wie er es wollte›, klagte Lewis, ‹ganz ungehobelt, genau, wie er die Werkbank verlassen hat, keine Politur und nichts.› Doch als sie übereingekommen seien, ihn nach Westminster überzuführen, ‹wurde mein Sarg nicht mehr gebraucht, und sie haben ihn zurückgeschickt›. Der neue Sarg sei so aufpoliert gewesen, ‹daß er als Rasierspiegel getaugt hätte›. Lewis fand das empörend. ‹Sie haben ihn in der Westminster Abbey bestattet, aber er wollte immer hier liegen, und ich glaube nicht, daß es ihm gefallen hätte.›[15]

Keine der Zeitungen sah einen religiösen Hinderungsgrund für ein Abbey-Begräbnis. Der *Standard* erklärte in seinem Plädoyer für die Ehrung, ‹echte Christen› könnten ‹die wichtigsten wissenschaftlichen Fakten der Evolution genauso akzeptieren wie die der Astronomie und der Geologie, ohne Schaden für ältere und in Ehren gehaltene Überzeugungen›. Die *Times* hatte am Freitag den Zusammenstoß zwischen Huxley und Bischof Wilberforce im Jahr 1860 zu einem ‹historischen Vorfall› erklärt, und die liberale *Daily News* fügte hinzu, Darwins Lehre sei durchaus vereinbar ‹mit starker religiöser Überzeugung und Hoffnung›.[16] Am Sonntag überboten die Prediger einander in ihren Argumentationen, daß die Federfuchser recht hätten.

Morgens, mittags und abends ertönten von den Kanzeln Lobeshymnen auf Darwin. In der Westminster Abbey wahrte Kanonikus George Prothero, der oberste Hofkaplan der Königin, seine übliche liberal-anglikanische Linie und zog gegen Extremismus und Aberglauben zu Felde. Wie auch immer man die neue Wissenschaft betrachten möge, sie sei gewiß Mr. Darwins Geist der Mäßigung, der Unparteilichkeit und des geduldigen Fleißes beim Aufspüren der Wahrheit entsprungen. In Gelehrten wie ihm lebe ‹jene Nächstenliebe, welche die Essenz des wahren Geistes Christi ist›. An diesem Abend bekräftigte der Kanonikus Alfred Barry in der Abteikirche die richtungweisenden Predigten über Politik und Geschäft, die er im vergangenen Herbst gehalten hatte. Darin war er für die altehrwürdigen Überzeugungen eingetreten, die im Darwinismus implizit enthalten seien. Er hatte Gleichheit als unnatürlich abgetan, ein ‹unmögliches Hirngespinst›, und jedem Menschen – Akademiker, Kaufmann, Händler, Arbeiter – seinen Platz im Leben zugewiesen, damit er dort England helfe, mit Gott auf den Fortschritt ‹der ganzen Menschheit› hinzuarbeiten. Jeder Mensch stand noch immer an seinem Platz, und Darwins Tod lieferte den Vorwand für eine speziellere Würdigung. Die natürliche Auslese sei ‹der christlichen Religion keineswegs fremd› – nicht, wenn man sie richtig verstehe, daß sie nämlich ‹im Geist Gottes› stattfinde und von ‹der spirituellen Eignung jedes Menschen für das Leben im Jenseits› geleitet werde.[17]

Die Hauptattraktion an diesem Sonntagnachmittag war Kanonikus H. P. Liddon in der St. Paul's Cathedral, der Darwin für ‹die Geduld und die Sorgfalt› lobte, ‹mit denen er winzige Einzelheiten beobachtete und festhielt›. Auf diese Weise habe er eine ‹Revolution› des modernen Denkens bewirkt und ‹der englischen Wissenschaft zu hoher Anerkennung› verholfen. Man merkte es ihm nicht an, aber hinter Liddons Predigt verbarg sich eine tiefe Angst. Insgeheim war ihm nicht wohl bei der Sache, und er gestand, daß ihm der Anlaß einige ‹Beschwerden und Zweifel› bereitet habe. Doch selbst ein halbherziges Bekenntnis zu den von Darwin vorgetragenen Fakten konnte nur den Chor der Appelle für seine Beisetzung in der Abbey verstärken. Der *Guardian,* das Sprachrohr von Liddons Staatskirchenfraktion, unterwarf sich Liddons Autorität und verdrängte ‹alle Bedenken, daß der heilige Boden der Abbey einen heimlichen Feind des Glaubens bedecken könnte›. Der Gottesdienst in der Abbey sei ein sichtbares Zeichen ‹der Versöhnung zwischen Glaube und Wissenschaft›. Über diesen Punkt sprachen die Anglokatholiken in St. Paul und die Liberalen in der Westminster Abbey wie mit einer Stimme. Die ‹neuen Erkenntnisse› der Biologie seien ‹harmlos› und ihr Entdecker sei ein weltlicher Heiliger.[18]

Nachdem Darwins Kanonisierung gesichert war, hoben die Zeitungen ihre Rolle in der Angelegenheit hervor. Der *Standard* beglückwünschte sich selbst dazu, daß ‹der Vorschlag, den wir am Samstag gemacht haben, aufgegriffen wurde›. Offenbar sei Toleranz ‹das jüngste Produkt der Evolution und nicht die unbefriedigendste Form kirchlichen Denkens›. Die mündige Öffentlichkeit werde das Andenken an einen Mann zu ehren wissen, der ‹dem Jahrhundert den Stempel seines individuellen Geistes aufgeprägt› habe. Angehörigen gehobener Berufe und deren Familien werde es leichtfallen, Eintrittskarten für das Begräbnis zu erhalten. Diese könnten, wie das Blatt meldete, am Dienstag während der Bürostunden von Banting's in der St. James's Street abgeholt werden.[19]

So viele hatten sich dort gemeldet, daß die Bestatter erst früh am nächsten Morgen mit den Vorbereitungen für das Begräbnis fertig wurden. Der von vier Pferden gezogene Leichenwagen hatte den ganzen Dienstag gebraucht, um die zwanzig Kilometer von Downe nach Westminster in langsamem und feierlichem Tempo zurückzulegen. Das Wetter war fürchterlich, Nieselregen und Temperaturen zwischen fünf und zehn Grad. Frank, Leonard und Horace, die dem Wagen folgten, waren körperlich und seelisch durchgefroren. William und George waren den ganzen Tag in der Stadt gewesen und hatten letzte Anordnungen getroffen. Sie eilten gerade rechtzeitig in die Abbey, um ihre Brüder zu treffen. Es war spät, acht Uhr abends, als sie den Sarg durch den Kreuzgang trugen. Die Prozession wurde in die St.-Feith-Kapelle geleitet, einen kahlen, feierlichen Raum, der von zwei alten Lampen schwach erleuchtet wurde. In diesem kalten, düsteren

Gewölbe war die Präsenz des Todes übermächtig. Wachen bezogen ihre Posten, um den Leichnam über Nacht zu beschützen.[20]

Am Mittwoch, dem 26. April, hielt sich Königin Victoria im Schloß Windsor auf, um sich auf die Hochzeit von Prinz Leopold am nächsten Tag vorzubereiten. Gladstone blieb, von der Irlandpolitik in Anspruch genommen, in Downing Street. Keiner von beiden würde an dem Begräbnis teilnehmen; sie waren beide keine begeisterten Leser von *Origin of Species* gewesen. Doch andernorts vertagten sich an diesem grauen Tag Ausschüsse, Richter legten Trauerkleidung an, das Parlament leerte sich, und Abgeordnete strömten in Scharen über die Straße. Aus Botschaften, wissenschaftlichen Gesellschaften und zahllosen Bürgerhäusern kamen Trauergäste herbei. Unter einem bleiernen Himmel näherten sie sich der Abbey in Erwartung des ehrfurchtgebietenden Schauspiels eines Staatsbegräbnisses. Die Darwins und die Wedgwoods, insgesamt dreiunddreißig Personen mit Galton, reihten sich im Jerusalem-Saal auf. William als Familienoberhaupt stand an der Spitze, Parslow und Jackson folgten hinter den Angehörigen. Im Kapitelhaus, wo einst das Parlament getagt hatte, warteten die Würdenträger von Wissenschaft, Staat und Kirche, der Geburtsadel und die Aristokratie des Geistes darauf, hinter dem Sarg durch den Kreuzgang zu schreiten. Es sei ‹die größte Versammlung von Intellekt, die in unserem Land je zusammengekommen ist›, meinte jemand. Die Querschiffe waren gefüllt mit Freunden und Gästen, die Südseite des Hauptschiffs mit den Inhabern der schwarzumrandeten Eintrittskarten. Der Oberbürgermeister von London nahm seinen Platz mit weiteren Familienmitgliedern im Chor vor dem Altar ein. Spencer saß etwas verloren inmitten von distinguierten Damen und bedauerte jetzt, nur ‹einer der Zuschauer› zu sein. Schließlich öffneten sich die Türen für die Unmengen von Trauergästen ohne Karten.[21] Sie strömten in das feuchtkalte, von Gaslicht erhellte Gebäude und füllten die weniger begehrenswerten Sitze auf der Nordwestseite des Mittelschiffs.

Um zwölf Uhr war dann der Augenblick gekommen. Als die Glocken ertönten, betrat Kanonikus Prothero den Kreuzgang von der Westseite her und führte die Prozession an, während der Kirchenchor ‹Ich bin die Auferstehung› anstimmte. Der Leichenzug, bestehend aus Angehörigen und Honoratioren, schob sich an den Grüften der Berühmten vorüber und durchquerte langsam den kerzenerleuchteten Chor zur Vierung. Dort wurde der mit schwarzem Samt drapierte und mit weißen Blüten geschmückte Sarg unter einem Oberlicht abgestellt. Nach dem Verlesen des Bibeltextes ertönte eine eigens für diesen Anlaß geschaffene Hymne. Vom stellvertretenden Organisten der Abbey komponiert, nahm sie auf das Ereignis Bezug. Der Text war dem Buch der Sprüche entnommen. Die Eingangszeile: ‹Glücklich der Mensch, der Weisheit gefunden und Einsicht erlangt› zollte Darwins Lebenswerk Tribut. Der Schlußrefrain, gesungen von den Chorknaben in ihren Soutanen, zeichnete ein ketzerisch undarwinistisches Bild der Natur: ‹Ihre Wege sind freundliche Wege, und auf all ihren Pfaden ist Wohlergehen.› Der vorne sitzende William spürte Zugluft über seinen kahlen Schädel streichen. Wie alle Darwins um seine Gesundheit besorgt, bedeckte er den Kopf mit seinen schwarzen Handschuhen, und während die Augen der Nation auf ihm ruhten, saß er unpassenderweise so da, bis der Gottesdienst zu Ende war. Dann folgte die Familie zu den Klängen Schubertscher und Beethovenscher Musik den Sargträgern in die Nordostecke des Mittelschiffs.[22]

Am Ende wurde Darwin – obwohl es passend gewesen wäre – doch nicht neben Lyell bestattet, sondern unter dem Denkmal Newtons am Nordende des Lettners neben einem anderen Mentor, Sir John Herschel. Der Boden war mit schwarzem Tuch drapiert, das in das trockene, sandige Grab hinabhing. Henrietta, Bessy und die übrigen Damen setzten sich, während die anderen das Grab umringten. Amerikanische Freidenker hatten Tuchfühlung mit orthodoxen Kirchenmännern, Romanes und agnostische X-Club-Freunde fanden sich neben frommen alten Mitgliedern der Royal Society wieder, und liberale Mitglieder des Oberhauses standen Schulter an Schulter mit den Tory-Führern Sir Stafford Northcote und Lord Salisbury. Der Sarg wurde hinabgesenkt, und der Chor sang ‹Sein Leib wird in Frieden begraben, doch sein Name lebt ewiglich.› Zum ‹Totenmarsch› aus Händels Oratorium *Saul* defilierte das Trauergefolge dann am Grab vorbei, schwarzgewandete Figuren, beleuchtet von farbigen Lichtstrahlen der Glasgemälde über ihnen, die an die Eisenbahnpioniere George und Robert Stephenson erinnerten.[23] Draußen klarte der Himmel auf.

Galton empfand Genugtuung über diese Achtungsbezeigung gegenüber der neuen wissenschaftlichen Priesterschaft. Die Herrscher des Landes waren gekommen, um einen Herrscher der Natur zu ehren, und das Ritual setzte ein sichtbares Zeichen für die ‹religiöse Bedeutung› der Evolution. Doch es blieb noch eine Menge zu tun. Am nächsten Tag regte Galton in der *Pall Mall Gazette* an, beim Gottesdienst am folgenden Sonntag anstelle des üblichen ‹Te Deum› das ‹Benedicite› zu singen. Dessen Lobpreisung – ‹Preiset den Herrn, all ihr Werke des Herrn, lobt und erhöht ihn in Ewigkeit› – unterstrich, was die Prediger ‹wahrscheinlich wünschen würden, nachher von der Kanzel [über Darwin] zu sagen›. Galton brachte diesen Punkt möglicherweise direkt zur Sprache, als er Kanonikus Farrar für seine Sonntagabendpredigt in der Abbey instruierte. Das war aber noch nicht das Ende der Gedenkfeierlichkeiten, die ihm vorschwebten. Er schlug vor, eine Büste aufzustellen und ein neues Glasgemälde für die Abbey in Auftrag zu geben. Dessen Felder sollten die im ‹Benedicite› gepriesenen Werke der Natur symbolisieren – die Berge, die Steine, die Pflanzen, die Vögel und die Landtiere –, die zur Erinnerung an Darwin jeweils einem anderen Land zugeordnet werden sollten.[24]

Den Würdenträgern von Wissenschaft und Staat gefiel der Gedanke einer weltweiten Hommage an einen englischen Naturforscher. Einer sagte zum Bischof von Carlisle, die ganze prächtige Veranstaltung mache ihn ‹dankbar für sein Heimatland›. An diesem Sonntag versicherte der Bischof seiner Gemeinde in der Abbey, der große Wissenschaftler sei ‹gemäß dem Urteil der weisesten seiner Landsleute› hier beigesetzt worden. Im übrigen schlug auch er einen patriotischen Ton an. ‹Wäre sein Tod in Frankreich erfolgt›, rief er aus, ‹hätte kein Priester am Begräbnis teilgenommen, falls aber doch, wäre kein Wissenschaftler zugegen gewesen.› Genau dies war auch Galtons Auffassung. Er war der erste, der die kulturelle Bedeutung von Darwins Begräbnis in dieser geheiligten Erde begriff. Er sprach von dem erhebenden ‹Gefühl, das durch die Zeremonie gefördert wurde›, dem erregenden Erlebnis von ‹Ehre und Ruhm der Nation›. Das beweise, daß die moralische Pflicht der Wissenschaftler zur Förderung der menschlichen Evolution am besten in Harmonie mit den alten religiösen Idealen ausgeübt werde, ‹von denen die gesellschaftliche Ordnung abhängt›.[25]

Aus dem Kirchenfenster zu Ehren der Evolution wurde nichts. Doch der Gedanke an eine Büste hatte Wurzeln geschlagen, und bei einer Zusammenkunft von Wissenschaftlern im Burlington House am folgenden Samstag beschloß man, einen Fonds ins Leben zu rufen. Zwei Wochen später wurde in der Royal Society ein provisorischer Ausschuß mit Spottiswoode als Vorsitzendem ernannt.[26] Er entschied sich für eine Bronzeplatte in der Abbey. Aber der Ausschuß gab auch eine Statue in Auftrag, die auf der geschwungenen Mitteltreppe jener großen neuromanischen Kathedrale der Wissenschaft aufgestellt werden sollte, des Naturgeschichtlichen Museums im Süden des Londoner Stadtteils Kensington.

Nach Spottiswoodes eigenem Tod und Abbey-Begräbnis 1883 übernahm Huxley die Präsidentschaft des Gedenkausschusses. Er wurde unterstützt von Galton, Lubbock und Hooker, nicht weniger als einundsechzig Mitgliedern der Royal Society, dem Lordoberrichter, fünf Parlamentsabgeordneten und einer Phalanx von Prälaten, angeführt vom Erzbischof von Canterbury. Die Hochkirche blieb abseits – Kanonikus Liddon lehnte eine Teilnahme aus Rücksicht auf seinen antidarwinistischen Vorgesetzten, den betagten Edward Pusey, ab. Wer noch durch Abwesenheit auffiel, war Wallace. Er trug auch zu dem Fonds nichts bei. Das Geld begann hereinzuströmen, und die Wissenschaftler mobilisierten auch ihre überseeischen Kollegen, die ähnliche Ausschüsse ins Leben riefen, so daß dies zu einer wahrhaft empireweiten Kampagne wurde. Im Inland kamen die größten individuellen Beiträge, je hundert Pfund, von den Initiatoren des Westminster-Projekts, Galton, Spottiswoode und Lubbock. Emma Darwin und die Familie spendeten zweihundert Pfund, und die X-Club-Freunde beteiligten sich ausnahmslos – selbst der stets knauserige Spencer trug zwei Pfund bei.

Insgesamt kamen 4500 Pfund zusammen, wovon die Hälfte für die Statue im Naturgeschichtlichen Museum aufgewendet wurde. Dieser ‹Tempel der Natur›, wie ihn die *Times* bezeichnete, war erst 1880 fertiggestellt worden. Hoch über dem Eingang prangte eine Adamsstatue (sie stürzte während des Zweiten Weltkriegs herunter), und der dominierende Richard Owen stand hier noch immer mißbilligend im Weg. Die Enthüllung der Darwin-Statue mußte bis nach Owens Pensionierung, 1885, warten. Auch diese Zeremonie verlief höchst feierlich. Der Prinz von Wales war anwesend, ebenso die Familie – außer Emma – und Charles' enge Freunde Hooker, Galton, Romanes, Thomas Farrer und Admiral Sulivan. Doch es waren jetzt Wissenschaftler in Gestalt von ‹Papst› Huxley, welche die Kanzel okkupierten.[27] Im Hintergrund stand, kaum bemerkt, ein alter Mann: Parslow.

Die Bestattung in der Westminster Abbey verlieh dem allgemeinen Gefühl greifbaren Ausdruck, daß Darwin in seinem Leben und seinem Werk den englischen Erfolg bei der Eroberung der Natur und der Zivilisierung des Erdballs während Victorias langer Regentschaft symbolisiere.

Religiöse Schriftsteller aller Schattierungen bezeugten jetzt seinen ‹noblen Charakter und sein leidenschaftliches Ringen um Wahrheit›. Der *Church Times* gingen die Attribute aus – Geduld, Spürsinn, Gelassenheit, Fleiß, Mäßigung. Andere fügten die paulinischen Tugenden Beharrlichkeit und Glauben hinzu und schilderten Darwin als ‹echten christlichen Gentleman›. Sogar der orthodoxe *Record,* der sich über das Begräbnis nur zurückhaltend geäußert hatte, vermerkte jetzt Darwins Verteidigung der Missionare als Vorboten der Zivilisation. Und er brachte die Rede des Bischofs von Derry beim Jahrestreffen der Südamerika-Missionsgesellschaft, in der dieser, begleitet von einigen Hörhörtrufen, enthüllte, daß Darwin regelmäßiger Abonnent gewesen sei. Der *Nonconformist and Independent* führte die Veränderungen auf den ‹moralischen Einfluß› von Darwins Beispiel zurück.

Doch die unermüdlichsten Anhänger waren die Unitarier und die Freidenker, die stolz darauf waren, daß Darwin in ihrer rationalen Dissidententradition aufgewachsen war, und die seine naturalistischen Auffassungen immer zu schätzen gewußt hatten. Sein bewährter Freund William Carpenter errang die einhellige Zustimmung der gesamten British and Foreign Unitarian Association mit seiner Resolution, die Darwin Anerkennung zollte, weil er ‹die unabänderlichen Gesetze der göttlichen Lenkung› enträtselt und ‹den Fortschritt der Menschheit› erhellt habe. Im Vertrauen darauf, daß eine Wedgwood dem zustimmen werde, schickte er die Resolution an Emma Darwin. Auch andere begrüßten ‹die nachhaltigste Lektion› des Darwinismus, ‹das Evangelium vom grenzenlosen Fortschritt›. Sie gaben ihrer Genugtuung über die ‹universelle Anwendbarkeit› von Darwins Lehre Ausdruck, die ‹Ordnung ... und Frieden in Leben und Denken› gebracht habe.

Ein unitarischer Prediger aus New York, John Chadwick, schilderte den schicksalhaften Tag in der Westminster Abbey in profan-messianischer Sprache: ‹Der großartigste religiöse Tempel der Nation öffnete seine Tore und gewährte dem König der Wissenschaft Einlaß.›[28]

In den Lobreden wurde Darwins vorbildlicher Charakter gepriesen, seine schlichten ‹Alltagstugenden› und seine großbürgerliche Rechtschaffenheit. Laut der *Saturday Review* hatte Darwin ‹ein ideales Leben› geführt: finanzielle Unabhängigkeit, die Wahrnehmung einer großen Chance mit der *Beagle*-Reise, ‹eine immense Arbeitsleistung, klug geplant und beharrlich ausgeführt›, das alles eingebettet in Szenen von ‹ruhigem häuslichem Glück› und gekrönt von einer ‹zur Vollendung erblühten liebenswürdigen und sanften Natur›. Viele waren besonders von Darwins Einfachheit angetan. Man könne sich ‹kaum ein schöneres Bild menschlichen Glücks ausmalen als jenes, das er in seinem Kenter Heim darbot, wo er im Kreis einer liebevollen Familie an jenen großartigen Büchern arbeitete, die anerkanntermaßen ein unschätzbares Geschenk für die Menschheit darstellen›.

Manche kehrten sogar die Ehrung durch das Staatsbegräbnis um. Westminster habe dem Naturforscher aus Downe nicht Würde verliehen – sein Leichnam sei bereits geheiligt gewesen. ‹Die Abbey benötigte ihn mehr, als er die Abbey benötigte›, donnerte die *Times*. Dieser gütige Mann, der ‹das Banner der Wissenschaft getragen›, die Grenzen des Wissens erweitert und ‹neue Zentren geschaffen [hatte], von denen aus ständig frische und fruchtbare Erkenntnisse kommen können›, habe der Abbey ‹eine gesteigerte Heiligkeit, einen neuen Grund zur Verehrung› verliehen, als er unter ihren Steinen bestattet wurde. ‹Die Abbey hat ihre Redner und ihre Minister aufzuweisen, die zögernde Senate überzeugt und Nationen beeinflußt haben. Kein einziger von ihnen allen hat jedoch eine vollständigere Macht über Menschen und ihren Geist ausgeübt als jene, die in den letzten dreiundzwanzig Jahren von einem schlichten Landhaus in Kent ausgegangen ist.›[29]

Vor allem wurde das nationale und imperiale Motiv in der Presseberichterstattung hochgespielt. Die *Pall Mall Gazette,* unerschütterlich liberal unter der Leitung von John Morley und unerläßliche Lektüre der Londoner Akademiker, verkündete, Großbritannien habe ‹einen Mann verloren, dessen Name eine Zierde für sein Land ist›. Sie vermerkte Darwins Unterstützung für Gladstone und stellte ihn als ebenbürtigen Weltstaatsmann dar. Diese Hervorhebung – insbesondere durch Liberale – von Darwins universellem Prestige geschah in endlich erfolgter Anerkennung seiner politisch tröstlichen Wissenschaft. Seine Weltanschauung des biologischen und sozialen Fortschritts, beruhend auf individueller Konkurrenz, freiem Handel und fairer Auslese, war zusammen mit jener Partei zur Vorherrschaft aufgestiegen, die ihr im viktorianischen Großbritannien Ausdruck verlieh.

‹Das Darwinsche Credo ... durchzieht fast das gesamte beste Denken unserer Zeit›, meinte Morleys liberales Blatt am Tag der Zeremonie triumphierend. ‹Es färbt unsere ungeformten Vorstellungen von der Gesellschaft; es taucht in hundert Verkleidungen in Werken über Recht und Geschichte auf, in politischen Ansprachen und religiösen Diskursen, in künstlerischen Theorien und vagen sozialen Spekulationen. Selbst unsere Romane und Gedichte sind voll von latenten Darwinschen Geistesblitzen. Wenn wir versuchen, uns davon wegzudenken, müssen wir uns völlig aus unserem Zeitalter wegdenken.›[30]

Deshalb mußte Darwins Leichnam vereinnahmt und mit kirchlichem Pomp begraben werden. Die Abbey-Bestattung feierte die immense und noch unvollendete gesellschaftliche Transformation, die England durchmachte. Da waren neue Kolonien, neue Industrien, neue Männer, die sie leiteten – nicht zuletzt eine ‹neue Natur›, wie es Huxley nannte, die durch neue Priester sprach und allen, die gehorchten, neuen Fortschritt verhieß.[31] Darwins Leichnam wurde zur höheren Ehre der neuen Berufsakademiker glorifiziert, die sich seiner bemächtigt hatten. Sein Begräbnis war ihre Apotheose, der letzte Ritus einer erstarkenden Diesseitigkeit. Es markierte die Machtergreifung der Händler auf dem Markt der Natur, der Wissenschaftler und ihrer Günstlinge in Politik und Religion. Diese in unaufhaltsamem Aufstieg begriffenen Männer leisteten damit ihren Beitrag, denn Darwin hatte die Schöpfung naturalisiert und die menschliche Natur und das menschliche Schicksal in ihre Hände gelegt.

Die Gesellschaft würde niemals wieder dieselbe sein. Der ‹Kaplan des Teufels› hatte seine Arbeit getan.

Anhang

Anhang

Abkürzungen

Annotated Calendar	Carroll: *Annotated Calendar of the Letters of Charles Darwin.* London, 1976.
APS	American Philosophical Society Library, Philadelphia
ARW	Marchant: *Alfred Russell Wallace,* 2 Bde., London, 1916.
Autobiography	Barlow: *Autobiography of Charles Darwin.* London, 1958.
BL	British Library, Manuskriptabt.
BM (NH), OCorr./OColl.	Britisches Museum (Naturgeschichte), Owen-Korrespondenz/Owen Collection.
Calendar	Burkhardt und Smith: *Calendar of the Correspondence of Charles Darwin, 1821–1882.* London, 1985.
CCD	Burkhardt und Smith: *Correspondence of Charles Darwin.* 7 Bde., London, 1985–91.
Charles Darwin	Barlow: *Charles Darwin and the Voyage of the ‹Beagle›.* London, 1945.
Companion	Freeman: *Charles Darwin: A Companion.* London, 1978.
CP	Barrett: *Collected Papers of Charles Darwin.* 2 Bde., London, 1977.
CUL	Cambridge University Library.
DAR	Darwin-Archiv, Universitätsbibliothek Cambridge
Darwin's Journal	De Beer: ‹Darwin's Journal›, in: *Bulletin of the British Museum (Natural History), Historical Series,* 2 (1959), S. 1–21.
Descent	Darwin: *The Descent of Man.* 2 Bde., London, 1871; rev. Ausg., 1. Band, London, 1874.
Diary	R. Keynes: *Charles Darwin's ‹Beagle› Diary.* London, 1988.
DON	Barlow: ‹Darwin's Ornithological Notes›, in: *Bulletin of the British Museum (Natural History), Historical Series,* 2 (1963), S. 201–78.

763

Down House	Charles Darwin Museum, Down House, Downe.
ED	Litchfield: *Emma Darwin.* 2 Bde., London, 1915, (sonst Privatdruck, London, 1904).
EUL	Universitätsbibliothek Edinburgh.
Foundations	F. Darwin: *Foundations of the ‹Origin of Species›.* London, 1909.
Journal	Darwin: *Journal of Researches.* London, 1839; rev. Ausg., London, 1845/60.,
KAO	Kent County Archives Office, Maidstone (Sammlung wurde transferiert in die Central Library, Bromley.
LJT	Eve and Creasey: *Life and Work of John Tyndall.* London, 1945.
LLAS	Clark and Hughes: *Life and Letters of the Reverend Adam Sedgwick.* 2 Bde., London, 1890.
LLD	F. Darwin: *Life and Letters of Charles Darwin.* 3. Bde., London, 1887.
LLJH	L. Huxley: *Life and Letters of Sir Joseph Dalton Hooker.* 2 Bde., London, 1918.
LLL	K. Lyell: *Life, Letters, and Journals of Sir Charles Lyell.* 2 Bde., London, 1881.
LLR	E. Romanes: *Life and Letters of George John Romanes.* London, 1896.
LLTH	L. Huxley: *Life and Letters of Thomas Henry Huxley.* 2 Bde., London, 1900.
LRO	R. S. Owen: *Life of Richard Owen.* 2 Bde., London, 1894.
MLD	F. Darwin und Seward: *More Letters of Charles Darwin.* 2 Bde., London, 1903.
Narrative	Stanbury: *Narrative of the Voyage of H.M.S. ‹Beagle›.* London, 1977.
Natural Selection	Stauffer: *Charles Darwin's Natural Selection.* London, 1975.
Notebooks	Barrett et al.: *Charles Darwin's Notebooks, 1836–1844.* London, 1987.
Origin	Darwin: *On the Origin of Species by means of Natural Selection.* London, 1859.
Pedigrees	Freeman: *Darwin Pedigrees.* London, 1984.
PRO	Public Record Office, Kew, und Quality Court, London.
RBL	Litchfield: *Richard Buckley Litchfield.* London, 1910.
RFD	Recollections of Francis Darwin, Darwin-Archiv 140.3, Universitätsbibliothek Cambridge. (Vgl. dazu: Deutsche Ausgabe: *Erinnerungen an die Entwicklung meines Geistes und Charakters,* Leipzig, 1982)
TBI	Colp: *To Be an Invalid.* London, 1977.
THP	Thomas Huxley Papers, Imperial College of Science and Technology, London.

Abkürzungen

UCL   University College, London.
W/M   Wedgwood-Mosley Collection, Universitätsbi-
                  bliothek Keele.
Wedgwood   B. und H. Wedgwood: *The Wedgwood Circle*. Lon-
                  don, 1980.

Anmerkungen

Ein Kaplan des Teufels?

1. Einen Überblick über frühere Studien gibt Colp: ‹Charles Darwin's Past and Future Biographers.›
2. Greene: ‹Reflections›; Churchill: ‹Darwin›.
3. J. Moore: ‹Darwin's Genesis›. Die Darwin-Industrie wird analysiert in: Ruse: ‹Darwin Industry› und J. Moore: ‹On Revolutionizing›.
4. Oldroyd: ‹How did Darwin arrive at His Theory?›, S. 334ff.; La Vergata: ‹Images›, S. 953–58; R. Young: *Darwin's Metaphor*, S. 23ff.
5. Churchill: ‹Darwin›, S. 62; Kohn: *Darwinian Heritage*, S. 4; Lenoir: ‹Darwin Industry›, S. 115–16; Desmond: ‹Kentish Hog› und ‹Darwin›; R. Young: ‹Darwinism›; Schweber: ‹Correspondence›.
6. J. Moore: ‹Freethought›, S. 293; Desmond: *Politics*, S. 373–414; R. Young: ‹Darwin›, S. 71; Lenoir: ‹Darwin Industry›, S. 117; Rudwick: ‹Charles Darwin›, S. 186 Anmerkung 2.
7. Colp: ‹Charles Darwin's Past and Future Biographers›, S. 167; *ED*, Bd. 2, S. 203.

1 Ein strauchelnder Christ wird aufgefangen

1. Krause: *Erasmus Darwin*, S. 45; auch *LLD*, Bd. 2, S. 158.
2. Die Worte von Enkel Charles, bezogen auf Leute wie ihn selbst, die über den Unitarismus hinausgegangen waren: Darwin an T. Wollaston, 6. Juni [1856], Edinburgh University Library, Gen. 1999/1/30.
3. King-Hele: *Doctor*, S. 289 und *Letters*, S. 127.
4. Darwin an Reginald Darwin, 4. April 1879, in: Colp: ‹Relationship›, S. 11; J. Moore: ‹Of Love›, S. 204f.
5. *Pedigrees*, S. 35; King-Hele: *Doctor;* McNeil: *Under the Banner;* R. Porter: ‹Erasmus Darwin›; J. Browne: ‹Botany›.
6. Korrigierte Fahnenabzüge von Darwins ‹Preliminary Notice› an Krause: *Erasmus Darwin*, DAR 210.20; *Wedgwood*, S. 239; *Autobiography*, S. 93.
7. King-Hele: *Doctor*, S. 73, S. 77, S. 89, S. 100f., S. 106, S. 130 und *Letters*, S. 35–37, S. 54, S. 65, S. 130; McNeil: *Under the Banner*, S. 9–15; McKendrick: ‹Josiah Wedgwood›; *Wedgwood:* Kap. 6, S. 36.

8. Holt: *Unitarian Contribution,* Kap. 2; Seed: ‹Theologies›, S. 108–14; King-Hele: *Letters,* S. 38.
9. McNeil: *Under the Banner,* S. 83; King-Hele: *Doctor,* S. 93f., S. 135, S. 142f. und *Letters,* S. 284, S. 286; *Wedgwood:* S. 8, S. 11, S. 16; *Memorable Unitarians,* S. 166f.; McKendrick: ‹Role›, S. 297–302; Brooke: ‹Joseph Priestley›, S. 12.
10. King-Hele: *Letters,* S. 8f., S. 43; Rowell: *Hell,* S. 33–38; Willey: *Eighteenth Century Background,* Kap. 10; Brooke: ‹Sower›, S. 439–48; Webb: ‹Unitarian Background›, S. 10–13.
11. R. Porter: ‹I live too Chaste. 'Tis Not a Common Fault›, *Independent* (London), 28. Juli 1990, S. 27; King-Hele: *Letters,* S. 91, S. 297 und *Doctor,* S. 121ff., S. 131, S. 134, S. 136, S. 138–40, S. 172; *Wedgwood:* S. 74; Woodall: ‹Charles Darwin›, S. 9; *Pedigrees,* S. 35; *Autobiography,* S. 30.
12. King-Hele: *Doctor,* S. 123f., S. 176–78 und *Letters,* S. 164f.; Woodall: ‹Charles Darwin›, S. 11; *LLD,* Bd. 1, S. 8f.
13. H. Gruber: *Darwin,* S. 46f.; King-Hele: *Doctor,* S. 204, S. 211–13, S. 217, S. 230, S. 232f. und *Letters,* S. 166, S. 204f., S. 215f., S. 225f.; McNeil: *Under the Banner,* S. 79–85; *Wedgwood:* S. 98, S. 101–104.
14. *Wedgwood:* S. 102f., S. 108; Keith: *Darwin,* S. 4; *Autobiography,* S. 29f.; *LLD,* Bd. 1, S. 9; King-Hele: *Doctor,* S. 258.
15. D: ‹Death›; *LLD,* Bd. 1, S. 9; *Companion,* S. 209; King-Hele: *Doctor,* S. 273f., S. 284f.; *Pedigrees,* S. 10.
16. *Wedgwood,* S. 132–38; *ED,* Bd. 1, S. 26.
17. Colp: ‹Mrs. Susannah Darwin›, S. 4–6; Woodall, ‹Charles Darwin›, S. 1; *Autobiography,* S. 28, S. 40; *Pedigrees,* S. 34; *Wedgwood,* S. 116f.
18. Woodall: ‹Charles Darwin›, S. 12; E. Thompson: *Making,* S. 529–42; King-Hele: *Doctor,* S. 264–65, S. 297.
19. Broadbent: *Story,* S. 5, S. 9, S. 12; Woodall: ‹Charles Darwin›, S. 11f.; *Autobiography,* S. 22; Erinnerungen von W. Leighton, DAR 112. Als 1798 ein Geistlicher gesucht wurde, hatte sich Samuel Taylor Coleridge um dieses Amt beworben, aber dann setzte ihm Susannahs Vater eine üppige Leibrente von 150 Pfund aus, damit er seine literarischen Interessen verfolgen konnte, und der Posten fiel Case zu.
20. *Autobiography,* S. 22–24, S. 26f.; *CCD,* Bd. 1, S. 537, Bd. 2, S. 438; Woodall: ‹Charles Darwin›, S. 14; *Wedgwood,* S. 117.
21. Mansergh: ‹Charles Darwin›; Bowlby: *Charles Darwin,* S. 56; Erinnerungen von W. Leighton, DAR 112; *Autobiography,* S. 23, S. 27; *CCD,* Bd. 2, S. 439f.
22. *CCD,* Bd. 2, S. 439f.; *Autobiography,* S. 22, S. 24; Colp: ‹Mrs. Susannah Darwin›, S. 7–11; Colp: ‹Notes on Charles Darwins *Autobiography*›, S. 364; *Wedgwood,* S. 181.
23. *Autobiography,* S. 30, S. 32, S. 39; *ED,* Bd. 1, S. 60; *Charles Darwin,* S. 8f.
24. *CCD,* Bd. 1, S. 537; *Wedgwood,* S. 165; *ED,* Bd. 1, S. 139f.; E. Richards: ‹Darwin›, S. 82.
25. *CCD,* Bd. 2, S. 440; Bowen:*Idea,* S. 213.
26. Erinnerungen vonW. Leighton, DAR 112; *Autobiography,* S. 27f., S. 43.
27. E. Craddock an F. Darwin, 10. Juli 1882, DAR 112: 16–17; *Autobiography,* S. 25, S. 42, S. 44; Colp: ‹Notes on Charles Darwin's *Autobiography*›, S. 363f.
28. *CCD,* Bd. 1, S. 538; Bd. 2, S. 440f.; *Autobiography,* S. 44f; Bowlby: *Charles Darwin,* S. 64; Erinnerungen von W. Leighton und J. Price, DAR 112.
29. *CCD,* Bd. 1, S. 1–15; *Wedgwood,* S. 112; Chaldecott: ‹Josiah Wedgwood›.
30. Green: *Address,* S. 36, S. 41f.
31. *Autobiography,* S. 45f.; *CCD,* Bd. 1, S. 1–15.

32. *Autobiography,* S. 44, S. 46; *Wedgwood,* S. 138, S. 195f.
33. *ED,* Bd. 1, S. 56, S. 61, S. 141f., S. 160f.; *Wedgwood,* S. 195, S. 189; E. Wedgwood: *My First Reading Book;* Thackray: ‹Natural Knowledge›, S.679f.
34. *Autobiography,* S. 28, S. 36, S. 39; *CCD,* Bd. 1, S. 14f.

2 Das Athen des Nordens

1. *Autobiography,* S. 47f.; *TBI,* S. 3f.
2. *CCD,* Bd. 1, S. 15f.; Shepperson: ‹Intellectual Background›, S. 17–20; Audubon: *Audubon,* Bd. 1, S. 210.
3. *Report from the Select Committee on Medical Education* ... (Parlamentsveröffentlichungen, 13. Aug. 1834) Teil 1, S. 93; Chitnis: ‹Medical Education›; Parry und Parry: *Rise,* S. 105–107.
4. *CCD,* Bd. 1, S. 15, S. 18f.; Mudie: *Modern Athens,* S. 23.
5. Mudie: *Modern Athens,* S. 252f.; *CCD,* Bd. 1, S. 19, S. 28.
6. *Pedigrees,* S. 10, S. 31; King-Hele: *Doctor,* S. 123.
7. *CCD,* Bd. 1, S. 25, S. 28f., S. 41; *Autobiography,* S. 52; Audubon: *Audubon,* Bd. 1, S. 206.
8. Mudie: *Modern Athens,* S. 185; *CCD,* Bd. 1, S. 38–40, S. 44.
9. McMenemey: ‹Education›, S. 138f.; Desmond: *Politics,* S. 166; *CCD,* Bd. 1, S. 34.
10. *CCD,* Bd. 1, S. 16, S. 39, S. 45; Shepperson: ‹Intellectual Background›, S. 27.
11. *CCD,* Bd. 1, S. 25; *Medico-Chirurgical Review,* 20 (1833–34), S. 315–19; Morrell: ‹Science›; Mudie: *Modern Athens,* S. 220; A. Grant: *Story,* Bd. 2, S. 389f.
12. 1826–27 unterrichtete Knox 207 Anatomiestudenten, Lizars (mit der zweitgrößten Anzahl) dagegen nur 104 und Monro 78, in: Struthers: *Historical Sketch,* S. 92. Zu Robert Knox vgl. E. Richards: ‹Moral Anatomy›.
13. *CCD,* Bd. 1, S. 25; *Autobiography,* S. 47; Audubon: *Audubon,* Bd. 1, S. 146, S. 174. Knox hielt seine Vorlesungen am Surgeons' Square Nr. 10, Lizars ebenda, Nr. 1, in: Cathcart: ‹Some of the Older Schools›, S. 775–78.
14. *CCD,* Bd. 1, S. IV, S. 25, S. 36; A. Grant: *Story,* Bd. 2, S. 424f.; *Evidence,* Bd. 1, S. 220–22.
15. *Autobiography,* S. 39f., S. 47f.; Erinnerungen von G. Darwin, DAR 112; Richardson: *Death,* S. 41.
16. Morrell: ‹Science›, S. 54f.; Ashworth: ‹Charles Darwin›, S. 98; *CCD,* Bd. 1, S. 25, S. 29; *Autobiography,* S. 47.
17. *CCD,* Bd. 1, S. 29; Freeman: ‹Darwin's Negro Bird-Stuffer›; *Autobiography,* S. 51. Waterton erregte gern Aufsehen. Er hatte soeben seine sensationelle ‹Ente› vom angeblichen Fund eines roten Brüllaffen lanciert, dessen Gesicht zu einer grotesken Karikatur des Finanzministers umgebildet war, in: Aldington: *Strange Life,* S. 112–14.
18. *CCD,* Bd. 1, S. 22, S. 36–39, S. 41.
19. Tagebuch für 1826, DAR 129; *Autobiography,* S. 45. Darwins Exemplar von Whites *Natural History of Selborne* (2 Bde., 1825) befindet sich in der Darwin Bibliothek der CUL.
20. R. Porter: ‹Erasmus Darwin›, S. 58; *Autobiography,* S. 49.

3 Moostierchen und subversive Wissenschaft

1. *Autobiography,* S. 46; Peterson: ‹Gentlemen›, S. 462.
2. *Evidence,* Bd. 1, S. 146.
3. W. Browne: ‹Observations›.
4. Plinische Protokolle MSS, Nr. 1f und ff, S. 34–36, in: EUL, 2. Dez. 53; G. Bell: *Letters,* S. 251; Kirsop: ‹W. R. Greg›, S. 377–83. Über die deterministische Wissenschaft und Theologie, die an Lant Carpenters Unitarierschule in Bristol gelehrt wurde, die Greg besuchte, vgl.: Desmond: *Politics,* S. 210.
5. *Phrenological Journal,* 5 (1829), S. 141; Kirsop: ‹W. R. Greg›, S. 378–83; Über die soziale Anziehungskraft der Phrenologie, vgl. Shapin: ‹Phrenological Knowledge›, und Cooter: *Cultural Meaning.*
6. Ainsworth: ‹Mr. Darwin›. William F. Ainsworth, der später als Orientalist berühmt werden sollte, war einer der Präsidenten der Plinian Society; er begleitete Darwin manchmal auf seinen Spaziergängen an der Küste.
7. *Autobiography,* S. 48; Balfour: *Biography.*
8. Desmond: ‹Making›, S. 163, S. 167; Corsi: *Age,* Kap. 3–4.
9. Audubon: *Audubon,* Bd. 1, S. 149, S. 223; R. Grant: ‹Notice of a New Zoophyte›. Die Einzelheiten über Grants Leben stammen aus ‹Biographical Sketch of Robert Edmond Grant›, *Lancet,* 2 (1850), S. 686–95; Poore: ‹Robert Edmond Grant›, S. 190; Desmond: ‹Robert E. Grant›, und *Politics.* Über seine Zoologie vgl.: Sloan: ‹Darwin's Invertebrate Program›, S. 73–87.
10. Beddoe: *Memories,* S. 32; Godlee: ‹Thomas Wharton Jones›, S. 102; Poore: ‹Robert Edmond Grant›, S. 190; *Autobiography,* S. 49.
11. Protokoll der Wernerian Society, Nr. 1f., S. 272, in: EUL, 2. Dez. 55; ‹Edinburgh Zoology Notebook›, in: DAR 118, in: *CP,* Bd. 2, S. 283–91.
12. R. Grant: ‹Notice Regarding the Ova›. Darwin zeigte die Eier des Blutegels auf der Sitzung der Plinian Society vom 3. April, in: Ainsworth: ‹Mr. Darwin›. Über die Wernerian Society vergl.: *Evidence,* Bd. 1, S. 146; *Autobiography,* S. 51; Audubon: *Audubon,* Bd. 1, S. 186. Trotz Grants Protektion für Darwin wollte er sich von diesem keinesfalls den Rang ablaufen lassen, wie aus der Tatsache hervorgeht, daß er Darwin einmal warnte, für sich Priorität zu beanspruchen und über *sein* Thema zu veröffentlichen, vgl. dazu: Jesperson: ‹Charles Darwin›, S. 164f. Wie so viele Naturforscher vor Einführung eines professionellen Verhaltenskodex in der Wissenschaft, hatte auch Grant stark unter ‹Plagiatoren› zu leiden, vgl. dazu: Desmond: *Politics,* S. 401f.
13. ‹Edinburgh Zoology Notebook›, DAR 118, Nr. 6, in: *CP,* Bd. 2, S. 288. Seine Transkription von Lamarck findet sich in DAR 5. Siehe auch Egerton: ‹Darwin's Early Reading›, S. 454f.; *CCD,* Bd. 1, S. 22.
14. Plinische Protokolle, Nr. 1ff., S. 56f., in: EUL, 2. Dez. 53; H. Gruber: *Darwin,* S. 479; Desmond: *Politics,* S. 67–69, S. 402. Greg, Browne, Grant und Ainsworth beteiligten sich an der Auseinandersetzung nach dem Vortrag.
15. McMenemey: ‹Education›, S. 145; Desmond: *Politics,* S. 120, S. 264–67.
16. Protokoll der Wernerian Society, Nr. 1ff., S. 241–43, in: EUL, 2. Dez. 55; Desmond: *Politics,* 2. Kap., und Desmond: ‹Lamarckism› bezüglich Grants Freundschaft mit Geoffrey und der radikalen Basis seiner philosophischen Anatomie. Grant gehörte der Geoffroyschen Hauptströmung an. Appel: *Cuvier-Geoffroy-Debate,* Kap. 5, schildert die Aufregung im Paris dieser Zeit, als Geoffroys Schüler Homologien aller Art zwischen Insekten, Krebstieren, Mollusken und Wirbeltieren herstellten.

17. Jameson: ‹Observations›. Die Autorenschaft von Jameson wurde von Secord (‹Edinburgh Lamarckians›) nachgewiesen. Siehe auch: R. Grant: ‹Structure›, S. 283f.; Desmond: ‹Robert E. Grant's Later Views›, S. 405f. Desmond: *Politics,* S. 59–81, S. 398–403; *Autobiography,* S. 49; und Corsi: *Age,* Kap. 8 über die französische Wissenschaft dieser Epoche.

18. R. Porter: ‹Erasmus Darwin›, S. 39; R. Grant: *Dissertatio Physiologica,* S. 8; R. Grant: *Tabular View,* S. V; Shepperson: ‹Intellectual Background›, S. 27.

19. Sloan: ‹Darwin's Invertebrate Program›, S. 78–84; Jameson: ‹Observations›, S. 295.

20. Matthew: *On Naval Timber,* S. 364–69; Dempster: *Patrick Matthew,* S. 98f., Wells: ‹Historical Context›, erörtert Matthews extremen Wirtschaftsliberalismus und seine Ansichten zur Evolution.

21. Hugh Miller, in: Hodge: ‹England›, S. 11; Corsi: *Science,* S. 273; Balfour: *Biography,* S. 7–12, S. 39.

22. *Evidence,* Bd. 1, S. 145; Secord: ‹Discovery›; Mudie: *Modern Athens,* S. 221, über Jameson als einen der Unsterblichen.

23. *Evidence,* Bd. 1, S. 141f., Anhang, S. 115–18; Secord: ‹Discovery›.

24. Jamesons Aussage in: *Evidence,* Bd. 1, S. 141f. Die Lehrveranstaltung schloß ‹Instruktionen und Demonstrationen über das Sammeln, Konservieren, Transportieren und Arrangieren von Objekten der Naturgeschichte› ein (Anhang, S. 118), was sich für Darwin auf seiner *Beagle*-Reise als unerhört nützlich erweisen sollte. Siehe auch Sweet: ‹Robert Jameson›.

25. Ainsworth: ‹Present State›, S. 271, S. 276; ‹Phrenology and Professor Jameson›, in: *Phrenological Journal,* 1 (1824), S. 56; *Evidence,* Bd. 1, S. 142, S. 144f.; Chitnis: ‹University of Edinburgh's Natural History Museum›, S. 86–88, S. 90–93.

26. *Evidence,* Bd. 1, S. 223; *Autobiography,* S. 52. Duncan lehnte das konkurrierende – und eher antiquierte – Linnésche System des Botanikprofessors Robert Graham ab. Über De Candolles Botanik vgl.: J. Browne: *Secular Ark,* S. 52–57.

27. Kirsop: ‹W. R. Greg›, S. 377f.; Coldstream: *Sketch,* S. 10f.; Balfour: *Biography,* S. 38; Desmond: *Politics,* S. 81; *ED,* Bd. 1, S. 194.

4 Anglikanische Ordnung

1. *CCD,* Bd. 1, S. 58, S. 539; *ED,* Bd. 1, S. 198.

2. Brent: *Charles Darwin,* S. 56; *ED,* Bd. 1, S. 183, S. 200–202, S. 208.

3. *ED,* Bd. 1, S. 139f., S. 227; *CCD,* Bd. 1, S. 22, S. 24, S. 28, S. 40f., S. 44.

4. *ED,* Bd. 1, S. 206–10, S. 227; *Autobiography,* S. 55; *Wedgwood,* S. 200.

5. Ein solcher letzter Zufluchtsort schwebte auch Squire Owen vor, als er Darwin nach einem Tutor für seinen dritten Sohn fragte, der ‹ein sehr braver und gutartiger Junge› sei, doch unreif und etwas langsam von Begriff, und ‹den ich, wenn sich nichts Besseres ergibt, für die Kirche bestimmt habe›, in: *CCD,* Bd. 1, S. 528f.; *Autobiography,* S. 56f.

6. Trollope: *Clergymen,* Kap. 5; Addison: *English Country Parson;* Hart: *Country Priest and Curate's Lot;* Colloms: *Victorian Country Parsons;* Evans: ‹Some Reasons›, S. 85–101; Halévy: *History,* S. 342–52; J. Moore: ‹Darwin of Down›, S. 441f.

7. *Companion,* S. 116, S. 296; vgl. auch: *Wedgwood,* S. 198.

8. *Autobiography,* S. 56f.; Darwins Aufzeichnungen über Sumners *Evidences of Christianity,* DAR 91: 114–18. Vgl. auch: H. Gruber: *Darwin,* S. 125f., und Dell: ‹Social and Economic Theories›. Darwins Aufzeichnungen sind zwar undatiert, aber er benutzte dazu dieselbe Art von Papier wie für seine ‹Early notes on guns and shoot-

ing» (DAR 91: 1–3), die zwischen 1825 und 1827 datierbar sind (*Autobiography,* S. 44, S. 54. Auch eine spätere Datierung ist möglich nach: J. Moore: ‹Darwin of Down›, S. 478, Anmerkung 3.

9. *Autobiography,* S. 58; *CCD,* Bd. 1, S. 48, S. 51, S. 70f.
10. *Cambridge Guide;* E. Evans: ‹Some Reasons›; E. Thompson: *Making,* S. 246ff.; Hobsbawm und Rudé: *Captain Swing,* Kap. 4.
11. *Cambridge Guide,* S. 9f.; Brace of Cantabs: *Gradus,* S. 83f.; Winstanley: *Unreformed Cambridge,* S. 22–24; Parker: *Town and Gown,* Kap. 15.
12. *Cambridge Guide,* S. 29–35; Brace of Cantabs: *Gradus,* S. 90; Winstanley: *Unreformed Cambridge,* S. 197–203.
13. *Cambridge Guide,* S. 18; Winstanley; *Unreformed Cambridge,* S. 16–33.
14. Parker: *Town and Gown,* S. 142f.; Stokes: *Cambridge Parish Workhouses,* S. 27; Winstanley: *Later Victorian Cambridge,* S. 92f.
15. *LLD,* Bd. 1, S. 63; *CCD,* Bd. 1, S. 1–18.
16. Brace of Cantabs: *Gradus,* S. 14, S. 121–31; vgl. auch: Winstanley: *Unreformed Cambridge,* S. 203ff.
17. Peacock: *Observations,* S. 76.
18. *CCD,* Bd. 1, S. 3; *LLAS,* Bd. 1, S. 317; Speakman: *Adam Sedgwick,* Kap. 5; Secord: *Controversy,* Kap. 2.
19. Einweisungen in das Spinning House, 1823–1836, in: CUL, University Archives, T.VIII.1, insbes. S. 149–96; vgl. auch: Marcus: *Other Victorians,* insbes. S. 100–103.
20. *CCD,* Bd. 1, S. 48f., S. 53–55.
21. Reid: *Life, Letters,* Bd. 1, S. 75; Pope-Hennessy: *Monckton Milnes,* S. 10ff; Preyer: ‹Romantic Tide›, S. 43–46; P. Allen: *Cambridge Apostles,* Kap. 1; *CCD,* Bd. 1, S. 112.
22. Gascoigne: *Cambridge,* S. 252–62; Reid: *Life, Letters,* Bd. 1, S. 51; W. Carus: *Memoirs,* S. 641, S. 648ff., S. 296–98; Barclay: *Whatever Happened,* Kap. 1; O. Chadwick: *Victorian Church,* Bd. 1, S. 110, S. 442, S. 449.
23. J. Cameron an F. Darwin, 15. Sept. [1882], in: DAR 112: 14; *Autobiography,* S. 61f.; J. Herbert an F. Darwin, 26. Mai und 12. Juni 1882, in: DAR 112: 50f., 58f.; *CCD,* Bd. 1, S. 58f.
24. *CCD,* Bd. 1, S. 539; D. Allen: *Naturalist,* S. 101–103; Barber: *Heyday,* Kap. 1–2.
25. Freeman: *Darwin Pedigrees,* S. 15, S. 28; *LLD,* Bd. 1, S. 322; *Autobiography,* S. 63; RFD 110; *CCD,* Bd. 1, S. 74, S. 82.
26. *CCD,* Bd. 1, S. 57, S. 91; Blomefield: *Chapters,* S. 54; *Autobiography,* S. 62f.
27. *CCD,* Bd. 1, S. 58f.; vgl. auch: *Autobiography,* S. 62; Samouelle: *Entomologist's Useful Compendium,* S. 160; K. Smith: ‹Darwin's Insects›, S. 7ff.
28. CUL, Universitätsarchive, C.U.R. 39.16.6f. und O. XIV. 109 [Blomefield]: *Memoir,* S. 29f., S. 49–51; Todhunter: *William Whewell,* Bd. 1, S. 36f.
29. *CCD,* Bd. 1, S. 7; *Autobiography,* S. 64, S. 66f.; *CP,* Bd. 2, S. 72.

5 Paradies und Bestrafung

1. *CCD,* Bd. 1, S. 56, S. 59, S. 61, S. 72, S. 325, S. 430; J. Heaviside an F. Darwin, 15. Sept. 1882, in : DAR 112: 56f.
2. *CCD,* Bd. 1, S. 59, S. 61; Erinnerungen von J. Herbert, in: DAR 112; *Autobiography,* S. 58.
3. *CCD,* Bd. 1, S. 62, S. 64f.

4. *CCD*, Bd. 1, S. 62–67, S. 70.
5. *CCD*, Bd. 1, S. 51, S. 54, S. 66, S. 69. S. 71f.
6. *Cambridge Guide*, S. 145–49; *LLD*, Bd. 1, S. 165; *Companion*, S. 55; *CCD*, Bd. 1, S. 70.
7. *Cambridge Guide*, S. 29; *CCD*, Bd. 1, S. 68, S. 70–77, S. 98; *TBI*, S. 7f.
8. *CCD*, Bd. 1, S. 73–76, S. 78, S. 80, S. 539; [Blomefield]: *Memoir*, S. 8; Erinnerungen von J. Price, in: DAR 112; *Cambridge Guide*, S. 304. Über die Entomologische Gesellschaft in London siehe: D. Allen: *Naturalist*, S. 103–106; Desmond: ‹Making›, S. 157ff.
9. Erinnerungen von J. Herbert, in: DAR 112; *LLD*, Bd. 1, S. 171; *CCD*, Bd. 1, S. 64, S. 67.
10. Erinnerungen von J. Price, in: DAR 112; *CCD*, Bd. 1, S. 76, S. 79.
11. *CCD*, Bd. 1, S. 79, S. 81f.
12. *CCD*, Bd. 1, S. 79–82; *Autobiography*, S. 60.
13. Acta Curiae, 1822–1835, CUL, Universitätsarchive, V. C. Ct. I.19: 146–51; Cooper: *Annals*, S. 561f.; *CCD*, Bd. 1, S. 82f.
14. CUL, Universitätsarchive, UP 7.234; Cooper: *Annals*, S. 560–63; *CCD*, Bd. 1, S. 8. Über Castle Hill siehe: *Cambridge Guide*, S. 232, S. 235f.; Parker: *Town and Gown*, S. 143.
15. *CCD*, Bd. 1, S. 79, S. 82, S. 84f.
16. *Cambridge and Hertford Independent Press*, 9. Mai 1829, S. [2], Spalte 1, und 16. Mai 1829, S. [2], Sp. 1; Joseph Romilly Tagebuch, 1829, CUL, Add. 6810; Cooper: *Annals*, S. 563; Reid: *Life, Letters*, Bd. 1, S. 65–67; *CCD*, Bd. 1, S. 85.
17. Royle: *Victorian Infidels*, S. 34–39; J. Wiener: *Radicalism*, bes. S. 130ff., S. 463; Desmond: ‹Artisan Resistance›, S. 82; Royle: ‹Taylor, Robert›; W. Carus: *Memoirs*, S. 308; Hole: *Pulpits, Politics*, Kap. 14, S. 190–93.
18. *Lion*, 3 (24. April 1829), S. 519 und (29. Mai 1829), S. 673f., S. 678, S. 682, S. 684. Über Darwins Erwerbungen von Drucken siehe: *CCD*, Bd. 1, S. 70f.; *Autobiography*,. S. 61; RFD, S. 95f.; Erinnerungen von W. Darwin und von J. Herbert in: DAR 112.
19. *Lion*, 3 (29. Mai 1829), S. 674f.; J. Moore: ‹Freethought›, S. 290–93.
20. *Lion*, 3 (29. Mai 1829), S. 673, S. 675, S. 678, S. 682, S. 686.
21. *Lion*, 3 (29. Mai 1829), S. 682f.; CUL, Universitätsarchive, UP 7.244 und C.U.R. 124 bezüglich der Regularien und Rose Crescent-Pensionen bis 1854; Winstanley: *Early Victorian Cambridge*, S. 59f.
22. *Lion*, 3 (29. Mai 1829), S. 678, S. 685, und (5. Juni 1829), S. 705–707; Tagebuch Joseph Romilly, 1829, CUL, Add. 6810; CUL, Universitätsarchive, UP 7.245; R. Taylor: *Devil's Pulpit* (Ausg. 1881), Bd. 2, S. VI.

6 Der Mann, der mit Henslow spazierengeht

1. Briggs: *Age*, S. 227ff.; Hole: *Pulpits, Politics*, Kap. 16; Cooper: *Annals*, S. 559f., S. 563f.; Gascoigne: *Cambridge*, S. 236; C. Wordsworth an J. Brogden, 28. März 1829, in: CUL, Universitätsarchive, UP 5; *LLAS*, Bd. 1, S. 341–49; Brilioth: *Anglican Revival*, S. 93–96; *CCD*, Bd. 1, S. 85f.
2. *CCD*, Bd. 1, S. 88–90.
3. *CCD*, Bd. 1, S. 90–93; *Pedigrees*, S. 11.
4. *CCD*, Bd. 1, S. 90, S. 93f., S. 96; *Autobiography*, S. 63; K. Smith: ‹Darwin's Insects›, S. 7–9.

5. *CCD*, Bd. 1, S. 93f.: Erinnerungen von J. Price in: DAR 112.
6. *CCD*, Bd. 1, S. 95f.: ‹Names of Men who attended the Botanical Lectures ...› in: CUL, Universitätsarchive, O.XIV.261; Blomefield: *Chapters*, S. 10, S. 12, S. 23; Blomefield: *Naturalist's Calendar;* Leonard Jenyns: ‹[ta peri emauta]› MS Tagebuch, alltägliche Bücher und Aufzeichnungen im Besitz von R. G. Jenyns, Bottisham Hall, Bottisham; *Autobiography,* S. 66f.
7. *CCD*, Bd. 1, S. 96f.
8. *CCD*, Bd. 1, S. 98; CUL, Universitätsarchive, C.U.R. 28.11 (2. Juli 1829), S. 8; Prüfungsarbeiten, 1830, CUL, L952.b.1.7.
9. Clarke: *Paley,* Kap. 4; LeMahieu: *Mind,* Kap. 1; Gascoigne: *Cambridge,* S. 241–44;
10. *Autobiography,* S. 59; Paley: *View,* Bd. 2, S. 24f, S. 395, S. 410. Über Paley und die Offenbarung siehe: Clarke: *Paley,* Kap. 8; LeMahieu: *Mind,* Kap. 4.
11. Paley: *View,* Bd. 2, S. 395; *CCD*, Bd. 1, S. 101: Vorausgegangene Prüfung, 1824–1843, CUL, Universitätsarchive, Exam.L.67.
12. *CCD*, Bd. 1, S. 99–102.
13. *CCD*, Bd. 1, S. 102; Erinnerungen von J. Rodwell und von W. Leighton in: DAR 112.
14. [Blomefield]: *Memoir,* S. 4–7, S. 13, S. 16–21, S. 30–39, S. 46f.; *Cambridge Guide,* S. 13; Walters: *Shaping,* S. 47–58.
15. *CP,* Bd. 2, S. 72f.; Einweisungen in das Spinning House, 1823–1836, CUL, Universitätsarchive, T.VIII.1, bes. S. 209–97; *Autobiography,* S. 64f.; *CCD,* Bd. 1, S. 104.
16. *CP,* Bd. 2, S. 72f.; [Blomefield]: *Memoir,* S. 41; Erinnerungen von J. Rodwell in: DAR 112; *CCD,* Bd. 1, S. 80; ‹Pflanzen, die auf fünf botanischen Exkursionen gesammelt wurden ...› in: CUL, Universitätsarchive, UP 5.
17. Sloan: ‹Darwin, Vital Matter›, S. 373; ‹Namen von Teilnehmern an den Botanikvorlesungen ...› in: CUL, Universitätsarchive, O. XIV. 261; [Blomefield]: *Memoir,* S. 39; Erinnerungen von J. Rodwell und von W. Leighton in: DAR 112.
18. ‹Edinburgh Zoology Notebook› in: DAR 118 Nr. 13; *Autobiography,* S. 66; Sloan: ‹Darwin, Vital Matter›, S. 373–87, 395 und ‹Darwin's Invertebrate Program›, S. 86f.
19. *CCD*, Bd. 1, S. 95, S. 103–106, S. 272. Die Bembidiidae-Käfer (Stephens: *Systematic Catalogue,* Bd. 1, S. 36–41) sind jetzt die Familie der Bembidiini.
20. *CCD,* Bd. 1, S. 50, S. 100, S. 105–109, S. 115, S. 192f., S. 208, S. 255, S. 634. Was Fanny mitschickte, war ‹ein Geschmier ... aus meinem Buch›. Ihr Angebot, ihm ‹noch eine zu machen›, hing von seinem nächsten Besuch ab. Für ihr Porträt siehe: *Calendar,* 8917, 8926.

7 Jeder für sich allein

1. R. Taylor: *Devil's Pulpit,* (Ausg. 1881), Bd. 2, S. 79; E. Thompson: *Making,* S. 843f.; J. Wiener: *Radicalism,* S. 164–70; Royle: *Victorian Infidels,* S. 39f.
2. *CCD,* Bd. 1, S. 109–11, S. 123, S. 180; *Autobiography,* S. 59, S. 64; [Blomefield]: *Memoir,* S. 48, S. 57f.
3. *CCD,* Bd. 1, S. 110; Sedgwick: *Discourse,* S. 95–102; Todhunter: *William Whewell,* Bd. 2, S. 174–78.
4. Gascoigne: *Cambridge,* S. 241–44; Paley: *Principles,* Bd. 1, S. 217, Bd. 2, S. 138f., S. 302; Francis: ‹Naturalism›; Clarke: *Paley,* Kap. 5f.
5. [Blomefield]: *Memoir,* S. 60f.; *Autobiography,* S. 65.
6. E. Thompson: *Making,* Kap. 7.; E. Evans: ‹Some Reasons›; Hobsbawm und Rudé:

Darwin

Captain Swing, S. 165–67; *Cambridge Chronicle and Journal*, 3. Dez. 1830, S. [3], Sp. 4; 10. Dez. 1830, S. [1], Sp. 4 und S. [2], Sp. 5.

7. Erinnerungen von J. Herbert in: DAR 112.
8. *CCD*, Bd. 1, S. 111f.; Prüfungsarbeiten, 1831, in: CUL, L952.b.1.8; *Autobiography*, S. 59.
9. Erinnerungen von J. Herbert in: DAR 112; F. Watkins an F. Darwin, 18. Juli [1882?] in: DAR 112: 111–14; *LLD*, Bd. 1, S. 169f.; *CCD*, Bd. 2, S. 125f.
10. J. Heaviside an F. Darwin, 15. Sept. 1882 in: DAR 112: 56f.; Monsarrat: *Thackeray*, S. 42; *CCD*, Bd. 1, S. 113–19.
11. *CCD*, Bd. 1, S. 112, S. 124; Blomefield: *Chapters*, S. 54; L. Jenyns an J. Hooker, 1. Mai 1882 (Kopie) in: DAR 112: 67f.
12. ‹Names of Men who attended the Botanical Lectures ...›, in: CUL, Universitätsarchive, O.XIV.261; *CCD*, Bd. 1, S. 123.
13. Paley: *Natural Theology*, S. VII, S. 465, S. 490; Francis: ‹Naturalism›, S. 212–16; Gillespie: ‹Divine Design›; Clarke: *Paley*, Kap. 7; LeMahieu: *Mind*, Kap. 3.
14. Paley: *Natural Theology*, S. 465; Herschel: *Preliminary Discourse*, S. 350, S. 353 in Darwin Bibliothek, CUL; *CCD*, Bd. 1, S. 118; *Autobiography*, S. 68; Ruse: ‹Darwin's Debt›, S. 160ff.; Schweber: ‹John Herschel›.
15. [Blomefield]: *Memoir*, S. 11, S. 13–15; Cannon: *Science*, S. 86ff.; *CCD*, Bd. 1, S. 539. Henslow schenkte Darwin später Humboldts Buch, vgl.: *CCD*, Bd. 1, S. 120.
16. *Autobiography*, S. 67f.; *CCD*, Bd. 1, S. 120, S. 122f., S. 125, S. 539.
17. J. Wiener: *Radicalism*, S. 174–79; Royle: ‹Taylor, Robert›, S. 469; *The Times*, 31. Mai 1831, S. 4, Sp. 1–2; *ED*, Bd. 1, S. 234.
18. *CCD*, Bd. 1, S. 121f., S. 147; *Autobiography*, S. 68; Halévy: *Triumph*, S. 32f.
19. Cooper: *Annals*, S. 570; *CCD*, Bd. 1, S. 122–24; *LLAS*, Bd. 1, S. 374–76; Todhunter: *William Whewell*, Bd. 2, S. 118; Gascoigne: *Cambridge*, S. 236.
20. *LLAS*, Bd. 1, S. 204, 376; [Blomefield]: *Memoir*, S. 13f.; Secord: *Controversy*, S. 45–47; Erinnerungen von J. Rodwell in: DAR 112; *CCD*, Bd. 1, S. 25, S. 125.
21. *CCD*, Bd. 1, S. 125–27.
22. Secord: *Controversy*, S. 47–53; *LLAS*, Bd. 1, S. 378–80; *Autobiography*, S. 69; *CCD*, Bd. 1, S. 540.
23. Secord: ‹Discovery›; *LLAS*, Bd. 1, S. 381; Barrett: ‹Sedgwick-Darwin Geological Tour›, S. 147f., S. 157f.
24. *Autobiography*, S. 69–71; *LLAS*, Bd. 1., S. 381; Erinnerungen von G. Darwin in: DAR 112; *CCD*, Bd. 1, S. 127–31; Barrett: ‹Sedgwick-Darwin Geological Tour›, S. 149, S. 161f.

8 Mein endgültiger Abgang

1. *CCD*, Bd. 1, S. 127–30; *Diary*, S. 3.
2. *CCD*, Bd. 1, S. 132–35, S. 151, S. 165, S. 382; *Diary*, S. 3; Graber und Miles: ‹In Defence›, S. 99; vgl. dazu: *Autobiography*, S. 71f.
3. *CCD*, Bd. 1, S. 135f., S. 139–41, S. 145; L. Jenyns an J. Hooker, 1. Mai 1882 (Kopie), in: DAR 112: 67f.; *Diary*, S. 3.
4. *CCD*, Bd. 1, S. 140f., S. 144, S. 146; Mellersh: *FitzRoy*; Burstyn: ‹If Darwin wasn't›; Stanbury: ‹H.M.S. Beagle›, S. 82; S. Gould: ‹Darwin›.
5. *CCD*, Bd. 1, S. 140, S. 144, S. 148–50, S. 156; Barlow: ‹Robert FitzRoy›, S. 496; F. Darwin: ‹FitzRoy›, S. 547.

6. *CCD*, Bd. 1, S. 144, S. 146, S. 149; *Autobiography*, S. 72; Hyman: ‹Darwin Sidelight›.
7. *CCD*, Bd. 1, S. 154; F. Darwin: ‹FitzRoy›, S. 547; Basalla: ‹Voyage›; Nicholas und Nicholas: *Darwin*, S. 3–5.
8. *CCD*, Bd. 1, S. 154; *Narrative*, S. 27–33; Barlow: ‹FitzRoy›, S. 501f.; Stanbury: ‹H.M.S. *Beagle*›, S. 76–78.
9. *CCD*, Bd. 1, S. 154–156, S. 177, S. 553f.; B. Sulivan an [F.] Darwin, 12. Dez. 1884, in: DAR 112; K. Thomson: ‹H.M.S. *Beagle*›, S. 665f., S. 670f.; Stanbury: ‹H.M.S. *Beagle*›, S. 86–92; R. Keynes: *Beagle Record*, S. 21, S. 39.
10. *CCD*, Bd. 1, S. 155–57, S. 161, S. 167; *Autobiography*, S. 110. Henslows Geschenk mit der Widmung vom 21. Sept. 1831 befindet sich in der Darwin Bibliothek, CUL.
11. *CCD*, Bd. 1, S. 163, S. 165, S. 168f., S. 171, S. 192f., S. 540; *Wedgwood*, S. 215.
12. J. Wiener: *Radicalism*, S. 176–80; ‹Trial of the Rev. Robert Taylor›, *The Times*, 5. Juli 1831, S. 4, Sp. 3; 9. Juli, S. 3, Sp. 1; 21. Juli, S. 5, Sp. 3; 23. Juli, S. 3, Sp. 5; Halévy: *Triumph*, S. 40; Briggs: *Age*, S. 251–53; *CCD*, Bd. 1, S. 172, S. 174–76, S. 393; E. Thompson: *Making*, S. 888ff.
13. Aufzeichnungen über die Konservierung von Objekten, in: DAR 29.3: 78ff.: *Reports of the Council and Auditors of the Accounts of the Zoological Society of London, read at the Anniversary Meeting, April 30th 1832* (London, 1832), S. 9f.; Desmond: ‹Making›, S. 232; *CCD*, Bd. 1, S. 146–48, S. 171, S. 173; *Autobiography*, S. 103.
14. *CCD*, Bd. 1, S. 143f., S. 148–50, S. 172, S. 175.
15. *CCD*, Bd. 1, S. 172, S. 176f., S. 180, S. 182; J. Gruber: ‹Who›, S. 271ff.; *Diary*, S. 4–7. Das Leben der Marinechirurgen war so miserabel, daß es an Bord rasch zu Wutausbrüchen kam. Am Londoner College of Surgeons brach 1831 wegen der Zurücksetzung der Schiffschirurgen tatsächlich ein Aufstand aus, siehe dazu: *London Medical Gazette*, 7 (1830–31), S. 765.
16. *CCD*, Bd. 1, S. 175, S. 177–80; *Diary*, S. 6f., S. 133; *Narrative*, S. 35.
17. *CCD*, Bd. 1, S. 163, S. 179f., S. 183, S. 186; *Diary*, S. 8f.; *Autobiography*, S. 79f.; Colp: ‹Pre-Beagle Misery›.
18. *CCD*, Bd. 1, S. 127, S. 145, S. 168f., S. 173f., S. 181–84, S. 186; *Diary*, S. 9.
19. *CCD*, Bd. 1, S. 177, S. 182; *Diary*, S. 7f., S. 10f.
20. *CCD*, Bd. 1, S. 187; *Diary*, S. 11f., S. 13–15.
21. *CCD*, Bd. 1, S. 180, S. 190; *Diary*, S. 15–17; F. Darwin: ‹FitzRoy›, S. 547.

9 Ein Chaos des Entzückens

1. *Narrative*, S. 40f.; *Diary*, S. 17f.; *CCD*, Bd. 1, S. 201.
2. *Diary*, S. 19f.; *CCD*, Bd. 1, S. 201f.; *Narrative*, S. 44f.
3. *Diary*, S. 21–25; *CCD*, Bd. 1, S. 202; *Narrative*, S. 46.
4. Secord: ‹Discovery›; *Diary*, S. 24–26, S. 30, S. 33; *Charles Darwin*, 156f.
5. *Autobiography*, S. 81; *Diary*, S. 27, S. 34.
6. *Diary*, S. 36f.; *Narrative*, S. 49–52; *CCD*, Bd. 1, S. 203, S. 240.
7. *Diary*, S. 37–41, S. 48; *CCD*, Bd. 1, S. 206; *Charles Darwin*, S. 158.
8. *Diary*, S. 41–44; *CCD*, Bd. 1, S. 205; Cannon: *Science*, S. 87; Paradis: ‹Darwin›, S. 95ff.
9. *Diary*, S. 43–46; *Narrative*, S. 56; *Autobiography*, S. 73f.
10. *CCD*, Bd. 1, S. 192f., S. 197–20; *Diary*, S. 46–51.

11. *Diary,* S. 52–60, S. 74; *Journal* (1839), S. 21–28, S. 605; *CCD,* Bd. 1, S. 247, S. 252; *Charles Darwin,* S. 164f.
12. *Diary,* S. 61–78; *CCD,* Bd. 1, S. 226.
13. *Diary,* S. 64–77; *CCD,* Bd. 1, S. 227, S. 230, S. 232, S. 237f., S. 241, S. 247; *CP,* Bd. 1, S. 182–85; *Journal* (1839), S. 35, S. 38.
14. *Diary,* S. 71f., S. 77–80; *CCD,* Bd. 1, S. 225, S. 231f.; J. Gruber: ‹Who›, S. 275f.; Burstyn: ‹If Darwin wasn't›, S. 67f.
15. *Diary,* S. 81–83; *CCD,* Bd. 1, S. 247, S. 248, S. 251f.; *Autobiography,* S. 85; Schweber: ‹John Herschel›, S. 52–55.
16. *CCD,* Bd. 1, S. 222f., S. 248–50, S. 261, S. 277; *Diary,* S. 78, S. 84, S. 87–91; *Narrative,* S. 74–78; Parodiz: *Darwin,* S. 76–78.
17. Sloan: ‹Darwin, Vital Matter›, S. 388–91; *CP,* Bd. 1, S. 181. Dies waren Pfeilwürmer, die *Chaetognatha.*
18. *Journal* (1839), S. 117f., Sloan: ‹Darwin's Invertebrate Program›, S. 87–91; Thomson und Rachootin: ‹Turning Points›, S. 26f.
19. *Diary,* S. 92–94, S. 99–101, S. 104f., S. 121; *CCD,* Bd. 1, S. 276; *Narrative,* S. 83; Parodiz: *Darwin,* S. 99–102.
20. *CCD,* Bd. 1, S. 276, S. 280f.; *Narrative,* S. 82; *Diary,* S. 106–110; *Charles Darwin,* S. 166; *Journal,* S. 204; Gruber und Gruber: ‹Eye›, S. 195; H. Gruber: ‹Going›, S. 18. Die Punta-Alta-Fossilien wurden von Richard Owen identifiziert, nachdem Darwin nach London zurückgekehrt war, vgl. dazu: Owen: *Fossil Mammalia,* S. 7–9, S. 29 (das riesige Nagetier *Toxodon*), S. 68f. (das Riesenfaultier *Mylodon*), S. 107f. (ein Gürteltier oder Glyptodont in Rindergröße).
21. *Diary,* S. 111; Schweber: ‹John Herschel›, S. 55f.; *Narrative,* S. 95f.; vgl. auch: Bush: *Milton,* Bd. 1, S. 180–88.
22. *CCD,* Bd. 1, S. 222f., S. 235, S. 245, S. 255–59; *Diary,* S. 111f., S. 117.
23. *Diary,* S. 113, S. 115; *CCD,* Bd. 1, S. 222, S. 245, S. 257, S. 277f., S. 281, S. 286.
24. R. Hamond an F. Darwin, 19. Sept. 1882, in: DAR 112: 54f.; *Charles Darwin,* S. 167–69; *Diary,* S. 114, S. 116–18.
25. C. Lyell: *Principles,* Bd. 2, S. 2, S. 10; Bartholomew: ‹Lyell›; Desmond: *Politics,* S. 327–30.
26. *Diary,* S. 117f.; *CCD,* Bd. 1, S. 281f., S. 308.

10 Geister aus einer anderen Welt

1. *Diary,* S. 120–25; *CCD,* Bd. 1, S. 306, S. 397.
2. *Diary,* S. 122, S. 124–29, S. 444; *CCD,* Bd. 1, S. 303, S. 307, S. 316; *Narrative,* S. 102f.
3. *Diary,* S. 130–32; *Narrative,* S. 105f.; *CCD,* Bd. 1, S. 303; Stanbury: ‹H.M.S. Beagle›, S. 84.
4. *Diary,* S. 133, S. 138–40; *Narrative,* S. 115, S. 124f.; *CCD,* Bd. 1, S. 304.
5. *Diary,* S. 135, S. 139, S. 141, S. 143, S. 224; *CCD,* Bd. 1, S. 303, S. 305; *Narrative,* S. 127f.
6. *Diary,* S. 144f.; *CCD,* Bd. 1, S. 304, S. 307; *Narrative,* S. 134–36; Parodiz: *Darwin,* S. 85, S. 106–108.
7. *Diary,* S. 145–147; *Narrative,* S. 139f.; *CCD,* Bd. 1, S. 307; *Charles Darwin,* S. 178f.
8. Sloan: ‹Darwin, Vital Matter›, S. 391f. und ‹Darwin's Invertebrate Program›, S. 98–100, *Diary,* S. 149; *CCD,* Bd. 1, S. 307, S. 399f.

9. *CCD,* Bd. 1, S. 247f.; *Diary,* S. 148–54; *Narrative,* S. 158f.
10. *Diary,* S. 154–60; *CCD,* Bd. 1, S. 321; *Charles Darwin,* S. 182f.; *Journal* (1839), S. 55, S. 69f., S. 105–107.
11. *Diary,* S. 160f.; DON, S. 214–24; *Journal* (1839), S. 54ff.; *CCD,* Bd. 1, S. 311f., S. 315, S. 321.
12. *CCD,* Bd. 1, S. 288, S. 290f., S. 299, S. 309, S. 311, S. 313, S. 320; F. Darwin: ‹FitzRoy›, S. 548; A. Mellersh an F. Darwin, 10. Juni 1882, in: DAR 112: 83; *Diary,* S. 167; *Wedgwood,* S. 219.
13. *CCD,* Bd. 1, S. 266, S. 269, S. 271f., S. 291, S. 299, S. 309; *ED,* Bd. 1, S. 61; *Wedgwood,* S. 155.
14. *CCD,* Bd. 1, S. 311f., S. 314, S. 316, S. 320–22, S. 398; *Diary,* S. 162.
15. DON 273; *Journal* (1839), S. 108; *Charles Darwin,* S. 199; *Diary,* S. 99f., S. 163–71; Parodiz: *Darwin,* S. 103ff.; *CCD,* Bd. 1, S. 330f.
16. *CCD,* Bd. 1, S. 330f., S. 343; *Diary,* S. 172, S. 175, S. 178–81; *Charles Darwin,* S. 194–98; Gruber und Gruber: ‹Eye›, S. 195f. Der langschnauzige Schädel wurde später in London von Richard Owen als ein riesiges, ameisenbär-ähnliches *Scelidotherium* identifiziert, siehe dazu: Owen: *Fossil Mammalia,* S. 73f.
17. *Diary,* S. 182–98; *Charles Darwin,* S. 199, S. 206–13; *CCD,* Bd. 1, S. 336, S. 342f., S. 352; Parodiz: *Darwin,* S. 108–10, S. 116f.
18. *Diary,* S. 198f.; *Narrative,* S. 173; *CCD,* Bd. 1, S. 230, S. 318, S. 323–25, S. 328–30, S. 344f., S. 351–53.
19. *Diary,* S. 203f.; *CCD,* Bd. 1, S. 344, S. 378f.; *Journal* (1839), S. 180f.; *LRO,* Bd. 1, S. 119f.; Owen: *Fossil Mammalia,* S. 16ff. Später identifizierte es Owen in London als nilpferd-großes Nagetier *Toxodon,* ein Vorläufer des südamerikanischen Wasserschweins.
20. *Diary,* S. 205–209; *CCD,* Bd. 1, S. 335, S. 354, S. 359. Der asthmatische Earle starb im Dezember 1838 in London.
21. *Diary,* S. 208–212, S. 215; DON 229, 271; *Journal* (1839), S. 108f., S. 208f.; *CCD,* Bd. 1, S. 369f., Bd. 2, S. 373; Owen: *Fossil Mammalia,* S. 35f. Später benannte Owen diesen kamelgroßen Lama-Vorläufer *Macrauchenia,* vgl. dazu: Rachootin: ‹Owen and Darwin›.
22. *Diary,* S. 213–22; *Narrative,* S. 177; *CCD,* Bd. 1, S. 358, S. 370; *Journal* (1839), S. 109f.; DON 272, 273.
23. *Diary,* S. 222–24; C. Lyell: *Principles,* Bd. 2, S. 21.
24. *Diary,* S. 22–24; C. Lyell: *Principles,* Bd. 2, S. 60–62; Herbert: ‹Place of Man, Pt 1›, S. 227–29.
25. *Diary,* S. 226f.; *Narrative,* S. 182f., S. 185; *CCD,* Bd. 1, S. 378, S. 380.

11 Erschütterte Fundamente

1. *Diary,* S. 228; *Narrative,* S. 185–87; *CCD,* Bd. 1, S. 378, S. 380.
2. *CCD,* Bd. 1, S. 316, S. 327f., S. 333f., S. 359, S. 363; Morrell und Thackray: *Gentlemen,* S. 165–75 über die BAAS-Tagung vom Juni 1883 in Cambridge unter Vorsitz von Sedgwick.
3. *CCD,* Bd. 1, S. 368–71, S. 398; DON 246; *Charles Darwin,* S. 218f.; *Diary,* S. 229–31; Herbert: ‹Darwin›, S. 492f.; Sulloway: ‹Darwin's Early Intellectual Development›, S. 132–44.
4. *Narrative,* S. 188; *CCD,* Bd. 1, S. 370, S. 381; *Diary,* S. 232.
5. R. Keynes: *Beagle Record,* S. 199, S. 203; *Diary,* S. 231–33; *Narrative,* S. 193–96.

6. R. Keynes: *Beagle Record,* S. 202, S. 210; *Diary,* S. 232–37; *Charles Darwin,* S. 221f.; *Narrative,* S. 196ff., S. 369.
7. *Diary,* S. 236–40; *Narrative,* S. 198–200; *Charles Darwin,* S. 222.
8. *CCD,* Bd. 1, S. 336–42, S. 345–47, S. 356–58, S. 392f.
9. *LLL,* Bd. 2, S. 33; *CCD,* Bd. 1, S. 345f., S. 392; Erskine: ‹Darwin›, S. 261–63; H. Martineau: *Autobiography,* Bd. 1, S. 218f., S. 260–63, S. 327; *Diary,* S. 240f.; Wheatley: *Life,* S. 95–97.
10. Austin: *Memoir,* Bd. 2, S. 383; Harrison: *Early Victorian Britain,* S. 23, S. 73, S. 107–12; H. Martineau: *Autobiography,* Bd. 1, S. 211f., S. 219; Hilton: *Age,* Kap. 3 über religiösen Malthusianismus.
11. *CCD,* Bd. 1, S. 338, S. 389; *Diary,* S. 243; *Charles Darwin,* S. 223.
12. *Diary,* S. 244–49; *Narrative,* S. 205–207; *CCD,* Bd. 1, S. 392, Bd. 3, S. 38; DON 250–53; Gruber und Gruber: ‹Eye›, S. 193.
13. *Diary,* S. 249f., S. 253–55; *CCD,* Bd. 1, S. 393, S. 405f., S. 419.
14. *Diary,* S. 257–63; *Charles Darwin,* S. 226; *CCD,* Bd. 1, S. 396f., S. 410; Parodiz: *Darwin,* S. 123–25.
15. *CCD,* Bd. 1, S. 312, S. 397–402, S. 410f., S. 418–20; *Narrative,* S. 210f.; *Diary,* S. 263.
16. *Diary,* S. 264–71, S. 274–76; *Charles Darwin,* S. 229; *Narrative,* S. 216–18.
17. *Diary,* S. 275–80; *Narrative,* S. 221–23; *Journal* (1839), S. 351; *CCD,* Bd. 4, S. 258, S. 389, S. 436.
18. *Diary,* S. 247, S. 269, S. 280–86; *CCD,* Bd. 1, S. 432, S. 434, S. 437; Parodiz: *Darwin,* S. 126f.
19. Hodge: ‹Darwin and the Laws›, S. 18–22; Kohn: ‹Theories›, S. 70f.; H. Gruber: ‹Going›, S. 16–18.
20. Sloan: ‹Darwin, Vital Matter›, S. 393–95; Hodge: ‹Darwin and the Laws›, S. 22–27; *Diary,* S. 287; *Journal* (1839), S. 363f.
21. *CCD,* Bd. 1, S. 419, S. 434; *Diary,* S. 286–93; vgl. auch: *Autobiography,* S. 75.
22. *Diary,* S. 293–302; *CCD,* Bd. 1, S. 434, S. 436; Parodiz: *Darwin,* S. 127f.; Rudwick: ‹Strategy›, S. 4, S. 16; vgl. auch: Darwins Exemplar von Humboldts *Personal Narrative,* Bd. 2, S. 207 in der Darwin Bibliothek, CUL.

12 Koloniales Leben

1. *Narrative,* S. 235; *CCD,* Bd. 1, S. 432–37.
2. *Diary,* S. 304–13; *CCD,* Bd. 1, S. 440, S. 445f.
3. *Diary,* S. 314–18; *Charles Darwin,* S. 236; *CCD,* Bd. 1, S. 442; *Journal* (1839), S. 354f. Das Insekt Vinchuca dient einem Blutschmarotzer der Gattung Trypanosoma als Wirtstier, der beim Menschen die Schlafkrankheit auslöst. Aber Darwin erwähnte keine Erkrankung an dem Fieber, das üblicherweise die ursprüngliche Infektion begleitet, und es wird heute bezweifelt, daß der Vinchuca-Biß die Ursache seiner späteren chronischen Krankheit war, vgl. dazu: *Diary,* S. 315; *TBI,* S. 126ff. Leonard Darwin führte die Krankheit seines Vaters in Einklang mit dessen Meinung nicht auf eine Infektion während der Reise zurück, siehe: L. Darwin: ‹Memories›, S. 121.
4. *CCD,* Bd. 1, S. 440, S. 445; *Diary,* S. 321; *Charles Darwin,* S. 232f.
5. *CCD,* Bd. 1, S. 419, S. 435, S. 440, S. 443, S. 445–48; *Diary,* S. 318f., S. 322f.; *Charles Darwin,* S. 237; Parodiz: *Darwin,* S. 119–21.
6. *Diary,* S. 324–43; *Charles Darwin,* S. 238–43; *CCD,* Bd. 1, S. 449, S. 457f.

7. *Diary,* S. 343–50; *CCD,* Bd. 1, S. 458, S. 462, S. 466; *Charles Darwin,* S. 244.
8. Stoddard: ‹Darwin, Lyell›, S. 200–204; C. Lyell: *Principles,* Bd. 2, S. 290; R. Keynes: *Beagle Record,* S. 350f.; *Charles Darwin,* S. 243f.; *Autobiography,* S. 98f.; *CCD,* Bd. 1, S. 460, S. 567f.
9. *CCD,* Bd. 1, S. 416, S. 460, S. 462, S. 465f.; *Diary,* S. 350.
10. Nach seiner Rückkehr nach England schenkte Davis den Nasenbären dem Zoo. Siehe die Eintragung vom 4. Nov. 1836, ‹Occurences at the Gardens›, Zoological Society London: ‹Ein brauner Nasenbär, Geschenk von Herrn J. E. Davis, Seemann der Königlichen Schaluppe Beagle vor Woolwich.› J. Davis ist einer der Matrosen, erwähnt in: *CCD,* Bd. 1, S. 549.
11. DON 262; *Diary,* S. 354, S. 362f.; *Charles Darwin,* S. 247; *Narrative,* S. 270, S. 272; *CCD,* Bd. 1, S. 489; Sulloway: ‹Darwin's Conversion›, S. 339, Anmerkung 23: über die Fehlbenennung des im Meer lebenden Leguans.
12. *Narrative,* S. 286; *Diary,* S. 351–54; *Charles Darwin,* S. 247f.; *CCD,* Bd. 1, S. 485.
13. Sulloway: ‹Darwin's Conversion›, S. 338–44; *Journal* (1839), S. 465; DON 262.
14. *Narrative,* S. 279; *Diary,* S. 357–59; Sulloway: ‹Darwin›, S. 19.
15. *Diary,* S. 360–63.
16. *Diary,* S. 355–57; DON 261f.; Sulloway: ‹Darwin›, S. 6–19; *CCD,* Bd. 1, S. 485.
17. *Diary,* S. 360; *Narrative,* S. 227, S. 283, S. 286. Viel später gab er zu, ‹es kam mir nie in den Sinn, daß sich das Leben auf Inseln, die nur wenige Kilometer voneinander entfernt entstanden sind, so verschieden entwickeln könnte. Ich habe deshalb nicht versucht, von den einzelnen Inseln Tiere und Pflanzen zu einem systematischen Vergleich mitzunehmen›, in: *Journal* (1839), S. 474f.
18. Sulloway: ‹Darwin›, S. 12, S. 19; DON 262.
19. *CCD,* Bd. 1, S. 471; Pennington: ‹Darwin›, S. 4; *Narrative,* S. 295–98, S. 302; *Diary,* S. 365–73.
20. *Diary,* S. 376–79; *CCD,* Bd. 1, S. 569; Stoddart: ‹Darwin, Lyell›, S. 205.
21. *Diary,* S. 380–87; Pennington: ‹Darwin›, S. 5–8; *Narrative,* S. 322.
22. *CP,* Bd. 2, S. 20f., S. 34–37; *CCD,* Bd. 1, S. 472, S. 485, S. 560; *Diary,* S. 384f.
23. *Diary,* S. 389–93; *CCD,* Bd. 1, S. 472. Wir danken David Stanbury für Informationen über die Sammlung, einschließlich der Kopie von FitzRoys Begleitschreiben.
24. *Diary,* S. 395f.; Nicholas und Nicholas: *Charles Darwin,* S. 20f.; *CCD,* Bd. 1, S. 482, S. 484f., S. 492.
25. *Diary,* S. 396–400; Marshall: *Darwin,* S. 11; Nicholas und Nicholas: *Charles Darwin,* S. 22–44.
26. *Diary,* S. 401–403; *CCD,* Bd. 1, S. 481; Nicholas und Nicholas: *Charles Darwin,* S. 45–54; Desmond: *Politics,* S. 279–87.
27. *Diary,* S. 403–405, S. 408; Desmond: ‹Making›, S. 247, Anmerkung 169; *CCD,* Bd. 1, S. 483; Nicholas und Nicholas: *Charles Darwin,* S. 18, S. 63f.
28. *Diary,* S. 406–10; *CCD,* Bd. 1, S. 485, S. 490; King-Hele: *Letters,* S. 190; Nicholas und Nicholas: *Charles Darwin,* S. 83–104; Darwin: *Volcanic Islands,* S. 138, S. 158; *Journal* (1839), S. 583, Anmerkung.
29. *CCD,* Bd. 1, S. 490f.; Nicholas und Nicholas: *Charles Darwin,* S. 86f.
30. *Diary,* S. 410–13; *Narrative,* S. 339; Nicholas und Nicholas: *Charles Darwin,* S. 105–17; P. Armstrong: *Charles Darwin,* Kap. 4, S. 17–19; Sloan: ‹Darwin's Invertebrate Program›, S. 104–108.

13 In Tempeln der Natur

1. Sloan: ‹Darwin's Invertebrate Program›, S. 108f.: P. Armstrong: *Charles Darwin,* S. 31; *Diary,* S. 413–16.
2. *Diary,* S. 416–18; *CCD,* Bd. 1, S. 495, S. 570; R. Keynes: *Beagle Record,* S. 350f.; *Narrative,* S. 344.
3. *CCD,* Bd. 1, S. 492–93, S. 495f.; *Diary,* S. 419–22; F. Darwin: ‹FitzRoy›, S. 548.
4. *Autobiography,* S. 107; *CCD,* Bd. 1, S. 497f., S. 500; Kohn: ‹Darwin's Ambiguity›, S. 222; *Notebooks,* RN32; Cannon: ‹Impact›, S. 304–11.
5. *CP,* Bd. 1, S. 3–16, S. 19, S. 24f.; *CCD,* Bd. 1, S. 473f., S. 487, S. 498f.; *Diary,* S. 422–27.
6. Kirby: ‹Introductory Address›, S. 5; Desmond: ‹Making›, S. 168. Sulloway: ‹Darwin's Conversion›, S. 332–37, argumentiert aufgrund von Darwins orthographischen Eigenheiten, daß der ornithologische Katalog (veröffentlicht als DON) zwischen dem Kap der Guten Hoffnung und der Insel Ascension, d.h. zwischen dem 18. Juni und dem 19. Juli 1836 aufgezeichnet wurde.
7. DON 262. Im Gegensatz zu Sulloway meint Hodge, daß Darwin um diese Zeit bereits mit dem Gedanken der Transmutation spielte, siehe dazu: Hodge: ‹Darwin, Species›, S. 236.
8. *CCD,* Bd. 1, S. 500, S. 502; *Diary,* S. 424–30.
9. Darwin hatte zumindest seit Mauritius gewußt, daß FitzRoy beabsichtigte, Bahia anzulaufen, aber das milderte den Schlag nicht, vgl. dazu: *CCD,* Bd. 1, S. 488, S. 495, S. 503; *Diary,* S. 431f.
10. *CCD,* Bd. 1, S. 492, S. 501; *Diary,* S. 432–42.
11. *CCD,* Bd. 1, S. 469; *Diary,* S. 441f.
12. Sulloway: ‹Darwin's Conversion›, S. 333, Anmerkung 17; D. Porter: ‹*Beagle* Collector›, S. 979–88; Gruber und Gruber: ‹Eye›, S. 189; *Narrative,* S. 286.
13. *CCD,* Bd. 1, S. 492, S. 495, S. 499f.
14. *Notebooks,* RN18, S. 72; H. Gruber: ‹Going›, S. 25; *Diary,* S. 466.
15. *CCD,* Bd. 1, S. 469, S. 474f., S. 503; *LLL,* Bd. 1, S. 460f.; *CP,* Bd. 1, S. 18.
16. *CCD,* Bd. 1, S. 488; *Diary,* S. 443–47.

14 Ein Pfau, der sein Gefieder bewundert

1. *CCD,* Bd. 1, S. 504–507.
2. Austin: *Memoir,* Bd. 2, S. 352; *CCD,* Bd. 1, S. 506; Halévy: *Triumph,* S. 56; Holt: *Unitarian Contribution,* S. 23, S. 132, S. 217–41.
3. Edsall: *Anti-Poor Law Movement,* S. 21, S. 59; Harrison: *Early Victorian Britain,* S. 28; Berman: *Social Change,* S. 109f.; E. Thompson: *Making,* S. 904.
4. *CCD,* Bd. 1, S. 507–509, S. 512.
5. Tristan: *London Journal,* S. 1f.; Harrison: *Early Victorian Britain,* S. 26. Ein anschaulicher Bericht über die öffentlichen Gebäude, die bei Darwins Rückkehr in London in Bau waren, findet sich in: Jackson: *George Scharf's London,* S. 70f., S. 100, S. 112f., S. 131–36. Von der Zerstörung des Unterhauses durch einen Brand erfuhr Darwin auf der *Beagle,* in: *CCD,* Bd. 1, S. 413.
6. *CCD,* Bd. 1, S. 509, S. 514, S. 516; Bunbury: *Life,* Bd. 1, S. 147.
7. *Reports of the Council and Auditors of the Zoological Society of London, Read at the Annual General Meeting, 29. April 1836* (London, 1836), S. 20; (1837), S. 15; (1838), S. 10; Zoologische Gesellschaft, Protokoll des Vorstands, Bd. 4, S. 396f.;

Desmond: ‹Making›, S. 233; *CCD*, Bd. 1, S. 512. Die Gesellschaft war am 11. Juli 1836 von ihrem alten Museum, dem ehemaligen Stadthaus von Lord Berkeley in der Bruton Street 33, in Hunters Museum umgezogen, vgl. dazu: *CCD*, Bd. 1, S. 514, Anmerkung 2.

8. *CCD*, Bd. 1, S. 299, S. 513f.; Desmond: ‹Making›, S. 224f., S. 232–41; *Lancet*, 1 (1840–41), S. 117.

9. *London Medical Gazette*, 13 (1833–34), S. 293, S. 676; Desmond: ‹Robert E. Grant›, S. 217; Desmond: *Politics*, S. 122, S. 149; *Report from the Select Committee on British Museum* (Parlamentsdokumente, 14. Juli 1836), S. 133; Gunther: *Founders*, Kap. 8; *CCD*, Bd. 1, S. 512.

10. *CCD*, Bd. 1, S. 510, S. 534; Keith: *Darwin*, S. 221f.

11. *LLL*, Bd. 2, S. 33; *CCD*, Bd. 1, S. 345f., Bd. 2, S. 518; Erskine: ‹Darwin›, S. 261–63; H. Martineau: *Autobiography*, Bd. 1, S. 218f., S. 260–63, S. 327.

12. Zitiert nach: Erskine: ‹Darwin›, S. 109; Martineau: *Autobiography*, Bd. 1, S. 204–209; Desmond: *Politics*, S. 126f., über die *British Medical Association*.

13. *CCD*, Bd. 1, S. 518f.; Erskine: ‹Darwin›, S. 260f.

14. *CCD*, Bd. 1, S. 514, S. 532; *LLL*, Bd. 1, S. 474f.

15. Broderip: ‹Zoological Gardens›, S. 321; *LRO*, Bd. 1, S. 96, S. 102, S. 169; Desmond: ‹Making›, S. 238, S. 240f.; *CCD*, Bd. 1, S. 515; Bunbury: *Life*, Bd. 1, S. 187.

16. R. Grant: *Study*, S. 17–19; Desmond: *Politics*, S. 126–33, S. 385, S. 402f.

17. Wie ihn die Radikalen begrüßten, vgl.: *Lancet*, 2 (1841–42), S. 246; *LRO*, Bd. 1, S. 102.

18. Sloan: ‹Darwin, Vital Matter›, S. 399ff.

19. *CCD*, Bd. 1, S. 512, S. 520; D. Porter: ‹*Beagle* Collector›, S. 1006f. Bestimmte Polypen werden erwähnt in: *Journal* (1839), S. 552f., und Darwins *Coral Reefs*, bes. Kap. 1.

20. *CCD*, Bd. 1, S. 14, S. 183; Herbert: ‹Place of Man, Pt 1›, S. 241, und ‹Place of Man, Pt 2›, S. 174f.; Desmond: *Politics*, S. 122.

21. *CCD*, Bd. 1, S. 511f., S. 514f.; D. Porter: ‹*Beagle* Collector›.

22. *ED*, Bd. 1, S. 272–74; *CCD*, Bd. 1, S. 513, S. 519, S. 524, S. 526, S. 530, S. 533, S. 535; Bd. 2, S. 2.

23. *CCD*, Bd. 1, S. 515f., Bd. 2, S. 14, S. 23.

24. *CCD*, Bd. 1, S. 518, S. 527f., S. 531, S. 534. Darwin überließ Owen neben den fossilen Knochen ca. fünfzig präparierte Säugetiere und Vögel.

25. Zitiert nach: David: *Intellectual Women*, S. 36f.; *CCD*, Bd. 1, S. 524.

26. H. Martineau: *Autobiography*, Bd. 1, S. 355; *CCD*, Bd. 1, S. 524, Bd. 2, S. 1, S. 5; *LLL*, Bd. 2, S. 34.

27. Tristan: *London Journal*, S. 7; Dickens: *Bleak House*, S. 1; Raumer: *England*, Bd. 1, S. 7; Jackson: *George Scharf's London*, S. 75; *CCD*, Bd. 1, S. 511–13.

28. *CCD*, Bd. 1, S. 395, S. 421, S. 525, Bd. 2, S. 8; *Journal* (1839), S. 69.

29. *LLL*, Bd. 2, S. 12; Stoddart: ‹Darwin, Lyell›, S. 206f.; Herbert: ‹Darwin›, S. 490–94; Rudwick: ‹Charles Darwin›, S. 195ff.; Babbage: *Ninth Bridgewater Treatise*, S. 209–20; Cannon: ‹Impact›; *CCD*, Bd. 1, S. 532, Bd. 2, S. 1; *LLD*, Bd. 1, S. 278f., Bd. 2, S. 12; *CP*, Bd. 1, S. 41–43.

30. Gillispie: *Genesis*, S. 140; Dean: ‹Through Science›, S. 121; Herbert: ‹Darwin›, S. 485.

31. *CCD*, Bd. 2, S. 4, S. 29; Sulloway; ‹Darwin›, S. 6ff.; Hodge: ‹Darwin and the Laws›, S. 47.

32. DON, Sulloway: ‹Darwin›, 6, 8f., 13–19, und ‹Darwin's Conversion›, 356f.; *CCD*, Bd. 2, S. 2; Zoologische Gesellschaft, *Reports* (1837), S. 15.

33. *Proceedings of the Zoological Society,* 4 (1836), S. 142; 5 (1837), S. 7; über Zaunkönige: Bd. 4 (1836), S. 88f.; J. Gould: *Birds of Europe and Birds of Australia.* Über Goulds Stellung in dem Museum, siehe: Desmond: ‹Making›, S. 231, S. 246, Anmerkung 164.

34. Zoologische Gesellschaft, Protokolle der wissenschaftlichen Tagungen. Okt. 1835 bis Aug. 1840, Nr. 120. Der endgültige Entwurf von Goulds Vortrag vom 10. Januar wurde erst am 3. Oktober zur Veröffentlichung eingereicht (wie aus *Proceedings of the Sociological Society,* 107 [1837], S. 79, hervorgeht). Bis dahin hatte er vierzehn Spezies identifiziert, und diese Zahl taucht auch in der gedruckten Fassung auf, vgl.: J. Gould: ‹Mr. Darwin's Collection›, S. 4. Sulloway arbeitet Goulds spätere Ansichten glänzend heraus, in: ‹Darwin›, S. 21, Anmerkung 32, und ‹Darwin's Conversion›, S. 358–61. Darwins ‹Ikterus› erwies sich schließlich als Kaktusfink, sein Zaunkönig als Buchfink und seine ‹Kernbeißer› als Finken mit starkem Schnabel.

35. Wilson: *Charles Lyell,* S. 437f.; C. Lyell, ‹Address›, S. 510f.; Rachootin: ‹Owen›, S. 156–59. Owen nannte diesen Lama-Vorfahren *Macrauchenia.*

36. *CCD,* Bd. 2, S. 4, S. 8; C. Lyell: ‹Address›, S. 511; Sulloway: ‹Darwin's Conversion›, S. 252–55.

37. Wilson: *Charles Lyell,* S. 441; R. Porter: ‹Gentlemen›, S. 810, S. 821–24.

38. *CCD,* Bd. 1, S. 259, S. 516, Bd. 2, S. 11, S. 13; Rudwick: ‹Charles Darwin›.

15 Die Natur reformieren

1. *CCD,* Bd. 2, S. 8, S. 11.

2. *LLL,* Bd. 1, S. 466, S. 472; *Hansard,* 3. Serie, 32 (1836), S. 162; 34 (1836), S. 491; *CCD,* Bd. 2, S. 175. Im März 1837 tobten wütende Parlamentsdebatten über Kirchenpfründen (siehe: Bunbury: *Life,* Bd. 1, S. 149). Darwin kannte die Gäste dieser Soiréen schon; bereits am 5. Nov. 1836 hatte er mit Babbage und Owen an einem der glänzenden Diners des Geologen Roderick Murchison teilgenommen, vgl. dazu: *LRO,* Bd. 1, S. 103.

3. *LLL,* Bd. 1, S. 467; ‹Geology and Mineralogy›, *Athenaeum* (1837), S. 79.

4. Babbage: *Ninth Bridgewater Treatise,* S. 25, S. 45–47, S. 92; Desmond: *Archetypes,* S. 214f.

5. C. Babbage an Victoria, 24. Mai 1837, BL, weitere MS 37, 190, Nr. 147; H. Holland an C. Babbage, 26. Mai 1837, Nr. 153; C. Lyell an C. Babbage, 6. Jan., 17. Feb., Mai 1837, Nr. 8, 37, 185.

6. *CCD,* Bd. 2, S. 106; Schweber: ‹John Herschel›, S. 33; Cannon: ‹Impact›, S. 305.

7. Cannon: ‹Impact›, S. 305, S. 312; Wilson: *Charles Lyell,* S. 438f. Weil er einige kontroverse geologische Behauptungen enthielt, wurde der Brief schließlich am 17. Mai 1837 vor der Geologischen Gesellschaft verlesen, vgl.: *LLL,* Bd. 2, S. 5, S. 11; Babbage: *Ninth Bridgewater Treatise,* S. 226f. Über die Royal Society, siehe: MacLeod: ‹Whigs›, S. 64f.; Desmond: *Politics,* S. 255f. Und über Herschels *via regia,* siehe: Kohn: ‹Darwin's Ambiguity›, S. 222f.

8. *LLL,* Bd. 1, S. 467, Bd. 2, S. 5; Bartholomew: ‹Lyell›, Cannon; ‹Impact, S. 308; *CCD,* Bd. 2, S. 7, S. 8f.

9. Erskine: ‹Darwin›, S. 34; *CCD,* Bd. 2, S. 13.

10. Wedgwood: ‹Grimm›, S. 170, S. 175; *Notebooks,* N31, 39 zu Charles' Diskussion mit Hensleigh über die parallele Evolution von Lauten.

11. *CCD,* Bd. 2, S. 155; H. Martineau: *Autobiography,* Bd. 1, S. 355; *ED,* Bd. 1, S. 277, S. 284; *Autobiography,* S. 112f.; Erskine: ‹Darwin›, S. 106.

Anmerkungen

12. Southwood Smith: *Divine Government,* S. 109, S. 111. Im Depressionsjahr 1837 verging jedoch auch Smith sein optimistischer Glaube an den zwangsläufigen Fortschritt. Er machte die Armengesetz-Kommissare auf die Epidemien im Londoner East End aufmerksam und zeigte Dickens das Elend, was diesen so aufrüttelte, daß er Smiths Bericht als Hintergrund für Episoden von *Oliver Twist* und *Bleak House* benutzte.
13. *LLL,* Bd. 2, S. 8; *Notebooks* N36, B98; Brooke: ‹Relations›, S. 46f.; Ospovat: *Development,* S. 30–33; Cornell: ‹God's Magnificent Law›, S. 387–89.
14. Epps: *Church of England's Apostacy,* S. 3; *CCD,* Bd. 1, S. 259; Austin: *Memoir,* Bd. 2, S. 384; *Medico-Chirurgical Review,* 23 (1835), S. 413; Jacyna: ‹Immanence›, S. 325f.
15. *British and Foreign Medical Review,* 5 (1838), S. 86–100; Rehbock: *Philosophical Naturalists,* S. 56; Epps: *Elements,* S. 100; Desmond: *Politics,* S. 110–17, S. 199.
16. *Medico-Chirurgical Review,* 30 (1839), S. 450. Wie so viele Edinburgher Absolventen hatte Gully (1828) am republikanischen Hôtel Dieu in Paris studiert. Mitte der 1830er Jahre war er Mitherausgeber des oppositionellen *London Medical and Surgical Journal* (vgl.: Mann: Collections, S. 5f., S. 10), das viele der heterodoxen Wissenschaften unterstützte, vgl. dazu: Desmond: *Politics,* Kap. 4, bes. S. 175.
17. Sulloway: ‹Darwin›, S. 12, S. 21f., und ‹Darwin's Conversion›, S. 359–62; Kottler: ‹Charles Darwin's Biological Species Concept›, S. 281; Herbert: ‹Place of Man, Pt 1›, S. 236f.; J. Gould: ‹Three Species›.
18. Was aus Darwins Schildkröte wurde, ist nicht bekannt. Es findet sich keine Eintragung in dem Register ‹Occurences at the Gardens›, das von der Zoologischen Gesellschaft in London geführt wurde, daß sie 1836 oder Anfang 1837 dem Zoo lebend geschenkt wurde; ebensowenig wird sie in: Flower: *List,* Bd. 3, S. 33, erwähnt.
19. *LLL,* Bd. 2, S. 36; C. Lyell: *Principles,* Bd. 2, S. 20f.; Bartholomew: ‹Lyell›; Desmond: *Politics,* S. 328f.; Schweber: ‹Origin›, S. 265; H. Gruber: ‹Going›, S. 10.
20. *LLL,* Bd. 2, S. 10f.; *CP,* Bd. 1, S. 44f.; *Notebooks* B94, 126, 133. Der indische Affe aus dem Siwalik-Gebirge wurde in Pliozän- bis Pleistozänschichten (in heutiger Terminologie) gefunden.
21. *Notebooks,* B126; Cautley: ‹Extract›, S. 544.
22. Knight: *London,* Bd. 3, S. 200–203; Bunbury: *Life,* Bd. 1, S. 186; Sloan: ‹Darwin, Vital Matter›, S. 405ff.; Desmond: *Politics,* S. 346ff. Owen bediente sich bei: Müller: *Handbuch der Physiologie.*
23. Sloan: ‹Darwin, Vital Matter›, S. 418f., S. 425–30; *CCD,* Bd. 2, S. 32; *LRO,* Bd. 1, S. 108; Desmond; *Politics,* S. 291–93, S. 347.
24. Sloan: ‹Darwin, Vital Matter›, S. 424, S. 434; *Notebooks,* RN, Innenseite des vorderen Umschlags; Jacyna: ‹Immanence›, S. 314–27; Desmond: ‹Artisan Resistance›, S. 95–104, und *Politics,* S. 265f.
25. *Notebooks,* RN 129 f., 133; Hodge: ‹Darwin and the Laws›, S. 19–28; Kohn: ‹Theories›, S. 75, S. 77f.; vgl.: C. Lyell: *Principles,* Bd. 3, S. 85; Sloan: ‹Darwin, Vital Matter›, S. 433ff.; *Journal* (1839), S. 212.
26. *Journal* (1839), S. 212; *CP,* Bd. 1, S. 45; Sloan: ‹Darwin, Vital Matter›, S. 434; *Notebooks,* RN, Innenseite vorderer Umschlag.
27. *Notebooks,* RN127; *CCD,* Bd. 3, S. 14; Blomefield: *Chapters,* S. 29: über Jenyns Fisch; J. Gould: ‹New Species›; *CCD,* Bd. 2, S. 11.
28. *Notebooks,* B161, RN 127, 130, 153; Herbert: *Red Notebook,* S. 6–12; E. Richards: ‹Question›, S. 148; Kohn: ‹Theories›, S. 73–76; Sulloway: ‹Darwin's Conversion›, S. 371ff.; Hodge: ‹Darwin and the Laws›, S. 44f., S. 48f.
29. *CCD,* Bd. 2, S. 11, S. 14; *Journal* (1839), S. 462, S. 475; Sulloway: ‹Darwin›, S. 33.

30. *CCD,* Bd. 2, S. 15–17, S. 20f., S. 24, S. 38; Zoologische Gesellschaft: *Reports* (1832), S. 9f.: über Richardsons arktische Akten.
31. *CCD,* Bd. 2, S. 26, S. 31, Anmerkungen 4, 37 und 59; Desmond: *Politics,* S. 384.
32. *CCD,* Bd. 2, S. 16–18, S. 27.
33. *CCD,* Bd. 1, S. 14, S. 31, Bd. 2, S. 29; *CP,* Bd. 1, S. 40, S. 46–49; Sulloway: ‹Darwin›, S. 23–29; *LLL,* Bd. 2, S. 12.

16 Die Barrieren niederreißen

1. *Notebooks,* B2f.; Kohn: ‹Theories›, S. 81–87; Ospovat: *Development,* S. 40ff. Hodge: ‹Darwin and the Laws›, S. 38f., bezeichnet diese frühen Seiten als gesonderte ‹zoonomische Skizze›.
2. *Notebooks,* B3–6, 15; Sloan: ‹Darwin, Vital Matter›, S. 436–39; Kohn: ‹Theories›, S. 88–92.
3. *Notebooks,* B18,169; Hodge: ‹Lamarck's Science›, S. 343–45; Herbert: ‹Place of Man, Pt 2›, S. 196.
4. *Notebooks,* B21, 23, 25f.; *CCD,* Bd. 2, S. 32, S. 41, S. 48; Kohn: ‹Theories›, S. 109–13; Hodge: ‹Darwin and the Laws›, S. 78f.; H. Gruber: *Darwin,* Kap. 7.
5. *Notebooks,* B29, 35, 38, 42; Sloan: ‹Darwin, Vital Matter›, S. 442f.; Kohn: ‹Darwin's Ambiguity›, S. 223f.
6. Ospovat: *Development,* S. 33–37; Kohn: ‹Darwin's Ambiguity›, S. 224; Kohn: ‹Theories›, S. 86, S. 98f., S. 104f.; *Notebooks,* B46,74.
7. *CCD,* Bd. 2, S. 39; *Notebooks,* B82, 92, 125, 224, 248; Grinnell: ‹Rise›, S. 264–71.
8. *CCD,* Bd. 2, S. 39f., S. 44f., S. 49, S. 58.
9. *CCD,* Bd. 2, S. 47f., S. 52; *TBI,* S. 14–16.
10. *ED,* Bd. 1, S. 216, S. 220, S. 255, S. 266, S. 273, S. 278f.; *Companion,* S. 293; E. Richards: ‹Darwin›, S. 82f., S. 87; *Pedigrees,* S. 11; *Wedgwood,* S. 221; *CP,* Bd. 1, S. 49–52.
11. *CCD,* Bd. 2, S. 55, Anmerkungen 1 und 70; *CP,* Bd. 1, S. 49–53.
12. *CCD,* Bd. 2, S. 61–63, S. 86; Jenyns: *Fish,* S. Vf.
13. *LLL,* Bd. 2, S. 37, S. 39; *LRO,* Bd. 1, S. 121; Owen: *Fossil Mammalia,* S. 16, S. 55; Freeman: *Works,* S. 28; Rachootin: ‹Owen›, S. 166; *CCD,* Bd. 2, S. 66.
14. *CCD,* Bd. 2, S. 10, S. 13, S. 50–52, S. 69f.; Whewell: ‹Address›, S. 643; D. Porter: ‹Beagle Collector›, S. 994.
15. Sedgwick: ‹Address›, S. 206, S. 305; Napier: *Selection,* S. 491.
16. *CCD,* Bd. 2, S. 104f., Bd. 6, S. 344; *LLL,* Bd. 2, S. 39f., S. 43f.; *CP,* Bd. 1, S. 53–86.
17. *Notebooks,* B207, 215, 224, D49.
18. Epps: *Diary,* S. 61; H. Martineau: ‹Right and Wrong›, S. 2, S. 58; *CCD,* Bd. 2, S. 148; Halévy: *Triumph,* S. 239; *Notebooks,* B231, C154.
19. Epps: ‹Elements›, S. 118; Paley: *Natural Theology,* S. 490; Desmond: *Politics,* S. 184f., S. 407f.
20. *Notebooks,* B232; Desmond: *Politics,* S. 184; *Notebooks,* N62, Anmerkung 1; R. Richards: ‹Instinct›, S. 213–16, S. 227, und *Darwin,* S. 130–42; H. Gruber: *Darwin,* S. 202.

17 Geistige Revolte

1. *CCD,* Bd. 4, S. 40; *Notebooks,* C1–2; Ospovat: *Development,* S. 46f.
2. *Notebooks,* B90, C4, 52, 120.
3. *Notebooks,* B142, C60, 233f.; *CCD,* Bd. 3, S. 38, S. 53.
4. *Notebooks,* C61; Kohn: ‹Theories›, S. 124f.
5. *Notebooks,* C65f, 119; Kohn: ‹Theories›, S. 131f.; R. Richards: ‹Instinct›, S. 196ff., und *Darwin,* S. 91ff. Aber wie Richards zeigt, distanzierte sich Darwin immer noch von dem verleumdeten Lamarck. Während Lamarck, wie Darwin fälschlicherweise meinte, die Änderung von Gewohnheiten auf Willensakte zurückführte, erklärte Darwin unbewußte Triebe zur Ursache neuer Strukturen.
6. *Notebooks,* C, vorderer Umschlag, Innenseite; *CCD,* Bd. 2, S. 70f.; H. Gruber: *Darwin,* S. 424f.;
7. *CCD,* Bd. 2, S. 72, S. 79; *Journal* (1839), S. 628; *Notebooks,* C54; Sulloway: ‹Darwin's Conversion›, S. 345.
8. *CCD,* Bd. 2, S. 69, S. 75, S. 80, S. 85.
9. *Notebooks,* C76.
10. Scherren: *Zoological Society,* S. 65, S. 85; Flower: *List,* Bd. 1, S. 4; *CCD,* Bd. 2, S. 80. Der Zoo hatte mehrere Orang-Utans erworben, von denen keiner lange genug gelebt hatte, um vorgeführt zu werden. Jenny überlebte als erster Orang-Utan, weil sie den Winter im neuen geheizten Giraffenhaus verbrachte. – Darwins ‹Jenny› starb am 28. Mai 1839; ihre gleichnamige Nachfolgerin wurde am 13. Dezember 1839 vom Zoo gekauft.
11. *CCD,* Bd. 2, S. 80; *Notebooks,* C79, auch M138.
12. *CCD,* Bd. 1, S. 510, Bd. 2, S. 80, Bd. 7, Anhang.
13. *CCD,* Bd. 2, S. 105, S. 443.
14. *CCD,* Bd. 2, S. 83; Brent: *Charles Darwin,* S. 17f.
15. *CCD,* Bd. 2, S. 86; *Notebooks,* C100.
16. *Natural Selection,* S. 36; *Notebooks,* C120, E13; Secord: ‹Darwin›, S. 525; Ruse: *Darwinian Revolution,* S. 178.
17. Sebright: in *Notebooks,* C133; Ruse: ‹Charles Darwin›, S. 344–49.
18. *Notebooks,* C133, D107; Kohn: ‹Theories›, S. 137–39; Herbert: ‹Darwin, Malthus›, 212f.; Cornell: ‹Analogy›, S. 316–18.
19. *CCD,* Bd. 2, S. 92; *Notebooks,* B216f.
20. *CCD,* Bd. 2, S. 84, S. 86, S. 431; H. Martineau: *Autobiography,* Bd. 2, S. 115–18.
21. *Notebooks,* C123, N19; H. Gruber: *Darwin,* S. 38.
22. Jacyna: ‹Immanence›; Desmond: *Politics,* und ‹Artisan Resistance›.
23. R. Richards: ‹Instinct›, S. 198f., und *Darwin,* S. 94–98.
24. *Notebooks,* C166; Kohn: ‹Darwin's Ambiguity›, S. 224f.; Manier: *Young Darwin,* S. 56, S. 129f.; H. Gruber: *Darwin,* Kap. 10; vgl. auch: Ospovat: *Development,* S. 67.
25. De Morgan: *Memoir,* S. 325; Elliotson: ‹Address›, S. 33; *London Medical Gazette,* 11 (1832–33), S. 213–21; *Lancet,* 2 (1832–33), S. 341; *Notebooks,* C166, OUN37.
26. *Notebooks,* C244, M61, OUN39–41; Manier: *Young Darwin,* S. 129–31, S. 220–23; Erskine: ‹Darwin›, S. 216ff.
27. Robertson: ‹Dr. Elliotson›, S. 205, S. 256f.; Elliotson: *Human Physiology,* S. 39; Elliotson: ‹Reply›, S. 289f. Darwin las Elliotsons *Physiology,* vgl.: *Notebooks,* OUN10v.
28. RFD 23; auch Erinnerungen von William Darwin, in: DAR 112.2 und *LLD,* Bd. 2, S. 114.
29. *Lancet,* 1 (1838–39), S. 561f.
30. *CCD,* Bd. 2, S. 85, S. 431; *TBI,* S. 16f.

31. H. Martineau: *Autobiography,* Bd. 1, S. 401; *Notebooks,* C220; E. Richards: ‹Darwin›, S. 91.
32. *Notebooks,* C196, 243.
33. *London Medical Gazette,* 17 (1835–36), S. 783; Desmond: ‹Artisan Resistance›.
34. Darwins Exemplar von Lawrence: *Lectures of Man* (London, 1822) befindet sich in der Darwin Bibliothek, CUL; *CCD,* Bd. 2, S. 142, Bd. 4, S. 535; McCalman: ‹Unrespectable Radicalism› über Benbows pornographischen Nebenzweig; Desmond: *Politics,* S. 120; über die Lawrence-Raubdrucke.
35. *Lancet,* 1 (1828–29), S. 50–52; *Notebooks,* E52; *CCD,* Bd. 2, S. 94, S. 97.
36. *CCD,* Bd. 2, S. 91; *ED,* Bd. 2, S. 287; *Wedgwood,* S. 232.
37. *CCD,* Bd. 2, S. 95f., S. 432.
38. *CCD,* Bd. 2, S. 96, S. 432; Rudwick: ‹Darwin›, S. 114–17, S. 153–57, S. 161–65; *Notebooks,* GR29ff.

18 Heirat und malthusianische Ehrbarkeit

1. *Autobiography,* S. 95.
2. *CCD,* Bd. 2, S. 244f.; Macfarlane: *Marriage,* S. 8f.
3. *CCD,* Bd. 2, S. 114, S. 445; *ED,* Bd. 2, S. 1; H. Martineau: *Autobiography,* Bd. 2, S. 175–77.
4. *Notebooks,* M7f.; R.Richards: *Darwin,* S. 96f.; *CCD,* Bd. 2, S. 432.
5. *CCD,* Bd. 2, S. 95; *ED,* Bd. 1, S. 5; *Notebooks,* M54, 57; Kohn: ‹Darwin's Ambiguity›, S. 225, zeigt, daß diese Aufzeichnungen in Maer gemacht wurden.
6. *Notebooks,* D21; *ED,* Bd. 2, S. 6.
7. *Notebooks,* D26, M84; Herbert: ‹Place of Man, Pt 2›, S. 208; Colp: «‹I was born›», S. 20; *CCD,* Bd. 2, S. 438–41.
8. Brewster: ‹M. Comte's Course›, S. 274, S. 278, S. 280; *Notebooks,* M69f., 81, 89, 135f., N12; *CCD,* Bd. 2, S. 104; Manier: *Young Darwin,* S. 41; Schweber: ‹Origin›, S. 245.
9. *Notebooks,* D36f.; Ospovat: ‹Darwin›, S. 215; Schweber: ‹Origin›, S. 255; Martineau, in: Burrow: *Evolution,* S. 106.
10. *Notebooks,* D37. Über einen Unitarier mit ähnlichen Ansichten, siehe: Carpenter: ‹On the Differences›, und *Remarks,* S. 3.
11. *Notebooks,* M73f, OUN25, Anmerkung 1.
12. *Notebooks,* M75f., 142, 151; R. Richards: *Darwin,* S. 112; Manier: *Young Darwin,* S. 140; Desmond: *Politics,* S. 182, und ‹Artisan Resistance›, S. 91ff., zu diesem moralischen Relativismus in radikalen Kreisen.
13. *Notebooks,* M76, 120f., 132, 150, N3f.
14. *CCD,* Bd. 2, S. 92, S. 95, S. 98; *Notebooks,* M107, 129, 138–40, 151, 153, N13.
15. *Notebooks,* M122f., 128.
16. *CCD,* Bd. 2, S. 107, S. 432; Schweber: ‹Origin›, S. 283ff.
17. *Notebooks,* M143f.; Colp: ‹Charles Darwin's Dream›, S. 287f.
18. Erskine: ‹Darwin›, S. 271; E. Yeo: ‹Christianity›, S. 111.
19. *Notebooks,* D134; C. Lyell: *Principles,* Bd. 2, S. 131; J. Browne: *Secular Ark,* S. 52ff.; Herbert: ‹Darwin, Malthus›, S. 214–17; Bowler: ‹Malthus›, S. 632–36.
20. *Notebooks,* D135, E9; Hodge und Kohn: ‹Immediate Origins›, S. 195.
21. Farr: ‹Medical Reform›; Desmond: *Politics,* S. 130, S. 132; Kohn: ‹Theories›, S. 144.
22. H. Martineau: *Autobiography,* Bd. 1, S. 399; Malthus: *Essay,* Bd. 2, S. 440f.; R. Young: *Darwin's Metaphor,* S. 26; Bowler: ‹Malthus›, S. 637f., S. 642; Erskine: ‹Darwin›, S. 251–55.

23. H. Martineau: *Autobiography*, Bd. 1, S. 210; Malthus: *Essay*, Bd. 1, S. 94f.; Matthew: *Emigration Fields*, S. VII, S. 3, S. 6, S. 9; Wells: ‹Historical Context›, S. 24ff.

24. Prichard: ‹On the Extinction›, S. 169; *Notebooks*, TAN81, D38, E64f.; *Journal* (1839), S. 520.

25. Herbert: ‹Darwin, Malthus›, S. 214; Hodge und Kohn: ‹Immediate Orogons›, S. 195; *Notebooks*, D135; Gallenga: ‹Age›, S. 3, S. 4, S. 7; Gale: ‹Darwin›, S. 327–31; Kohn: ‹Darwin's Ambiguity›, S. 229; Keegan und Gruber: ‹Love, Death›, S. 17–20.

26. Carlyle, in: Harrison: ‹Early English Radicals›, S. 206; *Notebooks*, OUN30, 37.

27. *Notebooks*, OUN32, 36. Über die unitarische Tradition, siehe: Willey: *Eighteenth Century*, Kap. 10; Rowell: *Hell*, S. 33–57; O. Chadwick: *Victorian Church*, Bd. 1, S. 396–98; Brooke: ‹Sower›, S. 446ff. Siehe auch: Murphy: ‹Ethical Revolt›, und J. Moore: ‹1859›.

28. *Notebooks*, E49, N2f., 5; R. Richards: *Darwin*, S. 118f.

29. *Notebooks*, M136, OUN25, Anmerkung 1; H. Gruber: *Darwin*, S. 409, Anmerkung 50.

30. *ED*, Bd. 2, S. 5, S. 6, S. 9; *CCD*, Bd. 2, S. 432; *Notebooks*, N25–27.

31. *CCD*, Bd. 2, S. 114–16, S. 123.

32. *CCD*, Bd. 2, S. 123; Brooke: ‹Relations›, S. 68.

33. John: Bd. 14, S. 3, S. 5f.; Bd. 15, S. 5f. (AV); *CCD*, Bd. 2, S. 126. Drei Wochen später schickte Henslow einen freundlichen vorehelichen Rat; er empfahl ihm, ‹sich täglich daran zu erinnern, daß uns das Liebste auf Erden in jedem Augenblick geraubt werden kann›, in: *CCD*, Bd. 2, S. 141.

34. *CCD*, Bd. 2, S. 116–19; *ED*, Bd. 2, S. 12; Davidoff und Hall: *Family Fortunes*, S. 209.

35. *CCD*, Bd. 2, S. 120, S. 123, S. 125f., S. 128f.; Jackson: *George Scharf's London*. S. 74f.

36. *Notebooks*, Mac58v, E57; Ospovat: ‹Darwin›, S. 221; Kohn: ‹Darwin's Ambiguity›, S. 229–32.

37. *Notebooks*, Mac54v, E66–68, 89; Brooke: ‹Relations›, S. 58.

38. *Notebooks*, N41, 51f.

39. *Notebooks*, N42; Hodge und Kohn: ‹Immediate Origins›, S. 197–200; R. Richards: *Darwin*, S. 102.

40. *Notebooks*, D104v, Anmerkung 5, E63, 71, 75, 136; *Foundations*, S. 6; Hodge und Kohn: ‹Immediate Origins›, S. 199; Cornell: ‹Analogy›, S. 320.

41. *CCD*, Bd. 2, S. 131, S. 133, S. 144, S. 150, S. 432; *LRO*, Bd. 1, S. 140f.; E. Richards: ‹Darwin›, S. 80.

42. W. Buckland an Henry Lord Brougham, 14. Dez. 1838, UCL, Brougham Papers 1957. Siehe auch: Desmond: *Politics*, S. 308–18.

43. *Notebooks*, B88, D62; *CCD*, Bd. 2, S. 106.

44. *Notebooks*, N47, E4, 95f., TAN19; auch *Notebooks*, TAN41.

45. *Notebooks*, N62; R. Richards: *Darwin*, S. 135–39: Kohn: ‹Darwin's Ambiguity›, S. 228; Stewart: *Brougham*, S. 198.

46. Ospovat: *Development*, S. 220; Brooke: ‹Relations›, S. 59f.; Schweber, ‹Origin›, S. 266ff.; Manier: *Young Darwin*, S. 121.

47. *ED*, Bd. 2, S. 16, S. 18; *CCD*, Bd. 2, S. 147–49; Freeman: *Darwin and Gower Street*, S. 5.

48. *ED*, Bd. 2, S. 30, S. 33, S. 50; *CCD*, Bd. 2, S. 148f., S. 151, S. 155, S. 159f.

49. *Notebooks*, N59; *CCD*, Bd. 2, S. 151, S. 155–57, S. 159, S. 161, S. 165.

50. *CCD*, Bd. 2, S. 169, S. 171, S. 433; *ED*, Bd. 2, S. 17, S. 26, S. 28; *Notebooks*, E98.

19 Der mörderische Kampf

1. *CCD*, Bd. 2, S. 157, S. 169, S. 235; *ED*, Bd. 2, S. 31.
2. *Notebooks*, C244; *CCD*, Bd. 2, S. 171f.; *ED*, Bd. 1, S. 251, Bd. 2, S. 29.
3. *ED*, Bd. 2, S. 38.
4. *ED*, Bd. 2, S. 39, S. 55; Freeman, *Darwin and Gower Street*, S. 5; *CCD*, Bd. 2, S. 147, S. 194, S. 296; Nicholas und Nicholas: *Charles Darwin*, S. 119: über Covington.
5. Rudwick: ‹Charles Darwin›, S. 197; *CCD*, Bd. 2, S. 174, S. 178; *Notebooks*, E111f.; Hodge und Kohn: ‹Immediate Origins›, S. 200f.; Cornell: ‹Analogy›, S. 323–25.
6. *CCD*, Bd. 2, S. 179, S. 182, S. 187–89, S. 446–49; Vorzimmer: ‹Darwin's Questions›; Freeman und Gautrey: ‹Darwin's *Questions*›.
7. *Notebooks*, E114, 144, TAN51, Mac28v; *CCD*, Bd. 2, S. 237f.; Hodge und Kohn: ‹Immediate Origins›, S. 201f.
8. *Autobiography*, S. 55; *ED*, Bd. 2, S. 42; *Notebooks*, OUN42–55; R. Richards: *Darwin*, S. 114–18.
9. *ED*, Bd. 2, S. 40f., S. 45.
10. ‹Narrative of the Surveying Voyages›, *Athenaeum*, Nr. 607 (15. Juni 1839), S. 446–49; B. Hall: ‹Voyages›, S. 485f., S. 489; *CCD*, Bd. 2, S. 178.
11. *CCD*, Bd. 2, S. 197, S. 199, S. 236, S. 255; *Narrative*, S. 372–74.
12. *CCD*, Bd. 2, S. 207, S. 214, S. 218–22, S. 230, Anmerkung 4, S. 372; *ED*, Bd. 2, S. 67; Halévy: *Triumph*, S. 232.
13. Morrell und Thackray: *Gentlemen*, S. 252; Desmond: *Politics*, S. 331; Wells: ‹Historical Context›, S. 241; *Hansard*, 3. Serie 48 (1839), S. 33.
14. *CCD*, Bd. 2, S. 233, S. 234, S. 236–38; H. Martineau: *Autobiography*, Bd. 2, S. 145ff.
15. *CCD*, Bd. 2, S. 236, S. 249.
16. Er täuschte sich. Robert Darwin von Elstar Hall (1682–1754), sein Urgroßvater, hatte es entdeckt und für ein ‹menschliches Skelett› gehalten. Der erwähnte Robert war der Sohn William Darwins von Elston (1655–1682); *CCD*, Bd. 2, S. 235, Anmerkung 6, S. 250, S. 269f., S. 303; *Pedigrees*, S. 26f.; *ED*, Bd. 2, S. 44; H. Gruber: *Darwin*, S. 465–74.
17. *ED*, Bd. 2, S. 51; *CCD*, Bd. 2, S. 253, S. 255, S. 260f.; *TBI*, S. 21.
18. Darwin war ein Anhänger des Impfens. William wurde gegen alle Arten von Pocken geimpft. *ED*, Bd. 2, S. 52; *CCD*, Bd. 2, S. 262; *Wedgwood*, S. 236; Carlyle: *Chartism*, S. 4, S. 12, S. 32.
19. *CCD*, Bd. 2, S. 268, S. 269, S. 434; *Notebooks*, TAN55–57, 63, 79, 177, D60.
20. *CCD*, Bd. 2, S. 279; Herbert: ‹Place of Man, Pt 2›, S. 189; Rudwick: ‹Charles Darwin›, S. 203; vgl. auch: Desmond: ‹Artisan Resistance›, S. 100.
21. *CCD*, Bd. 2, S. 279, S. 289; *CP*, Bd. 1, S. 145–63.
22. *ED*, Bd. 2, S. 56; *CCD*, Bd. 2, S. 294, S. 315f., S. 319, S. 399; Bd. 5, S. 540, S. 542.
23. *CCD*, Bd. 2, S. 292f., S. 306; *Notebooks*, TAN91–135, 151. Am 22. Juni enden seine Aufzeichnungen über die Arten und damit das *Torn Apart Notebook*.
24. *CCD*, Bd. 2, S. 292–94, S. 296, S. 298, S. 300, Anmerkung 2 und 3, S. 303.
25. Cobbett: *Rural Rides*, S. 170–225; *CCD*, Bd. 2, S. 304f., Bd. 4, S. 459.
26. Owen: ‹Report on British Fossil Reptiles›, S. 196–99, 201f., *LRO*, Bd. 1, S. 168, S. 184, S. 188f.; Desmond: ‹Making›, S. 230–41, und *Politics*, S. 325f., S. 333, S. 351–58; *CCD*, Bd. 2, S. 303, S. 305.
27. Owen: ‹On the Osteology›, S. 343; Knight: *London*, Bd. 3, S. 198; Bunbury: *Life*, Bd. 1, S. 186; *CCD*, Bd. 2, S. 307.

28. Kommentar vom 26. Jan. 1842 in Lyells Exemplar seiner *Elements of Geology*, 2. Ausg., Down House; *CCD*, Bd. 2, S. 299; *LLL*, Bd. 2, S. 59.
29. *CCD*, Bd. 2, S. 312f., S. 318f.; *ED*, S. 270.
30. Herbert: ‹Place of Man, Pt 2›, S. 191; *CCD*, Bd. 2, S. 435; *Notebooks*, Sommer 1842; *Foundations*, S. 51f.; auch S. 3, S. 6–8, S. 17, S. 23f., S. 27, S. 35f., S. 38, S. 45–47.
31. Desmond: *Politics*, S. 408–11; vgl. auch: Berman: *Social Change*, Kap. 4.
32. *Notebooks*, E6.
33. E. Yeo: ‹Christianity›, S. 113; vgl. auch: *CCD*, Bd. 2, S. 312. Natürlich las Darwin Adam Smith und die klassischen Nationalökonomen und nicht William Thompson und andere sozialistische Rivalen. Daher ging er stets von konkurrierenden Individuen aus, nicht von kooperierenden Gemeinschaften, vgl. dazu: Schweber: ‹Origin› und ‹Darwin›.
34. Chilton: ‹Regular Gradation›, in: *Oracle*, 19. Feb. 1842, 27. Nov. 1841, und in: *Oracle of Reason*, 12. Feb. 1842; Desmond: ‹Artisan Resistance›, S. 85ff.
35. Southwell: ‹Is There a God›, und Chilton: ‹Regular Gradation›, in: *Oracle*, 11. Nov. 1843.
36. *Notebooks*, C76; H. Gruber: *Darwin*, S. 202; S. Gould: ‹Darwin's Delay›; J. Moore: ‹Crisis›, S. 66.
37. Kohn et al.: ‹New Light›, S. 424–26; *CCD*, Bd. 2, S. 324, S. 328, S. 435; *ED*, Bd. 2, S. 75.
38. Jenkins: *General Strike*, S. 19, S. 95–104, S. 165–71; *Illustrated London News*, 20. August 1842; Goodway: *London Chartism*, S. 106.
39. *The Times*, 11. Juni 1842, S. 9; 17. Aug., S. 7; 18. Aug. 1842, S. 7; Royle: *Victorian Infidels*, S. 80f.; Desmond: ‹Artisan Resistance›, S. 85; Bunbury: *Life*, Bd. 1, S. 220f.
40. *LRO*, Bd. 1, S. 167, S. 198, S. 321; Desmond: *Politics*, S. 332; *CCD*, Bd. 2, S. 332.

20 Am äußersten Rand der Welt

1. Jenkins: *General Strike*, Kap. 10; *CCD*, Bd. 2, S. 324, S. 332; Tristan: *London Journal*, S. 74f.; Howarth und Howarth: *History*, S. 82; B. Darwin: ‹Kent›, S. 83; Atkins: *Down*, S. 7f., S. 22.
2. *CCD*, Bd. 2, S. 324, S. 350, S. 395.
3. Howarth und Howarth: *History*, S. 10f., S. 34; J. Moore: ‹Darwin of Down›, S. 477; religiöser Zensus von 1851, Pfarrkirche von Down, PRO HO.129/49.
4. Howarth und Howarth: *History*, Kap. 7, S. 48; *CCD*, Bd. 2, S. 324.
5. Howarth und Howarth: *History*, Kap. 8; Hutchinson: *Life*, Bd. 1, S. 2–4, S. 15.
6. *CCD*, Bd. 2, S. 324; *ED*, Bd. 2, S. 75.
7. *CCD*, Bd. 2, S. 326, S. 332, S. 335f., S. 345; Atkins: *Down*, Kap. 2; Howarth und Howarth: *History*, S. 76f.
8. *CCD*, Bd. 2, S. 332, S. 334–36, S. 338; ‹Register of baptisms ...›, KAO P123/1/10; Sterbeurkunde, Mary Eleanor Darwin, General Register Office, London; ‹Register of burials ...›, KAO P123/1/14; *ED*, Bd. 1, S. 255, Bd. 2, S. 78.
9. *CCD*, Bd. 2, S. 315f., S. 352.
10. *CCD*, Bd. 2, S. 345; *ED*, Bd. 2, S. 80f.; B. Darwin: *World*, S. 19, S. 21.
11. *Companion*, S. 126; Freeman: ‹Darwin Family›, S. 15; *CCD*, Bd. 2, S. 345, S. 348, S. 350, S. 355; Monsarrat: *Thackeray*, S. 113–19; *ED*, Bd. 2, S. 85f.
12. *CCD*, Bd. 2, S. 324, S. 336, S. 345, S. 348, S. 352f.; *ED*, Bd. 2, S. 76; J. Moore: ‹Darwin of Down›, S. 460f.

13. *CCD,* Bd. 2, S. 326, S. 332, S. 352, S. 360f., S. 414, Bd. 3, S. 248; Atkins: *Down,* S. 25; Freeman: ‹Darwin Family›, S. 13–15.

14. *CCD,* Bd. 2, S. 352, S. 360, S. 409, S. 418, Bd. 3, S. 124, S. 248; Atkins: *Down,* S. 34.

15. *CCD,* Bd. 2, S. 360, S. 387; *Historical and Descriptive Catalogue,* S. 21; Gay: *Bourgeois Experience,* S. 403–62: über ‹Stärkungen des Selbst›.

16. *CCD,* Bd. 2, S. 325; Glastonbury: ‹Holding›, S. 31.

17. *CCD,* Bd. 2, S. 285f., S. 321f., S. 338, S. 387, S. 435; *CP,* Bd. 1, S. 163; Wilson: *Charles Lyell,* S. 496–502.

18. *CCD,* Bd. 2, S. 105, S. 339, S. 341, S. 389f.; Darwin: *Volcanic Islands,* S. 36, S. 61–65.

19. *CP,* Bd. 1, S. 175–82.

20. *CCD,* Bd. 3, S. 67, Bd. 4, S. 466; Darwins Tagebuch von 1826, in: DAR 129; J. Moore: ‹Darwin of Down›, S. 460.

21. Atkins: *Down,* S. 24; Trollope: *Clergymen,* S. 54; *MLD,* Bd. 1, S. 33–36.

22. *CCD,* Bd. 1, S. 97, Bd. 2, S. 330f., S. 351, S. 354, S. 359f., S. 371, S. 373, S. 387, S. 395; Stearn: *Natural History Museum,* S. 210.

23. *ED,* Bd. 2, S. 82f.; *CCD,* Bd. 2, S. 333f., S. 345, S. 374, S. 435; Freeman: ‹Darwin Family›, S. 13; E. Darwin an H. Wedgwood, April 1837, in: Kohn: ‹Darwin's Ambiguity›, S. 226.

24. *CCD,* Bd. 2, S. 373, S. 375–77; Waterhouse: ‹Observations›, S. 399 zu den Kreisen; Desmond: ‹Making›, S. 161ff.: über die kreisförmige Klassifizierung als Puffer gegen den ‹Lamarckismus›.

25. *CCD,* Bd. 2, S. 378; Colp: ‹Confessing›, S. 12f.

26. *CCD,* Bd. 2, S. 377–79, S. 381f.

27. *CCD,* Bd. 2, S. 387, S. 389, S. 397–99, S. 405, S. 415f.; Waterhouse; ‹Observations›, S. 403, S. 406.

21 Mord

1. *CCD,* Bd. 1, S. 34, Bd. 3, S. 394; *LLJH,* Bd. 1, S. 20.

2. *CCD,* Bd. 2, S. 408, Bd. 3, S. 10; *LLJH,* Bd. 1, S. 161; D. Porter: ‹Darwin's Plant Collections›, S. 520.

3. Hooker: ‹Reminiscences›, S. 187; *LLJH,* Bd. 1, S. 41–45; *LLD,* Bd. 2, S. 19; D. Porter: ‹Darwin's Plant Collections›, S. 519. Hooker nennt McCormicks Namen nicht.

4. Hooker: ‹Reminiscences›, S. 187; *LLJH,* Bd. 1, S. 41; *LLD* Bd. 2, S. 19.

5. *CCD,* Bd. 2, S. 408, S. 410f., S. 419.

6. *CCD,* Bd. 3, S. 2; Colp: ‹Confessing›.

7. Desmond: ‹Artisan Resistance›, S. 90, Anmerkung 47.

8. *CCD,* Bd. 3, S. 2, Bd. 5, S. 7, S. 11.

9. *Foundations,* S. 85, S. 91; Ospovat: *Development,* S. 82f.; Kohn et al.: ‹New Light›, S. 427; vgl. Kohn: ‹Darwin's Ambiguity›, S. 230, und Francis, ‹Naturalism›, S. 214.

10. *Foundations,* S. XIX.

11. B. Taylor: *Eve,* S. 131; Martin: *First Conversation,* S. 5f.; *Movement,* 6. Juli 1844, S. 239, und 31. Aug., S. 315; Royle: *Victorian Infidels,* S. 88.

12. *CCD,* Bd. 3, S. 43f.; *TBI,* S. 158.

13. Desmond: *Politics,* Kap. 6–8, S. 376; *CCD,* Bd. 3, S. 43f.; Colp: ‹Confessing›, S. 16–19.

14. Napier: *Selection,* S. 492; Forbes: *Literary Papers,* S. 120.
15. *CCD,* Bd. 3, S. 28, S. 42, S. 47–49, S. 57, S. 79, S. 83, S. 310.
16. Darwin: *South America,* Kap. 1–4; D'Orbigny: ‹General Consideration›, S. 367; *CCD,* Bd. 3, S. 56, S. 59, S. 162, S. 193, S. 391.
17. *CCD,* Bd. 3, S. 61, S. 70–72, S. 79; *Foundations,* S. 183–94.
18. *CCD,* Bd. 2, S. 413f., Bd. 3, S. 56, S. 67; *ED,* Bd. 2, S. 88; Raverat: *Period Piece,* S. 142.
19. *CCD,* Bd. 3, S. 396; Colp: ‹Confessing›, S. 19f.; Kohn: ‹Darwin's Ambiguity›, S. 226; *Foundations,* S. XVII; *LLD,* Bd. 2, S. 12, S. 296; Eng: ‹Confrontation›.
20. Secord: ‹Behind the Veil›, S. 166, S. 168; R. Yeo: ‹Science›, S. 25–27; Desmond: *Politics,* S. 175–80.
21. Secord: ‹Behind the Veil›, S. 166, S. 173; vgl. Hodge: ‹Universal Gestation›.
22. Worte des sauertöpfischen episkopalischen Professors in Edinburgh, James D. Forbes. Forbes war ein Experte für Gletscherbewegungen. Shairp et al.: *Life,* S. 178; *CCD,* Bd. 3, S. 103, S. 108, S. 166.
23. Gillispie: *Genesis,* S. 169f.; *CCD,* Bd. 3, S. 184.
24. Chilton: ‹Vestiges›, S. 9, und ‹Regular Gradation›, *Movement,* Nov. 1844, S. 413; Desmond: ‹Artisan Resistance›, S. 102.
25. Carpenter: ‹Vestiges›, S. 155, S. 160, S. 180; Desmond: *Politics,* S. 195; *CCD,* Bd. 3, S. 258.
26. Napier: *Selection,* S. 492; Epps: *Church of England's Apostacy,* S. 3; Desmond: *Politics,* S. 178f.
27. *CCD,* Bd. 3, S. 253, S. 258, S. 289; Egerton: ‹Conjecture›; Napier: *Selection,* S. 494.
28. *CCD,* Bd. 3, S. 181, S. 289, Bd. 4, S. 19, S. 36, S. 152; A. Sedgwick an M. Napier, 17. April 1845, BL, zus. MS 34, 625ff. 113–19; Napier: *Selection,* S. 491–93; Desmond: *Archetypes,* S. 210.
29. Chambers, in: Secord: ‹Behind the Veil›, S. 186. Zu den nach Darwin benannten Arten, siehe *CCD,* Bd. 3, S. 46, S. 196, S. 232, S. 276; Darwin: *South America,* S. 92, S. 253; *Companion,* S. 82–86.
30. *CCD,* Bd. 3, S. 65, S. 168.
31. *CCD,* Bd. 3, S. 67f., S. 332, S. 354; *LLD,* Bd. 3, S. 27.
32. *CCD,* Bd. 3, S. 85; Ospovat: ‹Perfect Adaptation›, S. 39ff.; Gillespie: *Charles Darwin,* Kap. 5.
33. *CCD,* Bd. 3, S. 164, S. 166, S. 177.
34. Hooker: ‹Reminiscences›, S. 187f.; *CCD,* Bd. 3, S. 88–90, S. 399–403.
35. Hooker: ‹Reminiscences›, S. 188; *CCD,* Bd. 3, S. 34f., S. 62, S. 149, S. 167, S. 181f., S. 288.
36. *CCD,* Bd. 3, S. 140, S. 149, S. 167f., S. 177, S. 207.
37. *CCD,* Bd. 3, S. 139, S. 147, S. 166, S. 186; *LLJH,* Bd. 1, S. 191, S. 194.
38. Hill: ‹Squire›, S. 337, S. 342, S. 344f.; Ashwell und Wilberforce: *Life,* Bd. 1, S. 130; *CCD,* Bd. 3, S. 68, S. 86, S. 157, S. 181, S. 214, S. 216, S. 229, S. 256, S. 260; Beesby Nachlaßpapiere, in: DAR 210: 25.
39. *CCD,* Bd. 3, S. 169, S. 176.
40. *Journal* (1845), S. 360f., S. 363, S. 375f.; Sulloway: ‹Darwin›, und ‹Darwin's Conversion›, S. 345; Hooker: ‹Reminiscences›, S. 187.
41. *CCD,* Bd. 3, S. 55, S. 203, S. 213, S. 233, S. 242; *Journal* (1845), S. 469f.
42. *CCD,* Bd. 3, S. 208, S. 240, S. 339; *LLJH,* Bd. 1, S. 204.
43. *CCD,* Bd. 3, S. 211, S. 217, S. 264, S. 336f.; J. Browne: *Secular Ark,* S. 65–68, S. 77–80; Egerton: ‹Hewett C. Watson›, S. 89, S. 92.

44. *CCD*, Bd. 3, S. 274, S. 289.
45. Mills: ‹View›, S. 372.
46. *CCD*, Bd. 3, S. 71, S. 149, S. 163, S. 245, S. 250, S. 253, S. 291, S. 294f., S. 300, S. 304f.; *Foundations*, S. 168–71; Sulloway: ‹Geographic Isolation›, S. 30–49. Über Forbes' Wissenschaft, siehe: Rehbock: *Philosophical Naturalists*, S. 157–75, S. 186f.; J. Browne: *Secular Ark*, S. 114ff.
47. E. Forbes an R. Owen, 2. Nov. 1846, BM (NH), Orig.Korr.; Desmond: *Politics*, S. 365; *CCD*, Bd. 3, S. 274.
48. *CCD*, Bd. 3, S. 282f., S. 287; Mills: ‹View›, S. 377; Rehbock: *Philosophical Naturalists*, 72f.
49. *CCD*, Bd. 3, S. 141, S. 285, S. 278, S. 339.
50. *CCD*, Bd. 2, S. 346, S. 353, S. 306; Russell-Gebbett: *Henslow*, Kap. 3; Moore: ‹Darwin of Down›, S. 466f.
51. *CCD*, Bd. 3, S. 248; ‹Subscription towards embellishment of the Church ...› und KAO P123/6/1–3.
52. KAO P123/2/1,5 und P123/5/26; Stecher: ‹Darwin-Innes-Letters›, S. 255; *CCD*, Bd. 2, S. 406; J. Moore: ‹Darwin of Down›, S. 477.
53. *CCD*, Bd. 2, S. 406, Bd. 3, S. 49, S. 192, S. 228, S. 256, S. 260, S. 321, S. 377, Bd. 4, S. 256f., S. 304; Barnett: ‹Allotments›.
54. *CCD*, Bd. 3, S. 260; Harrison: *Early Victorian Britain*, S. 27.
55. *CCD*, Bd. 3, S. 248, S. 259f., S. 347f.; *ED*, Bd. 2, S. 309.
56. *CCD*, Bd. 3, S. 228.
57. *CCD*, Bd. 3, S. 325.
58. *CCD*, Bd. 4, S. 290, S. 337, Bd. 5, S. 94; Crouzet: *Victorian Economy*, S. 165.
59. *CCD*, Bd. 3, S. 68, S. 84, S. 86, S. 95f., S. 141f., S. 166, S. 181, S. 215, S. 264, S. 311f., S. 327; *ED*, Bd. 1, S. 250.
60. *CCD*, Bd. 3, S. 312, S. 326; *ED*, Bd. 2, S. 98f., S. 102f.
61. *CCD*, Bd. 3, S. 68, S. 141, S. 246, S. 277, S. 331, S. 345; Atkins: *Down*, S. 28, und RFD.
62. *CCD*, Bd. 3, S. 307, S. 332, S. 390.
63. *CCD*, Bd. 3, S. 111f., S. 164, S. 346, Bd. 4, S. 127; Owen: ‹Notices›, S. 66; Rehbock: *Philosophical Naturalists*, S. 176–84.
64. *CCD*, Bd. 3, S. 124, S. 323, S. 345f., S. 359.
65. *CCD*, Bd. 3, S. 331, S. 338, S. 345, S. 356.

22 Mißgebildete kleine Ungeheuer

1. *CCD*, Bd. 3, S. 346, S. 350.
2. *CCD*, Bd. 3, S. 356–58, S. 365f.
3. *CCD*, Bd. 3, S. 359, S. 363; D. Allen: *Naturalist*, S. 124–31; *LLL*, Bd. 2, S. 129.
4. J. Thompson: *Zoological Researches*, S. 71–73, S. 79; Winsor: ‹Barnacle Larvae›, S. 295–98; Huxley: ‹Lectures›, S. 238; *CCD*, Bd. 4, S. 100, S. 178; Ghiselin: *Triumph*, Kap. 5; vgl. auch: Richmond: Darwin's Study of Cirripedia›, in: CCD, Bd. 4, S. 388–409.
5. *LLJH*, Bd. 1, S. 190; *CCD*, Bd. 3, S. 251, S. 253, S. 256, Bd. 4, S. 327.
6. *CCD*, Bd. 3, S. 375, Bd. 4, S. 38.
7. Zitiert nach: Dance: ‹Hugh Cuming›, S. 477; Darwin: *Monograph of the Sub-Class*, Bd. 1, S. V–VI; *CCD*, Bd. 3, S. 137, S. 321, S. 297, Bd. 4, S. 98–100; *Journal* (1845), S. 372f.

8. Jardine: *Memoirs,* S. C1XXIV–V; Kirby: ‹Introductory Address›, S. 5; Desmond: ‹Making›, S. 168; Gillespie: ‹Preparing›, S. 102; *CCD,* Bd. 4, S. 187, S. 189, S. 192; siehe auch: *CCD,* Bd. 2, S. 311.
9. *CCD,* Bd. 4, S. 11.
10. J. Hooker an [einen Sohn Darwins], 19. Feb. 1905, BL, Zus. MS 58, 373 (ungebunden).
11. Hooker: ‹Reminiscences›, S. 188; *LLJH,* Bd. 1, S. 213f.; *CCD,* Bd. 4, S. 10f., S. 25, S. 382.
12. *CCD,* Bd. 3, S. 254, Bd. 4, S. 21.
13. *Foundations,* S. 71–74, S. 80, S. 170f.; Colp: ‹Confessing›, S. 30f.; *CCD,* Bd. 4, S. 25.
14. Hooker: ‹Reminiscences›, S. 187.
15. *CCD,* Bd. 4, S. 11, S. 29f.; *LLJH,* Bd. 1, S. 167.
16. *Autobiography,* S. 105; *CCD,* Bd. 4, S. 37, S. 40, S. 44, Bd. 5, S. 300; Secord: ‹Geological Survey›, S. 233f.
17. *CCD,* Bd. 4, S. 71, S. 74; Rudwick: ‹Darwin›, S. 131–45, S. 153–65; Barrett: ‹Darwin's «Gigantic Blunder»›, S. 25–27.
18. Desmond: *Politics,* S. 296f.; Secord: *Controversy,* S. 123; Morrell: ‹London Institutions›, S. 137; *CCD,* Bd. 4, S. 25. Opium und Wismut werden erwähnt in: *CCD,* Bd. 3, S. 247, S. 325.
19. *CCD,* Bd. 4, S. 48; Secord: ‹Geological Survey›, S. 253; *LLJH,* Bd. 1, S. 210, S. 221.
20. *CCD,* Bd. 4, S. 44f., S. 47, S. 51, S. 53; *LLL,* Bd. 2, S. 130.
21. Geikie: *Memoir,* S. 103.
22. Andrew Ramsay: Tagebuch für 1847, Nr. 59, Imperial College Archives, London, KGA Ramsay/1/8 (wir danken Jim Secord für diesen Hinweis); Wilberforce: *Pride,* S. 15–20; *Illustrated London News,* 3. Juli 1847, S. 10; vgl. dazu: *LRO,* Bd. 1, S. 299.
23. *CCD,* Bd. 4, S. 152, S. 269; *LLL,* Bd. 2, S. 154; Morrel und Thackray: *Gentlemen.*
24. Hooker: ‹Reminiscences›, S. 188; *CCD,* Bd. 4, S. 49f.
25. *CCD,* Bd. 4, S. 55, S. 61; *LLJH,* Bd. 1, S. 219.
26. *LLJH,* Bd. 1, S. 216, S. 219.
27. *CCD,* Bd. 4, S. 56, S. 61, S. 87.
28. *CCD,* Bd. 4, S. 92f.

23 *Al Diabolo*

1. *CCD,* Bd. 4, S. 107, S. 109.
2. *CP,* Bd. 1, S. 127; *CCD,* Bd. 4, S. 24, S. 383; Geikie: *Memoir,* S. 130.
3. *LLL,* Bd. 2, S. 139, S. 141; Gordon: *Life,* S. 220; Desmond: *Politics,* S. 354–58.
4. Desmond: *Politics,* S. 328, S. 331f.; *LRO,* Bd. 1, S. 167; *LLL,* Bd. 1, S. 291; *CCD,* Bd. 4, S. 108f.
5. *ED,* Bd. 2, S. 115; Goodway: *London Chartism,* S. 68–96; Wilson und Geikie: *Memoir,* S. 432.
6. *CCD,* Bd. 4, S. 151, S. 157; Geikie: *Memoir,* S. 129; Wilson und Geikie: *Memoir,* S. 433; *LRO,* Bd. 1, S. 320; W. Broderip an R. Owen, 13. März 1848, BM (NH), Orig.Korr.
7. *CCD,* Bd. 4, S. 128, S. 476–78.
8. *CCD,* Bd. 4, S. 128; *MLD,* Bd. 1, S. 370f.; Darwin: *Monograph on the Sub-Class,* Bd. 1, S. 186, S. 189, S. 198, S. 202; vgl. dazu: J. Thompson: *Zoological Researches,* S. 80f.

9. *CCD*, Bd. 4, S. 252f.
10. *CCD*, Bd. 4, S. 249; Darwin: *Monograph on the Sub-Class*, Bd. 1, S. 205–208, S. 231f.; *Notebooks*, D157, 162.
11. *CCD*, Bd. 4, S. 140, S. 159.
12. Darwin: *Monograph on the Sub-Class*, Bd. 1, S. 232, S. 291, Bd. 2, S. 23; *CCD*, Bd. 4, S. 169, S. 180, S. 204; Hooker: *Himalayan Journals*, Bd. 2, S. 206; *LLJH*, Bd. 1, S. 270, S. 312.
13. *CCD*, Bd. 4, S. 139, S. 142, S. 144–46.
14. *CCD*, Bd. 4, S. 102, S. 145, S. 147, S. 154; *TBI*, S. 38.
15. *CCD*, Bd. 4, S. 169f., S. 269; *LLL*, Bd. 2, S. 146.
16. Norton: *Evidences*, Bd. 1, S. 11; *CCD*, Bd. 4, S. 476; Stevens: ‹Darwin's Humane Reading›.
17. *CCD*, Bd. 3, S. 141, Bd. 4, S. 384, S. 477; Hare: *Essays*, Bd. 1: S. LXXXII, S. CVI, S. CL, S. CCXIV.
18. Coleridge: *Aids*, Bd. 1, S. 89f., S. 133, S. 144f., S. 152, S. 157, S. 194–96, S. 245, S. 281, S. 333 (vgl. dazu: Barth: *Coleridge*, S. 137, S. 191–93); *ED*, Bd. 2, S. 284; *CCD*, Bd. 4, S. 477.
19. *CCD*, Bd. 4, S. 178, S. 181f., S. 209.
20. *ED*, Bd. 2, S. 119; *CCD*, Bd. 4, S. 183, Bd. 5, S. 9; *Autobiography*, S. 117; *Wedgwood*, S. 249f.; Testament von Robert Waring Darwin, in: PRO 11/2084.
21. Hutchinson: *Life*, Bd. 1, S. 22–25.
22. *CCD*, Bd. 3, S. 96, Bd. 4, S. 223, S. 225–27; Wheatley: *Life*, S. 264.
23. H. Martineau: *Eastern Life*, Bd. 1, S. 67, S. 277, Bd. 2, S. 9, Bd. 3, S. 158, S. 162, S. 167.
24. *CCD*, Bd. 4, S. 209, S. 219, S. 228, S. 478.

24 Mein Wasserdoktor

1. *CCD*, Bd. 4, S. 209, S. 234; Mann: *Collections*, S. 12–21; *TBI*, S. 39.
2. *CCD*, Bd. 4, S. 219; *TBI*, S. 39f.
3. Billing: *M. Billing's Directory*, S. 412; B. Smith: *History*, S. 194; RFD 85; *CCD*, Bd. 4, S. 209, S. 223.
4. *CCD*, Bd. 4, S. 354; Mann: *Collections*, S. 5f., S. 12ff.; Desmond: *Politics*, S. 175, Anmerkung 81.
5. *CCD*, Bd. 4, S. 224, S. 354.
6. ‹Malvern Water›, *in: Household Words*, 11. Okt. 1851, S. 67–71; DAR 210.13; DAR 112; Taufregister, Pfarrei Great Malvern, 5. Juni 1849, Standesamt der Grafschaften Hereford und Worcester, Worcester; *CCD*, Bd. 4, S. 234, S. 236, S. 239f.
7. *CCD*, Bd. 4, S. 227; *TBI*, S. 40.
8. *CCD*, Bd. 4, S. 246, Bd. 5, S. 78; *TBI*, S. 43; RFD, S. 84; ‹A Visit to Darwin's Village: Reminiscences of Some of His Humble Friends›, in: *Evening News* (London), 12. Feb. 1909, S. 4.
9. *CCD*, Bd. 4, S. 247, S. 256f., S. 269, S. 311, S. 314; *CP*, Bd. 1, S. 250f.; *TBI*, S. 49; Morus: ‹Politics of Power› (vgl. dazu: MacLeod: ‹Whigs›).
10. Darwin: *Monograph on the Sub-Class*, Bd. 2, S. 26.
11. *CCD*, Bd. 4, S. 127, S. 219; Ospovat: *Development*, S. 146, S. 150, und Owen: *On the Nature of Limbs*, in: Darwin Bibliothek, CUL; Desmond: *Archetypes*, S. 50, und *Politics*, Kap. 6, bes. S. 216, S. 267f.; Di Gregorio: ‹In Search›, S. 249.
12. *CCD*, Bd. 4, S. 179, S. 156, S. 169; Darwin: *Monograph on the Sub-Class*, Bd. 1,

S. 2, S. 25–28 (vgl. dazu: T. Huxley: ‹Lectures›, S. 238, S. 241); Desmond: *Politics*, Kap. 8.
13. *CCD*, Bd. 4, S. 179, S. 314; Darwin; *Monograph of the Sub-Class*, Bd. 1, S. 34–37.
14. *CCD*, Bd. 4, S. 270, S. 273.
15. *CCD*, Bd. 4, S. 272, S. 303, S. 311.
16. *LLJH*, Bd. 1, S. 312–20; Hooker: *Himalayan Journals*, Bd. 2, S. 206–14, S. 233, S. 247; *CCD*, Bd. 4, S. 294, S. 310, S. 478; *LLL*, Bd. 2, S. 153.
17. *CCD*, Bd. 4, S. 282f., S. 289, S. 293, S. 300–303; Trenn: ‹Charles Darwin›.
18. Darwin: *Monograph on the Fossil Lepadidae*, S. V, S. 1; Trenn: ‹Charles Darwin›, S. 471, S. 479; *CCD*, Bd. 4, S. 300, S. 305; *CP,* Bd. 1; S. 251f.
19. *CCD*, Bd. 4, S. 304f., S. 310f.; Trenn: ‹Charles Darwin›, S. 481f.
20. *CCD*, Bd. 4, S. 319, S. 323, S. 349, S. 361; Darwin: *Monograph on the Fossil Lepadidae*, S. 3.
21. *CCD*, Bd. 4, S. 312, S. 315, S. 319, S. 321, S. 335, S. 344; *TBI*, S. 44.
22. *CCD*, Bd. 4, S. 114f., S. 139, S. 268f., S. 327f.
23. *CCD*, Bd. 4, S. 344; Darwin: *Monograph of the Sub-Class*, Bd. 2, S. 155; Gillespie: ‹Preparing›, S. 107f.
24. *CCD*, Bd. 5, S. 155f.
25. *CCD*, Bd. 3, S. 376; T. Huxley: ‹Lectures›, S. 240; Ospovat: *Development*, S. 161.
26. *CCD*, Bd. 4, S. 344, S. 353, S. 369.

25 Unser bitterer und grausamer Verlust

1. E. Darwins Erinnerungen an Annie, in: DAR 210.13; *CCD*, Bd. 4, S. 369, Bd. 5, S. 9.
2. *CCD*, Bd. 4, S. 225, Bd. 5, S. 540f.; *ED*, Bd. 2, S. 184; *TBI*, S. 149.
3. Die Erinnerungen E. Darwins an Annie, in: DAR 210.13; *CCD*, Bd. 4, S. 385–87.
4. *CCD*, Bd. 4, S. 379f., S. 386f.
5. Corsi: *Science*, S. 262–65; Robbins: *Newman Brothers*, S. 107–16; *CCD*, Bd. 4, S. 479; *ED*, Bd. 2, S. 125; Newman: *History,* S. IV, S. 210, S. 370; O. Chadwick: *Victorian Church*, Bd. 1, S. 219–301.
6. *TBI*, S. 45; E. Darwins Erinnerungen an Annie, in: DAR 210.13; *CCD*, Bd. 4, S. 479, Bd. 5, S. 69.
7. Newman: *Phases,* S. 78, S. 81, S. 101, S. 141, S. 172, S. 188, S. 200, S. 233.
8. *CCD*, Bd. 4, S. 479, Bd. 5, S. 519; *LLD*, Bd. 2, S. 158; E. Darwins Erinnerungen an Annie, in: DAR 210.13.
9. Billing: *M. Billing's Directory,* S. 415; *CCD*, Bd. 4, S. 354; RFD 85; *TBI*, S. 44f.
10. M. Lyell an F. Wedgwood, 28. April [1851], W/M 310; *LLJH*, Bd. 1, S. 332; Froude: *Carlyle*, Bd. 2, S. 76–77; Fielding: ‹Froude's Second Revenge›; *ED*, Bd. 2, S. 128f.; *CCD*, Bd. 5, S. 25; vgl. auch: *CCD*, Bd. 4, S. 488; Calder: ‹Erasmus Darwin›, S. 38; Arbuckle: *Harriet Martineau's Letters*, S. 113.
11. *CCD*, Bd. 5, S. 10, S. 13.
12. C. Thorley an E. Darwin, [14. und 15. April 1851], in: DAR 210.13; *CCD*, Bd. 5, S. 13, S. 16f., S. 22; *ED*, Bd. 2, S. 132f.
13. *ED*, Bd. 2, S. 132; *CCD*, Bd. 5, S. 13, S. 16.
14. *CCD*, Bd. 5, S. 13–15, S. 21.
15. *CCD*, Bd. 5, S. 16f.: F. Wedgwood an E. Darwin [19. April 1851], in: DAR 210.13.
16. *CCD*, Bd. 5, S. 18–23.

17. *CCD*, Bd. 5, S. 23f.; F. Wedgwood an H. Wedgwood [23. April 1851], W/M 310.
18. F. Wedgwood an H. Wedgwood [23. April 1851], und an K. E. Wedgwood [25. April 1851], W/M 310; ‹Thunderstorms›, in: *Barron's Worcester Journal*, 1. Mai 1851, S. 3; *ED*, Bd. 2. S. 286; H. Montgomery: ‹Emma Darwin›; Ricks: *Poems*, S. 910 (1v:5–8).
19. F. Wedgwood an H. Wedgwood [23. April 1851], W/M 310; F. Wedgwood an E. Darwin [23. April 1851], in: DAR 210.13; Ricks: *Poems*, S. 911 (1vi:1–4); Sterbe-urkunde, Anne Elizabeth Darwin, General Register Office, London.
20. *CCD*, Bd. 5, S. 25; E. Darwin an F. Wedgwood [25. April 1851], W/M 310.
21. *CCD*, Bd. 5, S. 24–26; F. Allen an F. Wedgwood, 23. April 1851, und E. Darwin an F. Wedgwood, 25. April 1851, W/M 310.
22. *CCD*, Bd. 5, S. 28f.; F. Wedgwood an K. E. Wedgwood, 25. April 1851, W/M 310; Sterberegister, Pfarrei Great Malvern, 25. April 1851, Standesamt der Grafschaften Hereford und Worcester, Worcester.
23. *CCD*, Bd. 5, S. 25, S. 542f.; S. E. Wedgwood an F. Wedgwood, 27. April 1851, W/M 310.
24. *CCD*, Bd. 5, S. 26f.; *ED*, Bd. 2, S. 137, S. 139; E. Darwin an F. Wedgwood, 24. April 1851, W/M 310; siehe auch: DAR 210.13.
25. *CCD*, Bd. 5, S. 32, S. 540–42; Colp: ‹Charles Darwin's «insufferable grief»›; J. Moore: ‹Of Love›.
26. *CCD*, Bd. 5, S. 33; *ED*, Bd. 2, S. 140; Darwin an J. Hooker, 6. Juni [1868], in: DAR 94: 69f.

26 Ein Gentleman mit Kapital

1. Best: *Mid-Victorian Britain*, S. 252; T. Macaulay, in: Golby: *Culture*, S. 3.
2. McNeil: *Under the Banner;* Prince Albert, in: Harvie et al.: *Industrialization*, S. 234–38.
3. Charlotte Brontë, in: Jennings: *Pandaemonium*, S. 262.
4. *CCD*, Bd. 4, S. 354; Haight: *George Eliot*, S. 20ff., S. 60; Rosenberg: ‹Financing›, S. 169–72; Van Arsdell: ‹Westminster Review›, S. 544–49; Heyck: *Transformation*, S. 17; Corsi: *Science*, S. 204; Holyoake: *Sixty Years*, Bd. 1, S. 239.
5. Rosenberg: ‹Financing›, S. 175; J. Moore: *Religion*, S. 432.
6. Corsi: *Science*, S. 273–76; Desmond: *Archetypes*, S. 29–32.
7. Spencer: *Autobiography*, Bd. 1, S. 348, S. 394ff.; Rosenberg: ‹Financing›, S. 174; Spencer: *Social Statics*, S. 80; J. Moore et al.: *Science*, S. 6ff.
8. Spencer: *Autobiography*, Bd. 1, S. 377, S. 384; Prince Albert, in: Golby: *Culture*, S. 1f.
9. R. Young: *Darwin's Metaphor*, S. 23–55.
10. Spencer: *Autobiography*, Bd. 1, S. 372, S. 388; J. Moore: *Religion*, S. 406, S. 408; R. Young: *Darwin's Metaphor*, S. 51f.
11. *CCD*, Bd. 5, S. 49–52, S. 55, S. 538; *ED*, Bd. 2, S. 142; *TBI*, S. 49.
12. *CCD*, Bd. 5, S. 54, S. 57.
13. *CCD*, Bd. 5, S. 55, S. 81, S. 83; RFD 17, 38; *TBI*, S. 48.
14. *CCD*, Bd. 5, S. 83; Davidoff und Hall: *Family Fortunes*, S. 205–207, S. 360–65.
15. Hobsbawm: *Industry*, S. 156; Keith: *Darwin*, S. 222, S. 225; *CCD*, Bd. 3, S. 375–77, Bd. 4, S. XX, S. 52, S. 62f., S. 154f., S. 185, S. 375–77, Bd. 5, S. 119, S. 183f.
16. Austin: *Memoir*, Bd. 2, S. 472; Jardine: *Memoirs*, S. cclix; Crouzet: *Victorian*

Economy, S. 285–87; *LLL*, Bd. 2, S. 129; *CCD*, Bd. 3, S. 303f.; Burn: *Age*, S. 30; Schivelbusch: *Railway Journey*, Kap. 8–9.

17. *CCD*, Bd. 4, S. 62f., S. 375, Bd. 5, S. 99, S. 101, S. 190f., Atkins: *Down*, S. 97.

18. *CCD*, Bd. 4, S. 377, S. 378, Bd. 5, S. 40, S. 94, S. 143, S. 191.

19. *CCD*, Bd. 4, S. 138, S. 264f., Bd. 5, S. 222f.; ‹Down Coal Club: Honorary Subscriptions, 1841–1876 Inclusive›, Down House; Erinnerungen von J. Brodie Innes, in: DAR 112; Beitrittsurkunde, ‹No 3043 Down Friendly Society ...›, Pro FS1/232/643, S. 12f., S. 18, S. 32; vgl. dazu: J. Moore: ‹Darwin of Down›, S. 466–69.

20. Briggs: *Age*, S. 388; *CCD*, Bd. 4, S. 362, S. 369, Bd. 5, S. 85f., S. 163, S. 174.

21. *CCD*, Bd. 5, S. 83f.; *ED*, Bd. 1, S. 144; *LLL*, Bd. 2, S. 172; H. Bell: *Lord Palmerston*, Bd. 2, S. 58.

22. *CCD*, Bd. 5, S. 83, S. 100, S. 104, S. 111.

23. *CCD*, Bd. 4, S. 353f., S. 362, Bd. 5, S. 51, S. 52, S. 55, S. 63, S. 83, S. 147f.; *TBI*, S. 49; Hutchinson: *Life*, S. 22–24, S. 29f.

24. *CCD*, Bd. 5, S. 63, S. 97, S. 100, S. 112, S. 147f., S. 536; Duman: ‹Creation›, S. 120–23; F. Darwin: *Rustic Sounds*, S. 157.

25. *CCD*, Bd. 5, S. 96; *ED*, Bd. 2, S. 146–50.

26. L. Huxley: ‹Home Life›, S. 6; Erinnerungen von G. Darwin, in: DAR 112; *ED*, Bd. 2, S. 81.

27. *CCD*, Bd. 5, S. 81; F. Darwin: *Springtime*, S. 60–62, und *Rustic Sounds*, S. 154.

28. *ED*, Bd. 2, S. 105f., S. 154.

29. *CCD*, Bd. 4, S. 425, Bd. 5, S. 81, S. 141f., S. 536.

30. *ED*, Bd. 2, S. 173; Foote: *Darwin*, S. 20; F. Darwin: *Springtime*, S. 51–53; ‹Register of baptisms ...›, KAO P123/1/10; Hutchinson: *Life*, Bd. 1, S. 32.

31. Duncan: *Life*, S. 64, S. 541; E. Richards: ‹Questions›; Desmond: *Archetypes*, S. 30ff.

32. Duncan: *Life*, S. 62f.; Spencer: *Autobiography*, Bd. 1, S. 402; *LLTH*, Bd. 1, S. 81, S. 83, S. 90; Desmond: *Archetypes*, S. 25–29.

33. Duncan, *Life*, S. 65, S. 543; Spencer: *Autobiography*, Bd. 1, S. 350; Schoenwald: ‹G. Eliot's «Love» Letters›; *LLD*, Bd. 2, S. 188; Desmond: *Archetypes*, S. 37ff., S. 99.

27 Häßliche Tatsachen

1. Gesundheitstagebuch, Down House; *TBI*, S. 43–53.

2. *TBI*, S. 45f.; Freeman: ‹Darwin Family›, S. 17; Gesundheitstagebuch, Down House, April, Aug.–Nov. 1852; *CCD*, Bd. 5, S. 96, S. 98, S. 100, S. 194.

3. *LLTH*, Bd. 1, S. 89, S. 102, S. 107; *CCD*, Bd. 5, S. 49, S. 64, S. 75, S. 131; vgl. dazu: T. Huxley: ‹Lectures›, S. 238f.

4. *CCD*, Bd. 5, S. 130.

5. *CCD*, Bd. 5, S. 103, S. 105, S. 108, S. 110, S. 113–15, S. 117f.

6. *CCD*, Bd. 5, S. 82, S. 100, S. 123, S. 147, S. 212; *MLD*, Bd. 1, S. 38.

7. *CCD*, Bd. 5, S. 165f., S. 225, S. 307, Bd. 6, S. 406; vgl. dazu: *Lancet*, 1 (1846), S. 635. Über die Reformen siehe: MacLeod: ‹Of Medals›, S. 92; Morus: ‹Politics of Power›.

8. Gesundheitstagebuch, Down House; *CCD*, Bd. 3, S. 253, Bd. 5, S. 157, S. 163, S. 172, S. 536, S. 539, Bd. 6, S. 55; *Autobiography*, S. 117. Bulwer-Lytton parodierte Darwin als den barschen ‹Professor Long› in: *What Will He Do With It?*, Bd. 1, S. 284–96.

9. *CCD*, Bd. 5, S. 113, S. 174f., S. 177, S. 179–81.

10. *CCD*, Bd. 3, S. 45, Bd. 5, S. 113, S. 178, S. 196f., S. 215.
11. *CCD*, Bd. 5, S. 174, S. 195; Geikie: *Memoir*, S. 165.
12. *CCD*, Bd. 5, S. 186, S. 194, S. 331.
13. *CCD*, Bd. 5, S. 224, S. 321; *LRO*, Bd. 2, S. 5f.
14. *CCD*, Bd. 5, S. 351; *LLTH*, Bd. 1, S. 133; MacLeod: ‹Whigs›, S. 79f.; Morus: ‹Politics of Power›.
15. *CCD*, Bd. 5, S. 224f., S. 278, Bd. 6, S. 408; *LJT*, S. 45–48; *LLTH*, Bd. 1, S. 101ff.; Gage und Stearn: *Bicentenary History*, S. 53.
16. *CCD*, Bd. 5, S. 424; *LLTH*, Bd. 1, S. 85, S. 114f., S. 119, S. 137f.; *LJT*, Kap. 4.
17. *LLJH*, Bd. 1, S. 477f.; Corsi: *Science*, Kap. 17.
18. *CCD*, Bd. 5, S. 345, S. 350; *LLJH*, Bd. 1, S. 474.
19. ‹Origin of Man: Science *versus* Theology›, in: *London Investigator*, 1 (1854–55), S. 8ff.; Desmond: ‹Robert Grant's Later Views›, S. 402, S. 404; Beddoe: Memories, S. 32f.; E. Forbes an T. Huxley, 16. Nov. 1852, in: THP 16.170; *LLTH*, Bd. 1, S. 94.
20. C. Lyell: ‹Anniversary Address›, S. xxxiii, S. xxxix; Corsi: ‹Importance›, S. 224, S. 241; Bartholomew: ‹Lyell›, und ‹Singularity›.
21. *CCD*, Bd. 5, S. 537; *LLL*, Bd. 2, S. 199; Desmond: *Politics*, S. 327–30.
22. *CCD*, Bd. 5, S. 416; *Natural Selection*, S. 89.
23. T. Huxley: ‹Vestiges›, S. 425–27, S. 429; Huxleys Notizen über *Vestiges*, in: THP 41.57–63; Bartholomew: ‹Huxley's Defence›, S. 526–28; Desmond: *Archetypes*, S. 49; *LLD*, Bd. 2, S. 188f.; *LLTH*, Bd. 1, S. 224.
24. *CCD*, Bd. 5, S. 213f.; Pearson: *Life*, Bd. 2, S. 204.
25. *CCD*, Bd. 5, S. 212f.; S. 215, S. 537.
26. *CCD*, Bd. 5, S. 155, S. 294, S. 379.
27. *CCD*, Bd. 5, S. 159, S. 186, S. 201; Gesundheitstagebuch, Down House.
28. *CCD*, Bd. 5, S. 322, S. 334, S. 348, S. 372, Bd. 6, S. 196, S. 209; *LLJH*, Bd. 1, S. 374.

28 Kanonenboote und Schnapsbuden

1. Hutchinson: *Life*, S. 30, S. 36; *CCD*, Bd. 5, S. 105; *ED*, Bd. 2, S. 154; *TBI*, S. 49f.; Erinnerungen von G. Darwin, in: DAR 112; Gesundheitstagebuch, Down House.
2. *CCD*, Bd. 5, S. 164, S. 182, S. 187, S. 265.
3. F. Darwin: *Rustic Sounds*, S. 154f., und *Springtime*, S. 59f.; G. Darwins ‹manuelle Betätigung› und Tagebuch, 1852–54, in: DAR 210.7; *CCD*, Bd. 4, S. 427.
4. *LLTH*, Bd. 1, S. 116; Geikie: *Memoir*, S. 224; *LLL*, Bd. 2, S. 201; *CCD*, Bd. 5, S. 241.
5. *LLL*, Bd. 2, S. 202.
6. *CCD*, Bd. 5, S. 196f., S. 199, S. 201, S. 230, S. 247–49; Ospovat: *Development*, S. 177f.; Kohn: ‹Darwin's Principle›, S. 251; J. Browne: *Secular Ark*, S. 205–16.
7. *Autobiography*, S. 120f.; *Natural Selection*, S. 249; *Notebooks*, B21; *CCD*, Bd. 4, S. 139, Bd. 5, S. 475; Ospovat: *Development*, S. 171; Kohn: ‹Darwin's Principle›, S. 250.
8. McKendrick: ‹Josiah Wedgwood›, S. 30–34.
9. Prince Albert, in: Golby: *Culture*, S. 1f.; Schweber: ‹Wider British Context›, S. 64f.; Schweber: ‹Darwin›, S. 258f., S. 265; *Autobiography*, S. 55.
10. *Origin*, S. 56, S. 380; *Natural Selection*, S. 228ff.; Schweber: ‹Darwin›, S. 212; Ospovat: *Development*, S. 181–83; Kohn: ‹Darwin's Principle›, S. 250; *CCD*, Bd. 5, S. 197; J. Browne: *Secular Ark*, S. 210–16.

11. Schweber: ‹Darwin›, S. 197, S. 213, S. 255f., S. 285; *Natural Selection,* S. 233; vgl. auch: Conry: *Introduction,* S. 387.
12. Seed: ‹Unitarianism›, S. 1–3; Schweber: ‹Darwin and the Political Economists›, S. 269f.; *CCD,* Bd. 4, S. 473.
13. *CCD,* Bd. 5, S. 253, S. 265; *ED,* Bd. 2, S. 156.
14. *ED,* Bd. 2, S. 155f.; *CCD,* Bd. 5, S. 537f.; Ereira: *People's England,* S. 78–85.
15. *CCD,* Bd. 5, S. 68; *LLJH,* Bd. 1, S. 445; *CP,* Bd. 1, S. 255; Sulloway: ‹Geographic Isolation›, S. 41–47.
16. *CCD,* Bd. 5, S. 237, S. 241, S. 263.
17. *CCD,* Bd. 5, S. 299, S. 305, S. 308; *CP,* Bd. 1, S. 256f.; J. Browne: *Secular Ark,* S. 198; siehe auch: *Journal* (1839), S. 541f.; *Notebooks,* Q10.
18. *CCD,* Bd. 5, S. 305, S. 308, S. 321, S. 328; *LLJH,* Bd. 1, S. 352.
19. *CCD,* Bd. 2, S. 282, Bd. 5, S. 320, S. 331, S. 364; *CP,* Bd. 1, S. 265; D. Porter: ‹*Beagle* Collector›, S. 1015.
20. *CCD,* Bd. 5, S. 338f., S. 364–67, S. 374f.; *CP,* Bd. 1, S. 257.
21. *CCD,* Bd. 5, S. 363, S. 370, S. 440f., S. 477, S. 483, S. 500, Bd. 6, S. 122; *LLJH,* Bd. 1, S. 494; *CP,* Bd. 1, S. 257f., S. 261f.
22. *CCD,* Bd. 5, S. 265; F. Darwin: *Springtime,* S. 53.
23. Ospovat: *Development,* S. 153–57.
24. *CCD,* Bd. 5, S. 84, S. 100, S. 147, S. 194; Ospovat: *Development,* S. 153ff.; vgl. auch: *Notebooks,* Sommer 1842, 7.
25. *Foundations,* S. 221; Ospovat: *Development,* S. 156.
26. *CCD,* Bd. 5, S. 288.
27. *CCD,* Bd. 6, S. 217, auch Bd. 3, S. 9, Bd. 4, S. 18, S. 30, S. 63f., S. 89f., S. 231, und Colp: ‹Darwin and Mrs. Whitby›; Wells: ‹Historical Context›, S. 228f.; Desmond: *Politics,* S. 310; Secord: ‹Darwin›.
28. Secord: ‹Darwin›; Desmond: ‹Making›, S. 224–29.
29. Secord: ‹Nature's Fancy›, S. 166; *CCD,* Bd. 5, S. 250, S. 321, S. 337, S. 359; *Notebooks,* Q3, S. 493.
30. *CCD,* Bd. 5, S. 326, S. 352, S. 386, S. 492, S. 497.
31. Darwin: *Expressions,* S. 259; *CCD,* Bd. 5, S. 508.
32. *CCD,* Bd. 5, S. 415, S. 482.
33. *CCD,* Bd. 5, S. 528, Bd. 6, S. 24, S. 217; *LLL,* Bd. 2, S. 213; Secord: ‹Nature's Fancy›, S. 164, S. 170.
34. *CCD,* Bd. 6, S. 236; Secord: ‹Nature's Fancy›, S. 165, S. 175, S. 178, und ‹Darwin›, S. 537.
35. Secord: ‹Nature's Fancy›, S. 173.
36. Secord: ‹Nature's Fancy›, S. 177; *LLD,* Bd. 2, S. 281f.
37. *CCD,* Bd. 5, S. 509; *ED,* Bd. 2, S. 157.

29 Elendige Schufte wie ich

1. *LLJH,* Bd. 1, S. 368f.
2. *CCD,* Bd. 5, S. 282, S. 425, Bd. 6, S. 114; *LLJH,* Bd. 1, S. 375; *LLTH,* Bd. 1, S. 138f., S. 148.
3. J. Hooker an T. Huxley, 4. April 1856, in: THP 3.23; *LLJH,* Bd. 1, S. 369f., S. 412.
4. *LLTH,* Bd. 1, S. 128f., S. 144, S. 157; *CCD,* Bd. 5, S. 442.
5. T. Huxley an E. Forbes, 27. Nov. 1852, in: THP 16.72; W. Carpenter an T. Huxley, 16. Juli 1855, und 22. Okt. 1858, in: THP 12.78, 94; *LLTH,* Bd. 1, S. 95;

Baynes: ‹Darwin›, S. 505f.; Desmond: *Archetypes,* S. 22, S. 123; *LRO,* Bd. 2, S. 13–15.

6. J. Hooker an T. Huxley, 4. April 1856, in: THP 3.23.

7. Owen: ‹Lyell›, S. 448–50; Ospovat: *Development,* S. 129–40; Desmond: *Archetypes,* S. 42–46; Bowler: *Fossils,* S. 101–106; E. Richards: ‹Questions›, S. 145f.

8. *CCD,* Bd. 5, S. 58, S. 133; Desmond: *Archetypes,* S. 42; Bartholomew: ‹Huxley's Defence›, S. 527–29.

9. *CCD,* Bd. 5, S. 133; T. Huxley, ‹Contemporary Literature›, S. 243; Ospovat: ‹Darwin on Huxley›; Winsor: *Starfish,* S. 90–97.

10. T. Huxley: ‹Comparative Literature›, S. 243–46; Ospovat: ‹Darwin on Huxley› zu der Transkription von DAR B.C.40f.

11. Wollaston: *Variation,* S. 186, S. 189; *CCD,* Bd. 5, S. 268–70, Bd. 6, S. 100.

12. *CCD,* Bd. 5, S. 403, S. 498f., Bd. 6, S. 66, S. 74, S. 361.

13. *LLD,* Bd. 2, S. 26f.; *CCD,* Bd. 6, S. 87, S. 89; *LLL,* Bd. 2, S. 212.

14. Darwin an T. Wollaston, 6. Juni [1856], EUL, Gen. 1899/1/30 (vgl. *CCD,* Bd. 6, S. 134); Matthäus 7, 13f., J. Moore: ‹Of Love›, S. 220–23.

15. *CCD,* Bd. 5, S. 270; Bd. 6, S. 147; Wollaston: *Variation,* S. 186, S. 188; DAR 197.2.

16. *LLD,* Bd. 2, S. 196; *CCD,* Bd. 5, S. 351; T. Huxley: ‹On Certain Zoological Arguments›.

17. Ospovat: ‹Darwin on Huxley›, S. 11–16, Transkription von DAR B.C.40e.

18. *CCD,* Bd. 3, S. 83, Bd. 6, S. 103, S. 106, S. 111f.; *LLTH,* Bd. 1, S. 150.

19. *CCD,* Bd. 6, S. 147, S. 175f.; T. Huxley an F. Dyster, Dez. 1856, in: THP 15.80; *LRO,* Bd. 2, S. 60.

20. *CCD,* Bd. 6, S. 260, S. 484.

21. *CCD,* Bd. 5, S. 519, S. 522; Wallace: ‹On the Law›; Brooks: *Just Before,* Kap. 5.

22. Wilson: *Sir Charles Lyell's Scientific Journals,* 6f.

23. *LLL,* Bd. 2, S. 213f.; *CCD,* Bd. 6, S. 58, S. 90, S. 152, S. 236; Wilson: *Sir Charles Lyell's Scientific Journals,* S. 54–57, S. 60.

24. *CCD,* Bd. 6, S. 78; Bunbury: *Life,* Bd. 2, S. 90, S. 99f.

25. *CCD,* Bd. 6, S. 100, S. 106.

26. *CCD,* Bd. 6, S. 109, S. 130f., S. 135, S. 142, S. 238.

27. Jensen: ‹X Club›, S. 63; *CCD,* Bd. 6, S. 122f.

30 Eine niedrige und wollüstige Natur

1. *CCD,* Bd. 5, S. 83, Bd. 6, S. 87, S. 151f., S. 191.

2. *CCD,* Bd. 6, S. 140, S. 143f., S. 147, S. 153, S. 155, S. 193; *Natural Selection,* S. 534–44.

3. *CCD,* Bd. 6, S. 169, S. 179, S. 193.

4. Wilson: *Sir Charles Lyell's Scientific Journals,* S. 86f., S. 102, S. 119f., S. 153, S. 233, S. 259, S. 279; *LLL,* Bd. 2, S. 215; *CCD,* Bd. 6, S. 194;

5. *CCD,* Bd. 6, S. 184, S. 189, S. 236; Wilson: *Sir Charles Lyell's Scientific Journals.* S. 57f., S. 94f., S. 97f.; E. Richards: ‹Moral Anatomy›, S. 391–96, S. 406–10; Lurie: *Louis Agassiz,* Kap. 7; Lorimer: *Colour,* Kap. 5; Bolt: *Victorian Attitudes,* Kap. 1.

6. *CCD,* Bd. 6, S. 100, S. 199, S. 201.

7. *CCD,* Bd. 6, S. 198, S. 200f., S. 239, S. 385, S. 408.

8. *CP,* Bd. 1, S. 258, S. 262, S. 268; *CCD,* Bd. 5, S. 329f., S. 500, Bd. 6, S. 244.

9. *CCD,* Bd. 5, S. 326, Bd. 6, S. 100, S. 174, S. 248, S. 305.

10. *CCD*, Bd. 6, S. 152, S. 218, S. 234, S. 238, S. 247, S. 409.
11. *CCD*, Bd. 6, S. 248, S. 250, S. 259, S. 266f., S. 274, S. 282; *LLJH*, Bd. 1, S. 449.
12. *ED*, Bd. 2, S. 132; *CCD*, Bd. 6, S. 238, S. 267.
13. *CCD*, Bd. 6, S. 238, S. 264, S. 268f., S. 303, S. 285, S. 301, S. 385; *ED*, Bd. 2, S. 105, S. 161; Raverat: *Period Piece*, S. 122; *Wedgwood*, S. 260.
14. *CCD*, Bd. 6, S. 305, S. 438; *ED*, Bd. 23, S. 162.
15. *ED*, Bd. 2, S. 105, S. 162; *CCD*, Bd. 6, S. 268f., S. 274f., S. 286, S. 303; Roberts: *Paternalism*, S. 115f., S. 151f.
16. *CCD*, Bd. 6, S. 304; *Natural Selection*, S. 73, S. 89.
17. *CCD*, Bd. 5, S. 84, S. 100; *Natural Selection*, S. 35f., S. 89, S. 208.
18. *CCD*, Bd. 6, S. 237f, S. 249, S. 335; *TBI*, S. 57.
19. *Natural Selection*, S. 6; *CCD*, Bd. 5, S. 112, Bd. 6, S. 218, S. 301, S. 303f.; J. Moore: ‹On the Education›, S. 53f.
20. *CCD*, Bd. 6, S. 335; *Origin*, S. 57; *Autobiography*, S. 137; *Natural Selection*, S. 92–94; J. Browne: *Secular Ark*, S. 204f.
21. *Natural Selection*, S. 172–75, S. 569; Darwin an J. Hooker, 13. Juli [1856], in: DAR 114.3:169 (vgl. dazu: *CCD*, Bd. 6, S. 178); Colp: ‹Charles Darwin's Reprobation›.
22. *CCD*, Bd. 4, S. 479; *LRO*, Bd. 2, S. 12; *Natural Selection*, S. 172; Ricks: *Poems*, S. 912 (lvi:15f.).
23. Desmond: ‹Artisan Resistance›; Holyoake: *Sixty Years*, Bd. 1, S. 166–70; McCabe: *Life*, Bd. 1, S. 85–87, S. 95f.; Royle: *Victorian Infidels*, S. 80f.
24. *Natural Selection*, S. 175f.
25. *CCD*, Bd. 6, S. 345f.

31 Was würde ein Schimpanse sagen?

1. *CCD*, Bd. 3, S. 253; Owen: ‹On the Anthropoid Apes›, und ‹Osteological Contributions›, S. 414–17; Desmond: *Politics*, S. 288–94; Thomas Savage, Brief an Owen, 24. April 1847, BM (NH), Orig.Korr. 23.103.
2. Flower: *List*, Bd. 1, S. 2; Middlemiss: *Zoo*, S. 10f., S. 23; Barnaby: *Log Book*, S. 36f; vgl. dazu: Carl Gustav Carus: *King of Saxony's Journey*, S. 62.
3. Chilton: ‹Geological Revelations›, ‹Origin of Man: Science *versus* Theology›, in: *London Investigator*, 1 (1854–55), S. 8–122 passim; Desmond: ‹Artisan Resistance›, S. 100.
4. *LRO*, Bd. 1, S. 377, Bd. 2, S. 73, S. 385; Argyll: *George Douglas*, Bd. 1, S. 408–11; Desmond: *Archetypes*, S. 62–64.
5. W. Whewell an R. Owen, 3. April 1859, (NH), Orig.Korr. 26.285; Owen: ‹Presidential Address›, S. xlix–li, und *Classification*, S. 62f.
6. Owen: ‹On the Characters›, S. 19f.; *CCD*, Bd. 6, S. 367, S. 419; Desmond: *Archetypes*, S. 74–76; R. Owen: Notebook 1 (Okt.–Dez. 1830), BM (NH), Orig.Sammlung.
7. *Natural Selection*, S. 214, S. 223f.; *CCD*, Bd. 6, S. 366.
8. *CCD*, Bd. 6, S. 368f., S. 372f., S. 377, S. 385f., S. 394; *ED*, Bd. 2, S. 159.
9. *CCD*, Bd. 6, S. 377, S. 385, S. 395, S. 416; *TBI*, S. 59f.
10. *CCD*, Bd. 6, S. 384, S. 389.
11. *CCD*, Bd. 6, S. 290, S. 387f., S. 457.
12. *CCD*, Bd. 6, S. 395f., S. 407; *Natural Selection*, S. 307–12, S. 570f.
13. *CCD*, Bd. 6, S. 394f., S. 404, S. 407; ‹Register of baptisms ...›, KAO P123/1/10.
14. *CCD*, Bd. 6, S. 412, S. 416; *CP*, Bd. 1, S. 274; *ED*, Bd. 2, S. 163; *LLD*, Bd. 1,

S. 137; *CCD,* Bd. 6, S. 524, und Emma Darwins Tagebuch, 9. April 1857 et seq., in: DAR. (Wir danken Anne Secord für ihren Hinweis auf das Tagebuch.)

15. *CCD,* Bd. 6, S. 420f., S. 424–28; *Natural Selection,* S. 275–79, S. 303f.; *ED,* Bd. 2, S. 163.

16. *CCD,* Bd. 6, S. 429, S. 443; *Natural Selection,* S. 94; *LLJH,* Bd. 1, S. 496.

17. *CCD,* Bd. 6, S. 325, S. 412, S. 432f.

18. *CCD,* Bd. 6, S. 437, S. 445–50, S. 492; R. Richards: ‹Why›, und *Darwin,* S. 144–52; Prete: ‹Conundrum›;

19. Portlock: ‹Address›, 1858, S. clvii–iii, 1857, S. cxiv–v; *CCD,* Bd. 6, S. 445–50.

20. *CCD,* Bd. 6, S. 445f.

21. *CCD,* Bd. 6, S. 108, S. 454; *LLTH,* Bd. 1, S. 139; Gage und Stearn: *Bicentenary History,* S. 53. T. Huxley: ‹Lectures›, S. 238.

22. *CCD,* Bd. 6, S. 456, S. 461f.

23. *CCD,* Bd. 5, S. 376, Bd. 6, S. 459, S. 467, S. 489; *LLJH,* Bd. 1, S. 452; Appel: *Cuvier-Geoffroy Debate,* S. 125–36.

24. Freeman; ‹Charles Darwin›; vgl. auch: *CCD,* Bd. 2, S. 300–303.

25. *CCD,* Bd. 5, S. 253, S. 537, Bd. 6, S. 345f., S. 394, S. 451, S. 475f., S. 478.

26. *ED* (1904), Bd. 1, S. 183f.; E. Wedgwood: *My First Reading Book;* Darwins Erinnerungen an Charles Waring Darwin, in: DAR 210.13.

27. *ED,* Bd. 2, S. 45–48, S. 164f.; *TBI,* S. 161–64; Healey: *Wives,* S. 148–68.

28. *CCD,* Bd. 4, S. 103; Marsh: ‹Charles Darwin›; Zangerl: ‹Social Composition›.

29. *CCD,* Bd. 6, S. 451f., S. 460, S. 477; Atkins: *Down,* S. 28, S. 97; *Natural Selection,* S. 380; Ospovat: *Development,* Kap. 9; Kohn: ‹Darwin's Ambiguity›.

30. *CCD,* Bd. 6, S. 460f.; *TBI,* S. 120f.; *Darwin's Journal,* S. 14.

31. *CCD,* Bd. 6, S. 461, S. 475, S. 487; *Natural Selection,* S. 339.

32. *CCD,* Bd. 6, S. 515f.; *Natural Selection,* S. 387, S. 467f., S. 477, S. 481; Wilson: *Sir Charles Lyell's Scientific Journals,* S. 85; R. Richards: *Darwin,* Kap. 3; vgl. dazu: Lewes: ‹Hereditary Influence›, S. 162.

33. *CCD,* Bd. 6, S. 514f.

34. *LLD,* Bd. 2, S. 110; G. Allen: *Miscellaneous and Posthumous Works,* Bd. 1, S. 3ff; Buckle: *History,* Bd. 1, S. 174–77, Bd. 3, S. 481f.; Ruse: *Darwinian Revolution,* S. 146; Irvine: *Apes,* S. 166.

35. *Autobiography,* S. 110; Bunbury: *Life,* Bd. 2, S. 138f.

36. Spencer: *Autobiography,* Bd. 2, S. 4, S. 10, S. 15f.; *LJT,* S. 761; Duncan: *Life,* S. 85, S. 97, S. 550.

37. J. Hooker an T. Huxley, 26. Jan. 1858, in: THP 3.28; *LLL,* Bd. 2, S. 279f.

38. *Natural Selection,* S. 10, S. 463.

39. T. Huxley: Vortrag vor der Royal Institution, Vortrag 10, ‹On the Special Pecuoiarities of Man›, 16. März 1858; Vortrag 11, ‹Modifiability of Vital Phenomena›, 22. März 1858, in: THP 36.98–100, 114; Spencer: *Autobiography,* Bd. 1, S. 462.

40. T. Huxley an F. Dyster, 30. Jan. 1859, in: THP 15.106.

41. *LLD,* Bd. 2, S. 103, S. 112–14; *TBI,* S. 61–63; *ED,* Bd. 2, S. 166.

42. *MLD,* Bd. 1, S. 109; *LLJH,* Bd. 1, S. 458; *LLD,* Bd. 2, S. 107.

43. *LLD,* Bd. 2, S. 116; Brooks: *Just Before,* S. 251–57; Brackman: *Delicate Arrangement,* Kap. 3; Kohn: ‹On the Origin›.

32 Aus der Deckung heraus

1. Darwin an J. Hooker, 23. Juni 1858, in: DAR 114:238; Colp: ‹Charles Darwin, Dr. Edward Lane›, S. 205, S. 210; *LLD*, Bd. 2, S. 116.
2. Wallace: *My Life*, Bd. 1, S. 87, S. 224; Durant: ‹Scientific Naturalism›, S. 35ff.; Hughes: ‹Wallace›; Brooks: *Just Before*, Kap. 1; Desmond: ‹Artisan Resistance›.
3. Durant: ‹Scientific Naturalism›, S. 39; Brooks: *Just Before*, Kap. 4.
4. R. Smith: ‹Alfred Russell Wallace›, S. 178, S. 182, S. 184ff.; Kottler: ‹Charles Darwin›, S. 374. Kohn: ‹Origin›, S. 1106.
5. Wallace: *Natural Selection*, S. 27–36, S. 42.
6. *LLD*, Bd. 2, S. 115–20; *MLD*, Bd. 1, S. 119; DAR 210.13; *Calendar*, S. 2295; Brooks: *Just Before*, S. 264.
7. *LLD*, Bd. 2, S. 126; Gage und Stearn: *Bicentenary History*, S. 53–57.
8. *LLJH*, Bd. 2, S. 301; Moody: ‹Reading›; Gage und Stearn: *Bicentenary History*, S. 57; *LLD*, Bd. 2, S. 294.
9. ‹Register of burials ...›, KAO P123/1/14; Darwin an W. Fox, 2. Juli [1858], und 30. [Juli 1858], Christ's College Library, Cambridge; *LLD*, Bd. 2, S. 126, S. 132; *TBI*, S. 63ff.; *Companion*, S. 116.
10. *LLD*, Bd. 2, S. 128, S. 131f., S. 137–39, S. 143; *TBI*, S. 64.
11. Wilson: *Sir Charles Lyell's Scientific Journals*, S. 195, S. 198f., S. 202; *LLD*, Bd. 2, S. 146, S. 326; *ARW*, Bd. 1, S. 134f.; *Calendar*, S. 2337.
12. T. Huxley an F. Dyster, 30. Jan. 1859, in: THP 15.106; Desmond: *Archetypes*, S. 81; Turner: ‹Victorian Conflict›, S. 359ff.
13. T. Huxley an J. Hooker, 18. Juni 1858, in: THP 2.153; *LLTH*, Bd. 1, S. 161; Duncan: *Life*, S. 87; Spencer: ‹Owen›, S. 415; Spencer: *Autobiography*, Bd. 1, S. 368, S. 462, Bd. 2, S. 24; Desmond: *Archetypes*, S. 97f.; vgl. dazu: S. Bell: ‹Lewes›, S. 288–90.
14. T. Hooker an T. Huxley, [März 1859], in: THP 3.47; *LLD*, Bd. 2, S. 149f.; RFD, S. 75; *TBI*, S. 64ff.
15. Peckham, *Origin*, S. 13–16; *LLD*, Bd. 2, S. 151–54, S. 160; Paston: *At John Murray's*, S. 169f.
16. *LLJH*, Bd. 1, S. 510; *LLD*, Bd. 2, S. 159, S. 160, S. 163; Darwin an T. Huxley, 2. Juni [1859], in: THP 5.65; *MLD*, Bd. 1, S. 137.
17. *Calendar*, S. 2488; *LLD*, Bd. 2, S. 163–65, S. 171, S. 178.
18. *LLD*, Bd. 2, S. 166–68, S. 262; Wilson: *Sir Charles Lyell's Scientific Journals*, S. 330–32, S. 335f.; Bunbury: *Life*, Bd. 2, S. 185.
19. *Calendar*, S. 2489; *TBI*, S. 66f.; Judd: *Coming*, S. 117; Peckham: *Origin*, S. 16; *ED*, Bd. 1, S. 172; *LLD*, Bd. 2, S. 170; RFD 86; *Denton's Ilkley Directory*, S. 46; *Shuttleworth's Popular Guide*, S. 50f.
20. Darwin an J. Hooker, [27. Okt. oder 3. Nov. 1859], in: DAR 115:25; *Calendar*, S. 2515, S. 2521; *LLD*, Bd. 2, S. 166, S. 175, S. 215–20; S. 230; Peckham: *Origin*, S. 16f.
21. Peckham: *Origin*, S. 17, S. 748; *LLD*, Bd. 2, S. 287f.; *MLD*, Bd. 1, S. 174.
22. *LLD*, Bd. 2, S. 229, S. 266; *Calendar*, S. 2542; *Athenaeum*, 19. Nov. 1859, S. 659f.; Ellegard: *Darwin*, S. 41, S. 43, S. 294.
23. *LLTH*, Bd. 1, S. 176; Carlyle: *On Heroes*, S. 96; *LLD*, Bd. 2, S. 228f., S. 232; *LLL*, Bd. 2, S. 325; *LLJH*, Bd. 1, S. 510; Himmelfarb: *Darwin*, Kap. 12.
24. *MLD*, Bd. 1, S. 149; *Calendar*, S. 2526, S. 2575; *LLD*, Bd. 2, S. 240, S. 312; Owen: ‹Presidential Address›, S. LI; Wilson: *Sir Charles Lyell's Scientific Journals*, S. 227; Desmond: *Archetypes*, S. 60–62; Ellegard: *Darwin*, S. 65.

25. *LLD,* Bd. 2, S. 303f., S. 312; vgl. auch: Southwood Smith: *Divine Government;* Gillespie: *Charles Darwin,* Kap. 5–6.
26. *LLD,* Bd. 2, S. 239, S. 262; Hull: *Darwin,* S. 93f., S. 114; Ellegard: *Darwin,* S. 35–38, S. 362–67.
27. Darwin an T. Huxley, 28. Dez. 1859, in: THP 5.92; *LLD,* Bd. 2, S. 235; *MLD,* Bd. 1, S. 135; *LLTH,* Bd. 1, S. 176.
28. Livingstone an R. Owen, 29. Dez. 1860, BM (NH), Orig.Korr. 17.415; A. Sedgwick an R. Owen, 29. Dez. 1860, Bd. 23.268, S. 308; J. Wyman an R. Owen, Juni 1863, Bd. 27.254; Argyll an R. Owen, 2. Dez. 1859 und 27. Feb. 1863, Bd. 1.230.
29. *LLD,* Bd. 2, S. 242; Hull: *Darwin,* S. 81–84.
30. R. Grant: *Tabular View,* S. VI; Desmond: ‹Robert E. Grant's Later Views›; *LLD,* Bd. 2, S. 226.

33 Mehr Prügel als Lob

1. Ellegard: *Darwin,* S. 56; *LLD,* Bd. 2, S. 241, S. 262; Marx und Engels: *Selected Correspondence,* Bd. 9, S. 125f.; Engels: *Dialectics, S. 19*; R. Young: *Darwin's Metaphor,* S. 52; Durant: ‹Scientific Naturalism›, S. 45 Anmerkung 75.
2. H. Martineau an E. A. Darwin, 2. Feb. 1860, W/M 32974–57; vgl. dazu: Erskine: ‹Darwin›, S. 92, S. 108, und *LLD,* Bd. 2, S. 234.
3. Poynter: ‹John Chapman›, S. 7; *LLD,* Bd. 2, S. 315; H. Martineau an G. Holyoake, Freitag [1859], BL, Zus. MS 42,726, Nr. 26.
4. H. Martineau an G. Holyoake, Freitag [1859], BL, Zus. MS 42,726, Nr. 26; *Origin,* S. 484, S. 488; vgl. *LLD,* Bd. 3, S. 18.
5. H. Martineau an F. Wedgwood, 13. März 1860, W/M 32975–57.
6. A. Sedgwick an Darwin, 24. Nov. 1859, in: DAR 98.2:17f; *LLD,* Bd. 2, S. 250; *ED,* Bd. 2, S. 172, S. 196; vgl. dazu: Sedgwick: ‹Objections›, S. 335; *Spectator,* März 1860.
7. J. Henslow an L. Jenyns, 26. Jan. 1860, Bath Reference Library, Letters from Naturalists, an Rev. L. Jenyns, 1826–1878, Bd. 1,1 (9); Ellegard: *Darwin,* S. 45.
8. Bunting: *Charles Darwin,* S. 88f.
9. Huxley an F. Dyster, 29. Feb. 1860, in: THP 15.110.
10. Huxley an F. Dyster, 29. Feb. 1860, in: THP 15.110; THP 41.9–56; *LLD,* Bd. 2, S. 251, S. 281; *MLD,* Bd. 1, S. 130f.
11. *LLD,* Bd. 2, S. 282–4; *MLD,* Bd. 1, S. 139f.; Desmond: *Archetypes,* S. 110.
12. *LLTH,* Bd. 1, S. 222f.; *LLD,* Bd. 2, S. 293, S. 331.
13. *LRO,* Bd. 2, S. 39; *LLD,* Bd. 2, S. 300.
14. Owen: *Paleontology,* S. 403, und *Anatomy,* Bd. 3, S. 796, Hull: *Darwin,* S. 176, S. 181, S. 191.
15. Argyll an R. Owen, 27. Feb. 1863, BM (NH), Orig.Korr. 1.230; Argyll: *George Douglas,* Bd. 2, Kap. 23.
16. Hull: *Darwin,* S. 177, S. 182, S. 201, S. 202; G. Rolleston an T. Huxley, 13. April 1860, in: THP 25.142; *LLD,* Bd. 2, S. 300; *MLD,* Bd. 1, S. 149.
17. T. Huxley: *Darwiniana,* S. 23, S. 78, S. 79; *LLD,* Bd. 2, S. 300; Barton: ‹Evolution›.
18. *MLD,* Bd. 1, S. 171f.; *LLD,* Bd. 2, S. 316–18; *Calendar,* S. 2809; Hull: *Darwin,* S. 134; R. Young: *Darwin's Metaphor,* Kap. 4.
19. *Darwin's Journal,* S. 15; Dupree: *Asa Gray,* S. 271; Loewenberg: *Calendar,* S. 17–25; *LLD,* Bd. 2, S. 269f.; J. Moore: *Post-Darwinian Controversies,* S. 270f.
20. Morrell und Thackray: *Gentlemen,* S. 395f.

21. Wilson: *Sir Charles Lyell's Scientific Journals*, S. 355; Geikie: *Memoir*, S. 276f.; *LLD*, Bd. 2, S. 291, S. 293, S. 366f.; *Calendar*, S. 2711, S. 2787; Secord: ‹Geological Survey›, S. 260.
22. *Daily Telegraph*, 10. April 1863, S. 4; *LLD*, Bd. 2, S. 287; Desmond: *Archetypes*, Kap. 2; E. Richards: ‹Question›, S. 145–48.
23. *LLTH*, Bd. 1, S. 187; *LLD*, Bd. 3, S. 270.
24. ‹Recent Acquisitions of the Manuscript Division›, in: *Quarterly Journal of the Library of Congress*, 31 (1974), S. 257.
25. Jensen: ‹Return›, S. 166f., und *LLL*, Bd. 2, S. 335.
26. G. Stoney an F. Darwin, 17. Mai 1895, in: DAR 106/7:36–39; Athenaeum, 14. Juli 1860, S. 65; Burton: ‹Robert FitzRoy›, S. 151–61.
27. J. Hooker an Darwin, 2. Juli 1860, in: DAR 100:141f., und *LLJH*, Bd. 1, S. 525–27; vgl. Lucas: ‹Wilberforce›.
28. *LLD*, Bd. 2, S. 323f.
29. Huxley an F. Dyster, 9. Sept. 1860, in: THP 15.115; Tuckwell: *Reminiscences*, S. 54f.; Poulton: *Charles Darwin*, S. 155; Jensen: ‹Return›.
30. Brown: *Metaphysical Society*, S. 139; Lucas: ‹Wilberforce›, S. 327; Jensen: ‹Return›, S. 166f.; vgl. Gilley: ‹Huxley-Wilberforce›, S. 333; J. Browne: ‹Charles Darwin – Joseph Hooker Correspondence›, S. 361f.
31. *LLJH*, Bd. 1, S. 520.
32. *MLD*, Bd. 1, S. 152, S. 158; *Calendar*, S. 2856.
33. Darwin an T. Huxley, [Aug. 1860?], in: DAR 145, und *Calendar*, S. 2887.
34. Wilberforce: ‹Darwin's Origin›, S. 239, S. 255, S. 259, Darwin Reprint Collection, R. 34, CUL; *MLD*, Bd. 1, S. 156; *ARW*, Bd. 1, S. 144.

34 Aus dem Schoß einer Äffin

1. Ellis: *Seven;* Crowther: *Church Embattled.*
2. Church: *Life*, S. 188; Corsi: *Science*, S. 283–84; Powell, in: *Essays*, S. 139; Ellis; *Seven*, S. 62; *MDL*, Bd. 1, S. 174f.; *LLJH*, Bd. 1, S. 514.
3. RFD, S. 69; *LLJH*, Bd. 2, S. 55; J. Moore: *Religion*, S. 425, S. 437; *MLD*, Bd. 2, S. 266f.; vgl.: Parry: *Democracy*, Kap. 1.
4. J. Hooker an Darwin, 2. Juli 1860, in: DAR 100:141f.; Athenaeum, 7. Juli 1860, S. 26.
5. *MLD*, Bd. 1, S. 177f.; T. Huxley an S. Wilberforce, 3. Jan. 1861, in: THP 227.101; *LLTH*, Bd. 1, S. 210.
6. *LLD*, Bd. 2, S. 353f., S. 373, S. 378; Dupree: *Asa Gray*, S. 296f.; *MLD*, Bd. 1, S. 191.
7. Dupree: *Asa Gray*, S. 298ff.; Loewenberg: *Calendar*, S. 100, S. 103, S. 134; Peckham: *Origin*, S. 57; *LLD*, Bd. 2, S. 351, S. 355f., S. 361, S. 370f., S. 373; *MLD*, Bd. 1, S. 166, S. 169f.; *Darwin's Journal*, S. 15; J. Moore: *Post-Darwinian Controversies*, S. 270ff., S. 389, Anmerkung 48.
8. *LLTH*, Bd. 1, S. 152, S. 190, S. 220, S. 225; *Calendar:* S. 3066, S. 3085; *ED*, Bd. 2, S. 177.
9. Darwin an T. Huxley, 1. Nov. [1860], in: THP 5.141; *MLD*, Bd. 1, S. 460; Owen: ‹Gorilla›, S. 395f.; Owen: ‹Ape-Origin›, S. 262; T. Huxley: ‹Man›, S. 498; Desmond: *Archetypes*, S. 75.
10. Darwin in T. Huxley, 1. April 1861, in: THP 5.162; *MLD*, Bd. 1, S. 185; Huxley: ‹Man›, S. 433.

11. G. Rolleston an ?, 1. Okt. 1861, Wellcome Institute, London, AL 325619; vgl.: *MLD,* Bd. 1, S. 185.
12. Huxley an F. Dyster, 11. Okt. 1862, in: THP 15.123; *LLTH,* Bd. 1, S. 192; ‹Professor Huxley on Man's Place in Nature›, in: Edinburgh Review, 117 (1836), S. 563.
13. T. Huxley an W. Sharpey, 13. und 16. Nov. 1862, UCL, Sharpey Korrespondenz, Zus. MS 227 (Nr. 122, 124; *MLD,* Bd. 2, S. 30; *LLD,* Bd. 2, S. 264, S. 266.
14. T. Huxley an C. Lyell, 26. Juni 1861, in: THP 30.35; *LLTH,* Bd. 1, S. 239.
15. *LLD,* Bd. 2, S. 364; *LLL,* Bd. 2, S. 341, S. 344; *LLTH,* Bd. 1, S. 197; C. Lyell an T. Huxley, 26. Nov. 1860, in: THP 6.40; T. Huxley: *Man's Place,* S. 168, S. 178; Bynum: ‹Charles Lyell's *Antiquity*›, S. 161ff.; Grayson: *Establishment,* S. 212 etc.
16. Darwin an J. Hooker, 23. [April 1861], in: DAR 115:98, *LLJH,* Bd. 2, S. 60; *Calendar,* S. 3101 et seq.; *CP,* Bd. 2, S. 72–74; *TBI,* S. 71.
17. J. Moore: ‹On the Education›, S. 57; *TBI,* S. 69; *LLD,* Bd. 1, S. 136; *ED,* Bd. 2, S. 176f.; *MLD,* Bd. 1, S. 460.
18. E. Darwin an C. Darwin, [Juni 1861], in: DAR 210.10; *ED,* Bd. 2, S. 174; *TBI,* S. 83; Healey: *Wives,* S. 173f.
19. C. Lyell an T. Huxley, 5. Juli 1860 [sic, 1861], in: THP 6.36; *LLTH,* Bd. 1, S. 190; T. Huxley: *Man's Place,* S. 81; ‹Professor Huxley at the Royal Institution›, in: *Reasoner,* 25 (1860), S. 125; Watts: ‹Theological Theories›, S. 119, S. 134; *Calendar,* S. 3466, S. 4464, S. 4468.
20. R. Godwin-Austen an T. Huxley, 30. März 1863, in: THP 10.183; T. Huxley: *Man's Place,* S. 81, S. 144, S. 146, S. 152–55; *LLTH,* Bd. 1, S. 224.
21. Bynum: ‹Charles Lyell's *Antiquity,* S. 161, S. 170f.; *LLTH,* Bd. 1, S. 174; Desmond: *Archetypes,* S. 83–86.
22. *MLD,* Bd. 1, S. 181, Bd. 2, S. 270, S. 278; *Calendar,* S. 3070; Darwin: *Orchids,* S. 113; Allan: *Darwin,* S. 195ff.; *LLD,* Bd. 3, S. 262f.
23. Basalla: ‹Darwin's Orchid Book›, S. 972; *LLD,* Bd. 3, S. 255; *MLD,* Bd. 2, S. 280, S. 373; Darwin: *Orchids,* S. 178f.; *CP,* Bd. 2, S. 63.
24. *Calendar,* S. 3662; *MLD,* Bd. 1, S. 195, S. 202; Ghiselin: *Triumph,* S. 136; *LLD,* Bd. 2, S. 267, S. 383, Bd. 3, S. 254, S. 266; Darwin: *Orchids,* S. 233.
25. *LLTH,* Bd. 1, S. 194f.; *Calendar,* S. 3386; *MLD,* Bd. 1, S. 252; *CP,* Bd. 2, S. 60f.; *LLD,* Bd. 2, S. 384.
26. T. Huxley an F. Dyster, [Jan. 1862], in: THP 15.113; Ellegard: *Darwin,* S. 295; *LRO,* Bd. 2, S. 115–23; Du Chaillu an R. Owen, 19. Aug. 1864, BM (NH), Orig. Korr. 10.173; *LLJH,* Bd. 2, S. 25; *LLTH,* Bd. 1, S. 192–95; *Witness,* 11. und 14. Jan. 1862.
27. Darwin an T. Huxley, 14. Jan. 1862, in: THP 5.167; *LLD,* Bd. 2, S. 384; *LLTH,* Bd. 1, S. 194f.; Huxley an J. Hooker, 16. Jan. 1862, in: THP 2.112.
28. *LLD,* Bd. 3, S. 276; *ARW,* Bd. 1, S. 143f., S. 146; Brooks: *Just Before,* S. 69.
29. C. Lyell an T. Huxley, 9. Aug. 1862, in: THP 6.66 (Antwort in: *LLTH,* Bd. 1, S. 200); ‹Palaeontology›, in: *Athenaeum,* 7. April 1860, S. 478f.
30. G. Rorison an R. Owen, 25. April 1860, BM (NH), Orig.Korr. 22.379; Rorison: ‹Creative Week›, S. 322, S. 517; Hull: *Darwin,* S. 182f.; Desmond: *Archetypes,* S. 78; E. Richards: ‹Question›, S. 147; *MLD,* Bd. 2, S. 341.
31. Darwin an T. Huxley, 14. Jan. und 10. Dez. 1862, in: THP 5.167,183; Ellis: *Seven,* S. 121f.; Owen: *Monograph on the Aye-Aye,* S. 62.
32. *Calendar,* S. 3728, S. 3741, S. 3763, S. 3775, S. 3809, S. 3972; *TBI,* S. 72; *MLD,* Bd. 1, S. 200, S. 223–26; *LLD,* Bd. 3, S. 269; Atkins: *Down,* S. 29f.
33. *MLD,* Bd. 1, S. 228f.; *Calendar,* S. 3899, S. 3909; Owen: ‹On the Archaeopteryx›.

34. Owen: ‹On the Archaeopteryx›, S. 46; Wagner: ‹On a New Fossil Reptile›, S. 266f.; *Calendar*, S. 3905, S. 3928.
35. Peckham: *Origin*, S. 509; *MLD*, Bd. 1, S. 234, S. 472; *LLD*, Bd. 3, S. 6; *LLJH*, Bd. 2, S. 32; *Calendar*, S. 3926; J. Evans: ‹On the Portions›, S. 418, S. 421; Desmond: *Archetypes*, S. 124–31.
36. T. Huxley: *On Our Knowledge*, S. 56; *MLD*, Bd. 1, S. 216f., S. 229f.; *LLTH*, Bd. 1, S. 206.
37. *Calendar*, S. 3905, S. 3967; *MLD*, Bd. 1, S. 472; *LLJH*, Bd. 2, S. 32.
38. Bynum: ‹Charles Lyell's *Antiquity*›; *MLD*, Bd. 1, S. 472; *LLD*, Bd. 3, S. 8f.; C. Lyell: *Geological Evidences*, S. 405ff., S. 429.
39. *LLD*, Bd. 3, S. 9, S. 12; *LLL*, Bd. 2, S. 361–65, S. 376; *TBI*, S. 74.
40. ‹Evidence as to Man's Place in Nature›, *Athenaeum*, 28. Feb. 1863, S. 287; *LLTH*, Bd. 1, S. 201; *LLD*, Bd. 3, S. 14; Argyll: *Reign of Law*, S. 265; T. Huxley: *Man's Place*, S. 76; *LLJH*, Bd. 2, S. 32; Darwin an T. Huxley, 18. Feb. 1863, in: THP 5.173.
41. T. Huxley: *Man's Place*, S. 147; *MLD*, Bd. 1, S. 237; Owen: ‹Summary›, S. 115; Desmond: *Archetypes*, S. 64; Huxley an F. Dyster, 12. März 1863, in: THP 15.125; *LLTH*, Bd. 1, S. 201.
42. Darwin an T. Hooker, 5. März [1863], in: DAR 115:184; *Darwin's Journal*, S. 16; *TBI*, S. 74f.; *LLD*, Bd. 3, S. 312f.; Allan: *Darwin*, Kap. 12.
43. Darwin an J. Brodie Innes, 1. Sept. [1863], APS, Getz Collection B/D25.m; Darwin an W. Fox, 4. Sept. [1863], und E. Darwin an W. Fox, 4. Sept. [1863], und E. Darwin an W. Fox, [29. Sept. 1863], beide Christ's College Library, Cambridge; W. Fox an E. Darwin, 7. Sept. [1863], in: DAR 164; *TBI*, S. 74f.
44. *LLJH*, Bd. 2, S. 62; Darwin an J. Hooker, [4. Okt.] und [22./23. Nov. 1863], in: DAR 115:206,211; J. Hooker an Darwin, [28. Sept.] und [1. Okt. 1863], in: DAR 101:159, 160–62.

35 Lebendig begraben

1. *Calendar*, S. 4334, S. 4338, S. 4347, S. 4367, S. 4368; *ED*, Bd. 2, S. 180f.; *LLD*, Bd. 3, S. 3; *MLD*, Bd. 1, S. 247, Bd. 2, S. 338; *TBI*, S. 76f.
2. *CP*, Bd. 2, S. 106; Allan: *Darwin*, S. 271f.
3. *Calendar*, S. 4389, S. 4667, S. 5316, S. 5391; *CP*, Bd. 2, S. 106; J. Browne: ‹Erasmus Darwin›, S. 602.
4. Loewenberg: *Calendar*, S. 55; Colp: ‹Charles Darwin: Slavery›, S. 487; E. Richards: ‹Moral Anatomy›, S. 415–24, und ‹Huxley›, S. 261ff.
5. Greene: *Science*, S. 103.
6. Wallace: *Natural Selection*, S. 303–31; Schwartz: ‹Darwin, Wallace›, S. 283f.; R. Smith: ‹Alfred Russell Wallace›, S. 179f.; Durant: ‹Scientific Naturalism›, S. 40–45; Kottler: ‹Charles Darwin›, S. 388; Vorzimmer: *Charles Darwin*, S. 190; *ARW*, Bd. 1, S. 152–59.
7. *MLD*, Bd. 2, S. 31–37; *LLD*, Bd. 3, S. 89–91; *Calendar*, S. 3158 et seq.; *ARW*, Bd. 1, S. 152–59.
8. *Calendar*, S. 4458; *LLL*, Bd. 2, S. 382f.; *ARW*, Bd. 1, S. 152.
9. *The Times*, 25. Mai 1864, S. 8f.; King: ‹Reputed Fossil Man›, S. 92, S. 96; Ellegard: *Darwin*, S. 165; Bowler: *Theories*, S. 33f.
10. Ellis: *Seven*, S. 109–11, Kap. 4.
11. Allan: *Darwin*, Kap. 12; *MLD*, Bd. 1, S. 251; *Calendar*, S. 4527, S. 4582, S. 4607, S. 4619; *TBI*, S. 80.

12. J. Moore: ‹On the Education›, S. 59f., und ‹Darwin of Down›, S. 468f.; F. Darwin: *Springtime,* S. 63; Stecher: ‹Darwin-Innes Letters›, S. 215–17.
13. Brock und MacLeod: ‹Scientists' Declaration›, S. 41, S. 48.
14. Barton: ‹Influential Set›, S. 61ff.; Jensen: ‹X Club›, S. 63; MacLeod: ‹X Club›.
15. *Calendar,* S. 4671, S. 4686, S. 4689, S. 4690, S. 4700–712, S. 4719; *MLD,* Bd. 1, S. 252–56, S. 258; *LLD,* Bd. 3, S. 28, S. 29; *LLTH,* Bd. 1, S. 255; *LLJH,* Bd. 2, S. 75f.; *LLL,* Bd. 2, S. 384; MacLeod: ‹Of Medals›, S. 83; Bartholomew: ‹Award›.
16. Huxley, in: Barton: ‹Evolution›, S. 263f.; Roos: ‹Aims›, S. 164; *Calendar,* S. 4817; *LLL,* Bd. 3, S. 28; X Club Notebook, Tyndall Papers, Royal Institution; T. Huxley an J. Hooker, 21. Juli 1863, in: THP 2.120.
17. *Calendar,* 4712; Ashwell und Wilberforce, *Life,* 3, S. 154f; Ellis, Seven, 136.
18. T. Huxley an F. Dyster, 26. Jan. 1865, in: THP 15.129; J. Hooker an Darwin, 1. Jan. 1865, in: DAR 102:1–3; Barton: ‹X Club›, S. 225; J. Moore: *Post-Darwinian Controversies,* S. 25; Huxley-Rolleston Korr., in: THP 25.171–74, 180–84.
19. Argyll, *George Douglas,* Bd. 2, S. 167; *LLL,* Bd. 2, S. 384f.; *LLD,* Bd. 3, S. 32.
20. *LLL,* Bd. 2, S. 385; *LLD,* Bd. 3, S. 32; Desmond: *Archetypes,* S. 159; Paradis: *T. E. Huxley,* Kap. 2, S. 3.
21. *LLD,* Bd. 2, S. 35; J. Hooker an Darwin, 3. Feb. [1865], in: DAR 102:8f.; Darwin an J. Hooker, 9. Feb. [1865], in: DAR 102:8f.; Darwin an J. Hooker, 9. Feb. [1865], in: DAR 115:260; W. Thomson: *Popular Lectures,* Bd. 1, S. 349ff.
22. *LLJH,* Bd. 2, S. 72; *Calendar,* S. 4820.
23. Hutchinson: *Life,* Bd. 1, S. 74; *LLD,* Bd. 3, S. 36–38, S. 40f.; *ED,* Bd. 2, S. 183; *Calendar,* S. 4829, S. 4986.
24. J. Hooker an Darwin, 2. Mai 1865, in: DAR 102:20f.; Darwin an J. Hooker, 4. Mai [1865], in: DAR 115:268; B. Sulivan an Darwin, 8. Mai 1865, in: DAR 177; *TBI,* S. 82; Burton: ‹Robert FitzRoy›, S. 164ff.; *Narrative,* S. 26.
25. *TBI,* S. 82–84; Poynter: ‹John Chapman›, S. 15–17; *Calendar,* S. 4834, S. 4837, S. 4846; *ED,* Bd. 2, S. 182.
26. Hodge: ‹Darwin as a Lifelong Generation Theorist›, S. 227–36; Olby: ‹Charles Darwin's Manuscript›; *MLD,* Bd. 1, S. 281; *LLD,* Bd. 3, S. 43f.; *Calendar,* S. 4837.
27. *LLTH,* Bd. 1, S. 267f.; *Calendar,* S. 4841.
28. Bynum: ‹Charles Lyell's *Antiquity,* S. 178, S. 182; *LLD,* Bd. 3, S. 39; *Calendar,* S. 4858, S. 4860, S. 4883, S. 4892.
29. Paradis: *T. H. Huxley,* S. 75; *English Leader,* 13. Jan. 1866; T. Huxley: *Method,* S. 38.
30. Owen: ‹The Reign of Law›, handschriftl. MS von Sir R. Owen, BM (NH), Orig. Korr. 59. 1f.: C. Lyell an T. Huxley, 22. Jan. 1866, in: THP 6.120; *English Leader,* 3. und 24. Feb. 1866.
31. *LLD,* Bd. 3, S. 39; *TBI,* S. 86; Irvine: *Apes,* S. 166; Bowler: *Theories,* S. 52; *Calendar,* S. 4963.
32. *Calendar,* S. 4529, S. 4942, S. 4971, S. 4973, S. 4985, S. 4990.
33. *ED,* Bd. 2, S. 184; E. C. Langton (geb. Darwin) an Charles und Emma Darwin, [Jan. 1866], W/M 444; Darwin an J. Hooker, 21. [Jan. 1866], in: DAR 115:280; *Calendar,* S. 5009f.; *MLD,* Bd. 1, S. 477.
34. *Calendar,* S. 5089; RFD 70; *ED,* Bd. 2, S. 184f.
35. Paul: ‹Selection›, S. 413–16; *Calendar,* S. 4794; Spencer: *Autobiography,* Bd. 2, S. 102, S. 484; *LLD,* Bd. 3, S. 46, S. 56; *Calendar,* S. 4645, S. 4650; *ARW,* Bd. 1, S. 170, S. 188, S. 191; *MLD,* Bd. 1, S. 267–69.

36 Smaragdgrüne Schönheit

1. Grove: *Correlation*, S. 346; Morus: ‹Politics of Power›; Ellegard: *Darwin*, S. 78f.
2. *LLJH*, Bd. 2, S. 98f., S. 100–106; *Calendar*, S. 5165, S. 5167, S. 5201f., S. 5229; *LLD*, Bd. 3, S. 47f.; ‹British Association for the Advancement of Science›, in: *Journal of Botany*, 5 (1867), S. 29f.
3. Hutchinson: *Life*, Bd. 1, S. 92; Owen: ‹The Reign of Law›, handschriftl. MS von Sir R. Owen, BM (NH), Orig.Korr. 59.7, 18, 24; Ellegard: *Darwin*, S. 79.
4. Barrow: *Independent Spirits*, Kap. 2, S. 6; Oppenheim: *Other World*, S. 276; Harrison: ‹Early Victorian Radicals›, S. 198f., S. 212, Anmerkung 3.
5. *LLTH*, Bd. 1, S. 419f.; *LJT*, S. 115; *Calendar*, S. 4742f.; Kottler: ‹Alfred Russell Wallace›, S. 170, S. 171f.; T. Huxley, in *Report*, S. 230.
6. Kottler: ‹Alfred Russell Wallace›, S. 164f., S. 167–72; Wallace: *My Life*, Bd. 2, S. 277–81; *ARW*, Bd. 2, S. 187f.
7. *Calendar*, S. 4646, S. 4555, S. 4934, S. 6540, S. 6676; *LLTH*, Bd. 1, S. 266; Weindling: ‹Ernst Haeckel›, S. 314, S. 317; Groeben: *Charles Darwin – Anton Dohrn Correspondence*, S. 10, S. 22; *LLD*, Bd. 3, S. 88.
8. *Calendar*, S. 4555, S. 4586, S. 4646, S. 4934, S. 4973, S. 5193; Bölsche: *Haeckel*, S. 133ff., S. 150; Corsi und Weindling: ‹Darwinism›, S. 694; Bayertz: ‹Darwinism›, S. 694; Bayertz: ‹Darwinism›, S. 297f.
9. Bölsche: *Haeckel*, S. 242; RFD 36; *RBL*, S. 159; *MLD*, Bd. 2, S. 350; *Calendar*, S. 5252, S. 5257, S. 5262; T. Huxley: ‹Natural History›, S. 13f.; Haeckel: *History*, Bd. 2, S. 248.
10. *LLD*, Bd. 3, S. 53, S. 73; *Calendar*, S. 5051, S. 5265f., S. 5281; Spencer: *Autobiography*, Bd. 2, S. 143; *LLTH*, Bd. 1, S. 278; Lorimer: *Colour*, Kap. 9; Bolt: *Victorian Attitudes*, Kap. 3; Semmel: *Governor Eyre*, Kap. 4–5.
11. *LLTH*, Bd. 1, S. 279–82; Erinnerungen von W. Darwin, in: DAR 112.2 (vgl.: *LLD*, Bd. 3, S. 53).
12. *Darwin's Journal*, S. 17; Darwin an J. Hooker, 25. Sept. 1866, und [4. Okt. 1866], in: DAR 115:300, 302; *LLJH*, Bd. 2, S. 77–79; *Calendar*, S. 5230, S. 5238, S. 5283f., S. 5487.
13. *MLD*, Bd. 1, S. 274; RFD 37–39; Haeckel: *History*, Bd. 1, S. 1f.; Haeckel: *Generelle Morphologie*, Bd. 2, S. 451. Über Haeckel und Darwin: siehe Altner: *Charles Darwin*; Schwarz: ‹Darwinism›; Kelly: *Descent;* Roger: ‹Darwin›.
14. Gasman:*Scientific Origins*, S. 17f.; Corsi und Weindling: ‹Darwinism›, S. 689; Weindling: ‹Ernst Haeckel›, S. 311; Haeckel: *History*, Bd. 1, S. 295; S. Gould: *Ontogeny*, S. 78.
15. *MLD*, Bd. 1, S. 274, S. 277; *LLTH*, Bd. 1, S. 288; Haeckel: *Generelle Morphologie*, Bd. 1, S. 90, S. 173f. Anmerkung; *LLTH*, Bd. 1, S. 288.
16. Vogt: *Lectures*, S. 378; Gregory: *Scientific Materialism*, Kap. 3; *Calendar*, S. 5256, S. 5269, S. 5489, S. 5495, S. 5499f., S. 5503, S. 5506, S. 5533; W. Montgomery: ‹Germany›, S. 82f.; *LLD*, Bd. 3, S. 69.
17. *LLD*, Bd. 3, S. 62; Darwin: *Variation*, Bd. 2, S. 426–28; Loewenberg: *Calendar*, S. 53, und De Beer: ‹Some Unpublished Letters›, S. 40f.
18. *MLD*, Bd. 1, S. 277, Bd. 2, S. 40; *LLD*, Bd. 3, S. 59f., S. 72, S. 98; *Calendar*, S. 5380, S. 5382, S. 5448, S. 5450.
19. *Calendar*, S. 5443, S. 5446, S. 5464; *LLD*, Bd. 2, S. 279, Bd. 3, S. 72f.; Vucinich: *Darwin*, S. 62ff.; Vucinich: ‹Russia›, S. 249; Freeman: *Works*, S. 123. Über Royer siehe: Miles: ‹Clémence Royer›; Stebbins: ‹France›, S. 125–27; Conry: *Introduction*, passim.

Darwin

20. *ARW,* Bd. 1, S. 179, S. 181; *MLD,* Bd. 2, S. 57f., S. 65.
21. Darwin an C. Kingsley, 10. Juni [1867], APS, Getz Collection B/D25.165; *MLD,* Bd. 1, S. 277, S. 282f.; *LLD,* Bd. 3, S. 65; *Calendar,* S. 5466.
22. Argyll: *Reign,* S. 219, S. 259f.; Mozley: ‹Argument of Design›, S. 162; *LLL,* Bd. 2, S. 431f.; Gillespie: *Charles Darwin,* S. 93–104; vgl. Bowler: *Charles Darwin,* Kap. 9, und *Non-Darwinian Revolution,* S. 90ff.
23. Darwin an C. Kingsley, 10. Juni [1867], APS, Getz Collection B/D25.165; Owen: ‹The Reign of Law›, handschriftl. MS von Sir R. Owen, BM (NH), Orig.Samml. 59.1f., 26.
24. *LLJH,* Bd. 2, S. 114; *LLD,* Bd. 3, S. 62; *MLD,* Bd. 1, S. 302.
25. Wallace: *Natural Selection,* S. 34–90, S. 280, S. 282–85; Durant: ‹Ascent›, S. 298; *ARW,* Bd. 1, S. 178–80, S. 183, S. 185, S. 189; *Calendar,* S. 5522; Kottler: ‹Charles Darwin›, S. 417ff.
26. Russell: ‹Conflict Metaphor›; Burchfield: *Lord Kelvin,* S. 27ff., S. 70ff.; Jenkin: ‹Origin›, S. 289, S. 291–94; *LLD,* Bd. 3, S. 107f.; *MLD,* Bd. 2, S. 379; Vorzimmer: *Charles Darwin,* S. 27–30, S. 44f.
27. *LLD,* Bd. 3, S. 71f.; *MLD,* Bd. 1, S. 272; *LLL,* Bd. 2, S. 415f.
28. *MLD,* Bd. 1, S. 300; *Darwin's Journal,* S. 17; Kingsley: *Charles Kingsley,* Bd. 2, S. 248f.; *Calendar,* S. 3427, S. 3429; Watts und [Holyoake]: ‹Charles R. Darwin›.
29. *Darwin's Journal,* S. 17; *ED,* Bd. 2, S. 187; *Calendar,* S. 5781; *LLD,* Bd. 3, S. 74f.

37 Sex, Politik und die X-Club-Freunde

1. *LLD,* Bd. 3, S. 75, S. 84; *MLD,* Bd. 1, S. 287; *LLJH,* Bd. 2, S. 113; *Calendar,* S. 6036.
2. *Calendar,* S. 5844, S. 5874, S. 5885, S. 5915, S. 5918, S. 5972; *LLD,* Bd. 3, S. 76f.; *ARW,* Bd. 1, S. 199; *Calendar,* S. 5931, S. 5951.
3. *LLD,* Bd. 3, S. 78, S. 80, S. 84; *Calendar,* S. 5914.
4. *Calendar,* S. 5773, S. 5843, S. 6047, S. 6127, S. 6219, S. 6289, S. 6294; *ED,* Bd. 2, S. 187f., S. 190f.; Loewenberg: *Calendar,* S. 42; J. Moore: ‹On the Education›, S. 63f.
5. *Calendar,* S. 5836, S. 5938, S. 5976, S. 5979; Vucinich: *Darwin,* S. 62ff.
6. *Calendar,* S. 5198, S. 5217, S. 5852, S. 5864, S. 5870f., S. 6009, S. 6082, S. 6382; *LLD,* Bd. 3, S. 77, S. 97, S. 99f., S. 103, S. 111f.; *MLD,* Bd. 2, S. 68, S. 90, S. 103, S. 159; *LLL,* Bd. 2, S. 410; Agassiz und Agassiz: *Journey,* S. 15, S. 33, S. 399, S. 425; Lurie: *Louis Agassiz,* S. 353ff., S. 382.
7. *MLD,* Bd. 2, S. 64f.; *LLD,* Bd. 3, S. 92.
8. *MLD,* Bd. 2, S. 63, S. 90; Wallace: *Natural Selection,* Kap. 3; Ellegard: *Darwin,* S. 251.
9. *LLD,* Bd. 3, S. 82; *ED,* Bd. 2, S. 188f.; *MLD,* Bd. 2, S. 69, S. 71, S. 99, und *Calendar,* S. 5885, S. 6042, S. 6052, S. 6062, S. 6070, S. 6127; *Descent,* (1871), Bd. 1, S. 43; X Club Notebook (5. März 1868), Tyndall Papers, Royal Institution.
10. *Calendar,* S. 5919, S. 6107, S. 6114, S. 6629, S. 6635; *LLD,* Bd. 3, S. 86; *MLD,* Bd. 1, S. 312, Bd. 2, S. 92; W. Montgomery: ‹Germany›, S. 83–85.
11. Mivart: ‹Some Reminiscences›, S. 988f.; J. Gruber: *Conscience,* Kap. 1–2.
12. St. G. Mivart an Darwin, 20. Mai 1868, 22. April 1870 und 10. Jan. 1872, alle in: DAR 171; *Descent* (1871), Bd. 2, S. 24f.; J. Gruber: *Conscience,* S. 31ff.
13. Dawkins: ‹Darwin›, S. 436; Durant: ‹Ascent›, S. 298f.; Ellegard: *Darwin,* S. 284f.; *LLJH,* Bd. 2, S. 114; *LLD,* Bd. 3, S. 98f.

810

Anmerkungen

14. Forrest: *Francis Galton,* Kap. 1–2; Greene: *Science,* S. 102–106.
15. Greene: *Science,* S. 106–11; Greg, in: *Descent* (1871), Bd. 1, S. 174; Helmstadter: ‹W. R. Greg›; Bagehot: *Physics,* S. 215.
16. *ARW,* Bd. 1, S. 219; *MLD,* Bd. 1, S. 297, S. 302, S. 305; *LLJH,* Bd. 2, S. 114; Ellegard: *Darwin,* S. 65.
17. *TBI,* S. 87; *ED,* Bd. 2, S. 190; *ARW,* Bd. 1, S. 219; *Companion,* S. 276.
18. *ARW,* Bd. 2, S. 221; *Calendar,* S. 6321; Mivart: ‹Reminiscences›, S. 994; *LLJH,* Bd. 2, S. 115–18; Hooker: ‹Address›.
19. Ellegard: *Darwin,* S. 82f.; *LLJH,* Bd. 2, S. 121; *LLD,* Bd. 3, S. 100; *ARW,* Bd. 1, S. 121.
20. ‹The British Association›, *Guardian,* 23 (2. Sept. 1868), S. 977; *LLTH,* Bd. 1, S. 231, S. 297; *MLD,* Bd. 1, S. 297; *LLJH,* Bd. 2, S. 119; Tyndall: ‹Address›, S. 6.
21. *Calendar,* S. 6327, S. 6333, S. 6413; *LLD,* Bd. 3, S. 100; Mivart: *Essays,* S. 228; Baynes: ‹Darwin›, S. 505f.; Tyndall: *Fragments,* S. 92f., S. 130, S. 163f., S. 198, S. 441; Cockshut: *Unbelievers,* S. 91; Lightman: *Origins.* Kap. 5; Young: *Portrait,* S. 116; Barton: ‹John Tyndall›; T. Huxley: *Discourses,* S. 319f.; Mivart: ‹Some Reminiscences›, S. 987.
22. Uschmann und Jahn: ‹Briefwechsel›, S. 15, S. 17–19; *Calendar,* S. 6239; E. Haeckel an T. Huxley, 28. Feb. 1869, in: THP 17.198; *LLD,* Bd. 3, S. 104; *MLD,* Bd. 1, S. 277f.; *LLTH,* Bd. 1, S. 305; Darwin an T. Huxley, in: THP 5.239.
23. T. Huxley, in: *Ibis,* 4 (1868), S. 357–61; T. Huxley: ‹Natural History›, S. 41; Foster und Lankester: *Scientific Memoirs,* Bd. 3, S. 303–13, S. 365; E. Haeckel an T. Huxley, 27. Jan. 1868, in: THP 17.183; *LLTH,* Bd. 1, S. 294f., S. 303; *LLD,* Bd. 3, S. 104f.; *Calendar,* S. 6450; Di Gregario: ‹Dinosaur Connection›, S. 413–17; Desmond: *Archetypes,* S. 127–30, S. 156–58.
24. *LLTH,* Bd. 1, S. 295f.; T. Huxley an Darwin, 20. Juli 1868, in: DAR 221; Weindling: ‹Ernst Haeckel›, S. 317; Rehbock: ‹Huxley›; Rupke: ‹Bathybius Haeckelii›.
25. *Calendar,* S. 6561, S. 6655; *ARW,* S. 232f., S. 235; Wallace: *Malay Archipelago,* S. [v]; *Calendar,* S. 6542, über James Ortons *The Andes and the Amazon; Calendar,* S. 6454, und *MLD,* Bd. 2, S. 235, über Albert Gaudrys *Animaux fossiles et géologie de l'Attique;* Desmond: *Archetypes,* S. 165.
26. *ED,* Bd. 2, S. 191, S. 221; *Calendar,* S. 6424; Dupree: *Asa Gray,* S. 337–41; Loewenberg: *Calendar,* S. 94; *MLD,* Bd. 1, S. 309.
27. Stecher, ‹Darwin-Innes Letters›, S. 219f., S. 223, S. 226; Darwin an Brodie Innes, 15. Juni [1868], APS, Getz Collection, B/D25.m; Halcombe: ‹Curate Question›.
28. Darwin an Brodie Innes, 16. Dez. 1868, APS, Getz Collection B/D25.m; Stecher: ‹Darwin-Innes Letters›, S. 227–29; J. Moore: ‹Darwin of Down›, S. 470, S. 477.
29. India: *Calendar,* S. 5872, S. 6080, S. 6160, S. 6184, S. 6285, S. 6295, S. 6420, S. 6514, S. 6815, S. 7030; Nicaragua: S. 6546; Gibraltar: S. 6547, S. 6553; Portugal: S. 6577; Lappland: S. 6430, S. 6438, S. 6517; Neuseeland: S. 6520; Australien: S. 5899, S. 5916, S. 6314, S. 6374, S. 6419, S. 6635; Nicholas und Nicholas: *Charles Darwin,* S. 136; Darwin: *Expression,* S. 19f.

38 Haltlose Spekulationen

1. Jenkin: ‹Origin›, S. 301; W. Thomson: *Popular Lectures,* Bd. 2, S. 64; Sharlin: *Lord Kelvin,* Kap. 9, S. 10; Burchfield: *Lord Kelvin,* S. 32ff.; *Origin,* S. 285–87.
2. *Calendar,* S. 5974, S. 6496; *MLD,* Bd. 1, S. 312, Bd. 2, S. 163f., S. 379; *LLD,* Bd. 3, S. 107, S. 109; Vorzimmer: *Charles Darwin.*

811

Darwin

3. Tait: ‹Geological Time›, S. 407, S. 438; *Calendar,* S. 6688; *LLD,* Bd. 3, S. 113; T. Huxley:*Discourses,* S. 306, S. 329; *MLD,* Bd. 1, S. 314–16, Bd. 2, S. 6f.

4. *ED,* Bd. 2, S. 195; *Calendar,* S. 6705, S. 6716, S. 6718; Loewenberg: *Calendar,* S. 63; *Annotated Calendar,* S. 369.

5. T. Huxley: *Method,* S. 155; Paradis: *T. H. Huxley,* S. 100ff.; Block: ‹T. H. Huxley's Rhetoric›, S. 379–81; Bibby: *T. H. Huxley,* Kap. 8.

6. Hutchinson: *Life,* Bd. 1, S. 101; A. Brown: *Metaphysical Society,* S. 50–56; T. Huxley: *Method,* S. 162; T. Huxley: ‹On Descartes' «Discourse»›, S. 79f.; Lightman: *Origins,* S. 10ff.; R. Young: *Darwin's Metaphor,* Kap. 5.

7. St. G. Mivart an Darwin, 25. April 1870, in: DAR 171; T. Huxley: *Science,* S. 120.

8. Anmerkungen zu Wallace: ‹Principles›, in: DAR 133; *MLD,* Bd. 2, S. 39f.; *LLD,* Bd. 3, S. 114, S. 117; *ARW,* Bd. 1, S. 232f.

9. R. Smith: ‹Alfred Russell Wallace›, S. 181–84, S. 193f.; Wallace: *Natural Selection,* S. 335–43, S. 351–60; Wallace: *My Life,* Bd. 1, S. 342; Kottler: ‹Alfred Russell Wallace›, S. 150–156; Durant: ‹Scientific Naturalism›, S. 46f.; *ARW,* Bd. 1, S. 227, S. 243f.

10. Mivart: ‹Difficulties›, in: Darwin Reprint Collection, R.145, CUL; *ARW,* Bd. 1, S. 246f.; Mivart: *On the Genesis,* S. 67–73; Mivart: ‹Reminiscences›, S. 988–93; Root: ‹Catholicism›, S. 162–70.

11. Ellegard: *Darwin,* S. 308; Argyll: *Primeval Man,* S. 4f., S. 33, S. 66–68, S. 124ff.; Argyll: *George Douglas,* Bd. 2, S. 246f., S. 272f.

12. Gillespie: ‹Duke of Argyll›, S. 48; *Descent,* (1871), Bd. 1, S. 65–69; Argyll: *Primeval Man,* S. 70, S. 133; *Calendar,* S. 6433, S. 7024.

13. *LLD,* Bd. 1, S. 11, Bd. 3, S. 106; *ED,* Bd. 2, S. 195; RFD 82; F. Darwin: *Rustic Sounds,* S. 162; *MLD,* Bd. 1, S. 313; Cobbe: *Life,* S. 488f.; *Calendar,* S. 7145, S. 7149.

14. *MLD,* Bd. 1, S. 317, Bd. 2, S. 41; *LLJH,* Bd. 2, S. 146f.

15. *MLD,* Bd. 1, S. 316; *Calendar,* S. 5897, S. 6900, S. 6947, S. 6954, S. 6956, S. 6960, S. 6995, S. 7022, S. 7030, S. 7036; *LLD,* Bd. 3, S. 119; *Annotated Calendar,* S. 375; Cobbe: *Life,* S. 490.

16. *Calendar,* S. 7107; Darwin an H. Darwin, [März–Juni 1870], BL, zusätzl. MS 58373; *Descent* (1871), Bd. 1, S. 34, S. 67f., S. 106; *ED,* Bd. 2, S. 196.

17. *LLD,* Bd. 3, S. 125; F. Darwin: *Springtime,* S. 67; *Calendar,* S. 7200; *MLD,* Bd. 2, S. 236; *LLAS,* Bd. 2, S. 402, S. 464.

18. *Calendar,* S. 7222, S. 7225, S. 7246; *LLD,* Bd. 3, S. 126; *LLTH,* Bd. 1, S. 330.

19. *Calendar,* S. 5873, S. 5889, S. 7195; *LLD,* Bd. 3, S. 126–28; ‹Speech of His Grace the Archbishop of Canterbury ...›, in: DAR 139.12.

20. *Calendar,* S. 7057, S. 7117, S. 7182f., S. 7257; *LLD,* Bd. 3, S. 129.

21. *Calendar,* S. 7277 et seq.; *Hansard Parliamentary Debates,* 3. Serie (22. Juli 1870), S. 817; (26. Juli 1870), S. 1006–10.

22. *ED,* Bd. 2, S. 198f.; *MLD,* Bd. 2, S. 92; Ensor: *England,* S. 6f.

23. *ED,* Bd. 2, S. 186; T. Huxley: *Discourses,* S. 257; *MLD,* Bd. 1, S. 323; Ellegard: *Darwin,* S. 85.

24. *MLD,* Bd. 1, S. 324, Bd. 2, S. 92; *Calendar,* S. 7332f., S. 7340, S. 7342, S. 7381, S. 7389, S. 7442, S. 7485.

25. T. Huxley: *Discourses,* S. 271; *Calendar,* S. 7374, S. 7376, S. 7400; *ARW,* Bd. 1, S. 254.

26. *Darwin's Journal,* S. 18; Stecher: ‹Darwin-Innes Letters›, S. 233; Mivart: *On the Genesis,* S. 211; St. G. Mivart an Darwin, 22. Jan. und 24. Jan. 1871, beide in: DAR 171; *ARW,* Bd. 1, S. 258; Owen: ‹Fate›.

27. ‹Darwin-Innes Letters›, S. 232–34; *ED,* Bd. 2, S. 202; *Calendar,* S. 7485, S. 7488, S. 7510, S. 7583, S. 7735; Vucinich: *Darwin,* S. 66; Freeman: *Works,* S. 140.
28. Freeman: *Works,* S. 129; *ED,* Bd. 2, S. 202; *LLD,* Bd. 3, S. 138f.; Ellegard: *Darwin,* S. 296; Dawkins: ‹Darwin›, S. 195.
29. *Descent* (1871), Bd. 1, S. 67, S. 101, S. 104, S. 167–80, S. 238; G. Jones: ‹Social History›; Durant: ‹Ascent›, S. 293ff.; J. Moore: ‹Socializing›, S. 46–51.
30. *Descent* (1871), Bd. 1, S. 169, Bd. 2, S. 326f., S. 403f.; E. Richards: ‹Darwin›; Bowler: *Theories,* S. 7ff.
31. ‹Mr. Darwin on the Descent of Man›, in: *The Times,* 8. April 1871, S. 5, Sp. 4–5.
32. *LLD,* Bd. 3, S. 139; *Calendar,* S. 7705; *ED,* Bd. 2, S. 203; Stecher: ‹Darwin-Innes Letters›, S. 235, S. 237; Ellegard: *Darwin,* S. 101; Fiske: *Life,* S. 267.
33. Cobbe: *Life,* S. 489; *MLD,* Bd. 1, S. 329; *ARW,* Bd. 1, S. 260; *ED,* Bd. 2, S. 202f.
34. *LLD,* Bd. 3, S. 142; *ARW,* Bd. 1, S. 262; St. G. Mivart an Darwin, 23. April 1871, in: DAR 171; *Darwin's Journal,* S. 18; *Calendar,* S. 7730, S. 7755, S. 7798; Peckham: *Origin,* S. 22.
35. *Calendar,* S. 7761, S. 7796; *ARW,* Bd. 1, S. 264; *Darwin's Journal,* S. 18; Fiske: *Life,* S. 266f.; MacLeod: ‹Evolutionism›, S. 65–69.
36. *Calendar,* S. 7829; P. Wiener: *Evolution,* Kap. 3 und Anhang A; *ARW,* Bd. 1, S. 264f., S. 268.
37. *ARW,* Bd. 1, S. 268f.; *Calendar,* S. 7878; Mivart: ‹Descent›, S. 47, S. 52, S. 81–90.
38. *ARW,* Bd. 1, S. 269; *MLD,* Bd. 1, S. 333; *Calendar,* S. 7963; Wright: *Darwinism,* S. 9, S. 13, S. 15, S. 37, S. 43.
39. *LLD,* Bd. 3, S. 149; *ARW,* Bd. 1, S. 265, S. 270; *ED,* Bd. 2, S. 204; *MLD,* Bd. 1, S. 329–32; H. Litchfield an F. Darwin, 18. März 1887, in: DAR 112:79–82; Darwin an C. Wright, 13./14. Juli u. 17. Juli [1871], (Kopien), beide in: DAR 171; *Calendar,* S. 7907, S. 7916.
40. *Wedgwood,* S. 299; *RBL,* S. 121, S. 124f.; *ED,* Bd. 2, S. 210.
41. C. Wright an Darwin, 1. Aug. 1871, in: DAR 181; *LLTH,* Bd. 1, S. 363; T. Huxley an Darwin, 20. Sept. 1871, in: DAR 99:39–42; T. Huxley an J. Hooker, 11. Sept. 1871, in: THP 2.181.
42. *Darwin's Journal,* S. 19; *LLD,* Bd. 3, S. 152; Darwin an T. Huxley, 21. Sept. [1871], in: THP 5.279–82; T. Huxley an Darwin, 28. Sept. 1871, in: DAR 99:43–46; T. Huxley: *Darwiniana,* S. 145, S. 147, S. 149.
43. Darwin an T. Huxley, 30. Sept. [1871], in: THP 5.283–87; *LLJH,* Bd. 2, S. 130; *MLD,* Bd. 1, S. 333; Desmond: *Archetypes,* S. 141.
44. *LLD,* Bd. 3, S. 148; Darwin an T. Huxley, 9. Okt. 1871, in: THP 5.289f.; R. Cooke an Darwin, [1. Nov. 1871], in: DAR 171; Bartholomew: ‹Huxley's Defence›, S. 533f.

39 Sich Zeit lassen

1. *Autobiography,* S. 163; *ED,* Bd. 2, S. 204f.
2. H. Litchfield an F. Darwin, 18. März 1887, in: DAR 112:79–82; *TBI,* S. 87; *Darwin's Journal,* S. 19; *Calendar,* S. 7964, S. 8013, S. 8199; *LLD,* Bd. 3, S. 133.
3. Peckham: *Origin,* S. 22f.; Freeman: *Works,* S. 79f.; *MLD,* Bd. 1, S. 332.
4. Peckham: *Origin,* S. 242–67; Vorzimmer: *Charles Darwin,* S. 246–49; *Origin* (6. Ausg.), Kap. 7; vgl.: Kap. 6, S. 14.
5. *Calendar,* S. 7924, S. 8070, S. 8099, S. 8110, S. 8145, S. 9105; Darwin an F. Abbot, 6. Sept. [1871] (Kopie), in: DAR 139.12; *RFD,* S. 23; Abbot: *Truths,* S. 7f.;

Darwin

CP, Bd. 2, S. 167; J. Moore: ‹Freethought›, S. 303f.; W. Darwin an F. Abbot, 20. Dez. 1875, Universitätsarchive, Universitätsbibliothek Harvard.

6. *Descent* (1871), Bd. 1, S. 4; *MLD,* Bd. 1, S. 335f.

7. Peckham: *Origin,* S. 22–24; Freeman: *Works,* S. 79f.; *MLD,* Bd. 1, S. 332; *Calendar,* S. 8209.

8. St. G. Mivart an F. Darwin, 6. Jan. 1872, in: DAR 171; Darwin an St. G. Mivart, [6.–10. Jan. 1872], in: DAR 96:141; *MLD,* Bd. 1, S. 335; *Calendar,* S. 8186.

9. *Darwin's Journal,* S. 19; *Calendar,* S. 8168 etc., S. 8209, S. 8212; *MLD,* Bd. 1, S. 335; *Descent* (1871), Bd. 1, S. 5; Peckham: *Origin,* S. 22–24.

10. Darwin: *Expression,* S. 15–19; *CCD,* Bd. 4, S. 410–30; Freeman und Gautrey: ‹Charles Darwin's *Queries›; Calendar,* S. 7698; J. Browne: ‹Darwin›; Ritvo: *Animal Estate,* S. 39f.

11. Darwin: *Expression,* S. 80, S. 155, S. 179, S. 195f., S. 217, S. 305.

12. *Calendar,* S. 8302, S. 8383, S. 8404, S. 8427, S. 8435, S. 8567, S. 8473–75; *LLD,* Bd.3, S. 171; *Darwin's Journal,* S. 19.

13. Wallace: *My Life,* Bd. 2, S. 90ff.; *ARW,* Bd. 1, S. 273–78; *LLTH,* Bd. 1, S. 333; Bastian: *Beginnings of Life,* Bd. 2, S. 165f., S. 584; R. Grant an H. Bastian, 26. Juni 1872, Wellcome Institute, London.

14. *Calendar,* S. 8533, S. 8585; *ED,* Bd. 2, S. 210; *Darwin's Journal,* S. 19; *LLD,* Bd. 3, S. 171.

15. *Calendar,* S. 8406, S. 8449, S. 8525, S. 8533, S. 8577; *LLJH,* Bd. 2, S. 131, S. 159–77; MacLeod: ‹Ayrton Incident›.

16. *Calendar,* S. 8542, S. 8586; J. Hooker an Darwin, 19. Okt. 1872, in: DAR 103:124f.; Darwin an J. Hooker, 22. Okt. [1872], in: DAR 94:231f.

17. Darwin: *Insectivorous Plants,* S. 76–84, S. 92ff., S. 134f., S. 199–209, S. 232f., S. 272; *MLD,* Bd. 2, S. 267; Allan: *Darwin,* S. 235ff.; Ghiselin: *Triumph,* S. 198–200.

18. *Calendar,* S. 8616, S. 8620, S. 8675; *Annotated Calendar,* S. 425; *Darwin's Journal,* S. 19; ‹The Expression of the Emotions›, in: *Athenaeum,* 9. Nov. 1872, S. 591.

19. *Calendar,* S. 8606, S. 8682; *LLTH,* Bd. 1, S. 367–89; E. Richards: ‹Huxley›, S. 277ff.

20. *MLD,* Bd. 2, S. 43; *Darwin's Journal,* S. 19; *Calendar,* S. 8747, S. 8761, S. 8763, S. 8799, S. 8839, S. 8843 et seq.; S. 8870; *ED,* Bd. 2, S. 212; *LLJH,* Bd. 2, S. 183f.; *LLTH,* Bd. 1, S. 366f.

21. *LLL,* Bd., 2, S. 450f.; E. A. Darwin an E. Darwin, 24. April [1873], in: DAR 105.2:88f.; *LLJH,* Bd. 2, S. 188; Darwin an C. Lyell, [nach 27. April 1873], in: DAR 96:167.

22. Register of Marriages, 1854–74, Little Portland Street Unitarian Chapel, Dr. William's Library, London; *Wedgwood,* S. 303; *Calendar,* S. 8855, S. 8956; *Companion,* S. 170; *RBL,* S. 139; RFD 103.

23. L. Huxley: ‹Home Life›, S. 3f.

24. J. Moore: ‹Darwin of Down›, S. 470, S. 478; ‹Down Parsonage House Building Fund›, KAO 123/3/5; ‹Down Vicarage Endowment Fund›, KAO 123/3/6.

25. ‹Contributions Received›, KAO P123/3/7; *Calendar,* S. 8842, S. 9000; S. Wedgwood an G. Ffinden, 14. März 1873, KAO P123/3/4; Stecher: ‹Darwin-Innes Letters›, S. 238; KAO P123/25/5; PRO Ausg. 2/234, Nr. 4431; *CCD,* Bd. 5, S. 161f.; KAO P123/5/7.

26. Ashwell: *Life,* Bd. 3, S. 424–27; T. Huxley an J. Tyndall, 30. Juli 1873, in: THP 9.73, und in: Blinderman: ‹Oxford Debate›, S. 127; *LLD,* Bd. 2, S. 325, Bd. 3, S. 340; *ED,* Bd. 2, S. 214; *ARW,* Bd. 1, S. 243; *Darwin's Journal,* S. 19.

Anmerkungen

27. *LLJH*, Bd. 2, S. 152f.; *LLD*, Bd. 3, S. 339f.; *Calendar*, S. 8839, S. 9040, S. 9052; H. Litchfield, an F. Darwin, 18. März 1887, in: DAR 112:79–82; *TBI*, S. 88f.
28. *Calendar*, S. 9061, S. 9148; *CP*, Bd. 2, S. 177–82; Colp: ‹Contacts›, S. 393; Widmungsexemplar von *Das Kapital*, Down House.
29. *LLD*, Bd. 3, S. 180; *Calendar*, S. 9060, S. 9069; F. Darwin: *Springtime*, S. 67f.
30. F. Darwin: *Rustic Sounds*, S. 162f.; *Calendar*, S. 8997, S. 9088; Darwin an G. Darwin, 21. Okt. 1873, in: DAR 210.1.1.
31. Darwin an G. Darwin, 24. Okt. 1873, in: DAR 210.1.1; Darwin an N. Doedes, 2. April 1873 (Kopie), in: DAR 139.12, und *LLD*, Bd. 1, S. 306.
32. Fiske: *Personal Letters*, S. 121f., S. 147f.
33. *Calendar*, S. 9149; *ARW*, Bd. 1, S. 281–84, Bd. 2, S. 261; Wallace: *Studies*, Bd. 2, S. 138–44.
34. *ED*, Bd. 2, S. 216; E. Darwin an G. Ffinden [Nov.–Dez. 1873], und Darwin an die Schulverwaltung von Downe, [Nov.–Dez. 1873], KAO P123/25/3.
35. G. Ffinden an Privy Council Office, 1. Dez. [1873]; Darwin an Schulverwaltung von Downe, [Nov. – Dez. 1873] und 19. Dez. 1873; G. Ffinden an E. Darwin, 24. Dez. 1873; G. Ffinden an J. Lubbock, 8. Feb. 1875, alle KAO P123/25/3; Hart: *Parson*.

40 Ein erbärmlicher Heuchler

1. *Calendar*, S. 8173, S. 8256, S. 8258, S. 8263, S. 8293, S. 9229, S. 9236; Oppenheim: *Other World*, Kap. 1, S. 293f.; Barrow: *Independent Spirits*, S. 125; Crookes: *Researches*.
2. Oppenheim: *Other World*, S. 291f.; *Wedgwood*, S. 298, S. 305; *Calendar*, S. 8831, S. 8832; *LLTH*, Bd. 1, S. 419; *ED*, Bd. 2, S. 216f.; *LLD*, Bd. 3, S. 186–88.
3. *LLTH*, Bd. 1, S. 419–23; *LLD*, Bd. 3, S. 187; *ED*, Band 2, S. 217; J. [Snow] Wedgwood an E. Gurney, 9. Juli 1874, in: *Wedgwood*, S. 305; J. Wedgwood an F. Darwin, 3. Okt. 1884, in: DAR 139.12.
4. RFD, S. 64f.; Atkins: *Down*, S. 28; *Calendar*, S. 9310, S. 9318, S. 9325, S. 9327, S. 9333, S. 9373, S. 9386; *TBI*, S. 89; H. Litchfield an F. Darwin, 18. März 1887, in: DAR 112.79–82.
5. *Descent* (1874), S. vf., S. 143.
6. *Calendar*, S. 9333, S. 9376, S. 9409 (vgl. S. 9510); *LLJH*, Bd. 2, S. 114; J. Hooker an Darwin, 3. März [1874], in: DAR 103:189–92; Darwin an J. Hooker, 4. März [1874], in: DAR 93:313–16; *LLTH*, Bd. 1, S. 419; R. Owen an J. Tyndall, 14. Juni 1871, BM (NH), Orig.Korr. 21.28; *Descent* (1874), S. v., S. 199–206; Desmond: *Archetypes*, S. 143.
7. *Calendar*, S. 9388, S. 9402, S. 9446, S. 9454, S. 9474, S. 9496 etc.; *CP*, Bd. 2, S. 183–87.
8. *Calendar*, S. 9434, S. 9227, S., S. 9417 et seq., S. 9440, S. 9475, S. 9529, S. 9550; *ED*, Bd. 2, S. 217; *Pedigrees*, S. 12; Stecher: ‹Darwin-Innes Letters›, S. 239; *MLD*, Bd. 1, S. 352–54; *LLR*, S. 1–18.
9. *Calendar*, S. 9568, S. 9579, S. 9589, S. 9596; J. Gruber: *Conscience*, S. 99f.
10. *Calendar*, S. 9580 et seq., S. 9597f.; Tyndall: *Address*, S. 44, S. 61; Barton: ‹John Tyndall›; *LJT*, S. 187; Baynes: ‹Darwin›, S. 502–505.
11. J. Gruber: *Conscience*, S. 100f.; *ARW*, Bd. 1, S. 292; *Calendar*, S. 9685, S. 9687, S. 9720; *LLL*, Bd. 2, S. 455; Cobbe: *Life*, S. 449f.; Darwin an C. Lyell, 3. Sept. [1874], APS 448, und in: *MLD*, Bd. 2, S. 237.

815

12. *Calendar*, S. 9717; *LLJH*, Bd. 2, S. 139f., S. 189f.; Turrill: *Joseph Dalton Hooker*, S. 191; Darwin an J. Hooker, 22. Nov. [1874], in: DAR 95:342; J. Hooker an Darwin, 25. Nov. 1874, in: DAR 103:228f.; Darwin an J. Hooker, 26. Nov. [1874], in: DAR 95:345f.

13. *LLD*, Bd. 2, S. 186; *LLJH*, Bd. 2, S. 191; *Darwin's Journal*, S. 19; J. Gruber: Conscience, S. 102–10; *LLTH*, Bd. 1, S. 426; *Calendar*, S. 9757 et seq., S. 9785, S. 9807, S. 9809, S. 9812f.; *ARW*, Bd. 1, S. 291f.

14. *LLD*, Bd. 3, S. 195, S. 197, S. 328; *Calendar*, S. 9851, S. 9869, S. 9911.

15. Grant Duff: *Life Work*, S. 15; G. Ffinden an J. Lubbock, 30. Jan., 8. Feb., 29. März, 3. April und 23. Juni 1875 (Entwürfe); und J. Lubbock an G. Ffinden, 4. Feb., 9. Feb., 31. März und 12. April 1875, alle KAO P123/25/3; Darwin an J. Lubbock, 8. April [1875] (Entwurf), in: DAR 97.3:15–17; J. Moore: ‹Darwin of Down›, S. 471f.; J. Wedgwood an F. Darwin, 3. Okt. 1884, in: DAR 139.12.

16. Lansbury: ‹Gynaecology›, S. 426; *RBL*, S. 143–45; Ritvo: *Animal Estate*, S. 164; Rupke: *Vivisection*.

17. *LLTH*, Bd. 1, S. 437; *Calendar*, S. 9923, S. 9933f., S. 10251; *LLD*, Bd. 3, S. 204; *RBL*, S. 143, S. 145; French: *Antivivisection*, S. 62–75.

18. G. Ffinden an J. Lubbock, 23. Juni 1875 (Entwurf), KAO P123/25/3; *Calendar*, S. 9916; *Annotated Calendar*, S. 465; *LLR*, S. 22; French: *Antivivisection*, S. 69, S. 73, S. 79; *LLTH*, Bd. 1, S. 438f.

19. *Calendar*, S. 10024, S. 10044, S. 10071; *TBI*, S. 89; *Darwin's Journal*, S. 19.

20. *Calendar*, S. 7620, S. 10096f., S. 10106, S. 10114, S. 10119, S. 10124; Darwin: *Variation*, Bd. 1, S. 106, S. 312, S. 459; R. Chambers an R. Owen, 6. März 1849, BM (NH), Orig.Korr. 17.19.

21. *MLD*, Bd. 1, S. 359–62, Bd. 2, S. 71; *LLR*, S. 32, S. 39–42; *LLD*, Bd. 3, S. 195; Galton: *Memories*, S. 294–98.

22. *MLD*, Bd. 1, S. 360; *Calendar*, S. 10241, S. 10243; Darwin: *Variation*, Bd. 1, S. xiv, Bd. 2, S. 389, S. 398.

23. *Calendar*, S. 10011, S. 10080, S. 10098, S. 10168, S. 10190, S. 10193, S. 10200, S. 10268, S. 10279f.; *LLR*, S. 34; Shepherd: ‹Lawson Tait›.

24. *Darwin's Journal*, S. 20; Darwin: *Movements*, S. v; *Autobiography*, S. 137; *Calendar*, S. 10231f., S. 10234; Pancaldi: *Darwin*, Kap. 3.

25. *LLTH*, Bd. 1, S. 439f.; *Calendar*, S. 10231f., S. 10234, S. 10242; *ED*, Bd. 2, S. 221; *Darwin's Journal*, S. 20.

26. RFD 71; Atkins: *Down*, S. 97–99.

27. Atkins: *Down*, S. 99; L. Huxley: ‹Home Life›, S. 4; *ED*, Bd. 2, S. 221.

28. *Notebooks*, B96; *Origin*, S. 92.

29. Darwin: *Effects*, S. 10ff., S. 448f., S. 465f.; RFD 7, 125; F. Darwin: ‹Botanical Work›, S. xv; Allan: *Darwin*, S. 250–62; G. Darwin ‹Marriages›.

30. *Darwin's Journal*, S. 20; *LLR*, S. 50, S. 61; *Calendar*, S. 10452, S. 10462, S. 10501, S. 10506, S. 10522, S. 10530, S. 10546; *Annotated Calendar*, S. 488; French: *Antivivisection*, S. 114; F. Darwin: *Rustic Sounds*, S. 164; *ED*, Bd. 2, S. 221; *Wedgwood*, S. 308.

41 Niemals ein Atheist

1. *Darwin's Journal*, S. 20; *Autobiography*, S. 21, S. 57, S. 78, S. 85–87, S. 145; Colp: ‹Notes on Charles Darwin's *Autobiography*›.

2. *Autobiography*, S. 91–93, S. 96–98, S. 133; J. Moore: ‹Of Love›, S. 196f., S. 206–208.

3. Darwin an G. Ffinden, 5. Sept. 1876 (Entwurf), in: DAR 202; ‹Downe Vicarage Endowment Fund›, KAO, P123/3/6.
4. Darwin an J. Hooker, 11. Sept. [1876] und 17. Sept. [1876], in: DAR 95:417–20; *ED*, Bd. 2, S. 255; E. Darwin an W. Darwin, [13. Sept. 1876], in: DAR 210.6; Darwin an E. Haeckel, 16. Sept. 1876, Ernst-Haeckel-Haus, Friedrich-Schiller-Universität, Jena; Darwin an W. Darwin, 11. Sept. [1876], und an L. Darwin, 11. Sept. [1876], beide in: DAR 210.6; Darwin an W. Thistleton-Dyer, 16. Sept. 1876, Royal Botanic Gardens, Kew.
5. E. Darwin an W. Darwin, [13. Sept. 1876], in: DAR 210.6; *Calendar,* S. 10611; Atkins: *Down,* S. 29; *Annotated Calendar,* S. 499–501.
6. *Darwin's Journal,* S. 20; *ED,* Bd. 2, S. 223; Milner: ‹Darwin, Pt 1›, S. 29; Oppenheim: *Other World,* S. 23.
7. Stecher: ‹Darwin-Innes Letters›, S. 242, S. 248; *Darwin's Journal,* S. 20; Freeman: *Works,* S. 157; Crouzet: *Victorian Economy,* S. 166f.; *Calendar,* S. 10853, S. 11057f., S. 11064f., S. 11079.
8. Vorzimmer: ‹Darwin Reading Notebooks›, S. 153; *Calendar,* S. 10720; *LLD,* Bd. 3, S. 178; Erinnerungen von W. Darwin, in: DAR 112.2; vgl. dazu: Beer: *Darwin's Plots,* S. 23, über Smiles.
9. Colp: ‹Notes on William Gladstone›; Royle: *Radicals,* S. 209f.; J. Morley: *Life,* Bd. 3, S. 562; *Wedgwood,* S. 307.
10. *LLJH,* Bd. 2, S. 147, S. 150.
11. Royle: *Radicals,* S. 12–24, S. 254ff.; Bonner: *Charles Bradlaugh,* Bd. 2, S. 23.
12. Darwin an C. Bradlaugh, 6. Juni [1877] (Entwurf), in: DAR 202; *Descent* (1874), S. 618; J. Moore: ‹Freethought›, S. 305–307; *ED,* Bd. 2, S. 225–27; Ghiselin: *Triumph,* S. 201.
13. *LLD,* Bd. 3, S. 295f., S. 306; *Autobiography,* S. 128, S. 134; Darwin: *Different Forms,* S. 276; F. Darwin: ‹Botanical Work›, S. xvi; Allan: *Darwin,* S. 263–76.
14. *LLD,* Bd. 3, S. 309; *Calendar,* S. 11134, S. 11148, S. 11163; De Beer: ‹Further Unpublished Letters›, S. 88–89; H. Gruber: *Darwin,* S. 53; Colp: ‹Notes on William Gladstone›, S. 183; *ED,* Bd. 2, S. 234f.
15. *Darwin's Journal,* S. 20; *Calendar,* S. 11169; Wallace: *My Life,* Bd. 2, S. 98; *ARW,* Bd. 1, S. 298–300.
16. *Calendar,* S. 10822, S. 10958, S. 10974, S. 10991, S. 11211; *ED,* Bd. 2, S. 230f.; ‹Speech delivered by the Public Orator ...›, in: DAR 140.1; Ruse: *Darwinian Revolution,* S. 262.
17. *ED,* Bd. 2, S. 231; *Calendar,* S. 11234, S. 11238; *LLTH,* Bd. 1, S. 480; *MLD,* Bd. 1, S. 371f., J. Stuart an seine Mutter, 18. Nov. 1877, CUL Add. 8118, Box 1, Letterbook.
18. *ED,* Bd. 2, S. 226, S. 230; RFD, S. 56; *Calendar,* S. 10919, S. 11266, S. 11358; *RBL,* S. 151f.
19. RFD 105; Jordan: *Days,* Bd. 1, S. 273; Campbell: ‹Nature›; Stevens: ‹Darwin's Humane Reading›.
20. Allan: *Darwin,* S. 279–89; F. Darwin: ‹Botanical Work›, S. xviif.; RFD, S. 130; *LLD,* Bd. 3, S. 330; F. Darwin: ‹Darwin's Work›.
21. RFD 131; *TBI,* S. 90; *Calendar,* S. 11373 et seq., S. 11459, S. 11481 (vgl. S. 11501, S. 12258); *MLD,* Bd. 1, S. 372–74.
22. *LLJH,* Bd. 2, S. 230f.; Duncan: *Life,* S. 181; *Annotated Calendar,* S. 495, S. 503f., S. 509, S. 513f.; RFD, S. 65f.; *LLR,* S. 46, S. 67f.
23. *LLR,* S. 69–71; Oppenheim: *Other World,* S. 281; *Annotated Calendar,* S. 533.
24. G. Romanes: *Thoughts,* S. 98f., S. 108, S. 182f.; Darwin an G. Darwin, 24. Okt.

1873, in: DAR 210.1.1; G. Romanes: *Candid Examination,* S. vii; *LLR,* S. 71ff. (vgl. S. 128); *Natural Selection,* S. 463–66; R. Richards: *Darwin,* S. 335–42; Turner: *Between,* Kap. 6.
25. *The Times,* 22. Aug. 1878, S. 8; *LLR,* S. 74–76, S. 78; *Annotated Calendar,* S. 548f.
26. *LLR,* S. 87f.; G. Romanes: *Candid Examination,* S. 113f.; Darwin an G. Romanes, 5. Dez. [1878], APS 553; Darwin an W. Greg, 31. Dez. 1878, APS 557; Darwins Anmerkungen in seinem Widmungsexemplar von *Candid Examination,* S. 112, Darwin Bibliothek, CUL.
27. *Calendar,* S. 11982; J. Moore: ‹Darwin's Genesis›, S. 577; Darwin an F. McDermott, 24. Nov. 1880, Kopie in CUL.
28. Darwin an N. von Mengden, 5. Juni 1879 (Kopie), in: DAR 139.12; Darwin an [H. Ridley], 28. Nov. 1878, in: DAR 202, und *LLD,* Bd. 3, S. 235f. (vgl.: Pusey: *Unscience,* S. 43–58); W. Browne an Darwin, 16. Dez. 1880, und Darwin an [W. Browne], [16.–21. Dez. 1880], beide in: DAR 202; Stecher: ‹Darwin-Innes Letters›, S. 244f.
29. De Beer: ‹Further Unpublished Letters›, S. 88; *Calendar,* S. 11918, S. 11920, S. 12052; *Autobiography,* S. 176; Colp: ‹Relationship›, S. 1–15; Butler: *Evolution,* S. 346.
30. *Autobiography,* S. 29, S. 32, S. 40–42, S. 94f.; *Calendar,* S. 12040f. (vgl.: De Beer: ‹Further Unpublished Letters›, S. 88); J. Moore: ‹Of Love›, S. 204–206.
31. *Calendar,* S. 12149, S. 12152–54, S. 12156, S. 12163, S. 12217; *LLD,* Bd. 3, S. 220.

42 Bei den Würmern unten

1. *Calendar,* S. 12119; *LLD,* Bd. 3, S. 356; *Darwin's Journal,* S. 21.
2. *ED,* Bd. 2, S. 238; *LLR,* S. 98; *RBL,* S. 153–55; RFD, S. 81, S. 97; *Calendar,* S. 12220; Darwin an V. Marshall, 25. Aug. und 14. Sept. 1879, APS, Getz Collection B/D25.m.
3. *RBL,* S. 59; *Calendar,* S. 12207, S. 12235f., S. 12241f., S. 12268, S. 12279, S. 12282, S. 12289, S. 12297, S. 12326, S. 12372.
4. L. Forster an F. Darwin, 15. Nov. 1885, in: DAR 112:46f.; *Calendar,* S. 12125, S. 12253, S. 12256, S. 12280, S. 12294 et seq., S. 12378; Raverat: *Period Piece,* S. 203–206; *Pedigrees,* S. 12, S. 55; *Wedgwood,* S. 314.
5. *ED,* Bd. 2, S. 239f.; G. Ffinden an F. Darwin, 30. März 1880 (Entwurf), und G. Ffinden an Darwin, 19. März 1880 (Entwurf), beide KAO P123/25/2; J. Moore: ‹Darwin of Down›, S. 472.
6. St. G. Mivart an R. Owen, 8. Juni 1879, BM (NH), Orig.Korr. 29.261.
7. J. Moore: ‹Darwin of Down›, S. 473; H. Jones: *Samuel Butler,* Bd. 1, S. 99f., S. 125, S. 157, S. 165, S. 186, S. 258, S. 385; Darwin: *Expression,* S. 26, S. 54f.; Butler: *Evolution,* S. 58, S. 60, S. 196.
8. H. Jones: *Samuel Butler,* Bd. 1, S. 323–27; *Autobiography,* S. 177–82; vgl. Copland: ‹Side Lights›; Butler: *Unconscious Memory,* S. xxxvii;
9. *Autobiography,* S. 182–88, S. 202–11; Butler: *Evolution,* S. 393; Willey: *Darwin;* Pauly: ‹Samuel Butler›.
10. *Calendar,* S. 12593; *Annotated Calendar,* S. 573; Milner: ‹Darwin›, Pt 2, S. 45f.; *Wedgwood,* S. 314; Darwin an C. Fox, 29. März und 10. März [sic, April] 1880, Bibliothek der University of British Columbia.
11. *Darwin's Journal,* S. 21; *LLD,* Bd. 3, S. 216f.; T. Huxley: *Darwiniana,* S. 227–43;

LLD, Bd. 2, S. 373, Bd. 3, S. 240f., Bd. 2, S. 12f.; *Calendar,* S. 12597; *MLD,* Bd. 1, S. 387; Bowler: *Eclipse,* S. 26–28.

12. Shannon:*Crisis,* S. 140; Wingfield-Stratford: *Victorian Sunset,* S. 169; Erinnerungen von W. Darwin, in: DAR 112.2; *ED,* Bd. 2, S. 240; Darwin an F. Abbot, 15. April 1880 (Kopie), in: DAR 139.12.

13. Royle: *Radicals,* S. 23–25, S. 171, S. 268–71; Bonner: *Charles Bradlaugh,* Bd. 2, S. 203ff.; J. Morley: *Life,* Bd. 3, S. 11ff.; E. Aveling an Darwin, 23. Sept. 1878, und Darwin an E. Aveling, [nach 23. Sept. 1878], beide in: DAR 202.

14. *Darwin's Journal,* S. 21; *Calendar,* S. 12618; W. Darwin an F. Abbot, 13. Juni [1880], Universitätsarchive der Universitätsbibliothek von Harvard (vgl. dazu: *LLD,* Bd. 1, S. 304–306, und RFD 24); J. Moore: ‹Freethought›, S. 307–309.

15. *Calendar,* S. 12638 et seq., S. 12662, S. 12677 et seq., S. 12749, S. 12755; *Wedgwood,* S. 316; H. Litchfield an F. Darwin, 18. März 1887, in: DAR 112.79–82.

16. *Darwin's Journal,* S. 21; *ED,* Bd. 2, S. 240f.; De Beer: ‹Darwin Letters›, S. 73; *Calendar,* S. 12697; Stecher: ‹Darwin-Innes Letters›, S. 246; *LLD,* Bd. 1, S. 119, Bd. 3, S. 217.

17. E. Aveling an Darwin, 12. Okt. 1880, in: DAR 159; Darwin an [E. Aveling], 13. Okt. 1880, in: Feuer: ‹Is the Darwin-Marx Correspondence Authentic?›, S. 2f.; J. Moore: ‹Freethought›, S. 309–11; vgl. dazu: Colp: ‹Case of the Darwin-Marx Letter› und ‹Myth›.

18. *Darwin's Journal,* S. 21; *ED,* Bd. 2, S. 235, S. 242f.; *Wedgwood,* S. 315f.; *CP,* Bd. 2, S. 223; *LLTH,* Bd. 2, S. 14; *LLD,* Bd. 3, S. 242f.

19. Wallace: *My Life,* Bd. 2, S. 98, S. 102, S. 376–78; *ARW,* Bd. 1, S. 103, S. 306; Colp: ‹I will gladly do my best›, S. 1–7.

20. Colp: ‹I will gladly do my best›, S. 7–12; *Calendar,* S. 11891, S. 12170, S. 12540; *LLR,* S. 97; Wallace: *My Life,* Bd. 2, S. 311–15; *ARW,* Bd. 1, S. 304, S. 307; *LLJH,* Bd. 2, S. 244; De Beer: ‹Further Unpublished Letters›, S. 89.

21. Colp: ‹I will gladly do my best›, S. 12–24; *ED,* Bd. 2, S. 243; J. Morley: *Life,* Bd. 3, S. 33, S. 567; *ARW,* Bd. 1, S. 314f.; *Calendar,* S. 12972, S. 13019; Atkins: *Down,* S. 97.

22. Butler: *Unconscious Memory,* Kap. 4; *Autobiography,* S. 212–16; *Calendar,* S. 12939, S. 12998, et seq., S. 13032; *LLR,* S. 104f.; Pauly: ‹Samuel Butler›, S. 172f.

23. *Annotated Calendar,* S. 518; *Calendar,* S. 13060.

24. *Darwin's Journal,* S. 21; *Calendar,* S. 12908; *ED,* Bd. 2, S. 245; J. Morley: *Life,* Bd. 3, S. 32–38, S. 51ff., S. 566; Argyll: ‹What›, S. 243f., und *LLD,* Bd. 1, S. 316 (vgl. dazu: *Autobiography,* S. 92f.); T. Huxley an F. Darwin, 20. April 1888, in: DAR 107.

25. Darwin: *Worms,* S. 19–35, S. 67ff., S. 97–100; Ghiselin: *Triumph,* S. 202; vgl. dazu: *Calendar,* S. 13077, und G. Romanes: *Animal Intelligence,* S. 24.

26. *Calendar,* S. 13096; *LLD,* Bd. 3, S. 205–209; Darwin: *Worms,* S. 31, S. 37, S. 112, S. 313f.; Colp: ‹Evolution›, S. 201.

27. *MLD,* Bd. 2, S. 433; De Beer: ‹Darwin Letters›, S. 74; *Autobiography,* S. 95, Anmerkung.

28. Bezugnahmen auf Annie: *Calendar,* S. 1527, S. 1547, S. 1967, S. 4292, S. 4318, S. 4345, S. 4547, S. 4901, S. 7194, S. 7718, S. 8569, S. 10593, S. 13304.

29. E. Darwin an Darwin [zit. Feb. 1839], in: DAR 210.10, und *CCD,* Bd. 2, S. 171f.; vgl. dazu: *Autobiography,* S. 35, S. 235; *ED* (1904), Bd. 2, S. 187–89.

43 Das letzte Experiment

1. *Darwin's Journal*, S. 21; De Beer: ‹Further Unpublished Letters›, S. 90; *LLD*, Bd. 1, S. 124, Bd. 3, S. 223; *Companion*, S. 242; *ED*, Bd. 2, S. 246f.; *Calendar*, S. 13169 etc., S. 13184, S. 13194; *MLD*, Bd. 2, S. 433; *TBI*, S. 92f.

2. Darwin an G. Romanes, 27. Juni [1881], APS, Getz Collection, B/D25.m; Darwin an G. Romanes, 4. Juli [1881], APS 494; *LLR*, S. 119; *LLD*, Bd. 1, S. 316; *MLD*, Bd. 2, S. 395; vgl. Graham: *Creed*, S. 343–50, und William Darwins Aufzeichnungen in: DAR 210.28.

3. *ARW*, Bd. 1, S. 317–19; George: *Progress*, S. 233, S. 239; Wallace: *My Life*, Bd. 2, S. 27, Kap. 34; Durant: ‹Scientific Naturalism›.

4. *MLD*, Bd. 2, S. 26–28; *LLJH*, Bd. 2, S. 223–26, S. 245, S. 258.

5. *MLD*, Bd. 2, S. 394; *ARW*, Bd. 1, S. 319; *ED*, Bd. 2, S. 247; Symonds: *Recollections*, S. 215; *LLR*, S. 129; *Calendar*, S. 13255 et seq.

6. *Darwin's Journal*, S. 21; *LLR*, S. 118–20; *LLD*, Bd. 3, S. 223; *LLTH*, Bd. 2, S. 33; Bonner: *Charles Bradlaugh*, Bd. 2, S. 286; Tribe: *President Charles Bradlaugh*, S. 209–11; *Wedgwood*, S. 317; E. Aveling an Darwin, 9. Aug. 1881, und Darwin an E. Aveling, 11. Aug. [1881], beide in: DAR 202.

7. *LLD*, Bd. 1, S. 22, Bd. 3, S. 229; *MLD*, Bd. 1, S. 395; *LLJH*, Bd. 2, S. 258; Darwin an J. Hooker, 30. Aug. 1881, in: DAR 95:530f.; *Wedgwood*, S. 318; E. Darwin an G. Darwin, 23. Aug. 1881, in: DAR 210.3; H. Litchfield an H. Wedgwood, [2. Sept. 1881], W/M 575; RFD 79.

8. *MLD*, Bd. 1, S. 395; *Wedgwood*, S. 318; Keith: *Darwin*, S. 230f.; Atkins: *Down*, S. 100; Erinnerungen von W. Darwin, in: DAR 112.2; ‹Last Will and Testament of ... Charles Darwin›, Somerset House, London; Darwin an C. Darwin, 20. Sept. [1881] (Kopie), in: DAR 153; Darwin veränderte sein Testament nachträglich, vgl. dazu: *Calendar*, S. 13330, S. 13335, S. 13353, S. 13356.

9. E. Aveling an Darwin, [27. Sept. 1881], (Telegramm), in: DAR 159; E. Darwin an G. Darwin, 28. Sept. 1881, in: DAR 210.3; Gregory: *Scientific Materialism*, S. 204ff.

10. Aveling: *Religious Views*, S. 3; *LLD*, Bd. 1, S. 139f.; Feuer: ‹Marxian Tragedians›, S. 26; Stecher: ‹Darwin-Innes Letters›, S. 256; vgl. dazu: S. 249–51, S. 253, S. 256, und *Calendar*, S. 12343, S. 12349; M. Keynes: *Leonard Darwin*, S. 2.

11. RFD 9–14; Aveling: *Religious Views*, S. 4–6; vgl.: *LLD*, Bd. 1, S. 317, Anmerkung: Büchner: *Last Words*, S. 147.

12. *Darwin's Journal*, S. 21; *ED*, Bd. 2, S. 248–50; *Annotated Calendar*, S. 603; *Calendar*, S. 13476; *LLR*, S. 127; RFD 8, 116; *CP*, Bd. 2, S. 254–56; *LLD*, Bd. 3, S. 244.

13. *Darwin's Journal*, S. 21; *Calendar*, S. 11633, S. 13458, S. 13560; *Annotated Calendar*, S. 603f., S. 606; *LLD*, Bd. 3, S. 357; H. Litchfield an F. Darwin, 18. März 1887, in: DAR 112: 79–82; Judd: *Coming*, S. 158.

14. *CP*, Bd. 2, S. 236–76; *Calendar:* S. 13570, S. 13579, S. 13607, S. 13650, S. 13652, S. 13662; *MLD*, Bd. 1, S. 397, Bd. 2, S. 171, S. 447f.; *LLJH*, Bd. 2, S. 237–39; *LLD*, Bd. 3, S. 351–54; W. Graham an E. Darwin, 26. April 1882, in: DAR 215; RFD 8, 14.

15. *MLD*, Bd. 2, S. 28f., S. 446f.; *Calendar:* S. 13692, S. 13696; E. Darwin an G. Darwin, 20. Feb., 28. Feb. und 11. März 1882, alle in: DAR 210.3; H.Litchfield MS, Down House, S. 1f.

16. *TBI*, S. 93f.; *Calendar*, S. 13722, S. 13734, S. 13741; *CP*, Bd. 2, S. 276–78; *ED*, Bd. 2, S. 251, S. 253 (Ausg. 1904, S. 329); E. Darwin an G. Darwin, 14. März

1882, in: DAR 210.3; H. Litchfield MS, Down House, S. 3–5; L. Forster an F. Darwin, 15. Nov. 1885; DAR 112:38–47.

17. L. Forster an F. Darwin, 15. Nov. 1885, in: DAR 112:38–40; H. Litchfield MS, Down House, S. 5; *TBI,* S. 94f.; E. Darwin an G. Darwin, 6. April 1882, in: DAR 210.3; *ED,* Bd. 2, S. 253.

18. H. Litchfield MS, Down House, S. 6f.; *TBI,* S. 95; *LLD,* Bd. 3, S. 358; *ED,* Bd. 2, S. 251, S. 253.

19. H. Litchfield MS, Down House, S. 7–11; E. Darwin an F. und H. Wedgwood, [22. April 1882] (Schreibmaschinen-Abschrift), APS, Loewenberg Collection B/L 828; F. Darwin an T. Huxley, 20. April 1882, in: THP 13.10f.; Miller: ‹Death›; H. Litchfield an F. Wedgwood, [19. April 1882], W/M 579; Chronologie in: DAR 210.19; *ED,* Bd. 2, S. 251–53; *TBI,* S. 95f.

20. B. Darwin: *World,* S. 27.

44 Ein Agnostiker in Westminster Abbey

1. ‹Charles Darwin›, in: *Standard,* 21. April 1882, in: DAR 140.5; ‹The Late Mr. Darwin›, in: *Pall Mall Gazette,* 21. April 1882, in: DAR 216; Nash: ‹Some Memories›, S. 404; *MLD,* Bd. 2, S. 433; *LLD,* Bd. 3, S. 360f.; J. Brodie Innes an F. Darwin, 22. April 1882, in: DAR 215; E. Darwin an F. und H. Wedgwood, [22. April 1882] (Schreibmasch. Kopie), APS, Loewenberg Collection B/L 828.

2. F. Darwin an T. Huxley, 20. April 1882, in: THP 13.10f.; Pearson: *Life,* Bd. 2, S. 197; T. Huxley an J. Hooker, 21. April 1882, in: THP 2.240f.; *LLTH,* Bd. 2, S. 38; Galton: *English Men,* S. 260, und *Inquiries,* S. 220; F. Galton an G. Darwin, 20. April 1882, in: DAR 215; F. Galton an M. Conway, 24. April 1882 (Kopie), APS, verschied. MS 1975 578.f ms.

3. Pearson: *Life,* Bd. 2, S. 198; F. de Chaumont an W. Darwin, 22. April 1882, und C. Pritchard an G. Darwin, 21. April 1882, beide in: DAR 215; ‹Leitartikel› in: *Standard,* 22. April 1882, S. 5; J. Hooker an T. Huxley, 23. April 1882, in: THP 3.261f.

4. J. Hooker an T. Huxley, 23. April 1882, in: THP 3.261f.; *LLD,* Bd. 3, S. 197; F. Farrar: *Men,* S. 140–48; R. Farrar: *Life,* S. 106–109; *LLTH,* Bd. 2, S. 18f.; G. Bradley an T. Huxley, 24. März 1881, in: THP 121.19; Ward: *History,* gegenüber S. 94; *Rules:* Cowell: *Athenaeum,* S. 52.

5. W. Spottiswoode an W. Darwin, 21. April 1882, in: DAR 215; T. Huxley an J. Hooker, 21. April 1882, in: THP 2.240f.

6. RFD, S. 64f.; Atkins: *Down,* S. 28; J. Lubbock an W. Darwin, 25. April 1882, und an F. Darwin, 20. April 1882, beide in: DAR 215; T. Huxley: ‹Introductory Notice›, S. x; *Gardener's Chronicle,* 22. April 1882, in: DAR 215.

7. Hammond: *Gladstone,* Kap. 14–15; *Hansard Parliamentary Debates,* S. 268 (21. April 1882), S. 1202f.; Denkschrift für G. Bradley, 21. April 1882, in: DAR 215 (Kopie mit 20 Unterschriften) und in: Hutchinson: *Life,* Bd. 1, S. 184 (ungenaue Transkription, aber mit acht weiteren Namen).

8. J. Lubbock an F. Darwin, 22. April 1882, und an W. Darwin, 23. April 1882, beide in: DAR 215.

9. [Leitartikel] in: *Standard,* 22. April 1882, S. 5.

10. A. Hall: *Abbey Scientists;* Bradley: ‹Introductory Chapter›; ‹Mr. Charles Darwin›; *St. James Gazette,* 21. April 1882, und ‹The Death of Mr. Darwin›, in: *Pall Mall Gazette,* 21. April 1882, beide in: DAR 215.

11. [Leitartikel] in: *Standard*, 22. April 1882, in: DAR 140.5; [Leitartikel] in: *Daily Telegraph*, 22. April 1882, in: DAR 215; [Leitartikel] in: *The Times*, 26. April 1882, in: DAR 140.1

12. *LLD*, Bd. 3, S. 360f.; E. Darwin an F. und H. Wedgwood, [22. April 1882] (Schreibmasch. Kopie), APS, Loewenberg Collection B/L 828.

13. J. Morley: *Death*, S. 30, S. 85; *LLD*, Bd. 3, S. 361; *Daily News*, 27. April 1882; Argyll an G. Darwin, 24. April 1882; Devonshire an W. Darwin, 25. April 1882; T. Huxley an G. Darwin, 22. April 1882; H. Spencer an G. Darwin, 24. April (zweimal) und 4. Mai 1882; Kondolenzsammlung der Familie, alle in: DAR 215; F. Galton an M. Conway, 24. April 1882 (Kopie), APS, verschied. MS 1975, 578.f.ms.

14. E. Darwin an F. und H. Wedgwood, [22.April 1882] (getippte Kopie), APS, Loewenberg Collection B/L 828; Liste der Trauergäste, in: DAR 140.5.

15. *Companion*, S. 228; Liste der Trauergäste, in: DAR 140.5; Jordan: *Days*, Bd. 1, S. 273; Colp: ‹Charles Darwin's Coffin›; ‹A Visit to Darwin's Village: Reminiscences of Some of His Humble Friends›, in: *Evening News* (London), 12. Feb. 1909, S. 4.

16. [Leitartikel], in: *Standard*, 22. April 1882; [Leitartikel], in: *The Times*, 21. April 1882; [Leitartikel], in: *Daily News*, 21. April 1882, alle in: DAR 140.5.

17. Prothero: *Arthur Penrhyn Stanley*, S. 10f., und *Armour*, S. 168ff.; Barry: *Sermons*, S. 39f., S. 54, S. 61f.; ‹The Late Mr. Darwin›, in: *The Times*, 24. April 1882, in: DAR 140.1.

18. Liddon: *Recovery*, S. 26–28; Johnston: *Life*, S. 275; ‹Charles Darwin›, in: *Guardian*, 26. April 1882, in: DAR 216.

19. [Leitartikel], in: *Standard*, 24. April 1882, in: DAR 140.1. [Leitartikel], in: *Daily News*, 25. April 1882, in: DAR 215; ‹Darwin's Home›, in: *Daily News*, 24. April 1882, und *Morning Advertiser*, 24. April 1882, beide in: DAR 216.

20. ‹The Late Charles Darwin›, in: *Standard*, 26. April 1882; ‹The Funeral of Mr. Darwin›, in: *The Times*, 26./27. April 1882, alle in: DAR 140.1; ‹Funeral of the Late Charles Darwin›, in: *Standard*, 27. April 1882, in: DAR 140:5; ‹Funeral of the Late Mr. Darwin›, in: *Daily News*, 27. April 1882, in: DAR 215.

21. ‹The Judges and Mr. Darwin's Funeral›, in: *Pall Mall Gazette*, 25. April 1882, in: DAR 215; Carpenter: ‹Science›, S. 43; ‹The Funeral of Mr. Darwin … Order of Procession›, Anweisungen für Odner etc., alle APS; ‹The Funeral of the Late Mr. Darwin, List of Mourners …›, alle in: DAR 140:5, 215; H.Spencer an G. Darwin, 4. Mai 1882, in: DAR 215.

22. Zeitungsberichte (Anmerkung 20, oben); Bridge: *Westminster Pilgrim*, S. 67, S. 124; ‹Words of Anthem composed by J. Frederick Bridge›, in: DAR 140.5; Raverat: *Period Piece*, S. 176.

23. ‹Funeral of the Late Mr. Darwin›, in: *Daily News*, 27. April 1882, in: DAR 215; ‹The Funeral of Mr. Darwin›, in: *The Times*, 27. April 1882, in: DAR 140.5; Conway: *Autobiography*, Bd. 2, S. 328; G. Romanes: ‹Work›, S. 82.

24. F[rancis] G[alton]: ‹The Late Mr. Darwin: A Suggestion›, in: *Pall Mall Gazette*, 27. April 1882, in: DAR 215; Pearson: *Life*, Bd. 2, S. 199; F. Farrar an T. Huxley, 29. April 1882, in: THP 16.21.

25. Rawnsley: *Harvey Goodwin*, S. 222f.; Atkins: *Down*, S. 49f.; Goodwin: ‹Funeral Sermon›, S. 301f.; ‹The Late Mr. Darwin›, in: *The Times*, 1. Mai 1882; ‹The Late Mr. Charles Darwin›, in: *Morning Post*, 1. Mai 1882; ‹Mr. Darwin's Funeral›, in: *Guardian*, 3. Mai 1882, alle in: DAR 140.5; Pearson: *Life*, Bd. 2, S. 199; Galton: *Inquiries*, S. 220.

26. T. Huxley an W. und G. Darwin, 1. Mai 1882, in: DAR 215; Pearson: *Life*, Bd. 2, S. 200; *Darwin Memorial Fund: Report of the Committee* (o.S., o.J.) in British Library, Dept. of Printed Books.
27. *Darwin Memorial Fund;* Johnston: *Life*, S. 275f.; ‹The Darwin Memorial Statue›, in: *The Times*, 10. Juni 1885, in: DAR 215; Stearn: *Natural History Museum*, S. 47, S. 73; *ED*, Bd. 2, S. 270f.
28. Woodall: ‹Charles Darwin›, S. 47; ‹Mr. Darwin›, in: *Church Times*, 28. April 1882, in: DAR 140.5; ‹Charles Darwin›, in: *Liverpool Diocesan Gazette*, Mai 1882, in: DAR 215; ‹The Late Mr. Darwin›, in: *Record* (Beilage), o.A., 1 (28. April 1882), S. 152; ‹South American Missionary Society›, in: *Record*, o. A., 1 (28. April 1882), S. 335; ‹Charles Darwin›, in: *Nonconformist and Independent*, 27. April 1882; [Stopford A. Brooke]: ‹Charles Darwin›, in: *Inquirer*, 20. Mai 1882; W. Carpenter an E. Darwin, 30. April 1882, alle in: DAR 215; R. Armstrong: ‹Charles Darwin›, S. 33; J. Chadwick: ‹Evolution›, S. 43.
29. ‹Mr. Darwin›, in: *Saturday Review*, 22. April 1882, in: DAR 140.5; Miall: *Life*, S. 58, S. 62; ‹Charles Darwin›: *British Medical Journal*, 29. April 1882, in: DAR 216; [Leitartikel], in: *The Times*, 26. April 1882, in: DAR 140.1.
30. ‹The Death of Mr. Darwin›, in: *Pall Mall Gazette*, 21. April 1882, in: DAR 140.5; J. Morley, in Hammond: *Gladstone*, S. 546; J. Morley: *Life*, Bd. 2, S. 562; ‹Mr. Darwin's Influence on Modern Thought›, in: *Pall Mall Gazette*, 26. April 1882, in: DAR 140.5.
31. T. Huxley: *Method*, S. 51.

Bibliographie

Anonyme Rezensionen, Artikel und andere Presseveröffentlichungen sind in den Anmerkungen aufgeführt.

AMNH	*Annals and Magazine of Natural History*
AS	*Annals of Science*
BAAS	*Report of the British Association for the Advancement of Science*
BBMNH	*Bulletin of the British Museum (Natural History), Historical Series*
BJHS	*British Journal for the History of Science*
BJLS	*Biological Journal of the Linnean Society*
ENPJ	*Edingburgh New Philosophical Journal*
ER	*Edinburgh Review*
HS	*History of Science*
JHB	*Journal of the History of Biology*
JHBS	*Journal of the History of the Behavioural Sciences*
JHM	*Journal of the History of Medicine and Allied Sciences*
JSBNH	*Journal of the Society for the Biobliography of Natural History*
NQ	*Notes and Queries*
NR	*Notes and Records of the Royal Society of London*
PAPS	*Proceedings of the American Philosophical Society*
PGSL	*Proceedings of the Geological Society of London*
PZSL	*Proceedings of the Zoological Society of London*
QJGS	*Quarterly Journal of the Geological Society of London*
QR	*Quarterly Review*
SHB	*Studies in the History of Biology*
SHPS	*Studies in History and Philosophy of Science*
U. P.	*University Press*
VS	*Victorian Studies*

Abbot, F. E.: *Truth for the Time*. Ramsgate, 1872.
Addison, W.: *The English Country Parson*. London, 1947.
Agassiz, L.: ‹A Period in the History of our Planet› in: *ENPJ*, 35 (1843), S. 1–29.
– und Agassiz, [E].: *A Journey in Brazil*. Boston, 1868.
Ainsworth, W. F.: ‹On the Present State of Science in Great Britain No. 1. Edinburgh

College Museum›, in: *Edinburgh Journal of Natural and Geographical Science*, 1 (1830), S. 269–77.

Aldington, R.: *The Strange Life of Charles Waterton, 1782–1865*. London, 1949.

Allan, M.: *Darwin and His Flowers: The Key to Natural Selection*. London, 1977.

Allen, D. E.: *The Naturalist in Britain: A Social History*. Harmondsworth, 1978.

Allen, G. (Hrsg.): *The Miscellaneous and Posthumous Works of Henry Thomas Buckle*. Neue gekürzte Ausg., 2 Bde., London, 1885.

Allen. P.: *The Cambridge Apostles: The Early Years*. Cambridge, 1978.

Altner, G.: *Charles Darwin und Ernst Haeckel: Ein Vergleich nach theologischen Aspekten*. Zürich, 1966.

Appel, T. A.: *The Cuvier-Geoffroy Debate: French Biology in the Decades before Darwin*. New York, 1987.

Arbuckle, E. S. (Hrsg.): *Harriet Martineau's Letters to Fanny Wegdwood*. Stanford, 1983.

Argyll, The Dowager Duchess of: *George Douglas, Eighth Duke of Argyll, K.G., K.T. (1823–1900): Autobiography and Memoirs*. 2 Bde., Murray, 1906.

Argyll, The Duke of: *The Reign of Law*. 5. Ausg., Strahan, 1868.

–: *Primeval Man*. Strahan, 1869.

–: ‹What is Science?›, in: *Good Words*, 26 (1885), S. 236–45.

Armstrong, P.: *Charles Darwin in Western Australia: A Young Scientist's Perception of an Environment*. Nedlands, 1985.

Armstrong, R. A.: ‹Charles Darwin: A Lecture delivered at Nottingham, on 10th December, 1882›, in: *Modern Sermons*. Manchester, 1883, S. 23–35.

Ashwell, A. R. und Wilberforce, R. G.: *Life of the Right Reverend Samuel Wilberforce, D. D., Lord Bishop of Oxford and afterwards of Winchester, with Selections from His Diaries and Correspondence*. 3 Bde., London, 1880.

Ashworth, J. H.: ‹Charles Darwin as a Student in Edinburgh, 1825–1827›, in: *Proceedings of the Royal Society of Edinburgh*, 55 (1935), S. 97–113.

Atkins, H.: *Down, the Home of the Darwins: The Story of a House and the People who lived there*. Rev. Ausg. Phillimore, für das *Royal College of Surgeons of England*, 1976.

Audubon, M. R. (Hrsg.): *Audubon and His Journals*. 2 Bde., London, 1898.

Austin, Mrs. (Hrsg.): *A Memoir of the Reverend Sydney Smith*. 2. Ausg., 2 Bde., London, 1855.

Aveling, E.: *The Religious Views of Charles Darwin*. London, 1883.

Babbage, C.: *The Ninth Brigdewater Treatise: A Fragment*. 2. Ausg., London, 1838.

Bagehot, W.: *Physics and Politics, or Thoughts on the Application of the Principles of ‹Natural Selection› and ‹Inheritance› to Political Society*. 6. Ausg., London, 1881.

Balfour, J. H.: *Biography of the Late John Coldstream, M.D., F.R.C.P.E., Secretary of the Medical Missionary Society of Edinburgh*. London, 1865.

Barber, L.: *The Heyday of Natural History, 1820–1870*. London, 1980.

Barclay, O. R.: *Whatever Happened to the Jesus Lane Lot?* Leicester, 1977.

Barlow, N.: ‹Robert FitzRoy and Charles Darwin›, in: *Cornhill Magazine*, 72 (1932), S. 493–510.

– (Hrsg.): *Charles Darwin and the Voyage of the ‹Beagle›*. London, 1945.

– (Hrsg.): *The Autobiography of Charles Darwin 1809–1882, with Original Omissions Restored*. London, 1958.

– (Hrsg.): ‹Darwin's Ornithological Notes›, in: *BBMNH*, 2 (1963), S. 201–78.

Barnaby, D. (Hrsg.): *The Log Book of Wombwell's Royal No. 1 Menagerie, 1848–1871*. Sale, 1989.

Barnett, D. C.: ‹Allotments and the Problem of Rural Poverty, 1780–1840›, in: E. L.

Jones und G. E. Mingay (Hrsg.): *Land, Labour and Population in the Industrial Revolution: Essays presented to J. D. Chambers.* London, 1967, S. 162–83.

Barrett, P. H.: ‹Darwin's «Gigantic Blunder»›, in: *Journal of Geological Education,* 21 (1973), S. 19–28.

–: ‹The Sedgwick-Darwin Geologic Tour of North Wales›, in: *PAPS,* 118 (1974), S. 146–64.

– (Hrsg.): *The Collected Papers of Charles Darwin.* 2 Bde. Chicago, 1977.

–, Gautrey, P. J., Herbert. S., Kohn, D., und Smith, S. (Hrsg.): *Charles Darwin's Notebooks, 1836–1844.* Cambridge, 1987.

Barrow, L.: *Independent Spirits: Spiritualism and English Plebeians, 1850–1910.* London, 1986.

Barry, A.: *Sermons Preached in Westminster Abbey.* London, 1884.

Barth, J. R.: *Coleridge and Christian Doctrine.* Cambridge, 1969.

Bartholomew, M. J.: ‹Lyell and Evolution: An Account of Lyell's Response to the Prospect of an Evolutionary Ancestry of Man›, in: *BJHS,* 6 (1973), S. 261–303.

–: ‹Huxley's Defence of Darwin›, in: *AS,* 32 (1975), S. 525–35.

–: ‹The Award of the Copley Medal to Charles Darwin›, in: *NR,* 30 (1976), S. 209–18.

–: ‹The Singularity of Lyell›, in: *HS,* 17 (1979), S. 276–93.

Barton, R.: ‹The X Club: Science, Religion, and Social Change in Victorian England.› Ph. D. Diss., Univers. von Pennsylvania, 1976.

–: ‹Evolution: The Whitworth Gun in Huxley's War for the Liberation of Science from Theology›, in: Oldroyd und Langham: *Wider Domain,* S. 261–86.

–: ‹John Tyndall, Pantheist: A Rereading of the Belfast Address›, in: *Osiris,* 2. Ser., 3 (1987), S. 111–34.

–: ‹«An Influential Set of Chaps»: The X-Club and Royal Society Politics, 1864–85›, in: *BJHS,* 23 (1990), S. 53–81.

Basalla, G.: ‹Darwin's Orchid Book›, in: *Actes du Xᵉ Congrès International d'Histoire des Sciences Naturelles et de la Biologie* (1962), Bd. 2, S. 971–74.

–: ‹The Voyage of the *Beagle* without Darwin›, in: *Mariner's Mirror,* 59 (1963), S. 42–48.

Bastian, H.C.: *The Beginnings of Life: Being Some Account of the Nature. Modes of Origin and Transformations of Lower Organisms.* 2 Bde., London, 1872.

Bayertz, K.: ‹Darwinism and Scientific Freedom: Political Aspects of the Reception of Darwinism in Germany. 1863–1878›, in: *Scientia,* 118 (1983), S. 297–307.

[Baynes, T. S.]: ‹Darwin on Expression›. in: *ER,* 137 (1873), S. 492–508.

Beddoe, J.: *Memories of Eighty Years.* Bristol, 1910.

Beer, G.: *Darwin's Plots: Evolutionary Narrative in Darwin, George Eliot, and Nineteenth-Century Fiction.* London, 1983.

Bell, G. (Hrsg.): *Letters of Sir Charles Bell.* London, 1870.

Bell, H. C. F.: *Lord Palmerston.* 2 Bde., London, 1936.

Bell, S.: ‹George Lewes: A Man of His Time›, in: *JHB,* 14 (1981), S. 277–98.

Berman, M.: *Social Change and Scientific Organization: The Royal Institution, 1799–1844.* London, 1978.

Best, G.: *Mid-Victorian Britain. 1851–75.* o.O., 1979.

Bibby, C.: *T. H. Huxley: Scientist, Humanist, Educator.* London, 1959.

[Billing, M.]: *M. Billing's Directory and Gazetteer of the County of Worchester.* Birmingham, 1855.

Blinderman, C. S.: ‹The Oxford Debate and After›, in: *NQ,* 202 (1957), S. 126–28.

Block, E., Jr.: ‹T. H. Huxley's Rhetoric and the Popularization of Victorian Scientific Ideas›, in: *VS,* 29 (1985–86). S. 363–86.

826

Bibliographie

[Blomefield, L.] Jenyns. L.: *Fish*. Pt 4. *The Zoology of the Voyage of H.M.S. ‹Beagle›*. Hrsg. v. C. Darwin, London, 1840–42.

[–] Jenyns, L.: *Memoir of the Rev. John Stevens Henslow.* London, 1862.

–: *Chapters in My Life. With Appendix containing Special Notices of Particular Incidents and Persons; also Thoughts on Certain Subjects.* Neue Ausg., Bath, 1889.

–: *A Naturalist's Calendar kept at Swaffham Bulbeck, Cambridgeshire.* Hrsg. v. F. Darwin, Cambridge, 1903.

Bölsche, W.: *Haeckel: His Life and Work.* Übers. v. J. McCabe, London, 1906.

Bolt, C.: *Victorian Attitudes to Race.* London, 1971.

Bonner, H. B.: *Charles Bradlaugh: A Record of His Life and Work.* 2 Bde., London, 1895.

Bowen, D.: *The Idea of the Victorian Church: A Study of the Church of England, 1833–1889.* Montreal, 1968.

Bowlby, J.: *Charles Darwin: A Biography.* London, 1990.

Bowler, P. J.: *Fossils and Progress: Paleontology and the Idea of Progressive Evolution in the Nineteenth Century.* New York, 1976.

–: ‹Malthus, Darwin, and the Concept of Struggle›, in: *Journal of the History of Ideas, 37* (1976), S. 631–50.

–: *The Eclipse of Darwinism: Anti-Darwinian Evolution Theories in the Decades around 1900.* Baltimore, 1983.

–: *Theories of Human Evolution: A Century of Debate, 1844–1944.* Oxford, 1987.

–: *The Non-Darwinian Revolution: Reinterpreting a Historical Myth.* Baltimore, 1988.

–: *Charles Darwin: The Man and His Influence.* Oxford, 1990.

A Brace of Cantabs: *Gradus ad Cantabrigiam; or, New University Guide to the Academical Customs, and Colloquial or Cant Terms Peculiar to the University of Cambridge; observing wherein it differs from Oxford ... to which is affixed, A Tail-Piece; or, the Reading and Varmint Method of Proceeding to the Degree of A. B.* London, 1824.

Brackman, A. C.: *Delicate Arrangement: The Strange Case of Charles Darwin and Alfred Russell Wallace.* London, 1980.

[Bradley, G. G.]: ‹Introductory Chapter› in: *The Popular Guide to Westminster Abbey.* o. O., 1885.

[Brewster, D.]: ‹M. Comte's Course of Positive Philosophy› in: *ER, 67* (1838), S. 271–308.

Bridge, F.: *A Westminster Pilgrim: Being A Record of Service in Church, Cathedral, and Abbey; College, University and Concert Room; with a Few Notes on Sport.* London, 1919.

Briggs, A.: *The Age of Improvement, 1783–1867.* London, 1959.

Broadbent, A.: *The Story of Unitarianism in Shrewsbury.* Shrewsbury, 1962.

Brock, W. H. and MacLeod, R. M.: ‹The Scientists' Declaration: Reflexions on Science and Belief in the Wake of *Essays and Reviews,* 1864–65›, in: *BJHS, 9* (1967), S. 39–66.

[Broderip, W.]: ‹The Zoological Gardens – Regent's Park›, in: *QR, 56* (1836), S. 309–32.

The Bromley Directory. Bromley, 1880.

Brooke, J. H.: «A Sower Went Forth»: Joseph Priestley and the Ministry of Reform›, in: *Oxygen and the Conversion of Future Feedstocks: Proceedings of the Third BOC Priestley Conference, 432–60.* London, 1984.

–: ‹The Relations Between Darwin's Science and his Religion›, in: Durant, *Darwinism,* S. 40–75.

–: ‹Joseph Priestley (1733–1804) und William Whewell (1794–1866), Apologists and Historians of Science: A Tale of Two Stereotypes›, in: R. Anderson und C. Lawrence (Hrsg.): *Science, Medicine and Dissent: Joseph Priestley (1733–1804).* London, 1987, S. 11–27.

Darwin

Brooks, J. L.: *Just Before the Origin: Alfred Russel Wallace's Theory of Evolution.* Columbia, 1984.

Brown, A. W.: *The Metaphysical Society: Victorian Minds in Crisis, 1869–1880.* Columbia, 1947.

Browne, J.: ‹The Charles Darwin – Joseph Hooker Correspondence: An Analysis of Manuscript Resources and Their Use in Biography›, in: *JSBNH,* S. 351–66.

–: *The Secular Ark: Studies in the History of Biogeography.* New Haven, 1983.

–:‹Darwin and the Expression of the Emotions›, in: Kohn, *Darwinian Heritage,* S. 307–26.

–: ‹Botany for Gentlemen: Erasmus Darwin and *The Loves of the Plants*›, in: *Isis,* 80 (1989), S. 593–621.

Browne, W. A. F.: ‹Observations on Religious Fanaticism›, in: *Phrenological Journal,* 9 (1836), S. 288–302, S. 532–45, S. 577–603.

Buckle, H. T.: *History of Civilization in England.* Neuausg. 3 Bde., London, 1867.

Büchner, L.: *Last Words on Materialism and Kindred Subjects.* Übers. v. J. McCabe, London, 1901.

Bunbury, F. J. (Hrsg.): *Life, Letters and Journals of Sir Charles J. F. Bunbury, Bart.* 3 Bde., London, 1894.

Bunting, James: *Charles Darwin: A Biography.* Folkestone, 1974.

Burchfield, J. D.: *Lord Kelvin and the Age of the Earth.* London, 1974.

Burkhardt, F. und Smith, S. (Hrsg.): *A Calendar of the Correspondence of Charles Darwin, 1821–1882.* New York, 1985.

– (Hrsg.): *The Correspondence of Charles Darwin.* 7 Bde., Cambridge, 1985–91.

Burrow, J. W.: *Evolution and Society: A Study in Victorian Social Theory.* Cambridge, 1966.

Burstyn, H. L.: ‹If Darwin wasn't the Beagle's Naturalist, Why was he on Board?›, in: BJHS, 8 (1975), S. 62–69.

Burton, J.: ‹Robert FitzRoy and the Early History of the Meteorological Office›, in: *BJHS,* 19 (1986), S. 147–76.

Bush, D. (Hrsg.): *Milton: Poetical Works.* Oxford, 1966.

Butler, S.: *Evolution Old and New; or, the Theories of Buffon, Dr. Erasmus Darwin, and Lamarck, as compared with that of Charles Darwin,* 1879. Neuausg., London, 1911.

–: *Unconscious Memory,* 1880. Neuausg. o. O., 1910.

Bynum, W. F.: ‹Charles Lyell's *Antiquity of Man* and Its Critics›, in: *JHB,* 17 (1984), S. 153–87.

Calder, G. J.: ‹Erasmus A. Darwin, Friend of Thomas and Jane Carlyle›, in: *Modern Language Quarterly,* 20 (1959), S. 36–48.

The Cambridge Guide; or, a Description of the University and Town of Cambridge. Rev. Ausg., Cambridge, 1830.

Campbell, J. A.: ‹Nature, Religion and Emotional Response: A Reconsideration of Darwin's Affective Decline›, in: *VS,* 18 (1974), S. 159–74.

Cannon, W. F.: ‹The Impact of Uniformitarianism: Two Letters from John Herschel to Charles Lyell, 1836–1837› in: *PAPS,* 105 (1961), S. 301–14.

[–], Cannon, S. F.: *Science in Culture: The Early Victorian Period.* New York, 1978.

Carlyle, T.: *Chartism. Past and Present.* London, 1858.

–: *On Heroes, Hero-Worship, and the Heroic in History.* 4. Ausg., London, 1852.

Carpenter, W. B.: ‹On the Differences of the Laws Regulating Vital and Physical Phenomena›, in: *ENPJ,* 24 (1838), S. 327–53.

–: *Remarks on Some Passages in the Review of ‹Principles of General and Comparative Physiology›, in the ‹Edingburgh Medical and Surgical Journal›.* Bristol, 1840.

Bibliographie

–: ‹Vestiges of the Natural History of Creation›, in: *British and Foreign Medical Review,* 19 (1845), S. 155–81.

–: *Nature and Man: Essays Scientific and Philosophical.* London, 1888.

–: ‹Sciene and Religion›, in: J. M. Lloyd Thomas et al.: *Dogma or Doctrine? and Other Essays,* o. O., 1906, S. 17–44.

Carroll, P. T.: *An Annotated Calendar of the Letters of Charles Darwin in the Library of the American Philosophical Society.* Wilmington, 1976.

Carus, C. G.: *The King of Saxony's Journey through England in the Year 1844.* London, 1846.

Carus, W. (Hrsg.): *Memoirs of the Life of the Rev. Charles Simeon ... with a Selection from His Writings and Correspondence.* 2 Ausg., London, 1847.

Cathcart, C. W.: ‹Some of the Older Schools of Anatomy connected with the Royal College of Surgeons, Edinburgh›, in: *Edinburgh Medical Journal,* 27 (1882), S. 769–81.

Cautley, P.: ‹An Extract of a Letter›, in: *PGSL,* 2 (1837), S. 544f.

– and Falconer, H.: ‹On the Remains of a Fossil Monkey›, in: *PGSL,* 2 (1837), S. 568f.

Chadwick, J. W.: ‹Evolution as related to Religious Thought›, in: *Evolution: Popular Lectures and Discussions before the Brooklyn Ethical Association.* Boston, 1889, S. 317–40.

Chadwick, O.: *The Victorian Church.* 2 Bde., New York, 1966–70.

Chaldecott, J. A.: ‹Josiah Wedgwood (1730–95) – Scientist›, in: *BJHS,* (1975), S. 1–16.

Chapman, R. und Duval, C. T. (Hrsg.): *Charles Darwin, 1809–1882: A Centennial Commemorative.* Wellington, 1982.

Chilton, W.: ‹Theory of Regular Gradation›, in: *Oracle of Reason,* 27. Nov. 1841, 19. Feb. 1842, 11. Nov. 1843.

–: ‹Geological Revelations›, in: *Oracle of Reason,* 29. Juli 1843.

–: ‹Theory of Regular Gradation›, in: *Movement,* 6. Nov. 1844, S. 413f.

–: ‹Vestiges of the Natural History of Creation›, in: *Movement,* 8. Jan. 1845, S. 9–12.

Chitnis, A. C.: ‹The University of Edinburgh's Natural History Museum and the Huttonian-Wernerian Debate›, in: *AS,* 26 (1970), S. 85–94.

–: ‹Medical Education in Edinburgh, 1790–1826, and Some Victorian Social Consequences›, in: *Medical History,* 17 (1973), S. 173–85.

Church, M. C.: *Life and Letters of Dean Church.* London, 1894.

Churchill, F. B.: ‹Darwin and the Historian›, in: *BJLS,* 17 (1982), S. 45–68.

Clark, J. W. und Hughes, T. M.: *The Life and Letters of the Reverend Adam Sedgwick.* 2 Bde., Cambridge, 1890.

Clarke, M. L.: *Paley: Evidences for the Man.* London, 1974.

Cobbe, F. P.: *Life of Frances Power Cobbe as Told by Herself, with Additions by the Author.* London, 1904.

Cobbett, W.: Rural Rides, 1830. Harmondsworth, 1987.

Cockshut, A. O. J.: *The Unbelievers.* London, 1964.

Coldstream, J. P.: *Sketch of the Life of John Coldstream, M.D., F.R.C.P.E., The Founder of the Edinburgh Medical Missionary Society.* Edinburgh, 1877.

Cole, G. A.: ‹Doctrine, Dissent and the Decline of Paley's Reputation, 1805–1825›, in: *Enlightenment and Dissent,* Nr. 6 (1987), S. 19–30.

Coleridge, S. T.: *Aids to Reflection.* 5. Ausg., 2 Bde., London, 1848.

Colloms, B.: *Victorian Country Parsons.* London, 1977.

Colp, R.: ‹Charles Darwin and Mrs. Whitby›, in: *Bulletin of the New York Academy of Medicine,* 48 (1972), S. 870–76.

–: ‹The Evolution of Charles Darwin's Thoughts about Death›, in: *Journal of Thanatology,* 3 (1975), S. 191–206.

—: ‹The Contacts of Charles Darwin with Edward Aveling and Karl Marx›, in: *AS,* 33 (1976), S. 387–94.

—: ‹Charles Darwin and the Galapagos›, in: *New York State Journal of Medicine,* 77 (1977), S. 262–67.

—: *To Be an Invalid: The Illness of Charles Darwin.* Chicago, 1977.

—: ‹Charles Darwin: Slavery and the American Civil War›, in: *Harvard Library Bulletin,* 26 (1978), S. 478–89.

—: ‹Charles Darwin's Coffin, and Its Maker›, in: *JHM,* 35 (1980), S. 59–63.

—: «‹I was born a naturalist»: Charles Darwin's Notes about Himself›, in: *JHM,* 35 (1980), S. 8–39.

—: ‹The Case of the «Darwin-Marx» Letter, Lewis Feuer, and *Encounter*›, in: *Monthly Review,* 32 (1981), S. 58–61.

—: ‹Charles Darwin, Dr. Edward Lane, and the «Singular Trial» of *Robinson and Lane*›, in: *JHM,* 36 (1981), S. 205–13.

—: ‹Charles Darwin's Reprobation of Nature: «Clumsy, Wasteful, Blundering Low & Horribly Cruel»›, in: *New York State Journal of Medicine,* 81 (1981), S. 1116–19.

—: ‹The Myth of the Darwin-Marx Letter›, in: *History of Political Economy,* 14 (1982), S. 461–82.

—: ‹Notes on William Gladstone, Karl Marx, Charles Darwin, Klement Timiriazev, and the «Eastern Question» of 1876–78›, in: *JHM,* 38 (1983), S. 178–85.

—: ‹The Pre-*Beagle* Misery of Charles Darwin›, in: *Psychohistory Review,* 13 (1984), S. 4–15.

—: ‹Notes on Charles Darwin's *Autobiography*›, in: *JHB,* 18 (1985), S. 357–401.

—: ‹Charles Darwin's Dream of His Double Execution›, in: *Journal of Psychohistory,* 13 (1986), S. 277–92.

—: «Confessing a Murder»: Darwin's First Revelations about Transmutation›, in: *Isis,* 77 (1986), S. 9–32.

—: ‹The Relationship of Charles Darwin to the Ideas of His Grandfather, Dr. Erasmus Darwin›, in: *Biography,* 9 (1986), S. 1–24.

—: ‹Charles Darwin's «insufferable grief»›, in: *Free Associations,* Nr. 9 (1987), S. 7–44.

—: ‹Charles Darwin's Past and Future Biographers›, in: *HS,* 27 (1989), S. 167–97.

—: «‹I will gladly do my best»: Charles Darwin's Memorial for Alfred Russel Wallace.› Unveröffentl. Typoskript.

—: ‹Mrs. Susannah Darwin: Mother of Charles Darwin.› Unveröffentl. Typoskript.

Conry, Y.: *L'Introduction du Darwinisme en France au XIXᵉ siècle.* Paris, 1974.

Conway, M. D.: *Autobiography, Memoirs, Experiences.* 2 Bde., London, 1904.

Cooper, C. H.: *Annals of Cambridge,* Bd. 4. Cambridge, 1852.

Cooter, R.: *The Cultural Meaning of Popular Science: Phrenology and the Organization of Consent in Nineteenth-Century Britain.* Cambridge, 1984.

Copland, R. A.: ‹A Side Light on the Butler-Darwin Quarrel›, in: *NQ,* 24 (1977), S. 23f.

Cornell, J.: ‹Analogy and Technology in Darwin's Vision of Nature›, in: *JHB,* 17 (1984), S. 303–44.

—: ‹God's Magnificent Law: The Bad Influence of Theistic Metaphysics on Darwin's Estimation of Natural Selection›, in: *JHB,* 20 (1987), S. 381–412.

Corsi, P.: ‹The Importance of French Transformist Ideas for the Second Volume of Lyell's Principles of Geology›, in: *BJHS,* 11 (1978), S. 221–44.

—: *The Age of Lamarck: Evolutionary Theories in France, 1790–1834.* Berkeley, 1988.

—: *Science and Religion: Bade Powell and the Anglican Debate, 1800–1860.* Cambridge, 1988.

– und Weindling, P. J.: ‹Darwinismus in Germany, France, and Italy›, in: Kohn, *Darwinian Heritage*, S. 683–729.

Cowell, F. R.: *The Athenaeum Club and Social Life in London, 1824–1974.* London, 1975.

Crookes, W.: *Researches in the Phenomena of Spiritualism.* London, o. J.

Crouzet, F.: *The Victorian Economy.* Übers. v. A. Forster, London, 1982.

Crowther, M. A.: *Church Embattled: Religious Controversy in Mid-Victorian England.* Newton Abbot, 1970.

D.: ‹Death of Dr. Darwin›, in: *NQ,* 3. Ser., 10 (1866), S. 343f.

Dance, S. P.: ‹Hugh Cuming (1791–1865), Prince of Collectors›, in: *JSBNH,* 9 (1980), S. 477–501.

Darwin, B.: ‹Kent›, in: *Men Only,* 15 (1940), S. 81–86.

–: *The World That Fred Made: An Autobiography.* London, 1955.

Darwin, C.: *Journal of the Researches into the Geology and Natural History of the Various Countries visited by H.M.S. ‹Beagle›.* London, 1839; rev. Ausg. (1845/60), London, 1894. (Ausgewählte Kapitel in der deutschen Ausgabe: *Reise um die Welt,* Tübingen, 1981)

–: *The Structure and Distribution of Coral Reefs.* London, 1842. (Deutsche Ausgabe: *Über den Bau und die Verbreitung der Corallenriffe,* entspricht: *Gesammelte Werke,* Bd. 11, I, Stuttgart, 1899)

–: *Geological Observations on the Volcanic Islands visited during the Voyage of H.M.S. ‹Beagle›.* London, 1844. (Deutsche Ausgabe: *Geologische Beobachtungen über die Vulkanischen Inseln …* entspricht: *Gesammelte Werke,* Bd. 11, II, Stuttgart, 1899)

–: *Geological Observations on South America.* London, 1846. (Deutsche Ausgabe: *Geologische Beobachtungen über Südamerica …* entspricht: *Gesammelte Werke,* Bd. 12, I, Stuttgart 1899).

–: *A Monograph on the Sub-Class Cirripedia.* 2 Bde., London, 1851–54.

–: *A Monograph on the Fossil Lepadidae, or, Pedunculated Cirripedes of Great Britain.* London, 1851.

–: *A Monograph on the Fossil Balanidae and Verrucidea of Great Britain.* London, 1854.

–: *On the Origin of Species by Means of Natural Selection, or the Preservation of Favoured Races in the Struggle for Life.* London, 1859. (Deutsche Ausgabe: *Über die Entstehung der Arten durch natürliche Zuchtwahl oder die Erhaltung der begünstigten Rassen im Kampf ums Dasein,* Darmstadt, 1988)

–: *The Descent of Man, and Selection in relation to Sex.* 2 Bde., London, 1871; 2. rev. Ausg., 1874. (Deutsche Ausgabe: *Die Abstammung des Menschen,* Stuttgart, 1966)

–: *The Expression of the Emotions in Man and Animals.* London, 1872. (Deutsche Ausgabe: *Der Ausdruck der Gemütsbewegungen bei den Menschen und den Thieren,* Nördlingen, 1986)

–: *The Movements and Habits of Climbing Plants.* London, 1875. (Deutsche Ausgabe: *Die Bewegungen und Lebensweise der kletternden Pflanzen,* entspricht: *Gesammelte Werke,* Bd. 9, I, Stuttgart, 1899)

–: *The Variation of Animals and Plants under Domestication.* 2. rev. Ausg., 2 Bde., London, 1875. (Deutsche Ausgabe: *Das Variieren der Tiere und Pflanzen im Zustande der Domestikation,* 2 Bde., entspricht: *Gesammelte Werke,* Bd. 3 und 4, Stuttgart, 1899)

–: *The Effects of Cross and Self Fertilisation in the Vegetable Kingdom.* London, 1876. (Deutsche Ausgabe: *Die Wirkungen der Kreuz- und Selbstbefruchtung im Pflanzenreich,* entspricht: *Gesammelte Werke,* Bd. 10, Stuttgart, 1899)

–: *The Various Contrivances by which Orchids are Fertilised by Insects.* 2. Ausg., London, 1877. (Deutsche Ausgabe: *Die verschiedenen Einrichtungen, durch welche Orchideen von Insekten befruchtet werden,* entspricht: *Gesammelte Werke,* Bd. 9, II, Stuttgart, 1899)

–: *The Different Forms of Flowers on Plants of the Same Species.* London, 1877. (Deutsche Ausgabe: *Die verschiedenen Blütenformen an Pflanzen der nämlichen Art,* entspricht: *Gesammelte Werke,* Bd. 9, III, Stuttgart, 1899)

–: *The Formation of Vegetable Mould, through the Action of Worms, with Observations on Their Habits.* London, 1881. (Deutsche Ausgabe: *Die Bildung der Ackererde durch die Tätigkeit der Würmer mit Beobachtung über deren Lebensweise,* Berlin, 1983)

Darwin, F. (Hrsg.): *The Life and Letters of Charles Darwin, including an Autobiographical Chapter.* 3 Bde., London, 1877.

–: ‹The Botanical Work of Darwin›, in: *Annals of Botany,* 13 (1899), S. ix–xix

–: ‹Darwin's Work on the Movement of Plants›, in: Seward, *Darwin and Modern Science,* S. 385–400.

– (Hrsg.): *The Foundations of the ‹Origin of Species›: Two Essays written in 1842 and 1844.* Cambridge, 1909.

–: ‹FitzRoy und Darwin, 1831–36›, in: *Nature,* 88 (1912), S. 547f.

–: *Rustic Sounds and Other Studies in Literature and Natural History.* London, 1917.

–: *Springtime and Other Essays.* London, 1920.

– und Seward, A. C. (Hrsg.): *More Letters of Charles Darwin: A Record of His Work in a Series of Hitherto Unpublished Letters.* 2 Bde., London, 1903.

Darwin, G.: ‹Marriages between First Cousins in England and Their Effects›, in: *Fortnightly Review,* neue Serie, 18 (1875) S. 22–41.

Darwin, L.: ›Memories of Down House›, in: *Nineteenth Century,* 106 (1929), S. 118–23.

David, D.: *Intellectual Women and Victorian Patriarchy: Harriet Martineau, Elizabeth Barrett Browning, George Elliot.* London, 1987.

Davidoff, L. und Hall, C.: *Family Fortunes: Men and Women of the English Middle Class, 1780–1850.* London, 1987.

[Dawkins, W. B.]: ‹Darwin on Variation of Animals and Plants›, in: *ER,* 128 (1868), S. 414–450.

[–]: ‹Darwin on the Descent of Man›, in: *ER,* 134 (1871), S. 195–235.

De Beer, G.: ‹Further Unpublished Letters of Charles Darwin›, in: *AS,* 14 (1958), S. 83–115.

–: ‹Darwin's Journal›, in: *BBMNH,* 2 (1959), S. 1–21.

–: ‹Some Unpublished Letters of Charles Darwin›, in: *NR,* 14 (1959), S. 12–66.

–: *Charles Darwin: Evolution by Natural Selection.* New York, 1964.

–: ‹The Darwin Letters at Shrewsbury School›, in: *NR,* 23 (1968), S. 68–85.

De Morgan, S. E. (Hrsg.): *Memoir of Augustus de Morgan.* London, 1882.

Dean, D. R.: «‹Through Science to Despair»: Geology and the Victorians›, in Paradis und Postlewait: *Victorian Science.* S. 111–36.

Dell, R. S.: ‹Social and Economic Theories and Pastoral Concerns of a Victorian Archbishop›, in: *Journal of Ecclesiastical History,* 16 (1965), S. 196–208.

Dempster, W. J.: *Patrick Matthew and Natural Selection.* Edinburgh, 1983.

Denton's Ilkley Directory, Guide Book, and Almanac. Ilkley, 1871.

D'Orbigny, A.: ‹General Considerations regarding the Paleontology of South America compared with that of Europe›, in: *ENPJ,* 35 (1843), S. 362–72.

Desmond, A.: *Archetypes and Ancestors: Paleontology in Victorian London, 1850–1875.* London, 1982; Chicago, 1984.

–: ‹Robert E. Grant: The Social Predicament of a Pre-Darwinian Transmutationist›, in: *JHB,* 17 (1984), S. 189–223.

–: ‹Robert E. Grant's Later Views on Organic Development: The Swiney Lectures on «Paleozoology», 1853–1857›, in: *Archives of Natural History,* 11 (1984), S. 395–413.

–: ‹Darwin among the Gentry›, in: *London Review of Books,* 23. Mai 1985, S. 9f.

–: ‹The Making of Institutional Zoology in London, 1822–1836›, in: *HS,* 23 (1985), S. 153–85, S. 223–50.

–: ‹Artisan Resistance and Evolution in Britain, 1819–1848›, in: *Osiris,* 3 (1987), S. 77–110.

–: ‹The Kentish Hog›, in: *London Review of Books,* 15. Okt. 1987, S. 13f.

–: ‹Lamarckism and Democracy: Corporations, Corruption and Comparative Anatomy in the 1830s›, in: J. Moore: *History,* S. 99–130.

–: *The Politics of Evolution: Morphology, Medicine, and Reform in Radical London.* Chicago, 1989.

Di Gregario, M. A.: ‹The Dinosaur Connection: A Reinterpretation of T. H. Huxley's Evolutionary View›, in: *JHB,* 15 (1982), S. 397–418.

Dickens, C.: *Bleak House.* London, 1860.

Duman, D.: ‹The Creation and Diffusion of a Professional Ideology in Nineteenth Century England›, in: *Sociological Review,* neue Serie, 27 (1979), S. 113–38.

Duncan, D.: *The Life and Letters of Herbert Spencer.* London, 1911.

Dupree, A. H.: *Asa Gray, 1810–1888.* New York, 1968.

Durant, J.: ‹Scientific Naturalism and Social Reform in the Thought of Alfred Russell Wallace›, in: *BJHS,* 12 (1979), S. 31–58.

–: ‹The Ascent of Nature in Darwin's *Descent of Man*›, in Kohn: *Darwinian Heritage,* S. 283–306.

– (Hrsg.): *Darwinism and Divinity: Essays on Evolution and Religious Belief.* Oxford, 1985.

Edsall, N. C.: *The Anti-Poor Law Movement, 1834–44.* Manchester, 1971.

Egerton, F. N.: ‹Refutation and Conjecture: Darwin's Response to Sedgwick's Attack on Chambers›, in: *SHPS,* 1 (1970), S. 176–83.

–: ‹Darwin's Early Reading of Lamarck›, in: *Isis,* 67 (1976), S. 452–56.

–: ‹Hewett C. Watson, Great Britain's First Phytogeographer›, in: *Huntia,* 3 (1979), S. 87–102.

Ellegard, A.: *Darwin and the General Reader: The Reception of Darwin's Theory of Evolution in the British Periodical Press, 1859–1872.* Chicago, 1990.

Elliotson, J.: ‹Reply to the Attacks on Phrenology›, in: *Lancet,* 1 (1831–32), S. 287–94.

–: ‹Address Introductory to the Winter Medical Session›, in: *Lancet,* 1 (1832–33), S. 33–41.

–: *Human Physiology.* London, 1835.

Ellis, I.: *Seven against Christ: A Study of ‹Essays and Reviews›.* Leiden, 1980.

Eng, E.: ‹The Confrontation between Reason and Imagination: The Example of Darwin›, in: *Diogenes,* 95 (1976), S. 58–67.

Engels, F.: *Dialectics of Nature.* New York, 1963.

Ensor, R. C. K.: *England, 1870–1914.* Oxford, 1936.

[Epps, J.].: ‹Elements of Physiology›, in: *Medico-Chirurgical Review,* 9 (1828), S. 97–120.

–: *The Church of England's Apostacy.* London, 1834.

–: *Diary of the Late John Epps.* London, 1875.

Ereira, A.: *The People's England.* London, 1981.

Erskine, F.: ‹Darwin in Context: The London Years, 1837–1842.› Ph. Diss., Open University, 1987.

Essays and Reviews. 4. Ausg., London, 1861.

Evans, E. J.: ‹Some Reasons for the Growth of English Rural Anti-clericalism, c.1750–c.1830›, in: *Past and Present,* Nr. 66 (1975), S. 84–109.

Evans, J.: ‹On Portions of a Cranium and of a Jaw, in the Slab Containing the Fossil Remains of the Archaeopteryx›, in: *Natural History Review,* 5 (1865), S. 415–21.

Eve, A. S. und Creasey, C. H.: *Life and Work of John Tyndall.* London, 1945.

Evidence, Oral and Documentary, taken and received by the Commissioners appointed by His Majesty George IV. July 23rd, 1826 ... visiting the Universities of Scotland. 4 Bde. Parliamentary Papers, London, 1837.

Farr, W.: ‹Medical Reform› in: *Lancet,* 1 (1839–40), S. 105–11.

Farrar, F. W.: *Men I Have Known.* New York, 1897.

Farrar, R.: *The Life of Frederic William Farrar.* New York, 1904.

Feuer, L: ‹Marxian Tragedians: A Death in the Family›, in: *Encounter,* 19 (1962), S. 23–32.

–: ‹Is the Darwin-Marx Correspondence Authentic?,› in: *AS,* 32 (1975), S. 1–12.

Fielding, K. J.: ‹Froude's Second Revenge: The Carlyles and the Wegdwoods›, in: *Prose Studies,* 4 (1981), S. 301–16.

Fiske, J.: *Life and Letters of Edward Livingstone Youmans: Comprising Correspondence with Spencer, Huxley, Tyndall, and Others.* London, 1894.

–: *The Personal Letters of John Fiske.* Cedar Rapids, 1939.

Flowe, S. S.: *List of the Vertebrated Animals exhibited in the Gardens of the Zoological Society of London, 1828–1927.* 3 Bde., London, 1929.

Foote, G. W.: *Darwin on God.* London, 1889.

[Forbes, E.]: ‹Vestiges of the Natural History of Creation›, in: *Lancet,* 2 (1844), S. 265f.

–: *Literary Papers of the Late Professor Edward Forbes.* London, 1855.

Forrest, D. W.: *Francis Galton: The Life and Work of a Victorian Genius.* London, 1974.

Foster, M. und Lankester, E. R. (Hrsg.): *The Scientific Memoirs of Thomas Henry Huxley.* 4 Bde., London, 1889.

Francis, M.: ‹Naturalism and William Paley›, in: *History of European Ideas,* 10 (1989), S. 203–20.

Freeman, R. B.: ‹Charles Darwin on the Route of Male Humble Bees›, in: *BBMNH,* 3 (1968), S. 177–89.

–: *The Works of Charles Darwin: An Annotated Bibliographical Handlist.* 2. rev. Ausg., Folkestone, 1977.

–: *Charles Darwin: A Companion.* Folkestone, 1978.

–: *Darwin's Negro Bird-Stuffer›,* in: *NR,* 33 (1978), S. 83–85.

–: *Darwin and Gower Street.* London, 1982.

–: ‹The Darwin Family›, in: *BJLS,* 17 (1982), S. 9–21.

–: *Darwin Pedigrees.* o. O., 1984.

– und Gautrey, P. J.: ‹Darwin's *Questions about the Breeding of Animals,* with a Note on *Queries about Expression*›, in: *JSBNH,* 5 (1969), S. 220–25.

– und Gautrey, P. J.: ‹Charles Darwin's *Queries about Expression*›, in: *BBMNH,* 4 (1972), S. 205–19.

French, R. D.: *Antivivisection and Medical Science in Victorian Society.* Princeton, 1975.

Froude, J. A.: *Thomas Carlyle: A History of His Life in London, 1834–1881.* 2 Bde., London, 1884.

Gage, A. T. und Stearn, W. T.: *A Bicentenary History of the Linnean Society of London.* London, 1988.

Gale, B. G.: ‹Darwin and the Concept of a Struggle for Existence: A Study in the Extrascientific Origins of Scientific Ideas›, in: *Isis,* 63 (1972), S. 321–44.

[Gallenga, A.]: ‹The Age We Live in›, in: *Fraser's Magazine,* 24 (1881), S. 1–15.

Galton, F.: *English Men of Science: Their Nature and Nurture.* London, 1874.

–: *Inquiries into Human Faculty and Its Development,* 1883. London, o. J.

–: *Memories of My Life.* London, 1908.

Gascoigne, J.: *Cambridge in the Age of the Enlightenment: Science, Religion and Politics from the Restoration to the French Revolution.* Cambridge, 1989.

Gasman, D.: *The Scientific Origins of National Socialism: Social Darwinism in Ernst Haeckel and the German Monist League.* London, 1971.

Gay, P.: *The Bourgeois Experience: Victoria to Freud,* Bd. 1, *The Education of the Senses.* New York, 1984.

Geikie, A.: *Memoir of Sir Andrew Crombie Ramsay.* London, 1895.

Geison, G. L.: ‹The Protoplasmic Theory of Life and the Vitalist-Mechanist Debate›, in: *Isis,* 60 (1969), S. 273–92.

George, H.: *Progress and Poverty: An Inquiry into the Cause of Industrial Depressions, and of Increase of Want with Increase of Wealth. – The Remedy.* London, 1885.

Ghiselin, M. T.: *The Triumph of the Darwinian Method.* Berkeley, 1969.

– und Jaffe, L.: ‹Phylogenetic Classification in Darwin's *Monograph of the Sub-Class Cirripedia*›, in: *Systematic Zoology,* 22 (1973), S. 132–40.

Gillespie, N. C.: ‹The Duke of Argyll, Evolutionary Anthropology, and the Art of Scientific Controversy›, in: *Isis,* 68 (1977), S. 40–54.

–: *Charles Darwin and the Problem of Creation.* Chicago, 1979.

–: ‹Preparing for Darwin: Conchology and Natural Theology in Anglo-American Natural History›, in: *SH,* 7 (1984), S. 93–145.

–: ‹Divine Design and the Industrial Revolution: William Paley's Abortive Reform of Natural Theology›, in: *Isis,* 81 (1990), S. 214–29.

Gilley, S.: ‹The Huxley-Wilberforce Debate: A Reconsideration›, in: K. Robbins (Hrsg.): *Religion and Humanism.* Oxford, 1981, S. 325–40.

Gillispie, C. C.: *Genesis and Geology: A Study in the Relations of Scientific Thought, Natural Theology, and Social Opinion in Great Britain, 1790–1850.* Cambridge, 1951.

Glastonbury, M.: ‹Holding the Pens›, in: *Inspiration and Drudgery: Notes on Literature and Domestic Labour in the Nineteenth Century.* London, 1978, S. 27–48.

Glick, T. F. (Hrsg.): *The Comparative Reception of Darwinism.* Austin, 1974.

Godlee, R. J.: ‹Thomas Wharton Jones›, in: *British Journal of Ophthalmology,* 93, (1921), S. 97–117, S. 145–56.

Golby, J. (Hrsg.): *Culture and Society in Britain, 1850–1890.* Oxford, 1986.

Goodway, D.: *London Chartism, 1838–1848.* Cambridge, 1982.

Goodwin, H.: ‹Funeral Sermon for Charles Darwin›, in: *Walks in the Region of Science and Faith.* London, 1883, S. 297–310.

Gordon, E. O.: *The Life and Correspondence of William Buckland.* London, 1894.

Gould, J.: *The Birds of Europe.* o. O., 1837.

–: ‹Mr. Darwin's collection of *Birds,* a series of *Ground Finches*›, in: *PZSL,* 5 (1837), S. 4–7.

–: ‹Three species of the genus *Orpheus*›, in: *PZSL,* 5 (1837), S. 26f.

–: ‹A new species of *Rhea*›, in: *PZSL,* 5 (1837), S. 35f.

–: *The Birds of Australia and the Adjacent Islands.* o. O., 1837–38.

Gould, S. J.: ‹Darwin and the Captain›, in: *Natural History,* Jan. 1976, S. 32–34.

–: ‹Darwin's Delay›, in: *Ever Since Darwin.* New York, 1977, S. 21–27.

–: *Ontogeny and Phylogeny.* Cambridge, 1977.

Graber, R. B. und Miles, L. P.: ‹In Defence of Darwin's Father›, in: *HS*, 26 (1988), S. 97–102.

Graham, W.: *The Creed of Science: Religious, Moral, and Social.* London, 1881.

Grant, A.: *The Story of the University of Edinburgh during its first Three Hundred Years.* 2 Bde., London, 1884.

Grant, R. E.: *Dissertatio Physiologica Inauguralis, de Circuito Sanguinis in Foetu.* Edinburgh, 1814.

–: ‹Notice of a New Zoophyte (Cliona celata, Gr.) from the Firth of Forth›, in: *ENPJ*, 1 (1826), S. 78–81.

–: ‹On the Structure and Nature of the Spongilla friabilis›, in: *Edinburgh Philosophical Journal,* 14 (1826), S. 270–84.

–: ‹Notice regarding the Ova of the Pontobdella muricata, Lam›, in: *Edinburgh Journal of Science,* 7 (1827), S. 121–25.

? [–]: ‹Of the Changes which Life has Experienced on the Globe›, in: *ENPJ*, 3 (1827), S. 298–301.

–: *On the Study of Medicine.* London, 1833.

–: *Tabular View of the Primary Divisions of the Animal Kingdom.* London, 1861.

Grant Duff, [U.]: *The Life-Work of Lord Avebury (Sir John Lubbock), 1834–1913.* London, 1924.

Gray, A.: *Natural Selection Not Inconsistent with Natural Theology: A Free Examination of Darwin's Treatise on the Origin of Species and of Its American Reviewers.* London, 1861.

Grayson, D. K.: *The Establishment of Human Antiquity.* New York, 1983.

Green, J. H. *An Address delivered in King's College, London, at the Commencement of the Medical Session, October 1, 1832.* London, 1832.

Greene, J. C.: ‹Reflections on the Progress of Darwin Studies›, in: *JHB*, 8 (1975), S. 243–73.

–: *Science, Ideology, and World View: Essays in the History of Evolutionary Ideas.* Berkeley, 1981.

Gregory, F.: *Scientific Materialism in Nineteenth Century Germany.* Dordrecht, 1977.

Grinnell, G.: ‹The Rise and Fall of Darwin's First Theory of Transmutation›, in: *JHB*, 7 (1974), S. 259–73.

Groeben, C. (Hrsg.): *Charles Darwin – Anton Dohrn Correspondence.* Neapel, 1982.

Grove, W. R.: *The Correlation of Physical Forces ... followed by a Discourse on Continuity.* 5. Ausg., London, 1867.

Gruber, H. E.: *Darwin on Man: A Psychological Study of Scientific Creativity, together with Darwin's Early and Unpublished Notebooks, transcribed and annotated by Paul H. Barrett.* New York, 1974.

–: ‹Going the Limit: Toward the Construction of Darwin's Theory (1832–1839)›, in: Kohn: *Darwinian Heritage,* S. 9–34.

– und Gruber, V.: ‹The Eye of Reason: Darwin's Development during the *Beagle* Voyage›, in: *Isis*, 53 (1962), S. 186–200.

Gruber, J. W.: *A Conscience in Conflict: The Life of St. George Jackson Mivart.* New York, 1960.

–: ‹Who was the *Beagle's* Naturalist?›, in: *BJHS*, 4 (1969), S. 266–82.

Gunther, A. E.: *The Founders of Science at the British Museum, 1753–1900.* London, 1980.

Haeckel, E.: *Generelle Morphologie der Organismen: Allgemeine Grundzüge der organischen Formenwissenschaft, mechanisch begründet durch die von Charles Darwin reformierte Deszendenz-Theorie.* 2 Bde., Berlin, 1866.

Bibliographie

–: *The History of Creation; or, the Development of the Earth and Its Inhabitants by the Action of Natural Causes.* 2 Bde., New York, 1876.

Haight, G. S.: *George Eliot and John Chapman, with Chapman's Diaries.* 2 Ausg., Hamden, 1969.

Halcombe, J. J.: ‹The Curate Question›, in: J. J. Halcombe (Hrsg.): *The Church and Her Curates: A Series of Essays on the Need for More Clergy and the Means of Supporting Them.* London, 1874, S. 17–36.

Halévy, E.: *The Triumph of Reform, 1830–1841.* London, 1950.

–: *A History of the English People in 1815.* London, 1987.

Hall, A. R.: *The Abbey Scientists.* London, 1966.

[Hall, B.]: ‹Voyages of Captains King and FitzRoy›, in: *ER,* 69 (1839), S. 467–93.

Hammond, J. L.: *Gladstone and the Irish Nation.* Nachdruck, London, 1964.

Hare, J. C. (Hrsg.): *Essays and Tales by John Sterling.* 2 Bde., London, 1848.

Harrison, J. F. C.: *Early Victorian Britain, 1832–51.* London, 1979.

–: ‹Early English Radicals and the Medical Fringe›, in: W. F. Bynum und R. Porter (Hrsg.): *Medical Fringe and Medical Orthodoxy, 1750–1850.* London, 1987, S. 198–215.

Hart, A. T.: *The Country Priest in English History.* London, 1959.

–: *The Curate's Lot: The Story of the Unbeneficed English Clergy.* Newton Abbot, 1971.

–: *The Parson and the Publican.* New York, 1983.

Harvie, C., Martin G. und Scharf, A. (Hrsg.): *Industrialization and Culture, 1830–1914.* London, 1970.

Healey, E.: *Wives of Fame: Mary Livingstone, Jenny Marx, Emma Darwin.* London, 1986.

Helmstadter, R. J.: ‹W. R. Greg: A Manchester Creed›, in: Helmstadter und Lightman: *Victorian Faith,* S. 187–222.

– und Lightman, B. (Hrsg.): *Victorian Faith in Crisis: Essays onContinuity and Change in Nineteenth-Century Religious Belief.* London, 1990.

Herbert, S.: ‹Darwin, Malthus, and Selection›, in: *JHB,* 4 (1971), S. 209–17.

–: ‹The Place of Man in the Development of Darwin's Theory of Transmutation Part 1. To July 1837›, in: *JHB,* 7 (1974), S. 217–58.

–: ‹The Place of Man in the Development of Darwin's Theory of Transmutation. Part. 2 › in: *JHB,* 10 (1977), S. 155–227.

– (Hrsg.): *The Red Notebook of Charles Darwin.* Ithaca, 1980.

–: ‹Darwin and the Young Geologist›, in Kohn: *Darwinian Heritage,* S. 483–510.

Herschel, J. W. F.: *A Preliminary Discourse on the Study of Natural Philosophy.* Neue Ausg., London, 1830.

Heyck, T. W.: *The Transformation of Intellectual Life in Victorian England.* London, 1982.

Hill, F.: ‹Squire and Parson in Early Victorian Lincolnshire›, in: *History,* 58 (1973), S. 337–49.

Hilton, B.: *The Age of Atonement: The Influence of Evangelicalism on Social and Economic Thought, 1785–1865.* Oxford, 1988.

Himmelfarb, G.: *Darwin and the Darwinian Revolution.* London, 1959.

Historical and Descriptive Catalogue of the Darwin Memorial at Down House, Downe, Kent. Edinburgh, 1969.

Hobsbawm, E. J. und Rudé, G.: *Captain Swing.* London, 1969.

Hodge, M. J. S.: ‹Lamarck's Science of Living Bodies›, in: *BJHS,* 5 (1971), S. 323–52.

–: ‹The Universal Gestation of Nature: Chambers' *Vestiges* and *Explanations*›, in: *JHB,* 5 (1972), S. 127–51.

–: ‹England›, in: Glick: *Comparative Reception,* S. 1–31.

–: ‹Darwin and the Laws of the Animate Part of the Terrestrial System (1835–37):

On the Lyellian Origins of his Zoonomical Explanatory Program›, in: *SHB*, 6 (1983), S. 1–106.

–: ‹Darwin, Species and the Theory of Natural Selection›, in S. Atran et al.: *Histoire du concept d'espèce dans les sciences de la vie.* Paris, 1985, S. 227–52.

–: ‹Darwin as a Lifelong Generation Theorist›, in: Kohn: *Darwinian Heritage*, S. 207–43.

–: und Kohn, D.: ‹The Immediate Origins of Natural Selection›, in: Kohn: *Darwinian Heritage*, S. 185–206.

Hole, R.: *Pulpits, Politics and Public Order in England, 1760–1832.* Cambridge, 1989.

Holt, R. V.: *The Unitarian Contribution to Social Progress in England.* 2. rev. Ausg., London, 1952.

Holyoake, G. J.: *Sixty Years of an Agitator's Life.* 3. rev. Ausg., 2 Bde., London, 1906.

Hooker, J. D.: *Himalayan Journals: Notes of a Naturalist in Bengal, the Sikkim and Nepal Himalayas, the Khasia Mountains etc.* 2. Ausg., 2 Bde., London, 1855.

–: ‹Address of Joseph D. Hooker ...›, in: *BAAS* (Norwich 1868), 1869, S. lviii–lxxv.

–: ‹Reminiscences of Darwin›, in: *Nature*, 60 (1899), S. 187f.

Howarth, O. J. R. und Howarth, E. K.: *A History of Darwin's Parish, Downe, Kent.* Southampton, [1933].

Hughes, R. E.: ‹Alfred Russell Wallace: Some Notes on the Welsh Connection›, in: *BJHS*, 22 (1989), S. 401–418.

Hull, D. L.: *Darwin and His Critics: The Reception of Darwin's Theory of Evolution by the Scientific Community.* Chicago, 1983.

Hutchinson, H. G.: *Life of Sir John Lubbock, Lord Avebury.* 2 Bde., London, 1914.

Huxley, L.: *Life and Letters of Sir Joseph Dalton Hooker, O. M., G.C.S.I., bases on materials collected and arranged by Lady Hooker.* 2 Bde., London, 1921.

–: ‹The Home Life of Charles Darwin›, in: *The R. P. A. Annual for 1921.* London, 1921, S. 3-9.

[Huxley, T. H.]: ‹The Vestiges of Creation›, in: *British and Foreign Medico-Chirurgical Review,* 13 (1854), S. 425–39.

–: ‹Comparative Literature: Science›, in: *Westminster Review,* neue Serie, 7 (1855), S. 241–47.

–: ‹On Certain Zoological Arguments Commonly adduced in favor of the Hypothesis of the Progressive Development of Animal Life in Time›, in: Foster und Lankester: *Scientific Memoirs,* Bd. 1, S. 300–304.

–: ‹Lectures on General Natural History. Lecture XII. The *Cirripedia*›, in: *Medical Times and Gazette,* 15 (1857), S. 238–41.

–: ‹Man and the Apes›, in: *Athenaeum,* 30. März und 13. April 1861, S. 433 und S. 498.

–: *On Our Knowledge of the Causes of the Phenomena of Organic Nature.* London, 1862.

–: ‹Criticisms on «The Origin of Species»›, in: *Natural History Review,* 4 (1864), S. 566–80.

–: ‹The Natural History of Creation›, in: *Academy,* 1 (1869), S. 13f., S. 40–43.

–: ‹On Descartes' «Discourse Touching the Method of Using One's Reason Rightly, and of Seeking Scientific Truth»›, in: *Macmillan's Magazine,* 22 (1870), S. 69–80.

–: ‹Introductory Notice›, in: T. H. Huxley et al.: *Charles Darwin: Memorial Notices reprinted from ‹Nature›,* London, 1882, S. [ix]–xiii.

–: *Darwiniana.* London, 1983.

–: *Method and Results.* London, 1893.

–: *Science and Education.* London, 1893.

–: *Discourse Biological and Geological.* London, 1894.

–: *Man's Place in Nature and Other Anthropological Essays.* London, 1894.

Hyman, S. E.: ‹A Darwin Sidelight: The Shape of the Young Man's Nose›, in: *Atlantic Monthly,* 220 (1967), S. 96–104.

Irvine, W.: *Apes, Angels, and Victorians: Darwin, Huxley, and Evolution.* New York, 1955.

Jackson, P.: *George Scharf's London: Sketches and Watercolours of a Changing City, 1820–50.* London, 1987.

Jacyna, L. S.: ‹Immanence or Transcendence: Theories of Life and Organization in Britain, 1790–1835›, in: *Isis,* 74 (1983), S. 311–29.

[Jameson, R.]: ‹Observations on the Nature and Importance of Geology›, in: *ENPJ,* 1 (1826), S. 293–302.

Jardine, W.: *Memoirs of Hugh Edwin Strickland.* London, 1858.

[Jenkin, H. C. Fleeming]: ‹The Origin of Species›, in: *North British Review,* 46 (1867), S. 277–318.

Jenkins, M.: *The General Strike of 1842.* London, 1980.

Jennings, H.: *Pandaemonium, 1660–1886: The Coming of the Machine as seen by Contemporary Observers.* Hrsg. v. M. Jennings und C. Madge, London, 1985.

Jensen, J. V.: ‹The X Club: Fraternity of Victorian Scientists›, in: *BJHS,* 5 (1970), S. 63–72.

–: ‹Return to the Wilberforce-Huxley Debate›, in: *BJHS,* 21 (1988), S. 161–79.

Jenyns, Leonard: Siehe Blomefield, Leonard.

Jesperson, P. H.: ‹Charles Darwin and Dr. Grant›, in: *Lychnos* (1948–49), S. 159–67.

Johnston, J. O.: *Life and Letters of Henry Parry Liddon.* London, 1904.

Jones, G.: ‹The Social History of Darwin's *Descent of Man*›, in: *Economy and Society,* 7 (1978), S. 1–23.

Jones, H. F.: *Samuel Butler, Author of Erewon (1835–1902): A Memoir.* 2 Bde., London, 1920.

Jordan, D. S.: *The Days of a Man: Being Memories of a Naturalist, Teacher, and Minor Prophet of Democracy.* 2 Bde., New York, 1922.

Judd, J. W.: *The Coming of Evolution: The Story of a Great Revolution in Science.* Cambridge, 1910.

Keegan, R. T. und Gruber, H. E.: ‹Love, Death and Continuity in Darwin's Thinking›, in: *JHBS,* 19 (1983), S. 15–30.

Keith, A.: ‹Neglected Darwin›, in: *The R.P.A. Annual for 1923.* London, 1923, S. 3–9.

–: *Darwin Revalued.* London, 1955.

Kelly, A.: *The Descent of Darwin: The Popularization of Darwinism in Germany, 1860–1914.* Chapel Hill, 1981.

Keynes, M.: *Leonard Darwin, 1850–1943.* Cambridge, 1943.

Keynes, R. D. (Hrsg.): *The Beagle Record: Selections from the Original Pictorial Records and Written Accounts of the Voyage of H.M.S. ‹Beagle›.* Cambridge, 1979.

– (Hrsg.): *Charles Darwin's ‹Beagle› Diary.* Cambridge, 1988.

King, W.: ‹The Reputed Fossil Man of the Neanderthal›, in: *Quarterly Journal of Science,* 1 (1864), S. 88–97.

King-Hele, D.: *Doctor of Revolution: The Life and Genius of Erasmus Darwin.* London, 1977.

– (Hrsg.): *The Letters of Erasmus Darwin.* Cambridge, 1981.

[Kingsley, F.]: *Charles Kingsley: His Letters and Memories of His Life.* 2 Bde., London, 1877.

Kirby, W.: ‹Introductory Address›, in: *Zoological Journal,* 2 (1825), S. 1–8.

Kirsop, W.: ‹W. R. Greg and Charles Darwin in Edinburgh and After – An Antipodian Gloss›, in: *Transactions of the Cambridge Bibliographical Society,* 7 (1979), S. 376–90.

Knight, C.: *London.* 6 Bde., London, 1841–44.

Kohn, D.: ‹Theories to Work By: Rejected Theories, Reproduction, and Darwin's Path to Natural Selection›, in: *SHB,* 4 (1980), S. 67–170.

–: ‹On the Origin of the Principle of Diversity›, in: *Science,* 213 (1981), S. 1105–08.

– (Hrsg.): *The Darwinian Heritage.* Princeton, 1985.

–: ‹Darwin's Principle of Divergence as Internal Dialogue›, in: Kohn: *Darwinian Heritage,* S. 245–57.

–: ‹Darwin's Ambiguity: The Secularization of Biological Meaning›, in: *BJHS,* 22 (1989), S. 215–39.

–, Smith, S. und Stauffer, R. C.: ‹New Light on *The Foundations of the Origin of Species:* A Reconstruction of the Archival Record›, in: *JHB,* 15 (1982), S. 419–42.

Kottler, M. J.: ‹Alfred Russel Wallace, the Origin of Man, and Spiritualism›, in: *Isis,* 65 (1974), S. 145–92.

–: ‹Charles Darwin's Biological Species Concept and Theory of Geographic Speciation: The Transmutation Notebooks›, in: *AS,* 35 (1978), S. 275–97.

–: ‹Charles Darwin and Alfred Russell Wallace: Two Decades of Debate over Natural Selection›, in Kohn: *Darwinian Heritage,* S. 367–432.

Krause, E.: *Erasmus Darwin ... with a Preliminary Notice by Charles Darwin.* Übers. v. W. S. Dallas, London, 1879.

La Vergata, A.: ‹Images of Darwin: A Historiographic Overview›, in: Kohn: *Darwinian Heritage,* S. 901–72.

Lansbury, C.: ‹Gynacology, Pornography, and the Antivivisection Movement›, in: *VS,* 28 (1985), S. 413–37.

Lefebvre, J. (Hrsg.): *Marx-Engels: Lettres sur les sciences de la nature.* Paris, 1973.

LeMahieu, D. L.: *The Mind of William Paley: A Philosopher and His Age.* Lincoln, 1976.

Lenoir, T.: ‹The Darwin Industry›, in: *JHB,* 20 (1987), S. 115–30.

Lewes, G. H.: ‹Hereditary Influence, Animal and Human›, in: *Westminster Review,* 66 (1856), S. 135–62.

Liddon, H. P.: *The Recovery of St. Thomas: A Sermon preached in St. Paul's Cathedral on the Second Sunday after Easter, April 23, 1882, with a Prefatory Note on the Late Mr. Darwin.* London, 1882.

Lightman, B.: *The Origins of Agnosticism: Victorian Unbelief and the Limits of Knowledge.* Baltimore, 1987.

Litchfield, H. (geb. Darwin): *Richard Buckley Litchfield: A Memoir written for His Friends.* Cambridge, 1910.

–: *Emma Darwin: A Century of Family Letters, 1792–1896.* 2 Bde., London, 1915; Privatausg., Cambridge, 1904.

Lorimer, D. A.: *Colour, Class and the Victorians: English Attitudes to the Negro in the Mid-Nineteenth Century.* Leicester, 1978.

Lucas, J. R.: ‹Wilberforce and Huxley: A Legendary Encounter›, in: *Historical Journal,* 22 (1979), S. 313–30.

Lurie, A.: *Louis Agassiz: A Life in Science.* Chicago, 1960.

Lyell, Charles: *Principles of Geology: Being an Attempt to explain the Former Changes of the Earth's Surface, by reference to Causes now in Operation.* 3 Bde., London, 1830–33.

–: ‹Address to the Geological Society›, in: *PGSL,* 2 (1837), S. 479–523.

–: ‹Anniversary Address›, in: *QJGS,* 7 (1851), S. xxxii–lxxvi.

–: *The Geological Evidences of the Antiquity of Man, with Remarks on the Theories of the Origin of Species by Variation.* 2. rev. Ausg., London, 1863.

Lyell, [K. M.]: *Life, Letters, and Journals of Sir Charles Lyell, Bart.* 2 Bde., London, 1881.

[Lytton, B.]: *What Will He Do With It?* 4 Bde., Edinburgh, 1859.

McCabe: J.: *Life and Letters of George Jacob Holyoake.* 2 Bde., London, 1908.

MacCalman. I.: ‹Unrespectable Radicalism: Infidels and Pornography in Early Nineteenth Century London›, in: *Past and Present,* 104 (1984), S. 74–110.

Bibliographie

McClachlan, H.: *The Unitarian Movement in the Religious Life of England: I. Its Contribution to Thought and Learning, 1700–1900.* London, 1934.

Macfarlane, A.: *Marriage and Love in England: Modes of Reproduction, 1300–1840.* Oxford, 1986.

McKendrick, N.: ‹Josiah Wedgwood and Factory Discipline›, in: *Historical Journal,* 4 (1961), S. 30–55.

–: The Role of Science in the Industrial Revolution: A Study of Josiah Wedgwood as a Scientist and Industrial Chemist›, in: M. Teich und R. Young (Hrsg.): *Changing Perspectives in the History of Science: Essays in Honour of Joseph Needham.* London, 1973, S. 274–319.

MacLeod, R. M.: ‹The X Club: A Social Network of Science in Late-Victorian England›, in: *NR,* 24 (1970), S. 305–22.

–: ‹Of Medals and Men: A Reward System in Victorian Science, 1826–1914›, in: *NR,* 26 (1971), S. 81–105.

–: ‹The Ayrton Incident: A Commentary on the Relations of Science and Government in England, 1870–1873›, in: A. Thackray und E. Mendelsohn (Hrsg.): *Science and Values: Patterns of Tradition and Change.* New York, 1974, S. 45–78.

–: ‹Evolutionism, Internationalism and Commercial Enterprise in Science: The International Scientific Series, 1871–1910›, in: A. J. Meadows (Hrsg.): *Development of Sciene Publishing in Europe.* Amsterdam, 1980, S. 63–93.

McMenemey, W. H.: ‹Education and the Medical Reform Movement›, in: F. N. L. Poynter (Hrsg.): *The Evolution of Medical Education in Britain.* London, 1966, S. 135–54.

McNeil, M.: *Under the Banner of Science: Erasmus Darwin and His Age.* Manchester, 1987.

Malthus, T. R.: *An Essay on the Principle of Population; or, a View of Its Past and Present Effects on Human Happiness, with an Inquiry into Our Prospects respecting the Future Removal or Mitigation of the Evils which it occasions.* 6. Ausg., 2 Bde., London, 1826.

Manier, E.: *The Young Darwin and His Cultural Circle: A Study of the Influences which helped shape the Language and Logic of the First Drafts of the Theory of Natural Selection.* Dordrecht, 1978.

Mann, P. G.: *Collections for a Life and Background of James Manby Gully, M.D.* [Malvern], 1983.

Mansergh, J. F.: ‹Charles Darwin›, in: *NQ,* 7. Serie, 5 (1883), S. 46.

Marchant, J.: *Alfred Russell Wallace: Letters and Reminiscences.* 2 Bde., London, 1916.

Marcus, S.: *The Other Victorians: A Study of Sexuality and Pornography in Mid-Nineteenth-Century England.* New York, 1966.

Marsh, J.: ‹Charles Darwin – Justice of the Peace in Bromley, Kent›, in: *Justice of the Peace,* 147 (1983), S. 636f.

Marshall, A. J.: *Darwin and Huxley in Australia.* Sydney, 1970.

Martin, E.: *First Conversation on the Being of God.* London, 1844.

Martineau, H.: ‹Right and Wrong in Boston›, in: *London and Westminster Review,* 32 (1838–39), S. 1–59.

–: *Eastern Life, Present and Past.* 3 Bde., London, 1848.

–: *Harriet Martineau's Autobiography,* 1877. 2 Bde., London, 1983.

Martineau, J.: *The Bible: What It Is, and What It Is Not; A Lecture delivered at Paradise Street Chapel, Liverpool, on Tuesday, February 19, 1839.* Liverpool, 1839.

Marx, K. und Engels, F.: *Selected Correspondence, 1846–1895.* London, 1943.

Matthew, P.: *On Naval Timber and Arboriculture.* London, 1831.

–: *Emigration Fields: North America, The Cape, Australia, and New Zealand, describing these Countries, and giving a Comparative View of the Advantages they present to British Settlers.* Edinburgh, 1839.

Mellersh, H. E. L.: *FitzRoy of the Beagle.* London, 1968.

Memorable Unitariens: Being a Series of Brief Biographical Sketches. London, 1906.

Miall, L. C.: *The Life and Work of Charles Darwin: A Lecture delivered to the Leeds Philosophical and Literary Society, on February 6th, 1883.* Leeds, 1883.

Middlemiss, J. L.: *A Zoo on Wheels: Bostock and Wombell's Menagerie.* Burton-on-Trent, 1987.

Miles, S. J.: ‹Clémence Royer et *De l'Origine des espèces: traductrice ou traitresse?*›, in: *Revue de synthèse,* 4. Ser., (1989), S. 61–83.

Miller, G.: ‹The Death of Charles Darwin›, in: *JHM,* 14 (1959), S. 529f.

Milner, R.: ‹Darwin for the Prosecution, Wallace for the Defense: Part I, How Two Great Naturalists Put the Supernatural on Trial›, in: *North Country Naturalist,* 2 (1990), S. 19–35.

–: ‹Darwin for the Prosecution, Wallace for the Defense: Part II, Spirit of a Dead Controversy›, in: *North Country Naturalist,* 2 (1990), S. 37–49.

[Mivart, St. G.]: ‹Difficulties of the Theory of Natural Selection›, in: *Month,* 11 (1869), S. 35–53, S. 134–53, S. 274–89.

[–]: ‹The Descent of Man›, in: *QR,* 131 (1871), S. 47–90.

–: *On the Genesis of Species.* 2 Bde., London, 1871.

–: *Essays and Criticisms.* 2 Bde., London, 1892.

–: ‹Some Reminiscences of Thomas Henry Huxley›, in: *Nineteenth Century,* 42 (1897), S. 985–98.

Monsarrat, A.: *Thackeray: An Uneasy Victorian.* London, 1980.

Montgomery, H. E. L.: ‹Emma Darwin›, in: *The Month,* 29 (1963), S. 288–94.

Montgomery, W. M.: ‹Germany›, in: Glick: *Comparative reception,* S. 81–116.

Moody, J. W. T.: ‹The Reading of the Darwin and Wallace Papers: An Historical «Non-Event»›, in: *JSBNH,* 5 (1971), S. 474–76.

Moore, D. T.: ‹Geological Collectors and Collections of the India Museum, London, 1801–79›, in: *Archives of Natural History,* 10 (1982), S. 399–427.

Moore, J. R.: ‹Could Darwinism be Introduced in France?› in: *BJHS,* 10 (1977), S. 246–51.

–: ‹On the Education of Darwin's Sons: The Correspondence between Charles Darwin and the Reverend G. V. Reed, 1857–1864›, in: *NR,* 32 (1977), S. 41–70.

–: *The Post-Darwinian Controversies: A Study of the Protestant Struggle to Come to Terms with Darwin in Great Britain and America, 1870–1900.* Cambridge, 1979.

–: ‹Creation and the Problem of Charles Darwin›, in: *BJHS,* 14 (1981), S. 189–200.

–: ‹Charles Darwin Lies in Westminster Abbey›, in: *BJLS,* 17 (1982), S. 97–113.

–: ‹1859 and All That: Remaking the Story of Evolution-and-Religion›, in Chapman und Duvall: *Charles Darwin,* S. 167–94.

–: ‹Interpreting the New Creationism›, in: *Michigan Quarterly Review,* 22 (1983), S. 321–34.

–: ‹On Revolutionizing the Darwin Industry: A Centennial Retrospect›, in: *Radical Philosophy,* 37 (1984), S. 13–22.

–: ‹Darwin of Down: The Evolutionist as Squarson-Naturalist›, in: Kohn: *Darwinian Heritage,* S. 435–81.

–: ‹Darwin's Genesis and Revelations›, in: *Isis,* 76 (1985), S. 570–80.

–: ‹Evangelicals and Evolution: Henry Drummond, Herbert Spencer, and the Naturalization of the Spiritual World›, in: *Scottish Journal of Theology,* 38 (1985), S. 383–417.

Bibliographie

–: ‹Herbert Spencer's Henchmen: The Evolution of Protestant Liberals in Late Nineteenth-Century America›, in: Durant: *Darwinism*, S. 76–100.

–: ‹Crisis without Revolution. The Ideological Watershed in Victorian England›, in: *Revue de synthèse*, 4. Folge (1986), S. 53–78.

–: ‹Socializing Darwinism: Historiography and the Fortunes of a Phrase›, in: L. Levidow (Hrsg.): *Science as Politics*. London, 1986, S. 38–80.

–: ‹Born-Again Social Darwinism›, in: *AS*, 44 (1987), S. 409–17.

– (Hrsg.): *Religion in Victorian Britain*, Bd. 3, *Sources*. Manchester, 1988.

–: ‹Freethought, Secularism, Agnosticism: The Case of Charles Darwin›, in: G. Parsons (Hrsg.): *Religion in Victorian Britain*, Bd. 1, *Traditions*. Manchester, 1988, S. 274–319.

–: ‹Darwinizing History: Sociobiology versus Sociology›, in: *BJHS*, 22 (1989), S. 429–32.

– (Hrsg.): *History, Humanity and Evolution: Essays for John C. Greene*. New York, 1989.

–: ‹Of Love and Death: Why Darwin «gave up Christianity»›, in: J. Moore: *History*, S. 195–229.

–: ‹Theodicy and Society: The Crisis of the Intelligentsia›, in Helmstedter and Lightman: *Victorian Faith*, S. 153–86.

–: ‹Deconstructing Darwinism: The Politics of Evolution in the 1860s›, in: *JHB*, 24 (1991).

– et al.: *Science and Metaphysics in Victorian Britain*. Milton Keynes, 1981.

Morley, J.: *The Life of William Ewart Gladstone*. 3 Bde., London, 1903.

Morley, J.: *Death, Heaven, and the Victorians*. Pittsburgh, 1971.

Morrell, J. B.: ‹Science and Scottish University Reform: Edinburgh in 1826›, in: *BJHS*, 6 (1972), S. 39–56.

–: ‹London Institutions and Lyell's Career, 1820–41›, in: *BJHS*, 9 (1976), S. 132–46.

– und Thackray, A.: *Gentlemen of Science: Early Years of the British Association for the Advancement of Science*. Oxford, 1981.

Morus, I. R.: ‹The Politics of Power: Reform and Regulation in the Work of William Robert Grove. Ph. D. Diss., Univ. Cambridge, 1989.

Mozley, J. B.: ‹The Argument of Design›, in : *QR*, 127 (1869), S. 134–76.

Mudie, R.: *The Modern Athens: A Dissection and Demonstration of Men and Things in the Scotch Capital*. London, 1825.

Müller, J.: *Handbuch der Physiologie des Menschen für Vorlesungen*. Koblenz, o. J., S. 1833f.

Murphy, H. R.: ‹The Ethical Revolt against Christian Orthodoxy in Early Victorian England›, in: *American Historical Review*, 60 (1955), S. 800–817.

Napier, M.: *Selection from the Correspondence of the Late Macvey Napier*. London, 1879.

Nash, L. A.: ‹Some Memories of Charles Darwin›, in: *Overland Monthly*, 2. Folge, 16 (1890), S. 404–408.

[Newman, F. W.]: *A History of the Hebrew Monarchy from the Administration of Samuel to the Babylonish Captivity*. London, 1847.

–: *The Soul, Her Sorrows and Her Aspirations: An Essay towards the Natural History of the Soul, as the True Basis of Theology*. 2. Ausg., London, 1849.

–: *Phases of Faith; or, Passages from the History of My Creed*. London, 1850.

Nicholas, F. W. und Nicholas, J. M.: *Charles Darwin in Australia, with Illustrations and Additional Commentary from Other Members of the ‹Beagle's› Company, including Conrad Martens, Augustus, Earle, Captain FitzRoy, Philip Gidley King, and Syms Covington*. Cambridge, 1989.

Norton, A.: *The Evidences of the Genuineness of the Gospels*. 2. Ausg., 2 Bde., London, 1847.

843

Olby, R. C.: ‹Charles Darwin's Manuscript of *Pangenesis*›, in: *BJHS,* 1 (1963), S. 251–63.

Oldroyd, D. R.: ‹How did Darwin arrive at His Theory? The Secondary Literature to 1982›, in: *HS,* 22 (1984), S. 325–74.

– und Langham, I. (Hrsg.): *The Wider Domain of Evolutionary Thougth.* Dordrecht, 1983.

Oppenheim, J.: *The Other World: Spiritualism and Psychical Research in England, 1850–1914.* Cambridge, 1985.

Ospovat, D.: ‹Perfect Adaptation and Teleological Explantation: Approaches to the Problem of the History of Life in the Mid-nineteenth Century›, in: *SHB,* 2 (1987), S. 33–56.

–: ‹Darwin after Malthus›, in: *JHB,* 12 (1979), S. 211–30.

–: *The Development of Darwin's Theory: Natural History, Natural Theology, and Natural Selection, 1838–1859.* Cambridge, 1981.

–: ‹Darwin on Huxley and Divergence: Some Darwin Notes on His Meeting with Huxley, Hooker, and Wollaston in April, 1856›. Unveröffentlichtes Typoskript.

Owen, R.: ‹On the Osteology of the Chimpanzee and Orang Utan›, in: *Transactions of the Zoological Society* (London), 1 (1835), S. 343–79.

–: *Fossil Mammalia.* Teil 1, *The Zoology of the Voyage of H.S.M. ‹Beagle›.* Hrsg. v. C. Darwin, London, 1838–40.

–: ‹Report on British Fossil Reptiles. Part 2›, in: *BAAS* (Plymouth 1841), 1842, S. 60–204.

–: ‹Notices of Some Fossil Mammalia of South America›, in: ‹Notices and Abstracts›, in: *BAAS* (Southampton 1846), 1847, S. 65f.

–: ‹Osteological Contributions to the Natural History of the Chimpanzee (Troglodytes, Geoffroy), including the description of the Skull of a large Species (Troglodytes Gorilla, Savage) discovered by Thomas S. Savage, M. D., in the Gaboon county, West Africa›, in: *Transactions of the Zoological Society* (London), 3 (1849), S. 381–422.

[–]: ‹Lyell – on Life and its Successive Development›, in: *QR,* 89 (1851), S. 412–51.

–: ‹On the Anthropoid Apes›, in: *BAAS* (Liverpool 1854), 1855, Teil 2, S. 111–13.

–: ‹On the Characters, Principles of Division, and Primary Groups of the Class Mammalia›, in: *Journal of the Proceedings of the Linnean Society* (Zoology), 2 (1858), S. 1–37.

–: *On the Classification and Distribution of the Mammalia.* London, 1859.

–: ‹Presidential Address›, in: *BAAS* (Leeds 1858), 1859, S. xlix–cx.

–: ‹Summary of the Succession in Time and Geographical Distribution of Recent and Fossil Mammalia›, in: *Proceedings of the Royal Institution,* 3 (1859), S. 109–16.

–: *Paleontology; or, A Systematic Summary of Extinct Animals and Their Geological Relations.* Edinburgh, 1860.

–: ‹The Gorilla and the Negro›, in: *Athenaeum,* 23. März 1861, S. 395f.

–: ‹Ape-Origin of Man as Tested by the Brain›, in: *Athenaeum,* 21. Feb. 1863, S. 262f.

–: *Monograph on the Aye-Aye.* London, 1863.

–: ‹On the Archaeopteryx of Von Meyer, with a Description of the Fossil Remains of a Long-Tailed Species, from the Lithographic Slate of Solnhofen›, in: *Philosophical Transactions of the Royal Society,* 153 (1863), S. 33–47.

–: *On The Anatomy of Vertebrates.* 3 Bde., London, 1866–68.

[–]: Zoologus. ‹The Fate of the «Jardin d'Acclimatation» during the Late Sieges of Paris›, in: *Fraser's Magazine,* neue Folge, 5 (1872), S. 17–22.

Owen, R. S. (Hrsg.): *The Life of Richard Owen.* 2 Bde., London, 1894.

Bibliographie

Paley, W.: *The Principles of Moral and Political Philosophy*, 1785. 17. Ausg., 2 Bde., London, 1810.

–: *A View of the Evidences of Christianity*. 3. Ausg., 2 Bde., London, 1795.

–: *Natural Theology; or, Evidences of the Existence and Attributes of the Deity, collected from the Appearances of Nature*, 1802. 5. Ausg., London, 1803.

Pancaldi, G.: *Darwin in Italia: Impresa scientifica e frontiere culturali*. Bologna, 1983.

Paradis, J. G.: *T. H. Huxley: Man's Place in Nature*. Lincoln, 1978.

–: ‹Darwin and Landscape›, in: Paradis und Postlewait: *Victorian Science*, S. 85–110.

– und Postlewait, T. (Hrsg.): *Victorian Science and Victorian Values: Literary Perspectives*. New Brunswick, 1985.

Parker, R.: *Town and Gown: The 700 Years' War in Cambridge*. Cambridge, 1983.

Parodiz, J. J.: *Darwin in the New World*. Leiden, 1981.

Parry, J. P.: *Democracy and Religion: Gladstone and the Liberal Party, 1867–1875*. Cambridge, 1986.

Parry, N. und Parry, J.: *The Rise of the Medical Profession: A Story of Collective Social Mobility*. London, 1976.

Paston, G.: *At John Murray's: Records of a Literary Circle 1843–1892*. London, 1932.

Paul, D. B.: ‹The Selection of the «Survival of the Fittest»›, in: *JHB*, 21 (1988), S. 411–24.

Pauly, P. J.: ‹Samuel Butler and His Darwinian Critics›, in: *VS*, 25 (1982), S. 161–80.

Peacock, G.: *Observations on the Statutes of the University of Cambridge*. London, 1841.

Pearson, K.: *The Life, Letters, and Labours of Francis Galton*. 3 Bde. in 4., Cambridge, 1914–30.

Peckham, M. (Hrsg.): *The Origin of Species by Charles Darwin: A Variorum Text*. Philadelphia, 1959.

Pennington, E. L.: ‹Charles Darwin and Foreign Missions›, in: *Georgia Review*, 1 (1947), S. 1–9.

Peterson, M. J.: ‹Gentlemen and Medical Men: The Problem of Professional Recruitment›, in: *Bulletin of the History of Medicine*, 58 (1984), S. 457–73.

Poore, G. V.: ‹Robert Edmond Grant›, in: *University College Gazette*, 2/34 (Mai 1901), S. 190f.

Pope-Henessy, J.: *Monckton, Milnes: The Years of Promise, 1809–1851*. London, 1949.

Porter, D. M.: ‹Charles Darwin's Plant Collections from the Voyage of the *Beagle*›, in: *JSBNH*, 9 (1980), S. 515–25.

–: ‹The *Beagle* Collector and His Collections›, in: Kohn: *Darwinian Heritage*, S. 973–1019.

Porter, R.: ‹Gentlemen and Geology: The Emergence of a Scientific Career, 1660–1920›, in: *Historical Journal*, 21 (1978), S. 809–36.

–: ‹Erasmus Darwin: Doctor of Evolution?›, in: J. Moore: *History*, S. 39–69.

Portlock, J. E.: ‹Anniversary Address of the President›, in: *QJGS*, 13 (1857), S. xxvi–cxlv.

–: ‹Anniversary Address of the President›, in: *QJGS*, 14 (1858), S. xxiv–clxiii.

Poulton, E. B.: *Charles Darwin and the Theory of Natural Selection*. London, 1896.

Poynter, F. N. L.: ‹John Chapman (1821–1894): Publisher, Physician, and Medical Reformer›, in: *JHM*, 5 (1950), S. 1–22.

Prete, F. R.: ‹The Conundrum of the Honey Bees: One Impediment to the Publication of Darwin's Theory›, in: *JHB*, 23 (1990), S. 271–90.

Preyer, R. O.: ‹The Romantic Tide Reaches Trinity: Notes on the Transmission and Diffusion of New Approaches to Traditional Studies at Cambridge, 1820–1840›, in: Paradis und Postlewait: *Victorian Science*, S. 39–68.

Prichard, J. C.: ‹On the Extinction of Human Races›, in: *ENPJ*, 28 (1840), S. 166–70.

Prothero, G.: *The Armour of Light, and Other Sermons preached before the Queen.* Rev. und hrsg. v. Rowland Prothero, London, 1888.

–: *Arthur Penrhyn Stanley: A Sermon.* London, 1881.

Pusey, E. B.: *Un-science, Not Science, Adverse to Faith: A Sermon preached before the University of Oxford.* Oxford, 1878.

Rachootin, S. P.: ‹Owen and Darwin Reading a Fossil: *Macrauchenia* in a Boney Light›, in: Kohn: *Darwinian Heritage,* S. 155–83.

Raumer, F. von: *England in 1835.* 3 Bde., London, 1836.

Raverat, G.: *Period Piece: A Cambridge Childhood.* London, 1952.

Rawnsley, H. D.: *Harvey Goodwin, Bishop of Carlisle: A Biographical Memoir.* London, 1896.

Rehbock, P. F.: ‹Huxley, Haeckel, and the Oceanographers: The Case of *Bathybius Haeckelii*›, in: *Isis,* 66 (1975), S. 504–33.

–: *The Philosophical Naturalists: Themes in Early Nineteenth-Century British Biology.* Madison, 1983.

Reid, T. W.: *The Life, Letters, and Friendships of Richard Monckton Milnes, First Lord Houghton.* 2. Ausg., 2 Bde., London, 1890.

Report on Spiritualism of the Committee of the London Dialectical Society, together with the Evidence, Oral and Written, and a selection from the Correspondence. London, 1871.

Richards, E.: ‹Darwin and the Descent of Woman›, in: Oldroyd und Langham: *Wider Domain,* S. 57–111.

–: ‹A Question of Property Rights: Richard Owen's Evolutionism Reassessed›, in: *BJHS,* 20 (1987), S. 129–71.

–: ‹Huxley and Woman's Place in Science: The «Woman Question» and the Control of Victorian Anthropology›, in: J. Moore: *History,* S. 253–84.

–: ‹The «Moral Anatomy» of Robert Knox: The Interplay between Biological and Social Thought in Victorian Scientific Naturalism›, in: *JHB,* 22 (1989), S. 373–436.

Richards, R. J.: ‹Instinct and Intelligence in British Natural Theology: Some Contributions to Darwin's Theory of the Evolution of Behavior›, in: *JHB,* 14 (1981), S. 193–230.

–: ‹Darwin and the Biologizing of Moral Behavior›, in: W. R. Woodward and M. G. Ash: *The Problematic Science: Psychology in Nineteenth-Century Thought.* New York, 1982, S. 43–64.

–: ‹Why Darwin Delayed, or Interesting Problems and Models in the History of Science›, in: *JHBS,* 19 (1983), S. 45–53.

–: *Darwin and the Emergence of Evolutionary Theories of Mind and Behavior.* Chicago, 1987.

Richardson, R.: *Death, Dissection and the Destitute.* Harmondsworth, 1988.

Ricks, C. (Hrsg.): *The Poems of Tennyson.* London, 1969.

Ritvo, H.: *The Animal Estate: The English and Other Creatures in the Victorian Age.* Harmondsworth, 1990.

Robbins, W.: *The Newman Brothers: An Essay in Comparative Intellectual Biography.* Cambridge, 1966.

Roberts, D.: *Paternalism in Early Victorian England.* New Brunswick, 1979.

Robertson, J.: ‹Dr. Elliotson on Life and Mind›, in: *London Medical Gazette,* 17 (1835–36), S. 203–10, S. 251–57.

Roger, J.: ‹Darwin, Haeckel et les Français›, in: Y. Conry (Hrsg.): *De Darwin au darwinisme: science et idéologie.* Paris, 1983, S. 149–65.

[Romanes, E.]: *The Life and Letters of George John Romanes.* London, 1896.

[Romanes, G. J.]: Physicus, *A Candid Examination of Theism.* London, 1878.

–: ‹Work in Psychology›, in: T. H. Huxley et al.: *Charles Darwin: Memorial Notices reprinted from ‹Nature›*. London, 1882, S. 65–82.

–: *Animal Intelligence*. 6. Ausg., London, 1895.

–: *Thoughts on Religion*. Hrsg. v. Ed. C. Gore, London, 1895.

Roos, D. A.: ‹The «Aims and Intentions» of *Nature*›, in: Paradis und Postlewait: *Victorian Science*, S. 159–80.

Root, J. D.: ‹Catholicism and Science in Victorian England›, in: *Clergy Review*, 66 (1981), S. 138–47, S. 162–70.

Rorison, G.: ‹The Creative Week›, in: S. Wilberforce (Hrsg.): *Replies to ‹Essays and Reviews»*. 2. Ausg., Oxford, 1862, S. 277–345.

Rosenberg, S.: ‹The Financing of Radical Opinion: John Chapman and the *Westminster Review*›, in J. Shattock und M. Wolff (Hrsg.): *The Victorian Periodical Press: Samplings and Soundings*. Leicester, 1982, S. 167–92.

Rowell, G.: *Hell and the Victorians: A Study of Nineteenth-Century Theological Controversies concerning Eternal Punishment and the Future Life*. Oxford, 1974.

Royle, E.: ‹Taylor, Robert (1784–1844)›, in: J. O. Baylen und N. J. Gossman (Hrsg.): *Biographical Dictionary of Modern British Radicals*. 1 (1770–1830), Brighton, 1979, S. 467–70.

–: *Victorian Infidels: The Origins of the British Secularist Movement, 1791–1866*. Manchester, 1974.

–: *Radicals, Secularists and Republicans: Popular Freethought in Britain, 1866–1915*. Manchester, 1980.

Rudwick, M. J. S.: ‹The Strategy of Lyell's *Principles of Geology*›, in: *Isis*, 61 (1970), S. 4–33.

–: ‹Darwin and Glen Roy: A «Great Failure» in Scientific Method?›, in: *SHPS*, 5 (1974), S. 97–185.

–: ‹Charles Darwin in London: The Integration of Public and Private Science›, in: *Isis*, 73 (1982), S. 186–206.

Rules and Regulations and List of Members. London, 1884.

Rupke, N.: ‹*Bathybius Haeckelii* and the Psychology of Scientific Discovery: Theory instead of Observed Data controlled the Late *19th Century «Discovery» of a Primitive Form of Life*›, in: *SHPS*, 7 (1976), S. 53–62.

– (Hrsg.): *Vivisection in Historical Perspective*. London, 1987.

Ruse, M.: ‹The Darwin Industry: A Critical Evaluation›, in: *HS*, 12 (1974), S. 43–58.

–: ‹Charles Darwin and Artificial Selection›, in: *Journal of the History of Ideas*, 36 (1975), S. 339–50.

–: ‹Darwin's Debt to Philosophy: An Examination of the Influence of the Philosophical Ideas of John W. Herschel and William Whewell on the Development of Charles Darwin's Theory of Evolution›, in: *SHPS*, 6 (1975), S. 159–81.

–: *The Darwinian Revolution*. Chicago, 1979.

Russell, C. A.: ‹The Conflict Metaphor and Its Social Origins›, in: *Science and Christian Belief*, 1 (1989), S. 3–26.

Russell-Gebett, J.: *Henslow of Hitcham: Botanist, Educationalist and Clergyman*. Lavenham, 1977.

Samouelle, G.: *The Entomologist's Useful Compendium*. London, 1824.

Scherren, H.: *The Zoological Society of London*. London, 1905.

Schivelbusch, W.: *The Railway Journey: The Industrialization of Time and Space in the 19th Century*. Leamington Spa, 1986.

Schoenwald, R. L.: ‹G. Eliot's «Love» Letters: Unpublished Letters from George Eliot to Herbert Spencer›, in: *Bulletin of the New York Public Library*, 79 (1976), S. 362–71.

Schwartz, J. S.: ‹Darwin, Wallace, and the *Descent of Man*›, in: *JHB*, 17 (1984), S. 271–89.

Schwarz, H.: ‹Darwinism between Kant and Haeckel›, in: *Journal of the American Academy of Religion,* 48 (1980), S. 581–602.

Schweber, S. S.: ‹The Origin of the *Origin* Revisited›, in: *JHB*, 10 (1977), S. 229–316.

–: ‹Darwin and the Political Economists: Divergence of Character›, in: *JHB*, 13 (1980), S. 195–289.

–: ‹The Wider British Context in Darwin's Theorizing›, in: Kohn: *Darwinian Heritage,* S. 35–69.

–: ‹The Correspondence of the Young Darwin›, in: *JHB*, 21 (1988), S. 501–19.

–: ‹John Herschel and Charles Darwin: A Study in Parallel Lives›, in: *JHB*, 22 (1989), S. 1–71.

Secord, J.: ‹Nature's Fancy: Charles Darwin and the Breeding of Pigeons›, in: *Isis,* 72 (1981), S. 163–86.

–: ‹Darwin and the Breeders: A Social History›, in: Kohn: *Darwinian Heritage,* S. 519–42.

–: *Controversy in Victorian Geology: The Cambrian-Silurian Dispute.* Princeton, 1986.

–: ‹The Geological Survey of Great Britain as a Research School, 1839–1855›, in: *HS,* 24 (1986), S. 223–75.

–: ‹Behind the Veil: Robert Chambers and *Vestiges*›, in: J. Moore: *History,* S. 165–94.

–: ‹The Discovery of a Vocation: Darwin's Early Geology›, in: *BJHS,* 24 (1991), S. 133–57.

–: ‹Edinburgh Lamarckians: Robert Jameson and Robert E. Grant›, in: *JHB*, 24 (1991), S. 1–18.

Sedgwick, A.: *A Discourse on the Studies of the University.* Cambridge, 1833.

–: ‹Address by the President›, in: *PGSL,* 1 (1834), S. 187–212, S. 281–316.

[–]: ‹Objections to Mr. Darwin's Theory of the Origin of Species›, in: *Spectator,* 24. März 1860, S. 334f.

Seed, J.: ‹Theologies of Power: Unitarianism and the Social Relations of Religious Discourse, 1800–1850›, in: R. J. Morris (Hrsg.): *Class, Power, and Social Structure in British Nineteenth-Century Towns.* Leicester, 1986, S. 108–56.

Semmel, B.: *The Governor Eyre Controversy.* London, 1962.

Seward, A. C. (Hrsg.): *Darwin and Modern Science: Essays in Commemoration of the Centenary of the Birth of Charles Darwin and the Fiftieth Anniversary of the Publication of ‹The Origin of the Species›.* Cambridge, 1909.

Shairp, J. C., Tait, P. G., und Adams-Reilly, A. (Hrsg.): *Life and Letters of James David Forbes, F.R.S.* London, 1873.

Shannon, R.: *The Crisis of Imperialism, 1865–1915.* London, 1976.

Shapin, S.: ‹Phrenological Knowledge and the Social Structure of Early Nineteenth-Century Edinburgh›, in: *AS,* 32 (1975), S. 219–43.

Sharlin, H. I.: *Lord Kelvin: The Dynamic Victorian.* University Park, 1979.

Shepherd, J. A.: ‹Lawson Tait – Disciple of Charles Darwin›, in: *British Medical Journal,* 284 (1982), 1386f.

Shepperson, G.: ‹The Intellectual Background of Charles Darwin's Student Years at Edinburgh›, in: M. Banton (Hrsg.): *Darwinism and the Study of Society.* London, 1961, S. 17–35.

Shuttleworth's Popular Guide to Ilkley and Vicinity. 8. Ausg., Ilkley, o. J.

Sloan, P. R.: ‹Darwin's Invertebrate Program, 1826–1836: Preconditions for Transformism›, in: Kohn: *Darwinian Heritage,* S. 71–120.

–: ‹Darwin, Vital Matter, and the Transformism of Species›, in: *JHB*, 19 (1986), S. 367–95.

Smith, B. S.: *A History of Malvern.* Malvern, 1978.

848

Bibliographie

Smith, K. G. V. (Hrsg.): ‹Darwin's Insects: Charles Darwin's Entomological Notes›, in: *BBMNH,* 14 (1987), S. 1–143.

Smith, R.: ‹Alfred Russell Wallace: Philosophy of Nature and Man›, in: *BJHS,* 6 (1972), S. 177–99.

Smith, T. Southwood: *The Divine Government.* 4. Ausg., London, 1826.

Smyth, C.: *Simeon and Church Order: A Study of the Origins of the Evangelical Revival in Cambridge in the Eighteenth Century.* Cambridge, 1940.

Southwell, C.: ‹Is there a God?›, in: *Oracle of Reason,* 7. Mai 1842.

Speakman, C.: *Adam Sedgwick, Geologist and Dalesman, 1785–1873: A Biography in Twelve Themes.* Heathfield, 1982.

Spencer, H.: *Social Statics; or, the Conditions Essential to Human Happiness Specified, and the First Term of them Developed,* 1851. Neue Ausg., London, 1868.

[–]: ‹Owen on the Homologies of the Vertebrate Skeleton›, in: *British and Foreign Medico-Chirurgical Review,* 44 (1858), S. 400–16.

–: *An Autobiography.* 2 Bde., London, 1904.

Stanbury, D. (Hrsg.): *A Narrative of the Voyage of H.S.M. ‹Beagle›: Being Passages from the ‹Narrative› written by Captain FitzRoy, R. N., together with Extracts from His Logs, Reports and Letters; Additional Material from the Diaries and Letters of Charles Darwin, Notes from Midshipman Philip King and Letters from Second Lieutenant Bartholomew Sulivan.* London, 1977.

–: ‹H.M.S. *Beagle* and the Peculiar Service›, in: Chapman und Duval: *Charles Darwin,* S. 61–82.

Stauffner, R. C. (Hrsg.): *Charles Darwin's Natural Selection: Being the Second Part of His Big Species Book written from 1856 to 1858.* Cambridge, 1975.

Stearn, W. T.: *The Natural History Museum at South Kensington.* London, 1981.

Stebbins, R. E.: ‹France›, in: Glick: *Comparative Reception,* S. 117–67.

Stecher, R. M.: ‹The Darwin-Innes Letters: The Correspondence of an Evolutionist with His Vicar, 1848–1884›, in: *AS,* 17 (1961), S. 201–58.

Stephens, J. F.: *A Systematic Catalogue of British Insects.* 2 Teile, London, 1829.

Stevens, L. R.: ‹Darwin's Humane Reading: The Anaesthetic Man Reconsidered›, in: *VS,* 26 (1982), S. 51–63.

Stewart, R.: *Henry Brougham, 1778–1868: His Public Career.* London, 1986.

Stoddart, D. R.: ‹Darwin, Lyell, and the Geological Significance of the Coral Reefs›, in: *BJHS,* 9 (1976), S. 199–218.

Stokes, H. P.: *Cambridge Parish Workhouses.* [Cambridge], 1911.

Struthers, J.: *Historical Sketch of the Edinburgh Anatomical School.* Edinburgh, 1867.

Sulloway, F. J.: ‹Geographic Isolation in Darwin's Thinking: The Vicissitudes of a Crucial Idea›, in: *SHB,* 3 (1979), S. 23–65.

–: ‹Darwin and His Finches: The Evolution of a Legend›, in: *JHB,* 15 (1982), S. 1–53.

–: ‹Darwin's Conversion: The *Beagle* Voyage and Its Aftermath›, in: *JHB,* 15 (1982), S. 325–96.

–: ‹Darwin's Early Intellectual Development: An Overview of the *Beagle* Voyage›, in: Kohn: *Darwinian Heritage,* S. 121–54.

Sweet, J. M.: ‹Robert Jameson and the Explorers: The Search for the North-West Passage›, in: *AS,* 31 (1974), S. 21–47.

Symonds, Mrs. J. A. (Hrsg.): *Recollections of a Happy Life: Being the Autobiography of Marianne North.* 2. Ausg., 2. Bde., London, 1892.

[Tait, P. G.]: ‹Geological Time›, in: *North British Review,* 11 (1869), S. 406–39.

Taylor, B.: *Eve and the New Jerusalem: Socialism and Feminism in the Nineteenth Century.* London, 1984.

Darwin

Taylor, R.: *The Devil's Pulpit, containing Twenty-three Astronomico-Theological Discourses.* 2 Bde., Nachdruck, London, 1842; London, 1881.

Thackray, A.: ‹Natural Knowledge in Cultural Context: The Manchester Model›, in: *American Historical Review,* 79 (1974), S. 672–709.

Thompson, E. P.: *The Making of the English Working Class.* 3. Ausg., London, 1980.

Thompson, J. V.: *Zoological Researches, and Illustrations; or, Natural History of Nondescript on Imperfectly Known Animals ... Memoir IV, On the Cirripedes or Barnacles.* Cork, 1830.

Thompson, W.: ‹Physical Argument for the Equal Cultivation of all the Useful Faculties or Capabilities, of Men and Women›, in: *Co-Operative Magazine,* 1 (1826), S. 250–58.

Thomson, K. S.: ‹H.S.M. *Beagle,* 1820–1870›, in: *American Scientist,* 63 (1975), S. 664–72.

– und Rachootin, S. P.: ‹Turning Points in Darwin's Life›, in: *BJLS,* 17 (1982), S. 23–37.

Thomson, W.: *Popular Lectures and Addresses.* 3 Bde., London, 1889–94.

Todhunter, I.: *William Whewell ... An Account of His Writings, with Selections from His Literary and Scientific Correspondence.* 2 Bde., London, 1876.

Trenn, T. J.: ‹Charles Darwin, Fossil Cirripedes, and Robert Fitch: Presenting Sixteen Hitherto unpublished Darwin Letters of 1849 to 1851›, in: *PAPS,* 118 (1974), S. 471–91.

Tribe, D.: *President Charles Bradlaugh, M. P.* London, 1971.

Tristan, F.: *Flora Tristan's London Journal: A Survey of London Life in the 1830s.* Übers. v. D. Palmer und G. Pincetl, London, 1980.

Trollope, A.: *Clergymen of the Church of England,* 1866. Nachdruck, Leicester, 1974.

Tuckwell, W.: *Reminiscences of Oxford.* 2. Ausg., London, 1907.

Turner, F. M.: *Between Science and Religion: The Reaction to Scientific Naturalism in Late Victorian England.* New Haven, 1974.

–: ‹The Victorian Conflict between Science and Religion: A Professional Dimension›, in: *Isis,* 69 (1978), S. 356–76.

Turrill, W. B.: *Joseph Dalton Hooker: Botanist, Explorer, and Administrator.* London, 1963.

Tyndall, J.: ‹Address›, in: *BAAS* (Norwich 1868), 1869, S. 1–6.

–: *Fragments of Science.* 2. Ausg., London, 1871.

–: *Address delivered before the British Association assembled in Belfast.* London, 1874.

Uschmann, G. und Jahn, I.: ‹Der Briefwechsel zwischen Thomas Henry Huxley und Ernst Haeckel: Ein Beitrag zum Darwin-Jahr›, in: *Wissenschaftliche Zeitschrift der Friedrich-Schiller-Universität Jena,* Mathematisch-Naturwissenschaftliche Reihe, Heft 1/2, 9 (1959–60), S. 7–33.

Van Arsdel, R.: ‹The Westminster Review, 1824–1990›, in: W. Houghton (Hrsg.): *The Wellesley Index to Victorian Periodicals, 1824–1900,* Bd. 3. Toronto, 1979, S. 528–58.

Vidler, A. R.: *The Church in an Age of Revolution.* Harmondsworth, 1961.

Vogt, C.: *Lectures on Man: His Place in Creation, and in the History of the Earth.* London, 1864.

Vorzimmer, P. J.: ‹Darwin's *Questions about the Breeding of Animals*›, in: *JHB,* 2 (1969), S. 269–81.

–: *Charles Darwin, The Years of Controversy: The ‹Origin of Species› and Its Critics, 1859–82.* London, 1972.

–: ‹The Darwin Reading Notebooks (1838–1860)›, in: *JHB,* 10 (1977), S. 107–153.

Vicinich, A.: ‹Russia: Biological Sciences›, in: Glick: *Comparative Reception,* S. 227–55.

–: *Darwin in Russian Thought.* Berkeley, 1988.

Wagner, A.: ‹On a New Fossil Reptile supposed to be Furnished with Feathers›, in: *AMNH*, 9 (1862), S. 261–67.

Wallace, A. R.: ‹On the Law which has regulated the Introduction of New Species›, in: *AMNH*, 16 (1855), S. 184–96.

[–]: ‹Principles of Geology›, in: *QR*, 126 (1869), S. 359–94.

–: *Natural Selection*. London, 1875.

–: *Studies Scientific and Social*. 2 Bde., London, 1900.

–: *My Life: A Records of Events and Opinions*. 2 Bde., London, 1905.

Ward, H.: *History of the Athenaeum, 1824–1925*. London, 1926.

Waterhouse, G.: ‹Observations on the Classification of the Mammalia›, in: *AMNH*, 12 (1943), S. 399–412.

Watts, J.: ‹Theological Theories of the Origin of Man›, in: *Reasoner*, 26 (1861), S. 102–104, S. 119–21, S. 132–34.

– und [Holyoake, G. J.] Iconoclast (Hrsg.): ‹Charles R. Darwin.› *Half-Hours with Free-thinkers*. London, 1865.

Webb, R. K.: ‹The Unitarian Background›, in: B. Smith (Hrsg.): *Truth, Liberty, Religion: Essays celebrating Two Hundred Years of Manchester College*, 1–27. Oxford, 1986.

–: ‹The Faith of Nineteenth-Century Unitarians: A Curious Incident›, in: Helmstadter und Lightman: *Victorian Faith*, S. 126–49.

Wedgwood, B. und Wedgwood, H.: *The Wedgwood Circle: Four Generations of a Family and Their Friends*. Westfield, 1980.

Wedgwood, E. (spätere Darwin): *My First Reading Book*. Newcastle, [c. 1823]; Nachdruck, Cambridge, 1985.

[Wedgwood, H.]: ‹Grimm on the Indo-European Languages›, in: *QR*, 50 (1833), S. 169–89.

Weindling, P.: ‹Ernst Haeckel, Darwinism, and the Secularization of Nature›, in: J. Moore: *History*, S. 311–27.

Well, K. D.: ‹The Historical Context of Natural Selection: The Case of Patrick Matthew›, in: *JHB*, 6 (1973), S. 225–58.

Wheatley, V.: *The Life and Work of Harriet Martineau*. London, 1957.

Whewell, W.: ‹Address to the Geological Society›, in: *PGSL*, 2 (1833–38) [1838], S. 624–49.

Wiener, J. H.: *Radicalism and Freethought in Nineteenth-Century Britain: The Life of Richard Carlisle*. Westport, 1983.

Wiener, P. P.: *Evolution and the Founders of Pragmatism*. Philadelphia, 1972.

Wilberforce, S.: *Pride a Hindrance to True Knowledge: A Sermon preached in the Church of St. Mary the Virgin, Oxford, before the University, on Sunday, June 27, 1847*. London, 1847.

[–]: ‹Darwin's Origin of Species›, in: *QR*, 102 (1860), S. 225–64.

Willey, B.: *The Eighteenth Century Background: Studies on the Idea of Nature in the Thought of the Period*. London, 1940.

–: *Darwin and Butler: Two Versions of Evolution*. London, 1960.

Wilson, G. und Geikie, A.: *Memoir of Edward Forbes*. Cambridge, 1861.

Wilson, L. G. (Hrsg.): *Sir Charles Lyell's Scientific Journals on the Species Question*. New Haven, 1970.

–: *Charles Lyell, The Years to 1841: The Revolution in Geology*. New Haven, 1972.

Wingfield-Stratford, E.: *The Victorian Sunset*. London, 1932.

Winsor, M. P.: ‹Barnacle Larvae in the Nineteenth Century›, in: *JHM*, 24 (1969), S. 294–309.

–: *Starfish, Jellyfish, and the Order of Life: Issues of Nineteenth-Century Science.* New Haven, 1976.

Winstanley, D. A.: *Unreformed Cambridge: A Study of Certain Aspects of the University in the Eighteenth Century.* Cambridge, 1935.

–: *Early Victorian Cambridge.* Cambridge, 1940.

–: *Later Victorian Cambridge.* Cambridge, 1947.

Wollaston, T. V.: *On the Variation of Species with especial reference to the Insecta; followed by an Inquiry into the Nature of Genera.* London, 1856.

Woodall, E.: ‹Charles Darwin›, in: *Transactions of the Shropshire Archaeological and Natural History Society,* 8 (1884), S. 1–64.

Wright, C.: *Darwinism: Being an Examination of Mr. St. George Mivart's ‹Genesis of Species›.* London, 1871.

Yeo, E.: ‹Christianity in Chartist Struggle, 1838–1842›, in: *Past and Present,* 91 (1981), S. 109–39.

Yeo, R.: ‹Science and Intellectual Authority in Mid-Nineteenth-Century Britain: Robert Chambers and *Vestiges of the Natural History of Creation*›, in: *VS,* 28 (1984), S. 5–31.

Young, G. M.: *Portrait of an Age: Victorian England.* 2. Ausg., Oxford, 1953.

Young, R. M.: ‹Darwinism *is* Social›, in: Kohn: *Darwinian Heritage,* S. 609–38.

–: *Darwin's Metaphor: Nature's Place in Victorian Culture.* Cambridge, 1985.

–: ‹Charles Darwin: Man and Metaphor›, in: *Science as Culture,* 5 (1989), S. 71–86.

Zangerl, C. H. E.: ‹The Social Composition of the County Magistracy in England and Wales, 1831–1887›, in: *Journal of British Studies,* 11 (1971–72), S. 113–125.

Danksagungen

Wir danken insbesondere jenen Freunden und Kollegen, die eigene Vorhaben zurückstellten, um uns zu helfen, unsere Fristen einzuhalten: Fred Burkhardt, Nellie Flexner, Elizabeth Leedham-Green, David Kohn, Mike Petty, Jim und Anne Secord und Steven Shapin, die Entwürfe von Kapiteln lasen; Alison Winter, die sich Auszüge anhörte; John Thackray, Jim Secord und David Stanbury, die uns Informationen lieferten; Fiona Erskine, Martha Richmond und Godfrey Waller, die uns mit Manuskriptmaterial versorgten (und dem verstorbenen Dov Ospovat für eine Transkription von Darwins Aufzeichnungen über seine Begegnung von 1856 mit Huxley, Hooker und Wollaston); Richard Milner, der uns Einblick in seine unveröffentlichten Forschungsergebnisse über Darwin und Wallace gewährte; Stephen Pocock, Anne Secord und dem Darwin-Brief-Projektteam an der Universitätsbibliothek Cambridge für die Überlassung von Vorausexemplaren der Darwin-Korrespondenz; Peter Gautrey und Simon Schaffner für ihre Hilfe bei Transkriptionen und einer Übersetzung; Jane Clark, Tony Coulson, Kirsteen Mitcalfe, Solene Morris und Mike Petty für die Beschaffung von Illustrationen; und Rev. Geoffrey Evans für eine Besichtigungstour von Shrewsbury und der Unitarierkirche in der High Street.

Persönliche Dankesschuld kann nie angemessen abgetragen werden. John und Ellen Greene haben uns in mehr als einer Hinsicht uneingeschränkt unterstützt; ihr detaillierter Kommentar zu dem Manuskript war ein gewaltiger Freundschaftsdienst. Ralph Colp jr. war eine ständige Inspiration und ein Fundus an Erkenntnissen bezüglich der Einzelheiten von Darwins Privatleben; wir danken ihm herzlich für die Überlassung von Darwins Gesundheitstagebuch, für die Sichtung unserer Kapitel und deren Erörterung über eine transatlantische Leitung. Auch Nick Furbank und Dick Aulie lasen unsere Entwürfe und ließen uns ihren fachmännischen Rat zukommen.

Gordon Moore und Robert Tollemache hielten das halbe Projekt in Gang, wenn nichts mehr zu fruchten schien. Ähnlich rechtzeitige Hilfe wurde uns von Simon Schaffer und Anita Herle, Alison Winter, Iwan Morus und Nigel Leask zuteil. Gill Knott und Marcus boten Fluchtmöglichkeiten nach Ilkley und in andere Gegenden, während Chris und Barrie Vincent ein warmes Nest in größerer Nähe bereithielten. Jessica Drader und Harry Flexner Desmond werden ihre Väter jetzt mehr zu Gesicht bekommen. Wir danken ihnen vor allem für ihre Geduld und Liebe.

Wir möchten George Pember Darwin danken, der uns liebenswürdigerweise gestattete, Auszüge aus Darwins Briefen und Manuskripten abzudrucken. Wir schulden den Bevollmächtigten der Universitätsbibliothek Cambridge Dank, daß sie uns gestatteten, aus unveröffentlichtem Material des Darwin-Archivs und anderer Sammlungen zu zitieren. Und wir statten den Vertretern der Cambridge University Press unseren Dank ab, deren großartige *Correspondence of Charles Darwin* einen so reichhaltigen Fundus an Material darstellt.

Für die Erlaubnis, Manuskriptmaterial zu sichten und daraus zu zitieren, möchten wir folgenden Institutionen und Personen danken: American Philosophical Society Library; Avon County Library; Bath Central Library für die Korrespondenz von Jenyns; Naturgeschichtliche Abteilung des Britischen Museums für die Papiere von Richard Owen; British Library, Manuskriptabteilung; Charles Darwin Museum, Down House, auf Empfehlung des Royal College of Surgeons of England; Christ's College Library, Cambridge, für die Darwin-Fox-Briefe; County of Hereford and Worcester Record Office; Dr. Williams's Library, London; Edinburgh University Library; Ernst-Haeckel-Haus, Friedrich-Schiller-Universität, Jena; General Register Office, London; Harvard University Library für die Universitätsarchive; Imperial College of Science and Technology, London, für die Papiere von Huxley, Ramsey und College Archives; R. G. Jenyns, Bottisham Hall, Bottisham, Cambridgeshire, für die Papiere von Leonard Jenyns; Keele University Library für die Wedgwood-Mosley Collection mit Genehmigung der Wedgwood Museum Trustees, Barlaston, Stoke-on-Trent, Staffordshire; Kent County Archives Office für die Dokumente der Gemeinde Downe; Public Record Office, Kew and Quality Court, London; Royal Botanic Gardens, Kew; Royal Institution, London, für die Tyndall-Papiere; University College London Library für die Brougham-Papiere und Society for the Diffusion of Useful Knowledge-Correspondence; University of British Columbia Library, Vancouver; Wellcome Institute for the History of Medicine Library, London; und der Zoological Society of London Library.

Abbildungsnachweis

1. Darwins Großvater Erasmus Darwin. (The Library, Wellcome Institute for the History of Medicine, London.)
2. Robert Darwin, Darwins Vater. (The Library, Wellcome Institute for the History of Medicine, London.)
3. The Mount. (Order of the Proceedings at the Darwin Celebration held at Cambridge; Cambridge U.P., 1909.)
4. Charles und Catherine Darwin. (James Moore.)
5. Seine erste Schule. (James Moore.)
6. Die Schule von Shrewsbury. (James Moore.)
7. Die Universität von Edinburgh. (The Library, University College London.)
8. Edinburgh. (Yerbury Photography.)
9. Protokoll der Plinian Society. (Edinburgh University Library.)
10. Robert E. Grant. (Mit freundlicher Genehmigung des Natural History Museum London.)
11. Christ's College. (Cambridgeshire Collection, Central Library, Cambridge.)
12. William Darwin Fox. (Darwin Archive, mit freundlicher Genehmigung der Syndics of Cambridge University Library.)
13. Darwins Zimmer im Christ's College. (Order of the Proceedings at the Darwin Celebration held at Cambridge; Cambridge U.P., 1909.)
14. Der Mühlenbach. (Cambridgeshire Collection, Central Library, Cambridge.)
15. Albert Ways Skizze. (Darwin Archive, mit freundlicher Genehmigung der Syndics of Cambridge University Library.)
16. Stadtgefängnis von Cambridge. (Cambridgeshire Collection, Central Library, Cambridge.)
17. Adam Sedgwick. (James Moore.)
18. Robert Taylor. (National Portrait Gallery, London.)
19. Plakat. (University Archives, mit freundlicher Genehmigung der Syndics of Cambridge University Library.)
20. Die Rotunda. (Greater London Record Office and History Library.)
21. Die *Beagle*. (James Moore.)
22. John Stevens Henslow. (University Archives, mit freundlicher Genehmigung der Syndics of Cambridge University Library.)
23. ‹Der brasilianische Urwald› von Moritz Rugendas. (Bodleian Library, Oxford.)
24. Feuerländer. (University Museum of Archaeology and Anthropology, Cambridge.)

25. Die Kathedrale von Conceptión. (Aus: R. FitzRoy: *Narrative of the Surveying Voyages of His Majesty's Ships ‹Adventure› and ‹Beagle›*. Band 2, 1839.)
26. Der Zoologische Garten in Regent's Park. (The Zoological Society of London.)
27. Jenny im Jahr 1838. (The Zoological Society of London.)
28. Emma Wedgwood. (James Moore.)
29. ‹Macaw Cottage›. (Greater London Record Office and History Library.)
30. Truppen auf dem Weg zum Bahnhof Euston. (Illustrated London News Picture Library.)
31. Charles und William Darwin. (The Library, University College London.)
32. Down House. (Charles Darwin Museum, Down House, mit freundlicher Genehmigung des Royal College of Surgeons of England.)
33. Darwins Arbeitszimmer. (Darwin Archive, mit freundlicher Genehmigung der Syndics of Cambridge University Library.)
34. ‹Mr. Arthorbalanus›. (C. Darwin: *A Monograph of the Sub-Class Cirripedia*. Ray Society, 1854.)
35. Konferenz der Britischen Vereinigung zur Förderung der Wissenschaft. (*Illustrated London News* vom 3. Juli 1847.)
36. Darwin. (The Library, Wellcome Institute for the History of Medicine, London.)
37. Great Malvern. (Malvern Library, Malvern, Worcestershire.)
38. Annie Darwin. (Darwin Archive, mit freundlicher Genehmigung der Syndics of Cambridge University Library.)
39. Annies Grabstein. (James Moore.)
40. Königin Victoria eröffnet den Kristallpalast. (The Queen's Archives, Windsor Castle. Copyright vorbehalten. Mit freundlicher Genehmigung I. M. Elizabeth II.)
41. Herbert Spencer. (Adrian Desmond.)
42. The George Inn. (The George and Dragon Public House, Downe, Kent. Photographie: Jane Clark.)
43. Charles' Bruder Erasmus. (James Moore.)
44. William Darwin. (Darwin Archive, mit freundlicher Genehmigung der Syndics of Cambridge University Library.)
45. Henrietta Darwin. (Darwin Archive, mit freundlicher Genehmigung der Syndics of Cambridge University Library.)
46. George Darwin. (Darwin Archive, mit freundlicher Genehmigung der Syndics of Cambridge University Library.)
47. Francis Darwin. (Darwin Archive, mit freundlicher Genehmigung der Syndics of Cambridge University Library.)
48. Die Royal Society. (Adrian Desmond.)
49. Edward Forbes. (Aus: E. Forbes: *Literary Papers by the Late Professor Edward Forbes*. Reeve, 1855.)
50. John Brodie Innes. (Kirsteen Mitcalfe, Milton Brodie, Forres, Scotland.)
51. Darwin. (National Portrait Gallery, London.)
52. Joseph Hooker. (National Portrait Gallery, London.)
53. Ausgefallene Taubenzüchtungen. (Adrian Desmond.)
54. Taubenausstellung. (Adrian Desmond.)
55. Emma Darwin. (Darwin Archive, mit freundlicher Genehmigung der Syndics of Cambridge University Library.)
56. Henrietta Darwin. (Darwin Archive, mit freundlicher Genehmigung der Syndics of Cambridge University Library.)
57. Elizabeth Darwin. (Darwin Archive, mit freundlicher Genehmigung der Syndics of Cambridge University Library.)

58. Richard Owen. (Adrian Desmond.)
59. Owens Vorlesung. (Adrian Desmond.)
60. Gorillaschädel. (Aus: *Transactions of the Zoological Society,* London, 3, 1849, Abb. 62.)
61. Alfred Russell Wallace. (James Moore.)
62. Ilkley Wells. (Ilkley Library, Ilkley, West Yorkshire.)
63. T. H. Huxley. (The Library, Wellcome Institute for the History of Medicine, London.)
64. ‹Mr. G. O'rilla›. (Aus: *Punch* vom 14. Dezember 1861.)
65. Benjamin Disraeli als Engel. (Aus: *Punch* vom 10. Dezember 1864.)
66. Down House. (Darwin Archive, mit freundlicher Genehmigung der Syndics of Cambridge University Library.)
67. Darwins Familie. (Darwin Archive, mit freundlicher Genehmigung der Syndics of Cambridge University Library.)
68. Darwin. (The Library, University College London.)
69. Das Personal von Down House. (Darwin Archive, mit freundlicher Genehmigung der Syndics of Cambridge University Library.)
70. Der Sandweg. (Darwin Archive, mit freundlicher Genehmigung der Syndics of Cambridge University Library.)
71. Darwin auf Tommy. (Darwin Archive, mit freundlicher Genehmigung der Syndics of Cambridge University Library.)
72. Darwins Kinder. (Darwin Archive, mit freundlicher Genehmigung der Syndics of Cambridge University Library.)
73. Karikatur aus *Punch.* (Ausgabe vom 1. April 1871.)
74. Ernst Haeckel. (James Moore.)
75. Karikatur auf Darwin. (Charles Darwin Museum, Down House, mit freundlicher Genehmigung des Royal College of Surgeons of England.)
76. Karikatur auf Darwin. (Darwin Archive, mit freundlicher Genehmigung der Syndics of Cambridge University Library.)
77. Erasmus Darwin mit seinen Neffen. (Darwin Archive, mit freundlicher Genehmigung der Syndics of Cambridge University Library.)
78. Der neue Salon von Down House. (Darwin Archive, mit freundlicher Genehmigung der Syndics of Cambridge University Library.)
79. Darwins neues Arbeitszimmer. (Darwin Archive, mit freundlicher Genehmigung der Syndics of Cambridge University Library.)
80. Darwins Enkel Bernard. (Darwin Archive, mit freundlicher Genehmigung der Syndics of Cambridge University Library.)
81. Darwin. (James Moore.)
82. Charles Lyell. (Adrian Desmond.)
83. Karikatur aus *Punch.* (Ausgabe vom 1. Dezember 1877.)
84. Darwin. (Darwin Archive, mit freundlicher Genehmigung der Syndics of Cambridge University Library.)
85. George Romanes. (James Moore.)
86. John Jubbock. (Adrian Desmond.)
87. Darwins Beisetzung. (James Moore.)
88. Eintrittskarte für die Beisetzung. (Darwin Archive, mit freundlicher Genehmigung der Syndics of Cambridge University Library.)
89. Allegorie auf Darwin. (Darwin Archive, mit freundlicher Genehmigung der Syndics of Cambridge University Library.)
90. Huxley und der Prince of Wales. (Aus: *The Graphic* vom 9. Juni 1885.)
91. Darwin. (The Library, Wellcome Institute for the History of Medicine, London.)

Register